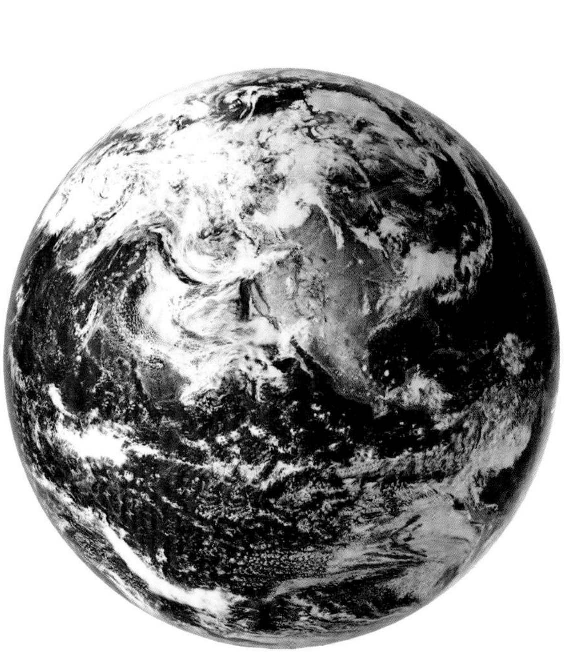

知識大百科

KNOWLEDGE

ENCYCLOPEDIA

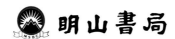

明山書局

DK 大百科系列

知識大百科
KNOWLEDGE
ENCYCLOPEDIA

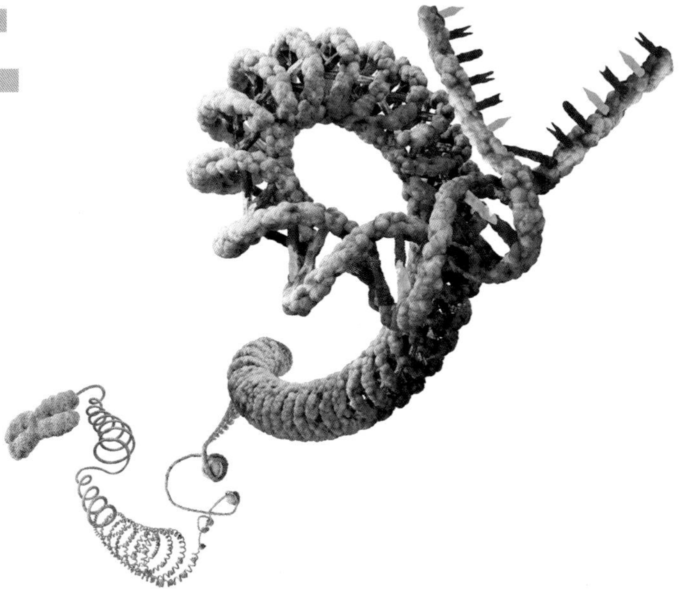

Penguin Random House

A DK Publishing Book
Original Title: **Knowledge Encyclopedia**
Copyright © 2013 Dorling Kindersley Limited

DK 大百科系列 05

知識大百科

作　　者 ◎ DK出版社
編 輯 群 ◎ Shaila Brown / Daniel Mills / Ben Morgan / Vicky Short / Smiljka Surla / Lizzie Munsey / Sam Priddy / Alison Sturgeon / Daniela Boraschi / Tannishtha Chakraborty / Richard Horsford / Hedi Hunter / Fiona Macdonald / Peter Laws

翻　　譯 ◎ 韓翔中/黃彼得/堤熊子子
美術編輯 ◎ 羅怡絨
執行主編 ◎ 黃秋生

出版發行 ◎ 喜樂亞股份有限公司
出版編輯 ◎ 明山書局
地　　址 ◎ 嘉義市西區世賢路1段628號
電　　話 ◎ 05-238-4768
明山書局 www.mingshanbooks.com.tw

總 代 理 ◎ 采舍國際有限公司
地　　址 ◎ 新北市中和區中山路2段366巷10號3樓
電　　話 ◎ 02- 8245-8786
傳　　真 ◎ 02- 8245-8718

初　　版 ◎ 2019年2月
定　　價 ◎ 新台幣1250元
I S B N ◎ 978-986-6384-40-0(精裝)

Traditional Chinese translation edition © 2019 Joy Asia corporation, Ltd.
Traditional Chinese text © 2019 Ming-Shan Books Company
All rights reserved 版權所有・翻印必究
Printed in Taiwan

國家圖書館出版品預行編目資料

知識大百科 / DK出版社作；韓翔中, 黃彼得, 堤熊子子翻譯.
-- 初版. -- 嘉義市：明山, 2019.2
面；　公分. --（DK大百科系列；5）
譯自：Knowledge Encyclopedia
ISBN 978-986-6384-40-0(精裝)

1.百科全書 2.兒童讀物
047　　109016427

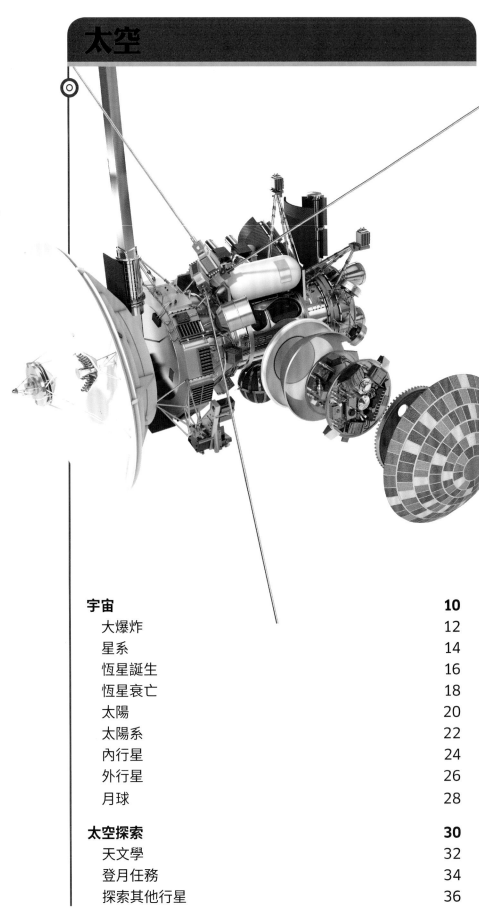

CONTENTS

太空

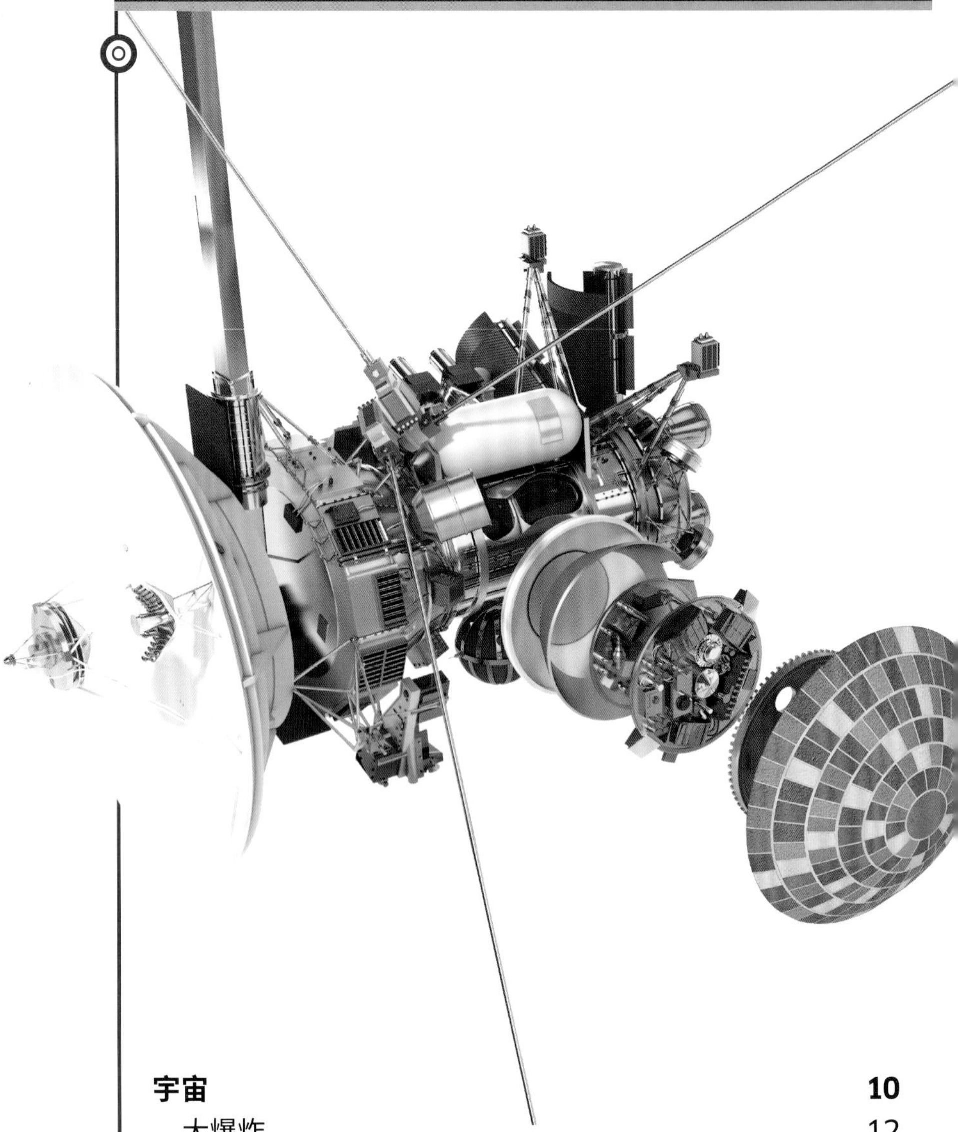

地球

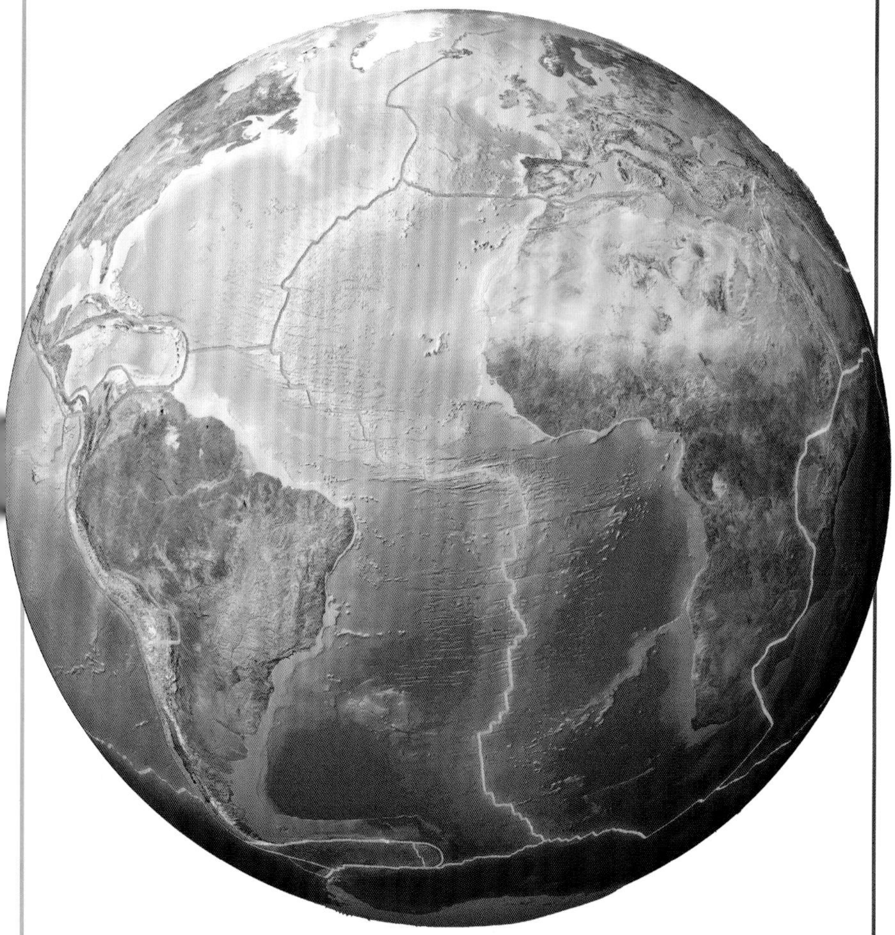

自然界

人體

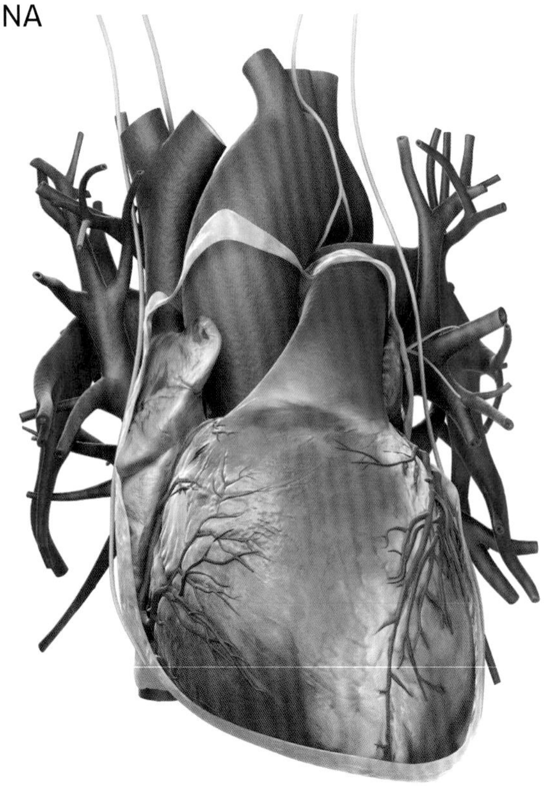

科學

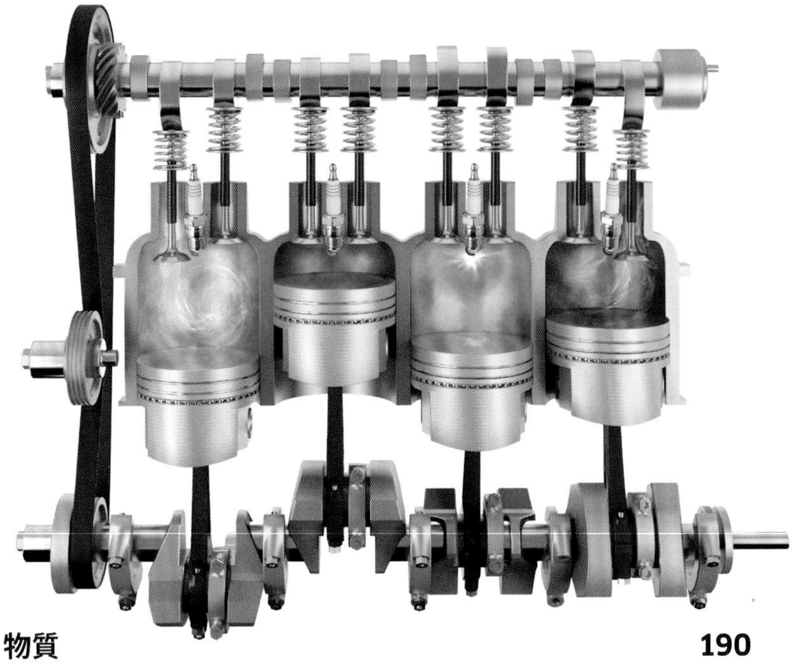

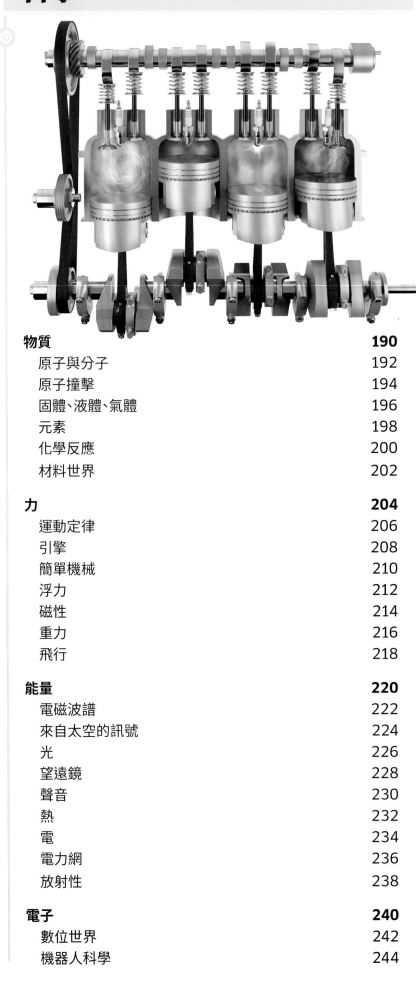

歷史

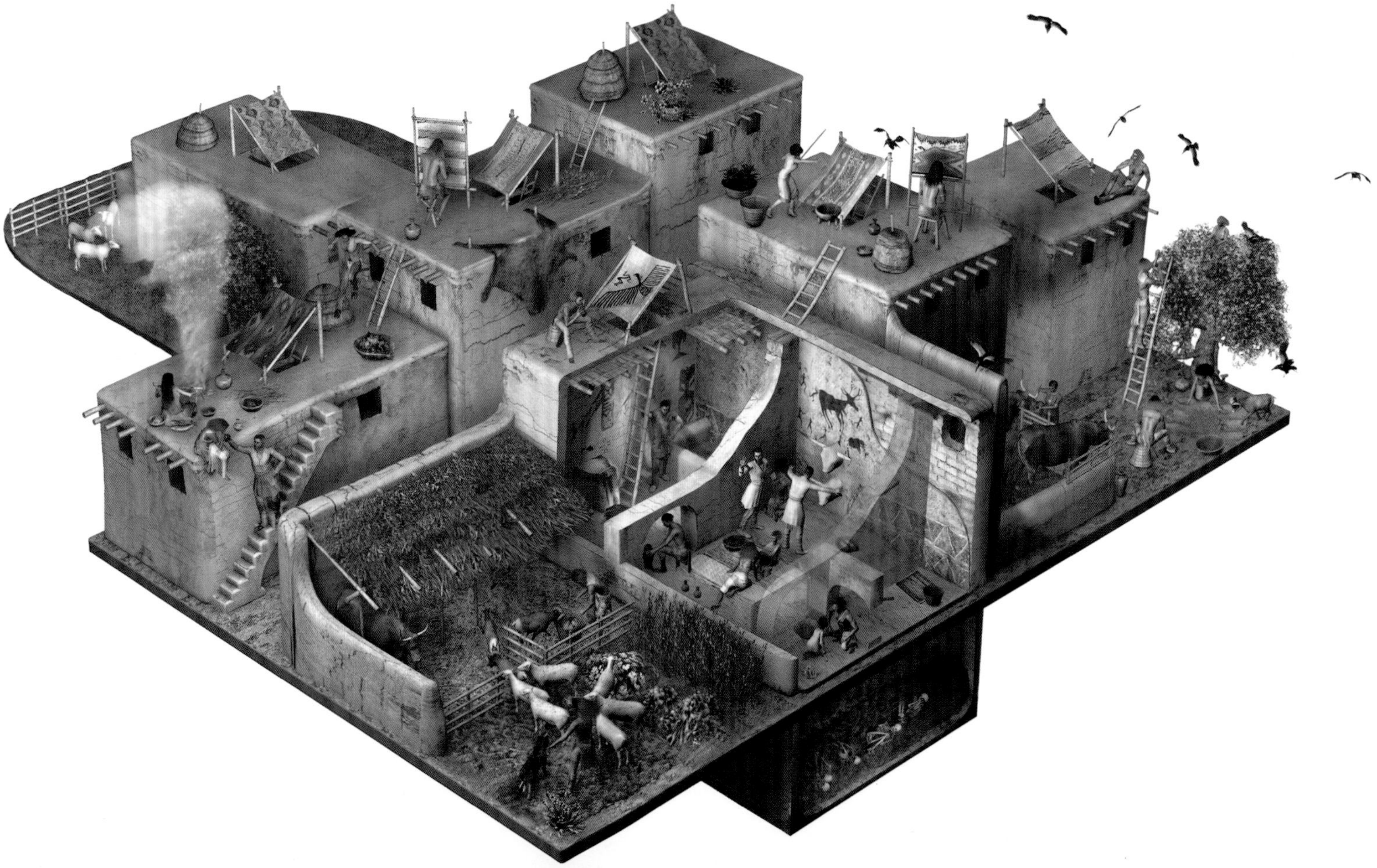

太空

當你抬頭望向浩瀚的夜空，你其實正在凝視深不可測的宇宙、以及散布於太空中的無數「星系」——而這些星系有的遙遠到你無法看見、甚至無法想像！

宇宙

宇宙是一個包含所有空間、物質、能量和時間的整體，寬廣無垠，超乎想像。宇宙的產生始於138 億年前的一次「大爆炸」，而且至今範圍還持續擴張中！

註 1：中文科普書籍 (包括本書) 常以「恆星系」(stellar system) 來指涉「以 1 顆恆星為中心、周圍環繞數顆行星運行」的系統，例如將太陽系當作一個恆星系，用以跟「銀河系」之類的「星系」(galaxy) 作出區隔；但事實上，2 個以上恆星所組成的系統才能稱為「恆星系」，包括「聯星」、「五重星」……等，而太陽系應該只是一個「行星系 (統)」(planetary system)。

天體

宇宙中超過 99.9999999999% 的空間是空無一物的，只有各種物體漂浮在廣大、黑暗的太空之中，天文學家稱之為「天體」，包括塵埃、行星、恆星和星系。我們的太陽是其中一顆恆星，太陽系涵蓋一顆恆星 (太陽) 與一大群行星及衛星，而這些天體，都是由同一團星雲爆炸而逐漸形成的。近年來，人類陸續發現其他恆星系註 [1] 的「系外行星」，顯然，我們的太陽系只是銀河系的數千億個恆星系之一。

小行星

太陽系誕生之初留下來的岩塊稱為小行星，尺寸小的如同巨大卵石、大的近乎矮行星。

關於宇宙的推論

人類一度以為宇宙是個巨大的球體，但現在已然瞭解事情沒那麼簡單，宇宙可能並無中心或邊緣之分，而人類所見的宇宙僅是其中一小部分，真實的宇宙遠比想像中大得多——甚至可能是沒有極限的！

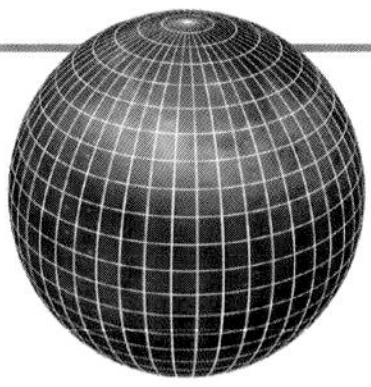

封閉狀

宇宙物質的密度若是夠高，就會將自身彎折成封閉狀，如此一來，只要你沿著單一直線行進，最終都會回到原點。

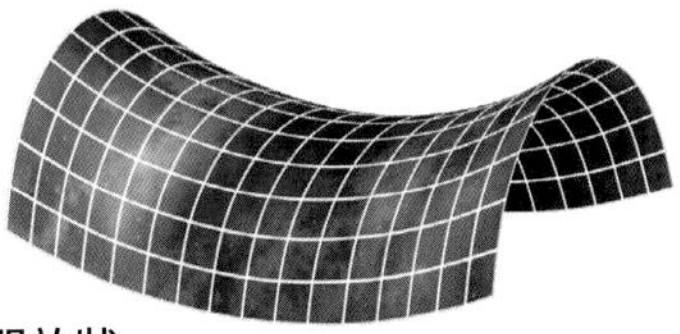

開放狀

如果宇宙物質的密度不高，那麼宇宙可能會延展成為開放狀態，而且是無邊無際的。

扁平狀

又若宇宙物質的密度剛剛好，其形狀應該是扁平狀的，而扁平狀宇宙同樣無邊無際，也就是無限大。

宇宙是什麼形狀？

太空的三維空間 (三度空間) 受到宇宙物質的重力所影響，因而產生「彎曲」，形成四維空間；這有點兒難以理解，科學家使用一大片橡膠墊來解釋，重力將宇宙空間彎折成為右列的 3 種可能形狀之一—端視宇宙物質的密度而定—而現今，大多數科學家認為宇宙應該是扁平狀的。

眼前即從前

光速雖快，還是得耗費時間，因此當我們仰望天際，「眼前」所見的其實只是「從前」的景像。目前人類所能窺見的最遠處是「哈柏望遠鏡」所拍攝的星系，但事實上那是它在130 億年前的樣子啊！更何況，宇宙遠比人類所見更大，只是我們尚未看見更遠的物體——原因在於，這些遙遠物體的影像即使以光速前進，至今都還沒傳送到地球。

最遙遠的天體

右圖是哈柏望遠鏡所拍攝的影像，其中那些微弱的小亮點就是目前所能見到的最遙遠星系，這些影像以光速在太空中行進了 130 億年，才抵達我們的眼中。

宇宙是由什麼成分組成的？

我們所瞭解的宇宙物質，98% 以上是由氫原素與氦原素所組成的，但這些普通物質似乎不足以解釋，恆星或星系為何會受到如此大的重力所牽引，因此天文學家認為，星系中必定存在大量看不見的「暗物質」；此外，還有一種未知的力量迫使宇宙持續擴張——這種力量稱為「暗能量」。

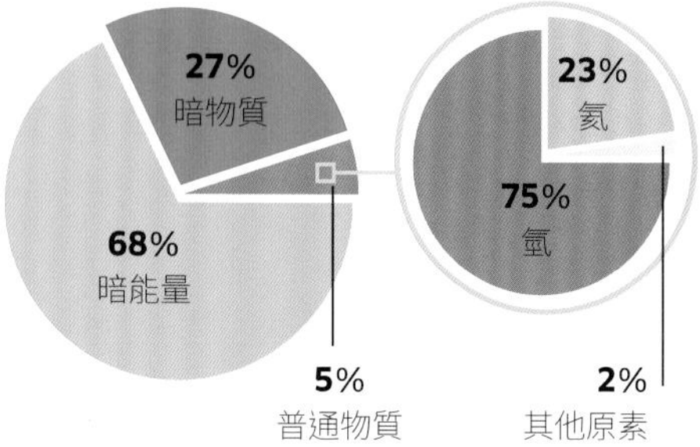

27%
暗物質
68%
暗能量
23%
氦
75%
氫
5%
普通物質
2%
其他原素

宇宙的組成成分

太空尺度：由小而大

宇宙是如此寬廣，若不加大度量尺度，無以體會其規模。右方依序由小而大，展現宇宙中不同層級範圍的縮小比例圖，此時「公里」這個長度單位已不管用，天文學家運用光的速度來取代：「光速」每秒可以繞行地球赤道 7.5 圈，而光速行進 1 整年的距離長達 10 兆公里左右——這個天文學的長度單位稱之為「光年」。

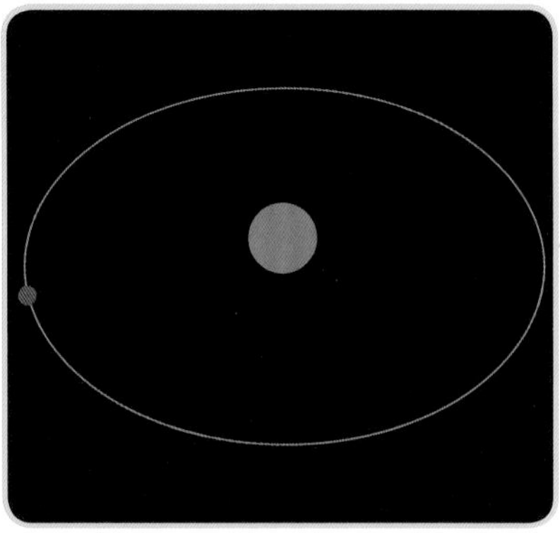

地球與月球

地球的直徑寬達 12,756 公里，跟地球靠得最近的天體就是月球，月球隔著 384,400 公里的距離環繞地球運行——假設地球的尺寸是一顆足球，那麼，月球就如同 21 公尺之外的一粒甜瓜。

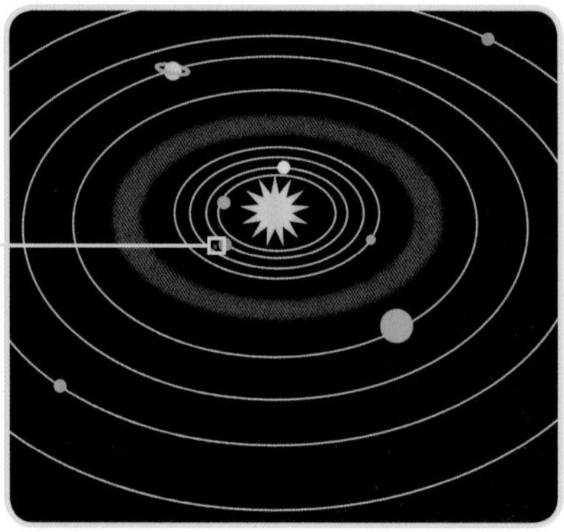

太陽系

太陽系包含 8 顆行星，涵蓋大約 90 億公里寬的範圍。假設地球是一顆足球，那麼，這顆足球需時 5 天才能飛出太陽系，而進一步飛到距離最近的其他恆星，則需要 58 年之久！

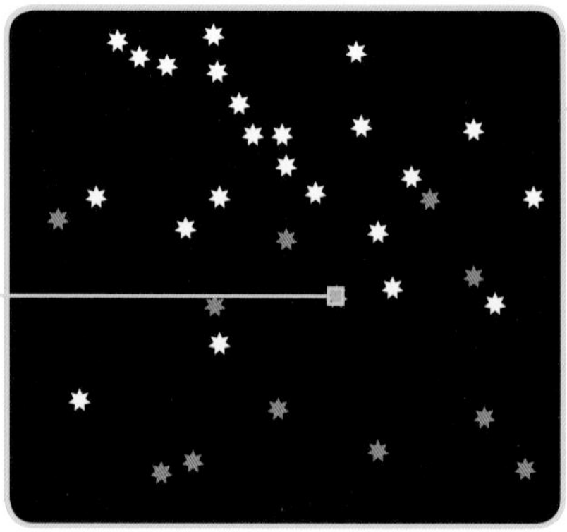

太陽系的近鄰

距離太陽最近的恆星是「比鄰星」，兩者相距 4 光年以上，此外在太陽的方圓 50 光年之內，總計約有 2,000 顆恆星，它們堪稱太陽的星際近鄰，然而，這些恆星卻只占了銀河系眾多恆星之中的一小部分

彗星
彗星其實是來自太陽系邊緣的大冰團，當彗星朝向太陽接進時，其氣團與塵埃受熱揮發，形成拖曳於後方的發光長尾巴——彗尾。

衛星
環繞行星運轉的天體稱為衛星、或是天然衛星。地球只有 1 顆衛星 (月球)，而木星擁有 67 顆衛星——包括上圖中的埃歐 (木衛一)。

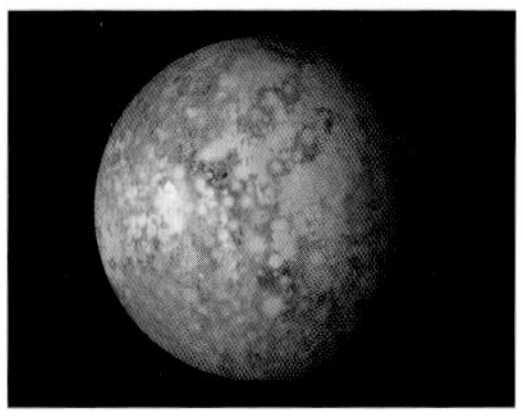

矮行星
矮行星的尺寸小於「行星」，又比「小行星」來得大，它們的形狀跟行星一樣，都是近乎圓球狀；上圖是最廣為人知的矮行星——冥王星。

行星
行星是近乎球體狀的大型天體，循著固定軌道繞行恆星。我們的太陽系擁有 8 顆行星。

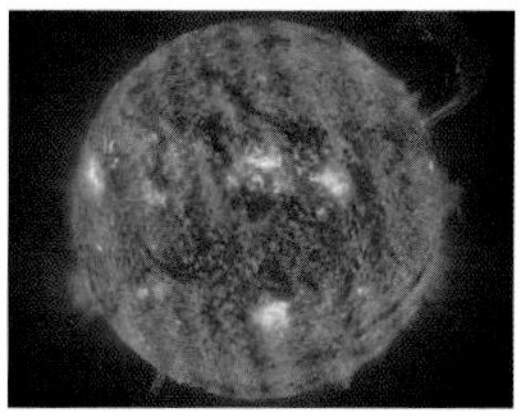

恆星
恆星一例如太陽一事實上是藉由自身核能發光發熱的大氣團，其類型、溫度與尺寸不一而足。

星雲
太空中由氣體與塵埃組合而成的發光氣團稱為星雲，有的星雲是衰亡恆星的殘骸所產生的氣團，另一些星雲最終可能導致新恆星的誕生。

有沒有外星人？

存在於科學界的最大疑問之一，就是：地球是不是宇宙中唯一蘊育生命之處？倘若其他星球真有生物，它們是否已經演化出高度智慧？為了解開這個謎團，科學家早已建置從星際接收聲光訊息的設施，並向外傳送我們的訊息，看看是否能夠觸及外星文明。

阿雷西伯訊息

西元 1974 年，科學家運用巨大的「阿雷西伯電波望遠鏡」(位於波多黎各)，朝向「仙座星團」(M13/梅西爾 13) 發出無線電信號，傳達包括代表人類形像、十進位數字系統、DNA 分子、以及太陽系構造的種種資訊，但這些訊息必須耗費 25,000 年才能傳到仙座星團，就算有其他文明回應我們，又得經過 25,000 年才能傳回地球；因此，這項計畫與其說真的想要連絡外星人，不如說是作秀罷了！

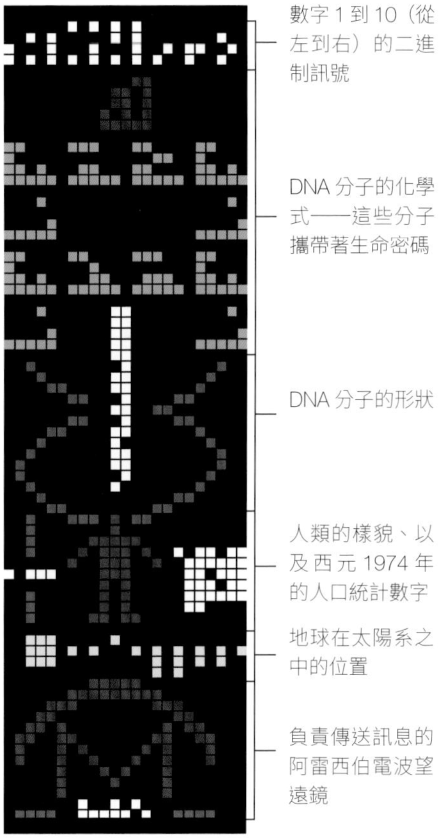

數字 1 到 10（從左到右）的二進制訊號
DNA 分子的化學式——這些分子攜帶著生命密碼
DNA 分子的形狀
人類的樣貌、以及西元 1974 年的人口統計數字
地球在太陽系之中的位置
負責傳送訊息的阿雷西伯電波望遠鏡

尋找外星文明

科學家在西元 1960 啟動「搜尋地外智慧計畫」，運用強大的電波望遠鏡來掃描天空，希望能接收到來自外星文明的無線電信號，但至今除了一些假警報，並無具體成果。

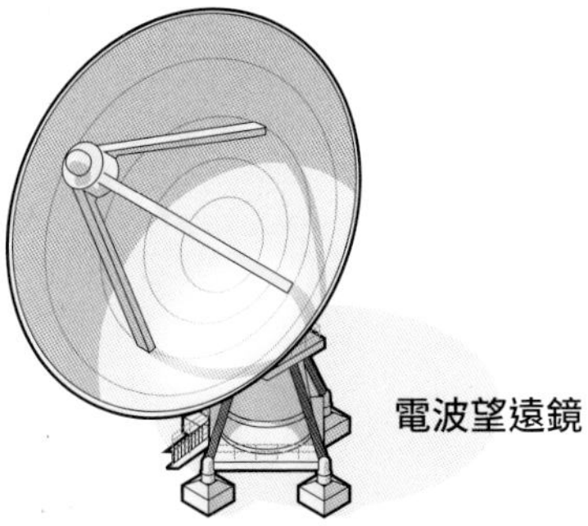

電波望遠鏡

無人太空探測船

「先鋒 10 號」與「先鋒 11 號」是美國發射的兩艘無人太空探測船，它們在 1973~1974 年之間飛越木星和土星，接著朝向更遙遠的外太空飛去；假如外星人遇上了其中任何一艘太空船，他們將會在上頭發現一塊鍍金鋁牌，表面雕刻著關於地球的一些資訊。

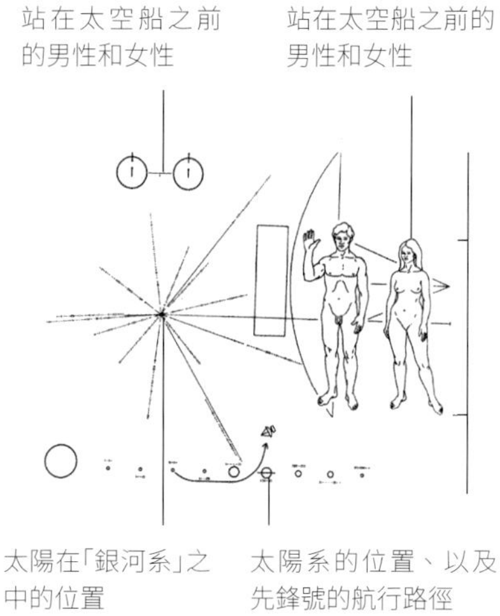

站在太空船之前的男性和女性
站在太空船之前的男性和女性
太陽在「銀河系」之中的位置
太陽系的位置、以及先鋒號的航行路徑

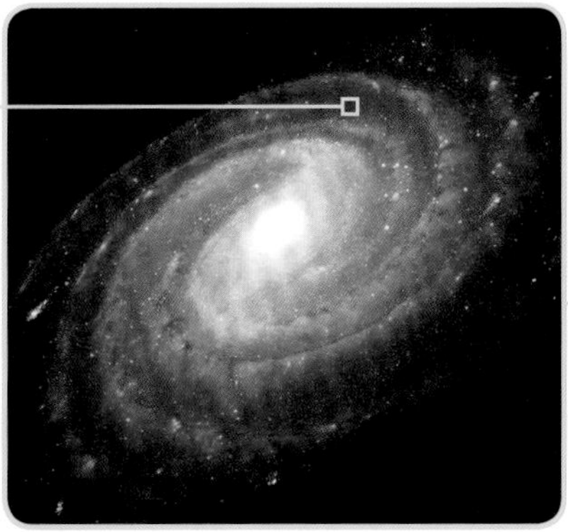

銀河系
銀河系涵蓋 2,000 億顆左右的恆星，其形狀類似兩片背靠背連接的荷包蛋——包含一個盤狀構造 (銀盤)、以及中央凸起部分 (核球)，盤狀構造寬達 100,000 光年，而中央凸起部分最厚可達 2,000 光年。

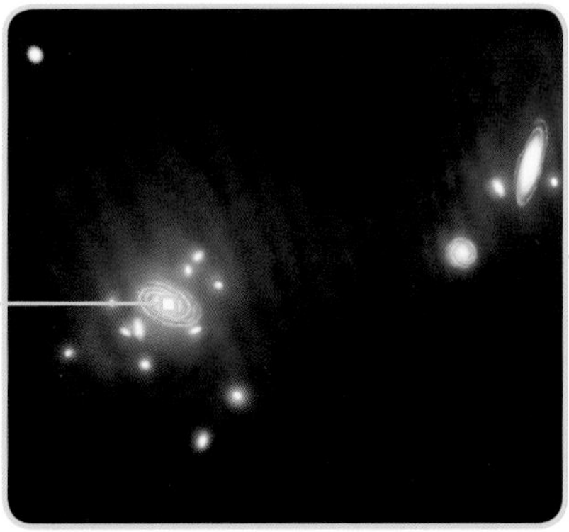

本星系群
在人類可見的宇宙，銀河系可能只是 7 兆個星系之一，相近的星系因重力牽引而靠攏，稱之為「星系群」，例如我們所處的銀河系，就是位於「本星系群」之中；本星系群的範圍寬達 1,000 萬光年左右。

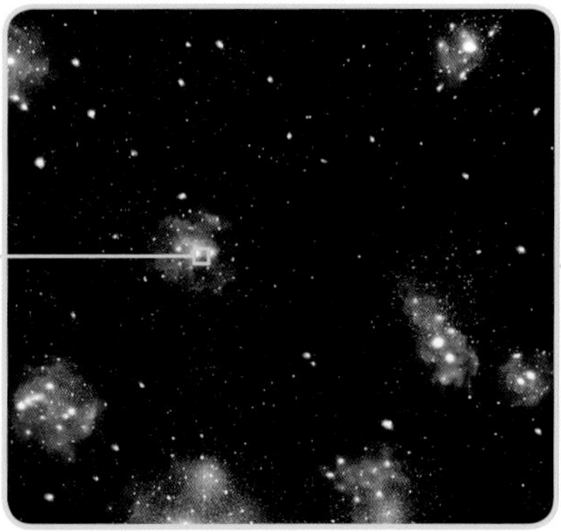

超星系團
眾多「星系群」組成範圍更大的「超星系團」，例如我們的「本星系群」就是包含於「室女座超星系團」之中，但這只是可觀察宇宙的 1,000 萬個超星系團之一；至於超星系團之間的遼闊太空，稱為「空洞」。

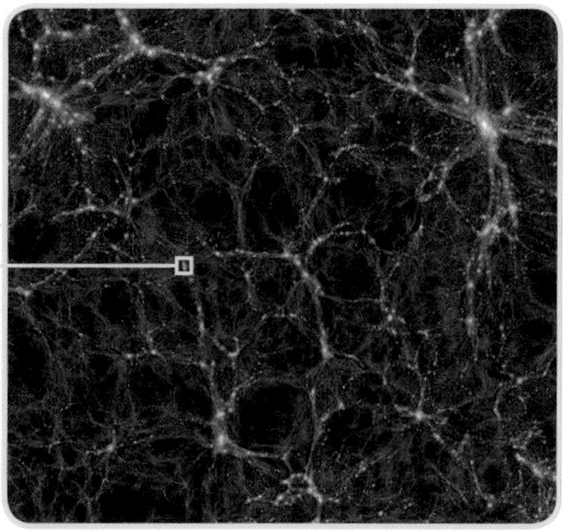

宇宙
所有「超星系團」像細絲般連結成為巨大的網絡，細絲之間寬廣的空間沒有任何星系存在，然而宇宙的真正範圍到底有多大，至今仍是一個未解的謎團——畢竟我們所見的只是宇宙的一小部分；又或者，宇宙根本就是無邊無際的！

大爆炸

大約 140 億年前，不知什麼原因，宇宙從虛無中突然出現，最初小到不能再小—甚至遠遠小於 1 個原子—然而，在僅僅不到 1 秒鐘之內，就迅速膨脹到 1 兆公里寬的範圍；這樣的宇宙誕生過程，科學家稱之為「大爆炸」(大霹靂)。

宇宙出現之後，「時間」才開始存在，因此「大爆炸之前又是如何？」這個大哉問根本沒有意義——另一方面，「空間」也是如此。「大爆炸」並非意指太空中的物質真的產生爆炸，而是宇宙本身的空間向外擴張。一開始，宇宙純粹由能量所組成，但在兆分之一秒之內，有些能量轉變成為物質——「次原子粒子」(比原子更小的粒子)所組成的巨大雲團，經過 400,000 年左右，次原子粒子冷卻到一定程度而形成原子，再歷經 3 億年，原子才開始形成恆星、行星和星系。從大爆炸之初，宇宙的範圍就持續擴張，至今亦復如此——大部分科學家認為，宇宙將會永遠擴張下去！

宇宙始於

一個「奇異點」，這個小點的尺寸等於零，但密度卻是無限大。

持續擴張的宇宙

下方大圖並非用來呈現宇宙形狀—宇宙的形狀仍是未解之謎—而是透過時間軸，來解釋大爆炸之後宇宙擴張與變化的過程。我們之所以知道宇宙正在持續擴張，是因為觀察到大多數遙遠星系，正以驚人的速度遠離地球，天文學家據此回溯到 138 億年前的大爆炸，宇宙從就從一個小到不能再小的「點」，持續擴張到現今的規模。

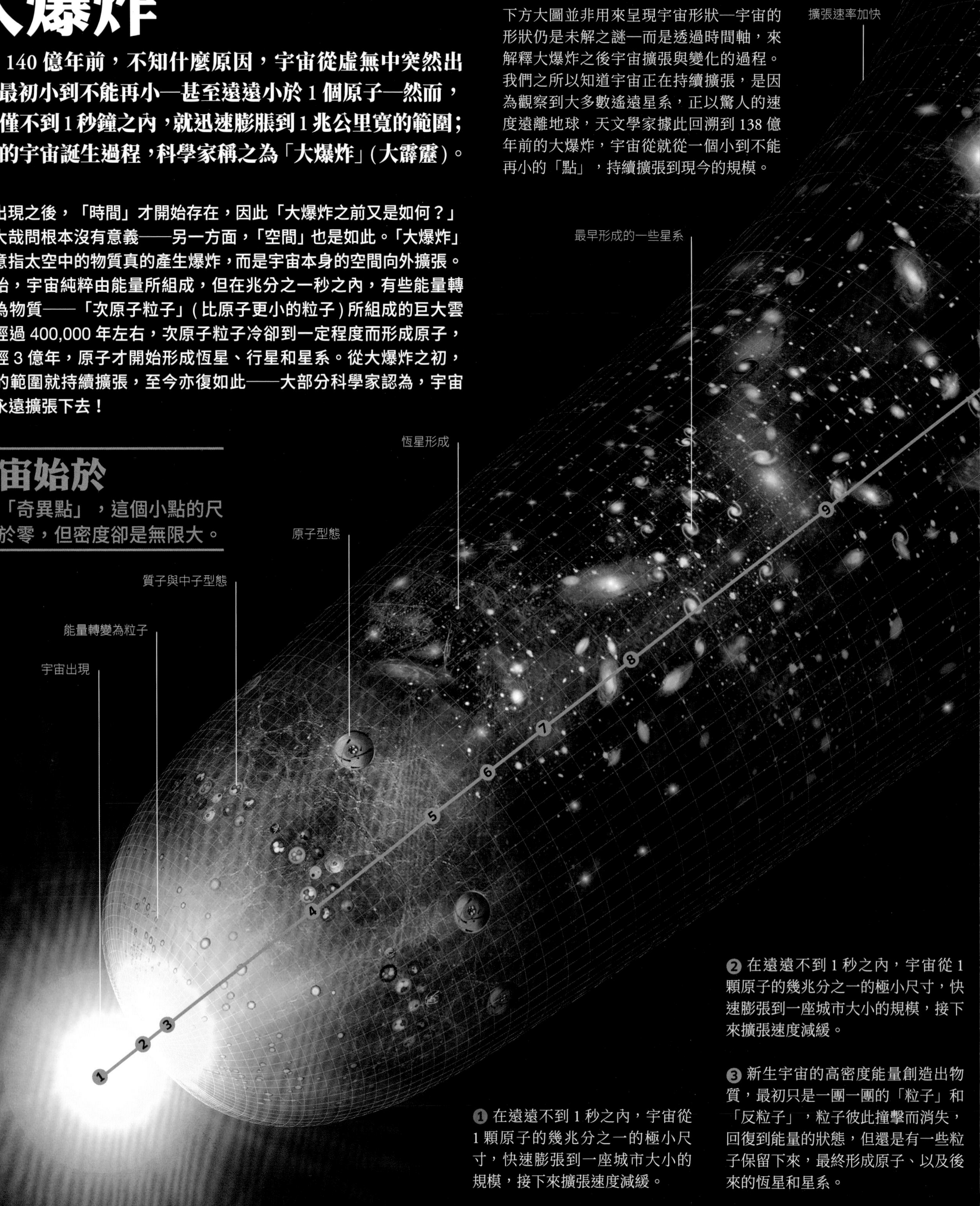
擴張速率加快
最早形成的一些星系
恆星形成
原子型態
質子與中子型態
能量轉變為粒子
宇宙出現
1
2
3
4
5
6
7
8
9

❶ 在遠遠不到 1 秒之內，宇宙從 1 顆原子的幾兆分之一的極小尺寸，快速膨脹到一座城市大小的規模，接下來擴張速度減緩。

❷ 在遠遠不到 1 秒之內，宇宙從 1 顆原子的幾兆分之一的極小尺寸，快速膨脹到一座城市大小的規模，接下來擴張速度減緩。

❸ 新生宇宙的高密度能量創造出物質，最初只是一團一團的「粒子」和「反粒子」，粒子彼此撞擊而消失，回復到能量的狀態，但還是有一些粒子保留下來，最終形成原子、以及後來的恆星和星系。

11
10
太陽系形成

大爆炸理論

大爆炸理論的證據最早發現於西元 1929 年，當時天文學家觀察到，遙遠星系所發出的亮光愈來愈紅，這代表它們與地球之間的距離愈來愈大，導致光波延伸，因此顏色產生變化；星系距離我們愈遠，向外遠離的速度就愈快，這就證明了——整個宇宙正在持續不斷的擴張之中。

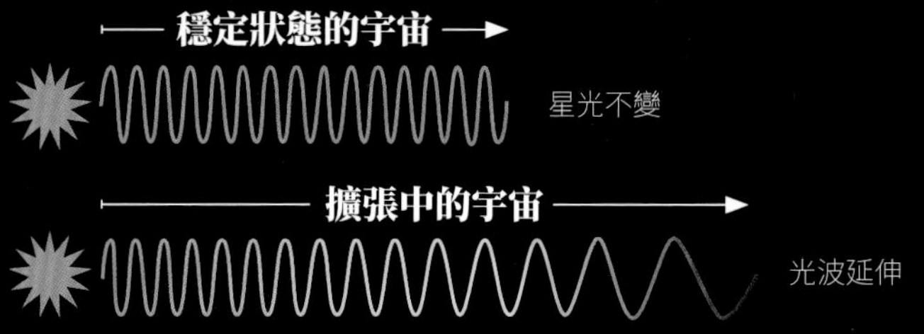
穩定狀態的宇宙
星光不變
擴張中的宇宙
光波延伸

大爆炸的餘暉

到了 1960 年代，更多關於大爆炸理論的證據出籠——天文學家在天空到處偵測到微波幅射，而這些神祕的能量，就是大爆炸之時所迸發的巨大能量，經年累月逐漸減弱而殘留至今的。

天空中的微波幅射

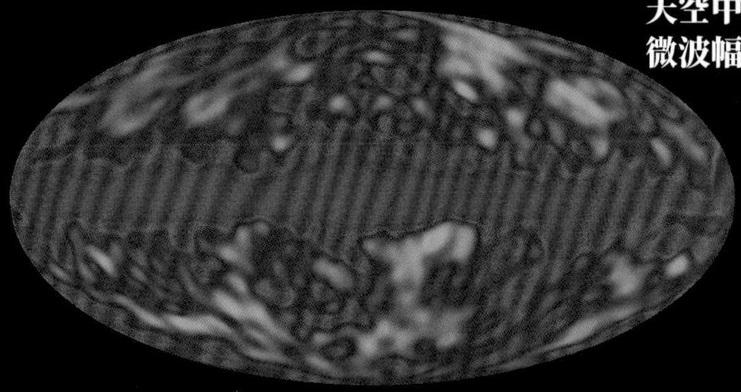

持續變化的元素組合

大爆炸後數億年之間，宇宙中幾乎完全充斥著氫與氦——最簡單的化學元素，等到恆星形成，衰亡恆星的核心才開始製造新元素；現今，所有存在於我們人體之中的複雜元素，都是衰亡恆星以這種方式釋放出來的。

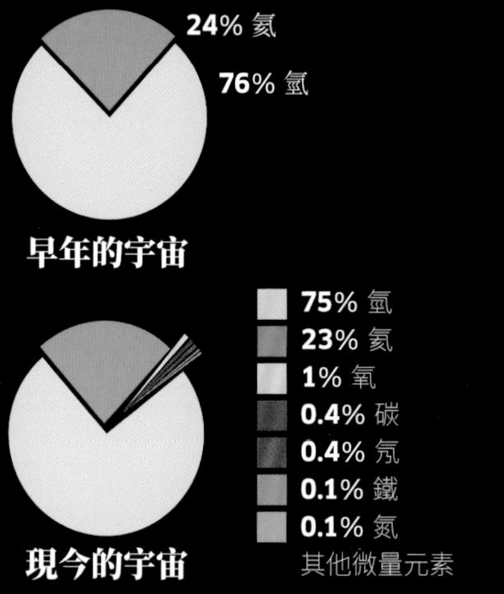
24% 氦
76% 氫
早年的宇宙
75% 氫
23% 氦
1% 氧
0.4% 碳
0.4% 氖
0.1% 鐵
0.1% 氮
其他微量元素
現今的宇宙

④ 此時宇宙初生不到百萬分之一秒，而範圍已然擴張到 1,000 億公里寬，倖存下來的粒子也開始形成質子與中子——這就是後來組成原子核的兩種基本粒子；但目前宇宙還太熱，原子尚未能夠形成。另一方面，由於大量粒子形成雲團，光線無法穿透，因此新生宇宙是全然一派濃霧般的景像。

⑤ 大爆炸之後 379,000 年，宇宙冷卻下來，原子形成，此時宇宙成為由氫氣和氦氣所組成的超大雲團，光線的穿透性變好，能見度也愈來愈高了。

⑥ 大爆炸 50 萬年之後，物質已經均勻分布於宇宙之中，但局部極小區域的密度特別高——重力從而將物質聚攏成團。

⑦ 此時宇宙已經生成了 3 億年，超大的氣體雲團因重力而緊密聚攏，在濃密氣體之中壓力與溫度雙雙大幅增加，導致核子反應啟動—就這樣—恆星於焉誕生。

⑧ 宇宙生成 5 億年之時，最早的星系形成——大量恆星因重力牽引而聚攏形成星系。

⑨ 現在宇宙已經 50 億歲了，一簇簇星系在太空中排列成線狀，線與線之間隔著巨大的空間，而且間隔隨著宇宙的擴張而逐漸加寬。到了宇宙 80 億歲之時，宇宙擴張又開始加快速率了。

⑩ 我們的太陽系誕生於宇宙大爆炸 90 億年之後，然而等到宇宙 200 億歲之時，太陽的體積就會膨脹到足以摧毀地球。

⑪ 宇宙還會持續擴張下去，最後變成一片冰冷而黑暗的世界。

大反彈理論

到底是什麼原因導致宇宙大爆炸，我們可能永遠無法確定，但有些科學家認為，大爆炸不只發生過一次，而是很多次，每當宇宙大擴張之後，緊接而來的就是宇宙大收縮，如此交互輪替——這樣的理論稱為「大反彈」。

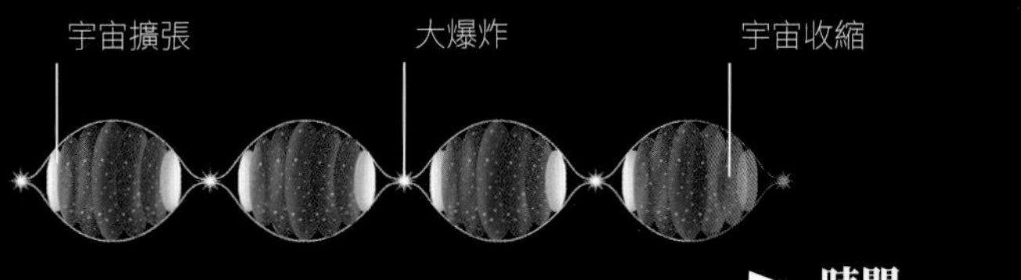
宇宙擴張
大爆炸
宇宙收縮

2,000 億顆左右——銀河系所涵蓋的恆星數量。

23 圈——太陽系形成至今環繞銀河系公轉的圈數。

星系

我們的太陽位於一個巨大的星團漩渦之中——也就是銀河系。大量恆星的集合體稱為星系，銀河系是其中之一，跟其他星系一樣，銀河系的規模也是難以想像的巨大。

星系可分為數種不同的形狀與規模。有些星系跟銀河系一樣呈螺旋狀，另一些星系可能是模糊的球狀、或是不規則的雲團狀。規模最小的星系「只」有數百萬顆恆星，而最大的星系可能涵蓋數以兆計的恆星。

星系中的恆星看起來好像擠成一堆，但事實上星系之內絕大部分是空無一物的；我們按比例做出銀河系的模型，假設以砂粒來代表一顆恆星，那麼最靠近太陽的恆星就必須放在 6 公里之外的位置，而距離太陽最遠的銀河系恆星，更是得擺在 130,000 公里之外。星系中的所有恆星因重力牽引而聚攏在一起的，它們「緩緩地」環繞星系的中心公轉。在許多星系的中央存在一個超大質量的「黑洞」，其重力無比巨大，導致附近恆星及物質不斷被這個「出水口」吸入，永遠消失。

❶ 星系中心
左側照片來自一具紅外線望遠鏡，畫面中呈現的恆星和雲狀氣團大多集中在銀河系的中心，此外，一個巨大的黑洞也隱藏在這個區域。

❷ 太陽系
我們太陽系就座落於一支小螺旋臂—獵戶臂—之中，太陽系環繞銀河系的中心點公轉，每隔 2 億年繞行一圈，繞行速度大約是每秒 200 公里。

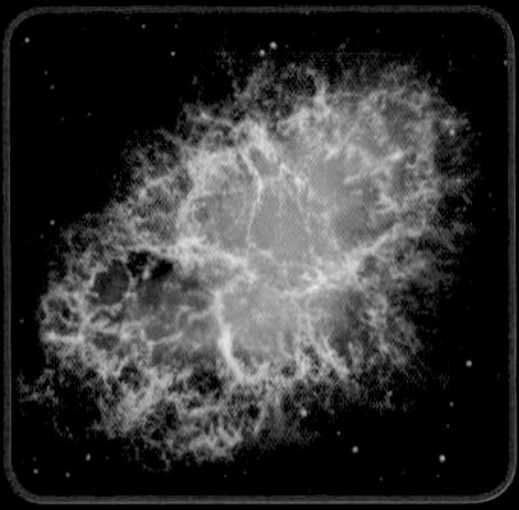

❸ 蟹狀星雲
氣體與塵埃所形成的雲團充斥於整個銀河系，尤其是在幾支螺旋臂之中。左圖為「蟹狀星雲」，其成因來自於衰亡恆星爆炸之後、所留下的雲團殘骸。

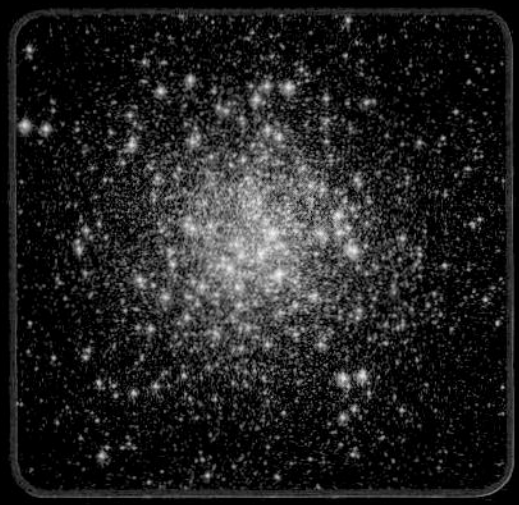

❹ 球狀星團
在銀河系之中，並非所有恆星都座落於核球或銀盤上，而是聚攏成球狀星團；這些由古老恆星緊密聚集而形成的球體向外擴散，漂浮在銀河系主要部分（銀盤與核球）的周圍，形成低密度的球狀輪廓——這樣的外圍區域稱為「銀暈」。

銀河系
假如你能夠從上方俯瞰銀河系，就會看見一幅宛如城市夜景般的畫面。銀河系涵蓋 2,000 億顆左右的恆星，大部分恆星座落於「核球」（中央凸起）附近，周圍則是延伸出兩支主要的「大螺旋臂」、以及數支「小螺旋臂」。科學家普遍認為銀河系屬於「棒狀旋星系」（見右頁專欄），但由於地球身處其中，只能從側面觀察，因此在夜空中，我們所看到的銀河系呈現白色光帶狀。

獵戶臂
太陽系位於這支小螺旋臂之中，我們從夜空中所見到的許多星星（恆星），也是座落於獵戶臂。

銀河系頂視圖

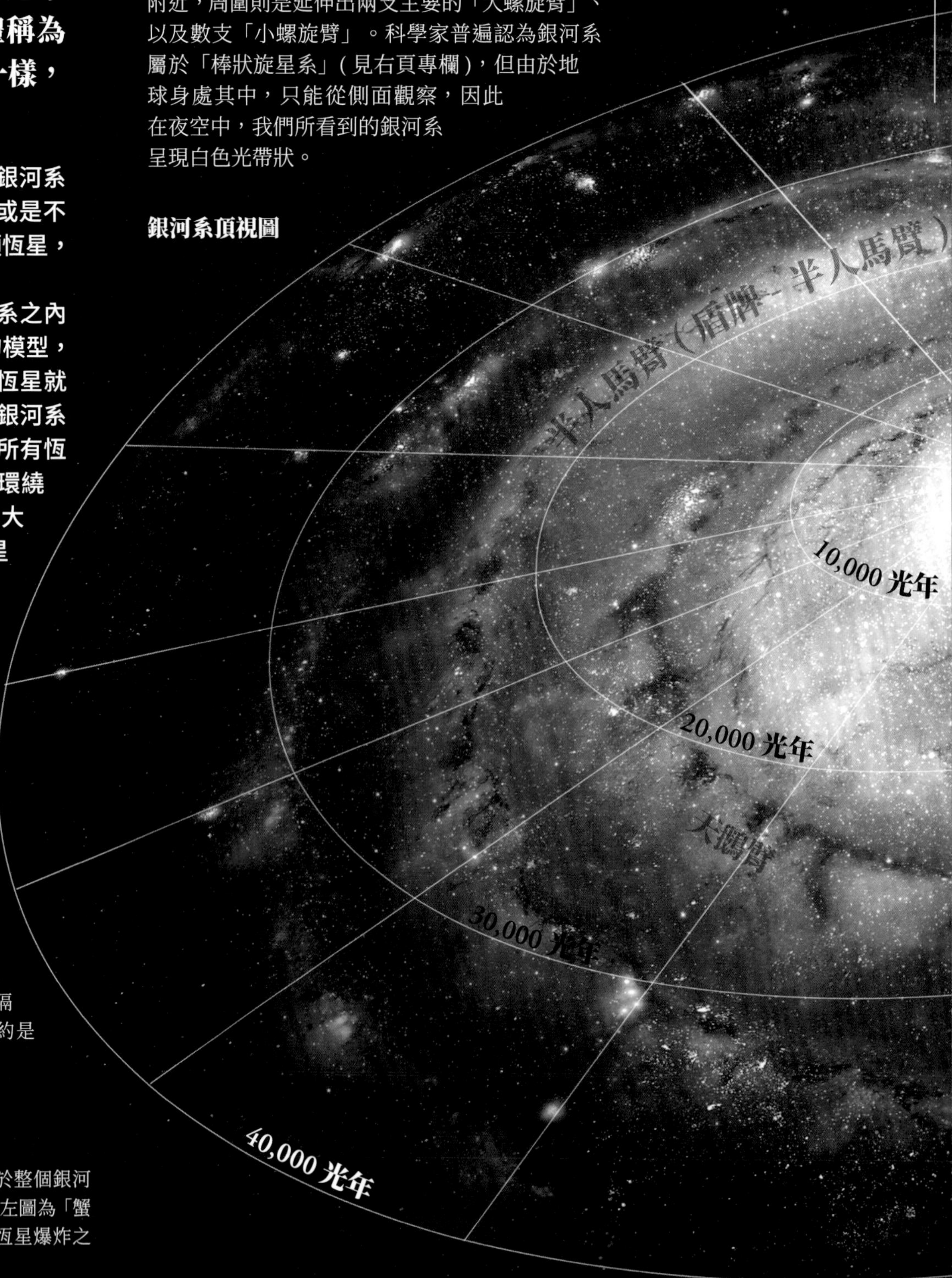

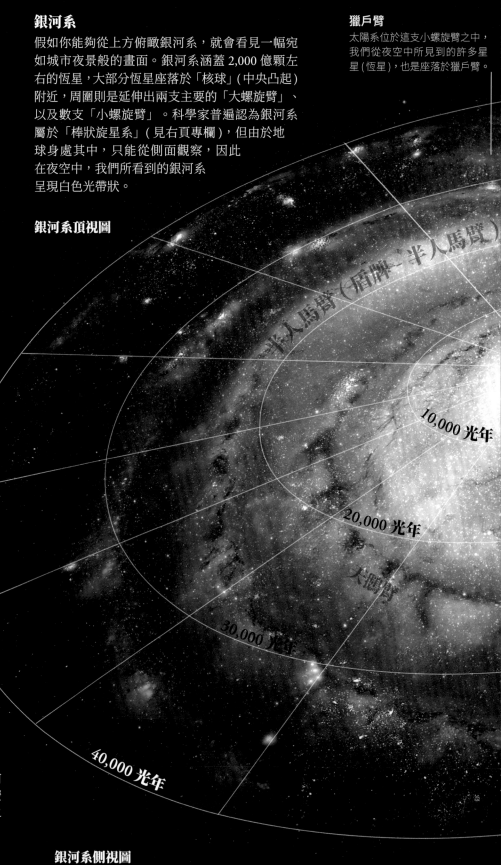

半人馬臂（盾牌－半人馬臂）
10,000 光年
20,000 光年
大隅臂
30,000 光年
40,000 光年

銀河系側視圖

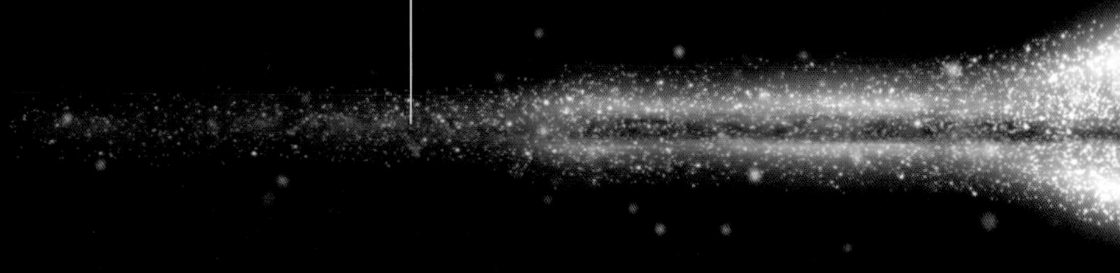

包含多支螺旋臂的銀盤

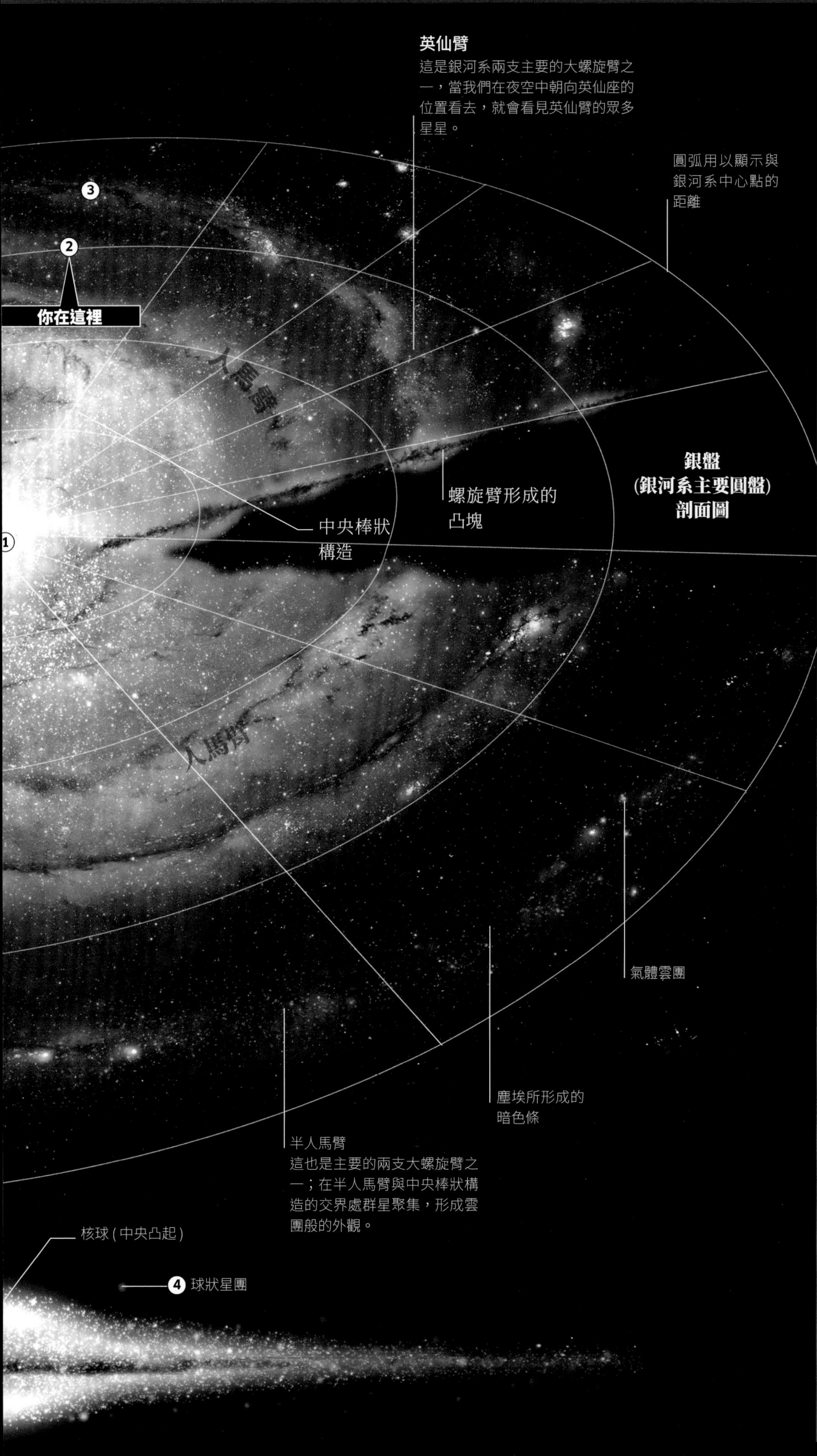
英仙臂
這是銀河系兩支主要的大螺旋臂之一，當我們在夜空中朝向英仙座的位置看去，就會看見英仙臂的眾多星星。
圓弧用以顯示與銀河系中心點的距離
3
2
你在這裡
人馬臂
螺旋臂形成的凸塊
銀盤
(銀河系主要圓盤)
剖面圖
中央棒狀構造
1
人馬臂
氣體雲團
塵埃所形成的暗色條
半人馬臂
這也是主要的兩支大螺旋臂之一；在半人馬臂與中央棒狀構造的交界處群星聚集，形成雲團般的外觀。
核球（中央凸起）
4 球狀星團

星系的形狀類型

天文學家按照從地球觀察的結果，將星系分為幾個主要類型。

螺旋星系
由恆星所形成的中心軸區域，向外延伸出彎曲的螺旋臂。

棒狀旋星系
一根中央棒狀構造橫跨中心點，再向外延伸出彎曲的螺旋臂——就如同銀河系。

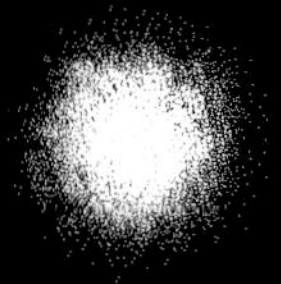

橢圓星系
半數以上的星系呈現這種簡單的圓球形狀。

不規則星系
不具明確形狀的星系，全都歸類於此。

螺旋臂的成因

恆星全都環繞星系的中心點公轉，耗時千百萬年、甚至數億年才能繞行一圈，而螺旋臂形成之處，就是眾多恆星頻繁進出的區域；根據一項理論的解釋，這些「交通瓶頸」之所以出現，是由於不同恆星的公轉軌道並非整齊排列的。

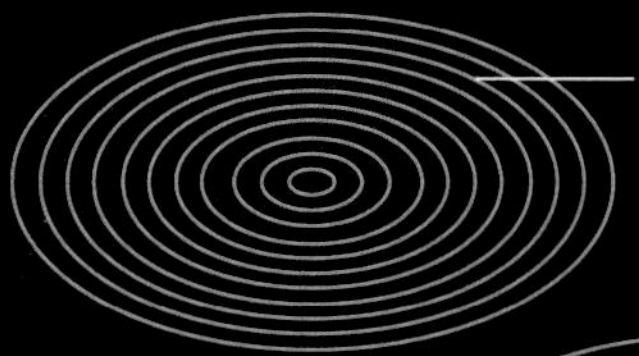

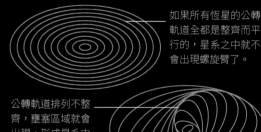

如果所有恆星的公轉軌道全都是整齊而平行的，星系之中就不會出現螺旋臂了。

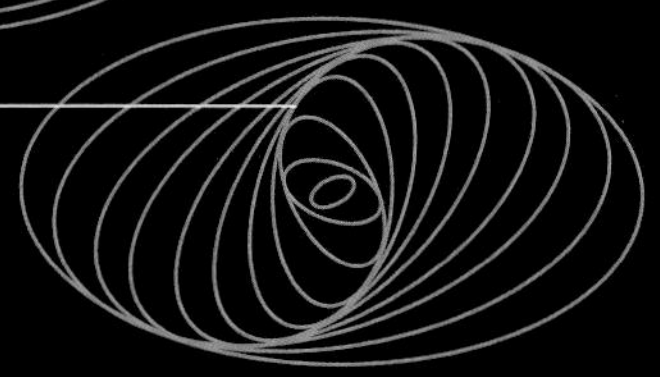

公轉軌道排列不整齊，壅塞區域就會出現，形成星系中的螺旋臂構造。

星系碰撞

有時星系會互相碰撞，雙雙裂解——這種撞擊並非恆星直接互撞，而是氣體雲團互撞，接下來重力又重新聚攏星系，形成不同的形狀。

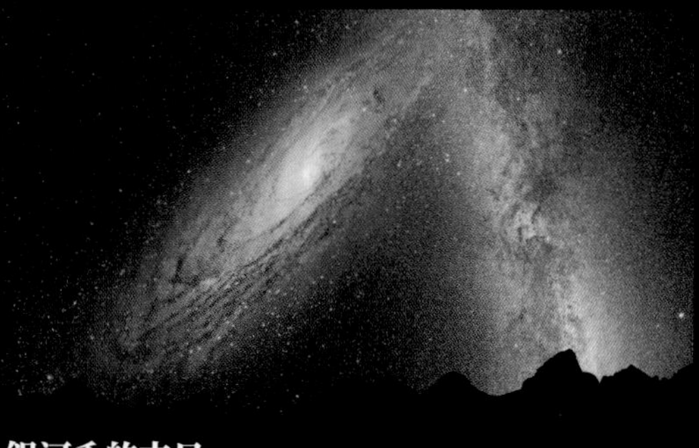

銀河系的末日
大約 40 億年之後，我們銀河系就會撞上仙女座星系——上圖是畫家所繪的撞擊景象。

光度最高的恆星所發出的亮光，比太陽高出600萬倍

130億年——宇宙中已知最老恆星的年齡

恆星誕生

宇宙形成至今，大部分時間都有恆星誕生；恆星從巨大的氣體雲之中成形，而且是數千顆、數萬顆恆星同時誕生。

尺寸最大的恆星

比太陽大 10 億倍以上。

催生出恆星的氣體雲溫度低而密度高，主要由氫氣所組成，而新生恆星則是一顆由炙熱發光氣體所組成的巨大旋轉球體，主要成分也是氫氣，但含有氦氣及少量其他元素，這些物質大多緊密聚集、沉降至恆星的核心，進而引發核融合反應，以熱與光的形式釋放能量。

恆星如何形成？

當氣體雲變得不穩定，破裂成碎片，就開啟了形成恆星的過程：其中一個氣體雲碎片所含的物質，因重力牽引變成更加緊密的雲團，雲團收縮，慢慢形成球體——也就是「原恆星」，原恆星持續收縮，核心愈來愈熱，密度也愈來愈高，最終，極大的壓力和溫度啟動了核融合反應，新生恆星開始發光發熱。

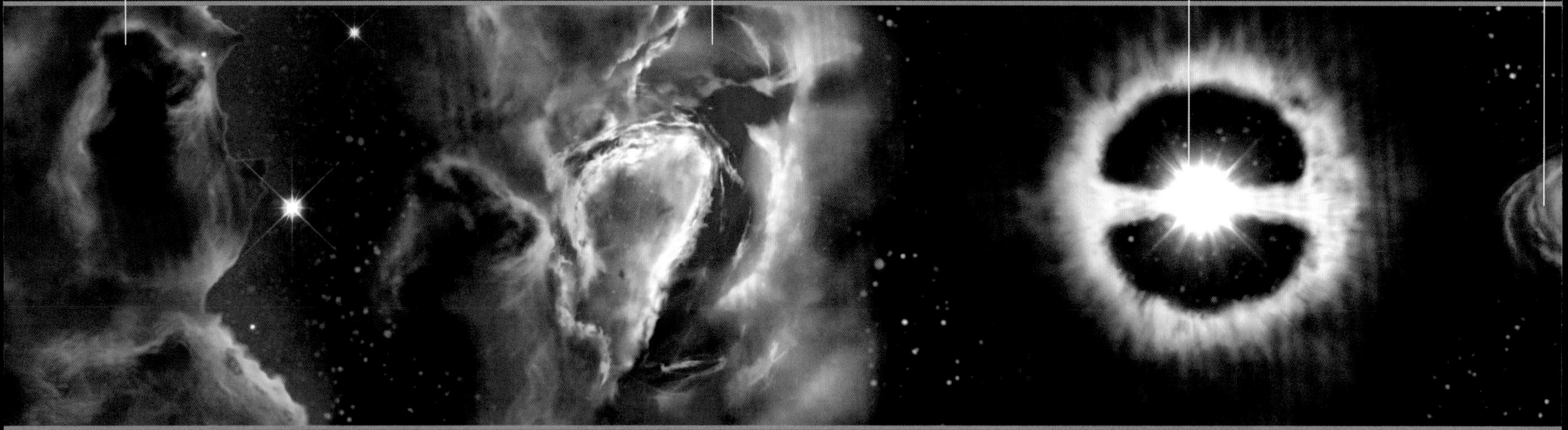
星際氣體雲
氣體雲裂解成為碎片
原恆星
吸積盤旋轉

1 星際雲

恆星誕生於低溫而高密度的巨大氣體雲團之中，雲團由氣體和塵埃所組成；恆星形成的過程可能因雲團遭受擾動而啟動——例如跟其他雲團碰撞、或是來自某個「超新星爆炸」的爆震波。

2 雲團分離

在這個階段，雲團裂解，成為各具不同尺寸和質量的雲團碎片，其中質量、密度最高的雲團碎片因自身重力而逐漸聚攏，形成更加緊密的雲團，而這些收縮雲團最終將轉變成為原恆星。

3 原恆星

原恆星形成，自身重力將物質吸入核心，核心的密度、壓力和溫度都因而漸漸增高——原始雲團碎片所包含的物質愈多，所形成的原恆星就具有更高的溫度與壓力。

發射星雲

太空中的氣體與塵埃所組成的雲團稱為「星雲」，而這些氣體和塵埃大多來自死亡恆星——它們耗盡燃料而爆炸，經過千百萬年的「回收」過程，重新形成全新恆星。在所有星雲之中，「發射星雲」是最壯麗的一類，它們五彩斑斕的色彩，是從新生恆星的藍光所發射出來的。

獵戶座大星雲

右圖為「獵戶座大星雲」，這是距離地球最近的幾處恆星形成區域之一，當你在夜空中望向它的「獵戶之劍」，看起來像是一顆矇矓的太陽；事實上，這個大星雲是由氣體與塵埃所組成的龐大雲團，比太陽系大上幾千倍以上。

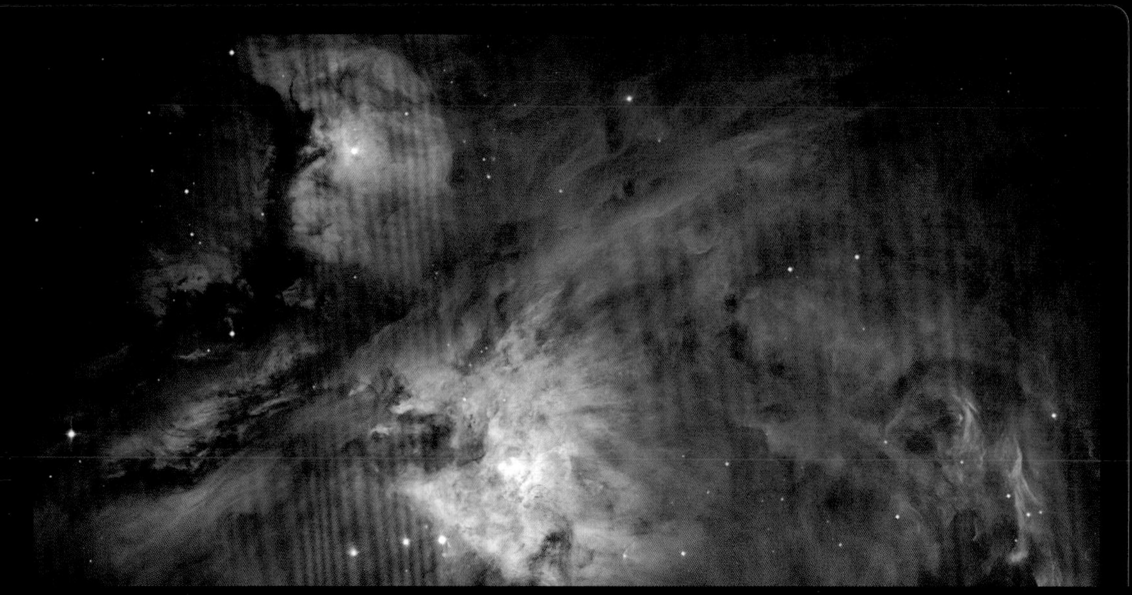

恆星的類型

當核心進行核融合反應，將氫氣轉變為氦氣、並釋放能量，恆星就開始發光發熱，這個階段的恆星稱為「主序星」，但並非所有主序星都是一樣的，它們各具不同的尺寸、溫度、顏色及光度，所包含的物質也不盡相同。另一方面，當恆星漸漸耗盡「燃料」，來到生命尾聲時，它們就脫離了主序星的階段，進而膨脹轉變為「紅巨星」，也可能收縮轉變為「白矮星」。

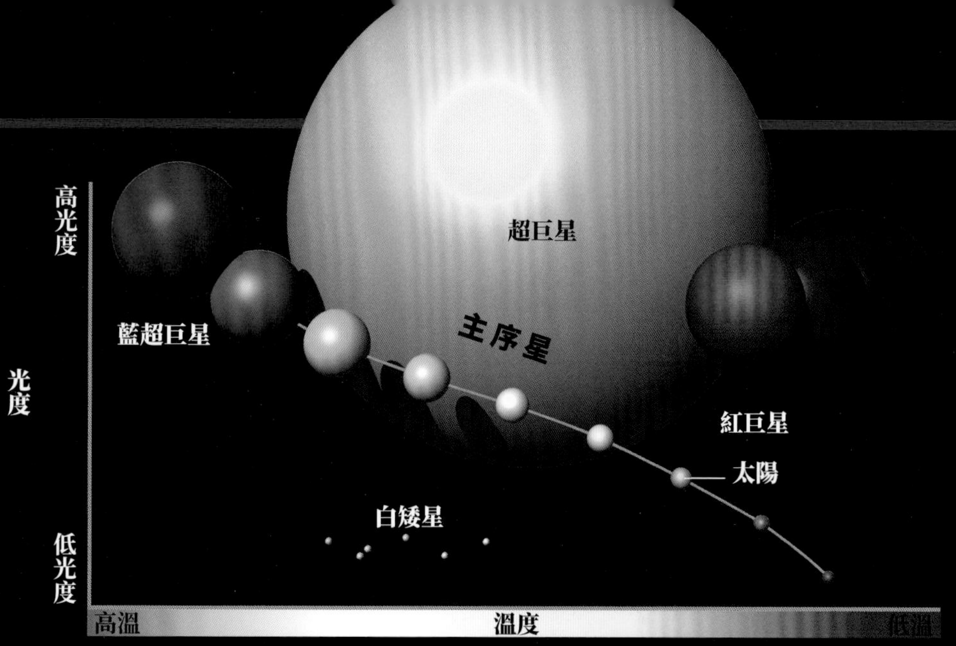

如何分類

天文學家運用「赫羅圖」(Hertzsprung-Russell diagram) 來為恆星分類，透過光度與溫度，將恆星歸類於不同類群，例如紅巨星 (衰亡恆星)、或是主序星 (普通恆星)。此外，天文學家還根據不同溫度所形成的不同顏色來分類，例如高溫恆星的外觀是藍色的，而低溫恆星呈現橘色或紅色。

4 吸積盤

原恆星核心的質量繼續成長，重力隨之增強，將更多氣體與塵埃吸進來——就像浴缸中的水流入排水孔一樣；被吸入的物質開始繞著核心旋轉 (雲團收縮時位能轉換成動能)，形成強風，從核心噴出氣流。

5 恆星誕生

由於重力的擠壓，原恆星的核心不僅高溫，而且密度很大，因而啟動了核融合反應，開始發光發熱。灼熱的核心產生向外的壓力，因而平衡了朝向核心的重力，讓恆星能夠保持穩定。現在，這顆恆星已經誕生——也就是成為一顆「主序星」。

6 行星形成

氣體雲團中的物質並非全部用來組成恆星，殘留氣體與塵埃組成環繞新生恆星旋轉的「原行星盤」，原行星盤的殘留物最終可能散逸到太空之中，也可能凝聚在一起，形成行星、衛星、彗星或小行星。

星團

恆星形成時並非「單胞胎」，而是大量恆星在同一團星雲之中幾乎同時「出生」，最後，這些新生恆星可能漂離群體而單獨存在，也可能成雙成對，或是聚攏成為星團。在距離我們最近的一些恆星之中，約有半數是單獨存在的—太陽也是如此—其他另有⅓左右是成對的 (聯星) ——它們因重力牽引而聚攏在一起。

昴宿星團

圖中的「昴宿星團」涵蓋 5,000 顆左右的恆星，在夜空中肉眼就能看見；但這些恆星會在 2 億 5,000 萬年之內漸漸分散，屆時星團將不復存在。

超巨星的體積非常龐大，甚至比我們的太陽大上10億倍。

恆星衰亡

所有恆星最終都將耗盡自身的燃料，邁向衰亡，其中大部分恆星靜悄悄地走完生命歷程，但大質量恆星不同，它們通常以大爆炸的方式自我毀滅，爆炸所產生的光芒足以照亮整個星系。

就像地球一樣，恆星也會產生重力，不斷擠壓自身灼熱的核心。恆星所含的物質愈多，產生的重力就愈強，而且核心的溫度、密度也都愈高。恆星會以哪一種模式衰亡，端視自身質量、以及核心承受重力擠壓的程度而定。恆星進行核融合反應來產生光與熱—氫原子猛烈碰撞後形成氦，同時釋放能量—就低質量恆星而言，當它們核心的氫元素漸漸耗盡，所發出的光芒也就隨之減弱；另一方面，質量較大的恆星由於核心的溫度與密度極高，讓核融合反應得以轉移到核心之外，進而改變恆星的外觀；至於質量最大的那些恆星，它們大多承受不了自身產生的重力，最終以非常猛爆的方式塌陷，形成黑洞。

4 種衰亡模式

恆星衰亡的模式分為 4 種，如右圖所示。我們的太陽是一顆典型的恆星，最終也將依循「中等質量恆星」的模式衰亡，但時間還早得很，太陽的燃料足以繼續燃燒 50 億年之久。另一方面，大質量恆星一旦死亡，就會將自身所含的氫氣轉變成較重的化學元素，例如碳或氧，這些元素經過回收利用，就會形成全新的恆星與行星——你知道嗎，就連組成你我身體的所有原子，也都是經由上述過程產生出來的！

50 億噸——假如可以從「中子星」的身上挖出 1 茶匙的分量來秤重，就會得到這樣驚人的數據！

穩定恆星
所有新生恆星都會邁入一個穩定階段，恆定而持續地發光發熱。

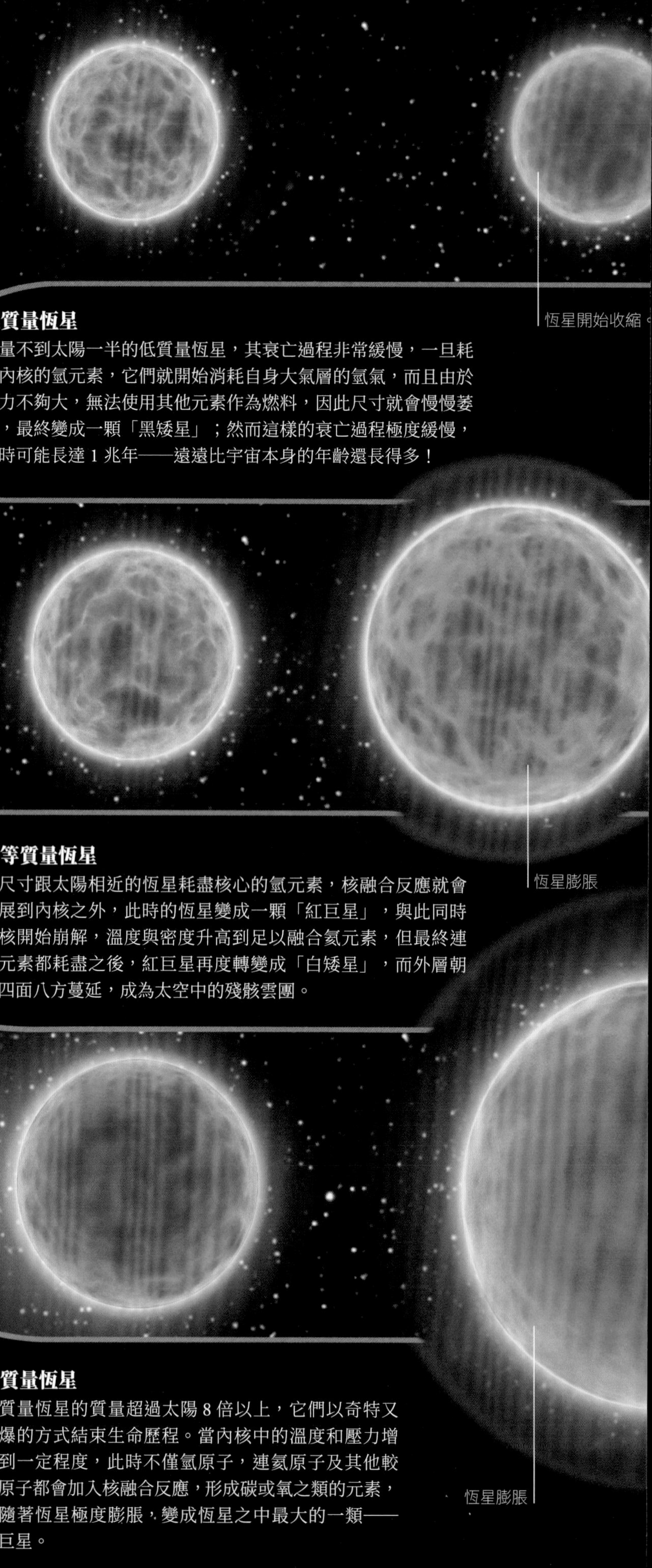

低質量恆星
質量不到太陽一半的低質量恆星，其衰亡過程非常緩慢，一旦耗盡內核的氫元素，它們就開始消耗自身大氣層的氫氣，而且由於重力不夠大，無法使用其他元素作為燃料，因此尺寸就會慢慢萎縮，最終變成一顆「黑矮星」；然而這樣的衰亡過程極度緩慢，耗時可能長達 1 兆年——遠遠比宇宙本身的年齡還長得多！

中等質量恆星
當尺寸跟太陽相近的恆星耗盡核心的氫元素，核融合反應就會拓展到內核之外，此時的恆星變成一顆「紅巨星」，與此同時內核開始崩解，溫度與密度升高到足以融合氦元素，但最終連氦元素都耗盡之後，紅巨星再度轉變成「白矮星」，而外層朝向四面八方蔓延，成為太空中的殘骸雲團。

大質量恆星
大質量恆星的質量超過太陽 8 倍以上，它們以奇特又猛爆的方式結束生命歷程。當內核中的溫度和壓力增高到一定程度，此時不僅氫原子，連氦原子及其他較大原子都會加入核融合反應，形成碳或氧之類的元素，伴隨著恆星極度膨脹，變成恆星之中最大的一類——超巨星。

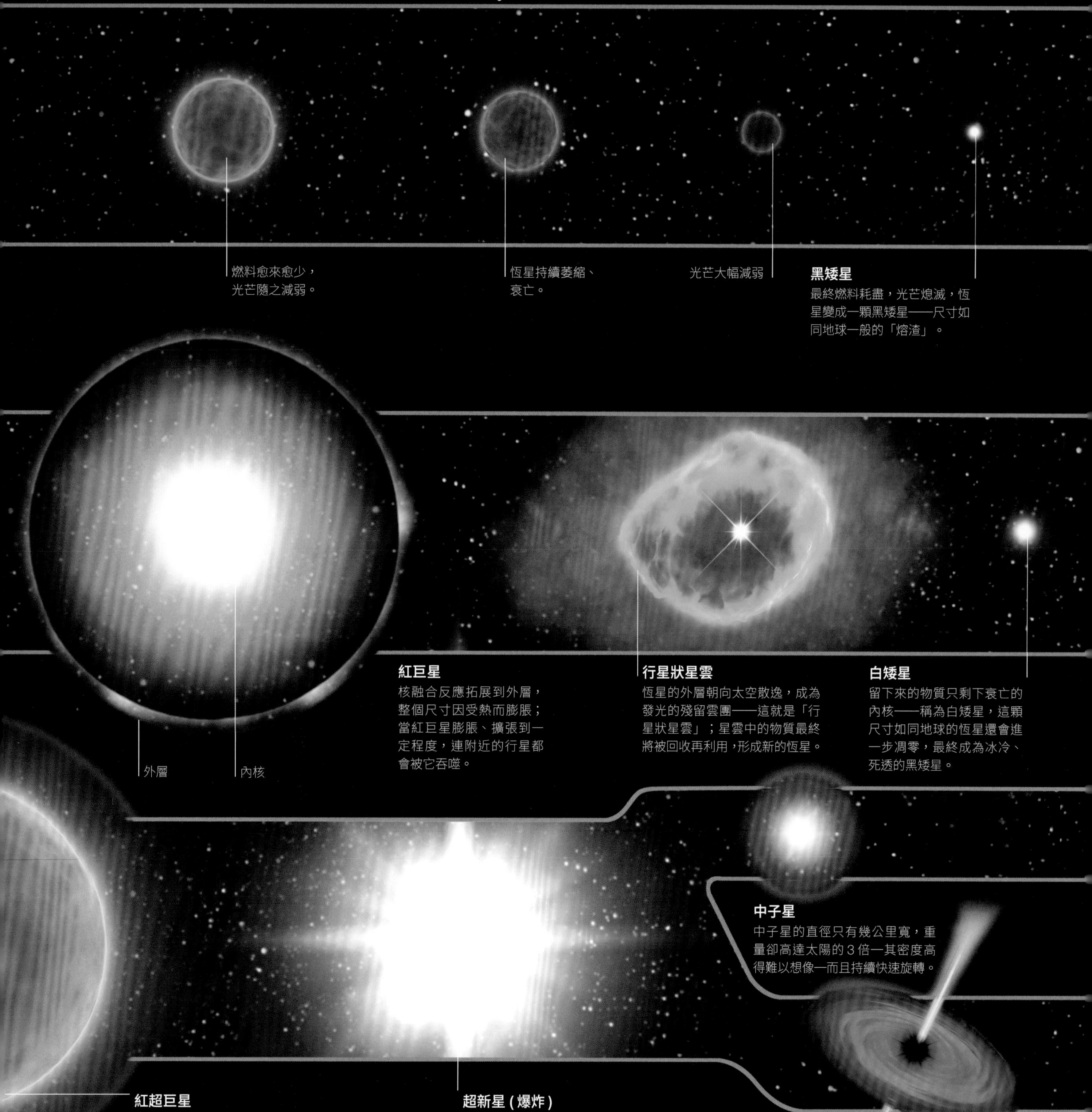
燃料愈來愈少，
光芒隨之減弱。
恆星持續萎縮、
衰亡。
光芒大幅減弱
外層
內核

黑矮星
最終燃料耗盡，光芒熄滅，恆星變成一顆黑矮星——尺寸如同地球一般的「熔渣」。

紅巨星
核融合反應拓展到外層，整個尺寸因受熱而膨脹；當紅巨星膨脹、擴張到一定程度，連附近的行星都會被它吞噬。

行星狀星雲
恆星的外層朝向太空散逸，成為發光的殘留雲團——這就是「行星狀星雲」；星雲中的物質最終將被回收再利用，形成新的恆星。

白矮星
留下來的物質只剩下衰亡的內核——稱為白矮星，這顆尺寸如同地球的恆星還會進一步凋零，最終成為冰冷、死透的黑矮星。

中子星
中子星的直徑只有幾公里寬，重量卻高達太陽的3倍一其密度高得難以想像一而且持續快速旋轉。

紅超巨星
恆星膨脹成為超巨星，核融合反應在內核中持續進行，迫使原子轉變成愈來愈重的元素，直到整個內核變成一個大鐵球，此時內核不再產生足夠的向外壓力一向外壓力原本用以抵消朝向內核的重力一這麼一來，整顆恆星就會突然發生「重力塌縮」，導致毀滅性的爆炸——這種結果稱為「超新星」。

超新星(爆炸)
恆星自我毀滅所產生的爆炸，其光芒大過10顆太陽，此時恆星的外層炸裂到太空之中，但高質量內核持續向內塌縮，接下來的發展，端視內核的質量有多大而定：尺寸較小的內核轉變為「中子星」，而尺寸較大的內核繼續塌縮，直到縮小到不及一顆原子10億分之一的尺寸——成為黑洞。

黑洞
黑洞周圍的重力異常強大，沒有任何事物能夠逃離它的魔掌——甚至連光線都一樣；落入黑洞之中的物質會被重力所撕裂、壓碎，變成密度無限大的一個小點。

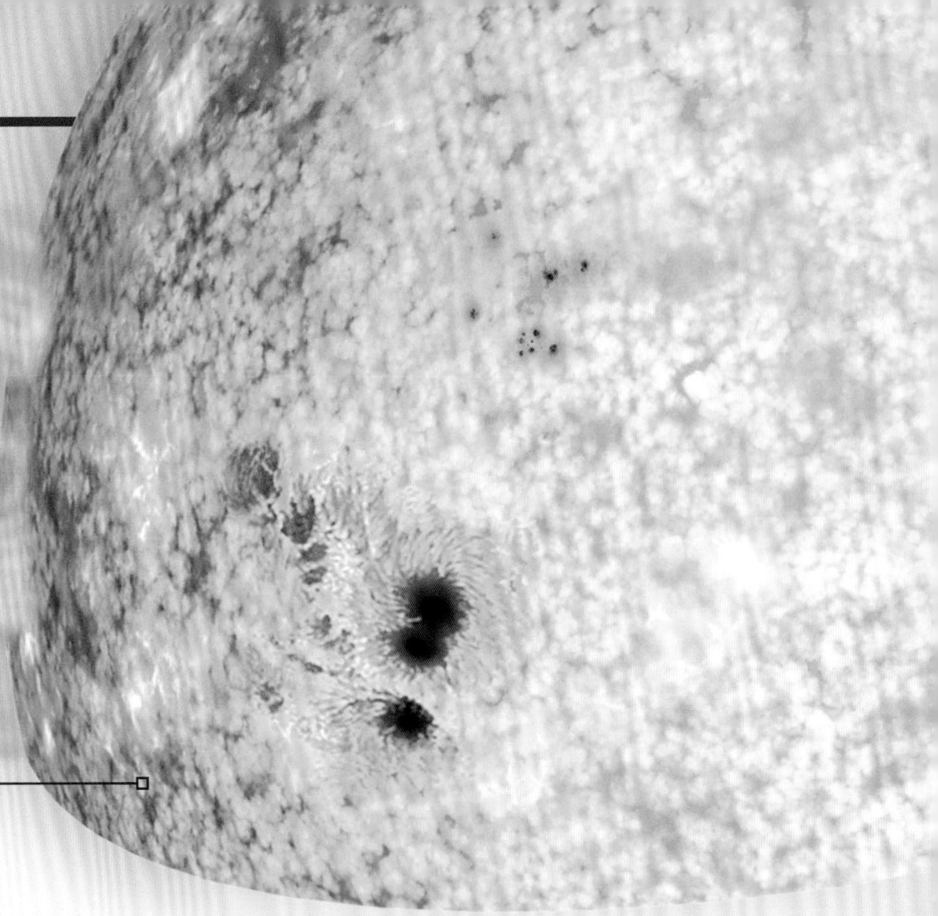

圈狀日珥
灼熱氣體形成巨大的圈狀，攀升至太陽表面的高處──這種由於太陽磁場劇烈活動所引發的氣體噴發現象，稱為「圈狀日珥」，可能持續數個月之久。

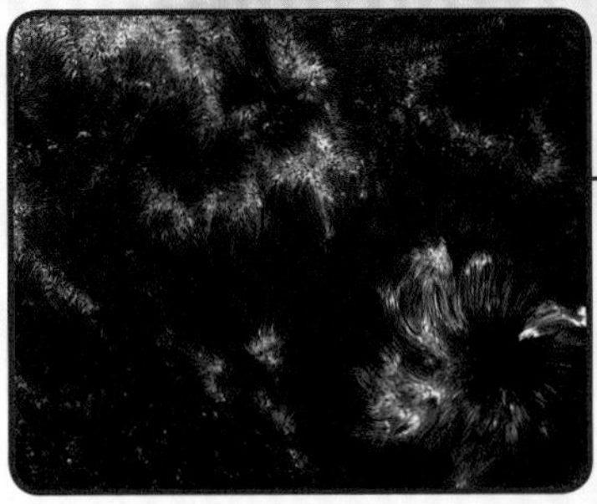

針狀體
太陽表面無時無刻都在噴發熱氣流，形成高聳的針狀體，持續數分鐘之後才會落下。這種針狀體可能高達數千公里，從上方俯瞰，它們在「太陽黑子」的周圍形成閃爍的毛髮狀圖案。

太陽

太陽由熾熱的氣體所組成，形狀近乎是完美的球體，它的能量中心深藏於核心，就像一座永不停歇的超大型核子反應爐，不斷將物質轉換成純粹的光與熱。

太陽的尺寸比典型的恆星還大一些，這樣的體積足以塞進 130 萬顆地球。太陽涵蓋太陽系之中 99.8% 的物質，巨大質量所產生的重力，牽引所有行星循著軌道繞行太陽公轉。對於地球而言，太陽穩定地照耀我們，提供維持生命所需的光與熱。如果能夠趨近觀察太陽，就會發現那是一個猛烈而混亂的世界，沸騰的表面爆發巨大噴流，將灼熱的氣體發射到太空之中。

太陽的內部構造

科學家將太陽內部分為 3 層，由內而外依序為核心、輻射層和對流層，每一層都純粹由氣體所組成，愈往核心深處，氣體的溫度就愈高、密度也愈大──太陽核心的溫度高達 1,500 萬° C，而氣體的密度比純水大 150 倍以上。

核心
核融合反應在熾熱而高密度的太陽核心進行，釋出能量──每 1 秒鐘都有高達 6 億 2,000 萬噸的氫元素，經由核融合反應而成為氦。

輻射層
在核心之外是輻射層，此處的密度沒那麼高，不足以引發核融合反應。太陽核心所產生的能量，以極為緩慢的速度滲出輻射層。

對流層
灼熱的大氣泡從對流層之中上升到太陽表面，冷卻之後再度下沉，以此將太陽的熱能傳導到外部。

光球
太陽的表層稱為「光球」，太陽所釋放的能量以光的形式，從光球進入太空。

按比例而言，這就是地球的尺寸

日焰

能量從太陽表面突然爆發的現象，稱為「日焰」(太陽閃焰)，緊接日焰而來的，通常是一陣「日冕巨量噴發」(見右側專欄)。

太陽黑子

太陽表面相對較冷、較為暗淡的區域稱為「太陽黑子」，黑子數量每隔 11 年會出現一次週期性的漲落循環。

米粒組織

熱氣泡從太陽內部竄升到表面，形成米粒般的紋理組織；太陽表面總計約有 400 萬顆米粒組織，每一顆寬達 1,000 公里左右，持續 8 分鐘之久。

太陽的基本資料

直徑	1,393,684 公里
與地球之間的距離	1 億 5,000 萬公里
質量 (地球 =1)	333,000
表面溫度	5,500° C
核心溫度	15,000,000° C

釋放能量

太陽的光線需時 8 分多鐘就能抵達地球，然而，太陽核心所產生的能量，卻必須經過 100,000 年才能滲透到太陽表面，轉為光的形式；這段過程之所以如此漫長，是由於能量通過濃密的輻射層之時，數以兆計的原子會不斷吸收能量，再重新釋出。

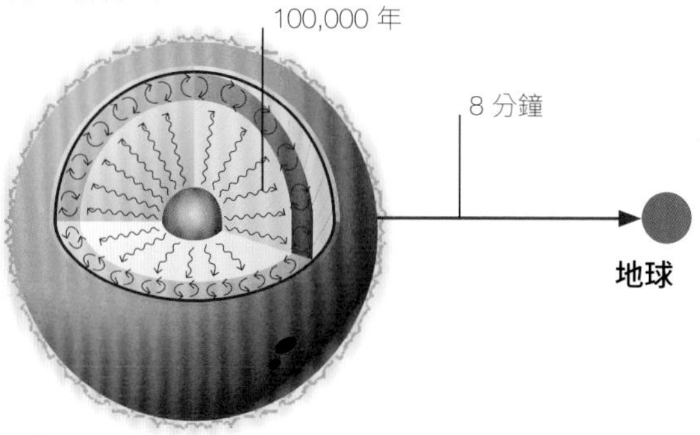
100,000 年
8 分鐘
地球
太陽

自轉

就像所有天體一樣，太陽也進行自轉，但不像地球身為固體，太陽基本上是由氣體所構成的一顆大氣球，因此不同位置的自轉速度也都不同——太陽赤道上的點每隔 25 個「地球日」自轉一圈，在兩極則需時 34 個「地球日」。

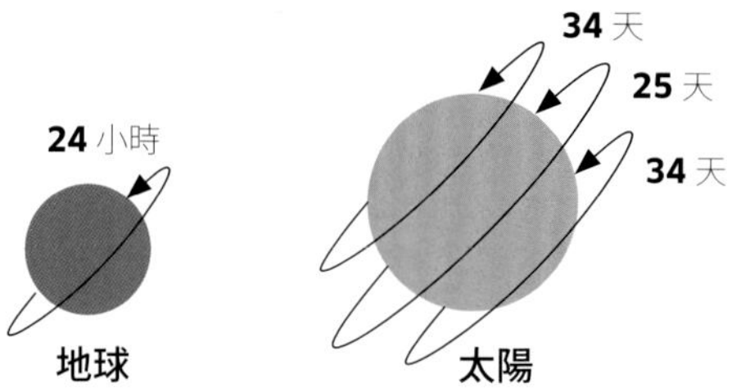
24 小時
地球
34 天
25 天
34 天
太陽

日冕巨量噴發

超熾熱氣體 (電漿) 構成每顆重約 100 萬噸的無數大氣泡，每天從太陽噴發 3 次，這種現象稱為「日冕巨量噴發」，此時氣泡在幾個小時內膨脹到數百萬公里寬，接著破裂，爆出一陣帶電粒子衝擊整個太陽系；爆裂所伴隨的衝擊波有時會撞擊地球，在南北兩極的天空形成罕見的「極光」。

下午 15:23　下午 18:09　下午 18:25

如果將**太陽**比喻成**籃球**，**地球**就像是83公尺之外的一粒**碗豆**。

同樣將**太陽**比喻成**籃球**，**海王星**就像是270公里之外的一顆**草莓**。

小行星

小行星是巨大的岩塊，漂浮在「內太陽系」之中，尤以火星與木星之間的「小行星帶」數量最多，但有時也有一些會趨近地球，相當危險！最小的小行星尺寸如同一幢房子，而最大的那些小行星，其體積可跟「矮行星」相比。科學家認為，小行星其實就是行星形成之後剩下的殘留物質；所有小行星加總起來，其質量還不到月球的 1/20。

土星

土星是太陽系中尺寸第二大的行星，其外圍環繞著耀眼的「土星環」。土星擁有 62 顆天然衛星、以及數十顆「小衛星」。

太陽

太陽就像一座超大型核能發電廠，持續將氫融合為氦，並產生大量能量；太陽也是人類能夠進行近距離研究的唯一恆星。

地球

地球—我們的家園—是目前已知唯一能夠支持生命繁衍的地方，其關鍵在於地球表面擁有液態水。

水星

水星是尺寸最小、距離太陽最近的行星，其表面布滿許多年代久遠的隕石坑。

火星

火星是一個極度寒冷的沙漠世界，但跟地球一樣，火星上也存在山脈、峽谷、以及冰封的南北兩極。

金星

金星的尺寸雖然跟地球相近，但上面可是一個地獄般的世界，任何造訪金星的太空人若非被大氣壓扁、就是被高溫活活煮熟！

公轉軌道的距離

下方比例尺顯示各行星與太陽之間的相對距離，愈往太陽系的外圍，行星與行星的間隔就愈大。

太陽
水星
金星
地球
火星
木星
土星
5 億公里
10 億公里
15 億公里
20 億公里

彗星

彗星是小型冰質天體，當它們朝向太陽行進時，末端會拖曳出由氣體與塵埃所組成的壯觀長尾——彗尾。

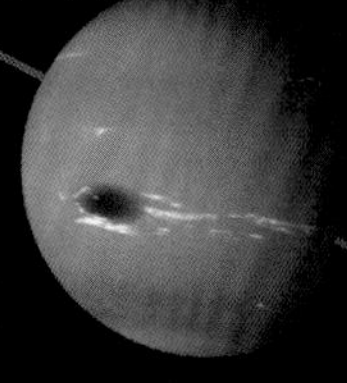

海王星

海王星是距離太陽最遠的行星，這顆藍色大行星目前已知的衛星共有13顆。海王星需時將近164年，才能環繞太陽公轉一周。

古柏帶

在八大行星之外，是數十萬顆小型冰質天體所占據的區域，稱為「古柏帶」，冥王星（矮行星）座落於此，彗星可能也是從這裡來的。

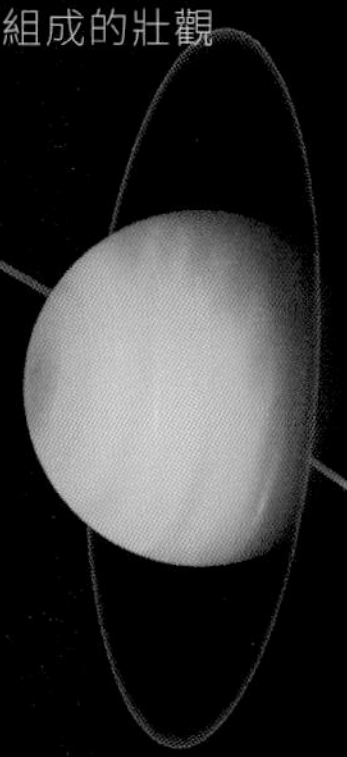

天王星

這顆藍色大行星相當獨特，它的自轉軸斜向一側，幾乎就躺在公轉軌道平面（黃道面）上，這可能是因為曾經跟其他天體碰撞過；天王星擁有27顆衛星。

木星

木星是太陽系體積最龐大的行星，質量比其他7顆行星加起來還大，它至少擁有67顆衛星，其中有些甚至跟行星一樣大。

太陽系

太陽的巨大質量所產生的重力，將8顆行星及其他天體牽引在周邊的公轉軌道上；太陽系就是由太陽本身、以及其他所有天體所共同組成的。

46億年前，我們的太陽從一大團塵埃與氣體之中誕生，這顆恆星發展之時吸入大量物質，但並非所有物質，一小部分殘留物質—大約只占太陽系全部質量的0.14%—形成環繞新生恆星的「原行星盤」，經年累月之後，原行星盤之中的塵埃顆粒凝聚起來，逐漸形成愈來愈大的體積，直到累積為行星般的尺寸，終能因自身重力而變為球狀體。在「內太陽系」，由於太陽的熱能太強，導致氣體無法凝結，因此「內行星」都由岩石與金屬所組成；至於「外太陽系」，則是由氣體凝結而形成體積更為龐大的「外行星」。

現今，整個太陽系總共涵蓋8顆行星、100顆以上的衛星、數量不明的矮行星、以及無數的彗星和小行星。

太陽系

太陽系的8顆行星稱為「八大行星」，分為兩類：4顆尺寸較小、由岩石與金屬組成的「內行星」，以及4顆尺寸較大、由氣體與液體組成的「外行星」。內行星與外行星之間的軌道稱為「小行星帶」，目前已被科學家編號的小行星，98%以上聚集於此。從行星區域再往外，則是充斥著冰質天體—包括矮行星和彗星—至於太陽系的最外層，是由更多彗星所形成的龐大球狀雲團，稱為「歐特雲」；然而，太陽系的邊界到底在哪裡，至今科學界並無定論。

公轉軌道

太陽系的所有主要天體，都以逆時針方向繞行太陽公轉。八大行星的公轉軌道都是橢圓形，而且位於同一平面（黃道面）之上，這個平面跟它們出身的原行星盤重疊。許多小型天體—例如冥王星和鬩神星這兩顆矮行星—的公轉軌道位於太陽系的更外圍，但跟上述的行星軌道平面之間夾著傾角。至於彗星，則是來自四面八方。

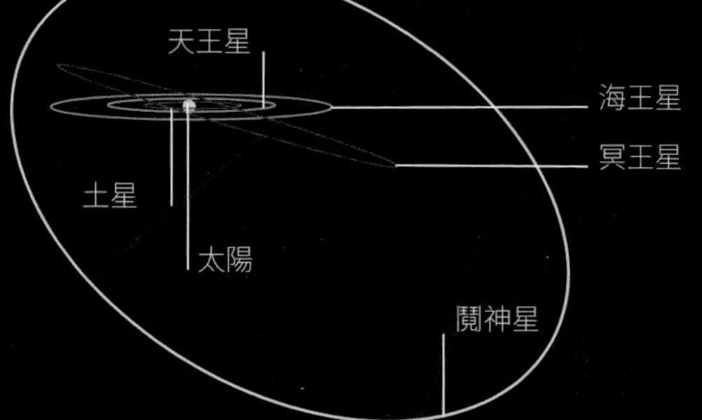

天王星
海王星
冥王星
土星
太陽
鬩神星

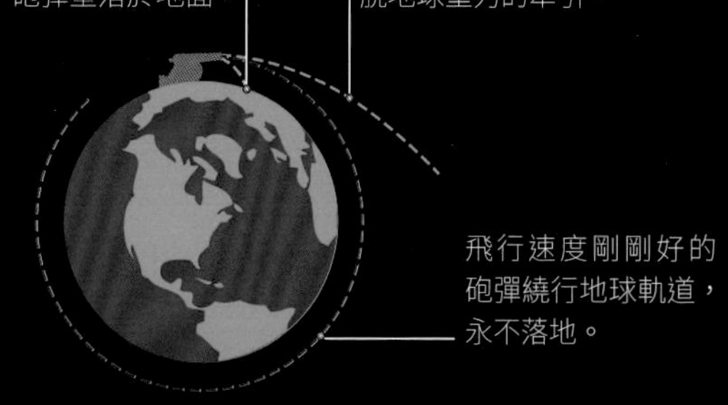

飛行速度緩慢的砲彈墜落於地面。
飛行速度極快的砲彈能夠逃脫地球重力的牽引。
飛行速度剛剛好的砲彈繞行地球軌道，永不落地。

因何公轉？

英國科學家牛頓最早提出行星與衛星公轉的原因——由於重力的牽引所致；為了解釋自己的理論，牛頓畫出大型砲彈發射之後的飛行路徑，如果砲彈的速度夠快，它將永遠不會落地，而是停留在軌道上繞行地球。

矮行星

矮行星也是呈圓球狀，但尺寸比行星小，它們產生的重力不夠強，不足以吸附公轉軌道上的所有殘留物質。太陽系最有名的矮行星當屬冥王星，過去它一度被天文學家歸類於行星，直到西元2006年才被「降級」為矮行星。

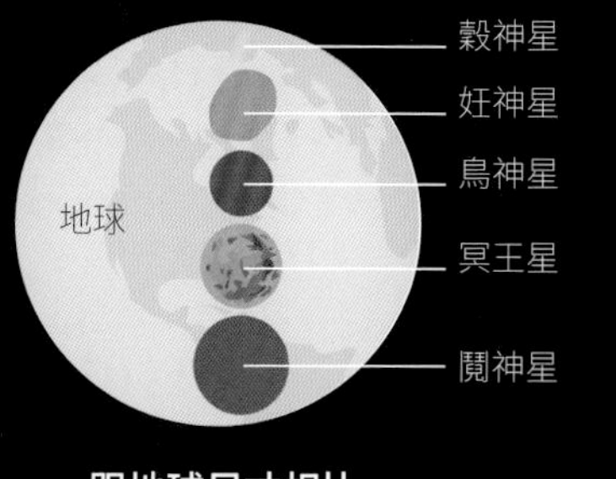

穀神星
妊神星
鳥神星
地球
冥王星
鬩神星

跟地球尺寸相比

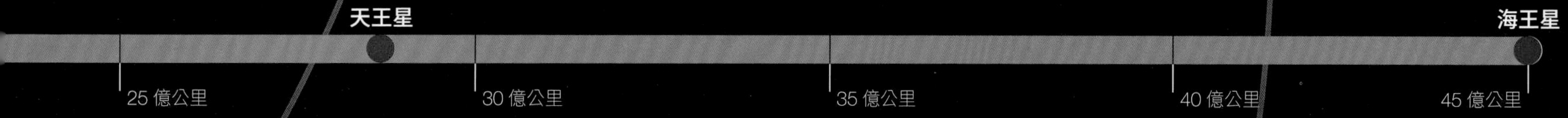

天王星
海王星
25億公里
30億公里
35億公里
40億公里
45億公里

水星的鐵質核心占據整顆行星質量的$\frac{2}{3}$。

內行星

水星、金星、地球和火星是太陽系的 4 顆「內行星」，從外表看起來它們各不一樣，但本質卻是相似的。

46 億年前，這 4 顆內行星全都由相同物質—岩石與金屬混合物—所形成，其內部大致分為 2 層：較重的金屬集中於核心，較輕的岩石分布於外層。

在太陽系的早期歷史，這些內行星都曾經遭受小行星與彗星密集「轟炸」，也都歷經自身火山頻繁活動的時期——水星坑坑疤疤的表面至今仍然存留，而其他 3 顆行星的表面卻早已被時間所撫平。

這幅金星地表景色，是根據雷達穿透濃厚雲層取得的資料所繪製的。
馬特山是金星地表最大的火山。
水星的地表主要是平原，這是早年熔岩流所造成的結果。
最年輕的隕石坑，顏色也最明亮。
水星
金星

籠罩在耀眼的陽光之下

水星是太陽系中尺寸最小的行星，公轉軌道也距離太陽最近，上面是一片了無生機的世界，30 億年來幾乎不曾改變。水星表面布滿坑坑疤疤的隕石坑，這是水星新生之初受到密集小行星撞擊的結果；隕石坑的尺寸不一，小者近乎碗盤大小，大者如卡洛里盆地，其寬度幾乎達到水星直徑的$\frac{1}{3}$。

水星繞行太陽公轉的速度比其他行星都快，但自轉速度緩慢——水星每公轉 2 周，才會自轉 3 周，因此 1 個「水星日」(從日出到日出)相當於 176 個「地球日」。如此漫長的晝夜循環，再加上水星稀薄的大氣層，因此白天的熱氣能熔化鉛金屬，到了夜晚又冷到足以將空氣液化！

水星基本資料

直徑	4,879 公里
表面平均溫度	167°C
自轉一周	58.6 地球日
公轉一周	88 地球日
衛星數量	0

熱點

這是水星表面的溫度分布圖，不同顏色代表不同的溫度，紅色區域位於正向面對太陽的赤道，因此最熱，接下來是溫度較低的黃色區域、然後更低的綠色區域，而南北兩極地區則是最冷的藍色區域。

熔岩之地

金星常被形容為地球的雙胞胎，原因在於兩者尺寸差不多，內部結構也相似，但其實，它們的環境是相當不同的兩個世界。

任何太空人若是想在金星表面行走，不出幾秒就會喪命——金星表面的溫度簡直就像披薩烤爐一樣高，而大氣壓力足足比地球大 90 倍以上。

金星地表被濃厚的一層大氣所遮掩，但人類發射的太空探測器曾經運用雷達看穿雲層，也曾派遣無人登陸器著陸並拍照。金星是一個充滿火山的世界，這其中有很多是活火山，地表散落著熔岩凝固後形成的破碎岩石，而四周永遠昏天暗地，只有少許微弱的黃光從雲層中滲透出來。

金星的自轉速度比其他行星更慢，而且是以順時針方向自轉——這點跟所有行星也都不同(當然，天王星的自轉軸傾角更是獨特)。

金星基本資料

直徑	12,104 公里
表面平均溫度	464°C
自轉一周	243 地球日
公轉一周	224.7 地球日
衛星數量	0

溫室效應

金星的溫度之所以這麼高，主要是由「溫室效應」所導致：太陽的熱能穿透大氣，加溫地表，再從地表釋放熱氣，但這些反射熱能被濃密的大氣鎖住，無法散逸到太空中——就跟人類搭建溫室的玻璃罩具有同樣的效果。

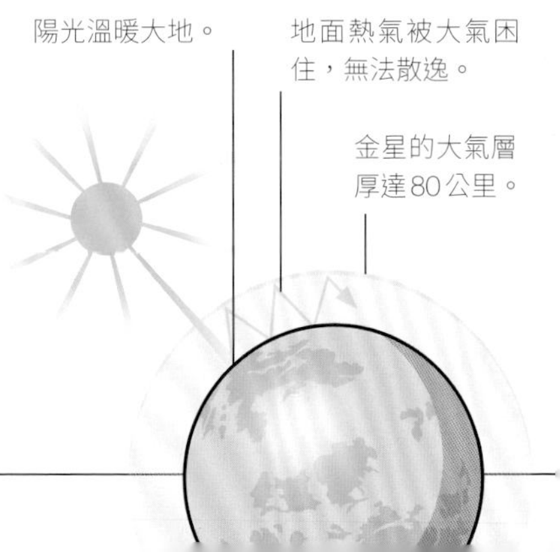
陽光溫暖大地。
地面熱氣被大氣困住，無法散逸。
金星的大氣層厚達80公里。

4,000 公里——火星地表**水手號峽谷**的綿延**長度**。

火星的兩顆**衛星**—**福波斯**和**戴摩斯**—過去**一度都是小行星**。

22 公里——火星地表**奧林帕斯火山**的**高度**。

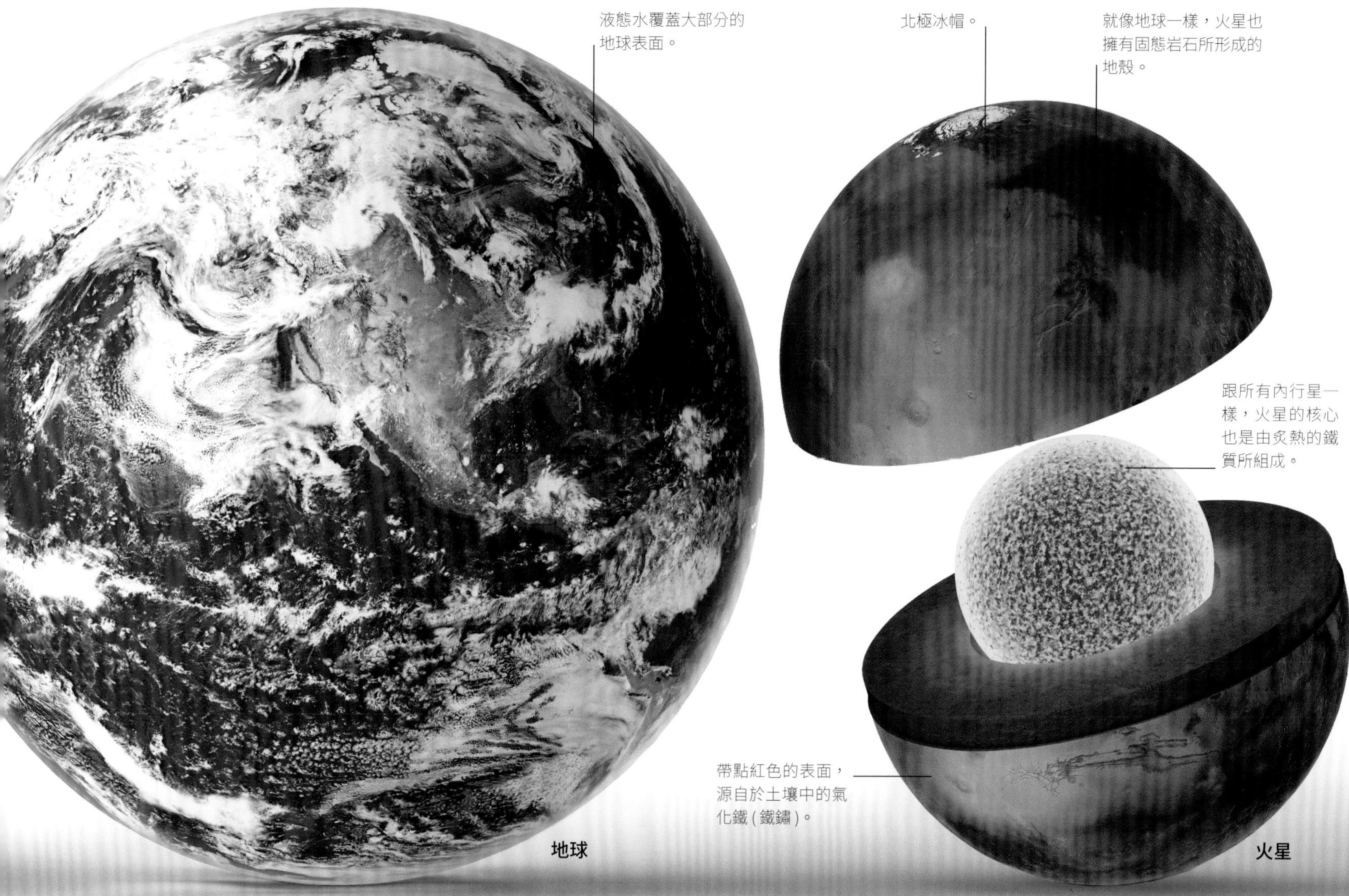
液態水覆蓋大部分的地球表面。
北極冰帽。
就像地球一樣，火星也擁有固態岩石所形成的地殼。
跟所有內行星一樣，火星的核心也是由炙熱的鐵質所組成。
帶點紅色的表面，源自於土壤中的氧化鐵（鐵鏽）。
地球
火星

生機盎然的世界

公轉軌道距離太陽第三近，但地球是尺寸最大的內行星，也是唯一擁有液態水流過表面的行星，更是目前已知能夠支持生命繁衍的唯一星球。

地球表面涵蓋廣大的海洋（71% 地表面積）、陸地、以及南北兩極的冰帽，而在底下支持這些地貌的，全都是薄薄的一層岩質地殼，地球的整體地殼由 7 片大型地殼板塊、以及數十片小型地殼板塊組合而成，這些巨型岩板以極其緩慢的速度，漂移在柔軟而炙熱的內層岩石—地函—之上。相鄰地殼板塊會互相推擠，產生巨大的力量，進而造就山脈、啟動火山噴發或地震發生；上述這些劇烈的活動正在持續改變地球的面貌，此外風力和水流亦復如此，更重要的是地球上的 70 多億居民——我們的各種活動，對地球產生愈來愈大的衝擊！

地球基本資料

直徑	12,756 公里
表面平均溫度	15°C
自轉一周	23.9 小時
公轉一周	365.3 地球日
衛星數量	1

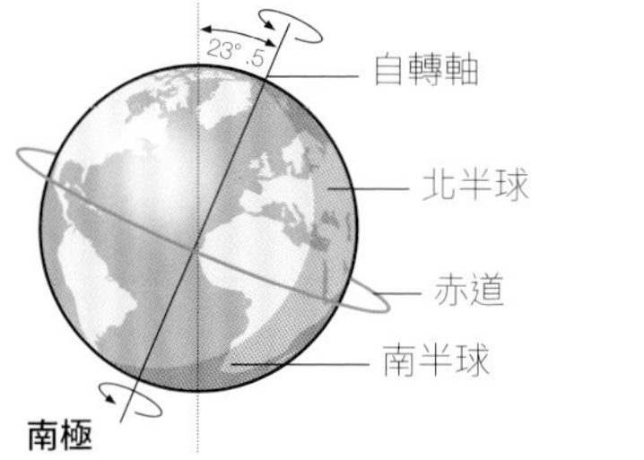
北極
23°.5
自轉軸
北半球
赤道
南半球
南極

自轉軸傾斜

地球自轉一周所需的時間稱為一個「地球日」，就也就一天。然而，地球的自轉軸—連結北極點與南極點的假想軸—並非「筆直」面對太陽，而是跟公轉軌道平面（黃道面）的垂直線之間呈現 23.5°的傾斜角，因此當地球環繞太陽公轉時，有時北半球傾向太陽，有時則是南半球傾向太陽——這就是造就地球會有四季變化的原因。

紅色行星

火星是太陽系中第二小的行星，直徑大約只有地球的一半，由於外觀呈鐵鏽色，又被稱為紅色行星。火星上頭是一片冰冷的沙漠世界，「水手號峽谷」綿延地表將近 4,000 公里長—這是早年地殼破裂所造成的—其他地方大多是覆蓋塵土的寬廣平原，其間點綴著許多巨礫和大型死火山，包括奧林帕斯山——太陽系之中最大的火山。

火星基本資料

直徑	6,792 公里
表面平均溫度	-63°C
自轉一周	24.6 小時
公轉一周	687 地球日
衛星數量	2

岩質氾濫平原

火星表面並非一開始就是沙漠，乾涸的河床顯示很久之前此地曾有河流流過，洪水挾帶著岩石，堆積於氾濫平原之上——如下圖所見。科學家推論，火星過去可能一度比現在更溫暖、更潮濕，足以支持生命繁衍。

1,300顆——**木星**體積之龐大，其內部空間足以**塞進**這個多顆地球！

1665年——**人類第一次**看見木星表面的**大紅斑**。

按比例，我們的地球只有這麼大。

大氣層
木星旋渦般的大氣層厚達 1,000 公里，主要成分為氫氣。
液態層
大氣層逐漸向內併入由液態氫與液態氦所組成的液態層。
大氣層含有微量甲烷，造就海王星的藍色外觀。
大紅斑
這個大紅斑其實是一個巨型反氣旋風暴，範圍比地球更大，而且已經持續肆虐了 300 年以上。
木星
固體核心
木星的岩質核心，其溫度比太陽表面更高。
液態金屬層
在土星的內層，重大的壓力將氫氣轉變為液態金屬氫。
海王星

行星之王

木星是太陽系(由內而外)的第5顆行星，也是尺寸最龐大的行星，事實上，木星的質量是其他7顆行星加總起來的2.5倍，因此重力之大，足以影響太陽系其他天體的公轉軌道。

木星的自轉速度非常快，導致其表面雲層形成環條狀，並帶有斑點(風暴區)和波紋——波紋其實就是相鄰環條雲層互相纏繞的結果。

木星基本資料

直徑	142,984 公里
表面平均溫度	-121°C
自轉一周	9.9 小時
公轉一周	11.9 地球年
衛星數量	67

木星系統

就像眾臣簇擁國王，木星周邊圍繞著為數眾多的衛星，下圖顯示木星的內衛星—包括尺寸最大的4顆—其中尤以甘尼米德(木衛三)最為巨大，甚至比八大行星中的水星更大；至於其他衛星，可能都是被木星強大重力所吸引過來的小行星。

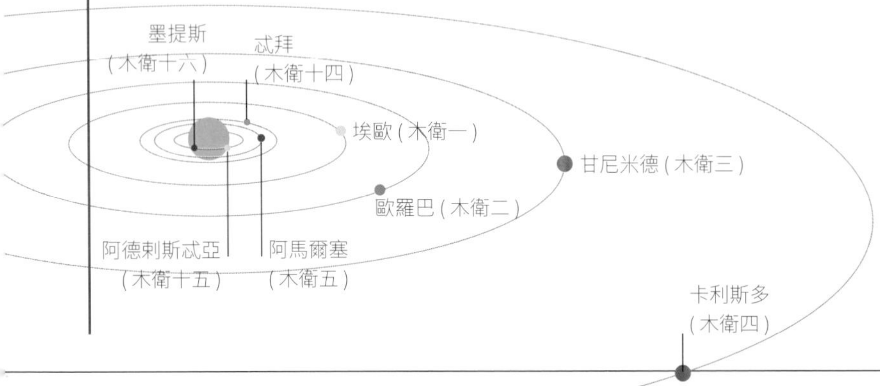
墨提斯
(木衛十六)
忒拜
(木衛十四)
埃歐(木衛一)
甘尼米德(木衛三)
歐羅巴(木衛二)
阿德剌斯忒亞
(木衛十五)
阿馬爾塞
(木衛五)
卡利斯多
(木衛四)

藍色行星

海王星是八大行星中距離太陽最遠的，西元1846年首度被人類發現——稍早之前，天文學家觀察到天王星並非按照預期的路徑公轉，似乎是受到某一未知天體所牽引—可能是顆尚未發現的行星—因此英國約翰·柯西·亞當斯與法國奧本·勒維耶這兩位數學家，計算出海王星在天空中的位置；數天之後，德國一個天文台據此發現了海王星。

海王星的尺寸比天王星小一點，但顏色看起來更加深藍，這是由於海王星的大氣層含有更多甲烷。海王星的流體地函相當厚，溫度與密度也都很高，主要成分包括水、氨和甲烷。此外，天王星擁有幾乎看不見的行星環，13顆衛星之中以崔頓(海衛一)的尺寸最大——崔頓的外觀類似冥王星，很可能是在數十億年前，偶然被海王星的重力所吸附過來的。

海王星基本資料

直徑	49,528 公里
表面平均溫度	-201°C
自轉一周	16.1 小時
公轉一周	163.7 地球年
衛星數量	13

強風

無人太空探測器「航海家2號」在西元1989年飛越海王星，並傳回下方的照片，圖中將雲層吹成條紋狀的強風，其時速高達2,100公里——這是太陽系之中的最大風速；海王星距離太陽很遠，無法吸收太多熱能，因此科學家普遍認為，這種狂暴的天氣是由海王星自身內部強大的熱能所引起的。

24,000°C 木星核心的推估溫度。

150顆——目前已知土星的衛星和小衛星合計數量。

外行星

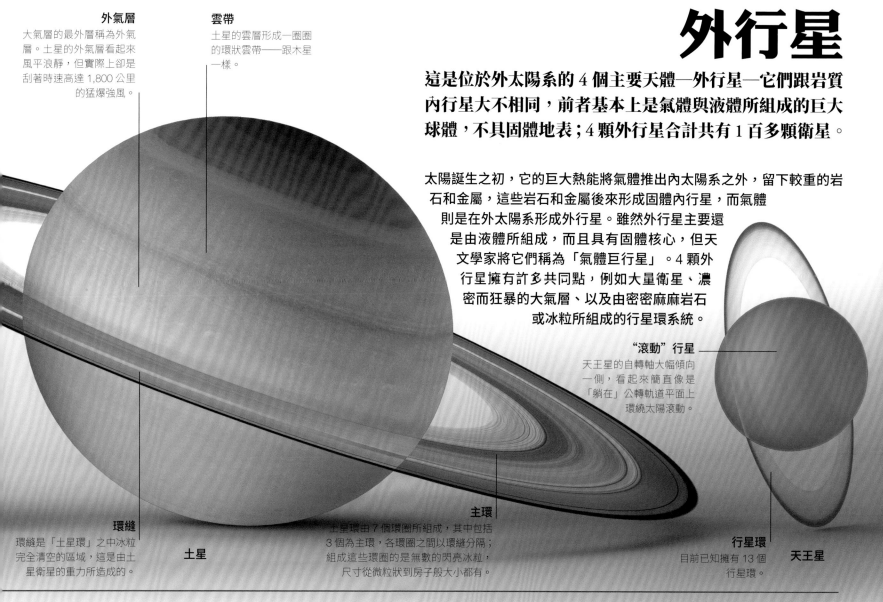

這是位於外太陽系的 4 個主要天體—外行星—它們跟岩質內行星大不相同，前者基本上是氣體與液體所組成的巨大球體，不具固體地表；4 顆外行星合計共有 1 百多顆衛星。

太陽誕生之初，它的巨大熱能將氣體推出內太陽系之外，留下較重的岩石和金屬，這些岩石和金屬後來形成固體內行星，而氣體則是在外太陽系形成外行星。雖然外行星主要還是由液體所組成，而且具有固體核心，但天文學家將它們稱為「氣體巨行星」。4 顆外行星擁有許多共同點，例如大量衛星、濃密而狂暴的大氣層、以及由密密麻麻岩石或冰粒所組成的行星環系統。

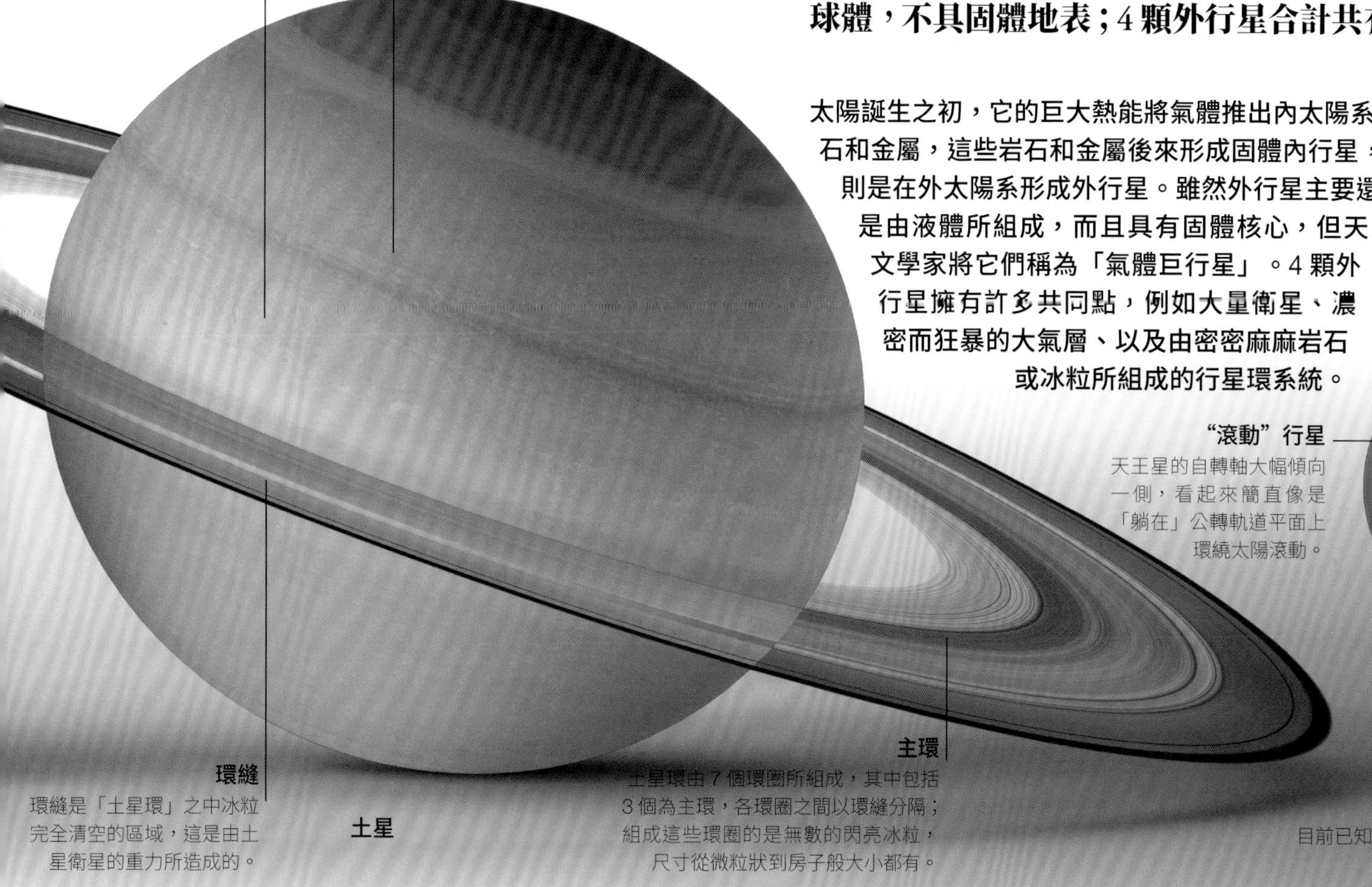
外氣層
大氣層的最外層稱為外氣層。土星的外氣層看起來風平浪靜，但實際上卻是刮著時速高達 1,800 公里的猛爆強風。
雲帶
土星的雲層形成一圈圈的環狀雲帶——跟木星一樣。
環縫
環縫是「土星環」之中冰粒完全清空的區域，這是由土星衛星的重力所造成的。
土星
主環
土星環由 7 個環圈所組成，其中包括 3 個為主環，各環圈之間以環縫分隔；組成這些環圈的是無數的閃亮冰粒，尺寸從微粒狀到房子般大小都有。

“滾動”行星
天王星的自轉軸大幅傾向一側，看起來簡直像是「躺在」公轉軌道平面上環繞太陽滾動。
行星環
目前已知擁有 13 個行星環。
天王星

壯麗的土星環

土行是太陽系的第二大行星，與太陽之間的距離排名第六遠，其外觀呈現明亮的黃色。就算透過最小的望遠鏡，都很難不發現土星最著名的特徵——壯麗的行星環。土星的尺寸雖大，但密度只有木星的一半，雲層所構成的條紋帶也不如木星明顯，但每隔 30 年左右，土星的大氣就會刮起猛烈的風暴，形成許多巨大的白斑。

泰坦（土衛六）是土星最大的衛星，擁有濃密的大氣層、岩質表面、以及由液態甲烷所構成的「大海」。西元 2004 年，「卡西尼號」無人太空船開始繞行土星軌道運轉，並於 2005 年釋放「惠更斯號」太空探測器，在泰坦（土衛六）降落。

土星基本資料

直徑	120,536 公里
表面平均溫度	-180°C
自轉一周	10.7 小時
公轉一周	29.5 地球年
衛星數量	62

土星環系統

土星環主環的寬度達 360,000 公里，但厚度只有 10 公尺，相當於一張 3 公里寬的薄薄紙張。在外環之外土星還擁有模糊的外環——這是「卡西尼號」在土星遮住太陽時所拍攝的相片。

錯亂的世界

天王星是距離太陽第七遠的行星，只要在清朗的夜空下肉眼就可見到，但古代天文學家並不知道天王星的存在，直到西元 1781 年，才由英國音樂家威廉 · 赫爾雪在後花園洗澡時發現它的存在。

天王星的外觀類似海王星，但顏色較淺，表面幾乎毫無地景，其核心所產生的熱能極少，因而成為最寒冷的太陽系行星。天王星幾乎「躺平」在公轉軌道平面上繞行太陽，這或許是早年被其他行星「擊倒」的結果，也因為如此，天王星的季節變化非常緩慢。

天王星擁有一組非常模糊的行星環，西元 1977 年才被人類所發現，它的衛星全都以大文豪莎士比亞、或英國詩人亞歷山大 · 波普作品中的角色來命名。

天王星基本資料

直徑	51,118 公里
表面平均溫度	-193°C
自轉一周	17.2 小時
公轉一周	84 地球年
衛星數量	27

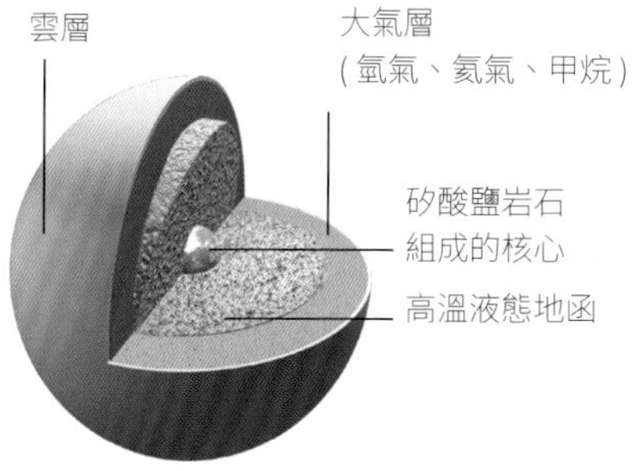
雲層
大氣層
（氫氣、氦氣、甲烷）
矽酸鹽岩石
組成的核心
高溫液態地函

冰質巨行星

天王星的淡藍色外觀源自於大氣中所含的微量甲烷，雲層中也含有水和氨；但相較於木星與土星，天王星氫與氦的含量較少，但含有更多的岩石和水。

18天——就算波音747客機能夠飛上月球，也需要這多時間才能抵達。

月球

月球是地球最親近的太空鄰居，在夜空中，沒有任何天體看起來比月球更大，它的表面布滿大大小小的隕石坑，或許表面有點寒冷、有些了無生氣，但深藏於月球中心的，卻是一顆熾熱的巨大鐵球。

自從月球形成於一次宇宙天體碰撞（大碰撞理論），地球就跟月球形影不離地並存於太空之中。月球環繞地球公轉，永遠以同一面朝向地球，當我們凝視月球反射出陽光的表面，映入眼簾的景象其實 35 億年來幾乎完全不曾變過。回到月球新生之初，數百萬年間歷經眾多小行星持續「轟炸」，導致其地表物質炸飛，留下大小不等的密集隕石坑，其中有些大隕石坑後來被古代火山所噴發的熔岩所流過，形成陰暗而寬廣的平原——由於看起來很像海洋，我們稱之為「月海」。

雨海
（月球表面第二大月海
月海
月球地表平坦的深色區域稱為月海，這是熔岩固化後所形成的廣大平原。
灰色表面
月球表面覆蓋著一層數公分深的灰色塵埃微粒。

月球基本資料

直徑 ………… 3,474 公里
表面平均溫度 ………… -53°C
自轉一周 ………… 27 地球日（=1 太陰日）
公轉一周 ………… 27 地球日
重力 ………… 0.14（地球 =1）

月球如何形成？

科學家認為，45 億年前地球曾跟其他行星發生碰撞，四處飛散的殘骸因重力而重新凝聚，進而形成月球。

撞擊
一顆遠古行星（假設曾經存在）撞上地球，將熔岩炸飛到太空之中。

月球形成
殘骸因重力牽引形成圓盤，逐漸凝結，最終形成月球。

月相

月球環繞地球公轉，但由於月球本身不發光，而是反射太陽光，因此我們從地球觀察月球，所看到的是逐漸變化的月球形狀，此稱為「月相」；月相的平均盈虧周期大約是 29.5 天。

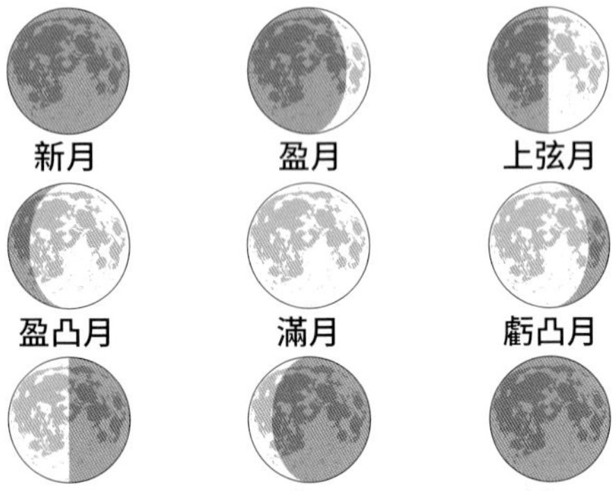
新月
盈月
上弦月
盈凸月
滿月
虧凸月
下弦月
殘月
新月

月球的背面

月球的自轉周期與環繞地球公轉的周期相同，因此總是以同一面（正面）朝向地球，除了太空船之外，沒有人能從地球上看到月球的背面。相較於正面，月球背面的地殼更厚，隕石坑也更密集；下圖顯示月球表面的高度差異。

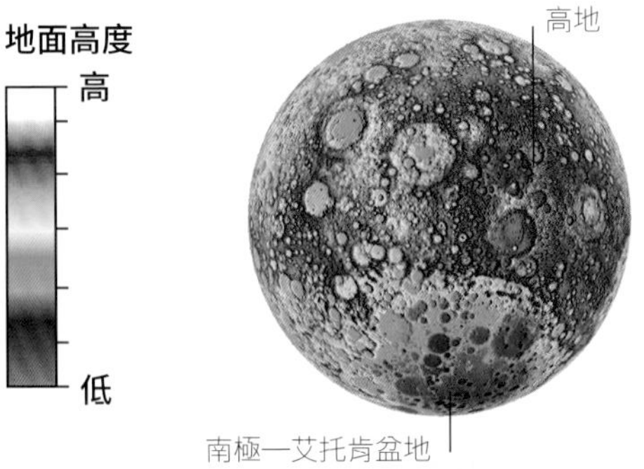
地面高度
高
低
高地
南極—艾托肯盆地

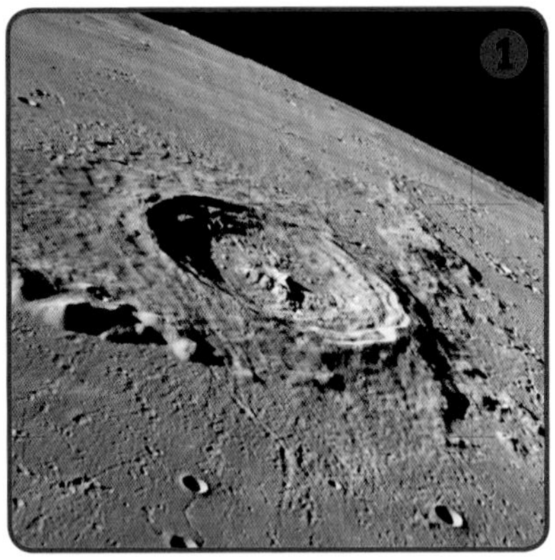

月球圓坑

隕石坑（通稱月球圓坑）分布於月球所有表面，尺寸小至數公里寬的碗狀坑洞，大者例如遼闊的南極－艾肯托盆地——直徑可達 2,500 公里，其中有些隕石坑還具有「中央山」，那是小行星撞擊之後地面反彈而形成的。

登月太空人

在「美國航空暨太空總署」進行「阿波羅計畫」期間，太空人曾經 6 度登陸月球，他們發現月球的天空呈墨黑色，而地面盡是灰濛濛的塵土平原和滾動山丘。下圖是一名太空人回頭望向他的登月小艇，小艇就停在卡美洛隕石坑附近，他在當地採集了許多樣本，帶回地球研究；圖中散落一地的大礫石，則是隕石坑形成時被撞飛出來的。

月球的內部構造

就像地球，月球也是由層層構造所組成，這是月球還處於撞擊後的一團「岩漿海」之時，就已經形成了——低密度物質浮上外圍，而高密度物質沉降到中心。月球的最外圍是薄薄一層岩石所構成的地殼—這跟地球很像—地殼之下是厚實的地函，地函的成分也是岩石，愈朝向中心點溫度愈高，在月球的中心則是鐵質核心，由放射性物質所產生的能量加溫至 1,400° C 左右；此外根據科學家的推論，核心可分為外核與內核，外核處於熔化狀態，內核則因外層岩石擠壓而形成實心固體。

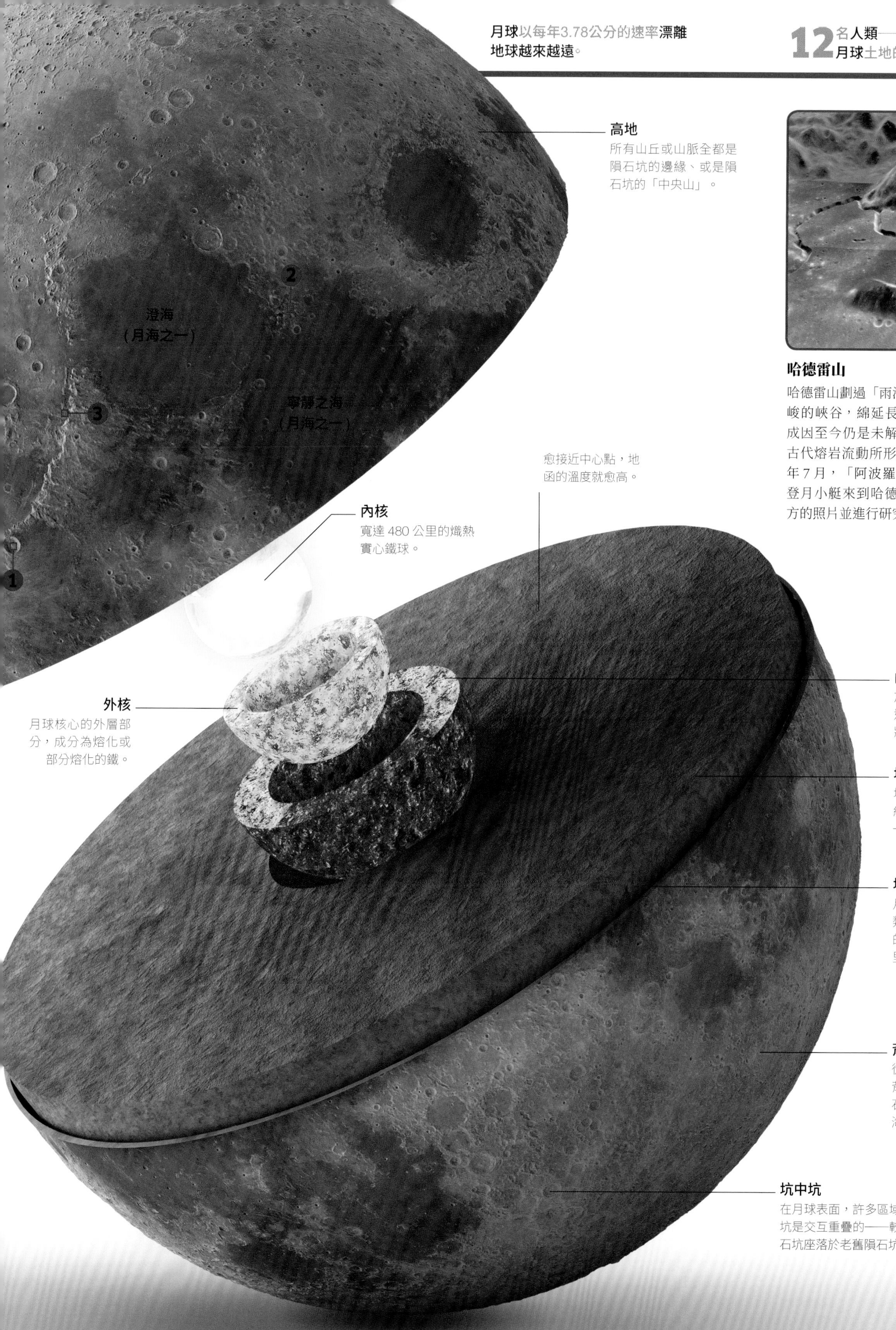
高地
所有山丘或山脈全都是隕石坑的邊緣、或是隕石坑的「中央山」。
2
澄海
（月海之一）
寧靜之海
（月海之一）
3
1
愈接近中心點，地函的溫度就愈高。
內核
寬達 480 公里的熾熱實心鐵球。
外核
月球核心的外層部分，成分為熔化或部分熔化的鐵。
內地函
放射性元素產生的熱能，造成內地函處於半熔化狀態。
地函
地函主要由固態岩石所組成，富含矽酸鹽礦物——跟地球一樣。
地殼
月球的地殼由花崗岩之類的岩石所組成，正面的地殼厚度大約 48 公里，背面大約是 74 公里。
背面
從地球無法看見月球的背面，那裡也是布滿隕石坑，但沒有大型「月海」。
坑中坑
在月球表面，許多區域的隕石坑是交互重疊的——較新的隕石坑座落於老舊隕石坑之上。

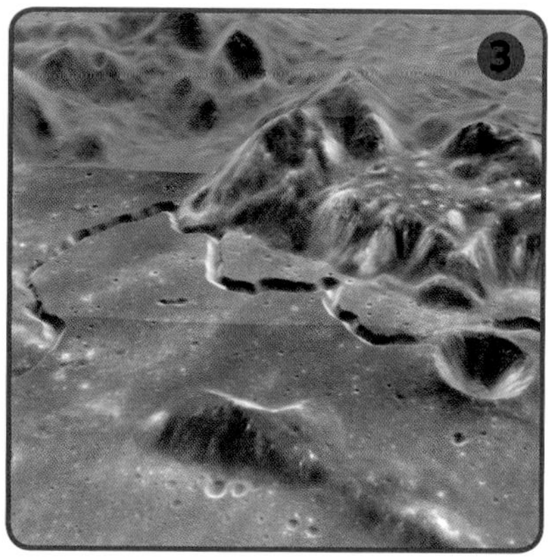
3

哈德雷山

哈德雷山劃過「雨海」的邊緣，是一處險峻的峽谷，綿延長達 100 公里以上，其成因至今仍是未解之謎，據推測可能是古代熔岩流動所形成的溝渠。西元 1971 年 7 月，「阿波羅計畫」的太空人駕著登月小艇來到哈德雷山的邊緣，拍下上方的照片並進行研究。

太空探索

自古人類就對恆星與行星著迷不已，但直到 20 世紀，人類才發展出探索太空的能力，我們將太空人送上月球，派遣無人探測船飛抵太陽系的邊緣，並運用大型望遠鏡，對寬廣無垠的宇宙進行研究。

探索其他行星

對於「載人太空任務」而言，其他行星還是距離地球太遠，因此我們發射無人探測器來代替。最早成功探索行星任務的探測船是「水手 2 號」，這艘美國太空船在西元 1962 年近距離飛越金星，自此雖然最初歷經多次失敗，但至今人類已完成數百次太空任務，造訪過許多太陽系行星、衛星、小行星和彗星，其中大多是近距離飛越、或在其軌道運行，但也有一些是派出登陸小艇進行著陸。

無人太空探測器

無人太空探測器可以用來進行距離太遠、或是對人類來說太過於危險的太空任務。無人探測器經由火箭發射升空，接著飛越寬廣的太空，歷時數年才能抵達目標。無人太空探測器分為多種類型，每一種類型各具執行特定太空任務的功能。

飛越任務

有些無人探測器透過飛越目標，來進行天體觀測，「美國航太暨太空總署」著名的「航海家 1 號」與「航海家 2 號」就是如此，它們已經飛越好幾個太陽系行星。

軌道載具

軌道載具重覆環繞行星飛行，長期針對目標天體進行研究；人類發射的軌道載具已經造訪過月球、以及除了天王星和海王星之外的所有太陽系行星。

觀察天空

千百年來，天文學家使用肉眼、或是簡單的望遠鏡來觀察天空，然而我們看得到的「可見光」，只是從太空而來的電磁輻射廣大光譜中一部分，恆星與其他天體還會散發肉眼看不見的無線電波、X 射線、紅外線和紫外線，而現代望遠鏡能夠看清它們——每一種輻射都透露出不同的一些「天機」。

捕捉光線

望遠鏡分為數種不同的類型與設計原理，但基本上功能都一樣：從太空蒐集各種電磁輻射，並聚焦形成影像；地球的太氣層可能會阻擋或屏蔽影像，因此許多望遠鏡都設置於山頂、甚至發射至太空之中。

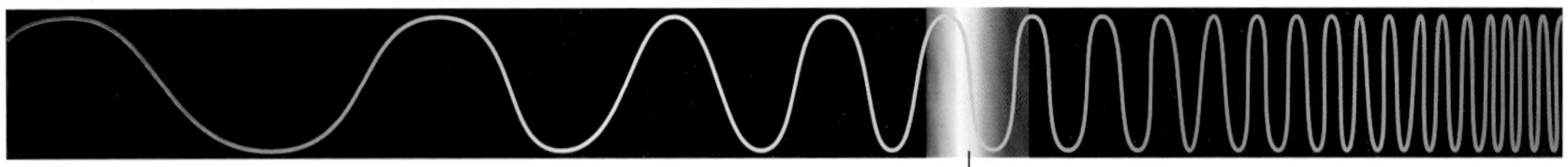

無線電
微波
紅外線
可見光
X 射線

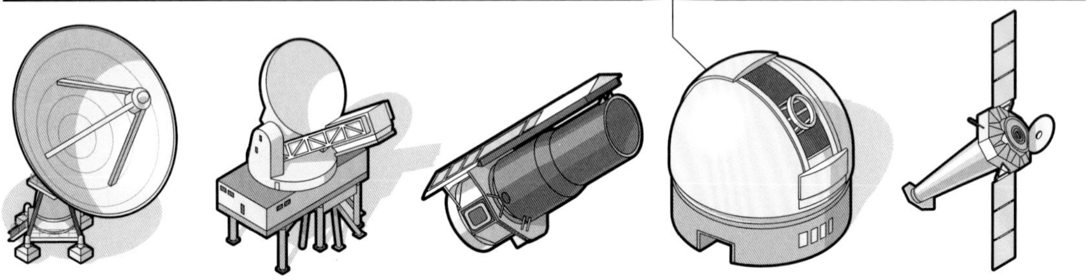

電波望遠鏡
大型凹狀碟盤用來聚集無線電波，這些訊號可能來自其他星系、脈衝星、或是黑洞。

微波望遠鏡
微波是指波長介於無線電波與紅外線之間的電磁波，藉由捕捉這些電磁波，望遠鏡就能看見大爆炸發生時的遠古輻射。

紅外線望遠鏡
有些紅外線望遠鏡被發射到太空之中，用以偵測太空物質—例如星雲或塵埃—所散發的熱能。

光學望遠鏡
利用大型透鏡的組合，光學望遠鏡可以收集微弱的可見光，範圍比人類肉眼遠得多！

X 射線望遠鏡
X 射線望遠鏡只能在太空中運作，用以捕捉來自極高溫天體的高能量射線。

繪製星圖

由於地球被太空所環繞，當我們望向夜空，彷彿所有星星都釘在一個大圓球之上，天文學家稱之為「天球」，並用以標示個別恆星或行星的方位；下圖中的垂直線（赤經）與水平線（赤緯）用以將天球分割成格，其功能如同普通地圖中的經線和緯線。

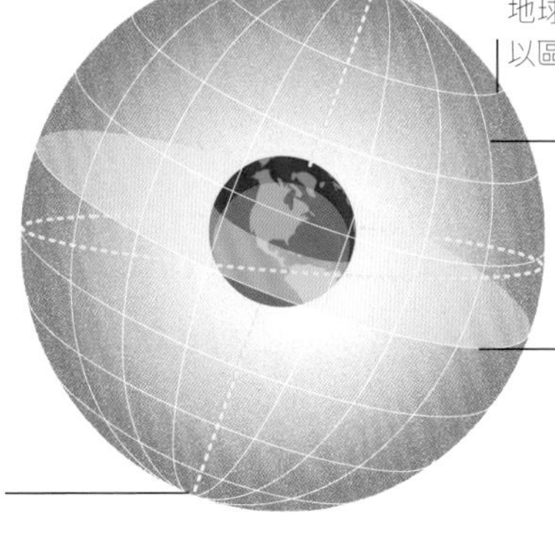

北天極
位於地球北極正上方的一個點。

南天極
位於地球南極正上方的一個點。

赤緯
地球緯線在天球上的投影，用以區分天球的南北向方位。

赤經
地球經線在天球上的投影，用以區分天球的東西向方位。

天球赤道
這條假想線是地球赤道在天球上的投影，將天空分為北天球與南天球。

發射載具

太空的界限始於地球表面上方 100 公里，以火箭發射只需 10 分鐘就能到達，但這段短短的旅程必須耗費極大的動力，才能脫離地球重力的牽引。發射載具通常只供一次性發射使用，其大部分重量都是燃料。

史上最大的火箭

「農神 5 號」（美國）是史上最大的火箭，用來將太空人送上月球，而它的蘇聯對手—「N1」運載火箭—曾經嘗試發射過 4 次，但每次都以災難告終！

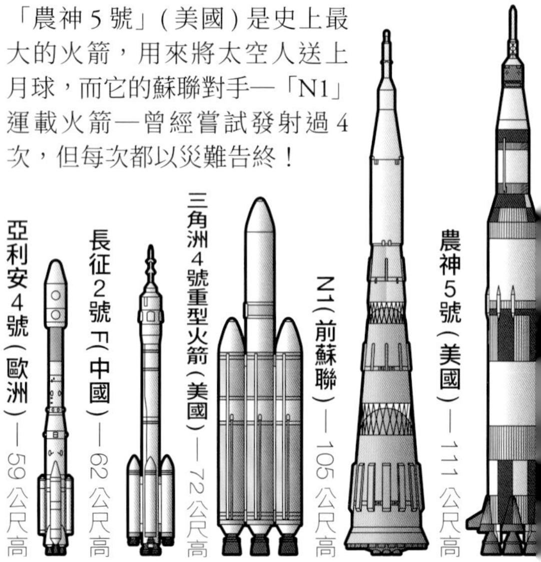

亞利安 4 號（歐洲）— 59 公尺高
長征 2 號 F（中國）— 62 公尺高
三角洲 4 號重型火箭（美國）— 72 公尺高
N1（前蘇聯）— 105 公尺高
農神 5 號（美國）— 111 公尺高

發射地點

許多國家都有專為太空任務而設置的發射地點，地點愈靠近赤道，載重量也就愈大——這是由於赤道的地球自轉速度最快，可以提供火箭更大的上升力。

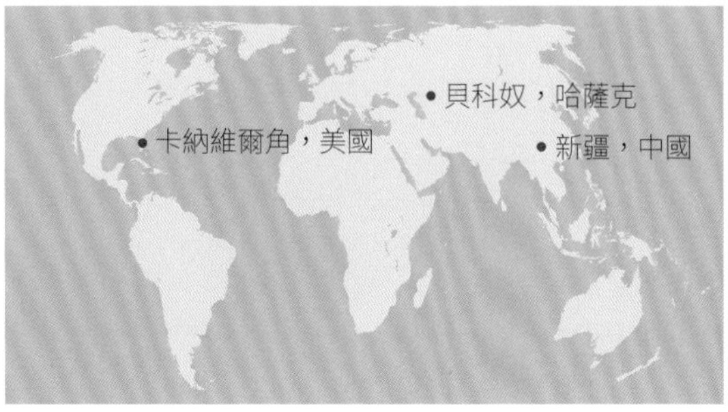

卡納維爾角，美國
貝科奴，哈薩克
新疆，中國

主要發射地點

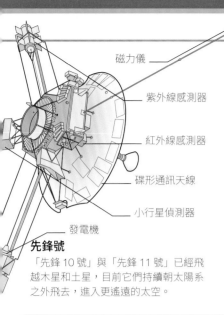

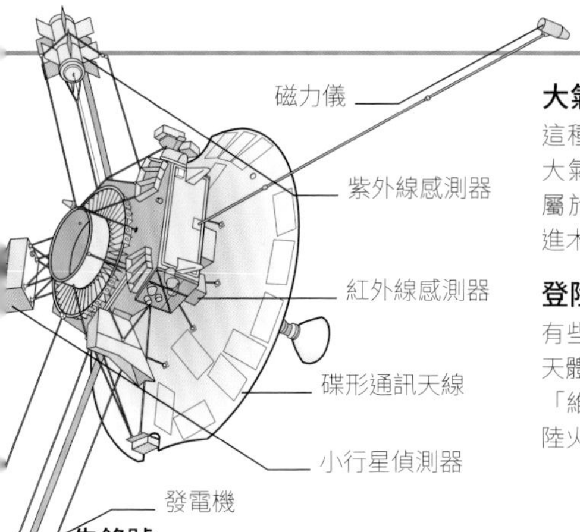
磁力儀
紫外線感測器
紅外線感測器
碟形通訊天線
小行星偵測器
發電機

先鋒號

「先鋒 10 號」與「先鋒 11 號」已經飛越木星和土星，目前它們持續朝太陽系之外飛去，進入更遙遠的太空。

大氣層探測器

這種探測器專門進入行星的大氣之中，「伽利略號」就屬於這類，它在 2005 年飛進木星狂暴的大氣層之中。

登陸載具

有些太空船能夠降落在其他天體的地表。西元 1976 年，「維京 1 號」成為第一艘登陸火星的太空船。

登陸小艇

登陸小艇就是具有輪子的登陸載具；人類將登陸小艇送上火星，研究各地的岩石，搜尋古老生命的跡象。

撞擊器

撞擊器的設計目的，是用來撞擊目標天體，並自我毀滅。西元 2005 年，「深度撞擊號」成功撞擊一顆彗星。

12 年又 43 天——這是「航海家 2 號」從地球飛到海王星所需的時間。

太陽系太空任務

最近 50 多年內，約有 200 艘太空船離開地球軌道，前往太陽系進行太空探索，這其中一半以上的目標是距離地球最近的幾個天體，包括月球、火星和金星。

造訪次數

這張圖表顯示太空船造訪太陽系主要天體的次數。

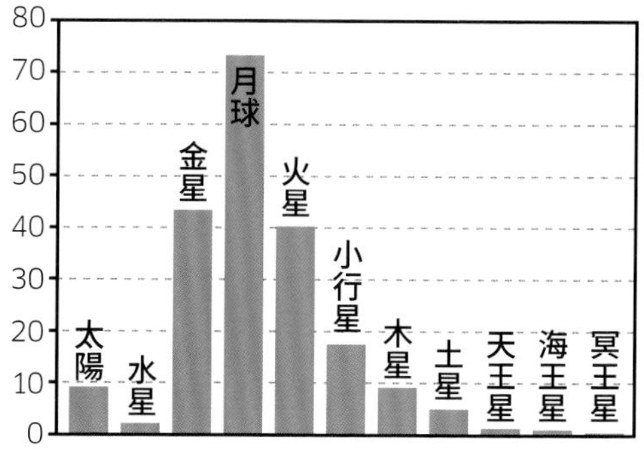
80
70
60
50
40
30
20
10
0
太陽
水星
金星
月球
火星
小行星
木星
土星
天王星
海王星
冥王星

人造衛星

目前約有 1,000 顆人造衛星繞行地球軌道，它們負責執行諸如傳送電視訊號到全世界、收集氣象資料、偵察敵軍活動……等等任務。另一方面，地球軌道上也聚集愈來愈多的太空垃圾，包括失效的人造衛星、丟棄的火箭體節、以及發生碰撞所留下的殘骸——這些太空垃圾也是環繞著地球軌道運行，它們愈積愈多，可能對發射的太空船造成危害。

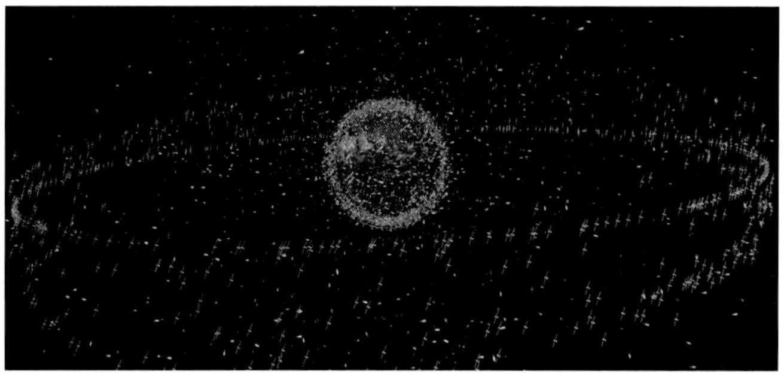

地球軌道上充斥著 500,000 件以上的人造物——包括人造衛星和太空垃圾。

衛星軌道

有些人造衛星距離地面僅有數百公里，另有一些衛星的軌道高得多，其中最高的—例如氣象、電視與電話衛星—全都位於「同步軌道」上，亦即它們都停留在地球上方的某個固定位置；至於低軌道衛星，其位置隨時都在變動。

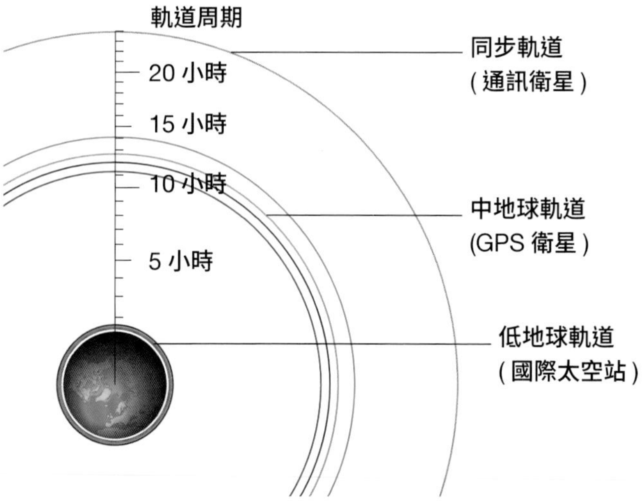
軌道周期
20 小時
15 小時
10 小時
5 小時
同步軌道
（通訊衛星）
中地球軌道
(GPS 衛星）
低地球軌道
（國際太空站）

太空中的生活

生活在太空，太空人必須適應零重力的環境，無重力漂浮雖然有趣，卻也可能導致身體健康的問題。太空站的內部空間狹窄，生活設施簡陋，太空人的食物早已事先準備——但若非又冷又乾，就是裝在袋子裡；太空站的所有水資源都必須回收再利用，連太空人呼出的水氣也不例外；洗澡時使用特製的洗髮精和香皂，不須使用任何一滴水；此外太空馬桶將排泄物吸出太空站之外，而不是以水流沖走！

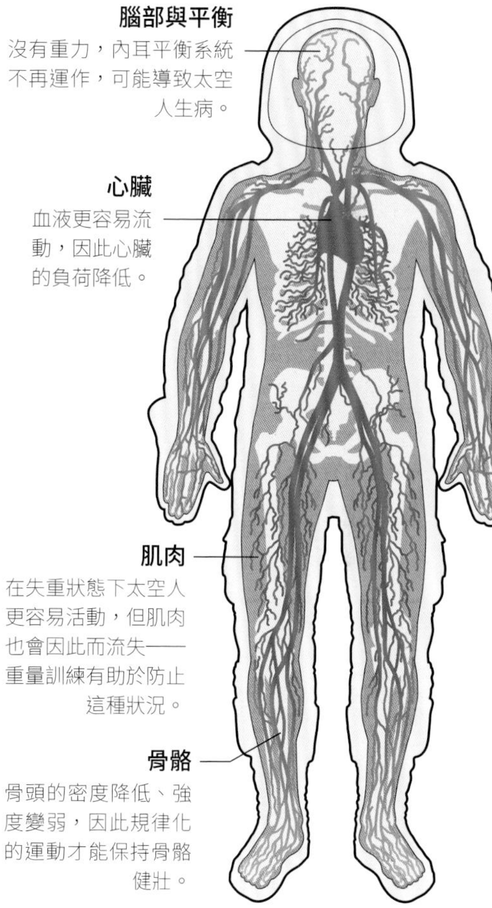
腦部與平衡
沒有重力，內耳平衡系統不再運作，可能導致太空人生病。
心臟
血液更容易流動，因此心臟的負荷降低。
肌肉
在失重狀態下太空人更容易活動，但肌肉也會因此而流失——重量訓練有助於防止這種狀況。
骨骼
骨頭的密度降低、強度變弱，因此規律化的運動才能保持骨骼健壯。

對身體的影響

當人類長期待在太空之中，身體就會產生變化——沒了重力拉扯，身高會增加 5 公分；在地球上原本向下流動的流體，轉而累積在頭部，這導致太空人的臉部浮腫、鼻子阻塞，食物也變得索然無味；此外當太空人回到地球，重新承受重力，又會造成他們感到極度虛弱。

太空站

太空站可說是載人衛星——一種能夠容納太空人和科學家起居、工作的軌道實驗室。前蘇聯在西元 1971 年最早發射太空站——「禮炮 1 號」；美國緊接著在 1973 年發射「太空實驗室」；在 1986-2001 年之間，蘇聯的「和平號太空站」成為最成功的太空站，直到 1998 年美國、俄羅斯、以及其他十多個國家聯合建造「聯合太空站」；至於中國，他們在 2011 年發射自己的太空站原型——「天宮一號」。

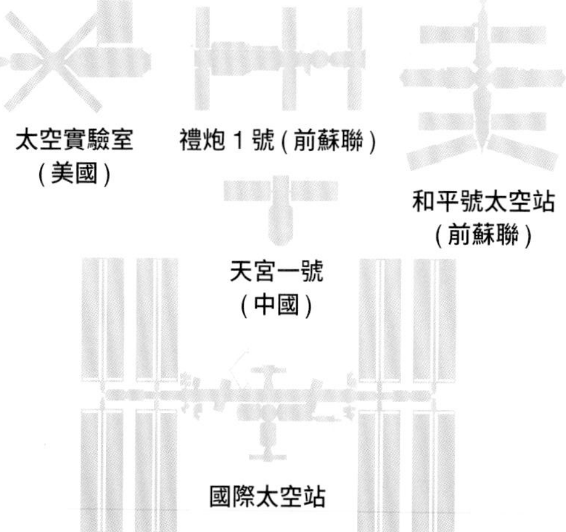
太空實驗室
（美國）
禮炮 1 號（前蘇聯）
和平號太空站
（前蘇聯）
天宮一號
（中國）
國際太空站

40 兆公里—比鄰星跟我們之間的距離；比鄰星是**距離太陽系最近**的恆星。

天文學簡史

許多遠古文明會追蹤記錄太陽和其他恆星的位置，用以作為遵循的節令。在古希臘時代，天文學家已經理解到「地球是圓的」，而現在，功能強大的望遠鏡幫助我們窺視更遙遠的太空，也讓我們幾乎能夠回溯到宇宙剛剛誕生之時。

西元前 3000 年

天文曆法

古代人類所建造的許多歷史遺跡一例如英國的巨石陣一都是跟太陽息息相關的，這些遺跡的用途可能是為了制定歷法，讓農夫知道何時播種。

西元 150 年

托勒密

古希臘天文學家托勒密曾經記錄了分屬 48 個星座的 1,022 顆恆星，但他相信，地球是宇宙及太陽系的中心，太陽、月亮、以及所有行星和恆星，都是環繞地球公轉。

1543 年

哥白尼

波蘭天文學家尼古拉．哥白尼提出「太陽才是太陽系的中心、而非地球」，這個理論在當時嚇壞了所有人，因為這麼一來，地球豈不是飛行於太空之中，而且還不停地自轉！

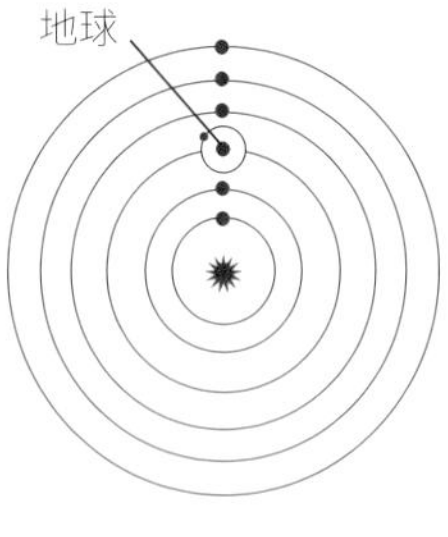

1610 年

伽利略

義大利科學家伽利略建造一具望遠鏡，用來研究星空──他看見太陽表面的斑點、月球表面的山脈、以及繞行木星的 4 顆衛星。

1687 年

牛頓

英國科學家伊薩克．牛頓提出「萬有引力（重力）定律」，重力就是造成物體墜落於地面的力量，他還發現重力也是導致月球環繞地球公轉、以及所有行星環繞太陽公轉的原因。

1990 年

現代天文學

現今，太空望遠鏡一例如 1990 年發射的「哈伯太空望遠鏡」一帶給我們許多遙遠太空中令人屏息的影像，包括許多前所未見的星系。

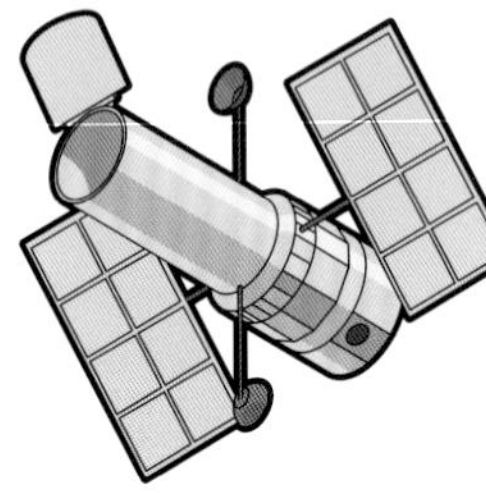

天文學

自古以來，人類總是仰望夜空，對它的美麗與神祕感到驚奇不已；而現今，天文學早已成為科學領域中的完整分支，致力於研究宇宙中的一切事物。

專業天文學家不只鑽研恆星，還研究關於太空的所有事物，從燃燒著劃過地球大氣層的壯觀流星、太陽系的八大行星，到距離我們遠達數十億光年的其他星系。另一方面，天文學也提供業餘愛好者作為閒暇時的嗜好，這些「追星族」樂於享受在後院以望遠鏡觀察夜空的時光，然而他們所看到的景像其實都是「過去式」──由於遙遠太空中的物體，其光芒必須經過一段時間才能抵達地球；就算我們看的是距離最近的月球，那也是 1.25 秒之前的月球，更何況那些遠在數百光年之外的天體。

夜空

古代觀星者將雜亂排列的星星連成圖案，並以神話人物或動物名稱為星群命名，統稱為星座；即使看起來並不太像名稱所指涉的事物，但至今我們仍然沿用舊名。現今，天文學家將整個天空劃分為 88 區，每一區都以包含於其中的原星座名稱來命名。「星圖」則是用來呈現某一特定時間、特定地點所看到的星座，例如右側這幅，就是你在北半球 1 月份的午夜所能見到的星空。

獵戶座

獵戶座是最有名、最明亮的星座之一，全球各地的夜空都能看見。獵戶座包含紅巨星「參宿四」、以及藍白超巨星「參宿七」──它們都是夜空中最明亮的星星之一。

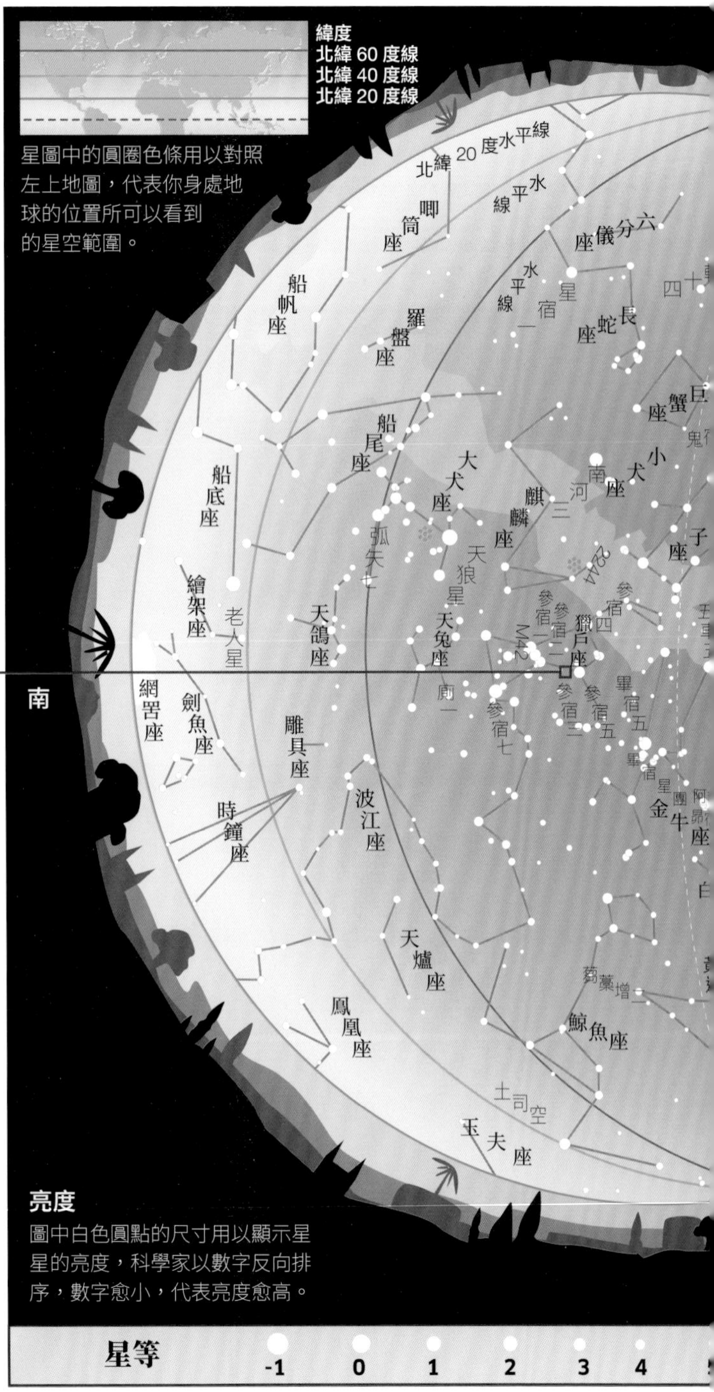

星圖中的圓圈色條用以對照左上地圖，代表你身處地球的位置所可以看到的星空範圍。

亮度

圖中白色圓點的尺寸用以顯示星星的亮度，科學家以數字反向排序，數字愈小，代表亮度愈高。

2,400 萬兆公里—仙女座星系跟我們之間的距離；這是宇宙中肉眼可見的最遠物體。

2,000—肉眼可見的所有恆星數量。

望遠鏡的運作原理

望遠鏡的發明導致天文學產生革命性的變化。相較人類的肉眼，望遠鏡從觀察物體收集更多光線，並利用這些光線放大影像。望遠鏡分為兩大基本類型——折射望遠鏡與反射望遠鏡，前者以大型凸透鏡來收集並聚焦光線，而後者以凹透鏡代替。

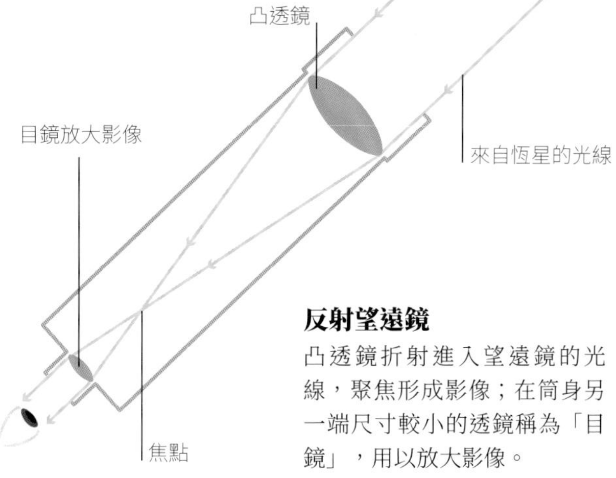
凸透鏡
目鏡放大影像
來自恆星的光線
焦點

反射望遠鏡

凸透鏡折射進入望遠鏡的光線，聚焦形成影像；在筒身另一端尺寸較小的透鏡稱為「目鏡」，用以放大影像。

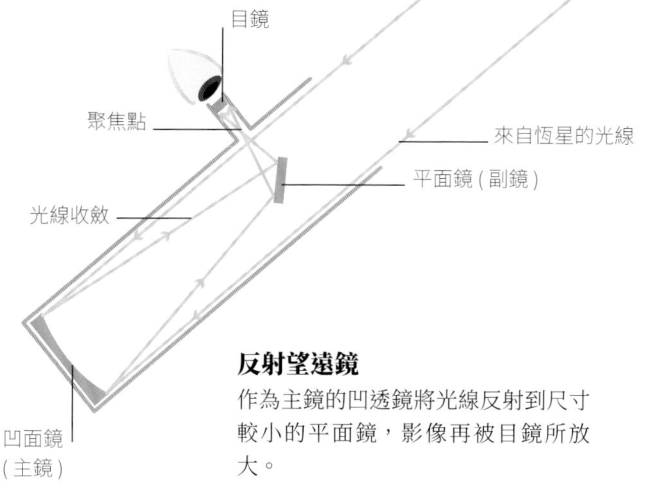
目鏡
聚焦點
來自恆星的光線
平面鏡（副鏡）
光線收斂
凹面鏡（主鏡）

反射望遠鏡

作為主鏡的凹透鏡將光線反射到尺寸較小的平面鏡，影像再被目鏡所放大。

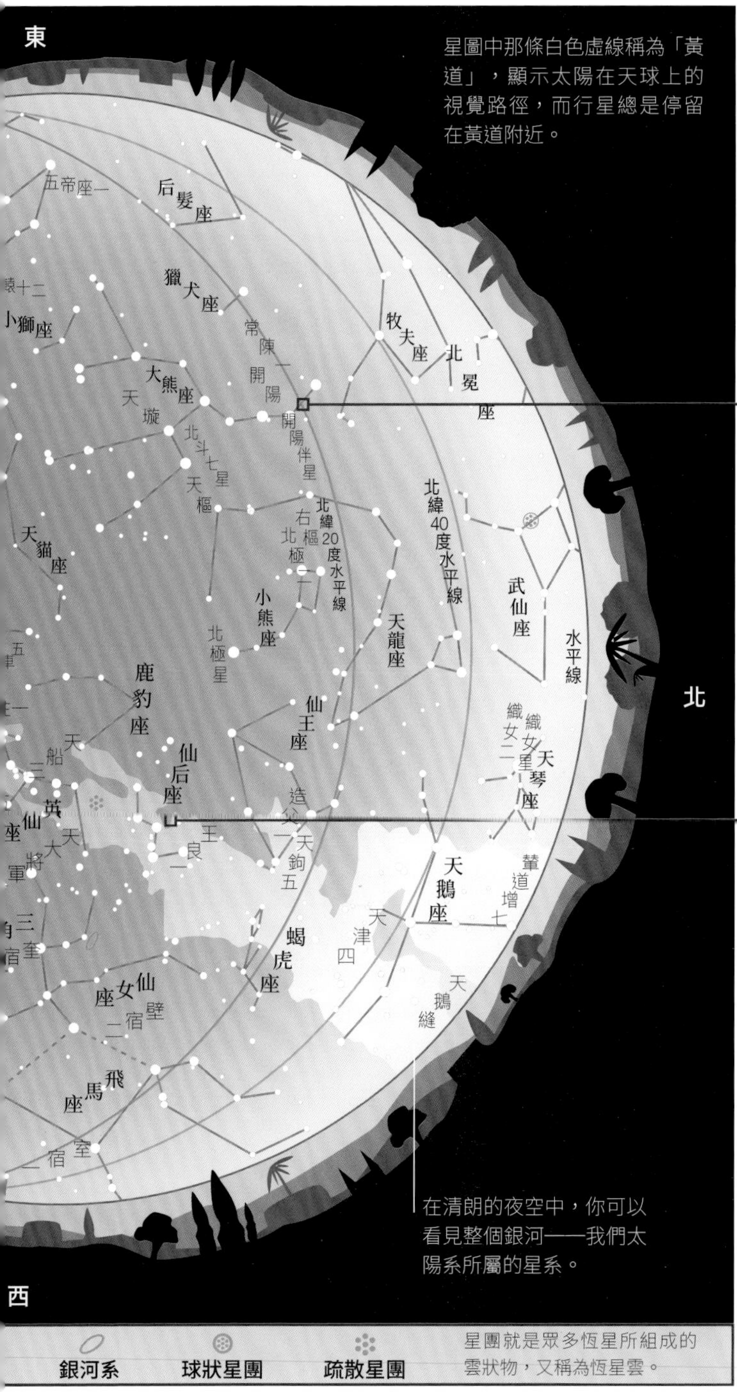
東
星圖中那條白色虛線稱為「黃道」，顯示太陽在天球上的視覺路徑，而行星總是停留在黃道附近。
北
西
在清朗的夜空中，你可以看見整個銀河——我們太陽系所屬的星系。
銀河系
球狀星團
疏散星團
星團就是眾多恆星所組成的雲狀物，又稱為恆星雲。

大熊座

大熊座的7顆明亮星星從熊尾排列到身體中心，形成著名的星群——北斗七星，其中最後兩顆（天樞和天璇）指向北極星；北極星永遠位於正北方，古代水手利用這顆星星來導航。

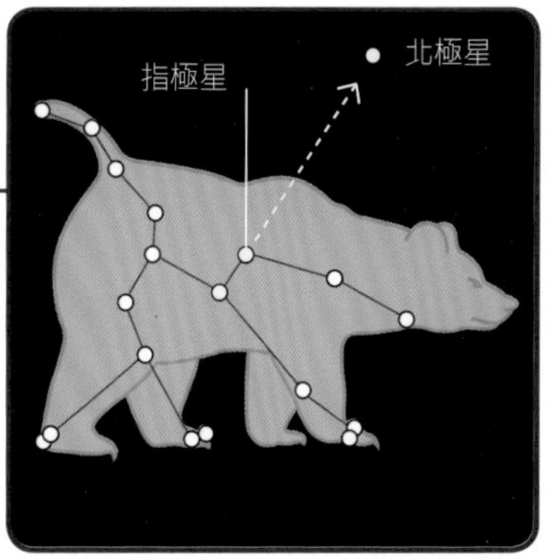
指極星
北極星

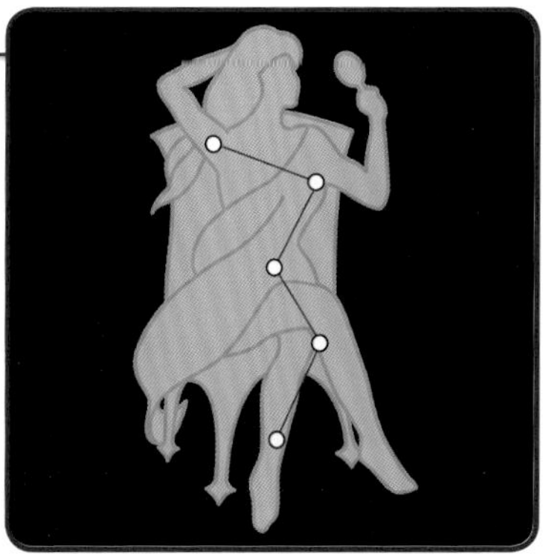

仙后座

這個星座是以古希臘神話中愛慕虛榮的皇后來命名的；在北方的夜空中非常容易找到仙后座，它看起來就像一個搖搖欲墜的「W」字母。

呈現不可見光

專業天文學家不只運用可見光來觀測夜空，他們所使用的望遠鏡還能呈現超出人類肉眼可見範圍的光波，例如X射線、無線電波和紅外線。下圖都是「克卜勒超新星」的影像——那是一顆巨星在西元1604年爆炸後留下的殘骸。

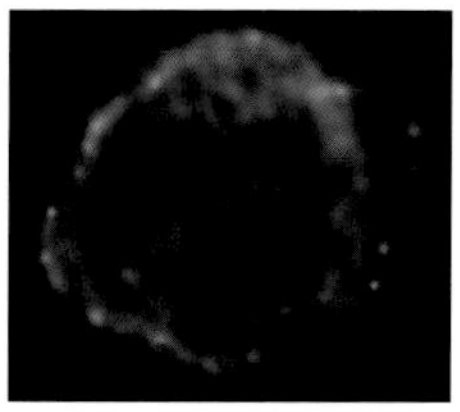

X射線

這幅克卜勒超新星的影像來自地球軌道上的「錢卓拉X射線天文台」，畫面中呈現一團極高溫氣體雲所散發的高能X射線。

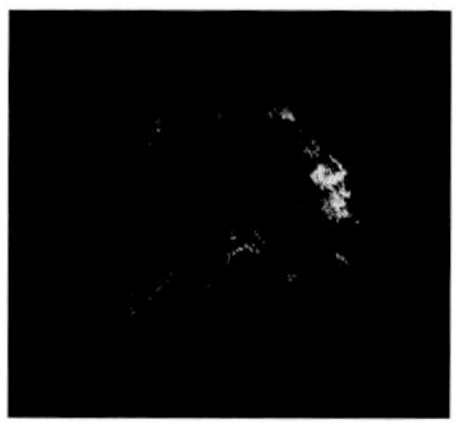

可見光影像

在可見光之下，目標物體的能見度非常低；這幅由「哈伯太空望遠鏡」所拍攝的影像甚至也是如此，圖中明亮的區域是一團氣體。

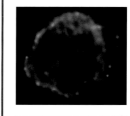

紅外線影像

這幅紅外線影像是由「史匹哲太空望遠鏡」所拍攝，呈現受到恆星爆炸的衝擊波所加熱的一團塵埃。

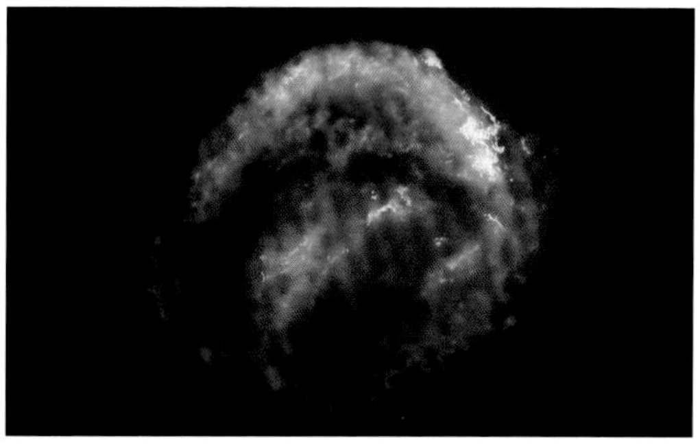

結合影像

這是上述3幅影像的結合，我們可以清楚看見一大片超新星殘骸，以每秒2,000公里的速度向太空擴張。

100萬人——西元1969年7月16日，專程來到佛羅里達州觀賞阿波羅11號發射的群眾。

農神5號火箭的高度甚至高過紐約市的自由女神像。

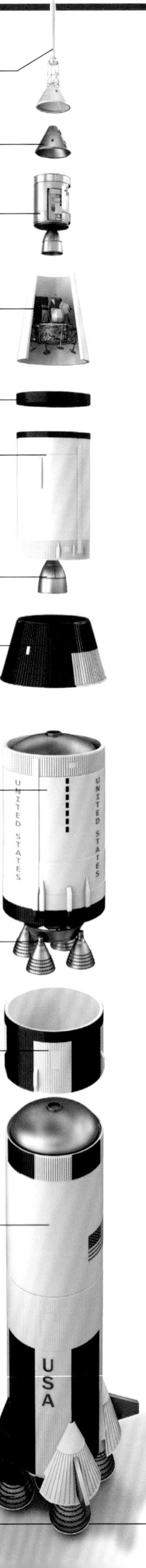
逃脫火箭
用以因應發射時發生緊急狀況。
指揮艙
發射過程中太空人待在此處。
服務艙
為阿波羅太空船提供動力之處。
登月小艇
登月小艇安置於鋁製錐狀船艙之中。
儀器單元
第三節推進器
火箭上升到「低地球軌道」，接著發動第三節推進器，將阿波羅太空船送往朝向月球的路線。
第三節推進器的單一引擎
級間轉接器
覆蓋第三節引擎，並連結第二節推進器與第三節推進器。
第二節推進器
第二節推進器擁有一槽液態氫燃料、以及一槽液態氧燃料。
第二節推進器的引
級間轉接器
連結火箭的第一節與第二節推進器，並包覆第二節推進器的引擎。
第一節推進器
最早發動的推進器，擁有一槽煤油燃料和一槽液態氧；在發射階段，5具引擎每秒消耗15噸燃料。
第一節推進器的5具引擎
UNITED STATES
USA

燃料槽
位於服務艙之中，為主引擎提供燃料。
太空人
在往返月球的旅程期間，3名太空人大多待在指揮艙之內。
引擎噴嘴
主引擎的噴嘴，將阿波羅太空船推升到太空中。
服務艙
服務艙包含維生系統、指揮艙的動力系統、以及太空船的主引擎。
小型推進器
用以微調阿波羅太空船的動作。
指揮艙
指揮艙是阿波羅太空船的3段船體之中唯一重返地球的部分，其圓錐形結構有助於承受重返地球大氣層時的高溫。

登月任務

除了地球，人類曾經登陸的其他天體只有1個——月球；至今共有27名勇敢的太空人抵達過月球，這其中只有12人真正踏足布滿隕石坑、了無生機的月球表面。

「美國航太暨太空總署」在西元1968~1972年間發展「阿波羅計畫」，總計執行過8次登陸月球的太空任務，每次任務都以「阿波羅太空船」載運3名太空人，經由「農神5號火箭」發射升空。一開始「阿波羅8號」計畫用來測試繞行月球軌道的太空船；接下來實際登月任務之前，還進行過一次演練—「阿波羅10號」計畫—目標是飛近月球表面；真正首度(後來還有5次)成功登陸月球的則是1969年的「阿波羅11號」計畫，尼爾 · 阿姆斯壯與伯茲 · 艾德林這兩名太空人，在當年7月踏上月球表面，由阿姆斯壯踩出「歷史性的一步」，他有感而發：「這是我的一小步，卻是人類的一大步！」

農神5號運載火箭

阿波羅太空人坐在「鼻錐」的船艙之中，被這艘有史以來最大的火箭—高達111公尺、相當於30層樓的「農神5號火箭」(左圖)—帶上太空，這艘巨型發射載具由3節推進器所組成，第一節與第二節推進器負責將阿波羅太空船推升到太空之中，再發動第三節推進器，讓太空船朝向月球飛去。

阿波羅太空船

阿波羅太空船(上圖)分為3個部分：指揮艙、服務艙和登月小艇，這三者合而為一，經過400,000萬公里的飛行抵達月球，接下來登月小艇載運2名太空人降落到月球表面，而此時第三名太空人待在停留於月球軌道的「指揮艙暨服務艙組合體」(CSM)；登月小艇的前半段連結著「返航段引擎」，稍後用來將2名太空人帶回CSM，一起重返地球。

21小時——「阿波羅11號」太空人阿姆斯壯與艾德林停留在月球的時間；後來「阿波羅17號」計畫的太空人更是在月球表面待上整整3天。

去程與返程

阿波羅計畫的 6 次載人登月任務，全都遵循相同的飛行路線——火箭從美國佛羅里達州發射，返航時指揮艙掉落於太平洋之中。

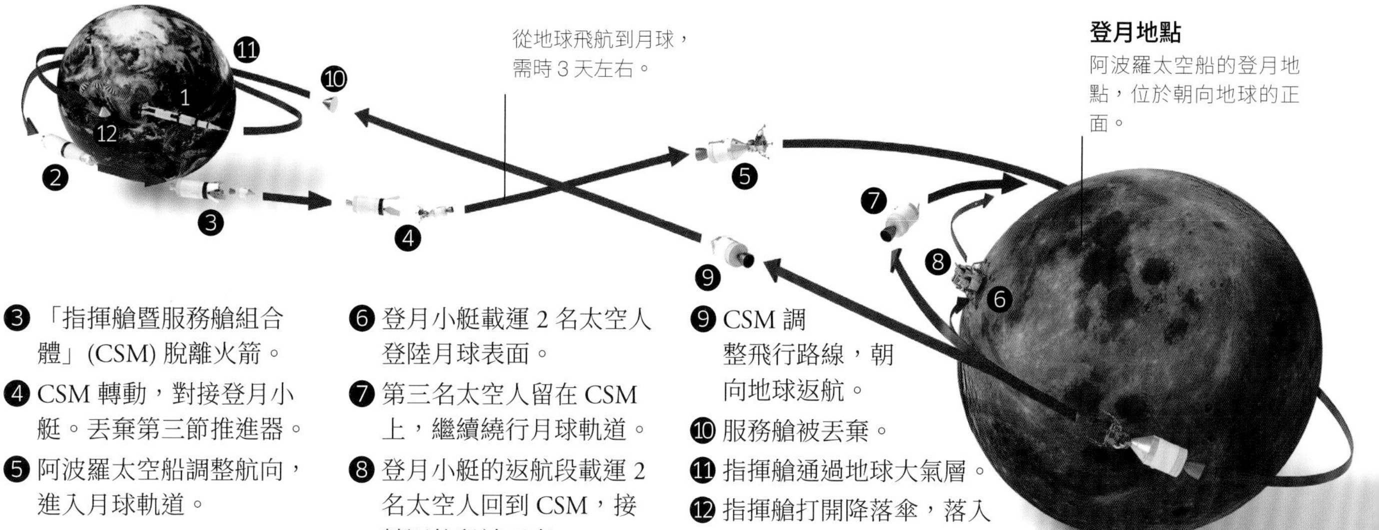
從地球飛航到月球，需時 3 天左右。
登月地點
阿波羅太空船的登月地點，位於朝向地球的正面。
1
2
3
4
5
6
7
8
9
10
11
12

1. 農神 5 號火箭載運阿波羅太空船發射，將太空船推升到地球軌道。
2. 農神 5 號的第三節推進器、以及阿波羅太空船離開地球軌道，朝向月球前進。
3. 「指揮艙暨服務艙組合體」(CSM) 脫離火箭。
4. CSM 轉動，對接登月小艇。丟棄第三節推進器。
5. 阿波羅太空船調整航向，進入月球軌道。
6. 登月小艇載運 2 名太空人登陸月球表面。
7. 第三名太空人留在 CSM 上，繼續繞行月球軌道。
8. 登月小艇的返航段載運 2 名太空人回到 CSM，接著返航段被丟棄。
9. CSM 調整飛行路線，朝向地球返航。
10. 服務艙被丟棄。
11. 指揮艙通過地球大氣層。
12. 指揮艙打開降落傘，落入大海。

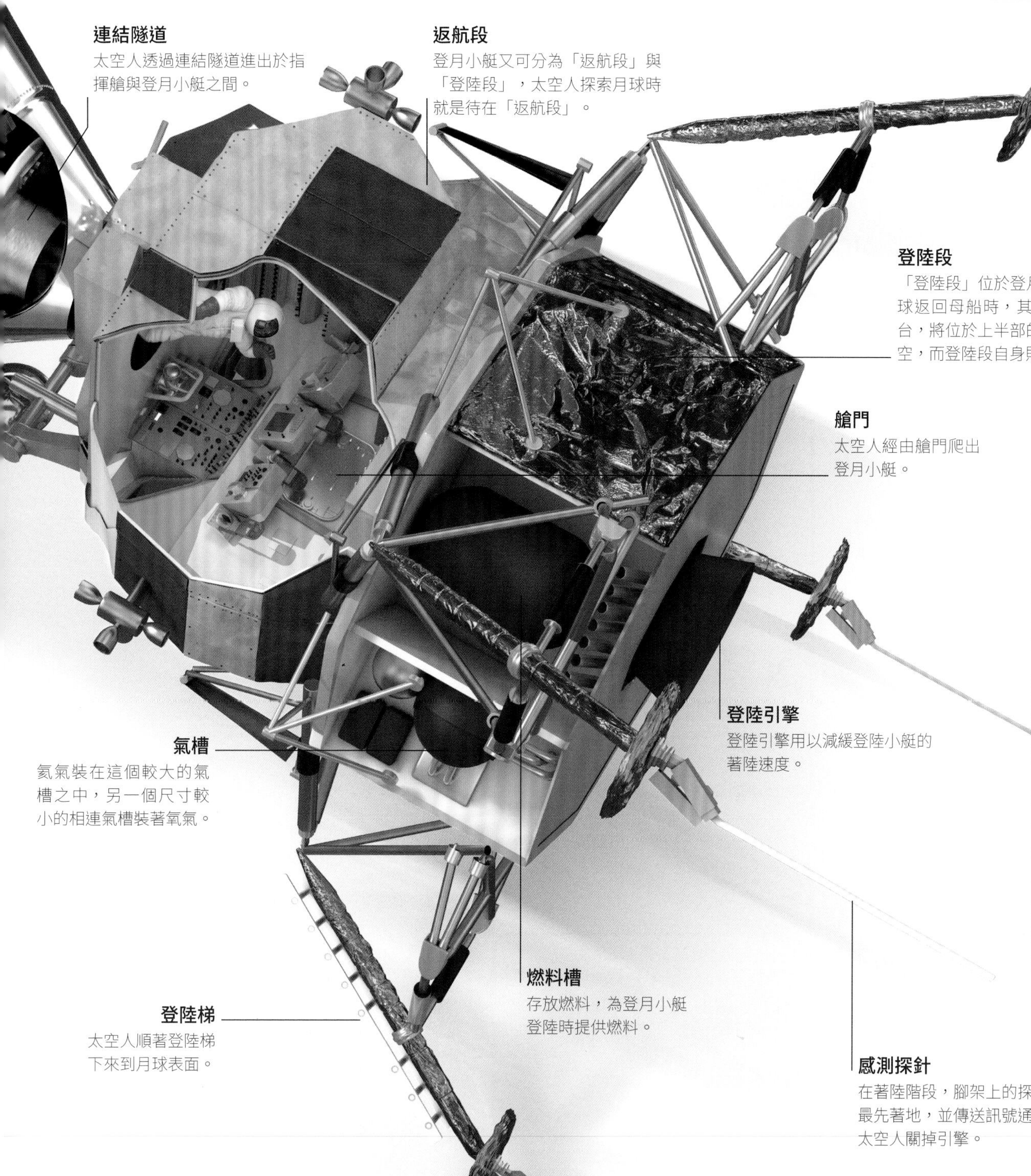
連結隧道
太空人透過連結隧道進出於指揮艙與登月小艇之間。
返航段
登月小艇又可分為「返航段」與「登陸段」，太空人探索月球時就是待在「返航段」。
腳架與腳墊
具有彈性的腳架、再加上寬腳墊，有助於登月小艇著陸時作為緩衝並保持穩定。
登陸段
「登陸段」位於登月小艇的底部，從月球返回母船時，其功能是作為發射平台，將位於上半部的「返航段」推進太空，而登陸段自身則是留在月球上。
艙門
太空人經由艙門爬出登月小艇。
登陸引擎
登陸引擎用以減緩登陸小艇的著陸速度。
氣槽
氦氣裝在這個較大的氣槽之中，另一個尺寸較小的相連氣槽裝著氧氣。
燃料槽
存放燃料，為登月小艇登陸時提供燃料。
登陸梯
太空人順著登陸梯下來到月球表面。
感測探針
在著陸階段，腳架上的探針最先著地，並傳送訊號通知太空人關掉引擎。

站上月球的男人

登月小艇是阿波羅太空船唯一登陸月球表面的部分，預先設定的控制機制引導小艇飛到著陸地點上空，再由一名太空接手降落。科學研究所需的設備一包括攝影機、各種工具、以及收集岩石的貯存箱一全都放在小艇的底部。

4 艘太空船曾經造訪過土星。

前往其他行星的路線

太空船飛往其他行星的路線，通常必須經過縝密的規畫，希望一路上盡可能飛近多顆行星，再抵達最後目的地，這必須善用每顆趨近行星的重力來增加速度，以減少自備燃料；「卡西尼 - 惠更斯號」就是如此，它一路飛越金星、地球和木星，最終來到土星。

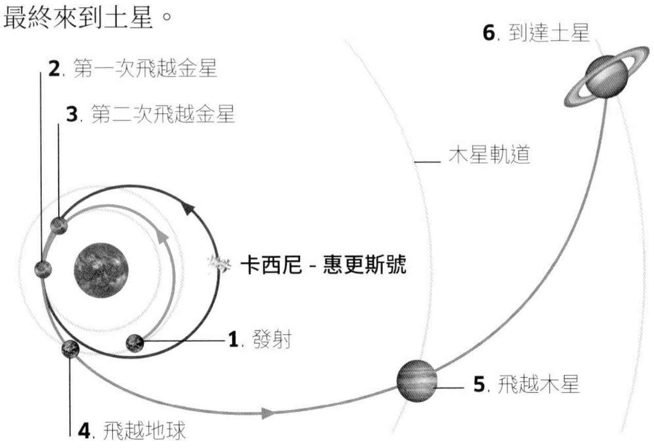

6. 到達土星
2. 第一次飛越金星
3. 第二次飛越金星
木星軌道
卡西尼 - 惠更斯號
1. 發射
5. 飛越木星
4. 飛越地球

太空任務的里程碑

從西元 1962 年發射史上第一艘太空船造訪其他星球，至今約有 200 艘太空船探索過太陽系，其中最著名的幾次太空任務分述如下：

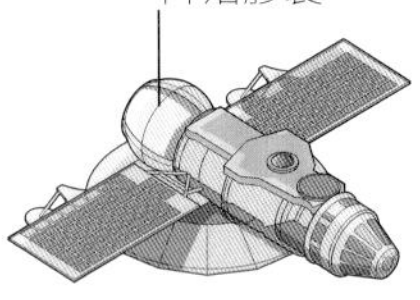

降落膠囊

金星 7 號

這是史上第一艘登陸其他行星的太空船，西元 1970 年，「金星 7 號」降落在金星表面，停留 23 分鐘之後被猛烈的熱氣所摧毀。

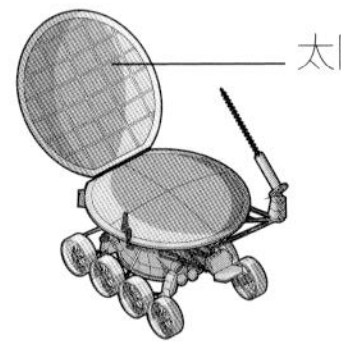

太陽能電池板

月球車 1 號

前蘇聯建造的「月球車 1 號」是史上第一艘登月探測車 (美國的登月小艇不具車輪)，它在 1970 年登陸月球，耗費 322 天進行探索，總共行駛了 10.5 公里。

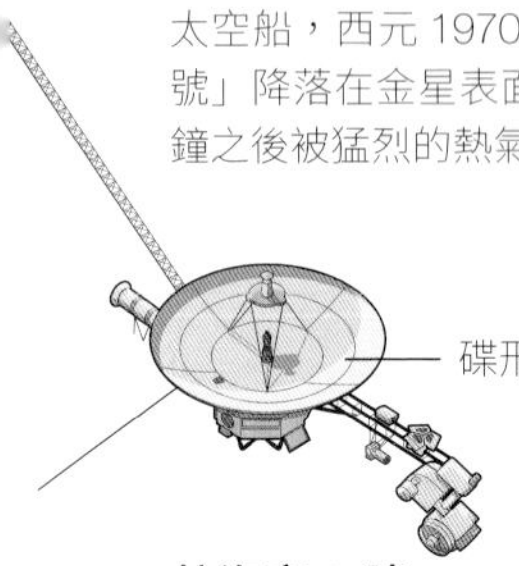

碟形天線

航海家 1 號

發射於 1977 年，至今仍在服役，「航海家 1 號」是距離地球最遠的人造物體，它於 1979 年造訪木星，1980 年造訪土星。

光譜儀

旅居者號

史上第一艘造訪其他行星的探測車，「旅居者號」於 1977 年登陸火星，耗費 12 週研究火星土壤、並拍攝照片。

探測車

探測車是一種機器人載具，用來探索其他行星或月球的地表；至今共有 4 輛探測車成功登陸火星，它們接收地球傳來的指令，就能自行尋找路徑，獨力執行任務。

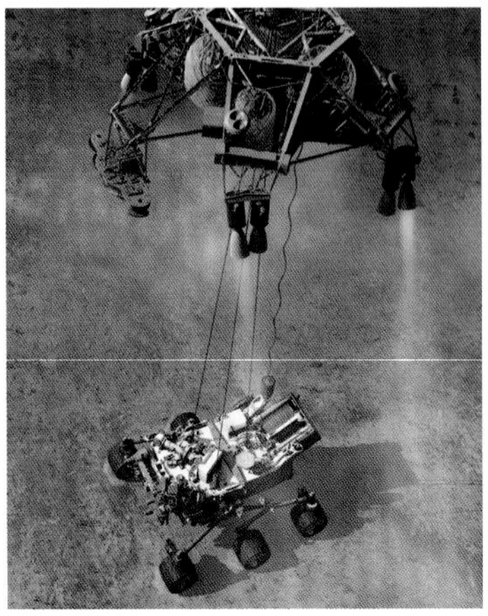

好奇者號

「好奇者號」探測車經由火箭動力太空船載運，於 2012 年登陸火星。

卡西尼 - 惠更斯號太空船

在曾經造訪過其他行星的無人太空船之中，「卡西尼 - 惠更斯號」是尺寸最大的一艘，發射於 1997 年，最終在 2004 年抵達土星。「卡西尼 - 惠更斯號」的構造分為兩部分：第一部分是「卡西尼號」軌道載具，用以持續繞行土星軌道，直到 2017 年；第二部分是「惠更斯號」探測器，用以登陸土星最大的衛星──泰坦；這項任務的主要目的是為了進一步研究泰坦衛星──除了地球之外，泰坦是太陽系之中唯一大氣層富含氮氣的星球。

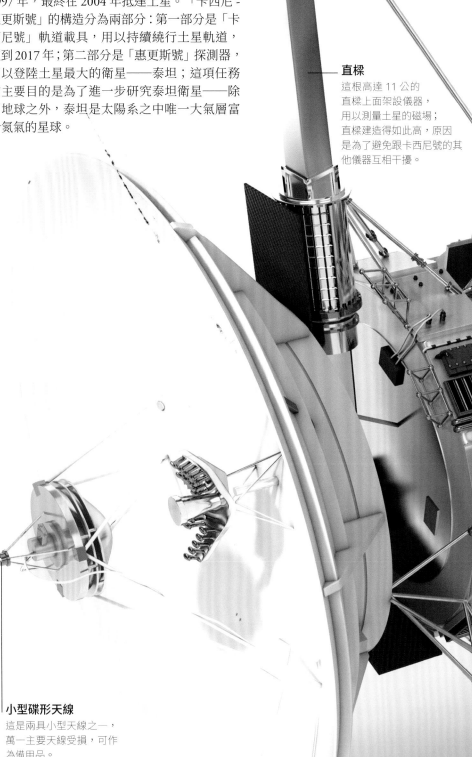

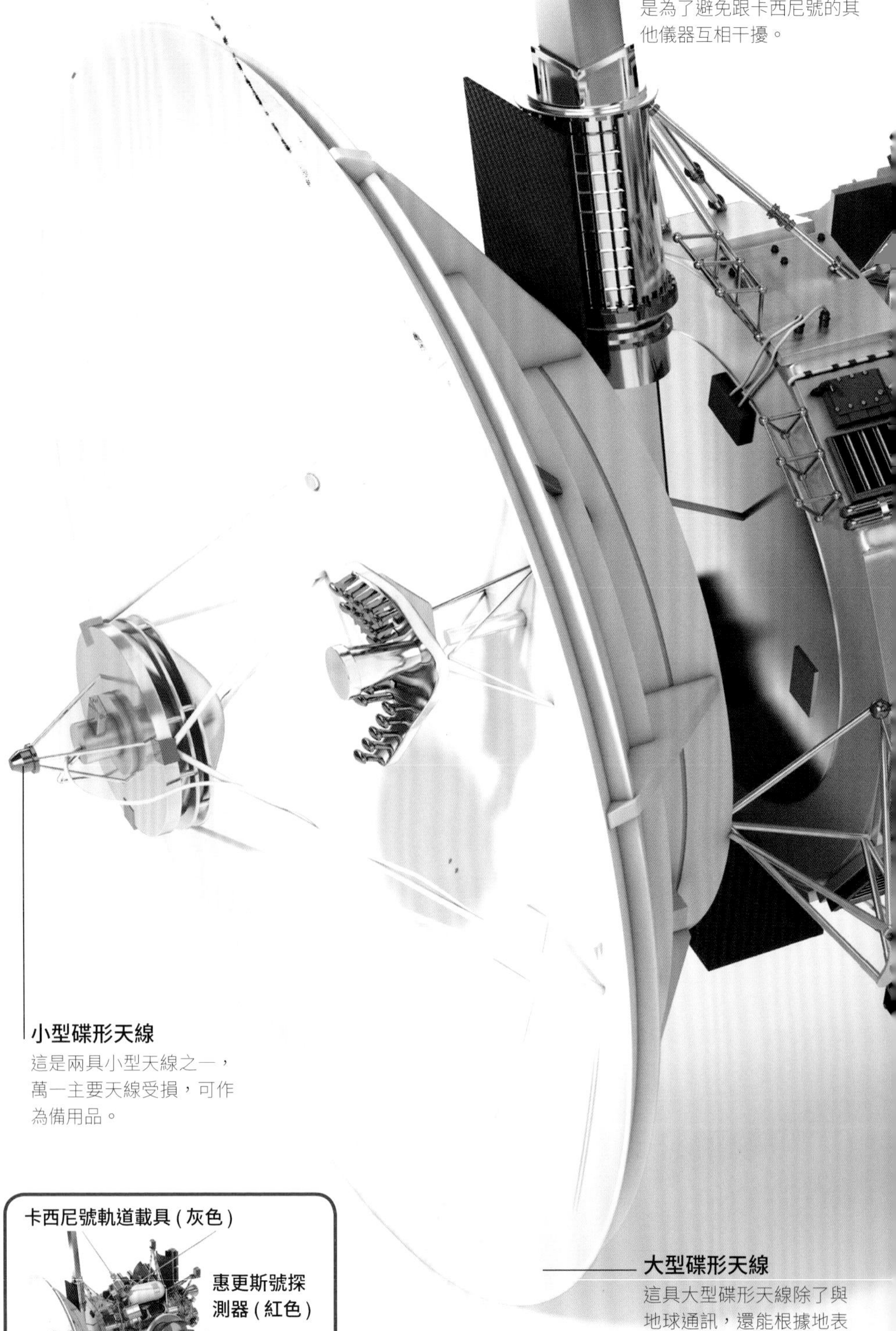

直樑

這根高達 11 公的直樑上面架設儀器，用以測量土星的磁場；直樑建造得如此高，原因是為了避免跟卡西尼號的其他儀器互相干擾。

小型碟形天線

這是兩具小型天線之一，萬一主要天線受損，可作為備用品。

卡西尼號軌道載具 (灰色)

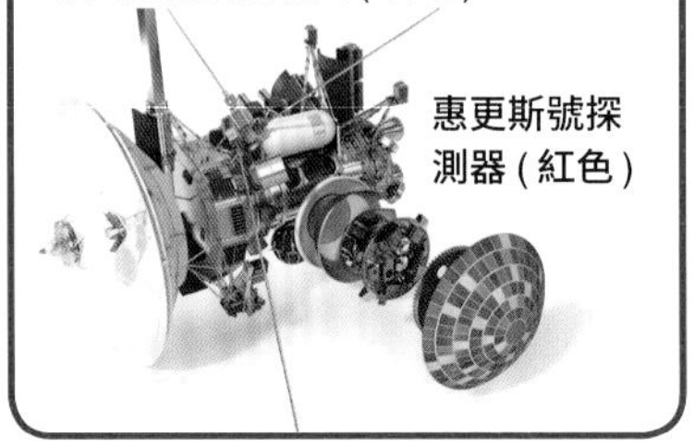

惠更斯號探測器 (紅色)

大型碟形天線

這具大型碟形天線除了與地球通訊，還能根據地表反射的無線電波，繪製泰坦衛星的地形圖。

158,273 公里/小時——「卡西尼-惠更斯號」所創下的最快飛行速度。

53 艘太空船曾經試圖飛抵火星。

27 次火星探測任務最終以失敗結束。

探索其他行星

由於太過危險，載人太空船無法前往比月球更遠的地方，那就交給無人探測器來執行任務吧！至今，無人探測器已經造訪過太陽系的所有行星、以及 100 顆以上的衛星。

無人探測器能夠造訪對於太空人來說具有致命性的地方，例如灼熱的金星地表、或是木星附近的輻射帶。只要攜帶科學儀器、望遠鏡和照相機，無人探測器就能進行各種實驗，拍攝成千上萬的影像，再透過無線電波傳回地球。

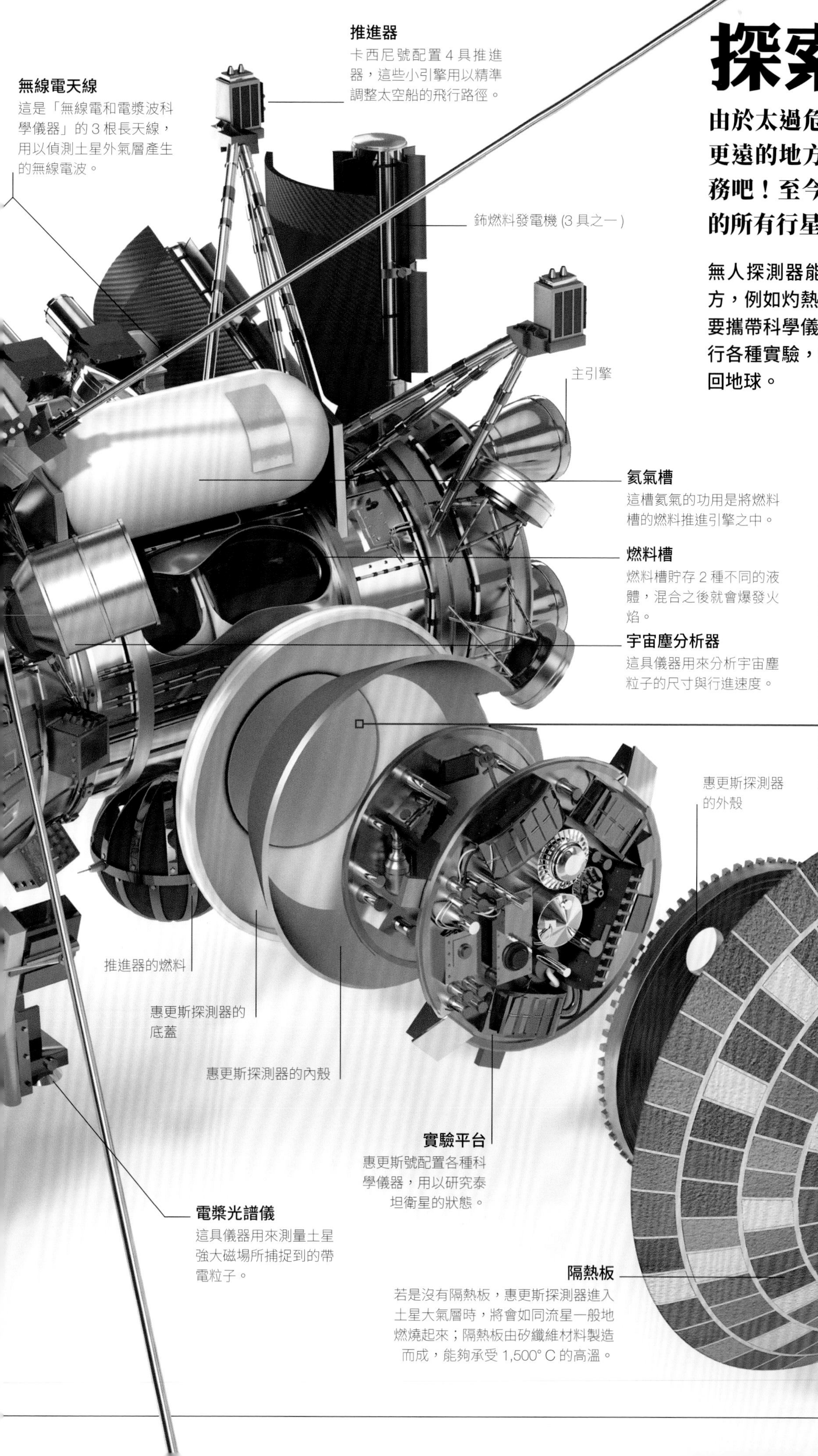

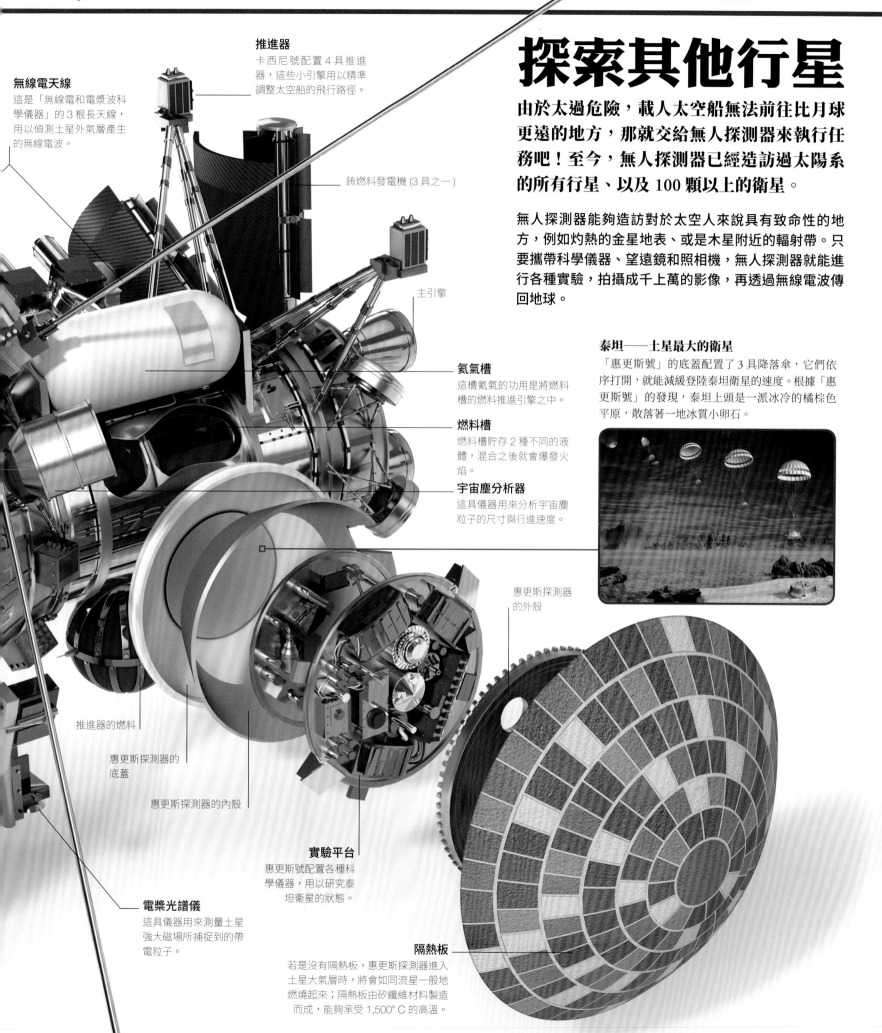

推進器
卡西尼號配置 4 具推進器，這些小引擎用以精準調整太空船的飛行路徑。
無線電天線
這是「無線電和電漿波科學儀器」的 3 根長天線，用以偵測土星外氣層產生的無線電波。
鈽燃料發電機 (3 具之一)
主引擎
氦氣槽
這槽氦氣的功用是將燃料槽的燃料推進引擎之中。
燃料槽
燃料槽貯存 2 種不同的液體，混合之後就會爆發火焰。
宇宙塵分析器
這具儀器用來分析宇宙塵粒子的尺寸與行進速度。
惠更斯探測器的外殼
推進器的燃料
惠更斯探測器的底蓋
惠更斯探測器的內殼
實驗平台
惠更斯號配置各種科學儀器，用以研究泰坦衛星的狀態。
電漿光譜儀
這具儀器用來測量土星強大磁場所捕捉到的帶電粒子。
隔熱板
若是沒有隔熱板，惠更斯探測器進入土星大氣層時，將會如同流星一般地燃燒起來；隔熱板由矽纖維材料製造而成，能夠承受 1,500° C 的高溫。

泰坦——土星最大的衛星

「惠更斯號」的底蓋配置了 3 具降落傘，它們依序打開，就能減緩登陸泰坦衛星的速度。根據「惠更斯號」的發現，泰坦上頭是一派冰冷的橘棕色平原，散落著一地冰質小卵石。

地球

液態水組成的海洋、漂移的大陸、以及生命萬物，造就地球成為一顆獨特的行星。地殼板塊緩緩漂移，侵蝕的力量重塑大地，因此，我們地球的面貌也持續不斷的隨之改變。

行星地球

地球誕生於 45 億年前，當時的地球跟現在截然不同，大部分地表都是熔岩，宛如地獄一般的熾熱，而且幾乎沒有液態水，大氣層也不含氧氣。然而自此之後，地球漸漸發展出海洋、陸地、富含氧氣的大氣層——以及生命！

持續變動的地球

看一看地圖，你就能確實指出全球各大洲的位置，但事實上，我們的地球是不斷變動的。地球表面由許多「地殼板塊」所組成，就像拼圖一樣，這些板塊—連同它們所支撐的海洋或大陸—持續緩緩漂移，相鄰板塊彼此碰撞，向上推擠出新生的山脈，接下來的千百萬年之間，山脈經過風力、水力和冰川的侵蝕，進而逐漸磨損。

2 億 5,000 萬年前，地球上的所有陸地全都**聚集在一起，形成**一個巨大的超級陸塊——**盤古大陸**。

獨特的行星

就目前所知，地球是宇宙中唯一支持生命繁衍之地。當液態水開始在地表聚積，生命就此開展，最終微小的生命型態進行演化，可以依賴水、陽光、以及水中的化學物質來生存；另一方面，這些微生物的出現，也為地球大氣層增添了氧氣——成為植物與動物得以發展的基本要素。

內部構造

地球的內部由一層層的構造所組成；科學家之所以提出這個理論，是根據研究地震波在地球內部傳遞的路徑。

厚度（公里）

- 6–90 公里
- 2,880 公里
- 2,255 公里
- 1,215 公里

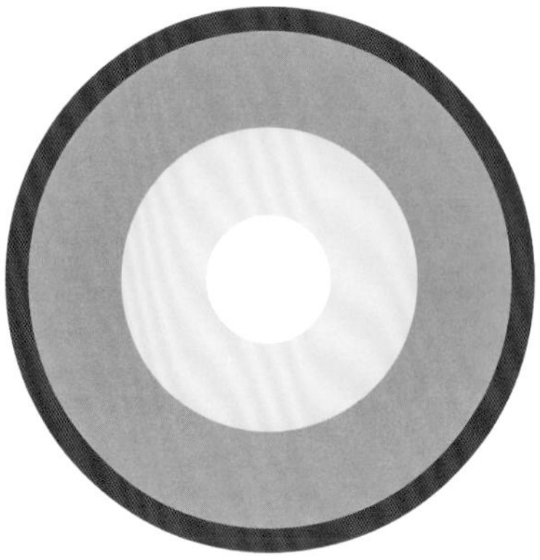

地殼
大陸地殼與海洋地殼分屬不同類型，大陸地殼比海洋地殼更厚，所包含的岩石種類也更多。

外核
外核是地球內部唯一的液態層，其主要成分為鐵，也含有一些鎳、以及少量的其他物質。

地函
地函也是岩石層，但密度比地殼大，其性質主要是固體，但會以非常緩慢的速度變形並流動。

內核
內核呈固態，主要成分包括鐵和一些鎳，其溫度非常高——大約是 5,400° C。

地球大氣層

地球大氣層由多種不同的氣體所組成。

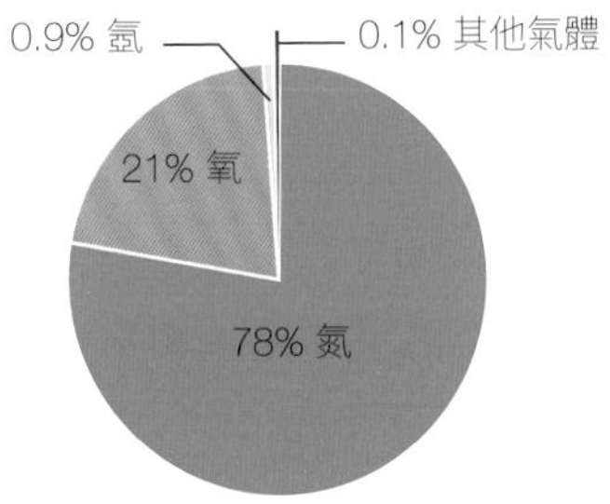
0.9% 氬
0.1% 其他氣體
21% 氧
78% 氮

氮— 78%
氮可以「固著」於土壤，也存在於鬆散的大氣之中；植物必須吸收土壤中的氮元素，才能生存。

氧— 21%
動物必須呼吸氧氣才能生存，但地球一開始並沒有氧氣，直到微生物演化出利用陽光將二氧化碳與水，轉化成碳水化合物的能力，才釋出氧氣。

氬— 0.9%
一種單獨存在的惰性氣體，不跟其他物質進行化學反應。

其他氣體— 0.1%
微量氣體包括二氧化碳；早期的地球二氧化碳非常豐富，但現在大多被併入其他物質——例如石灰岩。

每一層的成分

地球的地殼和地函主要由矽酸鹽礦物—二氧化矽與金屬氧化物結合—所組成，而地函的主要成分是含鎂矽酸鹽類，相較之下地殼的含鎂量較低，但含有更豐富的鋁和鈣，至於地核，其主要成分為鐵金屬。雖然我們無法實際看見地球的內部構造，但透過各種科學方法，還是可以推估這些組合成分——例如研究地震波。

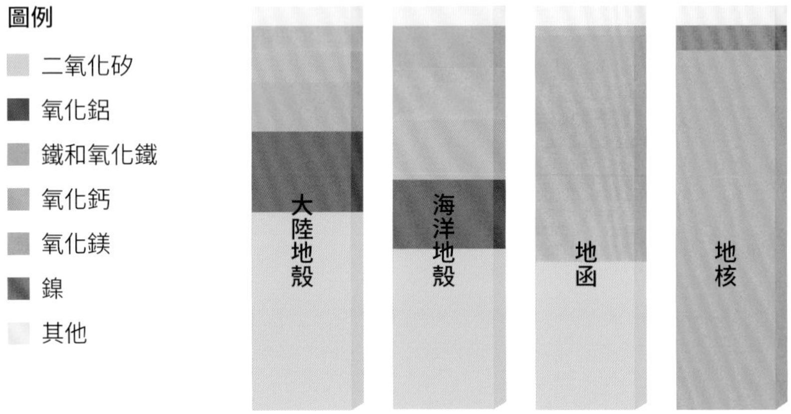
圖例
二氧化矽
氧化鋁
鐵和氧化鐵
氧化鈣
氧化鎂
鎳
其他
大陸地殼
海洋地殼
地函
地核

海洋

地球表面和大氣層中總共含有相當於 13.9 億立方公里的水。真正的海洋深度很深，而大陸邊緣的近海深度較淺，這些淺海稱為「大陸棚」。地球表面並非一直覆蓋著大片海洋，在冰河時期，南北兩極的冰帽遠比現在更厚實、更遼闊，大量水分被鎖進冰層之中，因此海平面至少比現在下降了 120 公尺——這意味著現今的許多大陸棚，在冰河時期都是乾燥的陸地！

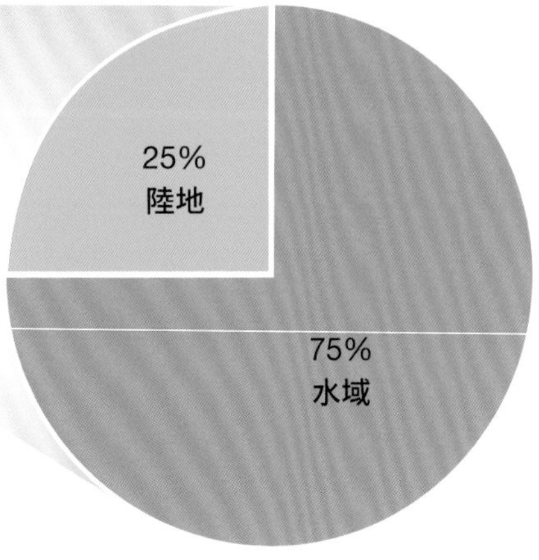
25%
陸地
75%
水域

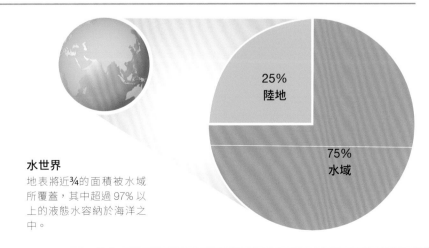

水世界
地表將近¾的面積被水域所覆蓋，其中超過 97% 以上的液態水容納於海洋之中。

大陸漂移

幾億年來，由於地殼板塊持續移動，帶動位於上方的陸地產生漂移，導致大陸分裂或彼此推擠，進而改變海洋原本的位置——這種過程稱為「大陸漂移」。

這個北方的主要陸塊涵蓋現今的北美洲、歐洲和一部分亞洲
印度向北移動
澳大利亞與南極洲結合在一起
南美洲從非洲分離出來
澳大利亞漂移到太平洋之中

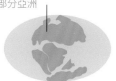

2 億年前
盤古大陸開始分裂，成為兩個主要陸塊。

1 億 3,000 萬年前
印度從南方陸塊分離，慢慢向北移動，朝著亞洲前進。

7,000 萬年前
南美洲從非洲分離出來；在北方，北美洲則是從歐洲分離出來。

現今
澳大利亞已從南極洲分離出來，而印度撞上亞洲，推擠形成喜馬拉雅山脈。

板塊運動

陸地是地殼板塊的一部分，既然板塊會移動，陸地也跟著重新排列組合，這種過程已在地表持續了數十億年；至於板塊運動的原因，科學界普遍認為是被地殼之下的高溫「地函」所拖曳的。

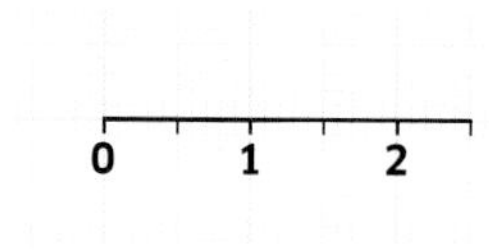
0
1
2

移動速率
地殼板塊平均以每年 2.5 公分左右的速率移動——這大概跟你指甲的生長速度一樣快；但有些板塊移動得特別快——可達每年 10 公分。

觀察地球

地球表面遠遠稱不上「平坦」，不論陸地或海床，到處都是地殼板塊運動所造成的坑坑疤疤痕跡。此外，地球在太空中的位置也影響了自身形狀——恆常性的自轉導致地球赤道附近隆起，而不是形成真正的球體；另一方面，自轉也讓地球周圍產生環繞的磁場，其功能有如防護罩一般，無時無刻保護地球的安全。

山脈占據陸地⅕左右的**地景**。

自轉

地球本身的重力原本應該將地球形塑成一個球體，但由於自轉使然，導致赤道附近產生些微的隆起；意即地球在赤道平面的上直徑，比南北兩極連線的直徑還多出 41 公里。

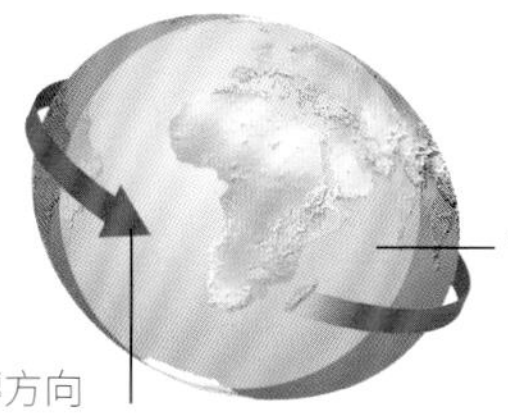
赤道隆起
自轉方向

並非真圓
科學家認為，地球赤道隆起的幅度還一直成長之中，大約是每 10 年增加 7 毫米。

地磁場

由於地球的外核是液態層，地球自轉時會引發外核中的液態金屬流動，這種流動導致液態金屬產生電流，而任何型態的電流都會形成磁場——以地球的例子來說，外核所產生的地磁場，就好像地球內部有一根大磁鐵一樣。地磁場有如環繞地球的超大防護罩，保護地球免於遭受來自太陽的高能粒子所傷害。

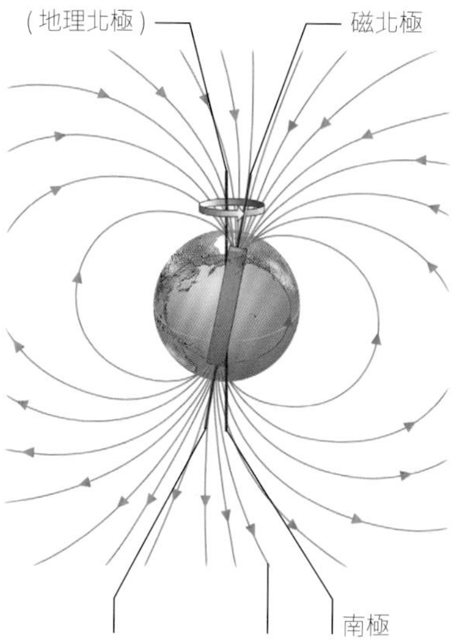
北極
(地理北極)
磁北極
磁南極
磁力線
南極
(地理南極)

磁極與地理極點
地球的「磁極」與「地理極點」並非完全重疊，而且磁極的位置會隨著時間而逐漸移動。

地形

地表的地形落差極大，從海平面之下深達 10,900 公尺的「挑戰者深淵」(太平洋馬里亞納海溝的一部分)，上升到海拔 8,848 公尺高的埃弗勒斯峰(聖母峰)——每年還可能繼續長高 4 毫米；然而，大部分陸地地景的標高都在海拔 500 公尺以下。

海拔
- 超過 4,000 公尺
- 2,000–4,000 公尺
- 1,000–2,000 公尺
- 500–1,000 公尺
- 250–500 公尺
- 100–250 公尺
- 0–100 公尺

海洋深度
- 0–250 公尺
- 250–2,000 公尺
- 2,000–4,000 公尺
- 超過 4,000 公尺

山脈與海溝
上方地形圖運用顏色來呈現地球的地形，不同顏色代表不同的海拔(平均海平面之上)或深度(平均海平面之下)——從最高的山峰，到最深的海溝。

45 億年——地球的大致年齡。

地球的內部構造

我們無法實際深入地球內部探索—最深的礦坑只到達地表之下 1.6 公里左右—然而，科學家還是找到各種方法，來研究地球內部的可能樣貌。

事實上，地質學家的確實際研究過地殼深處的多種岩石——由於相鄰地殼板塊互相碰撞，將原本深埋地底的岩層大幅推升，形成了山脈，而在某些區域，板塊碰撞甚至會把地函中的巨大岩層樣本挖掘出來，此外火山爆發有時也會噴出地函中的岩石。至於地函之下的地核，就沒人真正見識過了，然而科學家根據地震波穿越地核的速度，就能推斷地核分為內外兩層——液態的外核、以及固態的內核。

夏威夷的火山群
位於中太平洋的夏威夷群島，其實是海底火山噴發之後才冒出海面的——地函中的炙熱岩層向上推擠，迫使熔岩噴出地表，熔岩凝固之後堆疊成為這座火山群島。

大陸地殼
跟海洋地殼相比，大陸地殼更厚、但密度比較低。

裂谷作用
相鄰地殼板塊彼此分離，熔岩從交界處的裂縫湧出，形成新生陸地，此為裂谷作用。

海洋地殼
跟大陸地殼相比，海洋地殼更薄、但密度較高。

隱沒作用
相鄰地殼板塊彼此碰撞，較重的板塊被迫擠入較輕的板塊之下，此為隱沒作用。

太平洋

5,400°C
——地球內核的大致溫度。

分層結構

地球由一層又一層的岩石層所構成，最外層是地殼，緊接於下方的是具有高度一致性、但密度稍高的岩石所構成的地函，地殼與一部分「上地函」共同組成堅硬的地層，稱為「岩石圈」，但岩石圈並非連續性的包覆地表，而是像拼圖一樣呈破裂碎片——這些地殼碎片就叫做「地殼板塊」。位於岩石圈之下的是「軟流圈」，雖名為軟流圈，但實際上只有極小部分呈現液態，但已經軟得足以流動，進而拖曳上方的地殼板塊一起移動。在地函之下則是地核，地核分為外核與內核，外核的成分為鐵和硫的液態混合物，而內核由固態的鐵和鎳所組成。

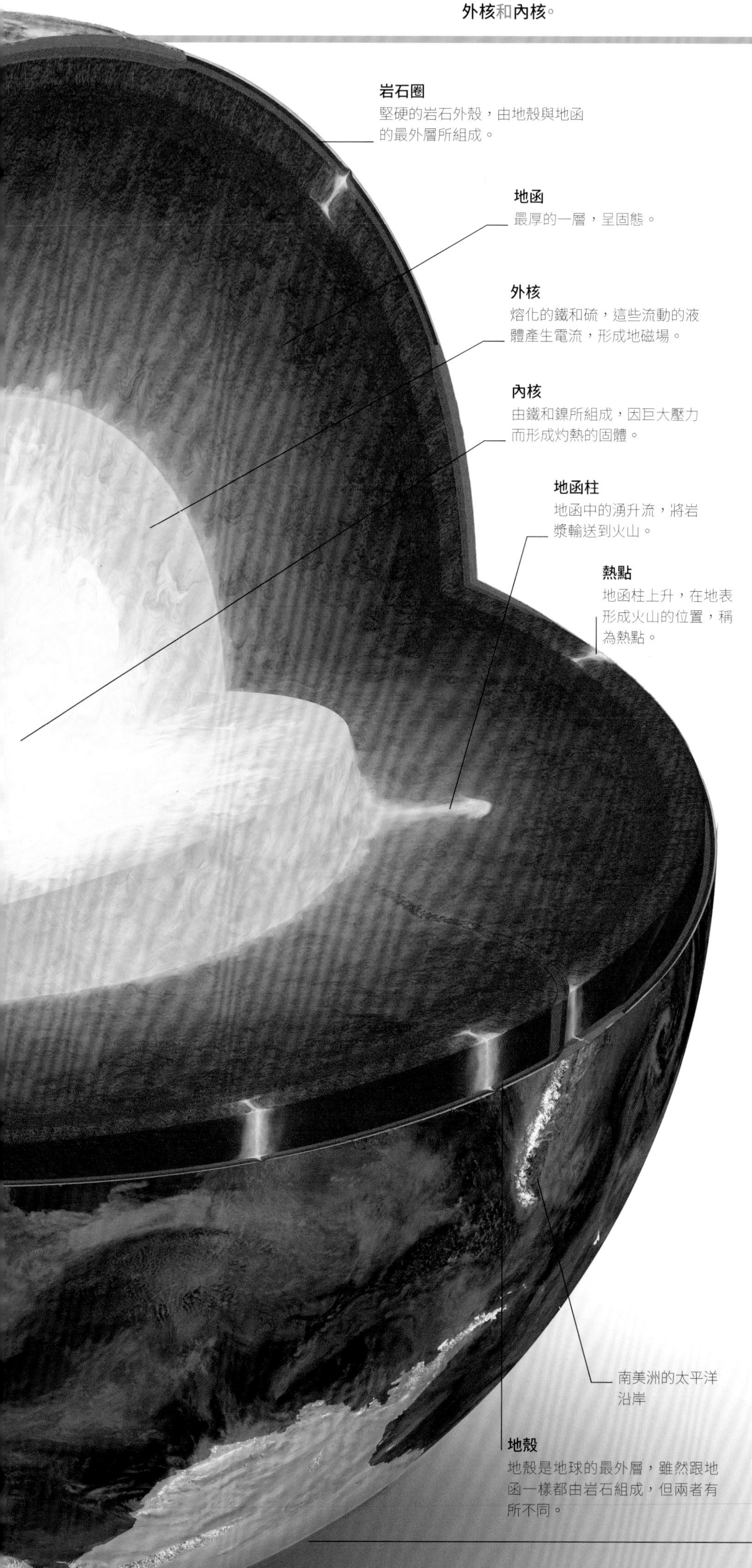
岩石圈
堅硬的岩石外殼，由地殼與地函的最外層所組成。
地函
最厚的一層，呈固態。
外核
熔化的鐵和硫，這些流動的液體產生電流，形成地磁場。
內核
由鐵和鎳所組成，因巨大壓力而形成灼熱的固體。
地函柱
地函中的湧升流，將岩漿輸送到火山。
熱點
地函柱上升，在地表形成火山的位置，稱為熱點。
南美洲的太平洋沿岸
地殼
地殼是地球的最外層，雖然跟地函一樣都由岩石組成，但兩者有所不同。

大氣層

地球的大氣層由多種氣體組成，因重力牽引而環繞在地球周圍。大氣層並無明顯的邊界，只是愈往高處空氣愈稀薄，直到進入太空；一般認為，「太空」通常要從距離地面 100 公里之處開始起算。

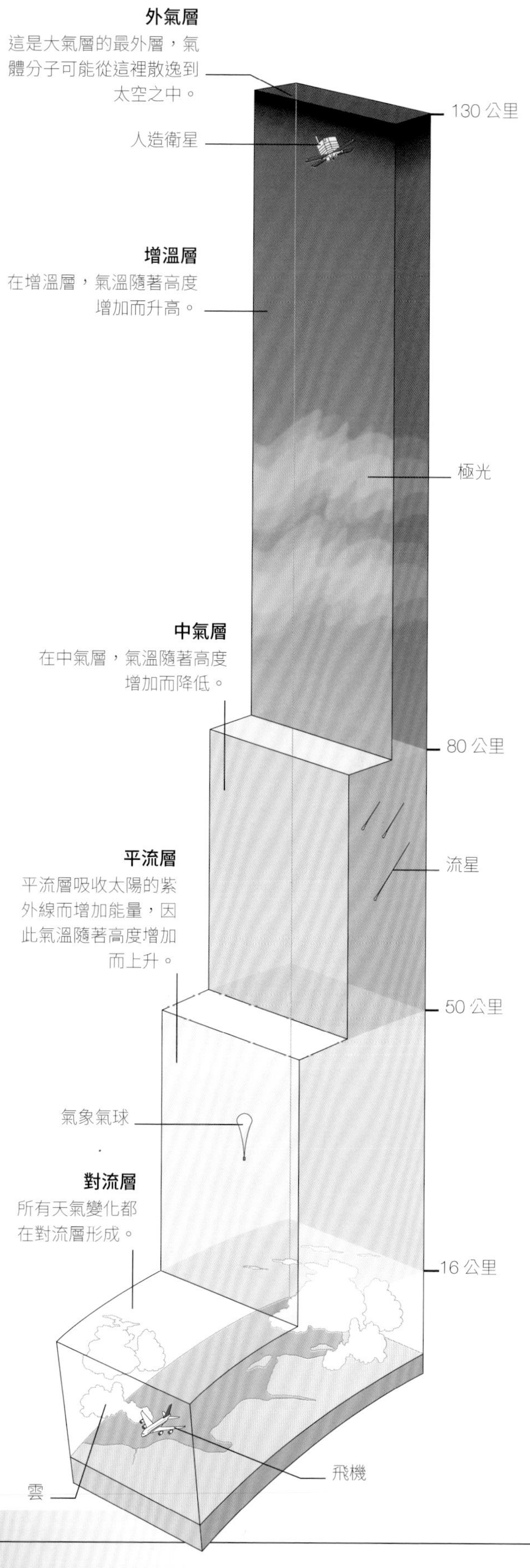
外氣層
這是大氣層的最外層，氣體分子可能從這裡散逸到太空之中。
130 公里
人造衛星
增溫層
在增溫層，氣溫隨著高度增加而升高。
極光
中氣層
在中氣層，氣溫隨著高度增加而降低。
80 公里
流星
平流層
平流層吸收太陽的紫外線而增加能量，因此氣溫隨著高度增加而上升。
50 公里
氣象氣球
對流層
所有天氣變化都在對流層形成。
16 公里
飛機
雲

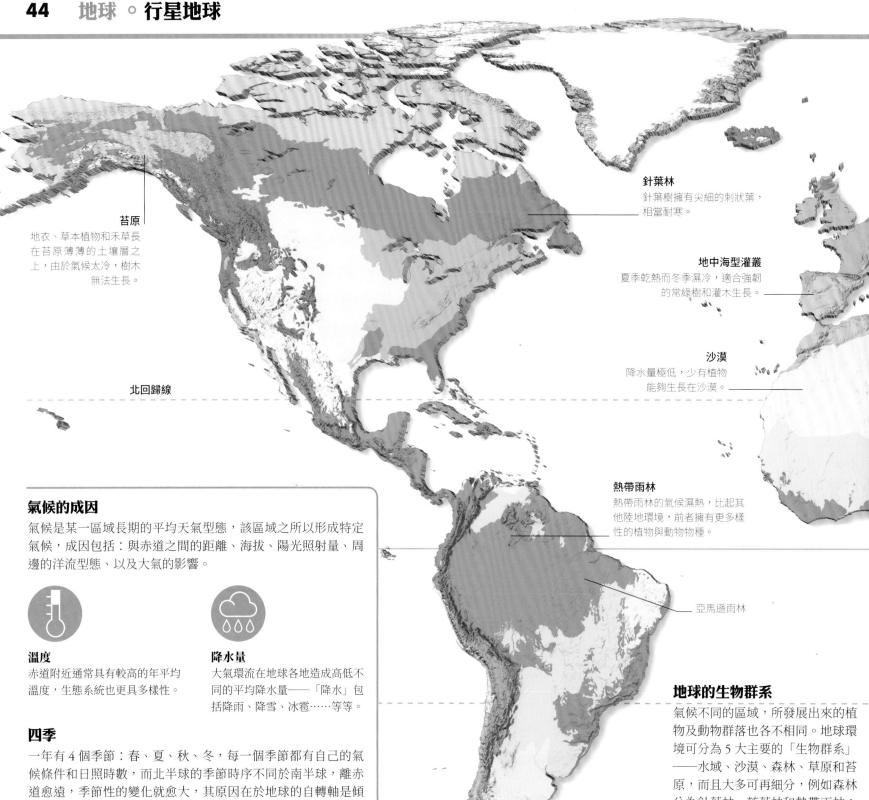

苔原
地衣、草本植物和禾草長在苔原薄薄的土壤層之上，由於氣候太冷，樹木無法生長。
針葉林
針葉樹擁有尖細的刺狀葉，相當耐寒。
地中海型灌叢
夏季乾熱而冬季濕冷，適合強韌的常綠樹和灌木生長。
沙漠
降水量極低，少有植物能夠生長在沙漠。
北回歸線
熱帶雨林
熱帶雨林的氣候濕熱，比起其他陸地環境，前者擁有更多樣性的植物與動物物種。
亞馬遜雨林
南極洲

氣候的成因

氣候是某一區域長期的平均天氣型態，該區域之所以形成特定氣候，成因包括：與赤道之間的距離、海拔、陽光照射量、周邊的洋流型態、以及大氣的影響。

溫度
赤道附近通常具有較高的年平均溫度，生態系統也更具多樣性。

降水量
大氣環流在地球各地造成高低不同的平均降水量──「降水」包括降雨、降雪、冰雹……等等。

四季

一年有 4 個季節：春、夏、秋、冬，每一個季節都有自己的氣候條件和日照時數，而北半球的季節時序不同於南半球，離赤道愈遠，季節性的變化就愈大，其原因在於地球的自轉軸是傾斜的。

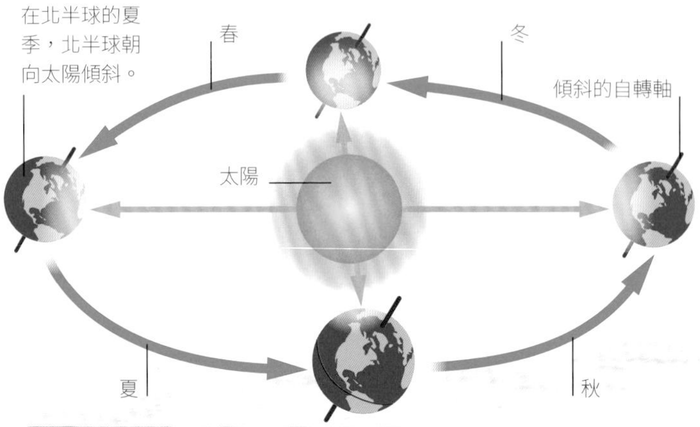
在北半球的夏季，北半球朝向太陽傾斜。
春
冬
傾斜的自轉軸
太陽
夏
秋

地球的生物群系

氣候不同的區域，所發展出來的植物及動物群落也各不相同。地球環境可分為 5 大主要的「生物群系」──水域、沙漠、森林、草原和苔原，而且大多可再細分，例如森林分為針葉林、落葉林和熱帶雨林；至於各種生物群系的位置與面積，會隨著「地質時間」進行非常緩慢的變化，而近年來發生變化的因素，主要是由人類活動所引起的。

150 萬種左右的植物和動物生存於熱帶雨林。

圖例
冰帽
苔原
針葉林
落葉林
熱帶雨林
溫帶草原
熱帶草原
地中海灌叢
沙漠
山脈
落葉林
一年到頭都有降水，落葉樹在寒冷的冬季落葉，到了溫暖的春季再長回來。
喜馬拉雅山脈
赤道
熱帶草原
夏季高溫而冬季低溫的區域，容易形成草原。
南回歸線
冰帽
終年被冰或雪所覆蓋的區域，包括極地或山峰。

地球的氣候

地球是太陽系之中唯一能夠支持生命繁衍之地，原因在於地球獨特的大氣層、液態水、以及生物得以生存的氣候。

地球的所有地方幾乎都有一些物種棲息或生長—不論是最深的海洋或最高的山脈—然而，各地不同的氣候不僅決定哪些物種可以生存，也跟物種的多樣性息息相關，例如熱帶區域擁有最多物種，但只有最強悍的物種得以生存於兩極或沙漠。

地殼板塊

地球的外層破裂成為大型碎片，這些碎片稱為地殼板塊。長久以來，板塊不斷移動、碰撞、交疊或彼此錯動，這樣的板塊運動過程可能形成新海床、發展出山脈、或是冒出火山。

板塊運動

地球表面看起來靜止不動，但實際上卻是眾多地殼板塊的組合，每一個板塊隨時都在緩緩移動，這是由地底深處軟流圈的對流作用所引起的。跟大陸板塊相比，海洋板塊比較薄、但密度更高，因此在兩者互相推擠的交界處，海洋板塊被迫潛入大陸板塊的下方。

宛如拼圖的地殼板塊

地殼板塊互相接合，形成地球的表面，所有板塊持續而緩慢移動，其結果可能會改變地貌，至於如何改變，端視相鄰板塊之間的移動型態而定——互相推擠會形成山脈或火山，彼此分離則是形成新海床。

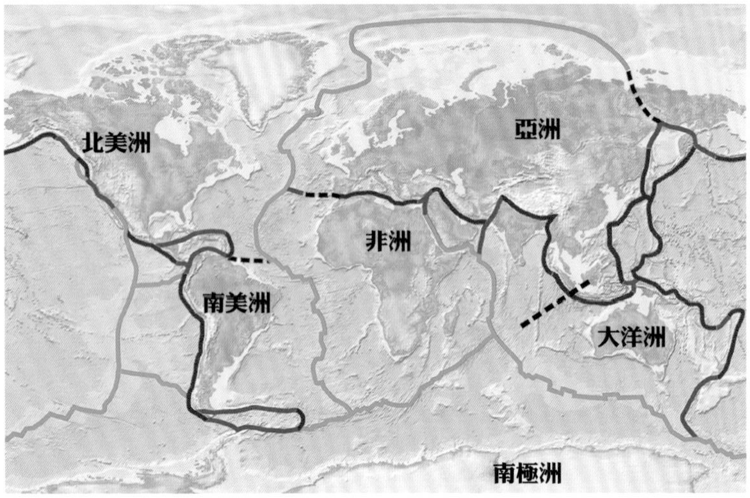

板塊邊界的型態
相鄰板塊可能互相推擠（聚合型邊界）、彼此分離（擴張型邊界）、或是擦身而過（錯動型邊界）。

圖例
━ 聚合型邊界　━ 錯動型邊界
━ 擴張型邊界　╍ 尚未確定

最大的地殼板塊是太平洋板塊，這也是**大板塊之中唯一不涵蓋**大陸的。

板塊如何移動

沒人真正知道地殼板塊為何移動，但科學家普遍認為，板塊應該是在地函中的對流岩漿之上移動的，而對流的路線是固定環圈——某一區域的地函受地心加熱而上升，接近板塊時被冷卻再轉而下沉。

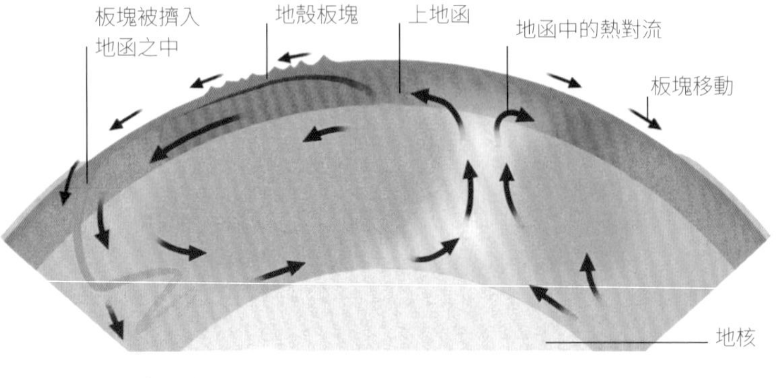

地函移動
地函雖然主要是固態，但還是會緩慢移動——當岩漿流上升、冷卻、再沉降，就會拖曳上方的地殼板塊。

地震

大部分地震發生於地殼板塊互相摩擦之處——稱為「斷層」，有些斷層以穩定而極度緩慢的速度錯動，另有一些斷層，它的某一部分被「鎖住」了數年、數十年、甚至幾個世紀，當壓力來到臨界點，就會突然在幾秒鐘之內破裂，釋放長久累積的能量，而地震，就是上述過程所產生的地面震動；破裂面的深度愈淺，所造成的地表震動就愈大。

測量地震

「芮氏地震規模」用以測量地震所釋放的能量，芮氏規模相差 1 個「震級」，代表釋放的能量相差 30 倍以上。另一方面，「麥卡利地震度表」則是用來量化地震時某一特定地點的搖動程度，「震度」分為 1 ~ 12 度，分述如下表：

1~2 震度		人類很難察覺，但儀器可以偵測到。	7~8 震度		緊急警報，建築物出現裂縫，樹枝斷裂。
3~4 震度		在室內會感到一陣快速振動，吊掛物體輕微搖擺。	9~11 震度		大部分建築物遭到摧毀，地底管線破裂。
5~6 震度		大部分人感覺到搖動，建築物也會產生震動。	12 震度		所有建築物幾乎無一倖免，河流改道。

與地震共存

全球各地都可能發生地震，但具有破壞性的地震大多發生在板塊交界處附近。地震所造成的危害相當巨大——建築物倒塌、地面也可能裂開。在地震好發地區，建築物應該設計成具有柔韌性，地震來臨時跟著一起搖擺，而非硬碰硬導致破裂；此外，地基必須座落於堅固的岩盤上，而不是沙地或濕地上。

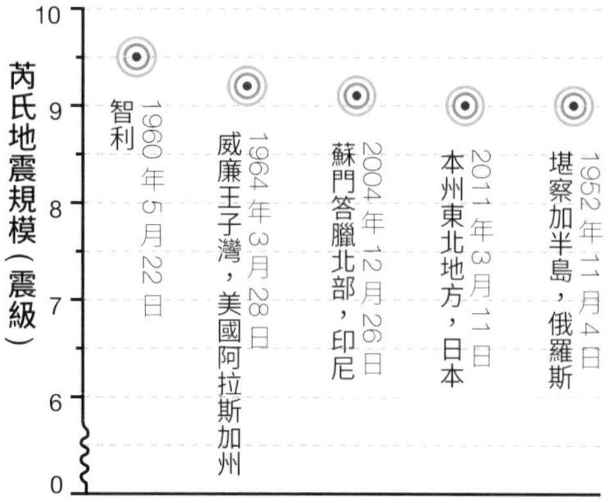

最大的地震
過去 100 年來，世界各地爆發過許多強震，其中最大的一次在智利——大到足以讓河流產生位移。

火山

火山形成於熔岩從地表噴發之處。火山爆發是地球上最壯觀、最危險的自然現象之一，通常發生於相鄰板塊邊界，但也可能在其他區域的「熱點」——岩漿從地底深出湧升之處。全世界的陸地約有 550 座活火山，而海底的活火山更多。

熔岩

地底岩漿噴發，接觸大地之後就稱為熔岩，熔岩流過大地（熔岩流），接著冷卻、凝固而成為岩石。根據組成成分、質地堅硬或鬆軟、以及流速快慢，可將熔岩分為 3 類。

阿Ｙ熔岩

這是最厚的熔岩流，組成成分為玄武岩，其表面鬆散、破裂、並夾雜著帶有尖角的大塊熔岩——流動時可能會翻落到熔岩流的前方。

繩狀熔岩

這是表面不破裂的玄武岩熔岩，流動時其表面緩緩延伸，最終以末端呈平滑狀或繩狀的外觀停止流動。

塊狀熔岩

硬質熔岩流破裂，成為帶有尖角的塊狀，這種熔岩塊的表面比阿Ｙ熔岩更平滑。

火山噴發類型

火山噴發可能非常猛烈，也可能是小爆炸，或甚至只是穩定的涓涓滴流。不同的噴發類型取決於地底岩漿的厚度、以及岩漿中的氣體濃度；在高氣體含量的岩漿中，氣泡的猛然膨脹會粉碎岩漿，以巨大的力量將火山灰噴到天空中，形成火山雲；而較為溫和的噴發，則是熔岩從火山口滲出來，沿著山坡緩緩流下。

巨大的火山雲
火山灰掉落，
有如大雨
火山口迸出響
亮的爆炸聲
岩漿

普林尼型噴發

這是最猛爆的火山噴發型態，強烈的氣流與岩漿不斷衝向天空。

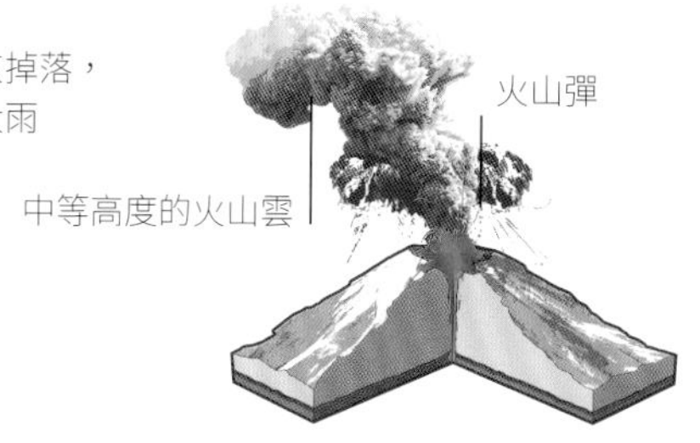
火山彈
中等高度的火山雲

火山島型噴發

這種劇烈的噴發型態一開始有如眾砲齊發，炸彈般的岩塊不斷從火山口被拋擲出來。

火山雲很小、
甚至完全沒有
火山熔岩噴出，
形成灼熱的「黃
金雨」

斯通波利型噴發

短暫的爆炸性噴發，形成彈如雨下的火山渣與熔岩。

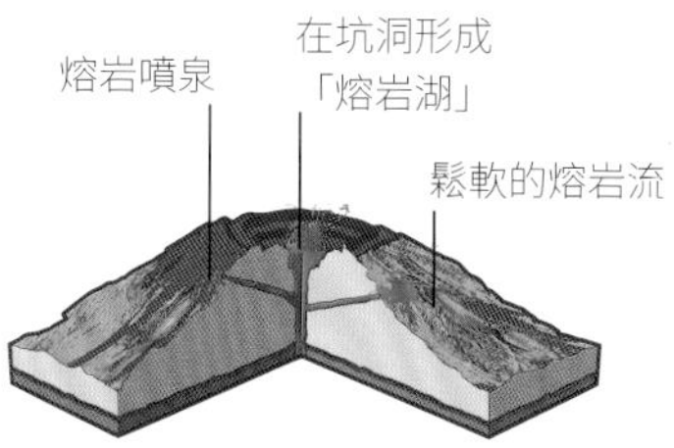
熔岩噴泉
在坑洞形成
「熔岩湖」
鬆軟的熔岩流

夏威夷型噴發

通常是溫和地噴發，形成噴泉或溪流般的熔岩流。

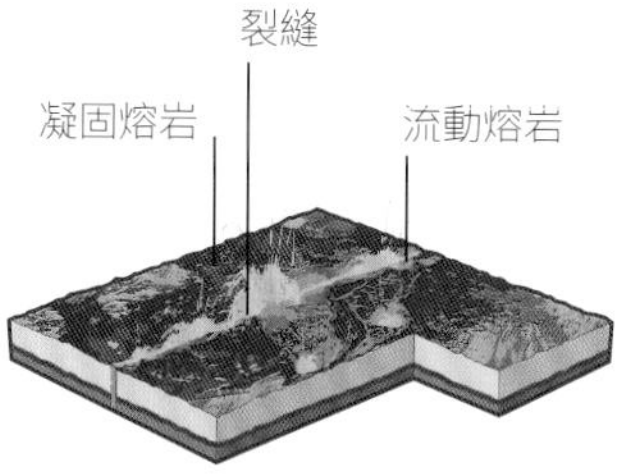
裂縫
凝固熔岩
流動熔岩

冰島型噴發

不帶爆炸聲地悄悄噴發，通常發生於地表的長裂縫。

火山雲

火山噴發可能形成火山雲，火山雲的高度取決於噴發能量、以及噴出岩漿的多寡而定；釋放最多能量的一次主噴發，可能會持續好幾個小時。

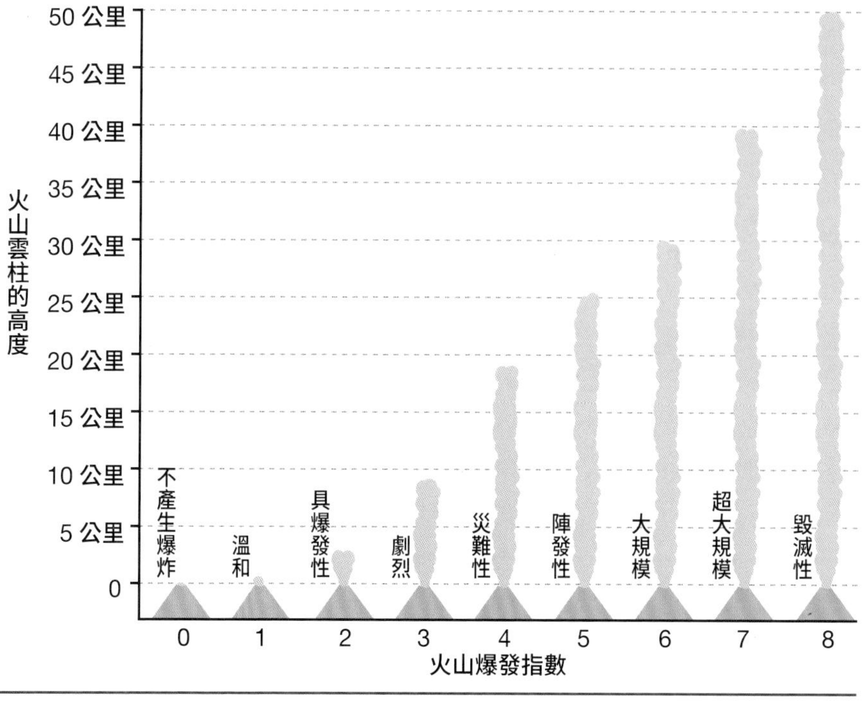
火山雲柱的高度
50 公里
45 公里
40 公里
35 公里
30 公里
25 公里
20 公里
15 公里
10 公里
5 公里
0
不產生爆炸
溫和
具爆發性
劇烈
災難性
陣發性
大規模
超大規模
毀滅性
0
1
2
3
4
5
6
7
8
火山爆發指數

有多高？

觀察火山雲柱的高度是推估火山爆發規模的方式之一；不同的火山噴發類型，大致上符合特定的「火山爆發指數」。

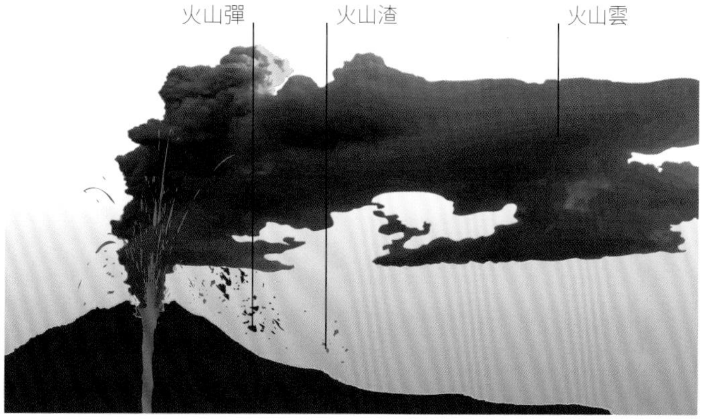
火山彈
火山渣
火山雲

火山灰落塵

火山雲可能被風吹離火山，火山灰沿途掉落，綿延長達數百公里之遠；火山灰掉在地面時雖已冷卻，但還是會造成植物落葉、危害人類的呼吸系統，就連飛機也必須避開火山灰，否則引擎可能堵塞。

掉落在哪裡？

火山噴發所形成的大型碎片—例如火山彈與火山渣—掉落在距離火山較近的區域，而細小的火山灰掉落在更遠的地方。

板塊由地殼與地函的頂層合組而成，它們構成地球的岩石圈。

板塊運動

地球表面看起來似乎固定不動，但實際上是由數十片巨大的岩板—地殼板塊—組合而成，這些板塊持續地緩緩移動，而相鄰板塊互動的結果，形成了地震與火山。

地殼板塊大多同時「背負」著海洋與陸地，另有一些板塊的上方全都是海洋。當相鄰板塊在海底彼此分離，就形成了新生海床；當相鄰板塊互相推擠，地景就會產生劇烈的改變——若兩者都是大陸板塊，龐大的山脈就會形成於碰撞區域；當海洋板塊跟大陸板塊碰撞，海洋板塊通常被迫潛入大陸板塊之下—稱之為「隱沒帶」—火山就是形成於這種隱沒邊界。

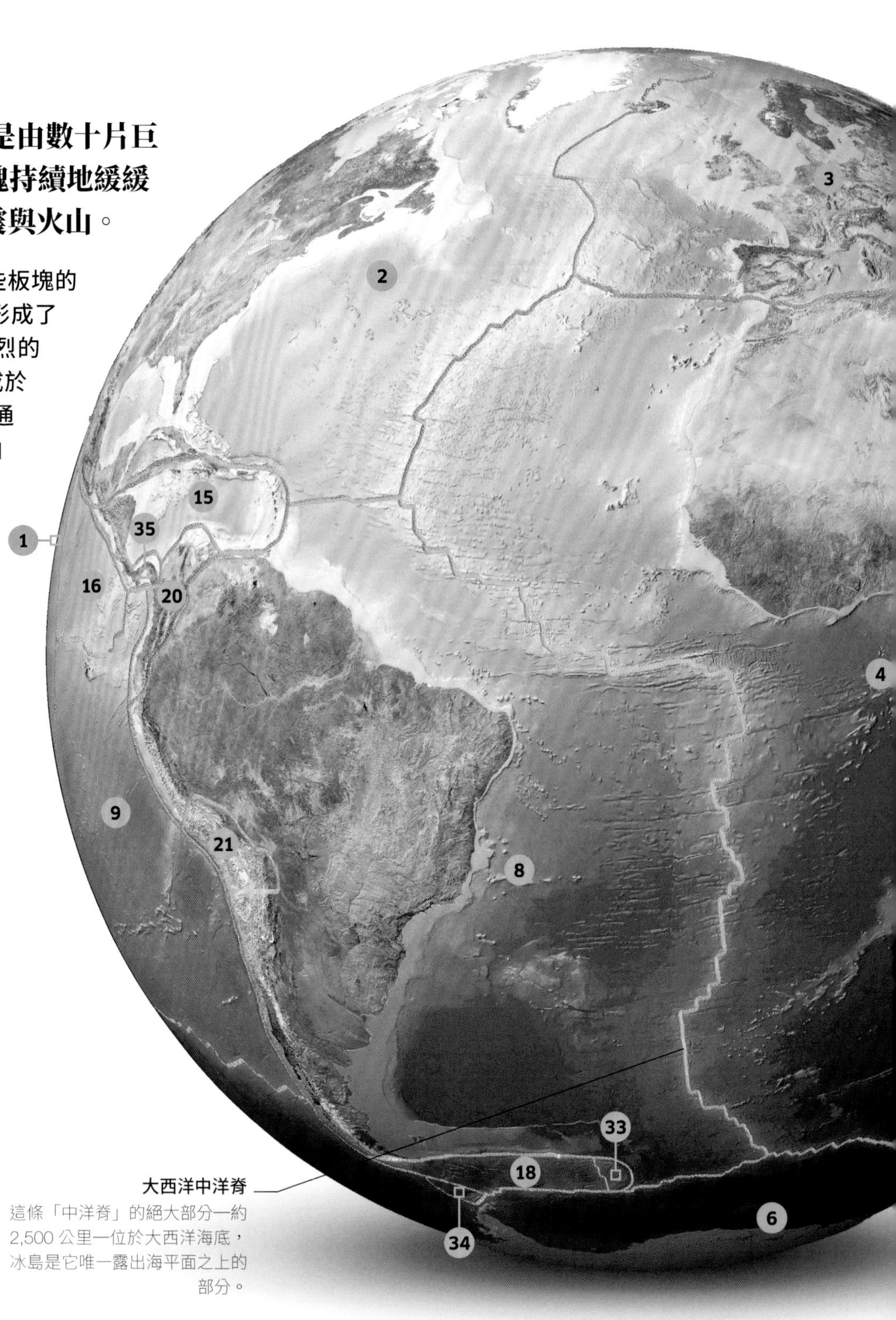
3
2
15
35
1
16
20
4
9
21
8
33
18
34
6
大西洋中洋脊
這條「中洋脊」的絕大部分—約2,500 公里—位於大西洋海底，冰島是它唯一露出海平面之上的部分。

地殼板塊

地球的表面就像是一幅立體球狀拼圖，由 7 或 8 片大型板塊、以及數十片小型板塊合組而成，所有板塊都在溫度更高的地函之上漂移，這種緩慢而持續性的運動可能改變海洋的尺寸、並將大陸拖曳到全球各處。

圖例

1 太平洋板塊
2 北美板塊
3 歐亞板塊
4 努比亞板塊
5 索馬利亞板塊
6 南極板塊
7 澳洲板塊
8 南美板塊
9 納茲卡板塊
10 印度板塊
11 巽他板塊
12 菲律賓板塊
13 阿拉伯板塊
14 鄂霍次克板塊
15 加勒比板塊
16 科克斯板塊
17 華南板塊
18 斯科細亞板塊
19 加洛林板塊
20 北安地斯板塊
21 阿爾蒂普拉諾板塊
22 安那托利亞板塊
23 班達板塊
24 緬甸板塊
25 沖繩板塊
26 木百靈板塊
27 馬里亞納板塊
28 新赫布里底板塊
29 愛琴海板塊
30 帝汶板塊
31 鳥首板塊
32 北俾斯麥板塊
33 南桑威奇板塊
34 設得蘭板塊
35 巴拿馬板塊
36 南俾斯麥板塊
37 毛克板塊
38 所羅門板塊

板塊邊界

相鄰地殼板塊之間分為 3 類不同的邊界型態——互相推擠、擦身而過、彼此分離，這 3 種類型都可能導致地震發生，而研究地震，有助於科學家確認該區域的板塊邊界類型，但有時邊界存在著多條複雜交錯的裂鏈，很難清楚分辨哪裡是這個板塊的邊緣？哪裡又是另一個板塊的起始位置？

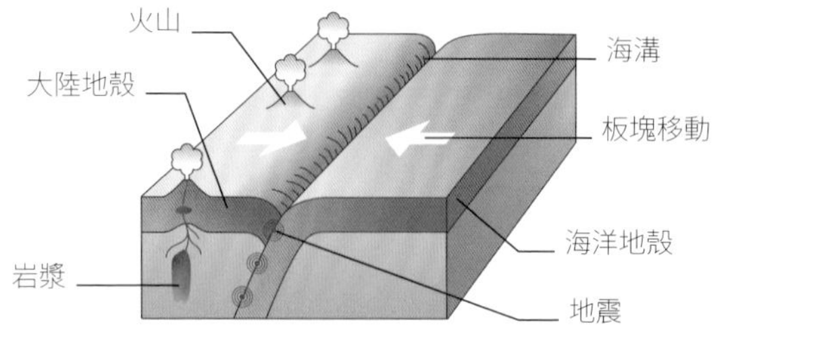
火山
海溝
大陸地殼
板塊移動
海洋地殼
岩漿
地震

聚合型邊界

當海洋板塊朝向更厚的大陸板塊擠壓，海洋板塊就會「隱沒」到大陸板塊之下，接下來熔化，再以沸騰岩漿的狀態湧升到地表，形成火山。另一方面，若是兩塊大陸地殼碰撞，則是互相推擠、堆疊，形成山脈。

2公分／每年——北大西洋海床的擴張速度。

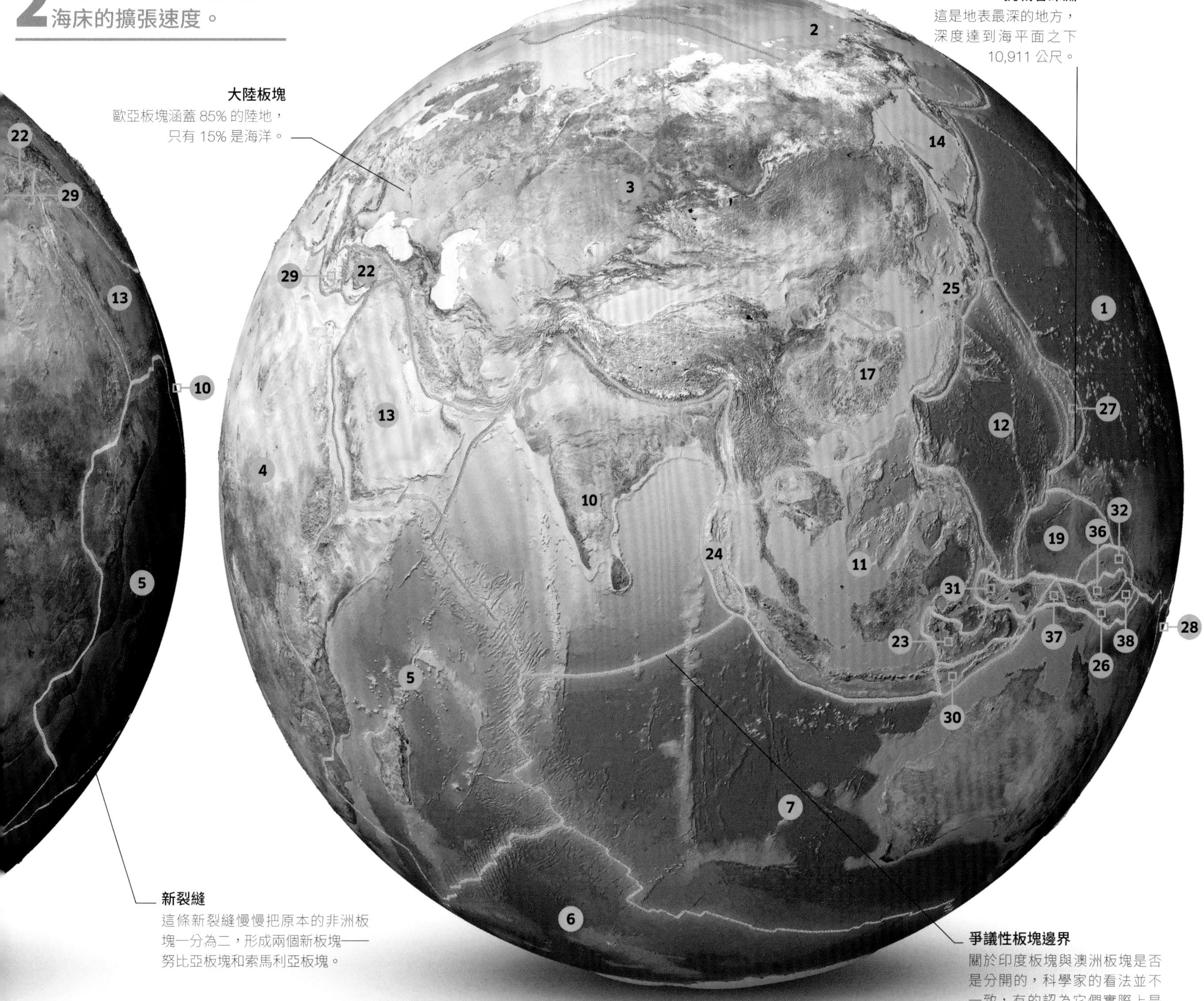

挑戰者深淵
這是地表最深的地方，深度達到海平面之下10,911公尺。

大陸板塊
歐亞板塊涵蓋85%的陸地，只有15%是海洋。

新裂縫
這條新裂縫慢慢把原本的非洲板塊一分為二，形成兩個新板塊——努比亞板塊和索馬利亞板塊。

爭議性板塊邊界
關於印度板塊與澳洲板塊是否是分開的，科學家的看法並不一致，有的認為它們實際上是巨大的單一板塊——印澳板塊。

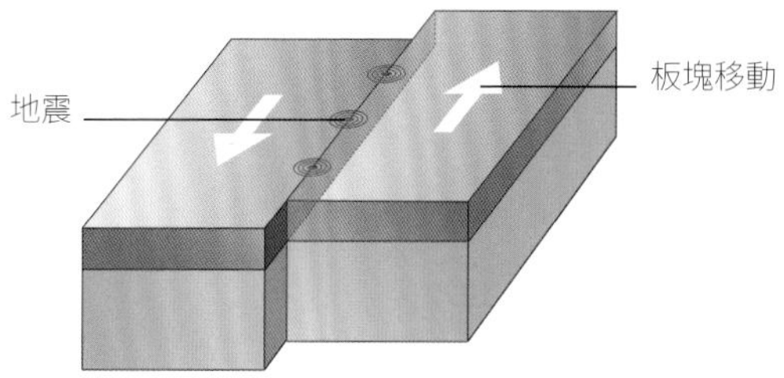

錯動型邊界
當相鄰板塊擦身而過，就會形成錯動型邊界，這類板塊移動並非平順而漸進，而是來得非常突然，因而釋放巨大的能量，導致地震發生；此外，這類邊界所產生的岩漿極少，因此也幾乎不會冒出火山。

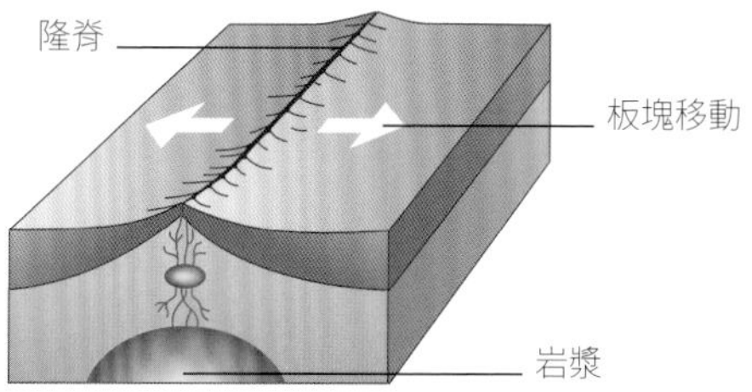

擴張型邊界
相鄰板塊彼此分離，形成擴張型邊界，這種狀況若是發生在海底，地函中的岩石就會向上填補裂縫，其中有一部分在上升中途熔化，形成新生海洋地殼；另一方面，新生地殼形成的同時，聚合型邊界上的老舊地殼也不斷被摧毀——因此地表仍然維持相同的尺寸。

火山

當岩漿從地表的開裂處噴發，就會形成火山；大多數火山座落於地殼板塊邊界的附近。

75% 左右的火活山位於海底。

岩漿是位於地底的熔化岩石，形成於地殼深處、甚至是地函中的某些區域，岩漿一旦來到地面之後，就稱為熔岩。大型的「層狀火山」是由一連串的火山噴發漸漸累積出來的，每一次噴發，就在原本的火山表面加上一層凝固熔岩。所有火山可分為 3 類：活火山、休眠火山和死活山，活火山是指那些近代曾有噴發記錄的火山，休眠火山在最近並無噴發記錄，但也可能再度噴發，而死火山則是那些完全停止活動的火山。有些小型火山的「一生之中」只噴發過一次，而大型火山可能已歷經數千次的噴發。

熔岩流
有些火山噴發時形成鬆軟的熔岩流，而不是爆炸成為火山雲；熔岩從火山口穩定的順著山坡流下，流動速度通常比人類走路的速度還慢一些。

泥沸泉
熱蒸氣和其他氣體從火山附近散逸，就可能在散逸之處的地表形成泥沸泉——圖中的氣泡就是散逸的氣體，氣味非常難聞。

良田
火山灰掉落地面，讓火山附近的泥土變得非常肥沃。

火口湖
雨水注入舊火山口，形成新生湖泊。

裂縫
裂縫有時也會滲出熔岩。

低平火山口（平火口）
岩漿與水體交互作用而產生爆炸，所形成的火山口。

火山噴發

岩漿穿越固態岩石區域，朝向地表湧升，此時氣泡在岩漿中膨脹的速度愈來愈快，直到噴出地表，這種氣泡的猛烈膨脹足以粉碎岩漿本體，爆炸性地噴發出火山灰和火山彈；另一種狀況是噴發時不產生爆炸，岩漿只是順著火山的邊坡流下，形成熔岩流。

火山的類型

火山的尺寸與形狀取決於幾個因素：噴發岩漿的類型、體積、以及噴發時有沒有產生爆炸。

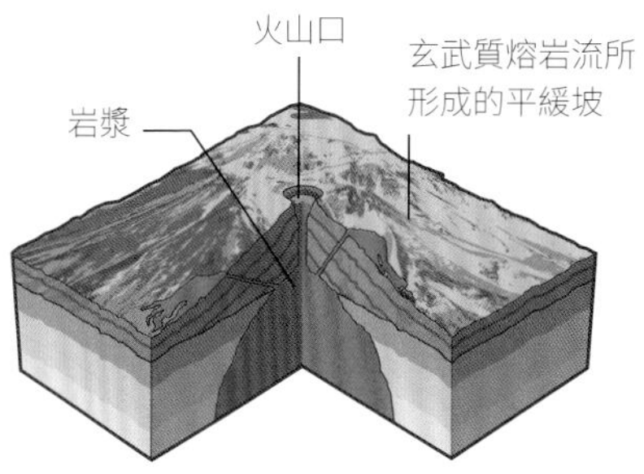
火山口
玄武質熔岩流所形成的平緩坡
岩漿

盾狀火山
最龐大、但坡度平緩的火山類型，大多由玄武質熔岩流凝固後所形成。

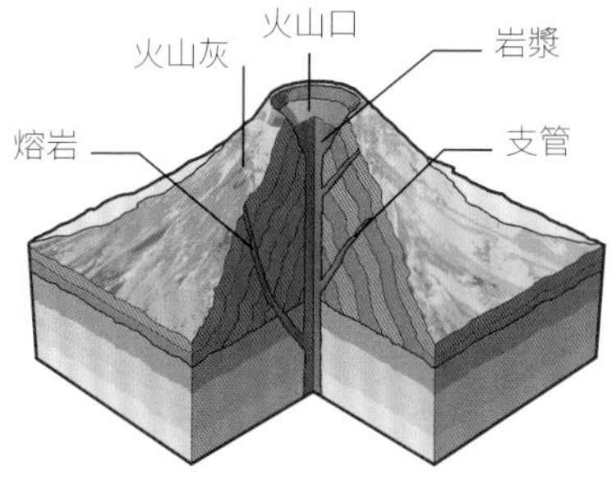
火山口
火山灰
岩漿
熔岩
支管

層狀火山
最陡峭的大型火山，由火山灰與熔岩交替成層而形成。

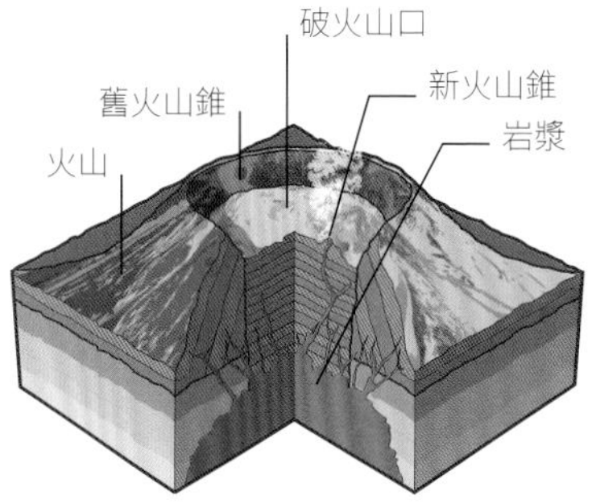
破火山口
舊火山錐
新火山錐
岩漿
火山

破火山口
層狀火山在一次超大型噴發耗盡大部分的岩漿庫，所留下的火山殘體。

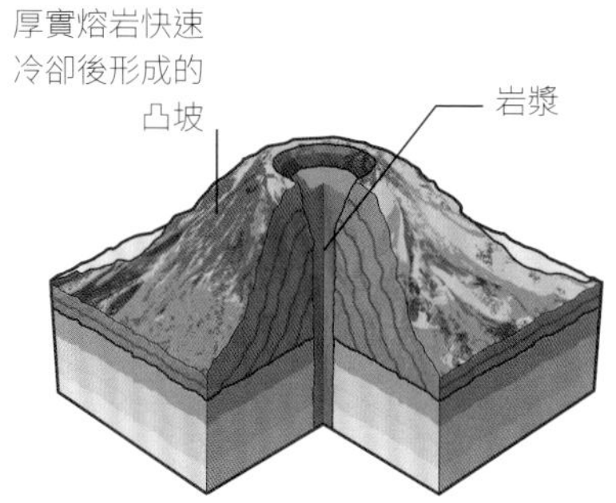
厚實熔岩快速冷卻後形成的凸坡
岩漿

火山渣錐
濃稠熔岩噴發所形成的陡峭小火山。

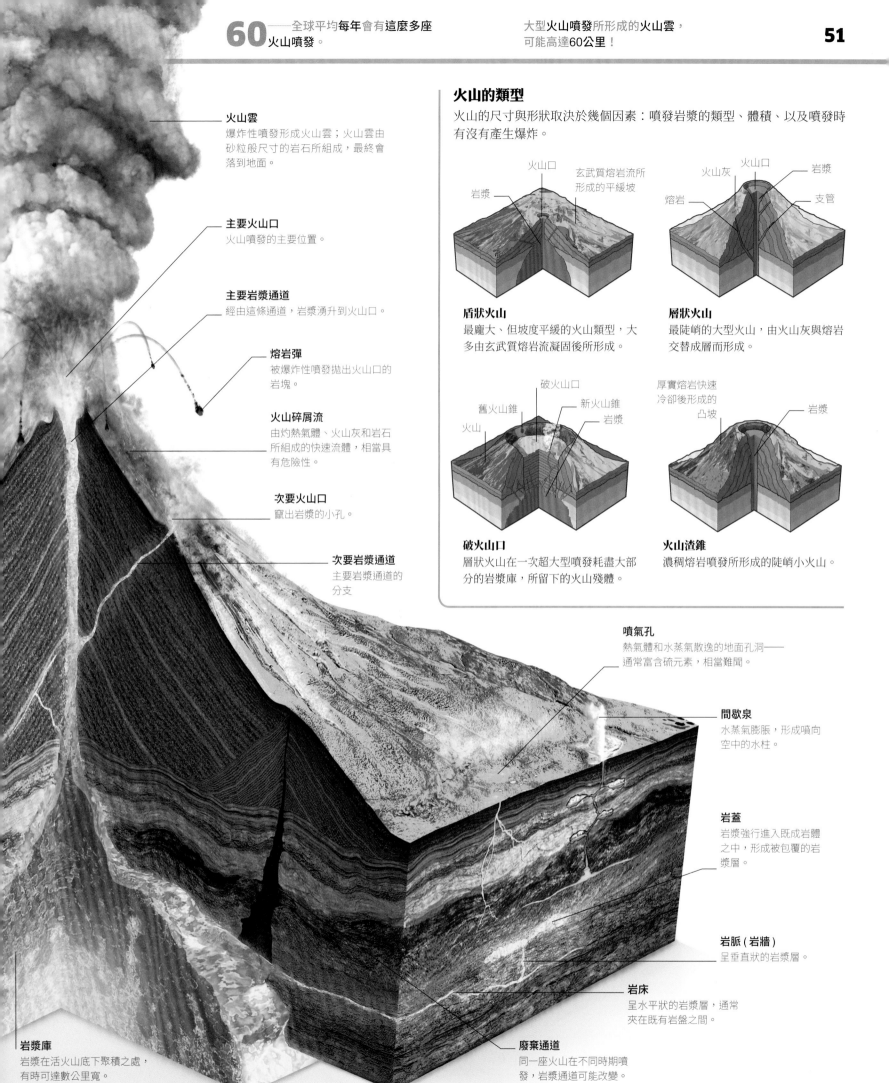

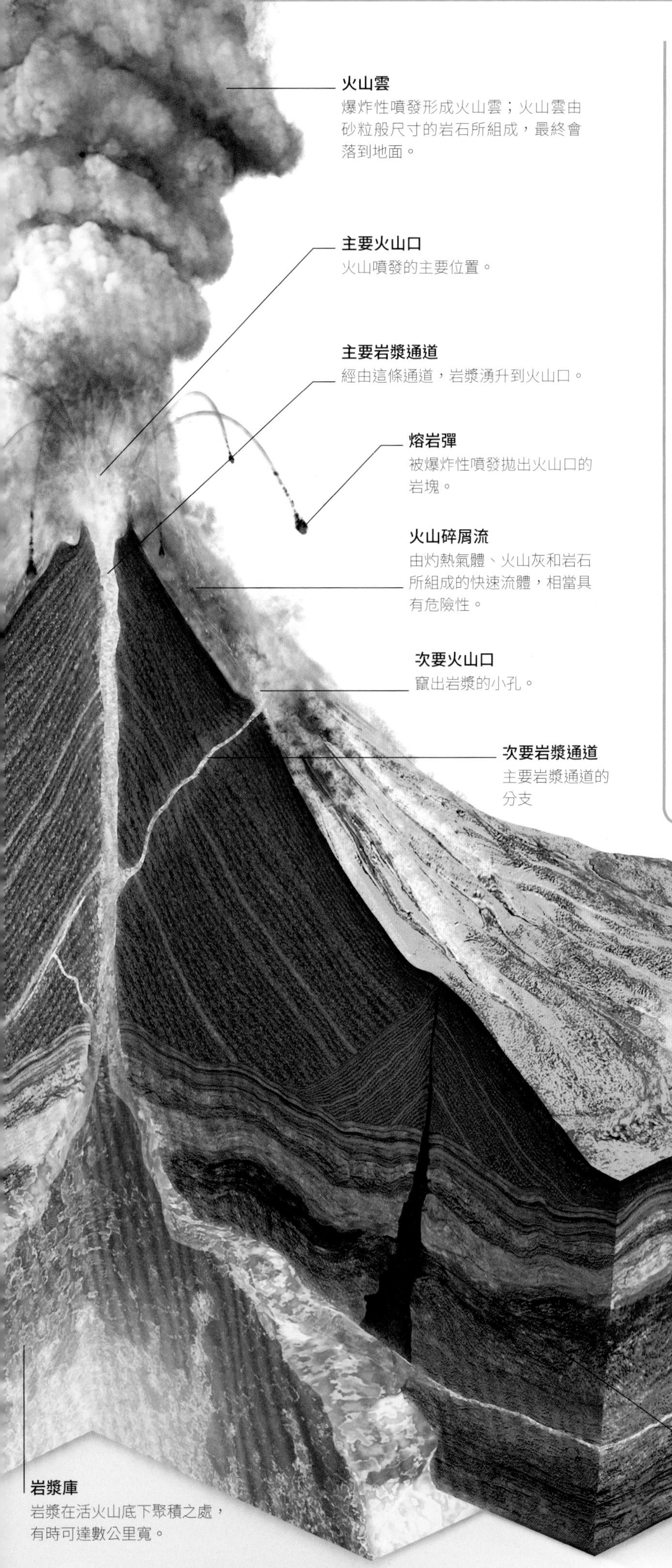
火山雲
爆炸性噴發形成火山雲；火山雲由砂粒般尺寸的岩石所組成，最終會落到地面。
主要火山口
火山噴發的主要位置。
主要岩漿通道
經由這條通道，岩漿湧升到火山口。
熔岩彈
被爆炸性噴發拋出火山口的岩塊。
火山碎屑流
由灼熱氣體、火山灰和岩石所組成的快速流體，相當具有危險性。
次要火山口
竄出岩漿的小孔。
次要岩漿通道
主要岩漿通道的分支
噴氣孔
熱氣體和水蒸氣散逸的地面孔洞——通常富含硫元素，相當難聞。
間歇泉
水蒸氣膨脹，形成噴向空中的水柱。
岩蓋
岩漿強行進入既成岩體之中，形成被包覆的岩漿層。
岩脈（岩牆）
呈垂直狀的岩漿層。
岩床
呈水平狀的岩漿層，通常夾在既有岩盤之間。
廢棄通道
同一座火山在不同時期噴發，岩漿通道可能改變。
岩漿庫
岩漿在活火山底下聚積之處，有時可達數公里寬。

30——在美國南加州，平均每天發生小規模地震的次數。

地震

地震是我們的地球—身為一顆行星—正常運作的一部分，但對於人類來說，地震非常可怕、極具毀滅性，有些還會引發巨大的海洋波浪——海嘯。

地球的表面由地殼板塊組合而成，相鄰板塊持續漂移，互相推擠，在某些交界處因摩擦力而「鎖住」不動，在此階段「應變」會逐漸累積，最終當壓力大於臨界點，鎖住部分的岩層就會突然鬆脫、甚至斷裂，在靠近地表之處形成斷層；上述情況發生的當下，代表能量正以強大震波的形式釋放——這就是地震發生的原因。此外若是地震發生於海床，就可能會引發海嘯。

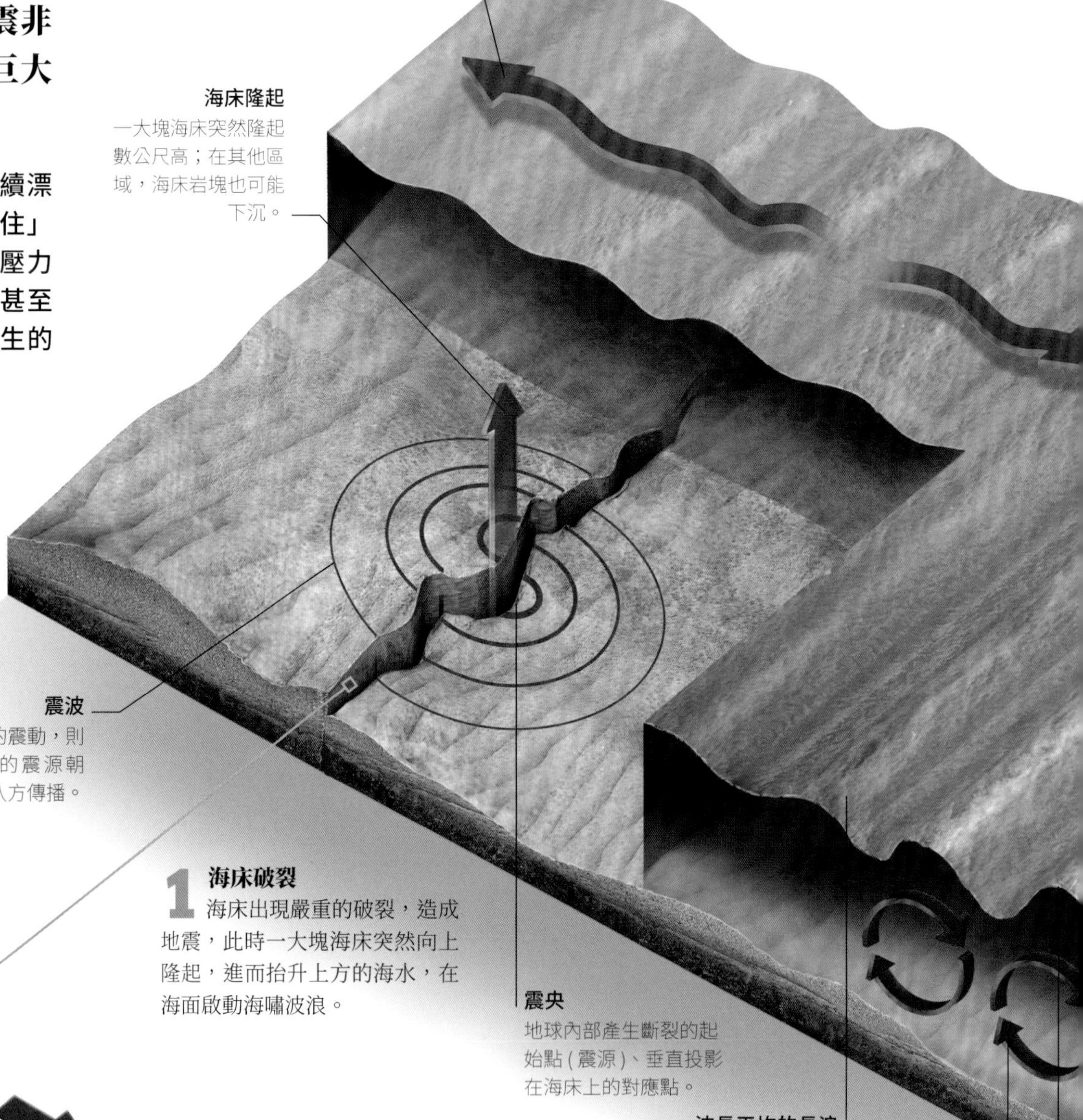

海浪朝兩側開展
海浪從海平面的基線朝兩個相反方向開展，而這條基線大致跟海床的斷裂線平行。

2 起始波源
在海平面，當大塊水體從下方驟然抬升，會啟動一系列的高能量波，並開始以高達 800 公里 / 小時以上的速度穿越海平面。

海床隆起
一大塊海床突然隆起數公尺高；在其他區域，海床岩塊也可能下沉。

震波
這種強大的震動，則是從地震的震源朝向四面八方傳播。

1 海床破裂
海床出現嚴重的破裂，造成地震，此時一大塊海床突然向上隆起，進而抬升上方的海水，在海面啟動海嘯波浪。

震央
地球內部產生斷裂的起始點（震源）、垂直投影在海床上的對應點。

波長平均的長浪
在寬廣的大海，海嘯波浪的浪頭間距（波長）相當平均，而且可能長達 200 公里。

海水的圓周運動
波浪來臨時，海水並不會跟著波浪前進，而是在原地進行圓周運動。

波高遽增
當海嘯前進到近岸處，海床漸漸向上爬升，海浪也就愈來愈高。

海嘯如何形成

多種原因可能造成海嘯，包括鄰近海洋的大型火山噴發、山崩掉落海洋、甚至是小行星撞擊地球，然而最常見的，還是海床發生地震——通常位於板塊邊界，相鄰板塊的其中一塊抬升至另一個板塊之上。

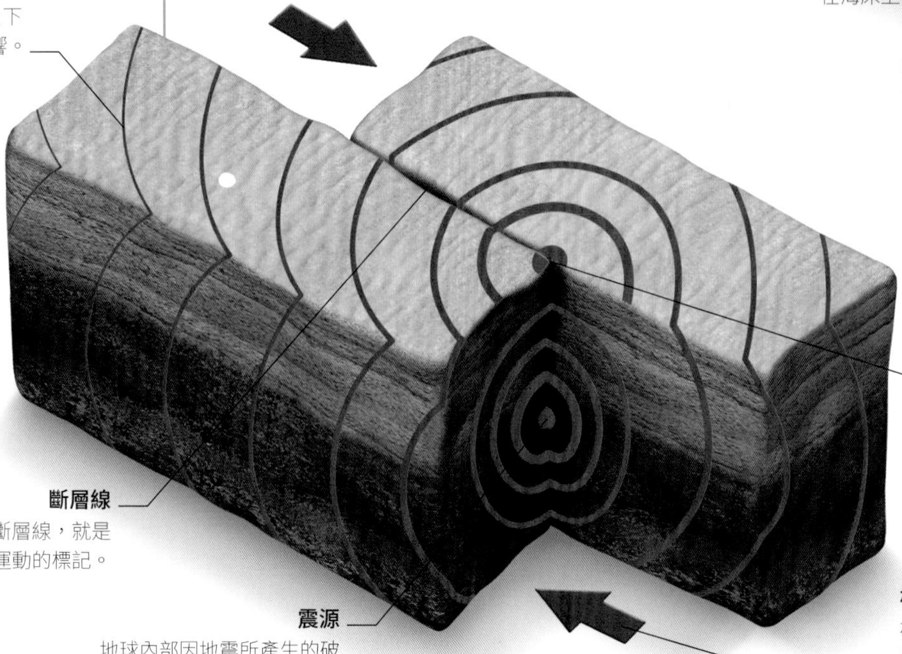

能量波
地震產生高能量波，而高能量波會導致搖動和上下運動、並發出巨大的聲響。

斷層內部
位於板塊邊界的斷層易於引發地震，如右圖所示，兩個相鄰板塊彼此朝著相反方向錯動，有時錯動會被摩擦力「鎖住」，壓力因此累積得愈來愈大，最終來到臨界點，原本的鎖住區域突然位移、甚至斷裂，瞬間釋放巨大的能量。

斷層線
地表一旦出現斷層線，就是地底板塊運動的標記。

震源
地球內部因地震所產生的破裂面的起點。

震央
震源垂直投影到地表的對應點。

板塊運動
相鄰板塊彼此擦身而過，在某些情況下，其中一個板塊也會擠入另一個板塊的下方。

震波

地震產生 2 類震波：P 波和 S 波，P 波能夠穿越地球內部的所有構造，但 S 波無法穿越地球的外核，科學家只要在地表偵測到這兩種波，就能知道什麼時候、哪個地點發生了地震。

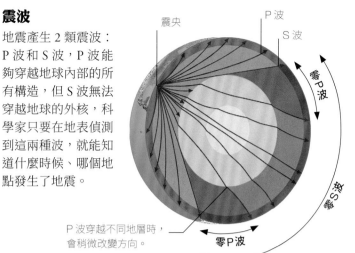

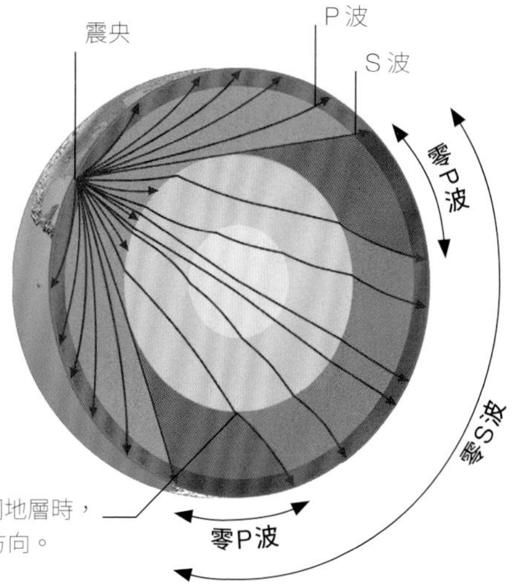
震央
P 波
S 波
零 P 波
零 S 波
P 波穿越不同地層時，會稍微改變方向。
零 P 波

居住在板塊邊界

有些國家經常受到地震侵襲，原因在於它們剛好座落於相鄰地殼板塊的交界處；下方地圖所列出的 10 國家，都因地震而導致大量人數不幸罹難。

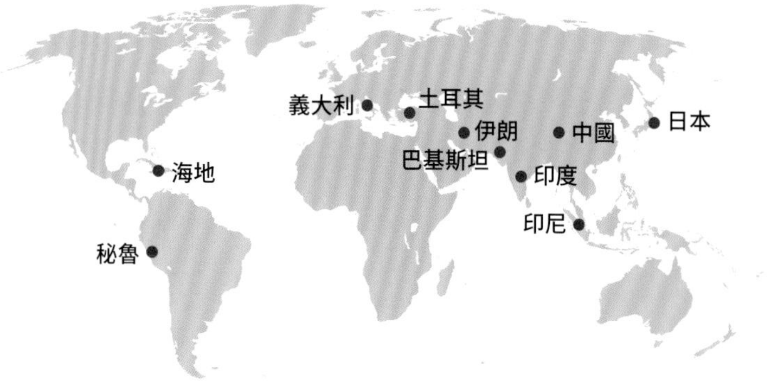
義大利
土耳其
伊朗
中國
日本
巴基斯坦
海地
印度
印尼
秘魯

1,600 公里

2004 年引發印度洋海嘯的那場海底大地震，在海床造成的裂縫長度。

3 放大效應

當海嘯波浪接近海岸，其速度減慢、但浪高增加，呈上坡狀的海床產生對海水運動的抵抗——這種壓迫對波浪形成「放大效應」。

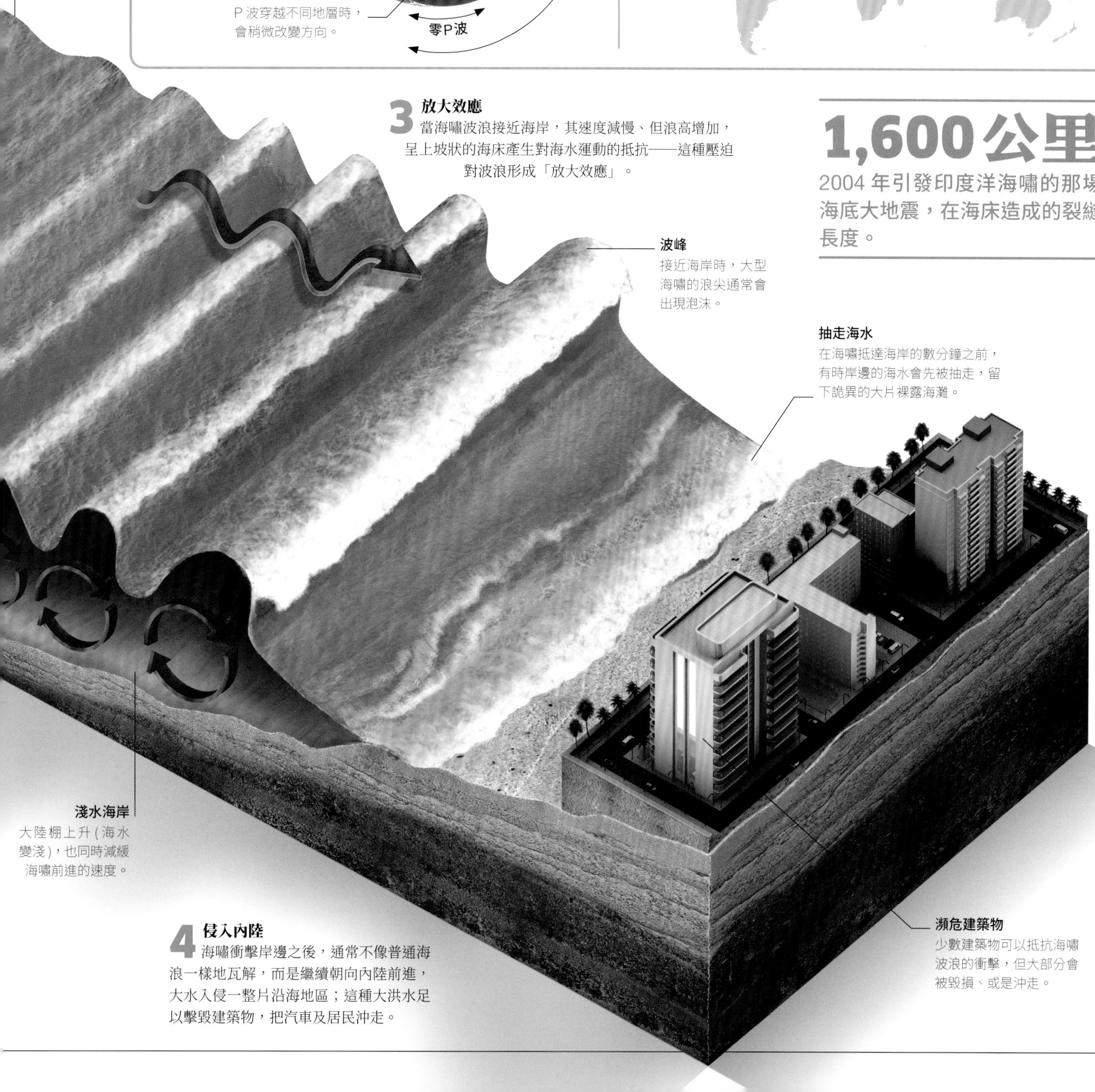
波高很低
在寬廣的大海中，海嘯波浪的波高（振幅的 2 倍）相當低，漁船上的船員甚至感覺不到。
波峰
接近海岸時，大型海嘯的浪尖通常會出現泡沫。
抽走海水
在海嘯抵達海岸的數分鐘之前，有時岸邊的海水會先被抽走，留下詭異的大片裸露海灘。
淺水海岸
大陸棚上升（海水變淺），也同時減緩海嘯前進的速度。
瀕危建築物
少數建築物可以抵抗海嘯波浪的衝擊，但大部分會被毀損、或是沖走。

4 侵入內陸

海嘯衝擊岸邊之後，通常不像普通海浪一樣地瓦解，而是繼續朝向內陸前進，大水入侵一整片沿海地區；這種大洪水足以擊毀建築物，把汽車及居民沖走。

地球資源

地球含有許多有用的天然資源，幾個世紀以來，人類大量利用這些資源，包括水、食物、燃料和建築材料，並用以製造更加複雜的原料——例如金屬和塑膠。然而，許多天然資源的供應並非毫無限制的，而且當我們使用這些資源，也同時對地球環境造成衝擊。

岩石與礦物

地球誕生至今已歷經 40 多億年的發展，期間形成了數千種礦物，而這些礦物構成數百種岩石。人類很早就發現礦物與岩石具有許多用途—從作為建築材料到製造金屬—然而，一些最有用、最有價值的礦物，其儲存量相當稀少，而且，採礦通常是一項具有危險性的工作。

岩石

人類很早就懂得運用自然形成的岩石，最初是用來打造工具，後來擴展出更多用途——例如建造房屋、工廠，或作為路面材料。

岩質地景

在我們周遭的自然環境之中，有一大部分是由岩石所構成的；開採岩石必須運用重機械，挖入地底深處。

礦物

地球蘊藏數千種自然形成的礦物，其中許多—包括金屬礦、硫礦和雲母—都被廣泛應用於工業界，其他例子還有金、銀、石英……等等。

組成岩石

岩石由天然無機物—礦物—所組成；大部分的岩石都是好幾種礦物所組成的混合物。

寶石

有些礦物經過切割、拋光，成為人類眼中的寶石。鑽石這種寶石其實用處很大，其特別高的硬度，可用以切割大部分的其他物質。另一些寶石也具有特定用途，但寶石大多是由於美麗的外觀和稀有性，才成為具有價值的礦物；寶石可被切割成許多不同的形狀，通常用來製造珠寶、或作為其他裝飾品的材料。

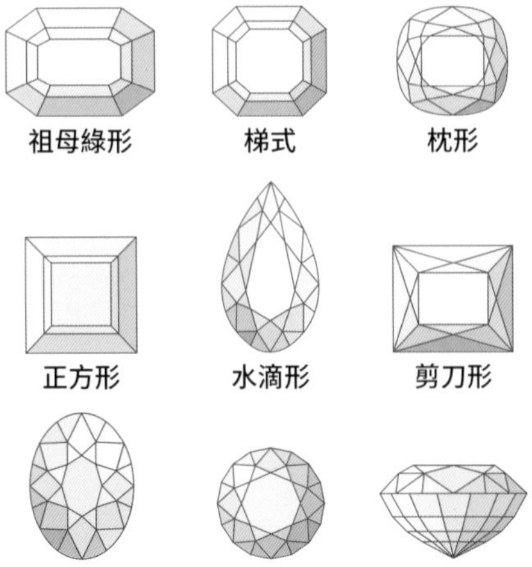
祖母綠形
梯式
枕形
正方形
水滴形
剪刀形
明亮式橢圓形
明亮式圓形
混合式

寶石的切割工法

寶石可以切割成許多不同的形狀，但切割方式必須正確，寶石才能多方向反射光線，成為閃閃發亮的模樣。

能量

人類獲得能量的來源包括光、熱、以及食物。地球的能量以多種形式存在，但源頭大多來自太陽與地球內部的熱能，這種能量看似取之不盡，但獲取、貯存、或是輸送這些能量來滿足人類的需求，其實是相當困難的，必須仰賴複雜而昂貴的許多技術。

化石燃料

人類長期使用化石燃料—包括泥煤、煤、石油和天然氣—來為居家加熱、或是作為機械的動力。地球的化石燃料耗時數百萬年才能形成，但人類在短短幾百年內就消耗一大部分的蘊藏量。化石燃料必須經過時間、壓力和高溫的淬鍊，才能將有機的植物和動物遺骸轉變為碳氫化合物——石油與天然氣。

海洋

1 15 億 ~2 億 5,000 萬年前
海洋動物與微生物死亡後，它們的遺骸沉降到海床，接著被泥沙和其他沉積物層層覆蓋。

海洋
淤泥和沙
植物遺骸與動物遺骸

2 2 億 5,000 萬 ~60 萬年前
植物與動物遺骸深埋於海底之下，經過長時間的加熱與加壓，轉變成為石油和天然氣。

砂、淤泥、岩石
石油與天然氣礦床

3 現在
石油與天然氣深埋於淤泥、沙層與岩層之下，必須使用抽油設備鑽入礦床，才能取得這些化石燃料。

核能

核能來自原子核之中、將質子與中子結合在一起的強大力量；人類已有能力駕馭核能，而且製造核能的「碳排放量」比化石燃料更低，但缺點是可能有洩露輻射的風險。

再生能源

除了化石燃料，另有一些替代能源可供人類利用，它們更具永續性，而且對自然環境的衝擊更低。

太陽能

以太陽能電池板獲取來自太陽的光能，再轉換成電力。

風力

風力發電機讓我得以駕馭風力；渦輪機擺設的位置愈高，發電效率就愈高。

潮汐、洋流

海水的流動、以及高低起落的潮汐都具有能量，可用以產生電力。

地熱

在火山附近，地球內部的熱能更靠近地表，可以用來將水加溫。

水力

讓水流通過水壩的渦輪機，就可以產生動力。

生質燃料

有機物質所製成的燃料，來源包括植物、脂肪、以及各種有機廢棄物。

燒柴

燒柴取暖、或用以烹煮食物，是人類最早獲取能量的方式。

農業

栽種可供食用的植物或飼養牲畜，都稱為農業。現今全球總人口已經突破 70 億，大多仰賴禾穀類作物來提供基本食物，這些禾穀類作物包括玉米、小麥、稻米、馬鈴薯、木薯、大豆和番薯；而蛋白質的供給則是來自各種牲畜，例如魚類、牛隻、豬隻和家禽——但這些只占全球食物總供應量的 20% 以下。

林業

對地球的大部分陸棲野生動物而言，森林不僅提供棲息地，也提供食物。另一方面，森林植物進行光合作用，去除大氣中的二氧化碳，這有助於減緩地球暖化的速度。然而，全球各地的森林都面臨危機——樹木不斷被砍伐，以作為燃料或建材。

經營森林

只要好好經營森林，人類就能從中收成—例如木材—而不必摧毀它們。

農耕

農耕技術起源於 10,000 年前的中東地區，最早的農夫栽種小麥之類的穀物，並飼養動物來獲取肉食和乳品。而現在，農耕技術比起過去已有很大進步，新式農機讓作物的產量更大；其他發明還包括灌溉技術、農藥、發展出作物或牲畜的新品種、以及全球運輸系統——現在農夫已經可以將他們的產品送至世界各地。

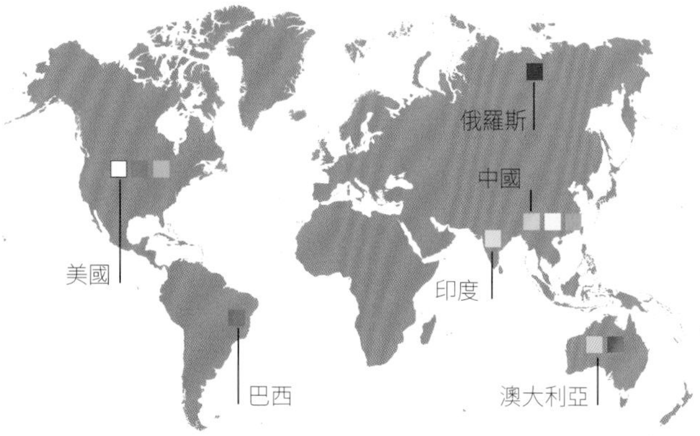

圖例

牛隻、咖啡豆、豬隻、玉米、燕麥、馬鈴薯、稻米、綿羊、大豆、茶葉、小麥、牛乳

餵飽全世界

世界各地都能生產糧食，除了提供當地消費，還能出口到其他國家。本圖顯示各種農作物或牲畜的全球最大產地。

全球超過**半數人口**仰賴 **3 種穀物**作為基本食物：**小麥**、**玉米**、以及**稻米**。

漁業

人類食用魚類已有久遠的歷史，魚類是最具營養的蛋白質來源。漁業技術的發展，讓人類得以從大海捕捉大量野生魚類，但由於多種廣受歡迎的魚類瀕臨滅絕危機，國際社會已對野生魚類的捕撈設定限制。另一種解決過度漁撈的方法，則是發展養殖魚類的技術，來提供人類食用。

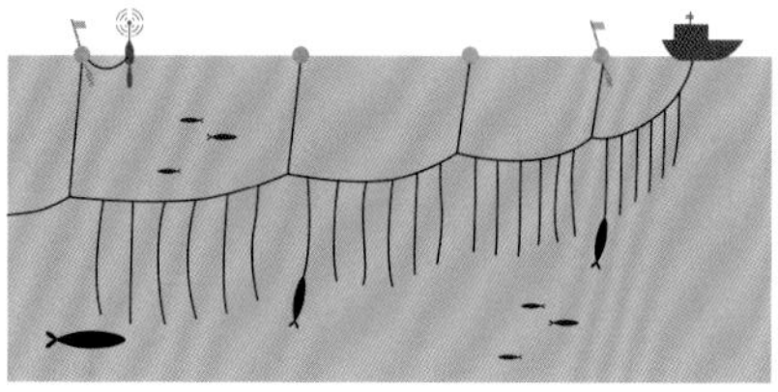

竿釣

拿出魚餌掛在魚鉤上、連接一條長線來獲得漁穫，可說是相當經濟的捕魚方法，但這種方法有時可能誤殺海龜或海鳥。

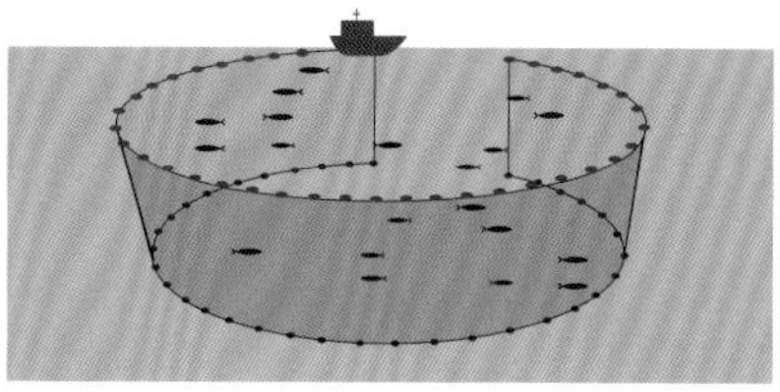

漁網

撒出漁網是相當古老的捕魚方法，但現在已經發展成工業規模——運用合成纖維製造的漁網，撒網一次就能捕獲大量魚類。

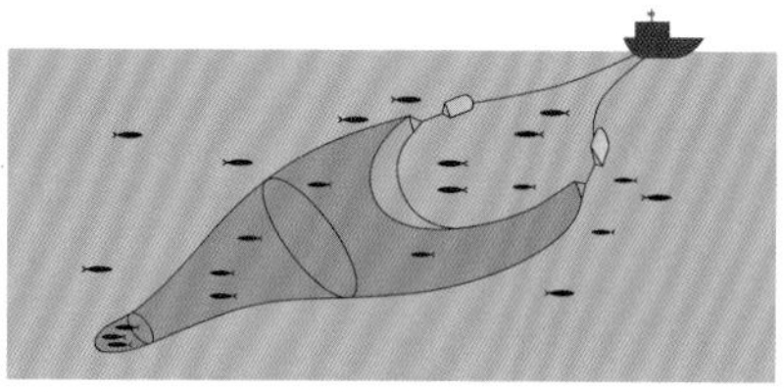

拖網漁法

拖網漁法也是以漁網捕魚的一種形式，但漁網沿著水面或海岸拖行，可能對海岸造成傷害，而且大小魚類通吃，也會影響生態。

永續性

地球的自然資源並不是毫無限制的，如果基本需求持續增加，這些資源將會變得愈來愈貴、愈來愈稀有；為了支持人類永續發展，我們必須確保地球資源不被耗盡。

人類對環境產生的衝擊

人口增加，意味著我們消耗愈來愈多的地球資源，進而改變地景、並危害周遭環境。為了減少人類對環境產生的負面衝擊，我們必須盡可能從垃圾之中回收資源——而不是全都丟進掩埋場。

垃圾掩埋場

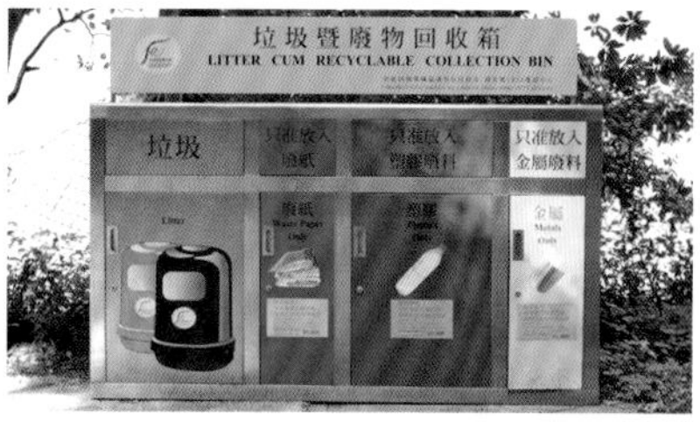

資源回收中心

污染

縱觀全球各地，工廠、發電廠、農場、商場、以及住家，都會製造大量化學物質和其他污染物，進而污染或弄髒我們的自然環境。當人類使用更多的能源或其他資源，就代表地球承受更多的污染。

工業效應

不同國家所製造的污染量也不同，右圖是全球前 5 名的污染大國。

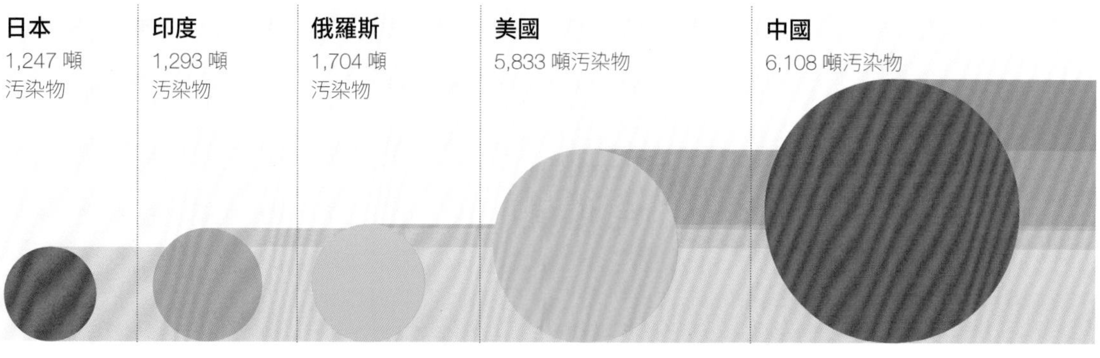

40億——目前已知地球最老岩石的年齡——位於加拿大的一處片麻岩。

岩石

岩石是堅硬的天然物體，由礦物顆粒—晶體—以緊密的結構結合在一起所組成。地球存在數百種岩石，由形成方式可分為 3 大類：火成岩、沉積岩、變質岩。

火成岩
熾熱的液態岩石稱為岩漿或熔岩，熔岩冷卻、固化所形成的岩石稱為火成岩。

沉積岩
來自其他老舊岩石的顆粒沉積物，經擠壓而重新黏合，就成為沉積岩。

變質岩
既有岩石因高溫與高壓而產生變化，進而成為變質岩。

花崗岩

砂岩

片麻岩

礦物

岩石由礦物所組成，地球存在數千種礦物，但只有 30 種左右可以在地表找到，大部分的礦物都是晶體——原子以固定規則排列，形成簡單的幾何形狀；每一種礦物都有特定的化學成分和物理性質。

天然元素
有些礦物由單一化學元素所組成，例如硫、碳、或是銅之類的金屬。

化合物
另一些礦物則是包含兩種以上的化學元素，例如螢石含有鈣元素和氟元素。

硫

銅

斑銅礦

螢石

硬度
有些礦物相對較軟，例如石膏，另有一些礦物很硬，例如鑽石，許多科學家提出測量硬度的量表，其中「莫氏硬度」是基於比較 10 種礦物樣本硬度的結果，給予從 1 到 10 的分級；而「絕對硬度」則是根據實驗室實測所得到的結果。

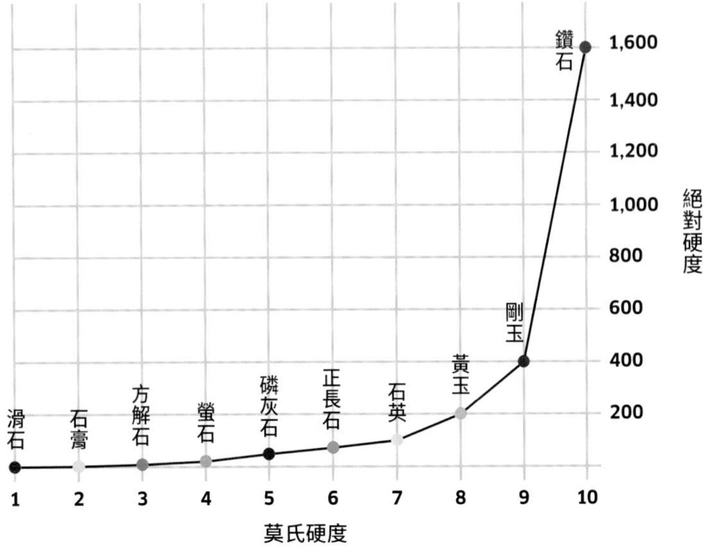
滑石
石膏
方解石
螢石
磷灰石
正長石
石英
黃玉
剛玉
鑽石
1
2
3
4
5
6
7
8
9
10
莫氏硬度
200
400
600
800
1,000
1,200
1,400
1,600
絕對硬度

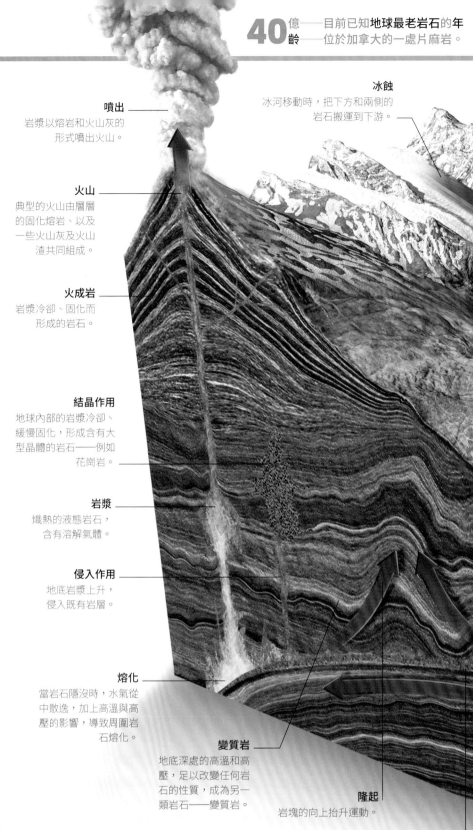

噴出
岩漿以熔岩和火山灰的形式噴出火山。
冰蝕
冰河移動時，把下方和兩側的岩石搬運到下游。
火山
典型的火山由層層的固化熔岩、以及一些火山灰及火山渣共同組成。
火成岩
岩漿冷卻、固化而形成的岩石。
結晶作用
地球內部的岩漿冷卻、緩慢固化，形成含有大型晶體的岩石——例如花崗岩。
岩漿
熾熱的液態岩石，含有溶解氣體。
侵入作用
地底岩漿上升，侵入既有岩層。
熔化
當岩石隱沒時，水氣從中散逸，加上高溫與高壓的影響，導致周圍岩石熔化。
變質岩
地底深處的高溫和高壓，足以改變任何岩石的性質，成為另一類岩石——變質岩。
隆起
岩塊的向上抬升運動。
隱沒岩
這個隱沒板塊的上層原本是海床，含水量極高。

岩石循環

岩石從一種類型轉變為另一種類型，這種永無止境的循環就稱為「岩石循環」。多種因素—地表或地底都有—導致這種過程的發生，在地表，岩石因風化作用而層層瓦解，河流或冰河進行侵蝕，將岩石粒子帶離原地，這些細小的粒子最後在其他區域沉積下來——例如湖底、海岸、或海床；至於在地球內部，高溫、高壓與熔化作用將沉積岩或火成岩轉變成變質岩，而火山噴發之後又再度形成新的火成岩。

岩石與礦物

地球這顆行星主要由固體岩石所組成，岩石形成地球的地景特徵——山脈、峽谷、以及平原；而礦物則是組成各類岩石的基本原料。

地球的岩石大多埋藏於一層土壤和植被之下，但在某些區域它們裸露於地表，這類地景包括山脈或峽谷。許多類型的岩石經過數十億年的發展過程，才能形成，這些過程包括火山活動——形成地表及地表附近的火成岩、沉積作用——在湖底或海床形成沉積岩、變質作用——地底深處的高溫與高壓將既有岩石轉變成變質岩；上述這些過程連結來，形成永無止境的循環——「岩石循環」。

冰磧
在冰河末端，搬運作用卸下的岩石碎片聚積成堆，稱為冰磧。
降水
雨水和雪水注入冰河與河流，對流過的岩石表面造成侵蝕作用。
風化作用
雨、風、霜、化合物、熱能、以及生物，都可能瓦解岩石。
搬運作用
河流和風力將風化岩石的粒子帶到其他區域。
河流
河流是搬運作用的主要推手。
海岸堆積物
岩石粒子經由河流搬運，沉積下來之後形成砂、泥、或是海岸線的卵石。
海洋沉積作用
細小的岩石粒子被河流帶向大海，慢慢沉積到海底。
沉積物
細微粒子形成砂層或淤泥層，沉澱於海床或湖底。
隱沒作用
相鄰地殼板塊互相碰撞時，其中一個板塊可能被迫擠入另一板塊邊緣的下方。
沉積岩
壓力緊緊將沉積粒子結合在一起，就形成了沉積岩。
埋藏與壓縮
新的沉積層持續堆積，壓縮底下的老舊沉積層，形成密實的沉積岩。

天氣

地球大氣層常態性地產生變化，形成了我們日常生活中的天氣——晴天、強風、多雲、下雨、或是下雪。陽光的照射範圍與強度決定了大氣中的溫度和氣壓，而大氣中的濕度則是取決於雲層形成的高度、以及雲層是否產生霧氣、雨或雪——暴風雨何時形成也是如此。當我們研究天氣，就能觀察出，世界各地的天氣都具有可預測的季節性固定型態——稱之為「氣候」。

天氣系統

天氣的型態取決於區域性氣團和氣壓系統，但這是隨著年度時節的進程而變化的，例如在夏季，陸地表面的熱能增加，造成乾燥暖空氣上升，形成「低壓天氣系統」，並從四周吸入更多暖空氣，其結果可能導致暴風雨；到了冬季，陸地的地表冷卻，造成高密度的冷空氣從上方沉降。

鋒面

鋒面形成於兩個氣團的交界面；兩個各具不同含水量、密度、溫度和氣壓的氣團，並不容易混合在一起，而是通常在兩個氣團的交界面形成上升的邊界雲層，是為鋒面；例如含有暖空氣的低壓氣團，會竄升到含有冷空氣的高壓氣團之上，在上升過程中暖空氣變冷，所挾帶的所有水氣凝結成為雲層，因此可能會下雨。

冷鋒(面)
冷氣團推擠暖氣團，取代暖氣團原本的位置，就形成了冷鋒；此外原本的暖氣團被迫快速竄升，形成一堵陡直的風暴雲，挾帶濃厚的水氣。

暖鋒(面)
暖氣團朝向冷氣團擠壓，以平緩的坡度慢慢爬升到冷氣團之上，取代冷氣團原本的位置，就形成了暖鋒，進而導致降雨。

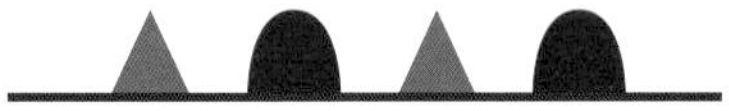

囚錮鋒(面)
當移動速度較快的冷鋒追上移動速度較慢的暖鋒，並將暖氣團抬升，就形成了囚錮鋒；這會導致持久性的降雨。

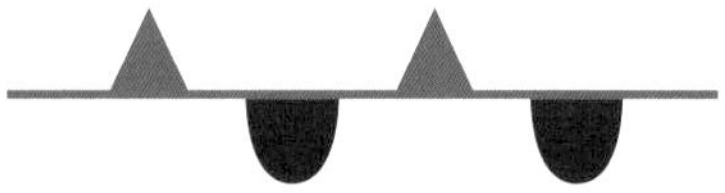

滯留鋒(面)
滯留鋒形成於結構相似的冷氣團與暖氣團之間，兩者實力相當，位置不太移動，可能長期滯留好幾天，導致持續性的降雨。

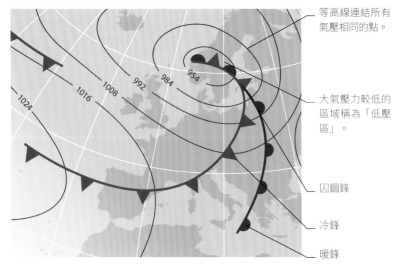

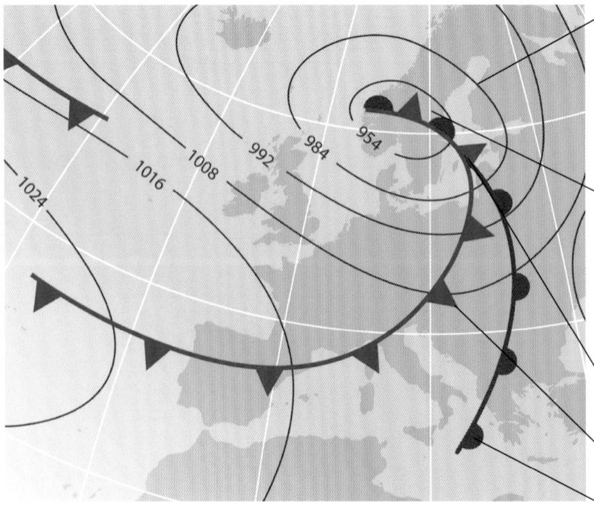
等高線連結所有氣壓相同的點。
954
984
992
1008
1016
1024
大氣壓力較低的區域稱為「低壓區」。
囚錮鋒
冷鋒
暖鋒

天氣圖
這幅天氣圖呈現某一地區的主要天氣，圖中的黑線稱為「等壓線」——用以連結氣壓相等的所有地點；而鋒面圖案用以顯示氣溫將會升高或下降。

季風

季風是季節性的盛行風向，為某些亞熱帶地區—例如東南亞和印度一帶來豐沛的夏季雨量，一到冬季則是轉為較冷而乾燥的天氣。亞洲地區的季風最強，但季風也出現於西非、澳大利亞北部、以及北美洲與南美洲的部分區域；季風在夏季和冬季吹向不同的方向。

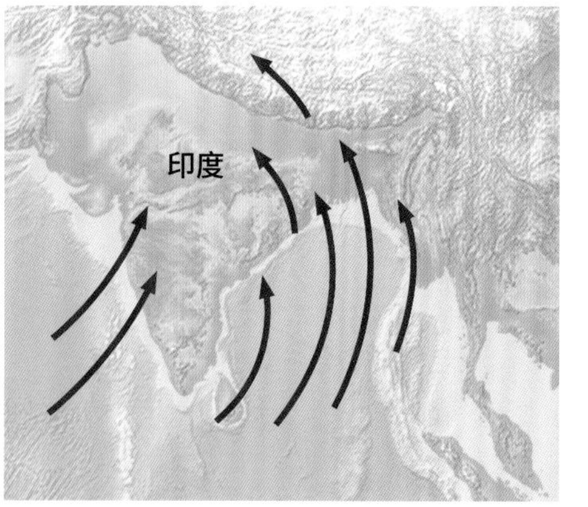
印度

夏季
在夏季，南亞季風從印度洋吹向印度，帶來濕季的豐沛雨量——這對印度次大陸主要農作物的生長，至關重大。

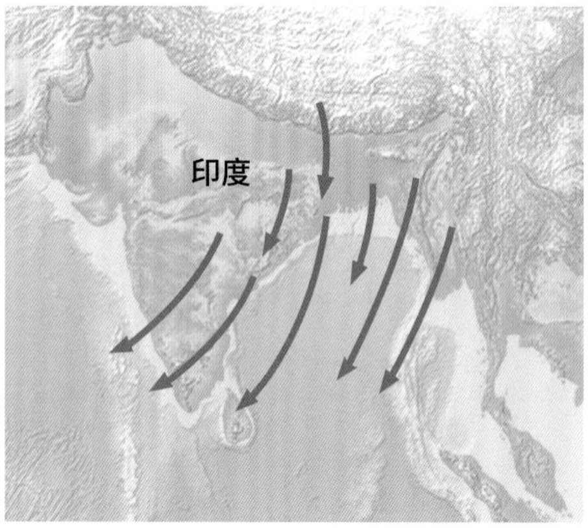
印度

冬季
到了冬季，南亞季風反轉—由印度次大陸吹向印度洋一帶來乾季特有的溫暖而乾燥的盛行風。

天氣鋒面就是兩個氣團的交界面——
兩個氣團各有其不同的**溫度、濕度和氣壓**。

颶風(颱風)

颶風就是挾帶著強風與豪雨的龐大熱帶氣旋。颶風始於一簇形成於夏末的雷雨，當它們通過溫暖的熱帶海面時，逐漸發展、合併，最終形成颶風——強烈的低壓吸入大量溫暖而潮濕的空氣，氣流旋轉得愈來愈快、並向上竄升，急速上升的空氣突然冷卻，形成高聳的暴風雲和豪雨。颶風侵襲陸地時會帶來大洪水，極具破壞性！

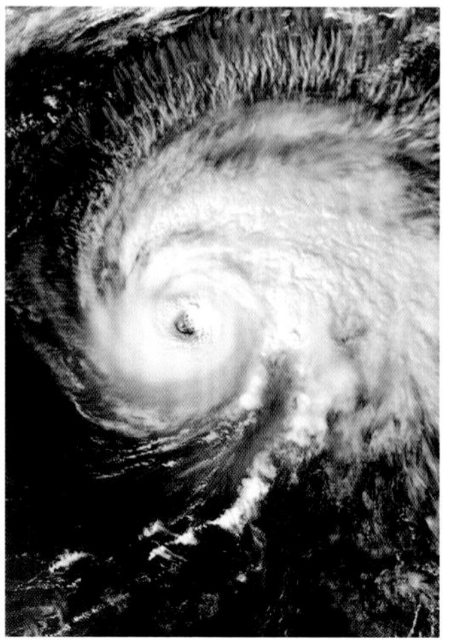

空照圖
這是人造衛星從上空拍攝的颶風雲圖，其螺旋狀氣旋、以及位於中央的颶風眼清楚可見。

降水

從天空降下的所有水分都稱為「降水」，分為數種類型——從細微的小雲滴或霧，到較大的雨滴、冰雹、雪，都是降水的形式之一；至於雲層中的水分以下雨或下雪的形式降到地面，取決於氣溫是否夠冷。

降水類型

降水分為數種類型，大部分時候從天空降下，也可能從地面上升——端視溫度條件而定。

雨
雲層由細微的「雲滴」(比水滴更小)所組成，當這些小雲滴聚集得愈長愈大，重到無法浮在空氣之中，就會降落到地面，形成下雨。

雪
小雲滴凝結成冰晶，冰晶在冷空氣之中降落時互相黏合，成為雪花。

霰
霰是雨和雪的混合物，形成於雨水開始凝結、或雪花開始融化之時。

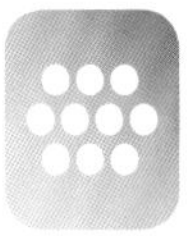

冰雹
冰冷風暴雲之中的冰晶會逐漸成長為尺寸更大的冰雹；雲層愈高大，冰雹就愈大顆。

霧
濕度飽和的暖空氣接觸冰冷的地面或海面時，就會在地平面附近形成霧。

雲如何形成？

當陽光照射海洋或湖泊，有些水分就會蒸發，進入暖空氣之中，溫暖的水蒸氣持續上升，遠離地表，直到在空中冷卻—冷空氣無法跟暖空氣一樣保有大量水分—水蒸氣凝結而形成雲；在 5,000 公尺以上高空所形成的雲，其成分是冰晶、而非水蒸氣。

1 水蒸氣上升 熾熱的陽光從地面或海面將液態水蒸發為水蒸氣，上升到大氣之中。

2 水蒸氣凝結 水蒸氣因上升而冷卻，凝結成肉眼可見的雲；組成雲的成分，是尺寸比水滴還小的小雲滴。

3 雲層上升 無數小雲滴集結成雲的過程中，會將熱能釋放到周圍的空氣之中，因而進一步抬升雲層。

雲的種類

雲分為 3 大類型：積狀雲、層狀雲、卷狀雲，每一種類型又可細分為數種雲，積狀雲類形成團塊狀，層狀雲類形成層狀，而卷狀雲類形成小束狀或纖維狀；雲的形狀反應出大氣的含水量、以及大氣如何移動。

如何命名？
科學家根據雲的形狀、尺寸、以及它們在大氣中形成的高度，來為各種雲命名。

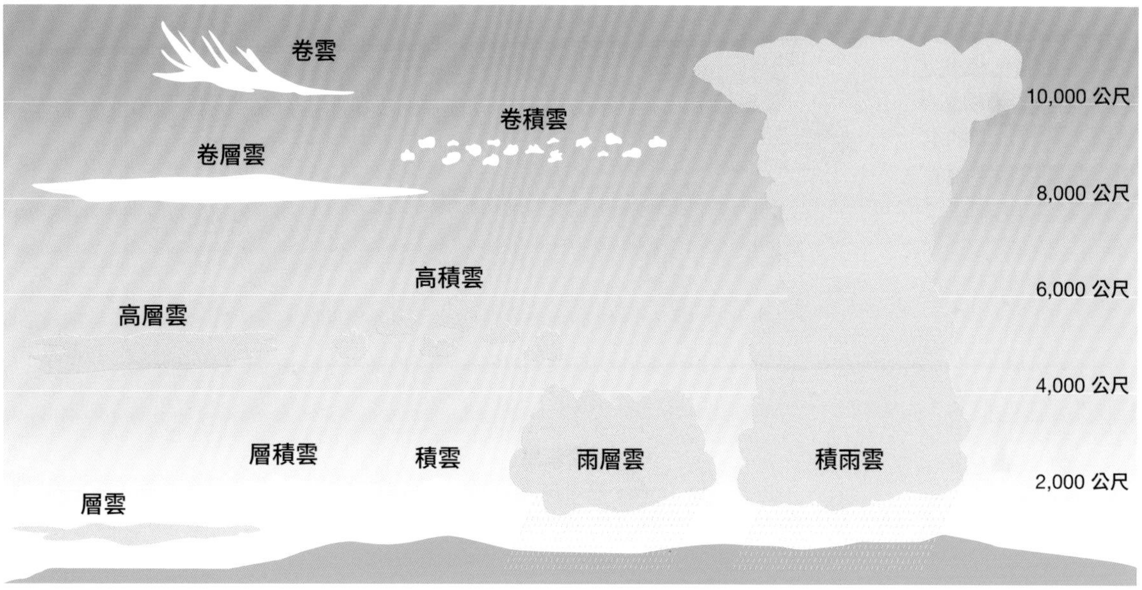

卷雲
卷積雲
卷層雲
高積雲
高層雲
層積雲
積雲
雨層雲
積雨雲
層雲
10,000 公尺
8,000 公尺
6,000 公尺
4,000 公尺
2,000 公尺

風

風普遍形成於大氣層之中，風的規模與強度各異，從最小的微風到最大的龍捲風都有，而且可能每天都不同、或是具有季節性的變化。

風是什麼？

事實上，風就是空氣的流動——空氣從高壓區域流向低壓區域，兩個區域的壓力差異愈大，風的流動速度就愈快。科學界普遍運用「蒲福風級」來測量風的速度，風級設定從 0 級到 12 級，以 12 級的颶風等級為例，其風速高達 480 公里 / 小時。

蒲福風級	
0	靜止
1	輕微的空氣流動
2	淡淡微風
3	溫和微風
4	中等微風
5	清晰微風
6	較強微風
7	接近大風
8	大風
9	較強大風
10	暴風
11	猛烈暴風
12	颶風

龍捲風

龍捲風是空氣所形成的旋轉氣柱，具有強大的破懷性，大多數龍捲風的風速低於 200 公里 / 小時，但也可能高達 480 公里 / 小時。龍捲風的特徵是具有一個快速自轉的漏斗狀氣柱，從上方雲層延伸至地面，其威力足以摧毀農作物與建築物。龍捲風的形成跟夏季風暴脫不了關係——尤其是在美國。

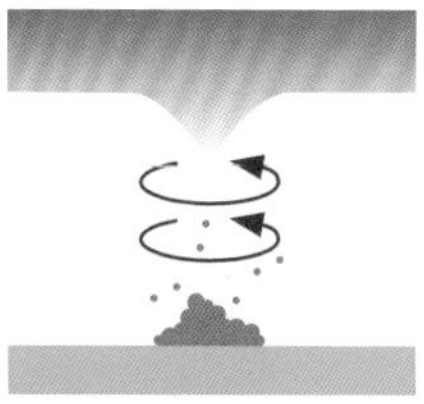

1 穩定旋轉 上升暖空氣開始旋轉，雲層底部向下延伸。

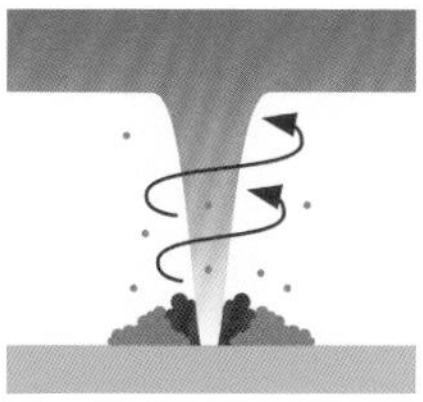

2 漏斗狀氣柱發展 漏斗狀氣柱延伸至地面，吸入熱空氣，旋轉得愈來愈快。

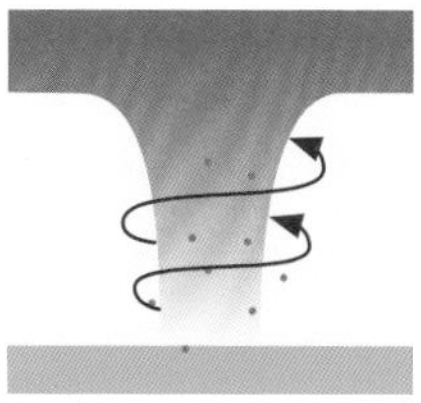

3 龍捲風肆虐 氣旋柱可能綿延數公里寬，極具破壞性。

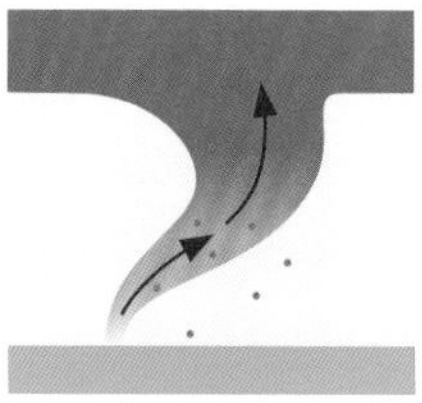

4 氣旋柱消失 最終氣旋柱變窄，逐漸縮回雲層之中。

雷雨

雷雨形成於積雨雲之中；它們挾帶水蒸氣上升到高空，接著凝結成冰雹和冰。

閃電
冰雹和冰在雷雨雲之中移動，導致電荷累積，再以閃電的形式釋放。

颶風從形成到最後消失，其生命史總計耗用了**10,000顆核彈**的能量。

50毫米/小時——典型**颶風**所帶來的**降雨量**。

颶風

颶風（亞洲稱為颱風）是地球上最具破壞性的風暴，形成於熱帶地區的海面之上；颶風帶來豪雨和強風——風速可能超過 284 公里 / 小時。

颶風形成於夏末，一開始只是一簇簇雷雨攪和在一起，進而演變成挾帶巨大旋轉雨帶的複雜結構，這個結構所形成的低壓不斷從海面吸進更多潮濕暖空氣，接著空氣上升，釋放豪雨和大量熱能。當颶風接近陸地時，至少 120 公里 / 小時的強風加上低壓，將海浪推升數公尺高，淹沒廣大的沿海區域。然而，一旦颶風進入陸地之後，就無法再從溫暖的海面獲得熱能，因此會迅速失去威力——但在此之前，它們已經在沿海地區造成嚴重的傷害，包括強風、豪雨和濤天巨浪。

颶風、颱風、熱帶氣旋

所有颶風都具有相似的結構和演化模式，但不同地區所形成的颶風，各有不同的名稱，右圖呈現颶風在世界各地的名稱：

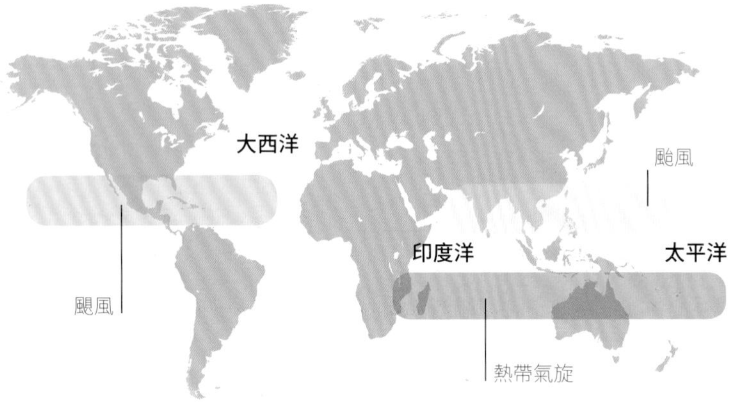
大西洋
颱風
印度洋
太平洋
颶風
熱帶氣旋

氣流
颶風結構頂部的暖空氣從颶風眼旋轉出來，等氣壓減低之後，就會冷卻而沉降。
外流雲盾
颶風的頂部是由空氣所組成的圓形雲頂——從颶風眼流動出來的。
向外移動
氣壓升高，將上層雲團向外推擠。

3 熱帶風暴
當表面風的風速攀升到 61 ~ 120 公里 / 小時，熱帶風暴於焉形成；接下來風暴的結構變得愈來愈大，當雲團上升到 5 公里的高空時，就會降下豪雨。

2 熱帶低壓
熱帶風暴合併，上升氣團形成一處低壓擾動—也就是熱帶低壓—吸入潮濕暖空氣成為表面風，開始旋轉。

1 熱帶擾動
在高濕度而風勢輕微的熱帶海域，海水的溫度可能變得很高，在上空形成一簇簇雷雨，雷雨釋放雨水和熱氣，再上升到海平面之上數公里的高空。

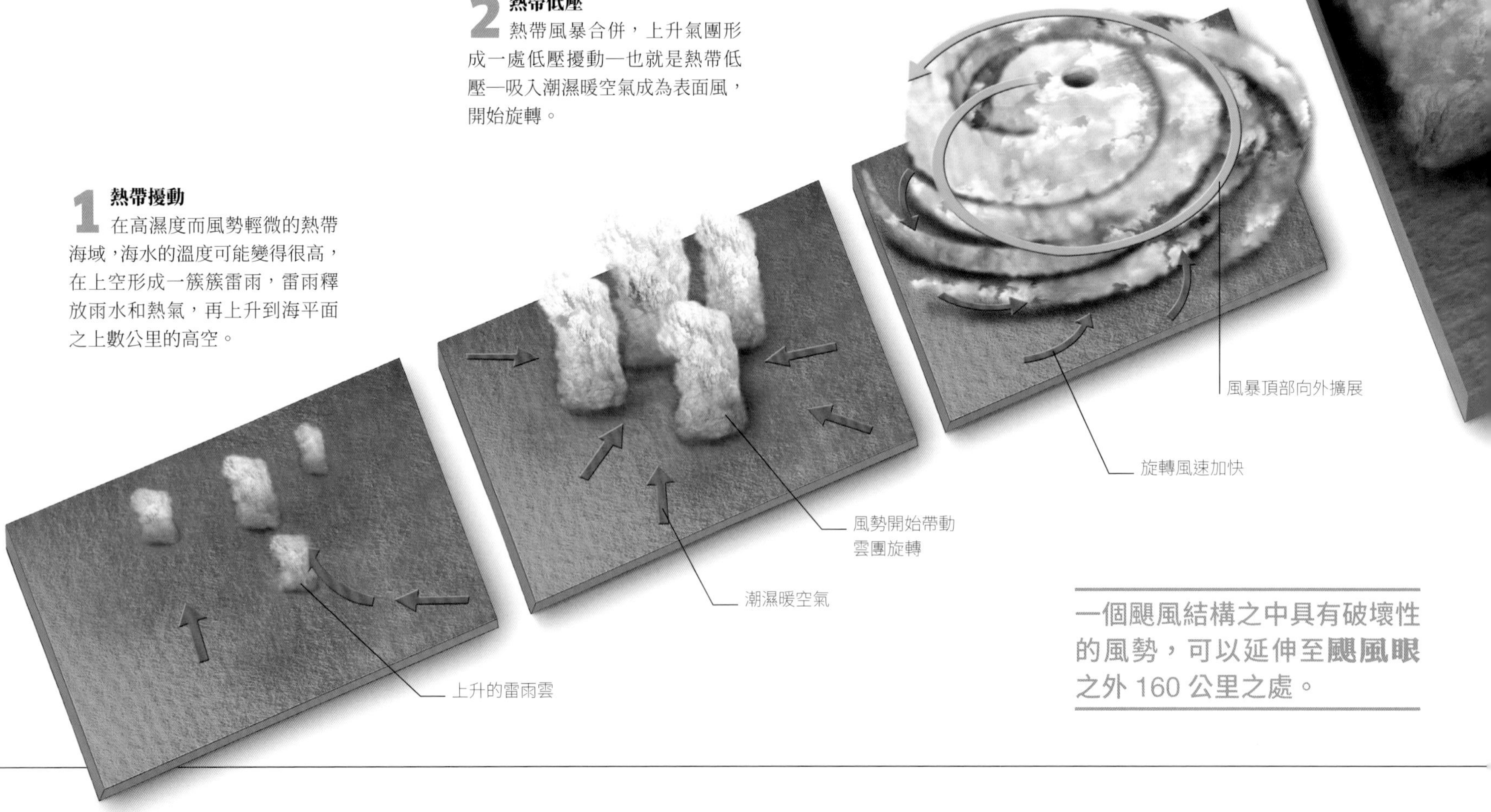
風暴頂部向外擴展
旋轉風速加快
風勢開始帶動雲團旋轉
潮濕暖空氣
上升的雷雨雲

一個颶風結構之中具有破壞性的風勢，可以延伸至**颶風眼**之外 160 公里之處。

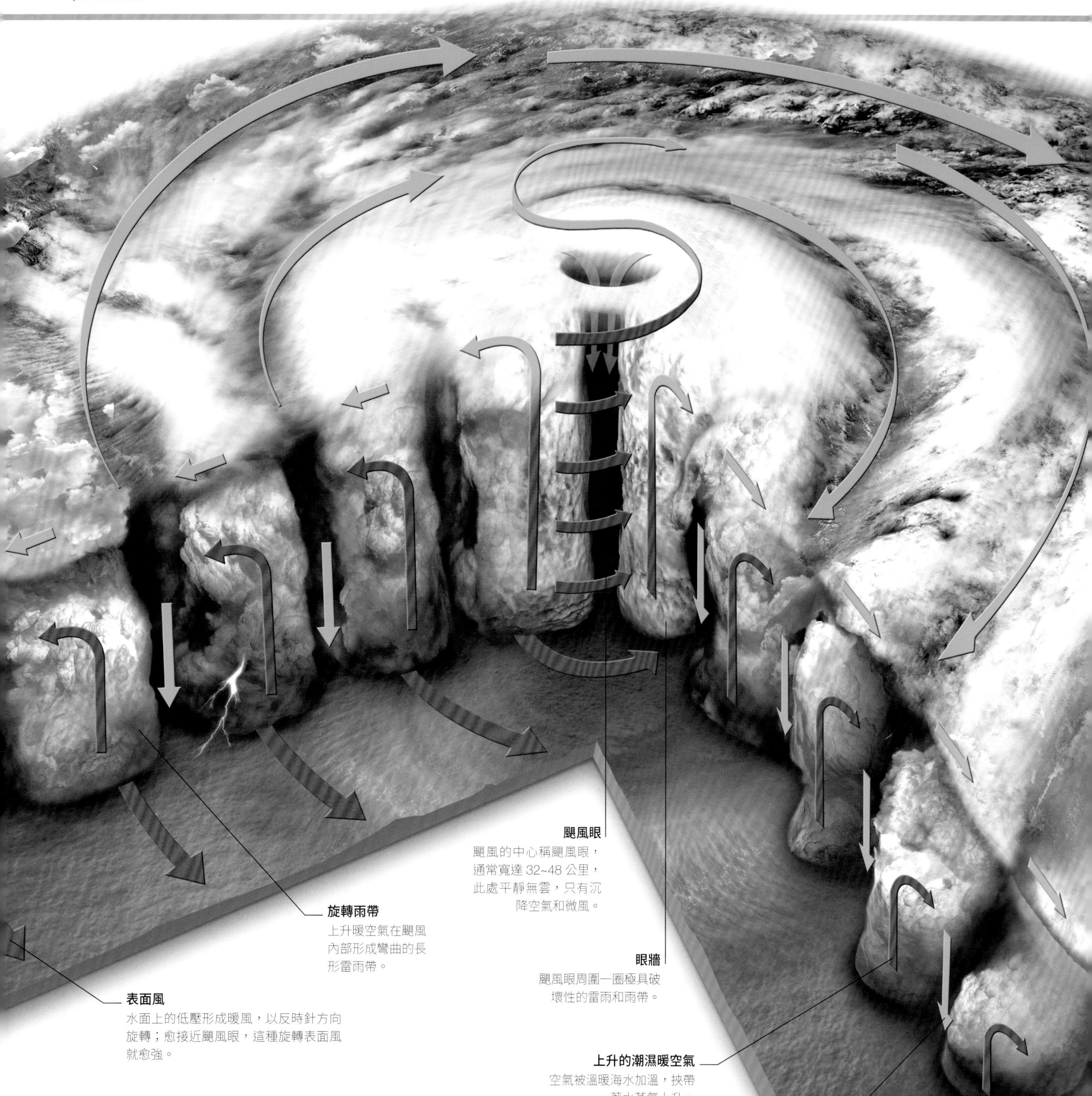
颱風眼
颱風的中心稱颱風眼，通常寬達 32~48 公里，此處平靜無雲，只有沉降空氣和微風。
旋轉雨帶
上升暖空氣在颱風內部形成彎曲的長形雷雨帶。
眼牆
颱風眼周圍一圈極具破壞性的雷雨和雨帶。
表面風
水面上的低壓形成暖風，以反時針方向旋轉；愈接近颱風眼，這種旋轉表面風就愈強。
上升的潮濕暖空氣
空氣被溫暖海水加溫，挾帶著水蒸氣上升。
下降的乾燥冷空氣
乾燥冷空氣朝向海面下降。

4 颱風
當風暴雲和風勢達到 120 公里 / 小時以上，就雙雙進入了旋轉狀態，暴風雲之中的上升暖空氣，被沉降冷空氣、以及颱風眼之內的微風所取代。

颱風如何形成？

颱風之所以形成，其實是熱能、水和風之間交互作用的結果，當雲層產生降雨，就會釋放熱能，上升到海平面之上 8 公里左右，而愈來愈強的氣壓推動最上面的雲層向外移動，減低了海平面的氣壓，這導致風速增加，進而從海面吸收更多熱能和水氣。

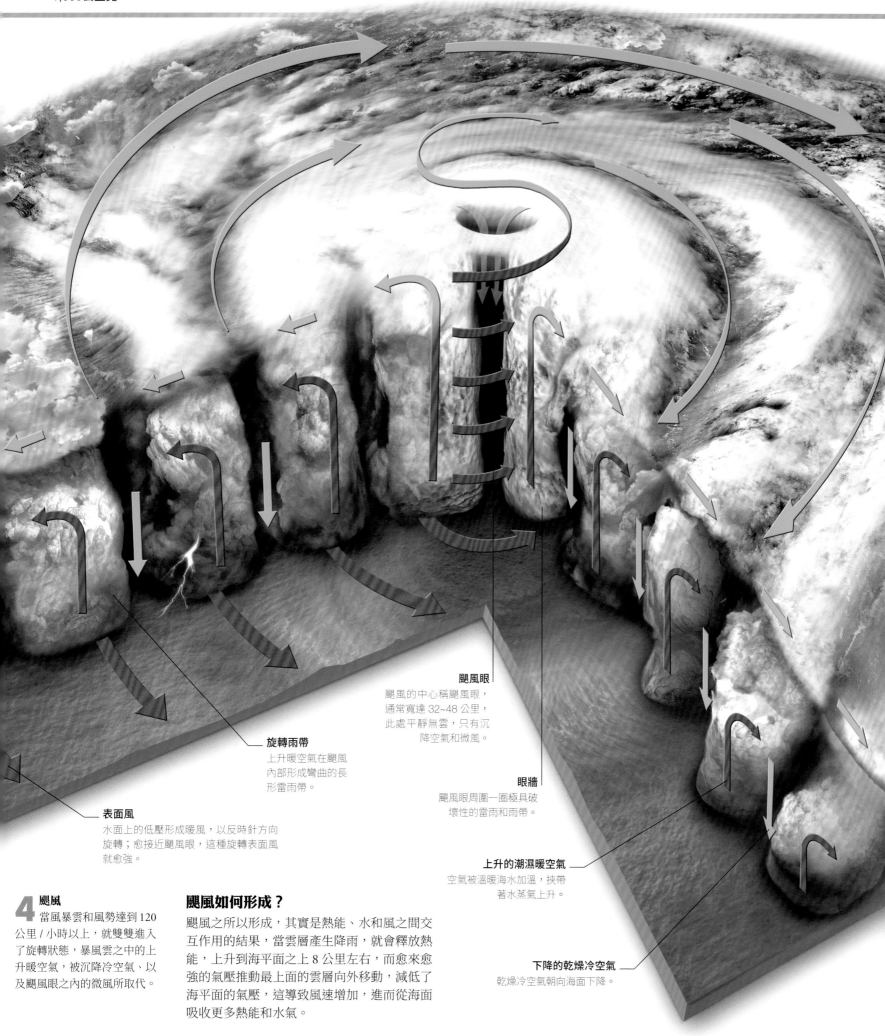

20% 的**全世界總淡水量**，貯存於俄羅斯的**貝加爾湖**之中。

水文循環

地球的水總是不停的移動，永無止境地環繞地球行進，這種過程稱為「水文循環」；若是沒有水，地球就不可能出現生物。

地球以多種形式貯存水體，包括海洋、河流、湖泊、冰河和地下水，而這些水，全都是持續移動的。水文循環始於大陽的熱能將水蒸發，水蒸氣進入大氣之中，成為雲、露、或霧，再以雨或雪的形式回到地球表面，接下來溪流與河川將雨水帶到湖泊或大海，最終再度被太陽所蒸發——開啟新一輪的水文循環過程。

水的存在，帶給我們地球潮濕而溫暖的大氣層，大氣層保護地球免於遭受太陽輻射的侵襲，讓地球生物得以生存、演化；就目前所知，地球是宇宙中唯一擁有生物的地方。

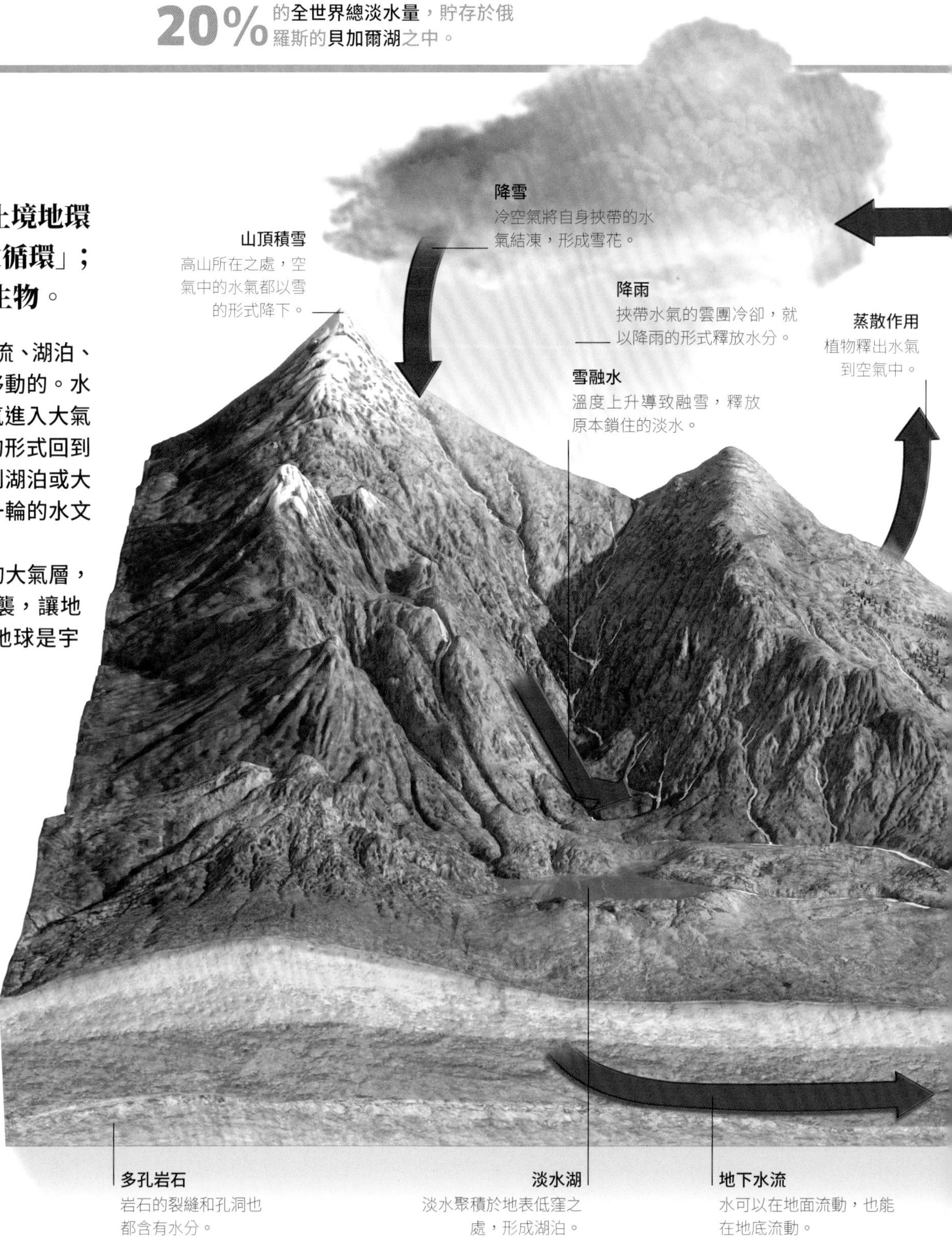
降雪
冷空氣將自身挾帶的水氣結凍，形成雪花。
山頂積雪
高山所在之處，空氣中的水氣都以雪的形式降下。
降雨
挾帶水氣的雲團冷卻，就以降雨的形式釋放水分。
蒸散作用
植物釋出水氣到空氣中。
雪融水
溫度上升導致融雪，釋放原本鎖住的淡水。
多孔岩石
岩石的裂縫和孔洞也都含有水分。
淡水湖
淡水聚積於地表低窪之處，形成湖泊。
地下水流
水可以在地面流動，也能在地底流動。

不斷行進的水

地球上的所有水都涵蓋於永不停歇的水文循環之中，即使是山頂的積雪、或是南極的冰層，也都是循環的一部分——長久而言，最後冰雪還是會融化，水體再度移動；至於地下水也是如此——其流動方式類似河流，只不過我們看不見罷了！

湖泊類型

當水體注入地景的凹陷處，湖泊於焉形成。大多數湖泊貯存淡水，也有一些貯存鹹水，湖泊的尺寸小至池塘，大至大湖、甚至是內海；而形成湖泊的地表凹陷處，可能早已形成數百萬年之久，也可能是近年人工開挖的。此外，湖泊並不是永遠不變的——沉積物在湖底層層堆疊的結果，湖泊可能因此逐漸消失。

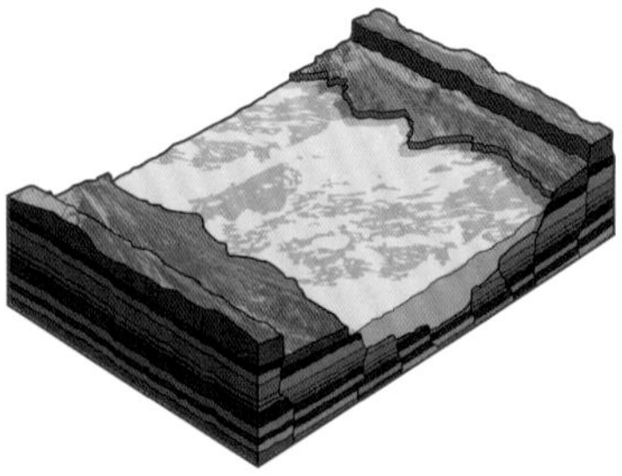

斷層湖
地殼板塊運動可能造成長形窪地，水流注入之後成為斷層湖。

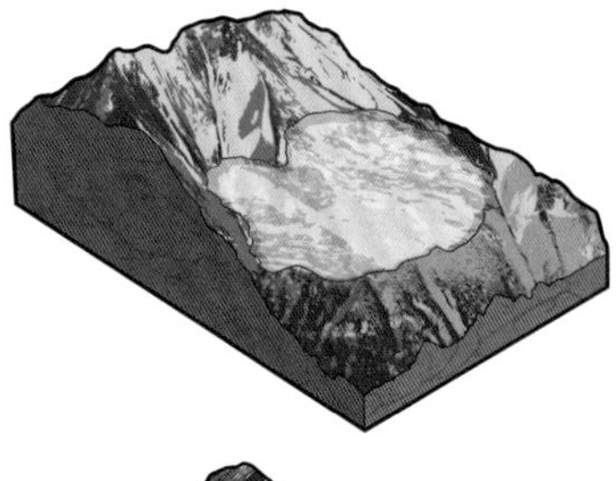

冰壺湖
這種圓形湖泊具有陡峭的湖岸邊坡——這通常是地底的大型冰體融化所形成的。

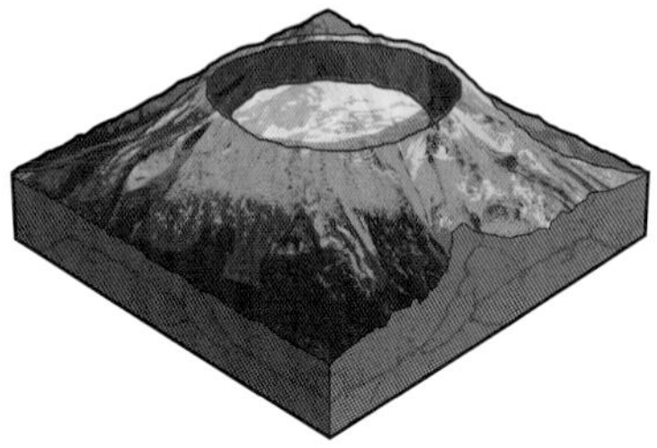

破火山口湖
當雨水注入火山噴發之後留下來的破火山口，就會形成圓形湖泊。

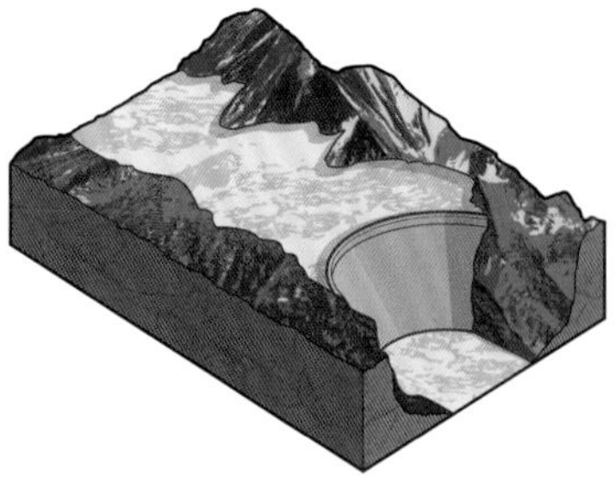

人工湖
人類建造人工湖來進行水力發電，或用以貯存乾淨的水源。

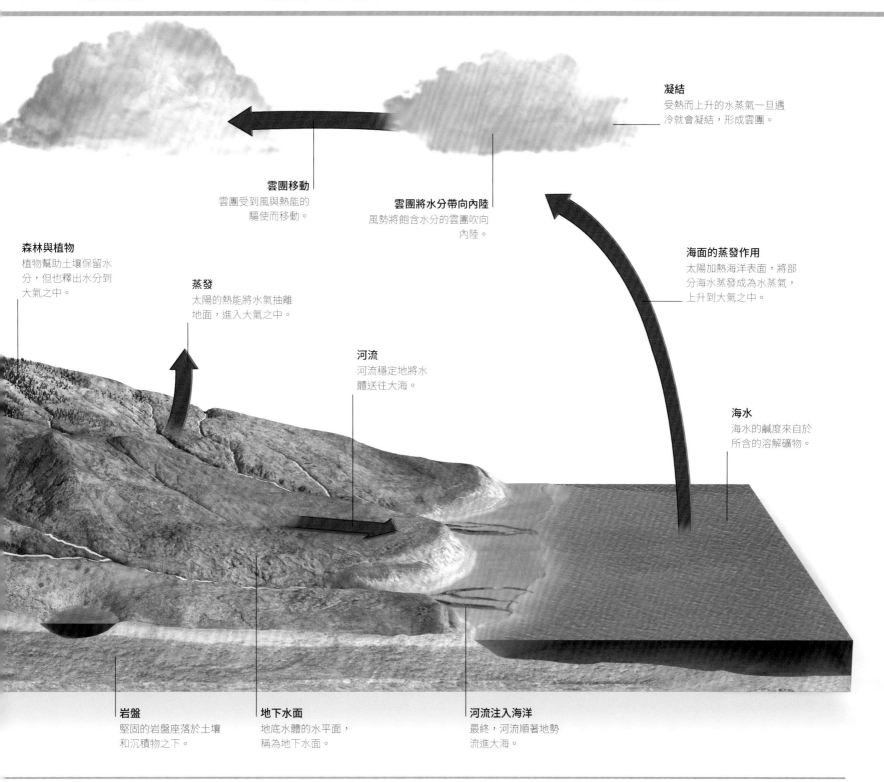

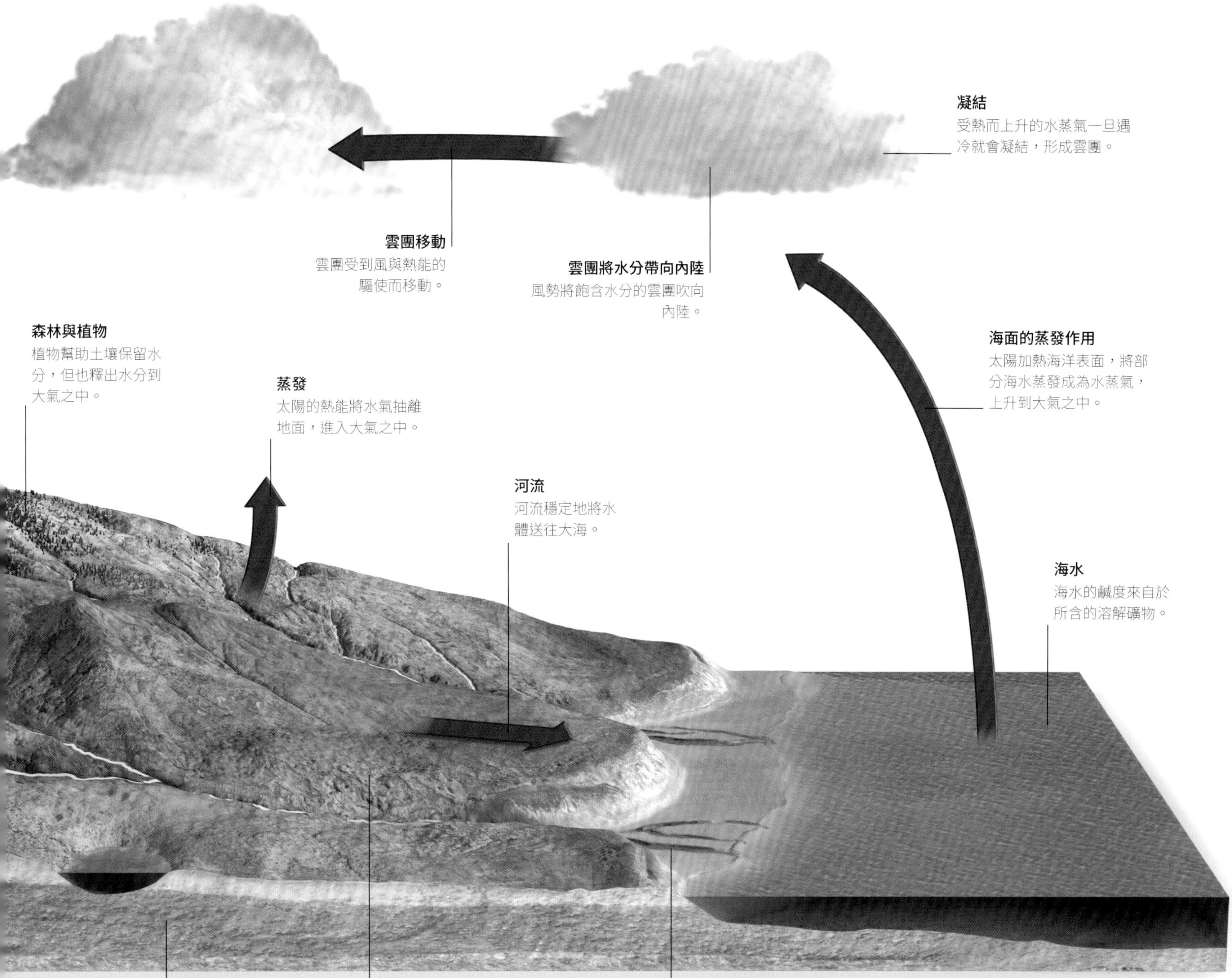
凝結
受熱而上升的水蒸氣一旦遇冷就會凝結，形成雲團。
雲團移動
雲團受到風與熱能的驅使而移動。
雲團將水分帶向內陸
風勢將飽含水分的雲團吹向內陸。
森林與植物
植物幫助土壤保留水分，但也釋出水分到大氣之中。
蒸發
太陽的熱能將水氣抽離地面，進入大氣之中。
海面的蒸發作用
太陽加熱海洋表面，將部分海水蒸發成為水蒸氣，上升到大氣之中。
河流
河流穩定地將水體送往大海。
海水
海水的鹹度來自於所含的溶解礦物。
岩盤
堅固的岩盤座落於土壤和沉積物之下。
地下水面
地底水體的水平面，稱為地下水面。
河流注入海洋
最終，河流順著地勢流進大海。

河流

下雨時，雨水從高處流向低處，匯聚成小水渠，途中其他小水渠不斷加入而形成河流，河流最終流進大海、或是地景中的低窪處——形成湖泊。一條河流的形狀或特徵並非從頭到尾都一樣，河流從源頭開始的上游通常河道較窄、但流速較快，之後河道逐漸變寬、流速逐漸變慢，直到河口。

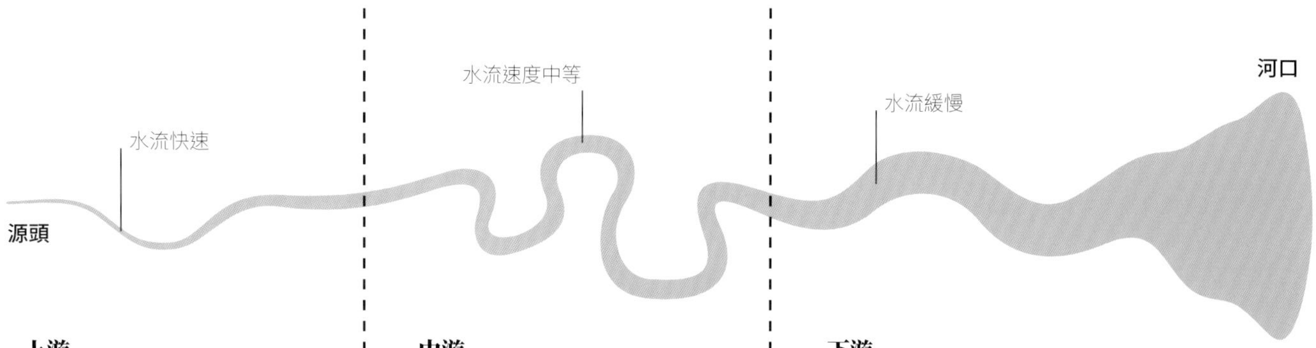
源頭
水流快速
水流速度中等
水流緩慢
河口

上游
河流一開始流速很快，河水中挾帶大量的砂石和卵石——而這些挾帶物會逐漸侵蝕、加深河道。

中游
地形漸趨平緩，河流的流速開始減慢，並發展出「曲流」(蜿蜒流動)，但此時洪水氾濫的風險反而增加。

下游
當河流來到平地，其河道加寬，流速進一步減慢，接著注入湖泊或大海；至於河流所挾帶的沉積物，就在流速減慢時沉澱下來。

形塑自然地景

地球的自然地景看起來似乎沒什麼改變，但實際上卻是千百萬年來，水力與風力持續形塑大地的結果，這些力量瓦解、侵蝕岩石成為碎片，再搬運到其他地方沉積下來；這樣的過程通常非常緩慢，但極端事件—例如洪水或颶風—能以很快的速度改變地景。

風

當你站在海灘上，遭到一陣風砂吹到臉龐，你就會瞭解風力足以帶起灰塵與砂石，這些沉積粒子可能被風力搬運到很遠的地方。「風蝕」和「風積」(沉積物的層化作用)特別容易發生在少有植被保護岩石的乾燥地區，這種降雨很少的區域稱為沙漠，通常涵蓋大範圍的沙丘。

沙丘

風勢愈強，就會把沉積粒子搬運得愈遠，掉落地面時，粒子翻滾、反彈，在沙地上形成波浪狀的小皺褶，當皺褶的規模累積得愈來愈龐大，就成為沙丘；在強風持續吹襲的沙漠，沙丘可以累積到數百公尺高、數公里寬。

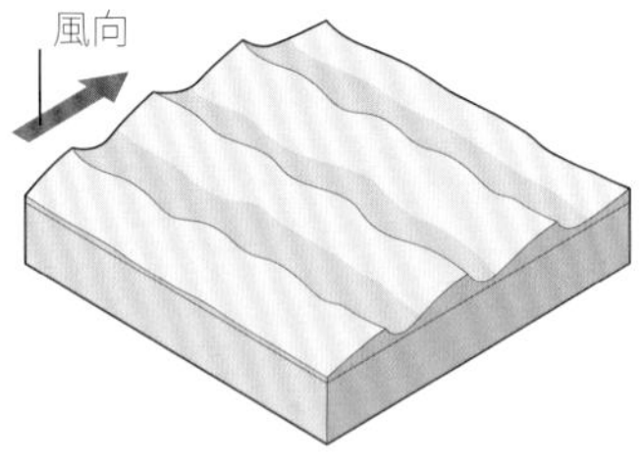

橫向沙丘
固定風向挾帶大量砂粒，形成一排排浪狀沙丘，沙丘走向跟風向呈垂直交叉。

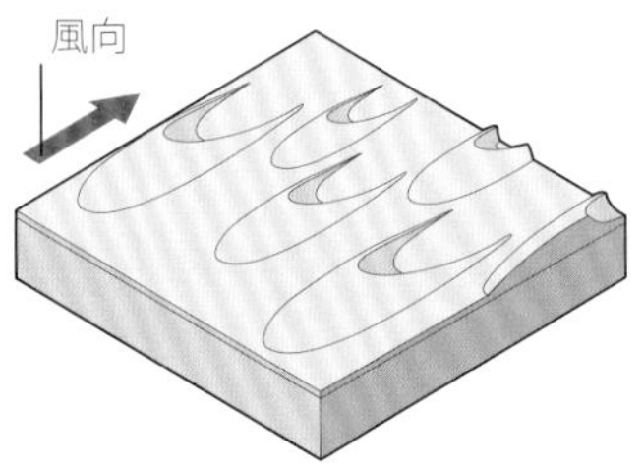

新月形沙丘
風勢與含砂量多變，就會形成新月形沙丘；這種沙丘帶有兩根朝向下風處的「尖角」。

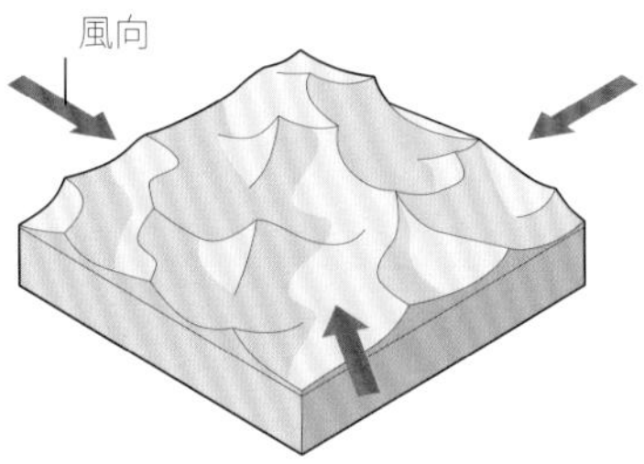

星狀沙丘
風向多變而且不斷地吹襲，就會形成星狀沙丘，這種沙丘可能聚積成相當可觀的高度。

風蝕

風長期而持續的吹襲，足以磨損裸露岩石的表面，這種「風蝕作用」可能造成岩石看起來很怪異、甚至不穩定，最終大多會崩塌；即使最堅硬的岩石，都可能慢慢被這種力量所塑形。此外，若是某一區域的土壤全都被風吹走，就會變成荒漠。

岩拱
風蝕的結果，可能造就一些奇形怪狀的岩石，例如圖中的天然岩拱——位於美國的「拱門國家公園」。

海岸

海岸是持續性遭受自然力量所形塑的地方，由於裸露無遮，洋流與海浪可以長驅直入，將海岸磨損成為懸崖或岬角，至於擁有天然掩蔽的海岸，則是由沉積物堆疊成為沙灘、沙丘、泥灘或鹽沼。另一方面，河流也會影響海岸，水流來到河口時失去位能，只能把挾帶的沉積物留在原地。

海岸侵蝕

日復一日、永不停止地撞擊，海浪在形塑海岸地貌上扮演關鍵的角色，它們以巨大的力量衝撞海岸，刮下岩石表面鬆散的物質，碾磨成小卵石，小卵石被海浪捲回、重覆撞擊海岸，造就海浪成為更具威力的侵蝕力量。

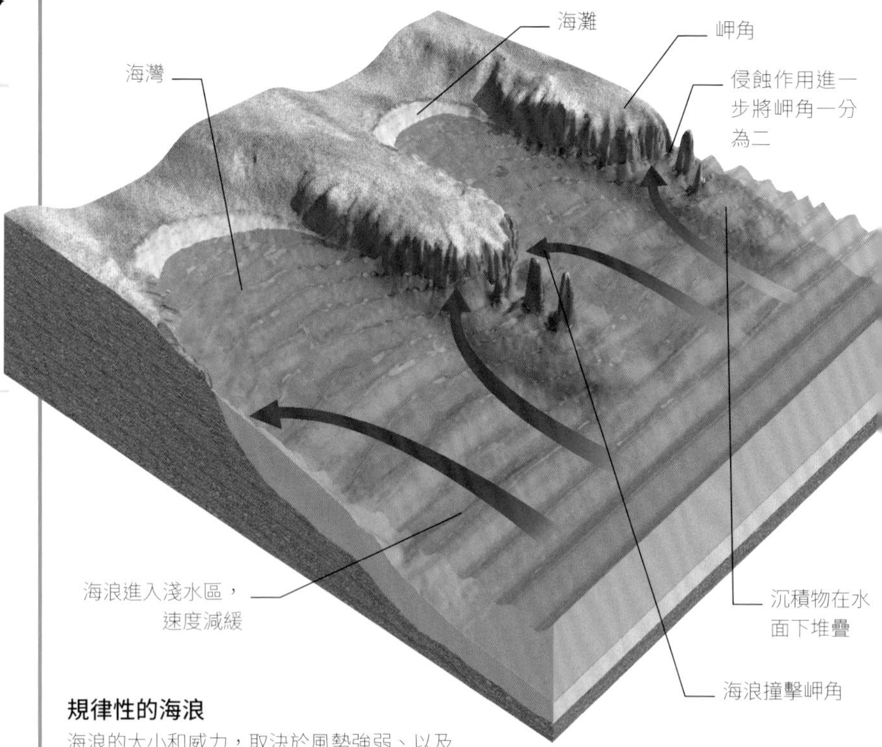

規律性的海浪
海浪的大小和威力，取決於風勢強弱、以及海浪碎裂之前行經大海的距離。

沉積作用

河流搬運沉積物，在河口「卸貨」，形成寬廣的淺水區，海浪與洋流沖刷一大部分的泥漿與砂粒，在海岸線的其他位置形成了海灘、沙丘和岬角，而這些地貌成為保護海岸線免於進一步侵蝕的屏障。

沉積物堆疊
沉積物沿著海岸線被沖刷或吹襲得更遠，可能堆積在淺水海域、甚至回到陸地形成沙丘。

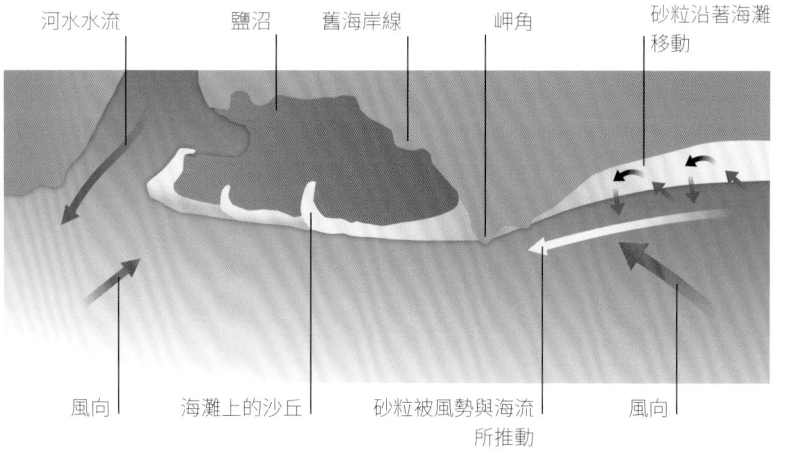

水

海域占據¾左右的地表面積，太陽的熱能蒸發海水，水蒸氣上升到大氣之中而形成雲團，這些空中水氣最終還是會以雨水的形式降到地面，其中有些雨水滲入土壤、或是貯存於地面岩石之中，其餘的雨水流過大地，形成河流，最終回到大海，完成「水文循環」的一整個過程。

雨

地球的大氣含有微小的水氣粒子，它們以雲、霧或水蒸氣的形式存在，氣溫與氣壓的變化導致這些水氣凝結，成為更大、更重的水滴，水滴以雨、雪、或冰雹的形式降落到地面；雨滴碰撞地面所產生的衝擊，足以移動砂粒或土壤粒子。

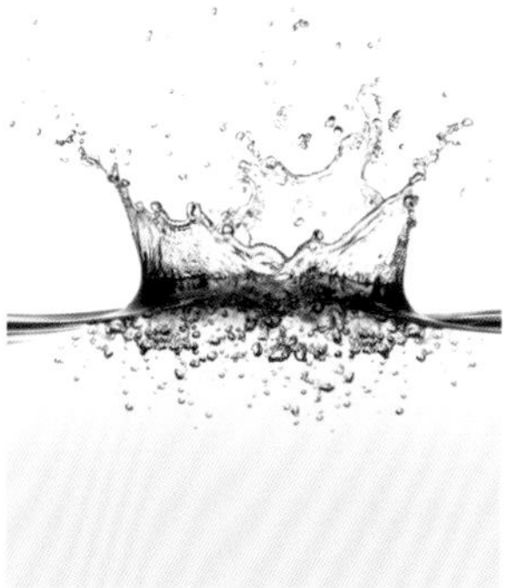

不可或缺的水資源

雨水對於生物至關重大——它滋養所有陸棲動物和陸生植物。

雨滴一旦集結得**太大顆**，就會自動**分為兩半**，因此，雨滴的**直徑**永遠**低於 4 毫米**。

河流

重力的作用導致河流從高處流向低處。地球的表面水最初滙集成山溪流過地表，數條溪流沿途滙入，形成愈來愈大的河流，河流刻蝕山谷，順著地勢流向大海。河流的流速愈快，挾帶沉積物—例如砂和泥—的能力就愈強。

世界上最長的河流

尼羅河是全世界最長的河流，綿延長達 6,650 公里；至於亞馬遜河，長度雖然比不上尼羅河，卻擁有最大的流量——大約是全球河流總流量的⅕。

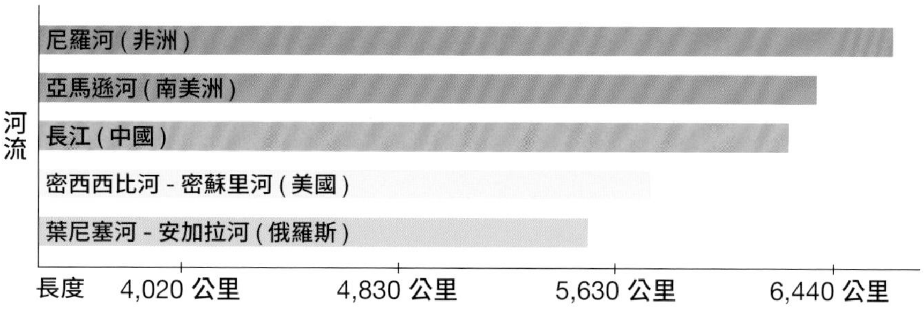

尼羅河 (非洲)
亞馬遜河 (南美洲)
長江 (中國)
密西西比河 - 密蘇里河 (美國)
葉尼塞河 - 安加拉河 (俄羅斯)
河流
長度
4,020 公里
4,830 公里
5,630 公里
6,440 公里

蜿蜒的河流

當河流緩慢流過低地，就不再被河谷限制流向，因此河道可能朝向側邊彎曲，形成「河曲」。

牛軛湖

在低地，河流可能轉彎、形成「河曲」，河曲的曲率一旦太大，最終可能被主河道完全切斷，形成一個 U 形水體——稱為「牛軛湖」。

彎曲持續加大

1 河流形成河曲

河水的水流侵蝕外側河岸，並將沉積物堆積在內側河岸，河流的路線就會稍微轉彎，經過長時間累積，上述的效應擴大，轉彎處變成了河曲。

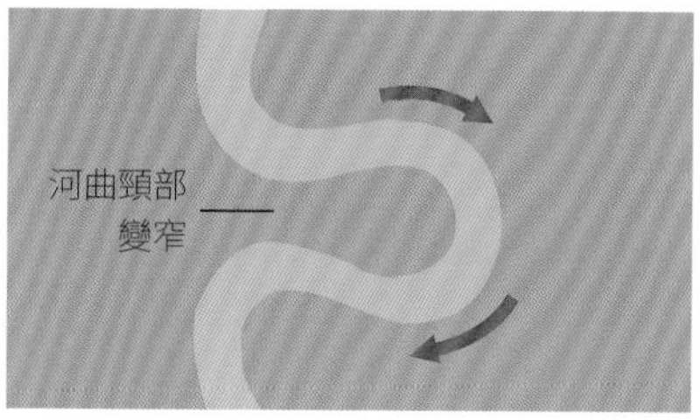

河曲頸部
變窄

2 河曲變窄

持續侵蝕與沉積的結果，讓彎曲處的曲率變大，成為 C 形環圈，而河曲的頸部隨之變得愈來愈窄。

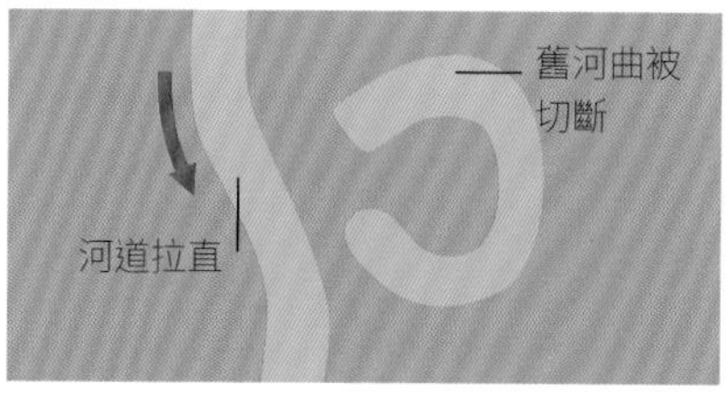

舊河曲被
切斷
河道拉直

3 河曲完全被切斷

河曲的曲率愈來愈大，最終在頸部切斷，形成筆直的新河道；至於舊河曲的末端則是被沉積物堵住，留下一處新生牛軛湖。

瀑布

河流侵蝕河谷的力能，取決於河道底部岩石的硬度，軟質岩石比硬質岩石更容易遭到侵蝕；當河流的河道流經硬質岩石與軟質岩石的交界面，不同的侵蝕速率就可能導致瀑布逐漸形成。

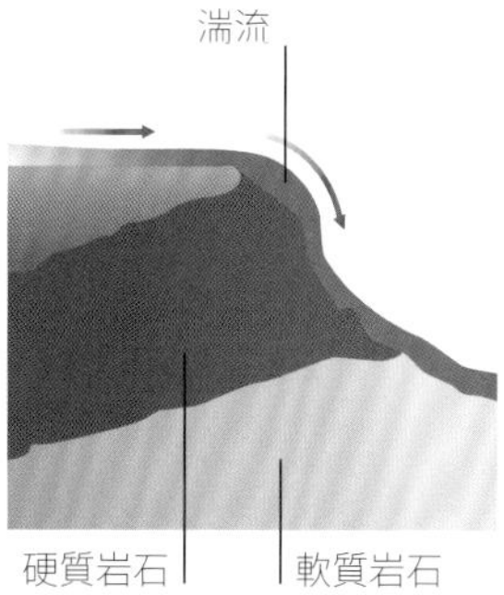

湍流
硬質岩石
軟質岩石

1 湍流

當淺水河流流過一層硬質岩石，若是岩石帶有突出於水面的「露頭」，水流就會碎裂——成為湍流。

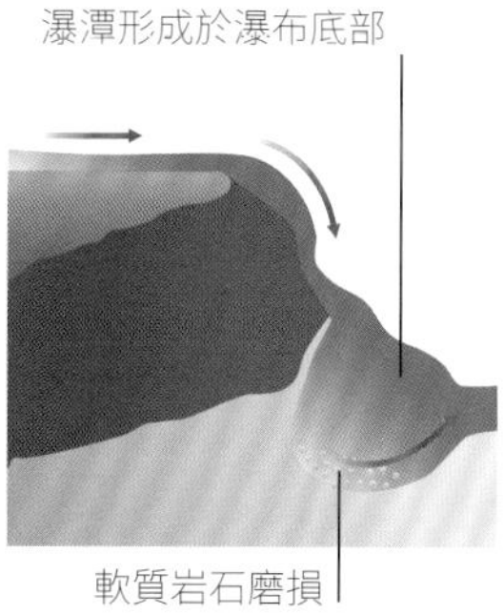

瀑潭形成於瀑布底部
軟質岩石磨損

2 瀑布

河水侵蝕河床上的軟質岩石，刻蝕出一處「瀑潭」，讓河水傾瀉而下。

冰河

冰堅硬而易碎，一旦承受壓力也能緩慢地移動——冰河就是如此；冰河在推移過程中不斷吸附砂粒和岩石碎片，進而碾磨冰河的河床，刻蝕出很深的河谷。

冰河推移

冰河因重力影響，從高山朝向低地推移。

563公里——世界上最長的洞穴系統—美國的「猛瑪洞穴國家公園」—的總長度。

洞穴

在世界各地的岩石地貌之中，都曾發現地下洞穴或地下穴道，尤其在石灰岩地形相當常見。

雨水吸收大氣中的二氧化碳而帶有酸性，此外地下水也會溶解土壤中的酸性物質，這些酸性水長期溶蝕岩石，就可能從中形成洞穴系統——酸性水將岩石的既成裂縫擴大成為隧道，水流侵入後形成水道，長此以往，水道又進一步擴大為洞窟，造成更多岩石弱化並脫落，形成更大的洞窟，洞窟上方原本的「天窗」經由各種「結晶沉澱」覆蓋，將洞窟變成了洞穴；「結晶沉澱」的形成，是由富含礦物質的水體蒸發，所留下的固態礦物結晶——稱之為「鐘乳石」或「石筍」。

喀斯特地形
裸露石灰岩歷經化學風化作用而形成喀斯特地形，其特徵是布滿深溝和小尖錐。

地表水流
鐘乳石柱
鐘乳石向下累積，石筍向上堆疊，最後連結成為鐘乳石柱。
岩塊崩塌
岩石一旦弱化，洞穴的穴頂就可能崩塌，在地面留下一堆碎岩塊。
石灰岩面
裸露於地表的石灰岩，布滿縱橫交錯的十字裂縫。
滲穴
地面通往地底洞穴的小孔洞。
鐘乳石
石筍
岩盤
形成洞穴系統的岩石。
毬果狀鐘乳石
緣岩
小水塘的積水外流，礦物在邊緣形成壩體狀結晶。

鐘乳石與石筍如何形成？
礦物質含量豐富的水滴不斷從洞穴頂端流下來，將礦物殘渣留在頂端或地上，長期下來，這些礦物殘渣就會累積得愈來愈長—從頂部倒掛下來的稱為鐘乳石，從地面向上堆疊的稱為石筍—最終兩者合而為一，形成鐘乳石柱。

地底世界

石灰岩經由酸性水長期風化，可能形成極為驚人的洞穴系統——小型洞穴歷經數十萬年，可以擴大成大洞穴，而岩石表面的一條小裂縫，也可能變成大隧道，這兩者連結起來，形成錯綜複雜的地底洞穴系統，裡頭長滿了鐘乳石和石筍；只要裝設良好的安全設備，這些洞穴就成為人類探險的絕佳地點。

峽谷如何形成？

洞穴系統的發展，意味著大量石灰岩從地景中被移除，而地底早已存在的眾多小洞穴，也可能被這些崩塌的岩石擴大成大洞穴，最終整個穴頂崩落，形成滲穴，接下來眾多滲穴合併，形成兩側陡峭的龐大凹陷區域——這就是所謂的峽谷。

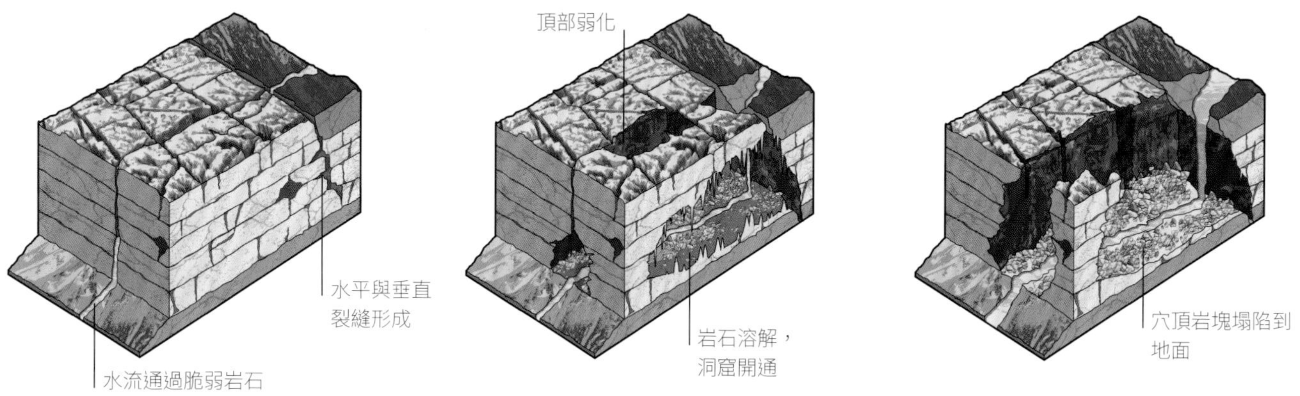
石灰岩弱化
洞穴系統形成
穴頂崩塌
頂部弱化
水平與垂直裂縫形成
岩石溶解，洞窟開通
穴頂岩塊塌陷到地面
水流通過脆弱岩石

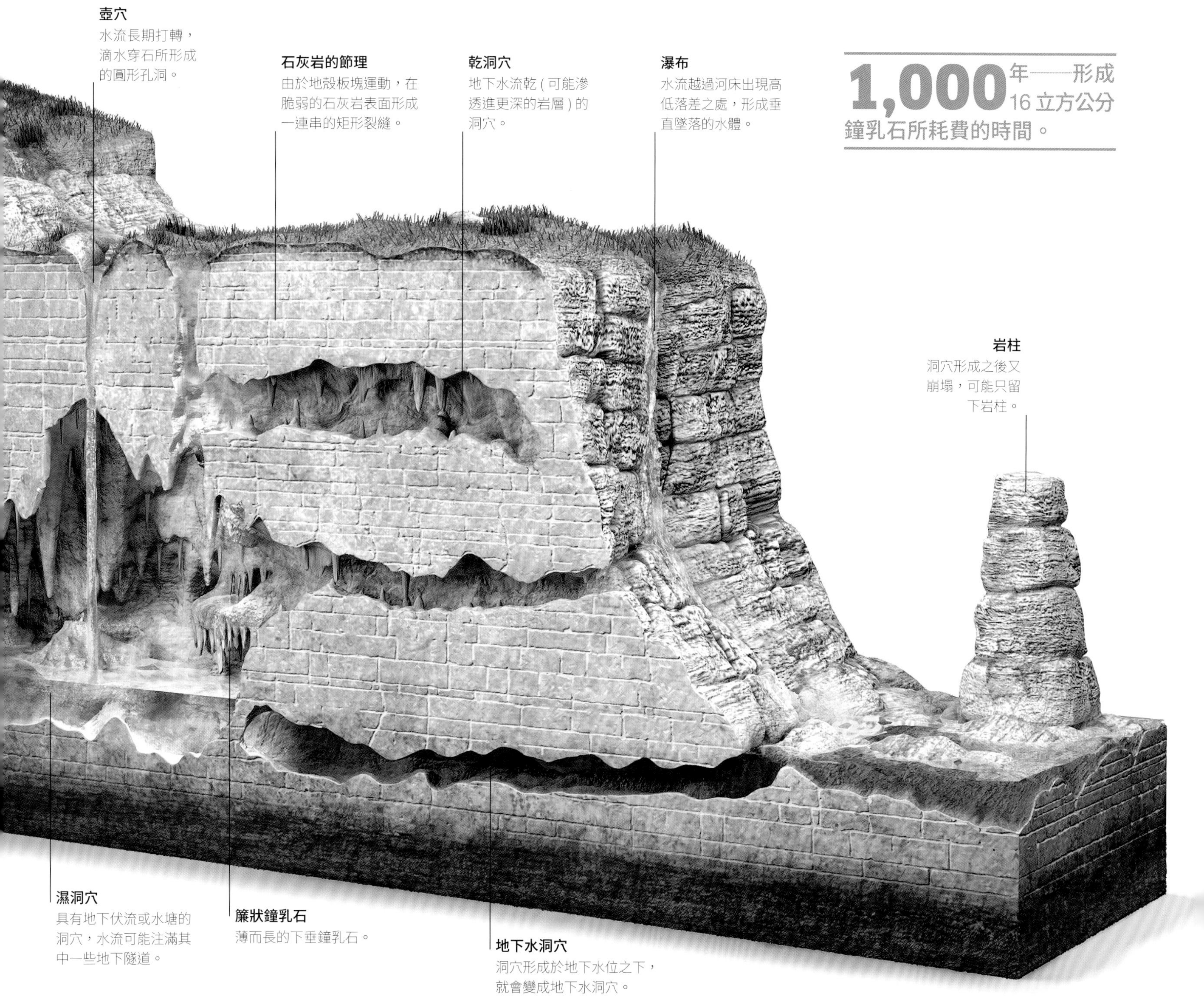
壺穴
水流長期打轉，滴水穿石所形成的圓形孔洞。
石灰岩的節理
由於地殼板塊運動，在脆弱的石灰岩表面形成一連串的矩形裂縫。
乾洞穴
地下水流乾（可能滲透進更深的岩層）的洞穴。
瀑布
水流越過河床出現高低落差之處，形成垂直墜落的水體。
岩柱
洞穴形成之後又崩塌，可能只留下岩柱。
濕洞穴
具有地下伏流或水塘的洞穴，水流可能注滿其中一些地下隧道。
簾狀鐘乳石
薄而長的下垂鐘乳石。
地下水洞穴
洞穴形成於地下水位之下，就會變成地下水洞穴。

1,000年——形成16立方公分鐘乳石所耗費的時間。

10% 左右的地球陸地被冰河冰所覆蓋。

萬一所有冰河冰都融化了，全球海平面將會升高70公尺。

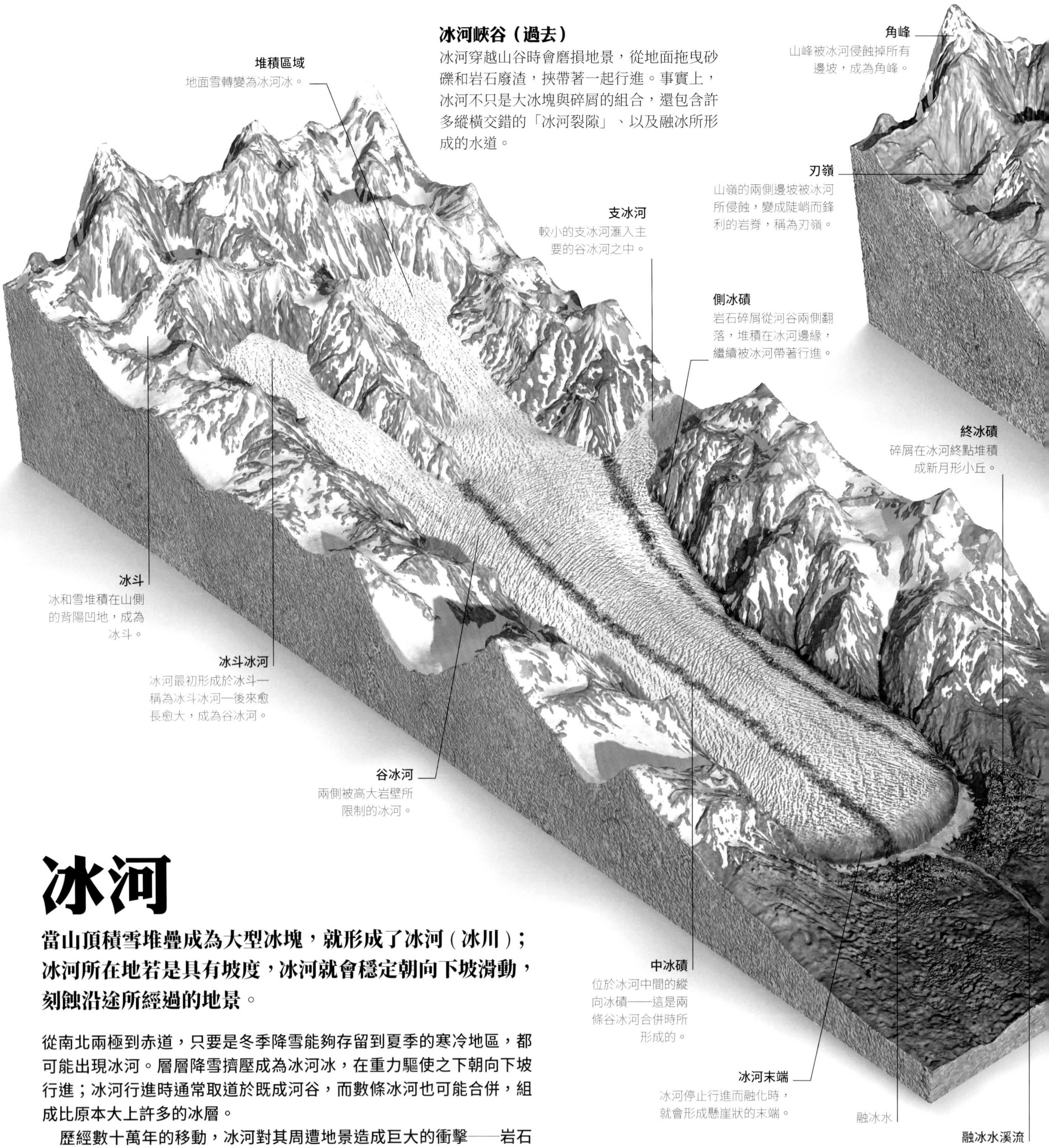
冰河峽谷（過去）
冰河穿越山谷時會磨損地景，從地面拖曳砂礫和岩石廢渣，挾帶著一起行進。事實上，冰河不只是大冰塊與碎屑的組合，還包含許多縱橫交錯的「冰河裂隙」、以及融冰所形成的水道。
堆積區域
地面雪轉變為冰河冰。
角峰
山峰被冰河侵蝕掉所有邊坡，成為角峰。
刃嶺
山嶺的兩側邊坡被冰河所侵蝕，變成陡峭而鋒利的岩脊，稱為刃嶺。
支冰河
較小的支冰河滙入主要的谷冰河之中。
側冰磧
岩石碎屑從河谷兩側翻落，堆積在冰河邊緣，繼續被冰河帶著行進。
終冰磧
碎屑在冰河終點堆積成新月形小丘。
冰斗
冰和雪堆積在山側的背陽凹地，成為冰斗。
冰斗冰河
冰河最初形成於冰斗──稱為冰斗冰河──後來愈長愈大，成為谷冰河。
谷冰河
兩側被高大岩壁所限制的冰河。
中冰磧
位於冰河中間的縱向冰磧──這是兩條谷冰河合併時所形成的。
冰河末端
冰河停止行進而融化時，就會形成懸崖狀的末端。
融冰水
融冰水溪流
融冰水流出冰河，形成溪流。

冰河

當山頂積雪堆疊成為大型冰塊，就形成了冰河（冰川）；冰河所在地若是具有坡度，冰河就會穩定朝向下坡滑動，刻蝕沿途所經過的地景。

從南北兩極到赤道，只要是冬季降雪能夠存留到夏季的寒冷地區，都可能出現冰河。層層降雪擠壓成為冰河冰，在重力驅使之下朝向下坡行進；冰河行進時通常取道於既成河谷，而數條冰河也可能合併，組成比原本大上許多的冰層。

歷經數十萬年的移動，冰河對其周遭地景造成巨大的衝擊──岩石碎屑嵌入冰河之中，一路切削所經之處的地表，進而改變了河谷的形狀；而每當冰河融化、或是暫時停止移動，挾帶的碎屑就會被留置於四周。

在南極洲的某些地點，地表覆蓋的**冰層厚度**高達4.2公里。

32% 左右的**冰河冰**，其實是從上一次**冰河時期**存留到現在的。

冰河痕跡（現在）

只要是冰河經過之處，都會留下許多痕跡，包括滯留的岩石碎屑推積成為冰磧；河谷被鑿成兩側近乎垂直的U字形，而且通常帶有融冰水氾濫的水痕；岩石被刮除成為小岩塊或碎屑，跟著髒污的冰河冰一起行進，連大型巨礫都可能被帶向其他地方。

70% 的地球淡水，全都鎖在冰河冰之中。

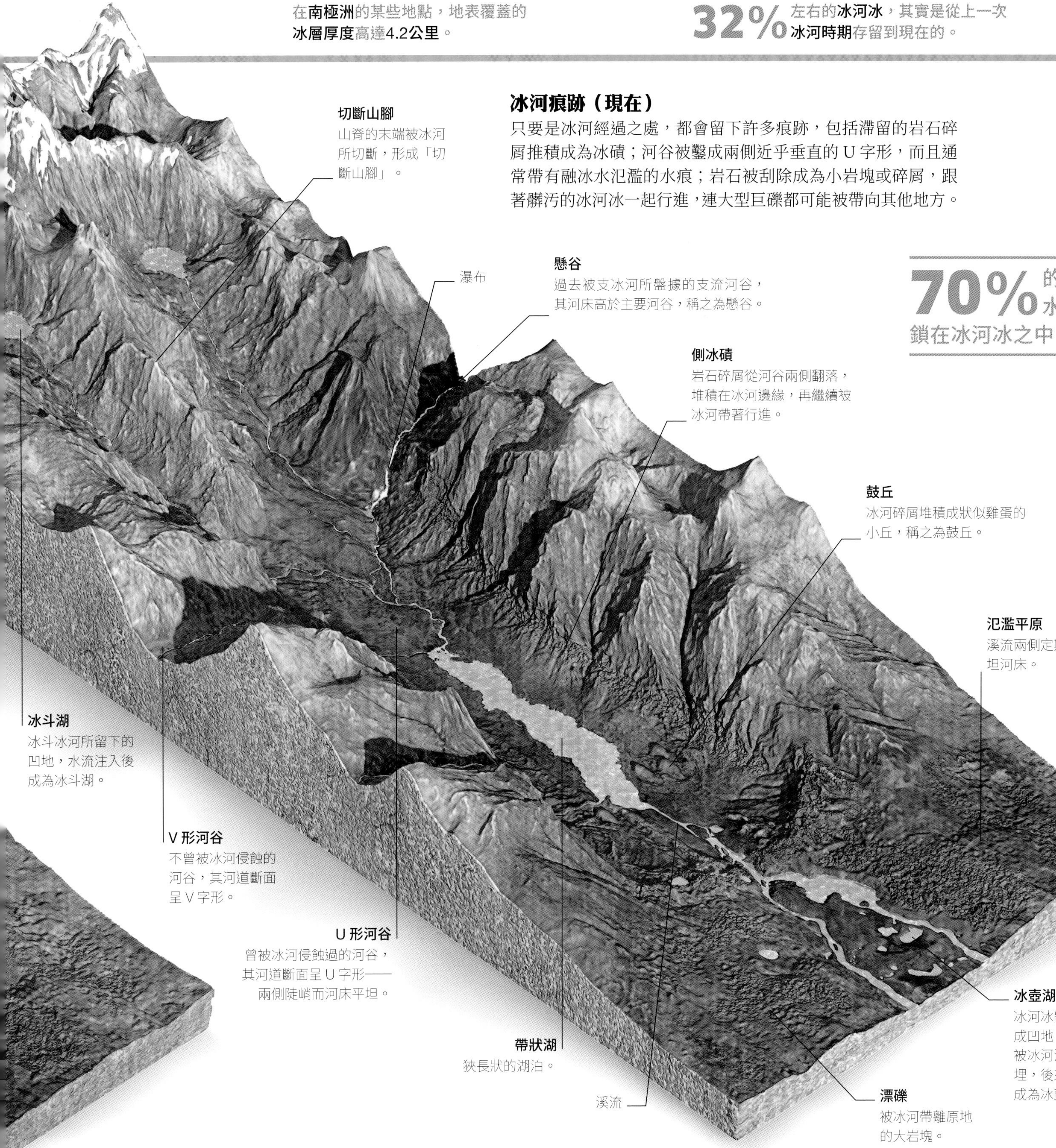

切斷山腳
山脊的末端被冰河所切斷，形成「切斷山腳」。
瀑布
懸谷
過去被支冰河所盤據的支流河谷，其河床高於主要河谷，稱之為懸谷。
側冰磧
岩石碎屑從河谷兩側翻落，堆積在冰河邊緣，再繼續被冰河帶著行進。
鼓丘
冰河碎屑堆積成狀似雞蛋的小丘，稱之為鼓丘。
氾濫平原
溪流兩側定期氾濫的平坦河床。
冰斗湖
冰斗冰河所留下的凹地，水流注入後成為冰斗湖。
V形河谷
不曾被冰河侵蝕的河谷，其河道斷面呈V字形。
U形河谷
曾被冰河侵蝕過的河谷，其河道斷面呈U字形——兩側陡峭而河床平坦。
冰壺湖
冰河冰融化之後形成凹地，過去一度被冰河沉積物所掩埋，後來注滿水而成為冰壺湖。
帶狀湖
狹長狀的湖泊。
溪流
漂礫
被冰河帶離原地的大岩塊。

冰河冰如何形成？

冰河冰是逐漸形成的——地面雪被新雪花持續向下壓，下壓力最終將輕質雪花轉變成帶有一些氣泡的冰。

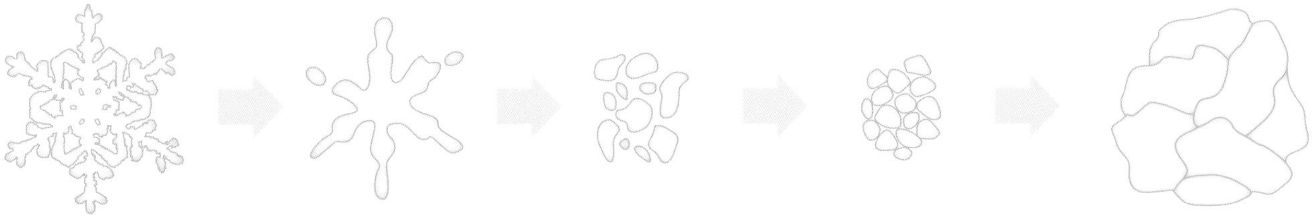

空中雪
新鮮雪花降下——雪花由精緻的六邊形冰晶所組成。

地面雪
數天之內，雪花因新雪的重壓而破裂。

粒狀冰
一年之內，雪花碎片形成密實的圓冰粒。

雪冰
圓冰粒漸漸縮小，但更為密實。

冰河冰
雪冰粒壓縮在一起，形成較大的冰晶。

海洋

海洋覆蓋地球表面將近¾的面積，而海面之下是地球最神秘、人類最少探索的世界。約有 50% 的生物物種生存於海洋之中，而且從生物開始演化的 40 多億年前開始，海洋早就已經成為生物的棲所。

海床

海床跟陸地一樣具有多樣性，其地貌特徵主要因地殼板塊運動而形成——板塊分離之處，洋脊從中冒出來，並形成新海床；而板塊互相碰撞之處，舊岩石被迫擠入地球內部而形成海溝；火山島從海床噴發、成型，有些甚至突出於海平面之上；而海床上最普遍的地貌則是深海平原，其表面覆蓋著細粒沉積物。

海洋地貌

海溝

當兩個地殼板塊互相推擠，其中一塊被迫插入另一塊下方，這種過程稱為「隱沒作用」；深海山谷—海溝—就是位於這類板塊邊界，其中有些海溝深達 11 公里。

火山島

海底板塊運動造成熔岩汩汩噴發到海水中，熔岩的規模若是夠大，就會堆疊到海面之上，形成弧形火山島鏈。

洋脊

當海底的相鄰板塊彼此分離，熔岩從分離邊界湧升，凝固後形成新岩石——洋脊；全球洋脊系統不間斷環繞地球的海床，綿延 59,200 公里以上。

海底熱泉

洋脊之下存在許多熾熱的岩石，它們產生大量熱泉——海底熱泉；受熱海水富含礦物質，從海床上冒出來，形成一根根塔狀構造—「海底黑煙囪」—這種海底的極端環境，跟地球生命剛發展的環境非常相似。

深海平原

深海平原位於深達 3,000 公尺以上的海床，這種地貌覆蓋 50% 左右的地表面積，但鮮少被人類所探索；海床上崎嶇的火山掩埋於細粒沉積淤泥之下，形成黑暗、平坦、冷冽而荒涼的環境。

隱性高山

如果從基部量測到峰頂，夏威夷的毛納基火山甚至比埃弗勒斯峰（聖母峰）更高。

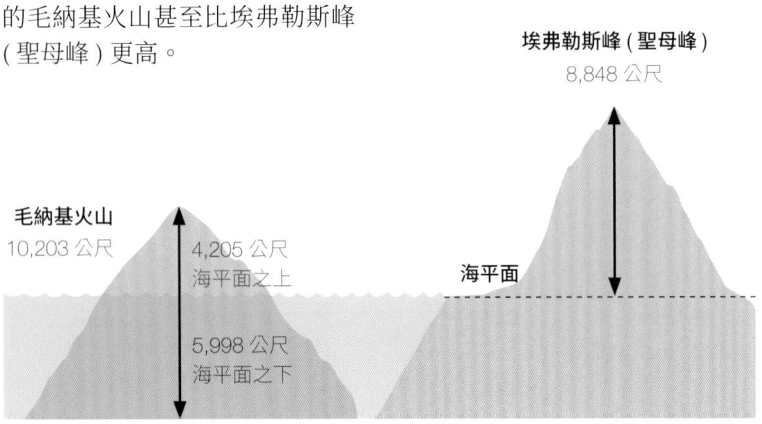
埃弗勒斯峰（聖母峰）
8,848 公尺
毛納基火山
10,203 公尺
4,205 公尺
海平面之上
海平面
5,998 公尺
海平面之下

海水

地球的大部分水體都貯存於海洋之中，海洋覆蓋大量地表，其平均深度大約是 3,370 公尺；海水從北極、南極延伸到赤道，不同海域的海水，其鹹度、溫度、壓力、透光性、以及所支持的生命型態，都有很大的不同。

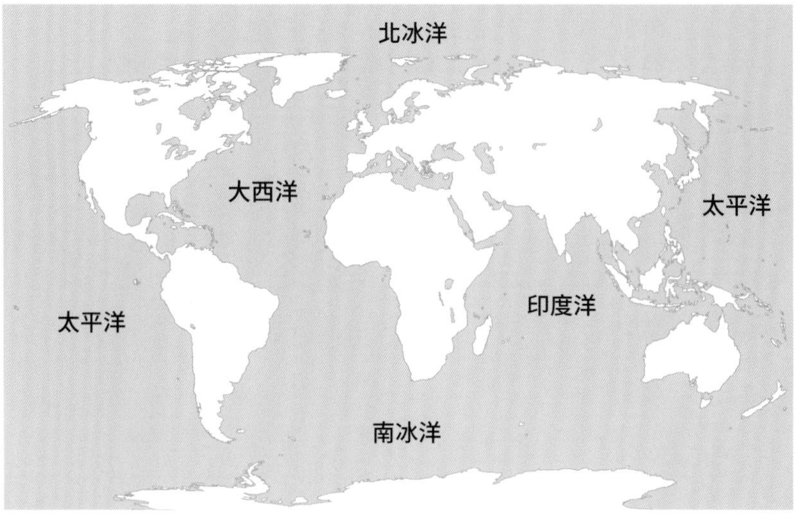
北冰洋
大西洋
太平洋
太平洋
印度洋
南冰洋

洋與海

地球的所有海域分為 5 個「洋」，再細分為 50 個「海」；「洋」是被海水所注滿的寬廣區域，而「海」同樣包含海水，只是面積較小，而且周邊有一部分被陸地所包圍。

五大洋

5 座大洋雖然各有自己的名稱，但全都連通成為一個大水體。

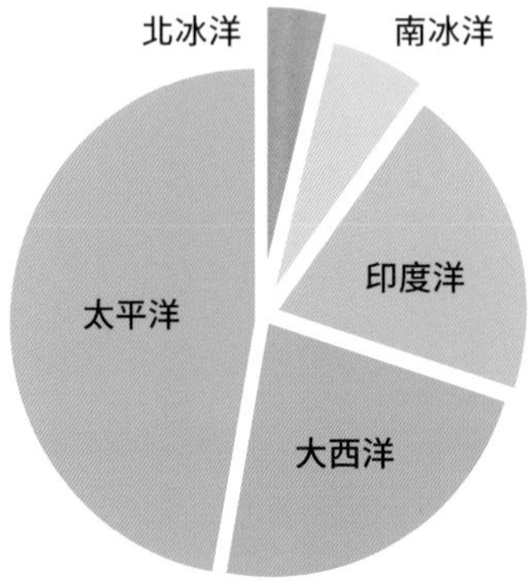
北冰洋
南冰洋
印度洋
太平洋
大西洋

面積大小

5 座海洋的面積差異極大，最大的太平洋廣達 165,200,200 平方公里，而最小的北冰洋只有 14,060,000 平方公里。

75% 的地球表面覆蓋著水域。

假如能將所有海水**平均分配**於地球表面，其深度將達到 **2,800 公尺**。

鹹水

所有海水都是鹹水，但海水中只有很小的比例是鹽，其他還包含 86 種以上的化學元素、以及濃度很低的貴金屬——例如鉑和金。

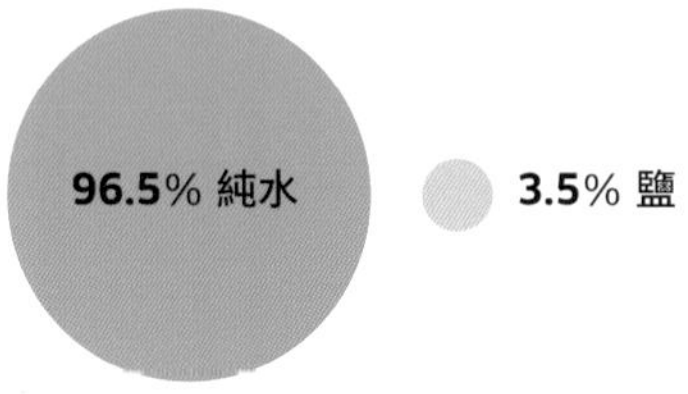
96.5% 純水
3.5% 鹽

透光性

陽光無法穿透海洋太深，只有藍光能抵達海面之下 45 公尺，來到 200 公尺的深度完全沒有一點光線。海洋按照透光性和海水溫度—愈深愈冷—分為數層，每一層海域都有不同的生物存活於其間——棲息於深海的動物都具有特殊的適應能力，才能存活。

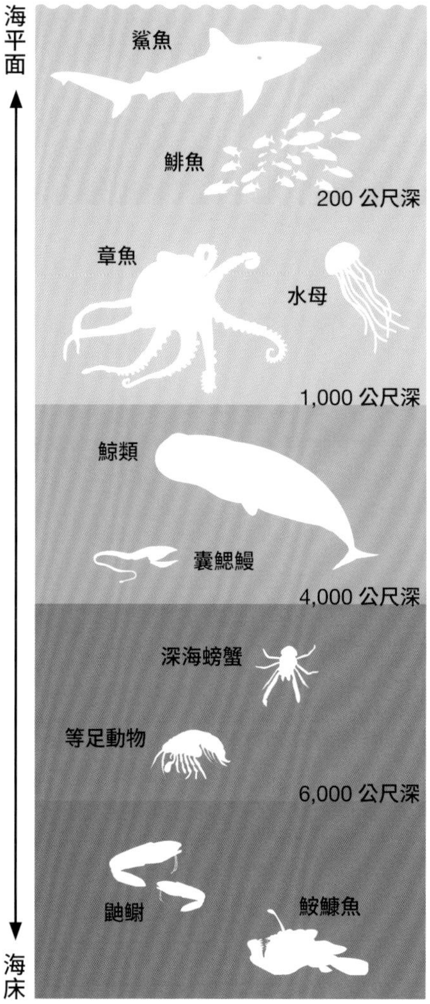
海平面
海床
鯊魚
鮪魚
200 公尺深
章魚
水母
1,000 公尺深
鯨類
囊鰓鰻
4,000 公尺深
深海螃蟹
等足動物
6,000 公尺深
鼬鳚
鮟鱇魚

真光層
本層充滿各種生物；植物可利用陽光進行光合作用，產生能量。

中層帶
陽光不足以讓植物生長，但足以讓動物獵食。

深層帶
唯一的光源來自一些能夠進行「生物發光」的動物。

深淵帶
棲息於此的動物能夠承受深海的巨大水壓。

超深淵帶
只有少數海溝位於這種深度；有史以來只有兩名探險家曾經造訪這個區域。

海水溫度

深海中的海水全都很冷，但海平面的海水溫度就有很大差異了，這意味著海洋分為好幾種棲所，例如溫暖的珊瑚礁海域，或是兩極附近的冰冷海域。

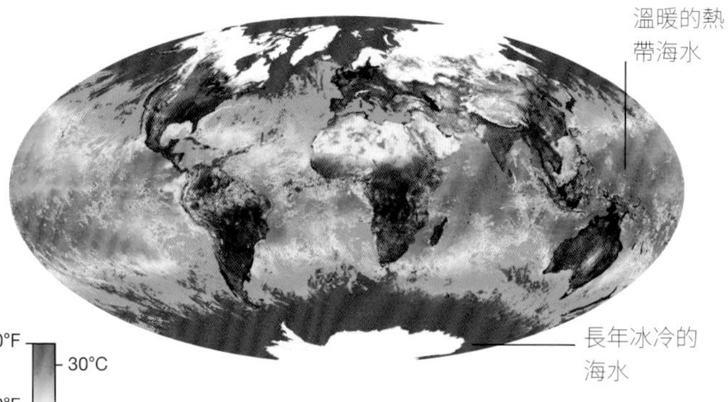
溫暖的熱帶海水
長年冰冷的海水

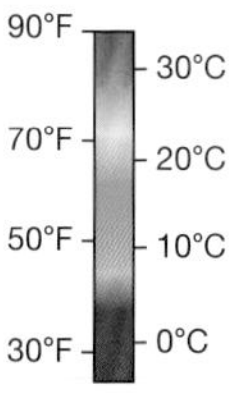
90°F
30°C
70°F
20°C
50°F
10°C
30°F
0°C

海平面溫度
赤道與熱帶地區的海平面海水溫度最高，最冷的則是位於北極與南極附近。

海水的流動

海水總是不停的流動，風在海平面吹起波浪；太陽、月球與地球之間的重力形成潮汐；太陽的熱能在全球海洋中造成洋流——原因在於吸收熱能的海水上升到海平面，而冰冷的海水則會下沉。

只有不到
10% 的**海域**
曾被人類**探索過**。

海浪

大部分海浪是由風勢吹襲而形成的，海浪的高度、間隔、以及方向，取決於風的強度和吹襲時間，長期風勢會形成間距很寬的巨浪。

圓周運動
水分子並非跟著海浪一起移動，而是原地進行小規模圓周運動。

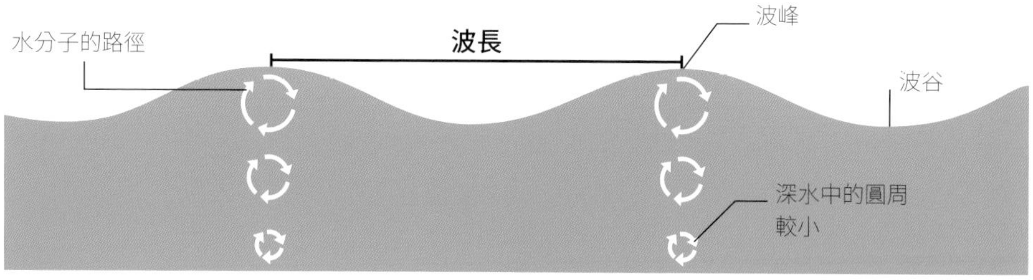
水分子的路徑
波長
波峰
波谷
深水中的圓周較小

潮汐

全球海平面規律性的漲落稱為潮汐。月球的重力在地球兩側造成「潮汐隆起」，此外地球的自轉，也會帶動每日的潮汐漲落，而太陽較小的拉力形成額外的每月循環，導致高潮與低潮產生變化。

低潮
潮汐是每日週期性的海平面變化，圖中這些船隻在低潮時擱淺，等到漲潮全都會浮起來。

洋流

表層洋流由風力所驅動，從熱帶海域吹向寒冷的北方海域，這些表層洋流形成全球性的流動，稱為「環流」。此外，海洋中也形成深層洋流——稱為「大洋輸送帶」，這是由陽光加熱熱帶海水所形成，溫暖的海水流向兩極海域，之後冷卻而沉降，形成深層洋流流回熱帶海域，再度被加熱而上升。

全球洋流系統
全球海洋擁有兩組洋流系統——表層洋流與深層洋流。

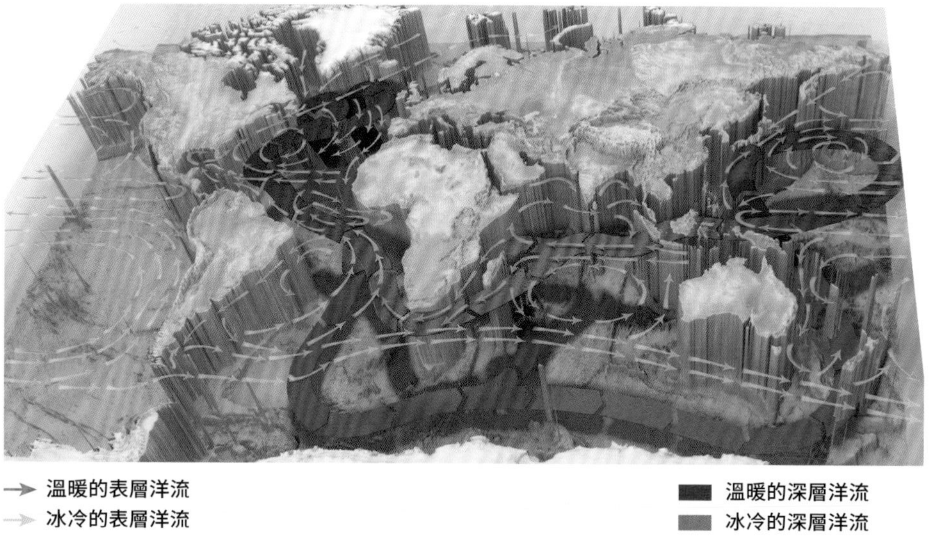
溫暖的表層洋流
冰冷的表層洋流
溫暖的深層洋流
冰冷的深層洋流

1億8,000萬年—全世界**最古老**的海床岩石。

2°C——**海床**的平均**溫度**。

海床

雖然我們更加熟悉海面上的世界，但海平面之下同樣變化多端，不但長著海底山脈和海底火山、廣大的平原、峽谷和海溝，更有規模龐大的洋脊，蜿蜒穿越寬廣的海床。

大部分的海床地貌是地底岩漿湧升而形成的，當相鄰地殼板塊從「中洋脊」彼此分離，岩漿從中湧出、凝固，形成新生海床，而舊海床從洋脊被推向兩側，最終可能「隱沒」插入鄰近板塊之下，這種作用同樣造成大量岩漿湧出，形成了火山島。然而，並非所有海床地貌都是由岩漿所形成的，例如海底峽谷源自於大陸邊緣的侵蝕作用，而「深海扇」則是由洋流所挾帶的泥沙堆積而成的。

海溝

當一個地殼板塊插入另一板塊之下，就在海床形成了海溝；以下是全世界最深的幾條海溝——大部分都位於太平洋邊緣。

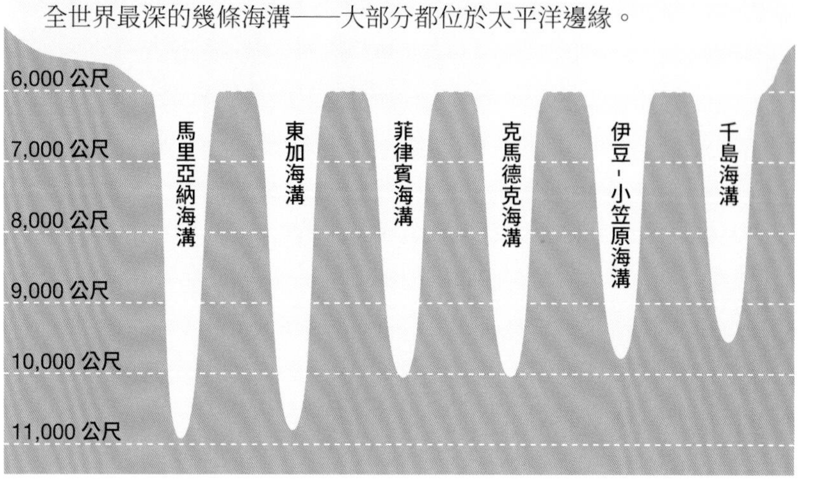
6,000 公尺
7,000 公尺
8,000 公尺
9,000 公尺
10,000 公尺
11,000 公尺
馬里亞納海溝
東加海溝
菲律賓海溝
克馬德克海溝
伊豆－小笠原海溝
千島海溝

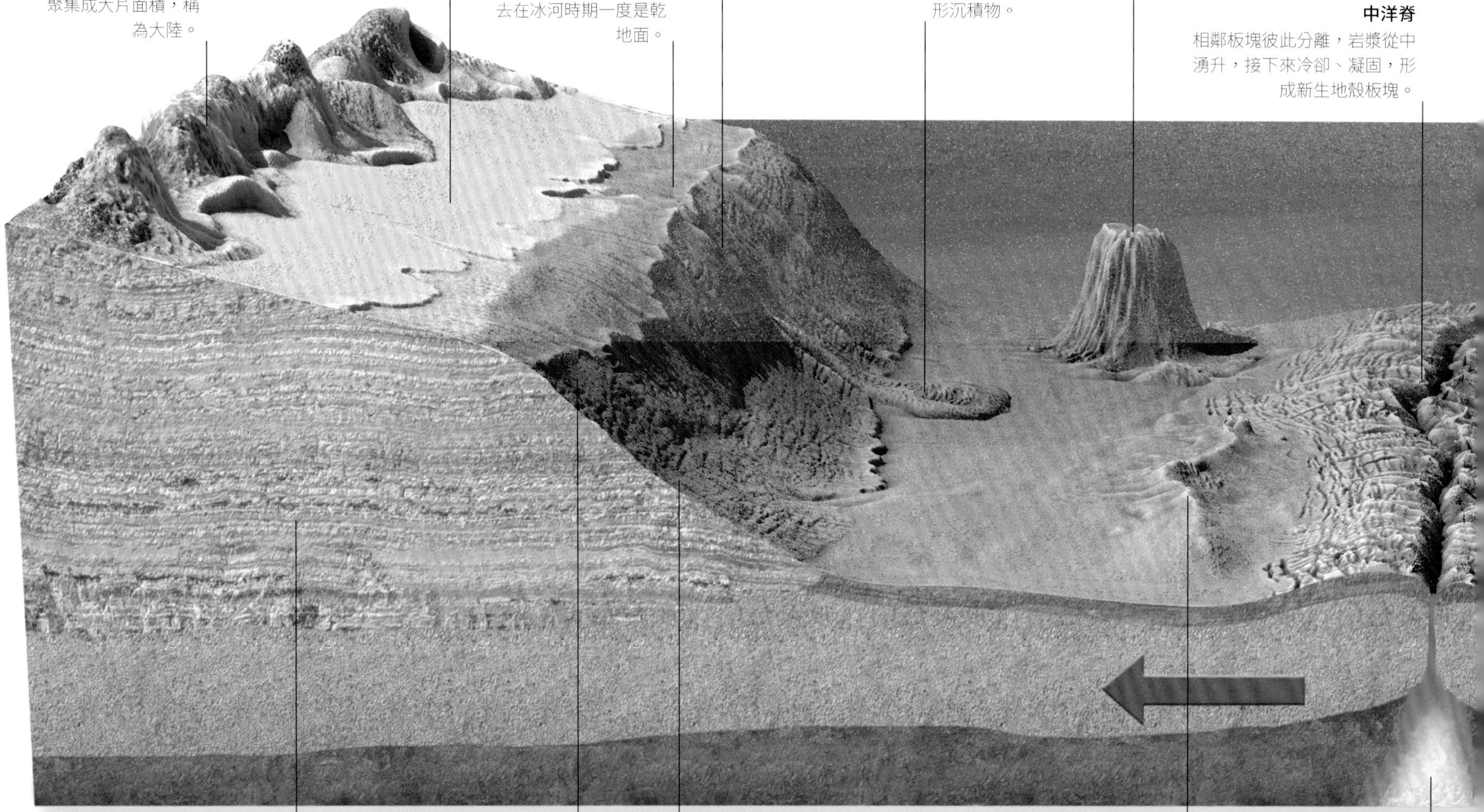

大陸
地球的大部分陸地都聚集成大片面積，稱為大陸。

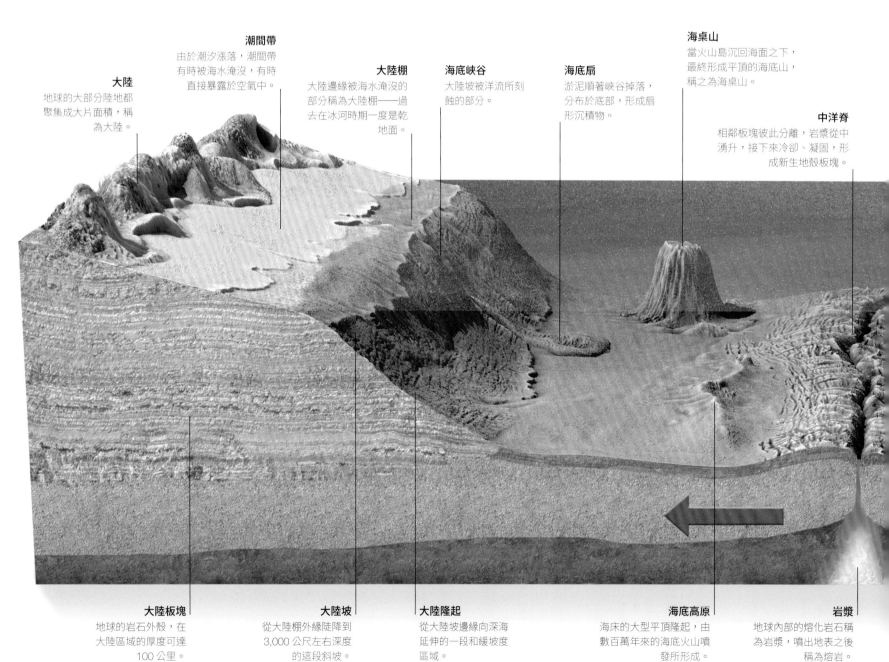

潮間帶
由於潮汐漲落，潮間帶有時被海水淹沒，有時直接暴露於空氣中。

大陸棚
大陸邊緣被海水淹沒的部分稱為大陸棚——過去在冰河時期一度是乾地面。

海底峽谷
大陸坡被洋流所刻蝕的部分。

海底扇
淤泥順著峽谷掉落，分布於底部，形成扇形沉積物。

海桌山
當火山島沉回海面之下，最終形成平頂的海底山，稱之為海桌山。

中洋脊
相鄰板塊彼此分離，岩漿從中湧升，接下來冷卻、凝固，形成新生地殼板塊。

大陸板塊
地球的岩石外殼，在大陸區域的厚度可達100公里。

大陸坡
從大陸棚外緣陡降到3,000公尺左右深度的這段斜坡。

大陸隆起
從大陸坡邊緣向深海延伸的一段和緩坡度區域。

海底高原
海床的大型平頂隆起，由數百萬年來的海底火山噴發所形成。

岩漿
地球內部的熔化岩石稱為岩漿，噴出地表之後稱為熔岩。

深海煙囪

海水滲入海床之中，被地底岩漿加熱後上升，噴回到冰冷的海中，此時溶解於水中的礦物轉變成固體粒子，看起來就像在冒煙，此外，這些固體粒子會在熱泉水「煙霧」之中堆疊成煙囪狀——這種現象就是所謂的「深海煙囪」，通常形成於中洋脊附近。

「煙霧」
通常呈黑色，也可能是白色。
導管
熱水湧回海中的通道。
冰冷海水
海水從裂縫滲入海洋地殼。
過熱水
在極大水壓之下，水溫可達 400° C 以上。
礦物質煙囪
每天的累積高度可達驚人的 30 公分。
管蠕蟲
獨特的生態系統叢生於部分「煙囪」周邊。
岩漿
為滲入海洋地殼中的海水加熱。

許多深海煙囪已被命名，例如**神奇山**、洛基城堡、**弗雷德堡壘**、**哥吉拉**、綠巨人浩克、以及**荷馬·辛普森**。

海面之下

海床位於海平面之下大約 3.7 公里深處，由岩質海洋地殼所組成，其表面覆蓋一層泥濘的沉積物，而海床上所噴出的岩漿會形成火山島或海底山。

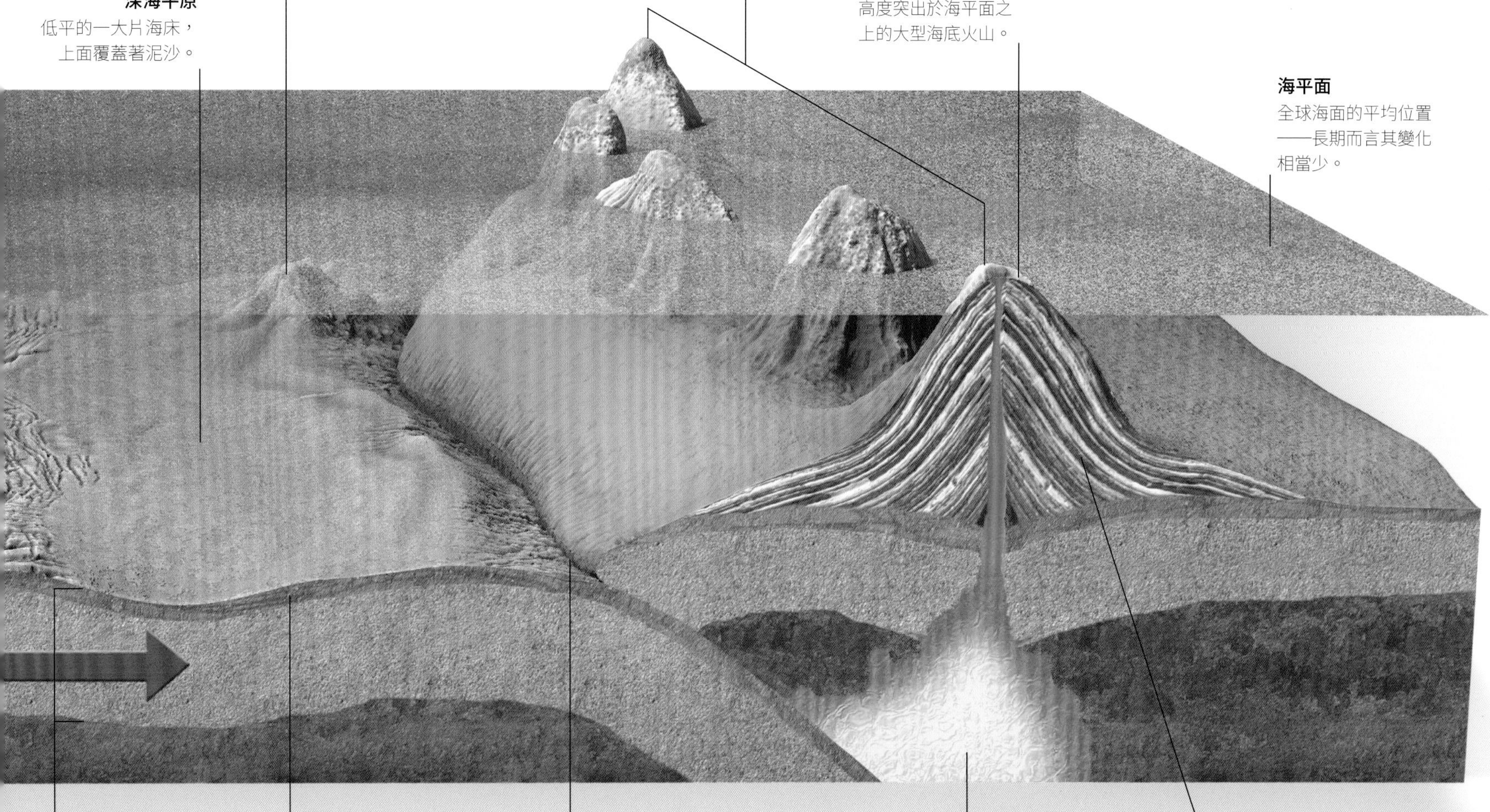
海底山
海底火山——可能是活火山，也可能是死火山。
火山島弧
排列成弧形的火山島群，形成於相鄰板塊的「隱沒帶」。
深海平原
低平的一大片海床，上面覆蓋著泥沙。
火山島
高度突出於海平面之上的大型海底火山。
海平面
全球海面的平均位置——長期而言其變化相當少。
地殼板塊
每一片地殼板塊都由地殼與地函頂層合組而成。
海洋地殼
海洋地殼比大陸地殼薄，由深色岩石所組成。
海溝
形成於地殼板塊插入另一板塊之下的交界處。
岩漿庫
火山之下貯存岩漿之處。
火山
岩漿噴出地表成為熔岩，凝固之後堆疊而形成。

化石證據

我們之所以瞭解生物會隨著時間而演化，必須歸功於岩石保存了在遠古一度興盛物種的證據，這些岩石就是化石。典型的化石保存了古生物的骨頭、牙齒和外殼，只要比對我們所熟悉的類似動物，科學家就能夠解開演化之謎；每一具新化石的出土，都讓演化過程變得更加清晰。

化石獵人

專門研究化石的科學家稱為古生物學家，他們專注於挖掘、辨識及保存化石，並設法找出化石的生成年代、以及該生物在演化史之中的地位。這些化石獵人通常只能找到一些化石碎片，但有時就算是一根小骨頭，都可能是關鍵線索。

挖掘

圖中地點位於美國內布拉斯加州，古生物學家小心翼翼地開挖一具 1,000 萬年前的類犀牛動物化石。

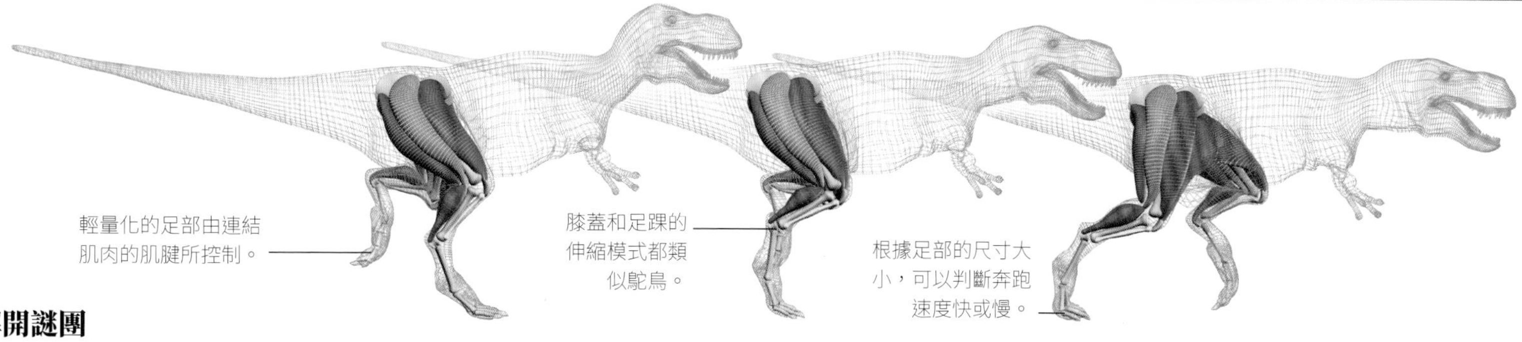
輕量化的足部由連結肌肉的肌腱所控制。
膝蓋和足踝的伸縮模式都類似鴕鳥。
根據足部的尺寸大小，可以判斷奔跑速度快或慢。

解開謎團

化石固然令人振奮，但即使是那些最大、保存最良好的化石，也只是研究工作的起點；為了讓一堆堆化石骨頭產生意義，古生物學家必須設法將它們組合起來——的確，外觀看起來很像現代動物，但牠們的行為模式到底又是如何呢？

行進模式

科學家根據雷克斯暴龍的骨頭與關節的研究結果，創造出電腦模擬圖，顯示暴龍的奔跑動作跟現代鴕鳥很像。

持續變動的地球

生物演化的進程並非一直都是穩定前進的，中途可能碰上許多全球性大災難，例如小行星撞地球、或氣候變遷，其結果可能只有一小部分物種得以存活下來，但倖存者所面對的，已經是一個截然不同的世界。在演化歷史中，這樣的事件發生過好幾次，每每導致大量物種滅絕，但也有一些新植物和新動物從中誕生。

演化歷程快轉

在地球生物 38 億年演化史之中的最初 84% 時間，地球上尺寸最大的生命體是細菌，然而等到複雜生物一出現，演化的腳步就開始加速，五花八門的多樣性物種紛紛出籠。

地球誕生

一開始

在最初 30 億年之間，只有最簡單的單細胞生物存在於地球。

複雜生物出現

多細胞生物—最早的動物—直到 6 億年前才演化出來。

現在

生物大滅絕

從生物首度出現至今，地球總共發生過 5 次「生物大滅絕」事件，每次都造成極大比例的生物死亡，事件之後生機緩慢復原，全新的動物和植物物種陸續出現。在過去，這些大滅絕事件是由自然界的力量所造成的，但目前的許多證據顯示，地球正處於第 6 次生物大滅絕的早期階段——而這次，元凶是人類的活動！

奧陶紀 - 志留紀滅絕事件 (4 億 4,000 萬年前)

此次大滅絕摧毀了 60% 的海洋物種，而陸地更慘，少有生物能夠倖存。

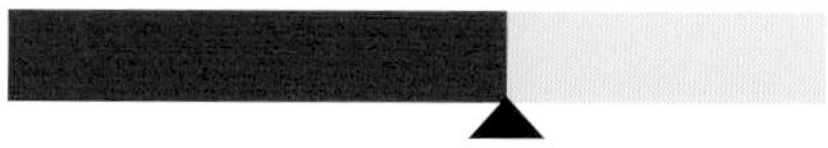
60%

泥盆紀後期滅絕事件 (3 億 5,800 萬年前)

¾以上的物種滅絕，尤以生存於淺海的物種受害最大。

75%

二疊紀 - 三疊紀滅絕事件 (2 億 5,000 萬年前)

二疊紀末期，全球性大災難幾乎造成所有生物滅絕，只有少數物種存活下來。

96%

侏羅紀滅絕事件 (2 億年前)

「中生代」(包含三疊紀、侏羅紀、白堊紀)又稱為恐龍時代，恐龍時代的第一階段以這次大滅絕事件告終，恐龍的所有競爭對手就此絕跡。

70%

白堊紀 - 第三紀滅絕事件 (6,600 萬年前)

發生於白堊紀末期的這次大滅絕，摧毀了所有大型恐龍；其原因可能是小行星撞擊地球所引起的。

75%

在**過去 5 億年**之間，超過**90%**的地球**生物**走向**滅絕**。

動物生存於地球已有**6億年**歷史，而**人類**出現至今只有**200,000年**左右——只占了其中一小段時間。

生物演化歷程

生物已在地球存活了 38 億年，這段期間，它們演化出令人眼花繚亂的多樣化類型——從微小的細菌，到龐大的恐龍！

在地球漫長歷史的大部分時間，只有一些單細胞微生物生存於海洋之中，直到 6 億年前左右，最早的多細胞動物出現，從此在寒武紀引爆海洋生物的革命性演化，而最早的簡單植物出現的那一刻，標誌著生物終於能將生存空間拓展到陸地——而不僅僅侷限於海洋。

地質年代

生物的演化歷程記錄於化石之中，這些化石保存於一層層的岩層之內，較老的岩層位於較年輕的岩層之下，因此，每一層岩層都代表一大段時間。科學家將上述這種漫長的時間，區分為不同的地質年代——「代」，之下再分為更小的時間單位——「紀」；右圖是用以呈現生物演化歷程的「地質年代表」。

圖例
- 前寒武紀（早期的地球）
- 古生代
- 中生代
- 新生代

古第三紀（古近紀）

6,600萬－2,300萬年前
古第三紀開啟了一個新時代——「新生代」，此時地球氣候逐漸變冷，而哺乳動物取代了恐龍的地位，迅速演化。

尾羽龍
許多小型掠食性恐龍演化出羽毛——就跟現代鳥類一樣。

恐角獸
體型類似現代犀牛，恐角獸也是植食性哺乳動物。

白堊紀

1億4,500萬－6,600萬年前
白堊紀歷經最早的開花植物出現，一些史上最壯觀的恐龍也在此時演化出來，但最終也是以一次大滅絕事件告終；這場生物大浩劫消滅了所有大型恐龍，並標誌中生代的結束。

古木蘭
這種小型植物所開的花朵，很像現代的木蘭屬植物。

異龍
體長約 7.5 公尺、擁有匕首般的牙齒，異龍類堪稱備配精良的掠食機器，專門捕食當時體型最大的植食性恐龍。

石炭紀

3億5,800萬－2億9,800萬年前
陸地生物在石炭紀繁衍興盛，此時如同樹木一般大小的原始植物已經形成濃密的森林，昆蟲和蜘蛛相當普遍——成為當時大型兩棲動物的獵物。

羅福魚
這種長吻魚出現於泥盆紀晚期，專門獵食海星。

鎌甲魚
這種帶有「裝甲」的無頜魚類，其頭部覆蓋著寬大而扁平的盾甲，體長可長到 35 公分左右。

泥盆紀

4億1,900萬－3億5,800萬年前
泥盆紀有魚類時代之稱，多種類型的魚類在這段期間出現，其中一類後來進一步演化成兩棲動物，而兩棲動物又是所有陸地脊椎動物—包括爬行動物和哺乳動物—的祖先。

前寒武紀

46億－5億4,100萬年前
這麼漫長的一大段時期通稱為「前寒武紀」，其中的 30 億年期間地球只存在簡單的單細胞生物，至於動物，則是直到前寒武紀的最後階段才首度出現。

早期火山
大量水蒸氣從遠古火山噴出，形成海洋——生命最初演化之處。

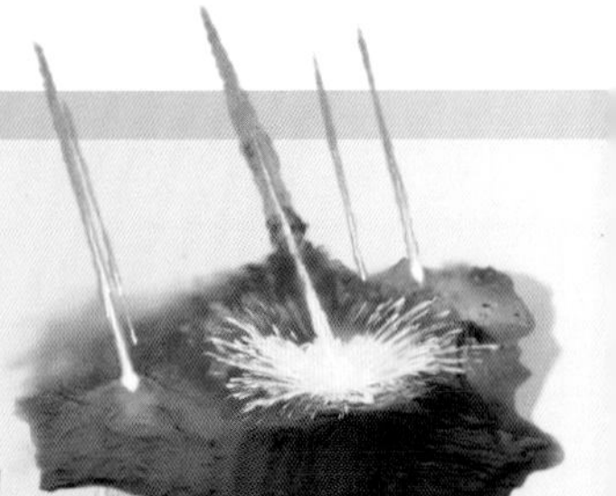

彗星
前寒武紀早期，太空碎屑密集「轟炸」地球，其中包括冰質的彗星——彗星的冰融化之後，為海洋帶來大量水分。

新第三紀（新近紀）

2,300萬－200萬年前
新第三紀時期氣候持續變冷，現代哺乳動物與現代鳥類出現，而人類的祖先—南方古猿—也在此時演化出來。

阿法南方古猿
這種早期的「人科」物種是最早能夠直立行走的動物——大約出現於 400 萬年前。

第四紀

200萬年前－現在
這段時期地球氣候歷經劇烈的變化—「冰期」與「間冰期」互相交替—就跟現在我們所處的地球環境一樣；儘管如此，現代人類—智人—卻在此時漸漸擴展到世界各地。

尼安德塔人
這種身形強壯的史前人類頗能適應酷寒的氣候。

侏羅紀

2億100萬－1億4,500萬年前
是恐龍最興盛的時代，時牠們成為陸地上的霸；體型超大的恐龍大多是食性，另有一些恐龍是強壯的掠食動物。

摩爾根獸
這類小型食蟲動物是最早出現的哺乳動物類群之一。

真雙型齒翼龍
這是最早出現的翼龍之一，牠們以延伸的皮膚構成翅膀，飛行技術可能很好。

板龍
這類長頸恐龍能夠伸長脖子，食用樹頂高處的葉子。

三疊紀

2億5,200萬－2億100萬年前
地球生物從「二疊紀－三疊紀滅絕事件」（此事件標誌古生代的結束）之後緩慢復甦，來到三疊紀晚期，史上第一隻恐龍演化出來，其他包括會飛的翼龍類、以及真正的哺乳動物都陸續出現。

二疊紀

2億9,800萬－2億5,200萬年前
二疊紀是哺乳動物的祖先與爬行動物主宰地球的時代，但後來結束於另一次生物大滅絕事件。

巨蜻蜓
雖然外觀類似現代蜻蜓，但巨蜻蜓的翼展可達 75 公分寬。

鱗木
這種石炭紀的史前樹木可以長到 30 公尺以上，其樹皮帶有鱗狀圖案。

異齒獸
這類食肉動物的背部具有特殊的帆脊，其化石在二疊紀岩層中相當常見。

志留紀

4億4,300萬－4億1,900萬年前
志留紀歷經史上最早的硬骨魚出現，牠們擁有鉸接的可移動頜部；與此同時，生物也首度拓展到陸地——一些簡單的綠色植物。

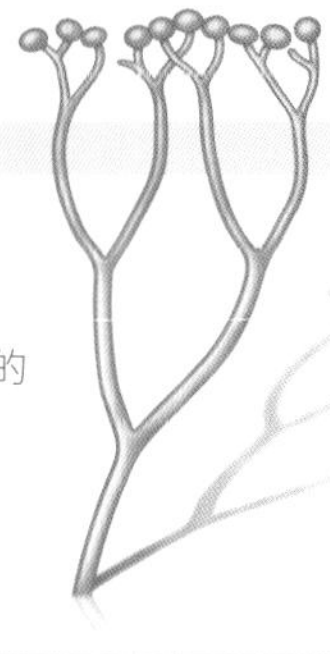

頂囊蕨
廣泛分布於大部分區域，頂囊蕨是最早長出莖部的史前植物之 。

前寒武紀時期大約占了**地球**全部歷史之中的88% 時間。

莎卡班貝魚
這種身上帶有「裝甲」的魚類雙眼距離很近、而且面向前方，但沒有頜骨——這些都是早期魚類的共同特徵。

寒武紀

5億4,100萬－4億8,500萬年前
複雜動物的化石普遍存在於寒武紀（古生代初期）岩層，其中有許多物種演化出硬殼——這也是牠們成為化石的重要原因。

馬瑞拉蟲
棲息於海床的馬瑞拉蟲只有 2 公分長，牠們帶有關節的腿部類似螃蟹，而脊柱貫通整個身體長度。

奧陶紀

4億8,500萬－4億4,300萬年前
海洋生物在奧陶紀興盛繁衍，各種不同類型的魚類、以及三葉蟲之類的其他動物演化出來，但最終奧陶紀結束於一場生物大滅絕。

80% 以上的恐龍化石，都是西元1990年之後才發現的。

恐龍

在長達 1 億 6,500 萬年的一段期間，地球陸地的主宰者是最壯觀的一類史前動物——恐龍！

「中生代」是生物演化史的一段高潮時期，那是「恐龍的時代」，涵蓋地球史上最龐大、最重、最可怕的陸棲動物，牠們演化出驚人的多樣性，從身體覆蓋「裝甲」的大型植食性恐龍，到具有羽毛的靈活掠食者——鳥類就是從這類恐龍演化而來，至今仍然興盛繁衍。

恐龍演化樹

除了最早期的一些物種，中生代恐龍分屬兩大主要類群——鳥臀目恐龍和蜥臀目恐龍，鳥臀目恐龍後來演化為 3 個子類群，幾乎全都是植食性恐龍，而蜥臀目恐龍演化為 2 個子類群，包括主要的肉食性獸腳類恐龍、以及體型最龐大的植食性蜥腳類恐龍。

恐龍家族

鳥臀目恐龍

這類恐龍的髖骨構造與鳥類相似，其頜骨構造相當特別，還具有跟鳥類一樣的喙部；但令人不解的是，鳥類並非演化自鳥臀目恐龍，而是從體型較小的獸腳類恐龍（隸屬蜥臀目）演化出來的！

蜥臀目恐龍

活躍於中生代早期的蜥臀目恐龍，其髖骨構造與蜥蜴相似，但後來許多物種演化出鳥類一樣的髖骨構造——現代鳥類就是從中演化出來的；此外相較於鳥臀目恐龍，蜥臀目恐龍普遍擁有更長、更柔韌的頸部。

頭飾類恐龍

頭飾類恐龍又分為角龍類與厚頭龍類，角龍類—例如圖中這隻五角龍—擁有大型「角質頸盾」，而厚頭龍類的顱骨具有「裝甲」，非常強壯。

獸腳類恐龍

圖中這隻棘龍是體型最大的獸腳類恐龍之一；本類成員涵蓋最強壯的掠食性恐龍，牠們全都運用後肢行進，其中許多物種擁有羽毛。

蜥腳類恐龍

本類群包括一些體型最大的恐龍—例如圖中這隻腕龍—牠們全都屬於植食性，運用柱子般的 4 條腿支撐巨大的體重，就跟現代象一樣；此外牠們的頸部很長，而且通常尾部也很長，這樣身體才能獲得平衡。

樹頂啃植者
高肩部加上長頸子，讓腕龍得以從樹頂高處覓食——這簡直就是侏羅紀時代的超大號長頸鹿！
龐大身軀
龐大身軀之中容納著巨大的消化系統，這讓腕龍得以食用堅韌的高纖維葉子。

鳥腳類恐龍

這是發展得最成功的恐龍類群之一，鳥腳類恐龍具有高度多樣性，其有有些物種的體重相對較輕、以兩腿奔跑，另有一些屬於重量級——例如圖中這隻木他龍；鳥腳類恐龍全部都是植食性恐龍。

裝甲類恐龍

本類恐龍的身上都配備重度「裝甲」——大型骨板，成員包括甲龍類、以及帶有尖刺的劍龍類——例如圖中這隻釘狀龍。

強壯的腿部

跟同屬爬行動物的鱷類與蜥蜴類不同，恐龍站立時其四肢位於身體正下方，這點跟哺乳動物相同。另一方面，科學家也發現許多恐龍其實是溫血（恆溫）動物，這讓牠們比冷血式（變溫式）的現代爬行動物更具有活動力。

恐龍的站姿
所有恐龍站立時四肢都打直，因此巨大的體重可以完全獲得支撐。

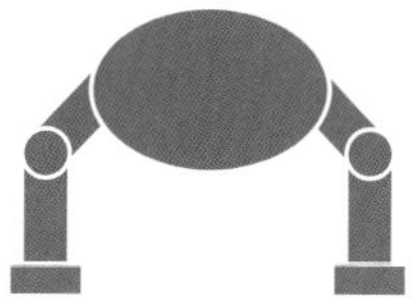

鱷類的站姿
現代鱷類與恐龍具有親緣關係，但牠們的四肢支撐性不像恐龍那麼好。

蜥蜴的站姿
蜥蜴站立時通常四肢張開，腹部幾乎觸及地面，而這會拖慢牠們的行進速度。

恐龍時代的爬行動物

恐龍並非中生代唯一的大型動物類群，跟牠們分享那個時代的，還有大型海洋爬行動物（例如圖中的滄龍）、以及空中的翼龍類（例如圖中的翼手龍），這些動物都不是恐龍，但翼龍類算得上是近親；牠們大多是掠食者，有些海洋爬行動物具有厚實而強壯的頷部，而翼龍類狹長的身體構造相對輕巧，其高效率的翅膀則是由皮膚延伸所構成的皮翼。

達克龍
體長可長到15公尺，達克龍是強壯的掠食者，存活於恐龍時代的尾聲。

翼手龍
就跟所有翼龍類一樣，翼手龍也是溫血動物，身上覆蓋著毛茸茸的外皮（毛皮、而非羽毛），其飛行技術堪比現代鳥類。

化石殘骸顯示，**最大型翼龍**的**尺寸**簡直就像一架**小飛機**，**翼展**寬達驚人的 **12 公尺**。

中生代

恐龍時代開始於2億3,000萬年前的三疊紀——中生代3個質地年代之中的第一個，最早出現的恐龍必須跟其他爬行動物競爭生存空間，但後者大多在三疊紀晚期滅絕，讓恐龍得以在侏羅紀興盛繁衍；至於在最後一段恐龍時代—白堊紀—恐龍演化出驚人的多樣性，其中包括最可怕的暴龍。

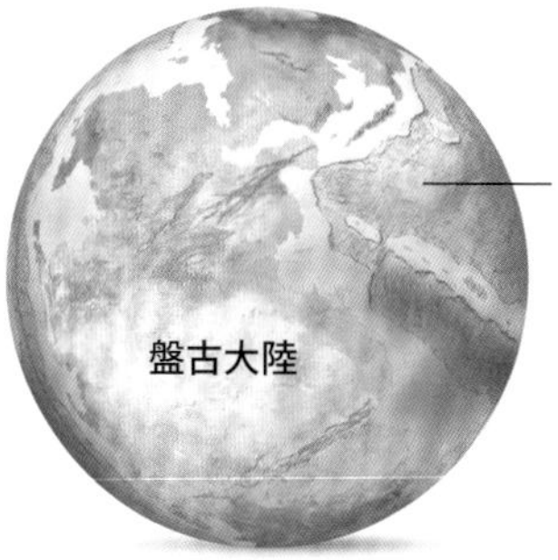
盤古大陸
這個超級大陸塊稱為「盤古大陸」，四周環繞著地球當時唯一的廣大海洋。

三疊紀時代的地球
從2億5,200萬到2億100萬年前，地表的所有陸地聚集成為一個超級大陸塊，大陸塊的中央地帶盡是廣大的沙漠，大部分植物和動物都生存於大陸邊緣。

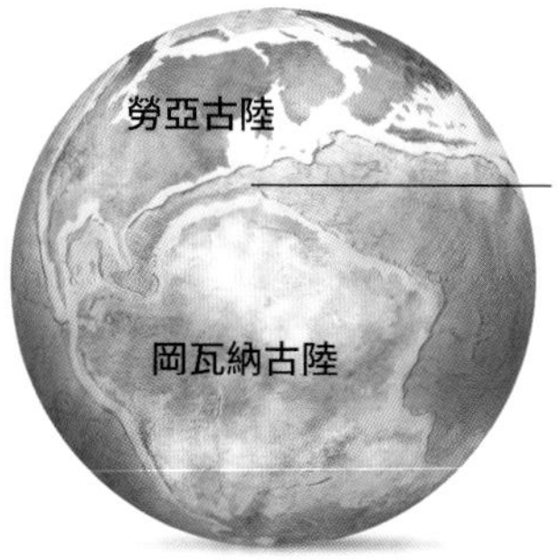
勞亞古陸
岡瓦納古陸
盤古大陸分裂成為北方的「勞亞古陸」、以及南方的「岡瓦納古陸」。

侏羅紀時代的地球
就在侏羅紀開始之前，盤古大陸分裂成兩塊，沙漠範圍因而縮小，茂盛生長的植物形成森林，為龐大的植食性恐龍提供豐富的食物來源。

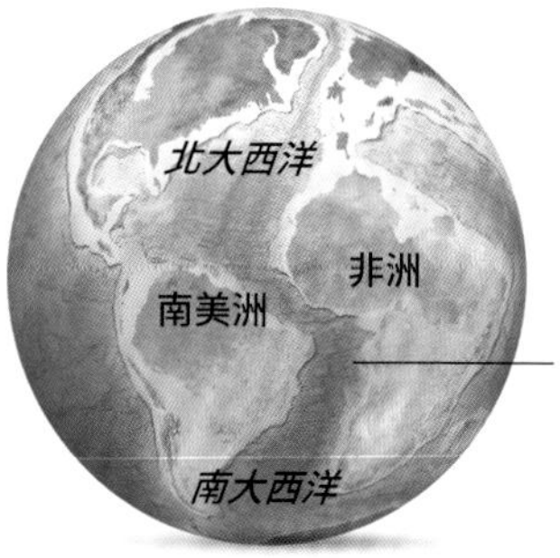
北大西洋
南美洲
非洲
南大西洋
南大西洋將非洲與南美洲隔開。

白堊紀時代的地球
白堊紀從1億4,500萬年前開始，此時陸地進一步分裂，而不同的陸地環境演化出更多不同類型的恐龍。

大災難

中生代結束於6,600萬年前的一次生物大滅絕，結果幾乎消滅地球上的所有恐龍——除了鳥類之外；這場大災難可能是由一顆大型小行星撞擊現今墨西哥而引發的，與此同時，現今印度的眾多巨大火山持續噴發，這兩者結合起來，對地球氣候必然造成毀滅性的影響。

小行星撞地球
6,600萬年前撞擊墨西哥的那顆小行星至少寬達10公里，在如此巨大岩體的高速撞擊之下，導致地球大氣層充滿岩石屑碎與灰塵，足以遮蔽陽光長達數年之久。

科學家至今仍然**無法證實**，到底是什麼原因**讓恐龍消失殆盡**；又是哪些因素，讓**鳥類、鱷類**和其他動物得以逃過浩劫，繁衍至今。

28歲——一隻被取名為「蘇」的暴龍化石死亡時的年齡；這是目前全世界最大、保存最完整的暴龍化石。

雙眼朝向前方
雙眼遠比其他恐龍更為正向前方，這讓暴龍擁有「雙眼視覺」，可以精準判斷距離、鎖定獵物。
氣囊
空氣吸入肺部之後，再進入氣囊網絡，最後呼出體外——這種氣囊網絡讓暴龍每一次呼吸，都能吸入更多氧氣。
肺臟
肺部類似鳥類，效率極高，有助於大量吸收氧氣，提供足夠的能量給大型肌肉。
胸腔
堅固的胸腔保護心臟、肺臟、以及其他主要器官。
下頜
下頜短而厚實，讓頜肌可以施予巨大的壓力。
氣囊
厚實的頸部肌肉
強大的頸部肌肉用以支撐巨大的頭部重量，也有助於撕扯獵物。
肩胛骨
小型前肢
相對細小的前肢各具兩趾，帶有銳利的趾爪。
砂囊
大口吞下的肉食和碎骨通到砂囊之中；砂囊由肌肉所構成，具有堅固的外壁，用以將食物碾磨成漿。
心臟
暴龍的心臟尺寸至少有人類心臟的 10 倍大；牠們的心臟必須長這麼大，才能將血液輸送到巨大的身體。
鳥類般的足部
獸腳類恐龍行進時以足趾著地—這點跟鳥類很像—其後足具有 3 根帶有利爪的朝前足趾、以及 1 根位後方的小型趾。

足以碎骨的牙齒
在目前已發現的恐龍化石之中，以暴龍的牙齒最大、最強壯，其中最大的一顆牙齒化石長達 20 公分—簡直就像一根長矛—其銳利的牙尖可以刺穿獵物的厚皮和肌肉，再加上強大的頜部咬合力，甚至能夠咬碎獵物的骨頭。

雷克斯暴龍

雷克斯暴龍是大型獸腳類恐龍，也是史上曾經生存於地球最強壯的陸棲掠食者（棘龍更大，但屬於半陸棲，會捕食魚類），牠們簡直像個巨無霸殺手，以碩大的頜部和牙齒作為武器，足以咬穿獵物的骨頭！

在中生代整整 1 億 6,500 萬年期間—也就是恐龍時代—雷克斯暴龍是其中最著名、體型最大、最具致命性的掠食性恐龍，牠們在中生代末期才演化出來，之後又過了幾百萬年，所有大型恐龍就在一場全球性的大災難之中全數滅絕。暴龍是效率極高的掠食者，牠們奮力一咬，就能造成獵物癱瘓或休克，接下來牠們撕扯受害者、拉出大塊肉食，直接一口吞下！

暴龍的體重大約等同於成年的雄性非洲象。

目前已有30具以上的暴龍化石被挖掘出來。

60 顆——暴龍的牙齒數量。

雷克斯暴龍小檔案

生存年代 ……… 6,800 萬—6,600 萬年前 (白堊紀末期)
分布範圍 ……… 北美洲
食性 ……… 肉食性
體長 ……… 可長到 12.4 公尺 (頭部到尾部)

暴龍是有史以來**咬合力最強**的陸棲動物——至少是**鱷類**的 **4 倍以上**。

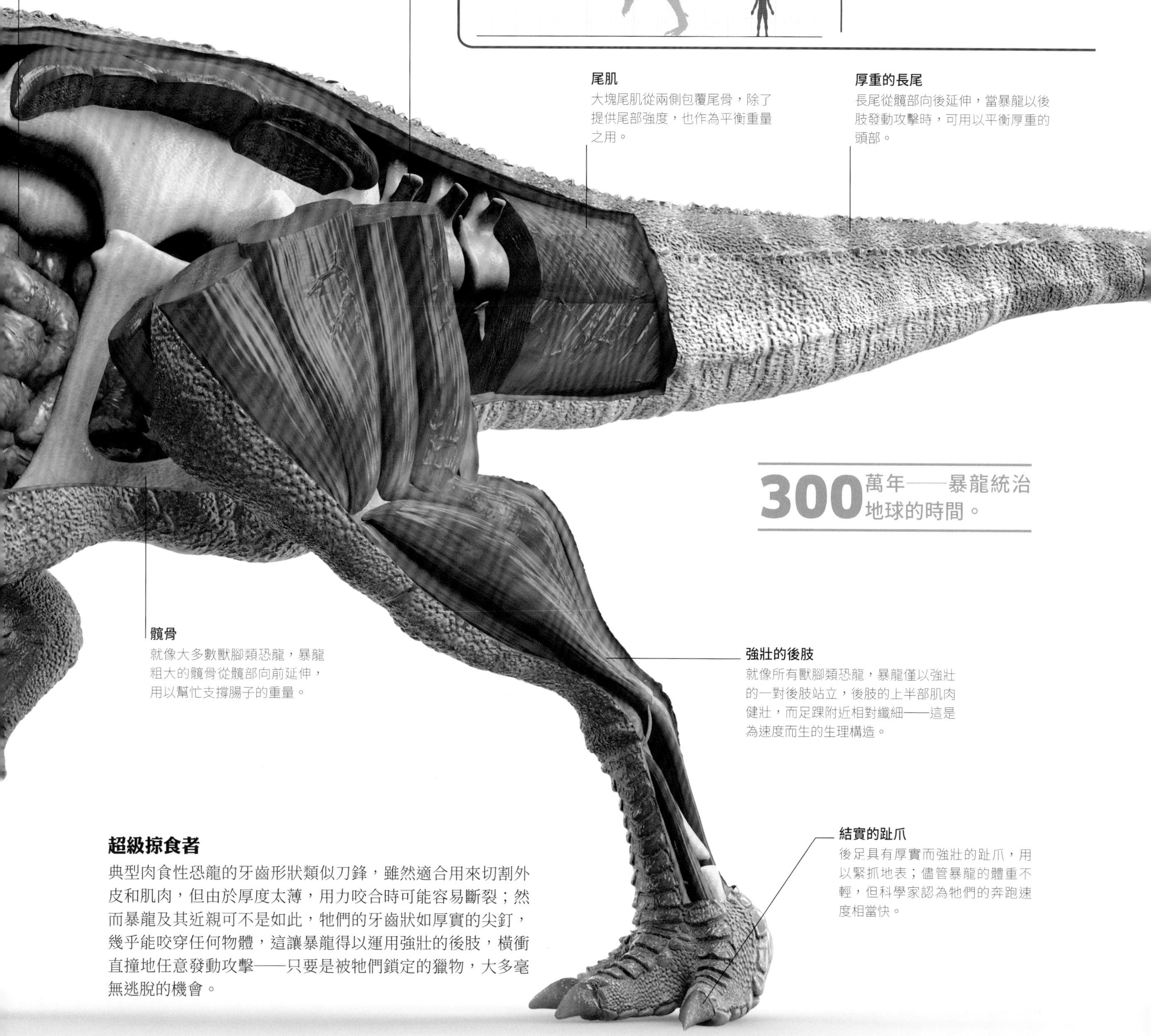

腸子
作為專精的掠食者，暴龍只吃肉食，而肉類容易消化，因此暴龍的腸子也相對較短。

脊椎骨
構成脊椎主體的脊椎骨具有高脊柱，脊椎骨連結著強壯的肌肉，共同建構絕佳的背部強度。

尾肌
大塊尾肌從兩側包覆尾骨，除了提供尾部強度，也作為平衡重量之用。

厚重的長尾
長尾從髖部向後延伸，當暴龍以後肢發動攻擊時，可用以平衡厚重的頭部。

300 萬年——暴龍統治地球的時間。

髖骨
就像大多數獸腳類恐龍，暴龍粗大的髖骨從髖部向前延伸，用以幫忙支撐腸子的重量。

強壯的後肢
就像所有獸腳類恐龍，暴龍僅以強壯的一對後肢站立，後肢的上半部肌肉健壯，而足踝附近相對纖細——這是為速度而生的生理構造。

結實的趾爪
後足具有厚實而強壯的趾爪，用以緊抓地表；儘管暴龍的體重不輕，但科學家認為牠們的奔跑速度相當快。

超級掠食者

典型肉食性恐龍的牙齒形狀類似刀鋒，雖然適合用來切割外皮和肌肉，但由於厚度太薄，用力咬合時可能容易斷裂；然而暴龍及其近親可不是如此，牠們的牙齒狀如厚實的尖釘，幾乎能咬穿任何物體，這讓暴龍得以運用強壯的後肢，橫衝直撞地任意發動攻擊——只要是被牠們鎖定的獵物，大多毫無逃脫的機會。

化石如何形成？

化石是探索失落世界的一扇窗口，那些壯觀的史前生物曾經存活在地球的唯一證據，就是化石；若是沒有化石，演化理論就無法獲得廣泛的支持。

化石保存了數百萬年前生物存活的痕跡。生物死亡後，遺骸通常會自行分解、或被食腐生物徹底摧毀，但有一部分殘骸比較可能保存下來，尤其是死亡動物的外殼、骨頭和牙齒，如果倖存的時間夠長，就會逐漸被掩埋於地底，遺骸被溶解於地下水的礦物所取代，硬化而變成石頭——這就是典型的化石。

化石類型

許多化石都是轉變成為石頭的動物外殼或骨頭，但另有其他化石類型：有些動物並非轉變成石頭，而是保存於其中——例如琥珀中的蚊子；此外，還有一些化石保存了生物的壓痕、而非生物本身——例如腳印，這類「生痕化石」可以告訴我們，那些滅絕已久的史前動物到底是如何生存的。

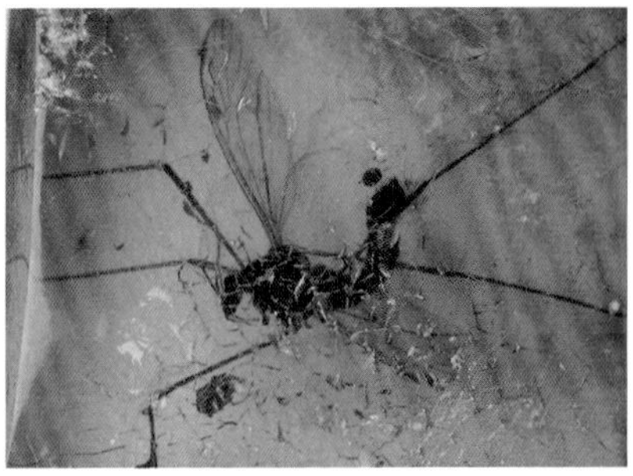

保存於琥珀之中
數百萬年之前，這隻蚊子被黏稠的樹脂所困住，當樹脂硬化成為化石—琥珀—之後，蚊子的遺骸就完整的保存下來。

一段漫長的過程

大多時候，「化石化作用」是漸進式的。動物的外殼或骨頭遺骸即使經過幾千年，看起來就跟幾週前才埋葬沒兩樣——尤其當它們被大地冰凍之後；生物體變成岩質化石通常得耗費數百萬年，等待身體組織逐漸被礦物所取代，最終轉變成石頭，而化石的每一寸細節通常跟原本動物一模一樣，因而帶給科學家關鍵線索，得以瞭解這些史前動物的構造或生活型態。

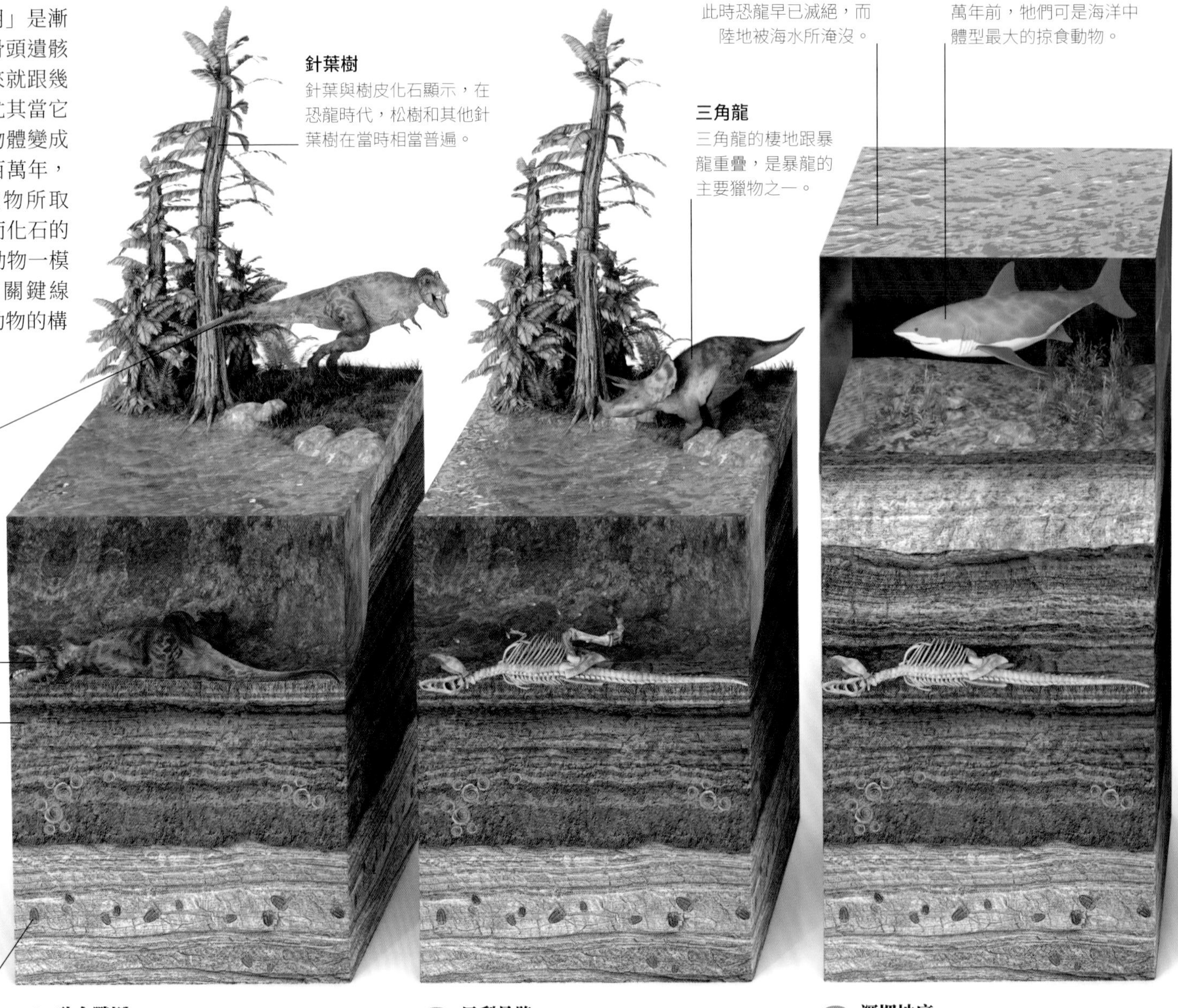
雷克斯暴龍
這種著名的恐龍是足以碎骨的掠食者，牠們存活於恐龍時代末期——大約是6,600 萬年之前。
暴龍死亡
沉積層
不同沉積物 (泥或沙) 層層堆疊，每一層的顏色和厚度都不同。
菊石
這是烏賊的史前近親，牠們擁有堅硬的螺旋狀外殼，在出土化石中頗為常見。
針葉樹
針葉與樹皮化石顯示，在恐龍時代，松樹和其他針葉樹在當時相當普遍。
三角龍
三角龍的棲地跟暴龍重疊，是暴龍的主要獵物之一。
海水淹沒陸地
此時恐龍早已滅絕，而陸地被海水所淹沒。
巨齒鯊
這種史前巨型鯊魚是現代大白鯊的近親，在 2,000 萬年前，牠們可是海洋中體型最大的掠食動物。

1 致命戰鬥
在一次打鬥中嚴重受傷，雷克斯暴龍蹣跚地跌進河中而死，牠的龐大身軀沉降到河床，皮膚和血肉開始腐化。

2 只剩骨骼
河底缺乏氧氣，延緩了腐化過程，但最終暴龍的遺骸還是只剩下光禿禿的骨骼——但骨骼完整無缺，就跟牠們還活著的時候一樣。

3 深埋地底
沉積在河床的泥沙掩埋了骨骼，數百萬年之後海平面上升，海水淹沒這片區域，泥沙之上又覆蓋了一層蒼白的海洋沉積物。

全世界最早的恐龍化石在1824年被科學家辨識出來——那是一隻斑龍的牙齒和骨頭。

34億5,000萬年——目前所發現最古老的化石。

在古代中國，恐龍化石一度被認為是龍的骨頭。

從木頭到石頭
跟動物遺骸一樣，植物也可能變成化石——整根樹幹都轉變成石頭(這種過程稱為「石化作用」)，連木材的細胞構造都能保存下來。

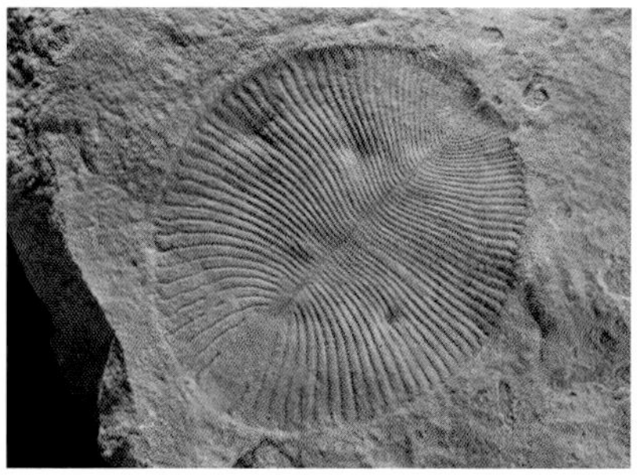

留下壓痕
有時生物體—例如圖中的狄更遜水母—死後沉降到鬆軟的海床泥沙之上，泥沙後來轉變成岩石，就會在表面留下水母形狀的壓痕——此稱為「鑄模」。

天然澆鑄
水中溶解的礦物慢慢在某些「鑄模」之內堆疊，重建出原生物體的形狀——圖中的菊石化石就是經由這種過程而形成的。

生痕化石
圖中泥沙表面的3趾足印，就是6,600萬年前掠食性恐龍所留下的；如果能找到一整排這樣的足印，就可以呈現這種恐龍的步幅、以及牠們的行進步態。

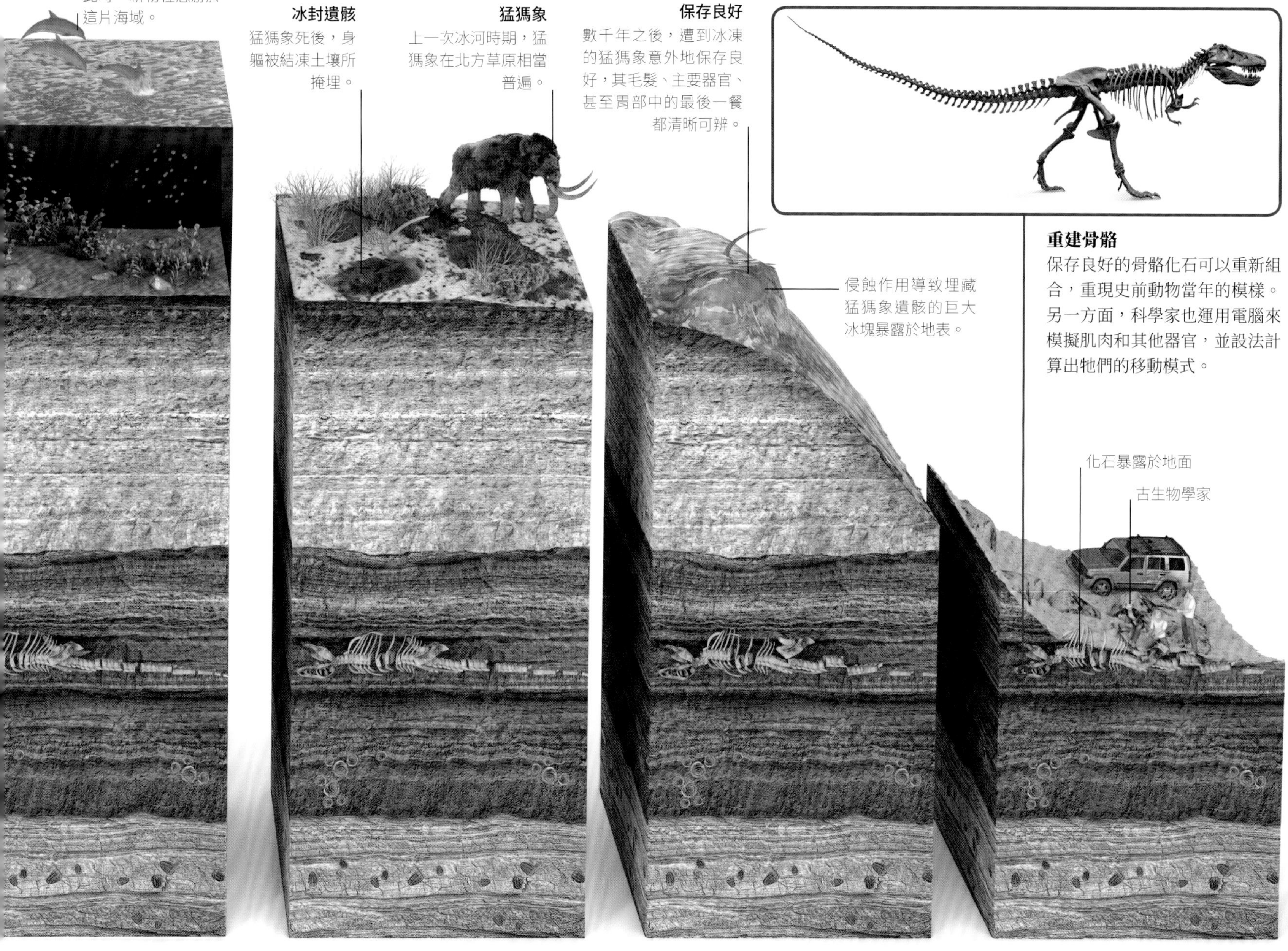

海豚
此時，新物種悠游於這片海域。
冰封遺骸
猛獁象死後，身軀被結凍土壤所掩埋。
猛獁象
上一次冰河時期，猛獁象在北方草原相當普遍。
保存良好
數千年之後，遭到冰凍的猛獁象意外地保存良好，其毛髮、主要器官、甚至胃部中的最後一餐都清晰可辨。
侵蝕作用導致埋藏猛獁象遺骸的巨大冰塊暴露於地表。
重建骨骼
保存良好的骨骼化石可以重新組合，重現史前動物當年的模樣。另一方面，科學家也運用電腦來模擬肌肉和其他器官，並設法計算出牠們的移動模式。
化石暴露於地面
古生物學家

4 從骨頭到礦物
當沉積層愈堆愈厚，溶解礦物質將沉積物轉化為固體岩石—例如白堊岩或頁岩—而礦物滲進深埋的骨骼遺骸之中，慢慢將它變成石頭。

5 冰河時期
此時已接近我們人類的時代，冰河時期的冰層鎖住大量海水，導致全球海平面下降，這片海域又變回陸地；此時許多猛獁象漫步於半冰凍的苔原之間，偶爾會有一兩頭跌落沼澤而死，結凍成固體。

6 地表侵蝕
河流改道，遠離這片蒼白的白堊岩，猛獁象冰凍的身軀暴露出來，但此時暴龍的骨骼仍然深埋於地底。

7 挖掘化石
此時冰河時期已經結束很久，更多侵蝕作用進行到深色頁岩層，將暴龍化石暴露出來；古生物學家小心翼翼地開挖化石。

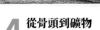

生物世界

生物已經演化出令人難以置信的多樣性物種，目前經過辨識並命名的物種數量約有 180 萬種，還有更多物種等著人類發現。科學家將所有生物分類為「生物六界」，每一個「界」再根據親疏關係細分為更小的類群，依序為「門」、「綱」、「目」、「科」。這些生物演化出適合特定棲地的求生方式，儘管如此，它們終將發現——在這個快速變動的世界，生存將會變得愈來愈困難！

生物多樣性熱點

生物幾乎遍布地球的每一個地方，但有些區域比其他區域擁有更多物種，稱為「生物多樣性熱點」，例如溫暖的熱帶地區—特別是熱帶雨林和熱帶珊瑚礁—這類棲地提供生物體更多元化的生存模式，並支持生物進行各種不同類型的演化。

圖例
主要的生物多樣性熱點
北美洲
南美洲
歐洲
非洲
亞洲
大洋洲

生物類型

每一種生物都跟另一些物種具有親緣關係，它們演化自共同祖先，這些物種就可以歸類於同一類群，而不同類群之間也像這樣，具有親疏不等的關係，構成宛如超級大家族一樣的族譜。「演化樹」就是生物大家族的族譜，共包含 6 支主莖—生物六界—其中 3「界」的成員幾乎都是微小到肉眼看不見的生物，另外 3「界」分別是動物界、植物界和真菌界。

生物六界

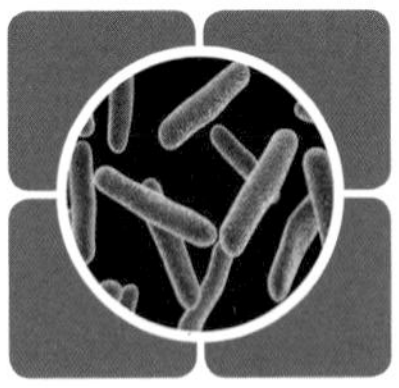

1 古菌界
古菌是地球上最早演化出來的生命型態，它們的構造非常簡單，基本上就只是單一細胞包覆著一小滴流體，流體中含有支持生命最重要的一些分子。有些古菌存活於嚴苛的環境之中——例如酸性熱泉。

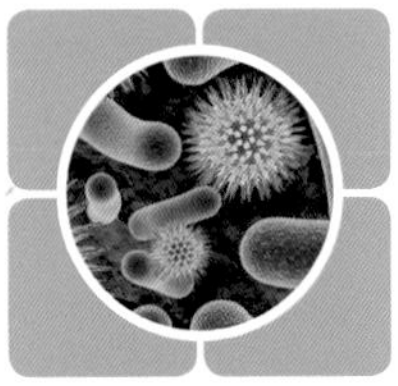

2 細菌界
細菌跟古菌很像，其構造相同，但化學特性有所差異，這顯示兩者是分開演化的。有些細菌會引發疾病，另一些細菌則是人類生存所不可或缺的，還有一類藍綠菌，它們幾乎製造了大氣中的所有氧氣。

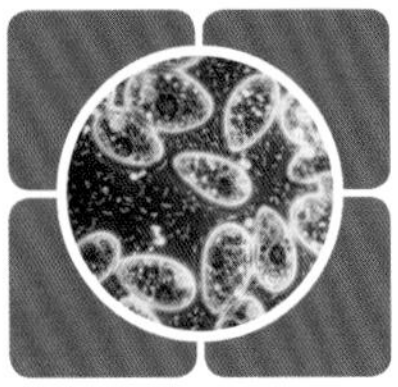

3 原生生物界
原生生物過去被分為藻類和原生動物類，它們大多也是微小的單細胞生物，但不像細菌，前者的細胞擁有原子核來包覆生命所需的分子，而且細胞中還有一些其他構造，用以製造食物、或將食物轉化為能量。

4 真菌界
雖然看起來像植物，但真菌「食用」其他活體生物或遺骸為生。有些真菌只是單細胞微生物，但大部分真菌會發展出多細胞的「菌根網絡」—例如蕈類和黴菌類—它們看起來就像是長在腐爛的水果之上。

5 植物界
綠色植物都是多細胞生物，它們運用陽光的能量製造食物，在此過程中還會釋放氧氣到大氣中——這點對動物的生存至關重大。植物主要生長在陸地和淡水水域，不同植物類群的尺寸差異很大——從緊貼地面生長的苔蘚類，到巨大的樹木。

6 動物界
動物跟植物一樣都是多細胞生物，但不像植物，動物無法自己製造食物，必須食用其他生物體才能存活，其中大多數成員能夠四處移動，運用感官來尋找食物——這導致動物演化出智能。

包含多少物種？

與植物界、真菌界及原生生物界相比，動物界包含最多物種數量。至於細菌界和古菌界，可能各自涵蓋數百萬個物種，難以統計出來。

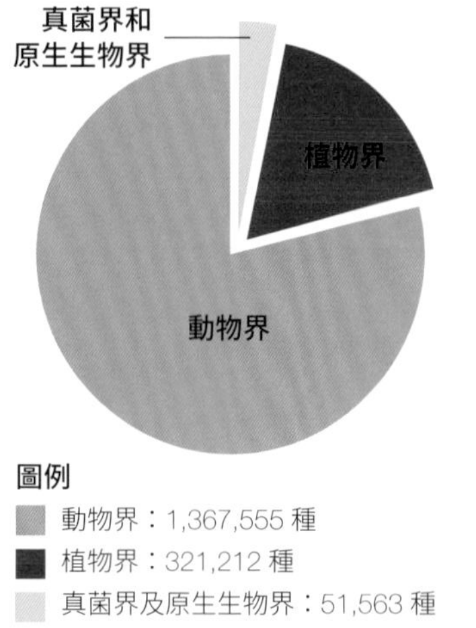

真菌界和原生生物界
植物界
動物界
圖例
動物界：1,367,555 種
植物界：321,212 種
真菌界及原生生物界：51,563 種

根據**科學家估計**，地球上可能還存在 **870 萬個尚未發現的動物物種**。

生物分類

「生物六界」之中的每一「界」，按成員之間的親疏關係分為數個「門」，之下再依序細分為「綱」、「目」和「科」，每一「科」通常包含好幾個「屬」，歸類於同一「屬」的「種」(物種)之間具有非常相近的親緣關係。

為老虎分類

所有經過科學家辨識、命名的物種都被賦予獨一無二的「科學名稱」，簡稱「學名」，學名由「屬名」加「種名」組合而成，例如老虎的屬名為「Panthera」、種名為「tigris」，因此學名是「Panthera tigris」。

界 → 門 → 綱 → 目 → 科 → 屬 → 種

- **界｜動物界**：本界成員都是多細胞生物，食用有機物質獲得能量。
- **門｜脊索動物門**：本門成員大多是脊椎動物(另有少數為脊索動物)，擁有硬骨或軟骨所構成的脊椎骨。
- **綱｜哺乳綱**：本綱成員都是具有毛髮的溫血(內溫)脊椎動物，雌性個體分泌乳汁餵養子代。
- **目｜食肉目**：本目成員都是掠食性哺乳動物，擁有特化的頰齒，用以切割肉食。
- **科｜貓科**：本科成員都是特化的掠食動物，牠們不具臼齒，許多物種的趾爪不可回縮。
- **屬｜豹屬**：本屬成員都是最強壯的貓科動物—包括獅子—牠們都擁有「吼叫」的能力。
- **種｜虎**：老虎是體型最大的森林貓科動物，最容易用來辨識牠們的特徵，在於毛皮上的縱向條紋。

生物的基本需求

所有生物都有共同的基本需求。水是必須品，若是沒有水，生物體內的化學作用就無法運作；事實上，生物之所以在地球這顆行星演化出來，就是因為地表存在液態水。另一方面，生物需要原料來建構身體組織，也需要能量來將化合物轉變成活體細胞，不同的生物運用不同的方法來取得這些基本需求——但通常仰賴其他生物體提供。

維生要素

所有生物都有一些基本的共同需求，但個別類群另有其他特定需求，例如，植物和動物運用不同的方式來取得能量，植物需要的是陽光，而動物需要的是富含能量的食物；然而，還是有少數生物不需其中某些維生要素，就能夠存活。

能量
植物和許多微生物吸收太陽能，用以製造富含能量的食物，提供其他生物生存所需。

水
所有動物都由細胞所組成，而細胞含有大量水分，因此水是不可或缺的維生要素之一；沙漠生物只需少量水分就能生存，但不可完全沒有水分。

庇護所
許多動物棲息於嚴酷的環境，牠們需要庇護所來躲避豔陽或寒風；甚至連植物都需要某種形式的庇護所。

生活空間
植物需要土壤來扎根，而動物需要一定的領域來覓食，甚至連一隻細小的微生物也需要自己的生活空間。

保暖
少數生物能夠生存於酷寒或炎熱的環境，但大多數生物都生存在溫暖區域——至少要有溫暖的夏季。

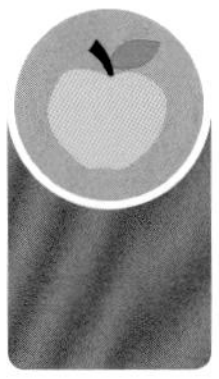

養分
植物所吸收的水分含有溶解礦物，用以建構身體組織；而動物從食物中獲取這些養分。

氧
大部分生物需要氧氣，才能將食物轉化為能量——而幸運的是，植物持續將氧氣釋放到大氣之中。

能量金字塔

在大部分的自然棲地，都有許多生物作為食物生產者，另有數個層級的生物是食物消費者。以野生草原為例，草原的禾草支持許多野兔生存，牠們是「初級消費者」，而數量較少的鼬鼠獵捕野兔為食，此外，這片草原只棲息著 1 隻狐狸——牠是棲地中唯一的頂級掠食者，這就是「能量金字塔」的結構，愈往金字塔的上層，個體數量就愈少，這是由於層級與層級之間，都有一些能量轉化為生物活動所需的能量，剩餘的能量才能作為食物轉移到上一層；這也意味著，需要一大堆禾草，最後才能支持 1 隻狐狸生存——這就是為何狐狸遠比野兔罕見的原因。

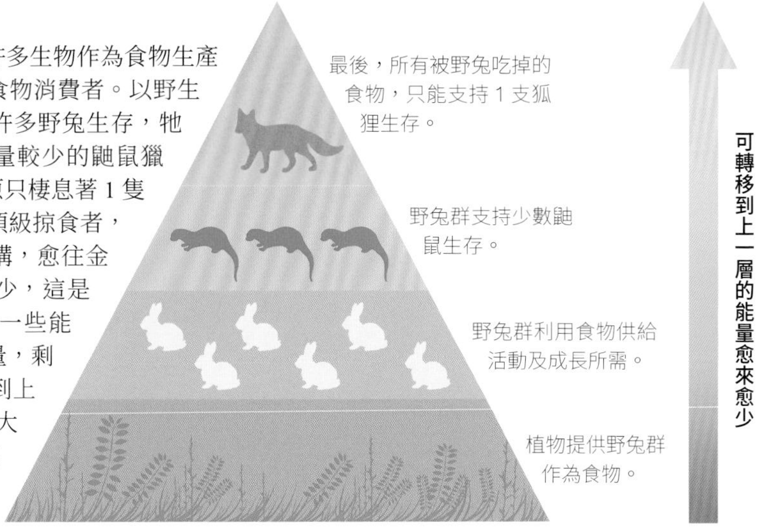
最後，所有被野兔吃掉的食物，只能支持 1 支狐狸生存。
野兔群支持少數鼬鼠生存。
野兔群利用食物供給活動及成長所需。
植物提供野兔群作為食物。
可轉移到上一層的能量愈來愈少

食物鏈

所有生物都需要能量，植物與一些其他生物從陽光吸收能量，用以製造糖，動物食用植物，把糖轉化為能量及身體組織，其他動物則是獵捕植食性動物為食，就這樣，能量和主要養分透過「食物鏈」向下傳遞；但最終，能量與養分都會被土壤回收，轉化為植物所能吸收的形式。

生產者
這株植物將化學原料轉化為碳水化合物和蛋白質，用以建構自身的莖、葉、花及種子。

初級消費者
沙鼠食用種子並消化，將種子所含的蛋白質及碳水化合物，轉化成建構身體組織——例如肌肉——的物質。

次級消費者
耳廓狐捕捉沙鼠為食，消化肉食成為養分和能量；養分用以建構身體組織，能量用以供應活動所需。

頂級掠食者
耳廓狐成為鬣狗的晚餐，獵物所貯存的所有養分和能量，就這樣傳遞到食物鏈的另一個環節之中。

食屑碎者
鬣狗死亡後，遺骸被蚯蚓之類的動物所回收，將之轉化為化學物質，提供沙漠灌木作為養分，再度製造更多食物。

沙漠灌木
沙鼠
耳廓狐
鬣狗
蚯蚓

瀕臨滅絕

每個生物類群之中都有許多物種瀕臨滅絕的危機，其原因很多，但主要是由人類活動所引起的。例如，有些動物被人類蓄意殺害——這其中包括稀有物種，又如廣大的自然棲地被人類所摧毀，造成野生動物無法獲得生存空間和食物；幸好近年來，許多國家陸續設立野生生物保護區，希望能拯救更多瀕危物種。

植物
棲地喪失—例如開發熱帶雨林—正嚴重威脅植物世界驚人的多樣性。

爬行動物
最近研究結果顯示，全球⅕以上的爬行動物正瀕臨滅絕危機。

魚類
雖然魚類不像某些陸棲動物那麼易遭危害，但汙染和過度捕魚，都造成許多物種的數量愈來愈少。

鳥類
狩獵問題和自然棲地喪失等問題，至少造成 12% 的鳥類物種面臨不確定的未來。

兩棲動物
瀕危程度最嚴重的要算是蛙類、蠑螈類和其他兩棲動物，約有⅓物種正在快速消失之中。

哺乳動物
每 5 種哺乳動物就有 1 種瀕臨滅絕，包括犀牛類和象類等陸棲巨獸。

5,000年——據推估，全世界現存**最古老的植物**，是生長在**美國**的一顆**狐尾松**，它已經存活了這麼多年。

植物

從蔓生於地面的苔蘚、到高大的樹木，我們所在之處總有許多植物環繞在周圍，它們生產大部分的食物提供陸棲動物食用，也製造了大氣中的大部分氧氣，讓我們得以呼吸。

植物是多細胞生物，大多生長在陸地或淡水水域。幾乎所有植物都運用陽光的熱能，將水與二氧化碳轉化為氧氣和糖—這種過程稱為「光合作用」—再以糖製造複合材料來構成植物的根、莖及葉。最原始的植物類群只能生長在潮濕地面附近，但其他植物長得又高又寬，形成覆蓋大片陸地的「植被」，提供動物食物並作為棲所。

不可或缺的水

所有植物都需要水分。大部分植物從地底吸收水分，透過莖部輸送到各部組織，用來製造糖類。草本植物的草本軟莖由水壓加以支撐，一旦水分流失就會枯萎、倒塌，但許多具有木質莖的木本質物就不會這樣，因此可以長得非常高大，讓它的葉子遠離地面生長。

植物類型

植物可分為兩大主要類群，一類是「維管束植物」，另一類是「無維管束植物」—例如苔蘚類—它們是地球上最早演化出來的植物，不像「維管束植物」的內部擁有維管束系統，可用以將水分與汁液輸送到各部組織。

植物界

無維管束植物 | 維管束植物

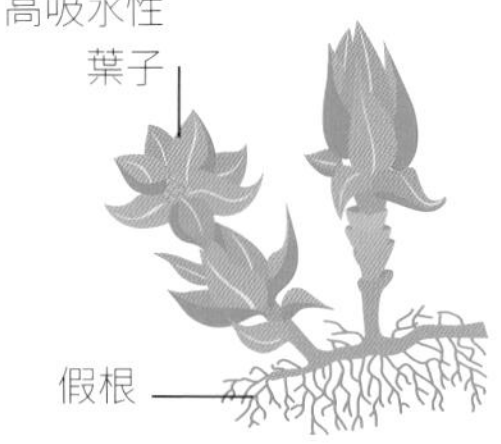

高吸水性葉子
假根

苔蘚植物

苔蘚植物以葉子直接吸收水分，因此只能生長潮濕區域才不會乾枯而死；它們運用「假根」攀附在岩石或樹木上形成「葉褥」，能像海綿一樣吸收水分。

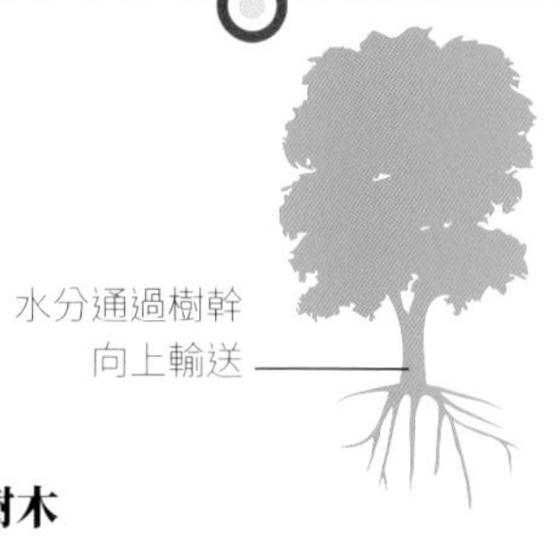

水分通過樹幹向上輸送

樹木

大部分植物透過根部吸收水分，根部經由「維管束系統」連結植物的其他部分，這讓樹木遠離潮濕地面之後，還能繼續長高。

開花植物

不具花朵或種子的原始植物—例如苔蘚類和蕨類—大約從 2 億年前的恐龍時代就已經演化出來，但目前其物種數量遠比開花植物更少。開花植物會製造花粉，花粉經由媒介「授粉」帶到另一株相同物種的花朵之中，讓胚珠「受精」，發育成種子。

風媒授粉

有些開花植物—例如禾草和許多樹木—製造大量花粉，經由風勢吹散，其中一些花粉降落在另一株相同物種之上，讓後者的花朵受精。以風媒授粉的植物，其花朵較小、較為樸素。

花粉

細小的花粉粒含有精細胞，可讓長在附近同種植物的卵細胞受精。

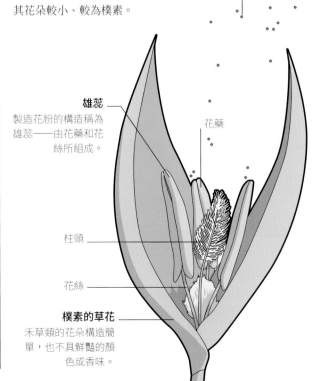

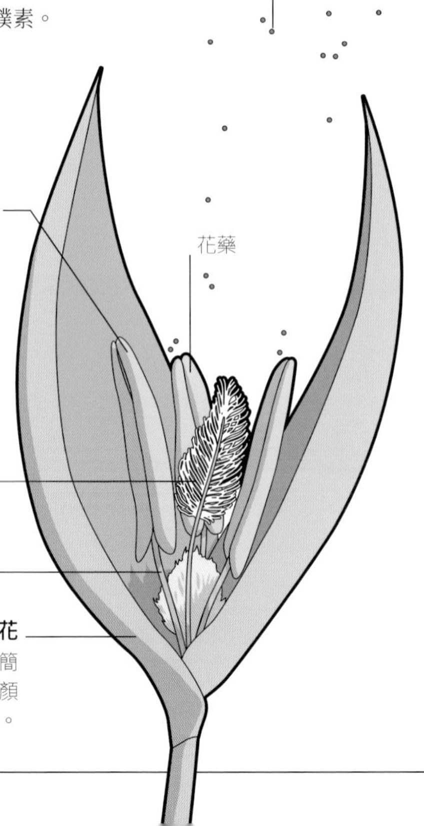

花藥
柱頭
花絲

雄蕊

製造花粉的構造稱為雄蕊——由花藥和花絲所組成。

樸素的草花

禾草類的花朵構造簡單，也不具鮮豔的顏色或香味。

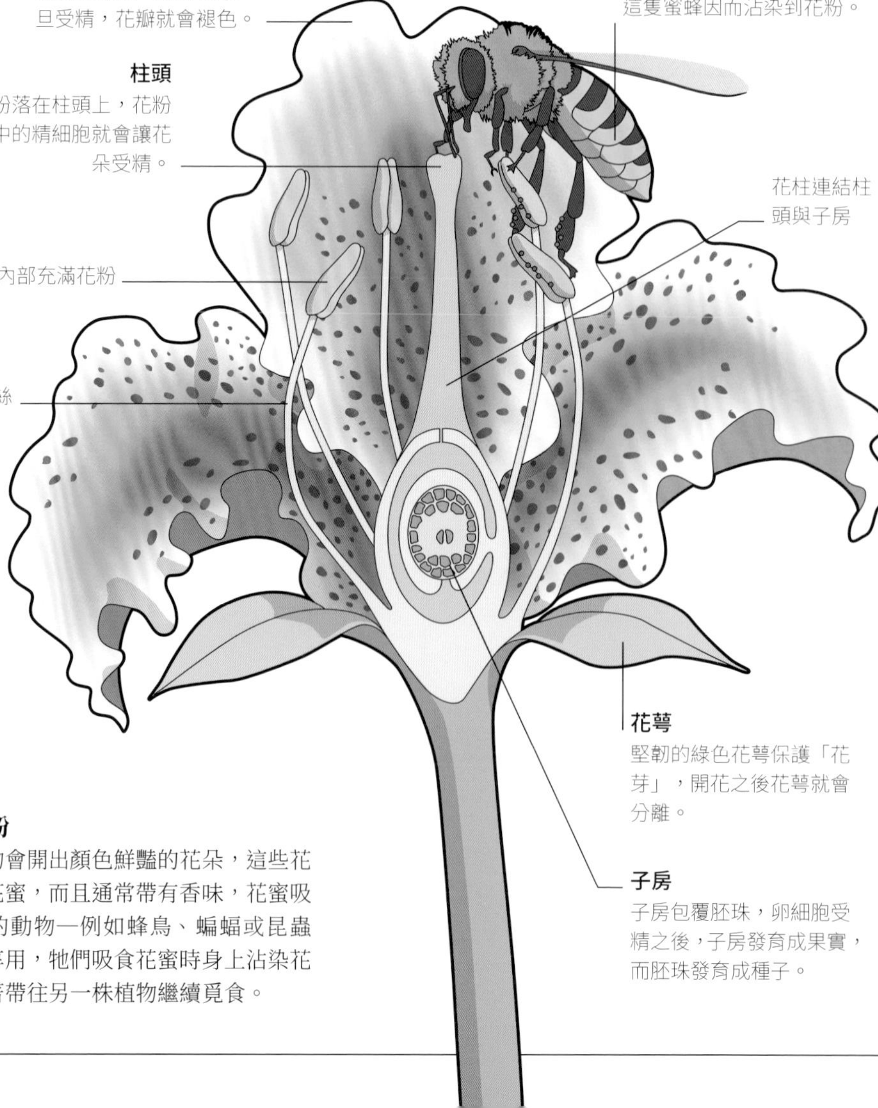

花藥內部充滿花粉
花絲

花瓣

色彩鮮豔的花瓣可以吸引昆蟲和鳥類，然而花朵一旦受精，花瓣就會褪色。

柱頭

當花粉落在柱頭上，花粉粒之中的精細胞就會讓花朵受精。

蜜蜂

受到花朵的顏色、香味、以及理所當然的花蜜所吸引，這隻蜜蜂因而沾染到花粉。

花柱連結柱頭與子房

花萼

堅韌的綠色花萼保護「花芽」，開花之後花萼就會分離。

子房

子房包覆胚珠，卵細胞受精之後，子房發育成果實，而胚珠發育成種子。

動物授粉

許多植物會開出顏色鮮豔的花朵，這些花朵含有花蜜，而且通常帶有香味，花蜜吸引飢餓的動物—例如蜂鳥、蝙蝠或昆蟲—前來享用，牠們吸食花蜜時身上沾染花粉，接著帶往另一株植物繼續覓食。

綠色植物已在地球存活了至少4億年之久。

115.5 公尺——全世界最高的加州紅木的高度，它也是目前地球上最高大的植物。

3 公尺寬——原生於印尼蘇門答臘的巨花摩芋，擁有所有植物之中最大的花朵。

植物如何生長

當種子處於溫暖而潮濕的環境中，就會發芽、成長為「實生苗」，其根系扎進土壤之中吸收水分，加速莖部的生長；許多植物發芽時胚莖帶著兩片「子葉」，這兩片子葉來自種子的兩個剖半。

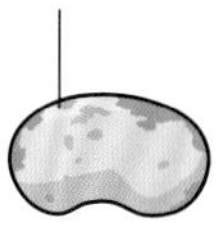

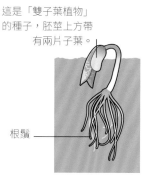

種皮包含一層堅硬的「石質層」，用以保護種子免於真菌或細菌侵襲。

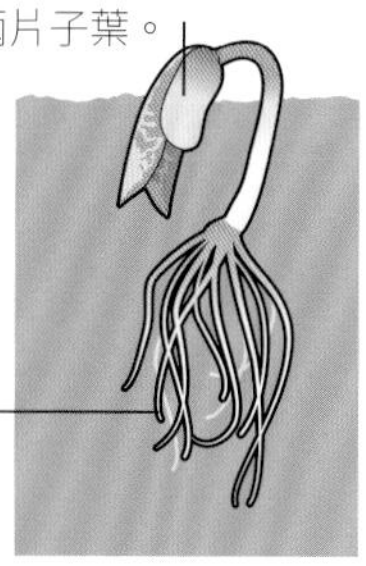

這是「雙子葉植物」的種子，胚莖上方帶有兩片子葉。
根鬚

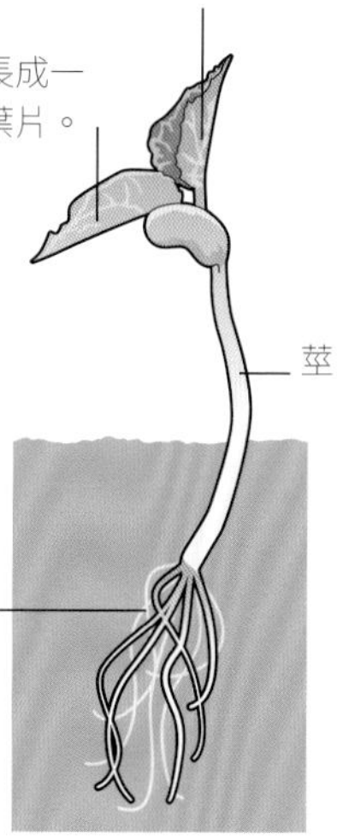

這對葉片成為植物的食物來源。
雙子葉長成一對葉片。
莖
側根

1 發芽 種子具有強韌的種皮保護，時間長達數月、甚至數年之久，但最終，濕氣導致種子膨脹而裂開。

2 根 種子發芽時「胚根」向下成長為根部，根的表面帶有「根鬚」，用以從土壤中吸收水分及溶解礦物。

3 莖 胚莖頂部的環狀構造向上推擠，將兩片子葉攤開在陽光之下，子葉成長為植物最初的一對葉片。

常綠植物或落葉植物

許多熱帶植物終年都能生長，另有一些植物會在冬季停止生長——甚至死亡，存活下來的植物若不是非常強悍（常綠植物），就是演化成在冬季讓葉片全部脫落（落葉植物），直到天氣變暖再長回來。

常綠樹

許多針葉樹—例如冷杉類—擁有堅硬的針狀葉，能忍受嚴寒的氣候，它們在冬季也是綠油油的一片，終年都能吸收太陽能來製造食物。

落葉樹

橡樹類及其近親樹種擁有薄葉，薄葉以極高的效率在夏季製造所需的食物，到了冬季葉片就會脫落，翌年春季再長出新葉。

奇特的植物

大多數植物所需的養分幾乎都從土壤取得，它們扎根固著於一地，並利用太陽能來製造食物。另一方面，少數植物物種演化出與眾不同的生存方式，得以生存在普通植物無法生存的地方。

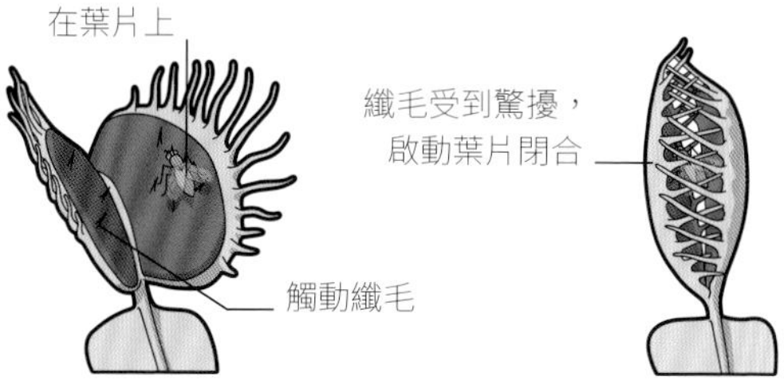

昆蟲降落在葉片上
纖毛受到驚擾，啟動葉片閉合
觸動纖毛

捕蠅草

這種奇特的植物捕捉昆蟲為食，來自昆蟲的養分讓捕蠅草能夠生長在貧瘠的土壤之上；捕蠅草「進食」一週之後，葉片才會再度打開，準備捕捉另一隻昆蟲。

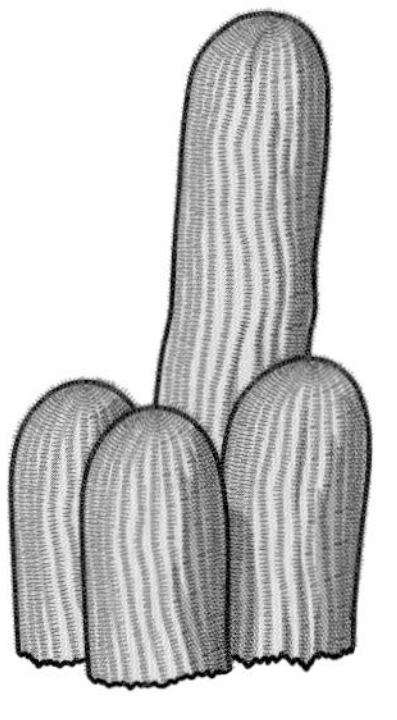

威氏強刺球

在氾濫季節，這種仙人掌的鉤狀尖刺會「抓住」水流中載浮載沉的碎屑，把自己帶到其他地方。

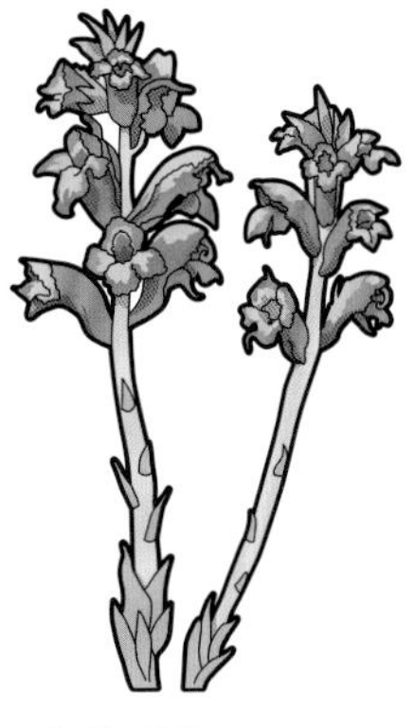

白花列當

這種植物無法自行製造食物，而是把自己的根伸到百里香（植物）身上，偷取它們的汁液。

生命週期

有些植物可以存活好幾年，每年開花，此為「多年生植物」。另有一些「一年生植物」只能存活一個生長季節，但它們製造的硬皮種子可以撐過艱難的環境——這類短期存活的植物大多生長在冬季很冷、或夏季很熱的地區。「二年生植物」則是活過兩個生長季節，在酷寒的冬季或乾季，它們會將能量保存於根部。

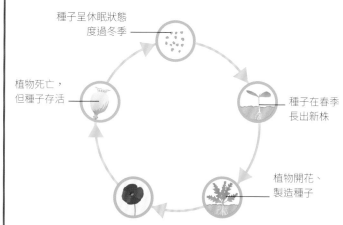

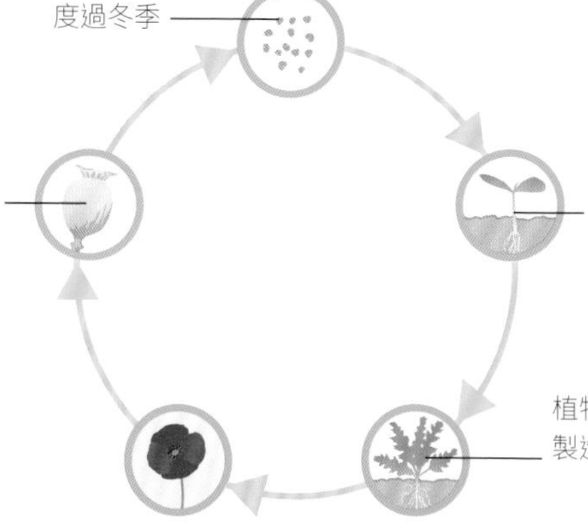

種子呈休眠狀態度過冬季
種子在春季長出新株
植物開花、製造種子
植物死亡，但種子存活

一年生植物

一片罌粟花所製造的數百科種子埋在土壤中度過冬季，到了春天它們長出新株，開花、並製造更多種子。其他生長在沙漠地區的類似植物也是如此，其種子經過好幾年的乾旱期也能存活。

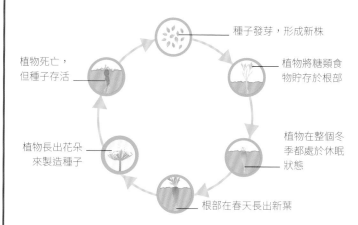

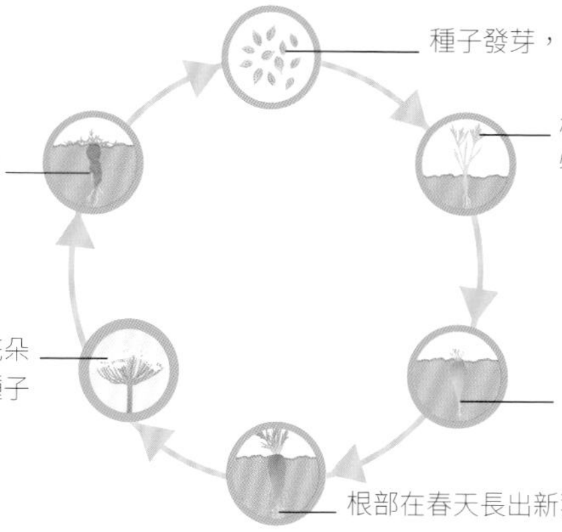

種子發芽，形成新株
植物將糖類食物貯存於根部
植物在整個冬季都處於休眠狀態
根部在春天長出新葉
植物長出花朵來製造種子
植物死亡，但種子存活

二年生植物

有些植物具有兩年的生命週期。胡蘿蔔種子長出葉子來製造食物，貯存於厚實多汁的根部，用以度過寒冬，到了隔年春天才開出花朵，散播種子。

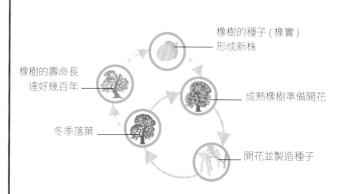

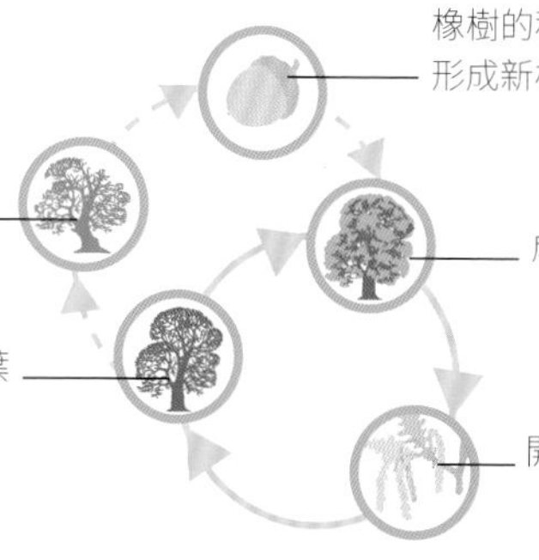

橡樹的種子（橡實）形成新株
成熟橡樹準備開花
開花並製造種子
冬季落葉
橡樹的壽命長達好幾百年

多年生植物

多年生植物可以存活好幾年，但可能會在冬季或乾季落葉。成熟的橡樹在生長季節開花並製造種子，接著種子長出橡樹新株。

自然界的“綠能”

動物必須覓食，而綠色植物自行製造食物，它們運用太陽能，將二氧化碳與水轉化為糖類——這種過程稱為「光合作用」。

植物葉片的功能如同「太陽能電池板」，吸收太陽的光能來驅動化學反應——結合碳、氫、氧而形成葡萄糖，這種過程會釋放氧氣到大氣之中，而葡萄糖用來製造纖維素(植物組織)、或是跟來自土壤的養分結合成為蛋白質，作為植物生長之用。

葉片剖面圖

葉片內部由數以萬計的微小細胞所組成，其功能如同食物工廠，每個細胞所包含的微小構造稱為「葉綠體」，葉綠體充滿葉綠素——一種化學物質，能吸收陽光並將之轉化為化學能，用以進行光合作用。其他細胞形成葉片的外皮——以及用以輸送水分給葉片「運輸網絡」，並以汁液的形式將糖類運走。

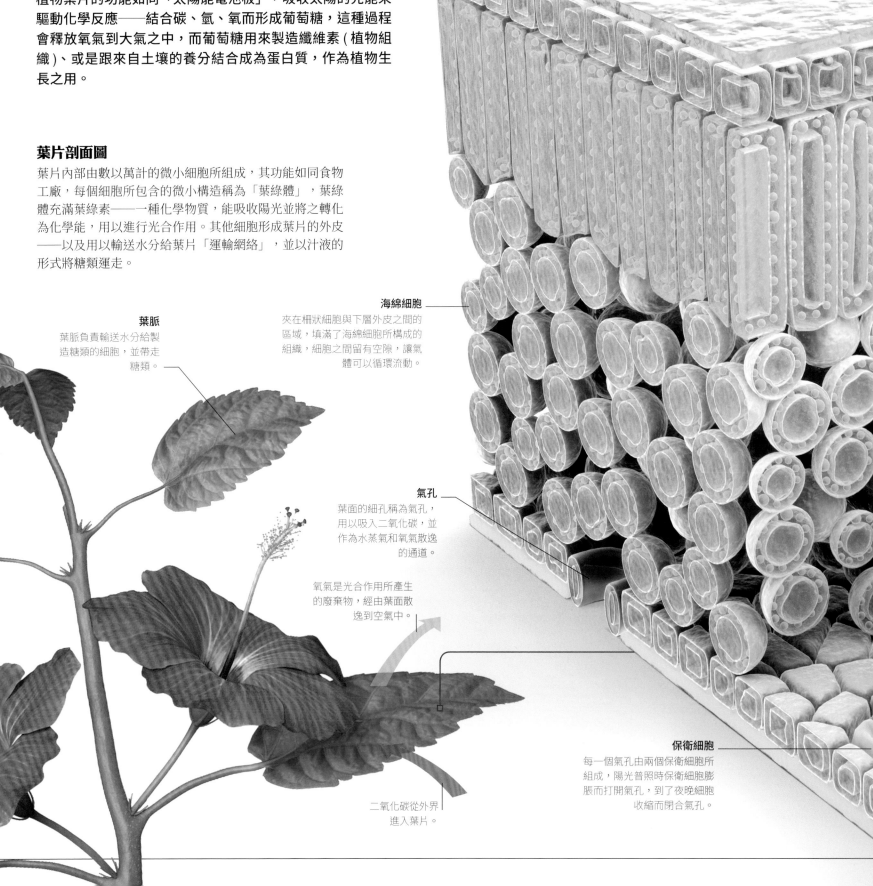

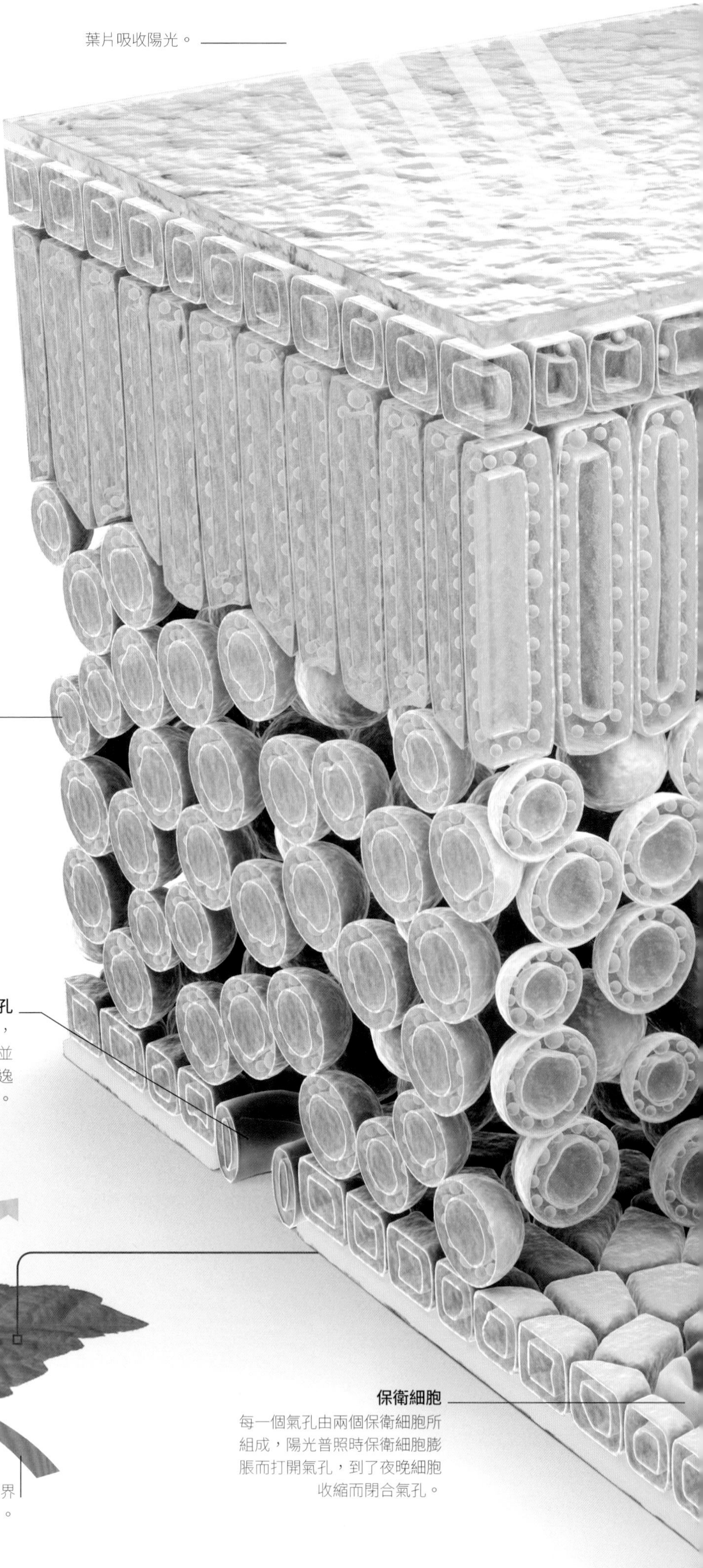

葉片吸收陽光。
海綿細胞
夾在柵狀細胞與下層外皮之間的區域，填滿了海綿細胞所構成的組織，細胞之間留有空隙，讓氣體可以循環流動。
葉脈
葉脈負責輸送水分給製造糖類的細胞，並帶走糖類。
氣孔
葉面的細孔稱為氣孔，用以吸入二氧化碳，並作為水蒸氣和氧氣散逸的通道。
氧氣是光合作用所產生的廢棄物，經由葉面散逸到空氣中。
保衛細胞
每一個氣孔由兩個保衛細胞所組成，陽光普照時保衛細胞膨脹而打開氣孔，到了夜晚細胞收縮而閉合氣孔。
二氧化碳從外界進入葉片。

植物的外觀

之所以呈現綠色，是源自於細胞中的綠色葉綠素。

角質層
角質層是透明蠟所構成的防水層，形成於葉面的上側。
上表皮
上表皮是由細胞所構成的薄層組織，這些細胞會分泌透明蠟來形成角質層，用以控制蒸發作用所造成的水分過度流失。
柵狀細胞
這種高筒狀細胞是葉片的主要食物製造者，每一個柵狀細胞都充滿葉綠體，用以吸收太陽能並製造糖類。
葉綠體
這種細小的綠色構造稱為葉綠體，用以將陽光的光能轉化為化學能，驅動水分子分裂成為氫氣和氧氣，氫氣再跟二氧化碳結合，形成葡萄糖——這就是植物自行製造的食物。
葉脈
葉脈將液體輸送到植物各部組織，每一條葉脈都是一束管狀纖維（導管）——由一連串的中空長形細胞組成，其細胞壁則是由堅固的「纖維素」所形成。
下表皮
葉片下側的表皮與蠟質角質層都比較薄——因為不須面對陽光。
木質部導管
葉脈中的一部分導管負責輸送植物從根部吸收的水分，這種根部汁液含有溶解礦物，可作為植物製造蛋白質所需的原料。
韌皮部導管
葉片所製造的糖類溶解於水中，經由韌皮部導管輸送到植物各部組織。

水道系統

在白天，植物葉片打開氣孔，讓水蒸氣散逸，再透過木質部導管從莖部和根部吸收水分，取代水蒸氣散逸所流失的水分；從土壤吸收的水分含有溶解礦物，植物需要這些礦物來建構自身的組織。上述過程稱為「蒸散作用」。

水分透過氣孔蒸發。
水分經由木質部導管輸送。
細小的根鬚從土壤中吸收水分。

氧氣工廠

植物透過光合作用製造了地球上的大部分食物、以及近乎全部的氧氣提供動物呼吸——1顆成熟樹木所釋放的氧氣，足以供應10名人類呼吸。

O_2

地球上**將近 40% 的氧氣**是由**熱帶雨林**所製造出來的。

無脊椎動物

棲息在我們周遭的陸地動物或海洋動物，大多是無脊椎動物，牠們沒有脊椎、也不具以關節互相連結的內骨骼——如同我們人類所擁有的；然而，許多無脊椎動物擁有堅硬的外骨骼，另一些物種帶有硬質外殼，但更多物種只有柔軟的肉質身體組織，完全沒有任何堅硬的骨質構造。

驚人的多樣性

無脊椎動物演化出極其驚人的多樣性，只要你能想像得到的，各種尺寸或形狀都有——從細小的蠕蟲，到龐大的「大烏賊」，其中有些物種耳熟能詳，例如那些成天在我們居家周圍嗡嗡嗚叫的昆蟲，另有一些是奇形怪狀的物種，看起來簡直像是從外星球來的！

數量最多

地球上體型最大、最常被關注的動物大多是脊椎動物——包括人類自己都是，但跟無脊椎動物驚人而多樣的物種數量相比，脊椎動物的種類其實少得微不足道。

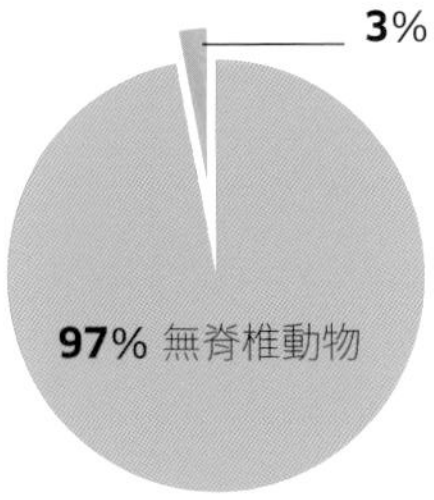

3% 脊椎動物
97% 無脊椎動物

無脊椎動物類群

「動物界」分為 35「門」，每一門再細分為數「綱」，所有脊椎動物都歸類於同一門，而其他 34 門的成員全都是無脊椎動物；此處介紹一些門或綱所涵蓋的無脊椎動物類群。

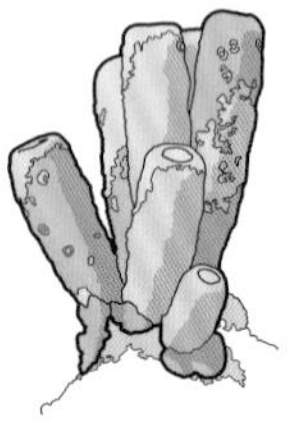

海綿動物門
約 10,000 種
看起來像植物，但海綿是所有動物之中構造最簡單的類群——牠們甚至沒有神經系統。

刺胞動物門
約 11,000 種
海葵類、水母類和珊瑚類(如圖)全都是水生動物(絕大多數為海洋動物)，牠們以布滿「刺細胞」的觸手作為武器來捕食獵物。

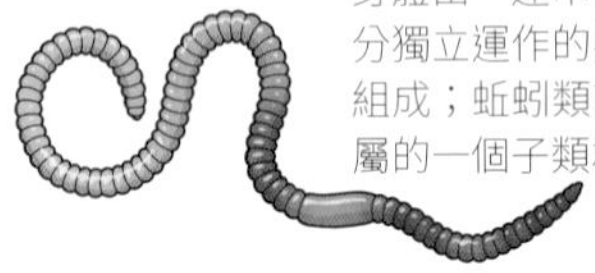

環節動物門
約 20,000 種
本門成員通稱為蠕蟲，其身體由一連串相連、但部分獨立運作的柔軟體節所組成；蚯蚓類就是本門所屬的一個子類群。

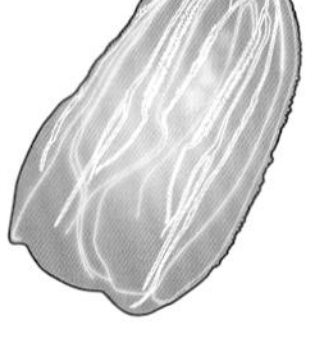

櫛水母動物門
約 200 種
櫛水母類及其近緣物種都是構造非常簡單的動物，牠們隨著洋流四處漂浮。

軟體動物門
約 110,000 種
蚌蛤類、蝸牛類和頭足類(章魚及其近親)形成這個動物界的第二大門。

昆蟲綱
約 110 萬種
昆蟲綱是節肢動物門之下的第一大子類群；昆蟲綱的物種數量，比其他所有動物類群加總起來還要多得多！

甲殼亞門
約 70,000 種
螃蟹和其他帶有甲殼、足肢分節的海洋動物，都是一般人最熟悉的甲殼動物。

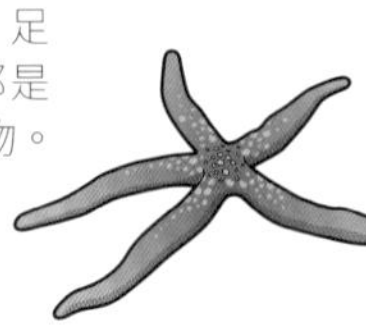

棘皮動物門
約 7,000 種
外皮具有棘刺，本門動物包括海星類、海膽類、海參類。

蛛形綱
約 103,000 種
蛛形綱與昆蟲綱同屬節肢動物門；本綱成員都是陸棲動物，包括具有毒性的蠍子類、蜘蛛類、以及其他近緣類群。

節肢動物門

這是物種數量最多的無脊椎動物類群，成員包括昆蟲類、蜘蛛類、蠍子類、以及甲殼動物類；節肢動物的成體都擁有分節的堅硬外骨骼、以及數對分節的腿肢，其中的昆蟲類還長著翅膀。

成功的演化故事

節肢動物占了所有已知動物物種的 80% 以上，牠們是地球上繁衍得最成功的動物類群，征服了所有陸地、海洋和天空。科學家每天都會發現 25 個節肢動物新物種，還有無數未知物種等待我們繼續發現。

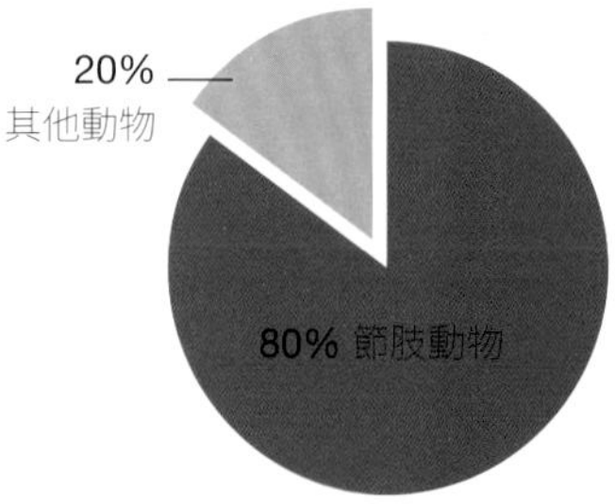

20% 其他動物
80% 節肢動物

最前方的第一對附肢，是帶有強壯螯鉗的螯肢。
每一段硬體節之間，以柔韌的關節互相連接。

內外顛倒

節肢動物成體的外骨骼由幾丁質(角質)所構成，這種物質類似構成我們指甲的成分；某些海洋甲殼動物—例如龍蝦類—的幾丁質含有白堊礦物來增加強度。外骨骼就是包覆動物柔軟身體組織的分節硬殼，相鄰體節以柔韌的薄關節彼此連結，這讓節肢動物的身體和腿肢都能活動自如。

厚實的外殼
身體包覆於裝甲般的外骨骼之中，這隻龍蝦在海床上悄悄爬行，運用強壯的螯足捕捉獵物。

緊身盔甲

堅硬的外骨骼無法伸縮，因此節肢動物必須定期褪除太緊的舊殼，並長出新殼—先冒出軟質皮膚，在硬化之前膨脹為較大尺寸—才能長得愈來愈大，這種過程稱為「蛻皮」。另一方面，許多節肢動物具有複雜的生命週期，當牠們從幼體轉變為成體的蛻皮過程，不僅會改變身體的尺寸，連形狀也會產生變化(變態)。

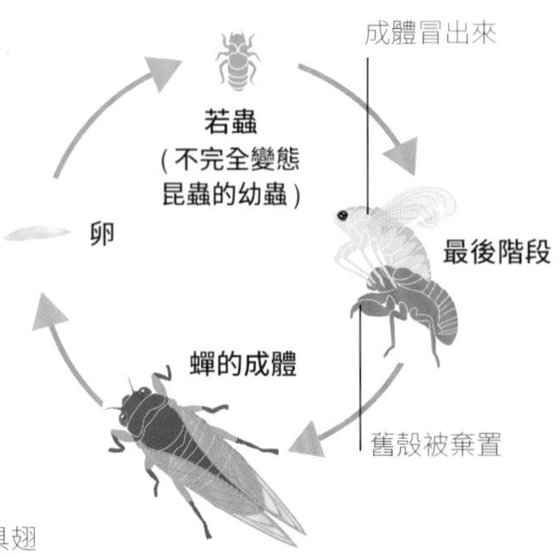

成體冒出來
若蟲
(不完全變態昆蟲的幼蟲)
卵
最後階段
蟬的成體
舊殼被棄置

蟬的生命週期
就像其他昆蟲，這隻蟬由蟲卵孵化成為不具翅膀的若蟲，最終才發育為帶有翅膀的成蟲。

固著一地的生活

許多無脊椎動物棲息於陸地，但生活在水面下的物種其實更具多樣性，有些演化出完全固著於同一地點的生活型態，牠們不必到處覓食，而是靜靜等待漂浮的食物微粒被水流帶過來，因此不需腿肢或鰭，有些物種終其一生根本完全不曾移動過。這類成體完全固著一地生活的無脊椎動物，其實更像植物——而不是典型的動物。

誘捕與螫刺

有些海洋無脊椎動物—例如海綿、貽貝、以及許多蚌蛤類—會抽水流經身體，再從中篩濾出可食用微粒。還有一些動物會在水中「撒網」來捕食小型動物，例如海葵和珊瑚，牠們伸出帶有毒性刺細胞的環狀排列觸手，用以螫昏、甚至殺死小型魚類。

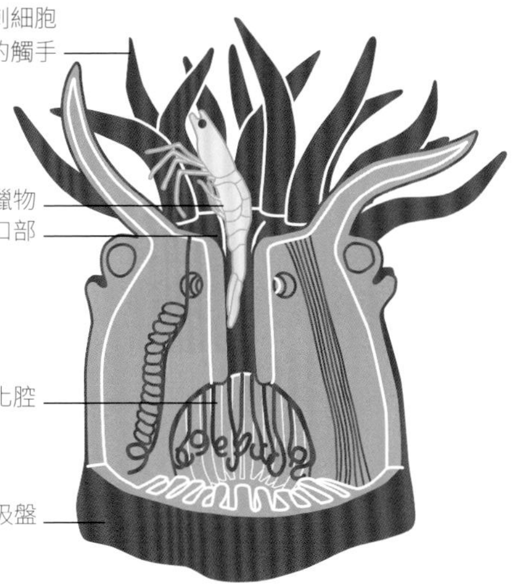

帶有刺細胞的觸手
獵物口部
消化腔
基部吸盤

致命皇冠

這隻海葵的圓桶狀身體周圍環繞著一圈觸手，狀如皇冠，觸手上帶有致命的刺細胞。

無脊椎動物大多尺寸細小，但**大烏賊可以長到**驚人的 **8 公尺長**——相當於 **3 頭大象的體長**。

奇妙的形態

許多無脊椎動物—例如昆蟲—擁有我們所熟悉的形態，包括頭部長著一個腦袋、配上兩隻眼睛、身體連接著成對附肢和成對翅膀；然而，還有一些無脊椎動物具有非常不同的身體構造。

星星與吸盤

棘皮動物—例如這隻海星—的成體，其身體呈輻射對稱狀—排列方式跟輪輻類似—牠們不具頭部，口部則是長在身體正中央。至於章魚或烏賊之類的頭足綱動物，身體構造也相當奇妙，其觸手表面布滿強壯的吸盤，觸手從頭部周圍向外伸出，環繞著位於中央的口部。

重度武裝

章魚遍布全球海洋，牠們相當聰明，運用帶有吸盤的強壯觸手來捕捉獵物。

觸手
吸盤

保護性的外殼

許多軟體動物擁有外殼保護柔軟的身體組織，外殼由碳酸鈣所構成；蝸牛及其近緣物種擁有單殼，而蛤蜊之類的雙殼貝類擁有鉸接的雙殼，當這些動物成長時，會在外殼加上一層碳酸鈣，讓外殼跟著長大；此外，這些外殼通常具有一層散發光澤的漂亮裡襯，稱為「珍珠層」。

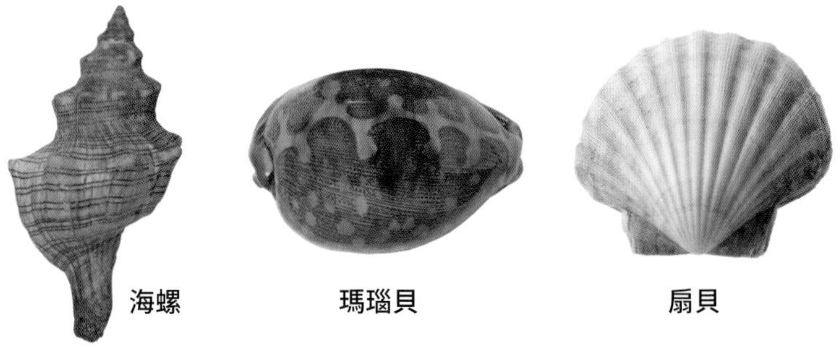

海螺　瑪瑙貝　扇貝

群體生活

許多海洋無脊椎動物終生固著於同一地點生活，但牠們組成大型群落——許多動物個體選擇相同地點定居下來，其中有的只是因為該處是理想的棲地，而另有一些形成群落的無脊椎動物，則是彼此連結在一起生活，就像樹木的分枝一樣，牠們共享體液循環，卻擁有獨立的口部或消化系統。

貽貝群落

這些貽貝定居在岩質潮間帶，當海水漲潮時，為牠們帶來豐盛的食物；然而，貽貝個體之間並不相連，牠們只是找到相同的生活環境。

緊密聚攏

貽貝運用強壯的「絲足」抓住礁岩，海水退潮時牠們的外殼緊密聚攏，目的是避免身體乾枯。

海底花園

造礁珊瑚棲息於溫暖而透光的熱帶淺水海域——就在比潮汐高潮線還低一點的位置。

造礁珊瑚

這處珊瑚礁是某種造礁珊瑚的珊瑚蟲彼此連結所形成的聚落，珊瑚蟲狀如小型海葵，雖然獨力覓食，但同一種珊瑚蟲所分泌的碳酸鈣，會一起構成特定形狀的外骨骼——珊瑚礁。

浮游群落

有些無脊椎動物群落看起來很像單一動物，例如圖中的僧帽水母，牠們像是一隻水母，實際上卻是彼此相連的動物群落，群落之中的每一個體專司特定功能——有一隻的功能形同浮筒，另一些個體負責收集食物、保衛群落、或是繁殖後代。

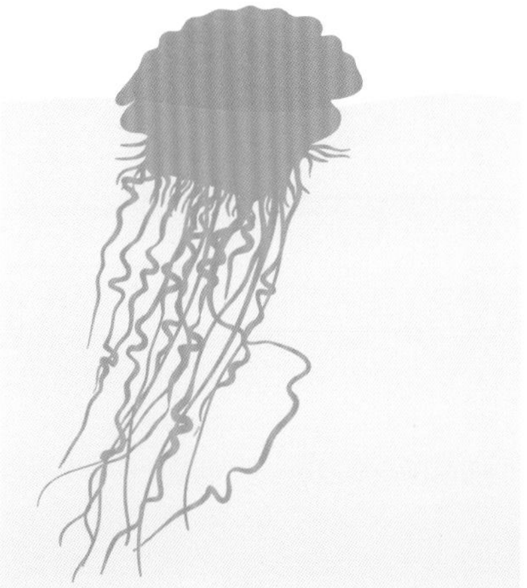

帶有刺細胞的觸手

僧帽水母漂浮於海面，拖著具有毒性的長觸手，用以誘捕獵物。

史上體型**最大的昆蟲**是早已滅絕的**巨蜻蜓**，其翼展可達75公分寬。

昆蟲

不論就物種數量或族群數量而言，昆蟲都比地球上其他動物的總數還多得多！牠們堪稱地球最成功的生物類群。

科學家已經命名並描述的昆蟲物種，總數超過 100 萬種，而且每年還會持續發現數千個新物種。這得要歸功於昆蟲驚人的適應能力，因此能在所有陸地棲所興盛繁衍，並於全球生態系統之中扮演關鍵的角色——昆蟲回收死亡植物或動物的遺骸，為開花植物傳粉，也為許多動物提供食物來源；事實上，昆蟲對地球生物的生存至關重大，一旦牠們消失了，連我們人類都無法存活。

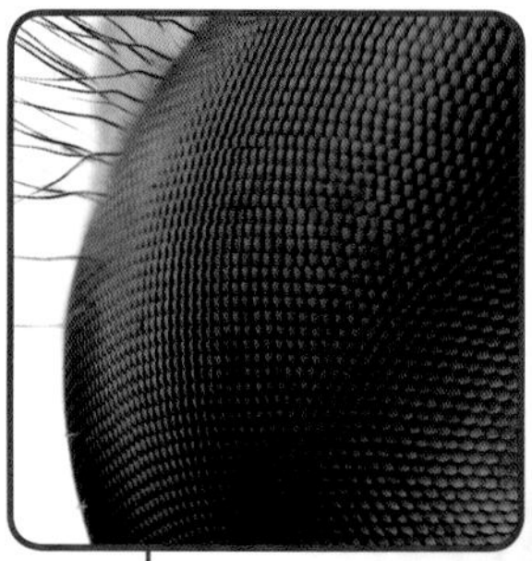

複眼
昆蟲的眼睛都是「複眼」，每一隻複眼由數千顆「小眼」所組成，小眼具有獨立的一組「光感測器」，用以鎖定單一顏色點觀看，再由所有單點組合成「馬賽克」影像；小眼愈多，昆蟲所看到的影像就愈清楚，而且這種複眼對於周遭的「動作」非常敏感。

敏銳的剛毛
昆蟲的身體帶有纖細而敏銳的剛毛，幫助牠們偵測周遭環境中的空氣振動。

觸角
長觸角被神經末梢所包覆，用來偵測化學訊號；有些昆蟲能夠嗅出 1.6 公里之外的氣味。

頭部
昆蟲的頭部狀似堅固的「膠囊」，包含大腦和大部分感覺器官，靈活的頸關節讓頭部自由轉動。

足爪
每一足都帶有銳利的足爪，用以攀爬或捕捉獵物；有些昆蟲—例如麗蠅類—還具有黏答答的足墊。

胸部
昆蟲身體的中間節稱為胸部，帶有足肢和翅膀，大多數昆蟲的胸部塞滿強壯的翅肌。

細腰
黃蜂必須捲曲尾部才能使用螫刺，因此發展出柔韌的「細腰」。

足肢
昆蟲的足肢由分節的硬挺中空管所構成，各節之間由柔韌的關節連接，昆蟲運用中空管內部的肌肉來控制足肢。

昆蟲的解剖構造

昆蟲是數量最多的節肢動物—擁有堅硬外骨骼與分節腿肢的動物—所有昆蟲成體的身體都分成 3 部分：頭部、胸部和腹部，並擁有 3 對足、以及 1 ~ 2 對翅膀，但牠們的幼體—幼蟲或若蟲 (不完全變態昆蟲的幼蟲) —則是長得跟成蟲非常不同。

口器
昆蟲的嘴部稱為口器，圖中這隻黃蜂的口器具有銳利而堅硬的邊緣，用以切碎獵物。其他昆蟲也有口器，但不同昆蟲的口器高度特化，用以舔食液體、吸吮花蜜、甚至吸血。

翅膀
昆蟲的成體大多具有翅膀，構成牠們平板狀翅膀的成分為幾丁質——這種高強度物質也構成外骨骼；昆蟲運用胸部的翅肌來拍動翅膀。
翅脈
翅膀表面的纖細管狀網絡稱為翅脈，其功能是讓翅膀變得更為硬挺，不會因為飛行時的收縮或扭曲而變形、瓦解。
示警圖案
黑黃相間的高反差鮮豔條紋用以警告掠食鳥類，黃蜂的尾部可是具有致命螫刺，千萬別輕易招惹！
腹部
昆蟲柔韌的腹部涵蓋大部分主要器官，例如胃部。
致命螫刺
大部分昆蟲沒有配備「武器」，但黃蜂尾部帶有一根螫刺，可用以殺死獵物或自我防衛。

73% 的已知動物物種屬於昆蟲類——而昆蟲之中又有將近一半物種是甲蟲類。

關鍵特徵

昆蟲成體的形狀和尺寸非常多變，但幾乎所有昆蟲都具有一些共同特徵。

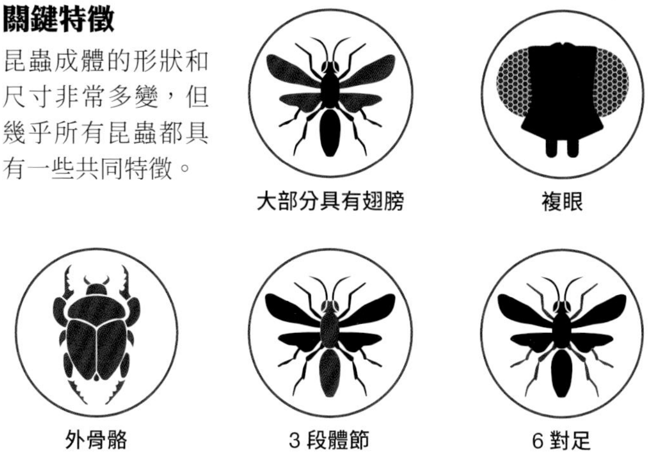
大部分具有翅膀
複眼
外骨骼
3 段體節
6 對足

主要類群

昆蟲綱之下分為29「目」，每一目的成員都擁有一些共同特徵，以下列出幾個最主要的目。

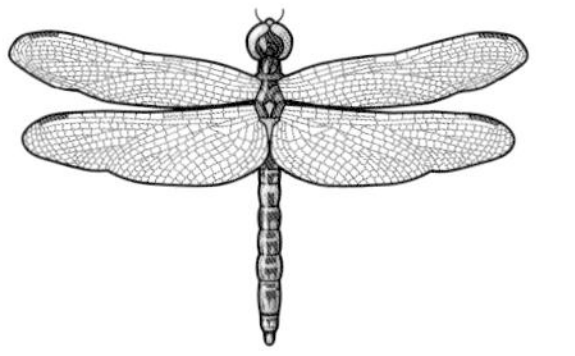

蜻蜓目：蜻蜓類和豆娘類
約 5,600 種
大眼睛、大翅膀、身體細長。

鞘翅目：甲蟲類
約 370,000 種
前翅硬化(稱為鞘翅)，用以覆蓋、保護後翅。

鱗翅目：蝶類和蛾類
約 165,000 種
專門吸蜜的口器，身體和翅膀都覆蓋著部分交疊的纖細鱗片。

半翅目：蝽類
約 88,000 種
兩對翅膀、用以刺穿與吸食的長形口器。

雙翅目：蚊蠅類
約 150,000 種
只有一對翅膀具有飛行功能，另一對翅膀退化成為小型平衡器。

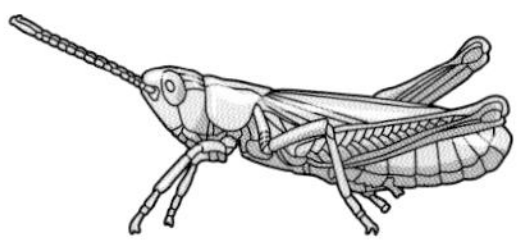

直翅目：蟋蟀類和蚱蜢類
約 25,000 種
強壯的後足、具有咀嚼功能的口器。

膜翅目：蟻類、蜂類、黃蜂類
約 198,000 種
具有「細腰」，許多物種組成大規模群落。

把地球上的所有昆蟲**分給所有人口**，每人將可獲得**2億隻昆蟲**。

在墨西哥，上百萬隻帝王斑蝶每年都會遷徙到相同的樹木上過冬。

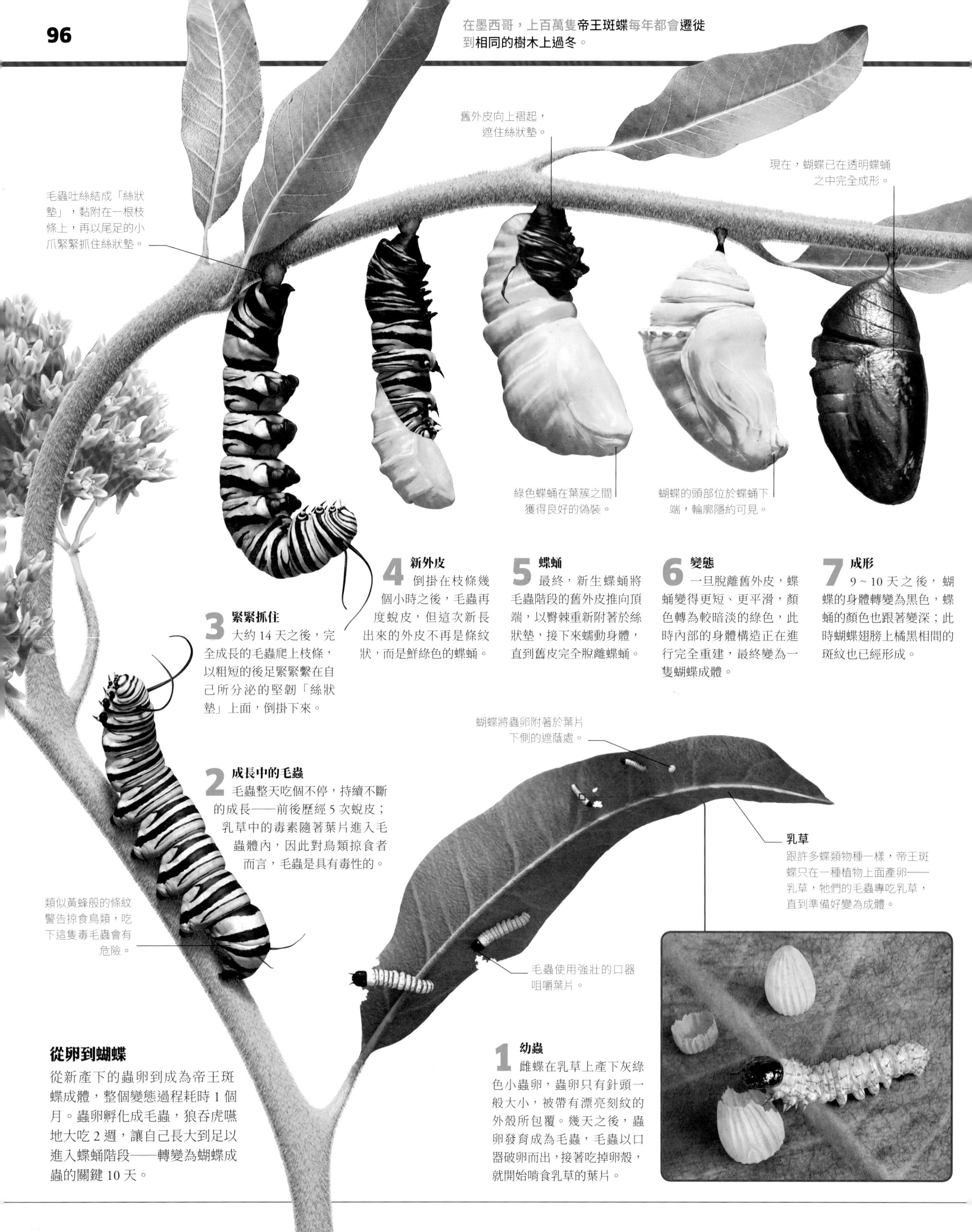
舊外皮向上褶起，
遮住絲狀墊。
現在，蝴蝶已在透明蝶蛹
之中完全成形。
毛蟲吐絲結成「絲狀
墊」，黏附在一根枝
條上，再以尾足的小
爪緊緊抓住絲狀墊。
綠色蝶蛹在葉簇之間
獲得良好的偽裝。
蝴蝶的頭部位於蝶蛹下
端，輪廓隱約可見。
蝴蝶將蟲卵附著於葉片
下側的遮蔭處。
類似黃蜂般的條紋
警告掠食鳥類，吃
下這隻毒毛蟲會有
危險。
毛蟲使用強壯的口器
咀嚼葉片。

4 新外皮
倒掛在枝條幾個小時之後，毛蟲再度蛻皮，但這次新長出來的外皮不再是條紋狀，而是鮮綠色的蝶蛹。

5 蝶蛹
最終，新生蝶蛹將毛蟲階段的舊外皮推向頂端，以臀棘重新附著於絲狀墊，接下來蠕動身體，直到舊皮完全脫離蝶蛹。

6 變態
一旦脫離舊外皮，蝶蛹變得更短、更平滑，顏色轉為較暗淡的綠色，此時內部的身體構造正在進行完全重建，最終變為一隻蝴蝶成體。

7 成形
9～10 天之後，蝴蝶的身體轉變為黑色，蝶蛹的顏色也跟著變深；此時蝴蝶翅膀上橘黑相間的斑紋也已經形成。

3 緊緊抓住
大約 14 天之後，完全成長的毛蟲爬上枝條，以粗短的後足緊緊繫在自己所分泌的堅韌「絲狀墊」上面，倒掛下來。

2 成長中的毛蟲
毛蟲整天吃個不停，持續不斷的成長——前後歷經 5 次蛻皮；乳草中的毒素隨著葉片進入毛蟲體內，因此對鳥類掠食者而言，毛蟲是具有毒性的。

乳草
跟許多蝶類物種一樣，帝王斑蝶只在一種植物上面產卵——乳草，牠們的毛蟲專吃乳草，直到準備好變為成體。

從卵到蝴蝶

從新產下的蟲卵到成為帝王斑蝶成體，整個變態過程耗時 1 個月。蟲卵孵化成毛蟲，狼吞虎嚥地大吃 2 週，讓自己長大到足以進入蝶蛹階段——轉變為蝴蝶成蟲的關鍵 10 天。

1 幼蟲
雌蝶在乳草上產下灰綠色小蟲卵，蟲卵只有針頭一般大小，被帶有漂亮刻紋的外殼所包覆。幾天之後，蟲卵發育成為毛蟲，毛蟲以口器破卵而出，接著吃掉卵殼，就開始啃食乳草的葉片。

30天——這是典型帝王斑蝶成體的壽命，但遷徙到南方過冬的成體可以活到 8 個月。

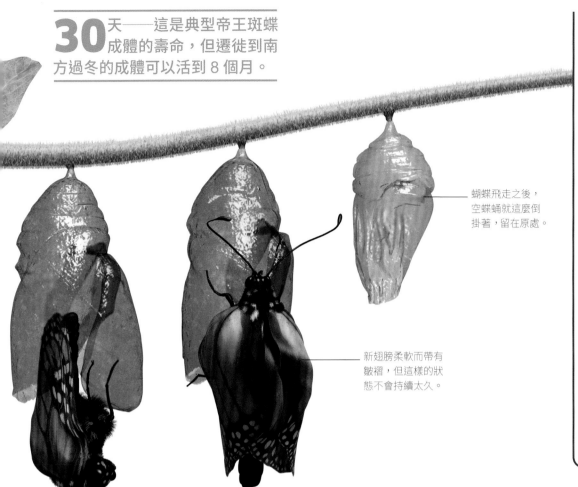

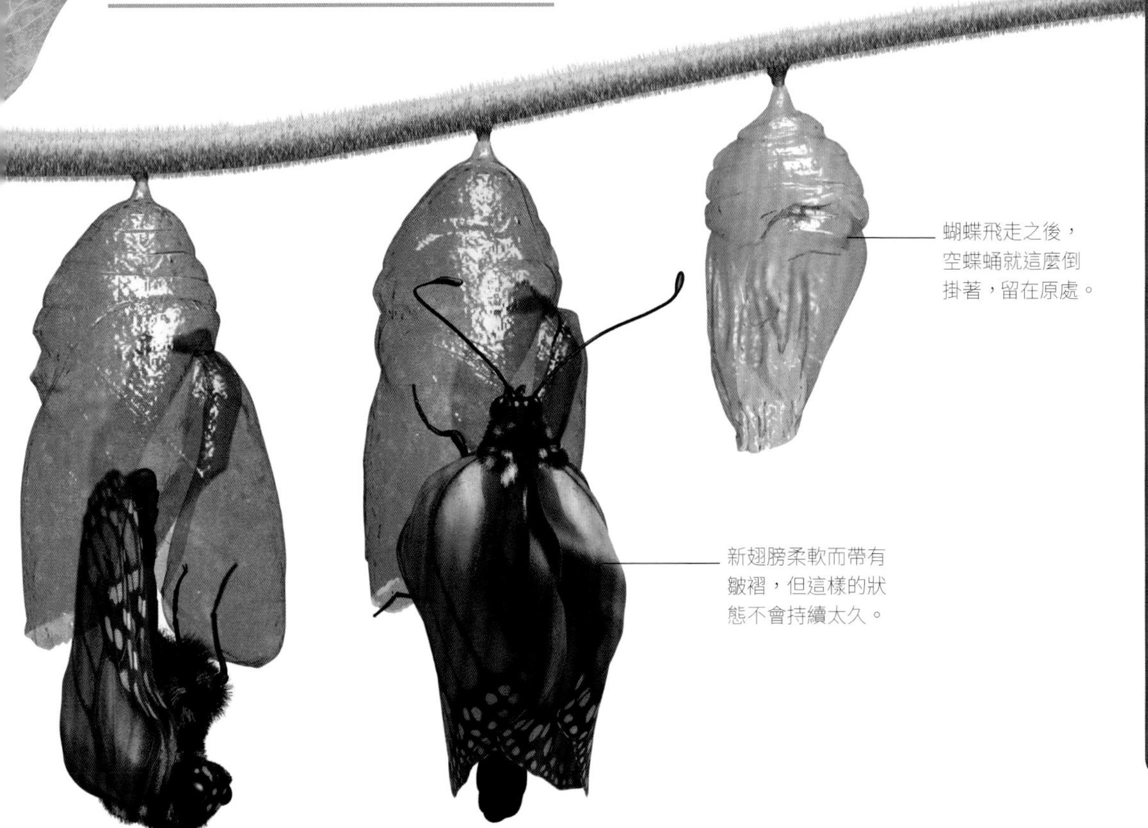
蝴蝶飛走之後，空蝶蛹就這麼倒掛著，留在原處。
新翅膀柔軟而帶有皺褶，但這樣的狀態不會持續太久。

8 蝶蛹裂開
身體轉為黑色之後不久，蝶蛹從底部附近裂開，蝴蝶開始設法把身體擠出來，牠的身體一開始看起來有些臃腫，而翅膀似乎也太小，但很快地，蝴蝶的形狀又起了變化。

9 撐開翅膀
蝴蝶把身體中的體液灌注到翅膀的中空翅脈，讓翅膀擴展到完全尺寸，這個過程需時 20 分鐘左右；接下來，蝴蝶必須靜靜等待自己的翅膀變乾、變硬。

非凡的遷徙旅程

在墨西哥與加州的溫暖樹林中，帝王斑蝶以冬眠狀態度過整個冬季，春天到來時牠們甦醒，接下來朝北飛行，尋找乳草—這種植物不長在溫暖的南方—產卵並死亡，下一代斑蝶繼續朝向北方遷徙，並重覆第一代斑蝶的生命過程，如此過了兩代之後才能飛抵加拿大邊界；到了冬天，第四代斑蝶將會再度遷徙、一路飛回南方過冬——縱向飛越整個美國。

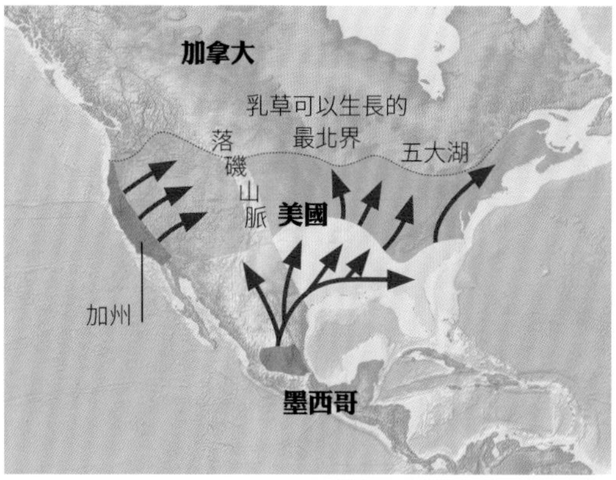
加拿大
乳草可以生長的最北界
五大湖
落磯山脈
美國
加州
墨西哥

圖例
夏季棲地　冬季棲地
春季棲地　朝向北方遷徙

帝王斑蝶的生命週期

美麗的帝王斑蝶，從不具翅膀的毛蟲開啟生命週期，在此階段牠們不停的進食，最後經過「變態」過程，才能變成蝴蝶——這是自然界最具戲劇性的變化之一。

有些昆蟲一孵化就是親代（父母）的迷你版，在成長過程中必須不斷蛻除硬質外骨骼（蛻皮），這種方式既困難又危險。另有許多昆蟲—例如蝶類、蛾類、甲蟲類和蠅類—演化出更好的成長方式，牠們以幼蟲（蝶類的幼蟲稱為毛蟲）階段度過所有成長過程，幼蟲的形狀如同一小段香腸，更容易蛻除外皮，當幼蟲完全成長，就會進入「蛹」（蝶類的蛹稱為蝶蛹）的階段，在此階段牠們經歷「變態」過程，長成一隻具有翅膀的成體。

觸角
長觸角主要用來偵測氣味——例如充滿花蜜香氣的花朵。
眼睛
跟其他昆蟲成體一樣，蝴蝶也擁有大量小眼所構成的複眼。
警示體色
蝴蝶成體仍然保有延續自毛蟲階段的毒性，而鮮亮的體色就是用來提醒鳥類這件事！
覆蓋鱗片的翅膀
細小鱗片像屋瓦一樣覆蓋翅膀——這就是蝴蝶翅膀顏色的來源。

10 蝴蝶成體
經過 2 個小時的「羽化」過程，新生的帝王斑蝶準備進行第一次飛行，牠收縮雙翅熱身個幾次，接著飛向空中；這隻帝王斑蝶將會找到花蜜食用，尋找配偶繁殖，創造出新一代的毛蟲。

脊椎動物

生活在我們周遭那些最顯眼的動物，大多是脊椎動物，脊椎動物擁有內骨骼和柔韌的脊椎骨，包括哺乳動物(人類也是)、鳥類、爬行動物、兩棲動物、以及3大類群的魚類都是。跟無脊椎動物廣大的多樣性相比，脊椎動物的物種數量相對少得多 ，但後者涵蓋現存體型最大的陸地動物與海洋動物、以及曾經存活於地球的最大史前動物——龐大的恐龍！

僅占所有動物物種的3%

科學家將所有動物歸類於31個主要類群——門，其中「脊索動物門」就包含了全部的脊椎動物物種，而這只占了所有現存動物物種數量的3%，其餘97%都是無脊椎動物，然而跟脊椎動物相比，後者的尺寸顯得很小，所需的生存空間也遠遠不及典型脊椎動物。

脊椎動物類群

脊椎動物普遍被我們歸類於5大類群：哺乳動物、鳥類、爬行動物、兩棲動物、以及魚類，但魚類只是剛好都棲息在水域、以鰓呼吸、而且具有類似的身體構造(有鰭無腿)，事實上魚類分屬3個非常不同的類群。因此，科學家將所有脊椎動物分成7個主要類群，再加上只具有脊索(脊椎的前質)的動物類群，就構成了整個脊索動物門；本門大部分成員是脊椎動物，牠們在演化的很早期階段，就發展出脊椎來代替脊索。

身體構造

除了比較原始的一些無頜魚類，所有脊椎動物都擁有一連串小骨頭連結而成的脊椎、以及堅固的顱骨，而魚類還發展出額外的骨質構造，來支撐鰓部或強化魚鰭。所有脊椎動物—包括蛇類和鯨類—都演化自最早發展出四肢的陸地脊椎動物祖先——四足類

四足類

現代肺魚類和腔棘魚類都屬於一個古老的魚類類群，牠們擁有以堅硬骨頭支撐的肉質魚鰭；大約3億8,000萬年前，一些肉鰭魚類生存於淡水沼澤，牠們開始運用肉鰭作為腿肢移動，最後終於爬出水面，成為最早期的兩棲動物。

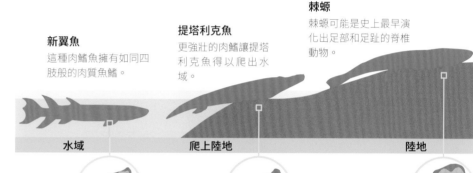

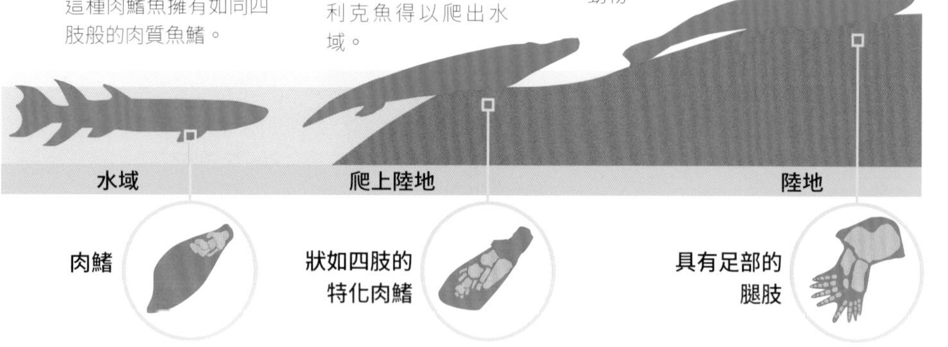
新翼魚
這種肉鰭魚擁有如同四肢般的肉質魚鰭。
提塔利克魚
更強壯的肉鰭讓提塔利克魚得以爬出水域。
棘螈
棘螈可能是史上最早演化出足部和足趾的脊椎動物。
水域
爬上陸地
陸地
肉鰭
狀如四肢的特化肉鰭
具有足部的腿肢

超大型動物

不論現代動物或史前動物，地球上曾經存在過的最大型動物都是脊椎動物，主要原因在於脊椎動物擁有強壯的內骨骼，得以支撐龐大的體重，有些早已滅絕的恐龍—例如阿根廷龍—或許已經長到陸地動物的最大極限，目前已知唯一比牠們更重的動物是藍鯨——但藍鯨仰賴水體的浮力來支撐身體。

超級比一比

除了鯨類，體型最大的現存脊椎動物包括鯊魚、大象、犀牛、長頸鹿、熊類和大型貓科動物，但這些動物跟早已滅絕的恐龍相比，簡直都成了侏儒！

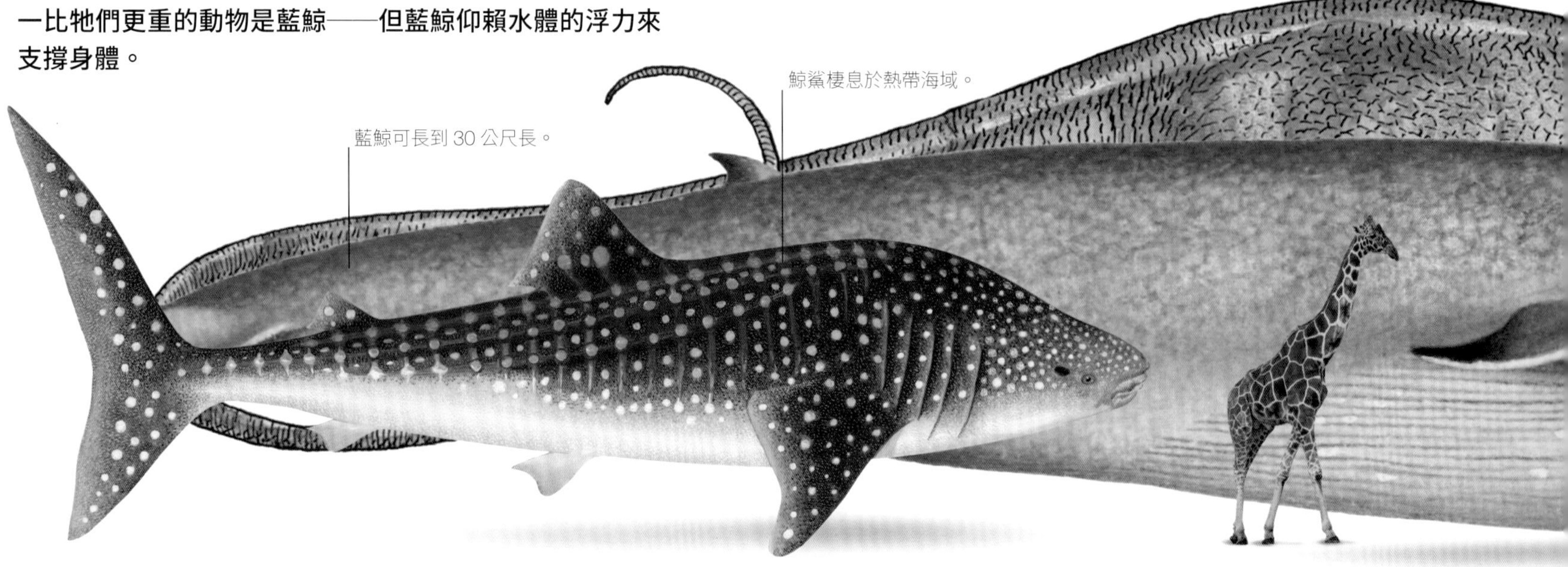
鯨鯊棲息於熱帶海域。
藍鯨可長到30公尺長。

梁龍
史上體型最大的恐龍之一，植食性的梁龍可以長到36公尺長，存活於侏羅紀時代——大約是1億5,000萬年前。

藍鯨
藍鯨可能是有史以來最重的動物，體重高達170噸；單是牠的心臟尺寸，就等同於一輛小汽車。

鯨鯊
這是世界上最大的魚類(鯨類是哺乳動物)，鯨鯊可長到12公尺長，雖然也是鯊魚家族的成員之一，但牠們濾食小魚和小蝦般的生物。

長頸鹿
不可思議的長頸子造就長頸鹿高達6公尺的身高，比任何其他動物都還高——甚至是大象。

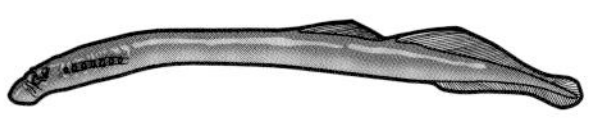

無頷魚類
43 種
外觀像鰻魚的七鰓鰻類不具骨質下頜，長得很像最早演化出來的史前脊椎動物。

軟骨魚類
約 1,200 種
鯊魚類、銀鮫類、魟類和鰩類，牠們的骨骼由軟骨所組成。

硬骨魚類
約 32,300 種
骨骼由硬骨所組成；絕大部分魚類都硬骨魚，包括鮭魚類、鯡魚類……等等。

兩棲動物
約 6,650 種
蛙類、蠑螈類、水螈類，牠們具有潮濕的薄皮膚，通常在水域繁殖。

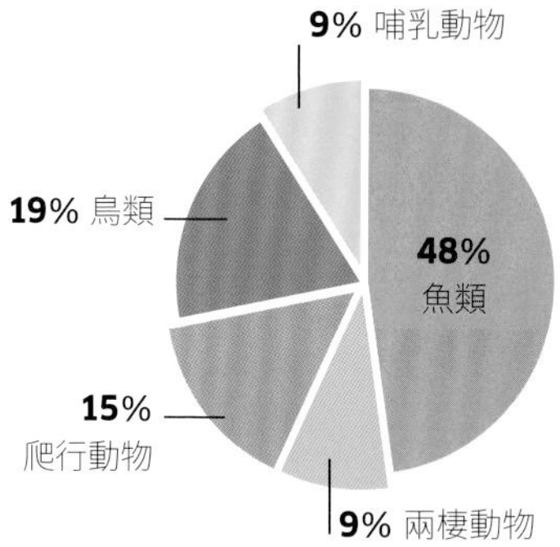

9% 哺乳動物
19% 鳥類
48% 魚類
15% 爬行動物
9% 兩棲動物

物種數量分析
總計約有 64,000 種脊椎動物已被科學家命名、描述，其中將近半數物種是各式各樣的魚類。

哺乳動物
約 5,400 種
溫血(內溫)型、通常具有毛皮或毛髮的脊椎動物，分泌乳汁餵養幼獸。

爬行動物
約 9,400 種
冷血(外溫)型脊椎動物，擁有乾燥的覆鱗外皮，成員包括鱷類、蜥蜴類、龜類和蛇類。

鳥類
約 10,200 種
適應飛行的生活型態，鳥類是溫血型、擁有羽毛的脊椎動物；鳥類從無法飛行的恐龍類群演化而來。

內骨骼

魚類—例如這條鯊魚—的身體由水體幫助支撐，因此不需能夠承重的骨骼，骨骼的主要功能只是保護並支撐脆弱的器官——例如腦部和腮部，並用以固定肌肉。然而，陸地脊椎動物—例如這隻狗—的骨骼就必須支撐本身的體重，因此牠們的骨頭—尤其是腿骨—發展得比魚類更強壯。

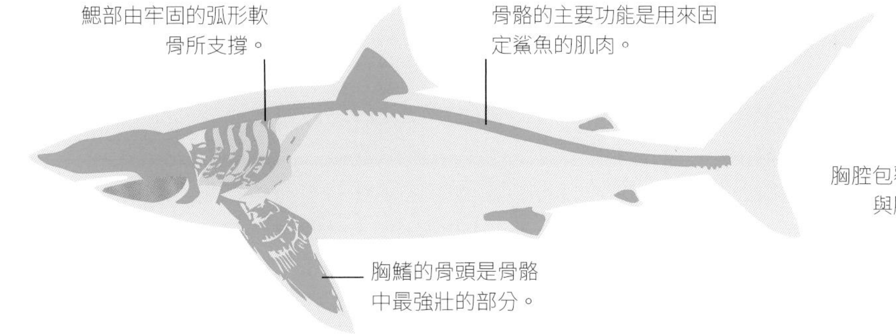

鰓部由牢固的弧形軟骨所支撐。
骨骼的主要功能是用來固定鯊魚的肌肉。
胸鰭的骨頭是骨骼中最強壯的部分。

鯊魚
鯊魚不須以魚鰭支撐自身重量，因此其骨骼可由柔韌的軟骨—我們的耳骨就是軟骨—所構成，牠們魚鰭中的鰭條(骨)甚至不跟脊椎相連。

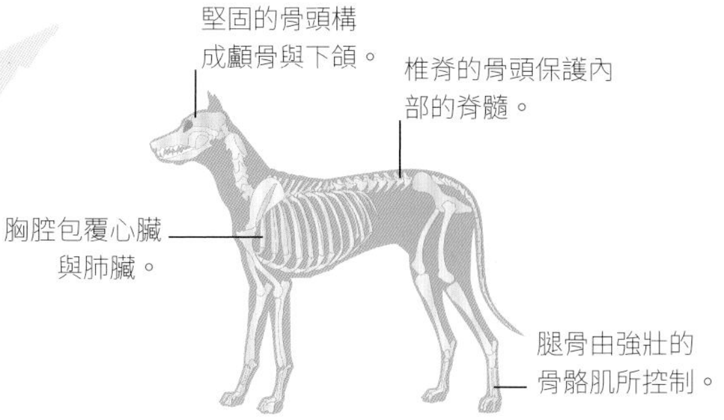

堅固的骨頭構成顱骨與下頜。
椎脊的骨頭保護內部的脊髓。
胸腔包覆心臟與肺臟。
腿骨由強壯的骨骼肌所控制。

狗
這隻狗身上的所有骨頭全都互相連結，構成一副能夠承受重量的強壯骨骼，並用以保護主要器官。

出土的**梁龍遺骸**顯示，牠們的**體長**可以長到**36公尺**——大概是**3輛巴士**連在一起的長度。

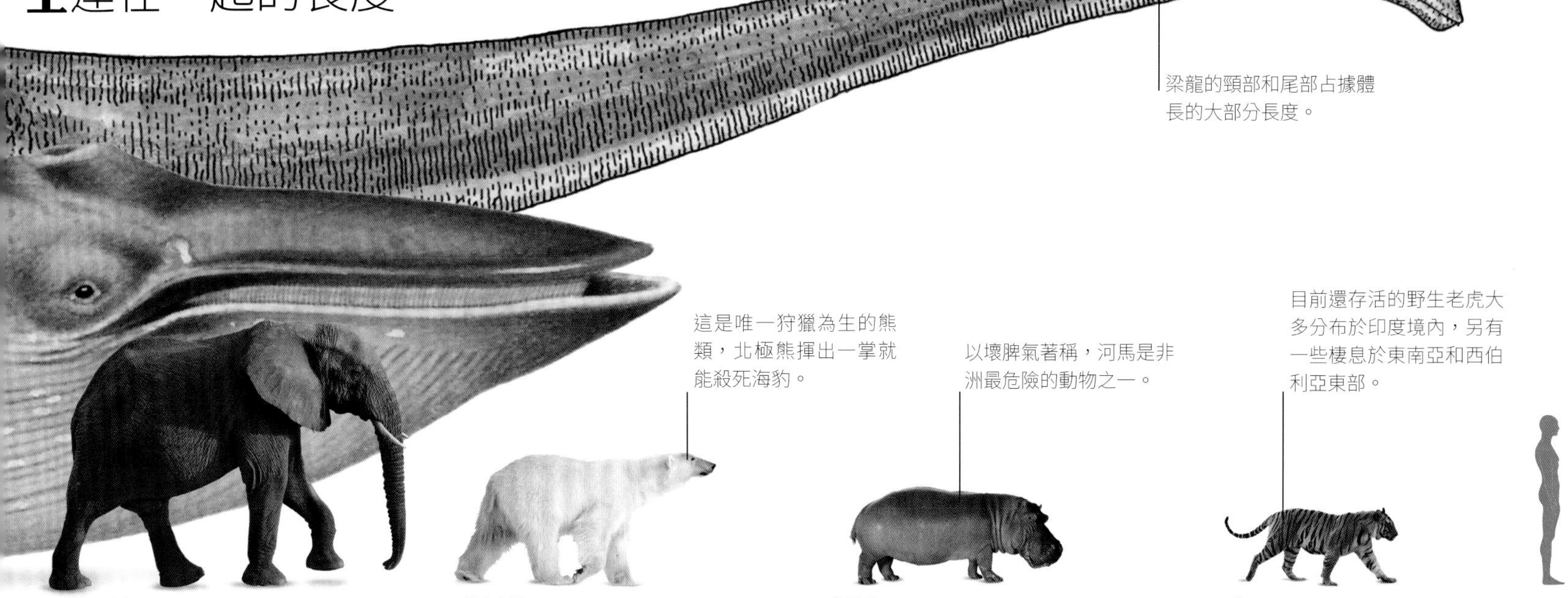

梁龍的頸部和尾部占據體長的大部分長度。
這是唯一狩獵為生的熊類，北極熊揮出一掌就能殺死海豹。
以壞脾氣著稱，河馬是非洲最危險的動物之一。
目前還存活的野生老虎大多分布於印度境內，另有一些棲息於東南亞和西伯利亞東部。

非洲象
成年非洲公象可以長到 10 噸重，牠們是現存體型最大的陸棲動物——但許多史前恐龍的體型比非洲象更大。

北極熊
身形厚實的北極熊是體型最大的肉食性陸棲動物，公熊可長到 700 公斤重。

河馬
河馬是體型最大、最重的陸棲哺乳動物之一，可長到 3 公噸重；跟牠們親緣關係最相近的動物類群就是鯨類。

虎
體型最大的貓科動物，老虎可以長到 3.3 公尺長(從頭到尾)，牠們是可怕的掠食動物，但目前在野外相當罕見。

有些魚類棲息於全世界最深的海域——位於海平面之下11公里。

魚類

魚類是最早演化出脊椎的動物類群，牠們占據現存脊椎動物之中將近一半的物種數量，其中包括許多地球上最壯觀的動物。

魚類是棲息於水面下的脊椎動物，牠們的祖先大約在 5 億 3,000 萬年前演化出來。同樣生活在水域的其他脊椎動物—包括鯨類和海豹類—必須浮出水面呼吸，許多特徵顯示，這兩類動物的祖先是來自陸地；相反的，魚類的骨骼、內臟、鰓部、外皮、肌肉、以及感官，都是為了水棲生活型態而建構的，而且效率驚人！

魚類特徵

不同魚類雖然在尺寸、形狀、習性、甚至基本生理構造都有很大差異，但幾乎所有魚類物種都共享一些關鍵特徵。

脊椎動物

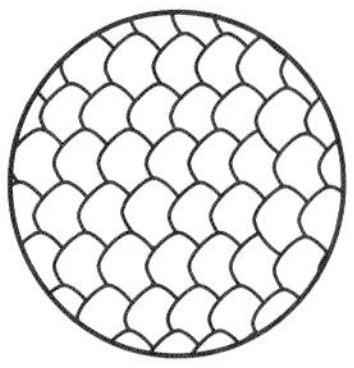
覆鱗外皮

用鰓呼吸

棲息於水域

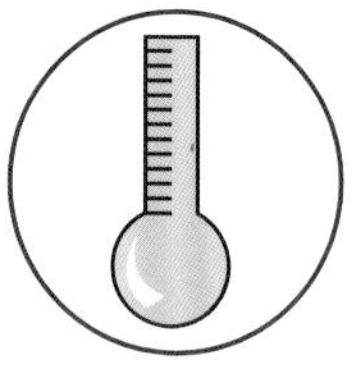
冷血型(外溫型)

魚類的分類

魚類涵蓋 3 個非常不同的分類群，各類群之間的親緣關係並不相近，只不過都是生活在水域，因此發展出一些相同的適應性演化。魚類 3 大類群包括：少數存活至今的無頷魚類、硬骨魚類 (物種數量遠比其他 2 類群更多)、以及軟骨魚類 (例如鯊魚)。

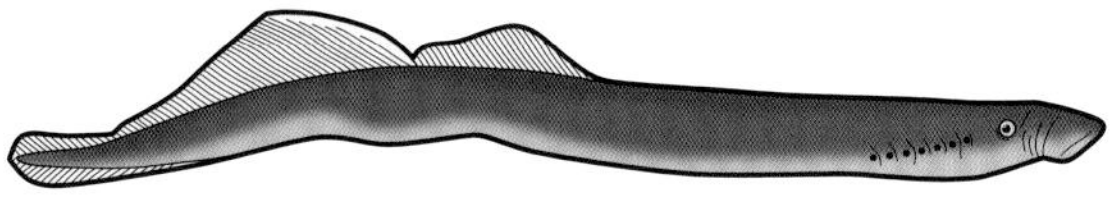

無頷魚類
這是最早演化出來的魚類，其嘴部只有肌肉，不具下頜骨，牠們過去分屬許多子類群，但現存物種只剩 43 種七鰓鰻；無頷魚擁有圓形吸盤狀口器，周圍排列著挫刀般的牙齒。

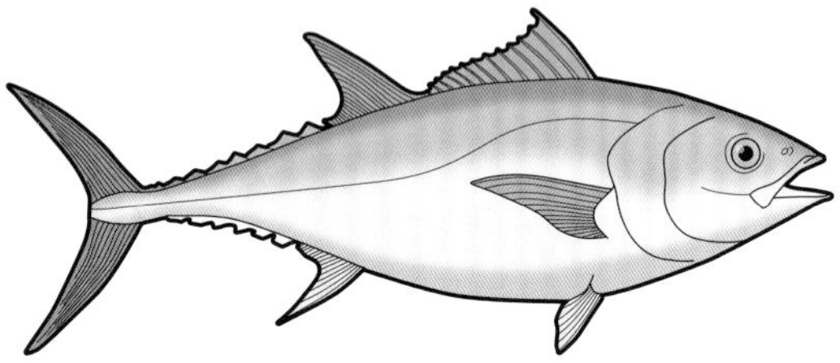

硬骨魚類
現存硬骨魚類至少有 32,300 個物種，牠們的骨骼由硬骨所組成，但身形構造非常多樣化，例如鰻魚、比目魚、海馬都長得不一樣，然而牠們全部具有流線體形——例如圖中這條金槍魚 (鮪魚)。

軟骨魚類
涵蓋 1,200 種左右的鯊魚、魟、鰩和銀鮫，牠們的骨骼由柔韌的軟骨所組成，許多鯊魚—包括圖中這隻尖吻鯖鯊—都是高效率的掠食動物。

魚類的身體構造

幾乎所有魚類的生命史完全在水面下度過，牠們運用鰓部從水中吸收溶氧，其身體重量主要由水體所支撐，因此肌肉與骨骼的主要功能就是移動，而魚鰭用以幫助游動並操縱方向。典型魚類的外觀呈流線形，這讓牠們盡可能消耗最少的能量，就可以穿梭於水域之間。

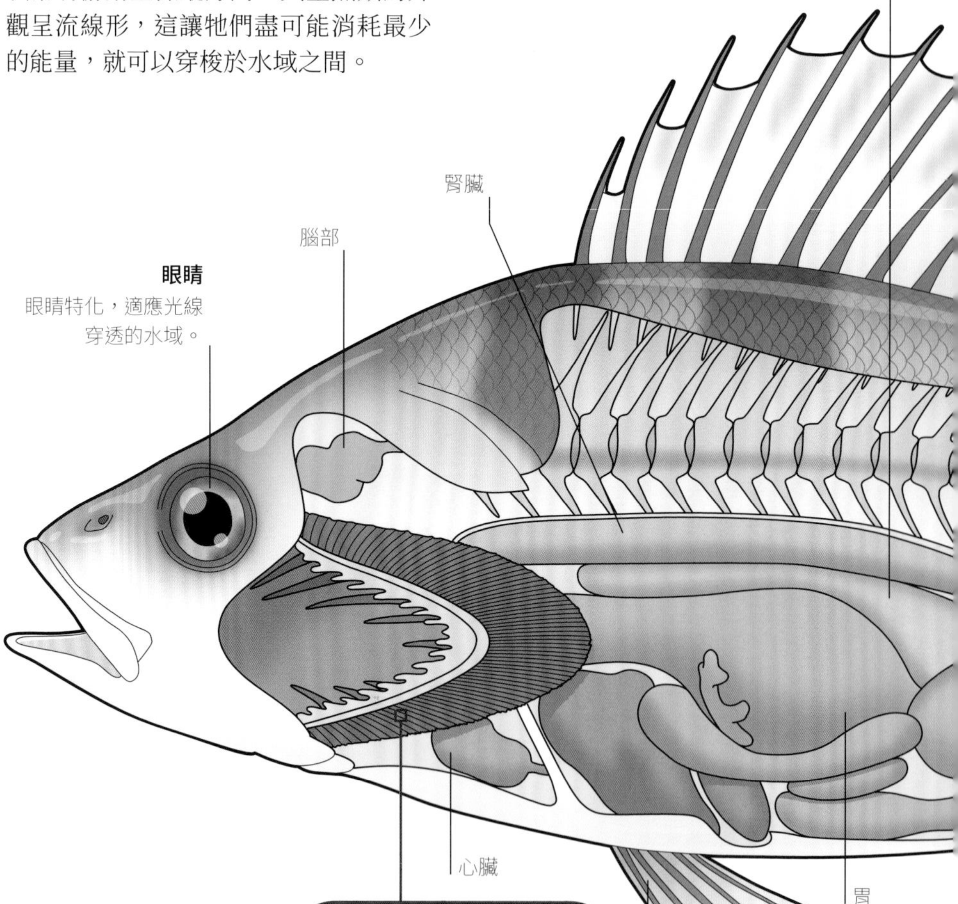
腎臟
腦部
心臟
胃

泳鰾
硬骨魚類具有泳鰾，泳鰾充滿氣體，功能如同浮筒，只要控制泳鰾充氣或洩氣，魚類就可以在水中上升或沉降；鯊魚及其他軟骨魚類不具泳鰾。

眼睛
眼睛特化，適應光線穿透的水域。

鰓
血液流經纖薄的鰓部，從水中吸收溶氧，並排出體內的二氧化碳；其過程是水流從魚類嘴巴流入體內，接著流經鰓部，再由頭部後方的鰓蓋或鰓裂流出體外。

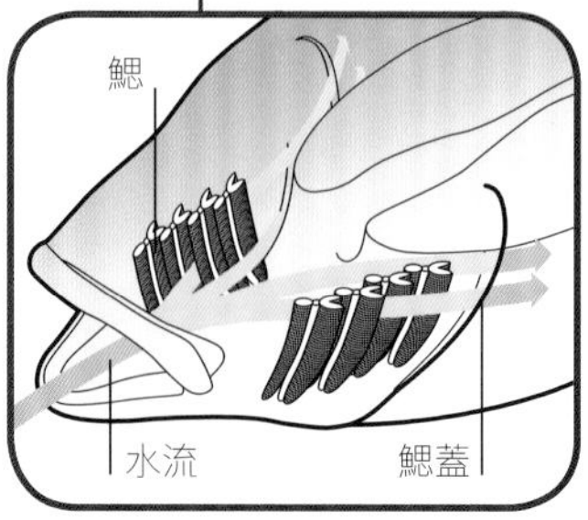
鰓
水流
鰓蓋

腹鰭
這種魚類擁有兩組成對魚鰭—靠近鰓部下側的胸鰭 (本圖未顯示)、以及身體中段下側的腹鰭—魚類運用它們來操控游動方向。

魚類如何游泳？

典型魚類運用身體收縮進行一連串擺動在水中推進，鰻魚長長的身體蠕動起來很像蛇類，但大多數魚類的身體擺動部位比較靠近尾部；此外，魟類運用彷彿翅膀一樣寬大的胸鰭，在水中「振翅飛翔」，而許多小型魚類只依賴魚鰭就能游動——其功能如槳。

S形游動

大多數魚類使用大型腹脇肌的收縮，讓身體在水域中呈現S形推進，而尾鰭幫助牠們游動得更有效率。

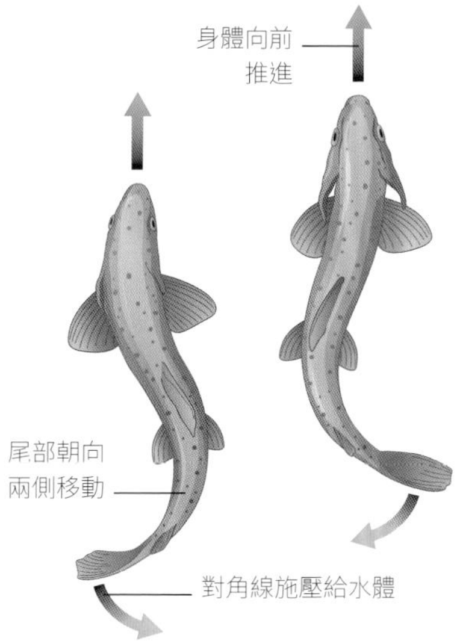
身體向前推進
尾部朝向兩側移動
對角線施壓給水體

尾鰭類型

不同魚類的尾部各具不同的尺寸或形狀，大多數鯊魚的尾鰭分叉，上半葉較長，其功能如同收縮身體的延伸；典型硬骨魚類—例如鱒魚—的尾部，則是呈現對稱性的扇形；而金槍魚(鮪魚)之類的快速游動魚類，都具有狹長的新月形尾鰭；至於埋伏型掠食魚類—例如狗魚—其魚鰭通常比較寬大。

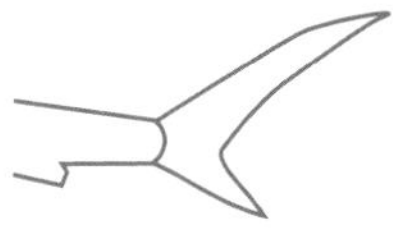

鯊魚
尾鰭上半葉向後延伸，有助於長距離游動時增加穩定性。

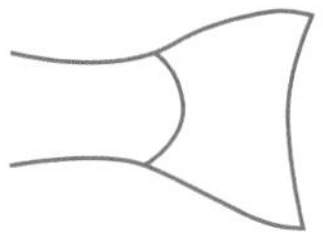

鱒魚
這種形狀的尾鰭有助於在狹窄空間之中靈活操控。

金槍魚
修長的尾鰭是為了高速游動所作的適應性演化。

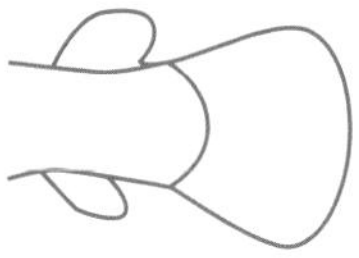

狗魚
大面積尾鰭能夠爆發出強大的加速性。

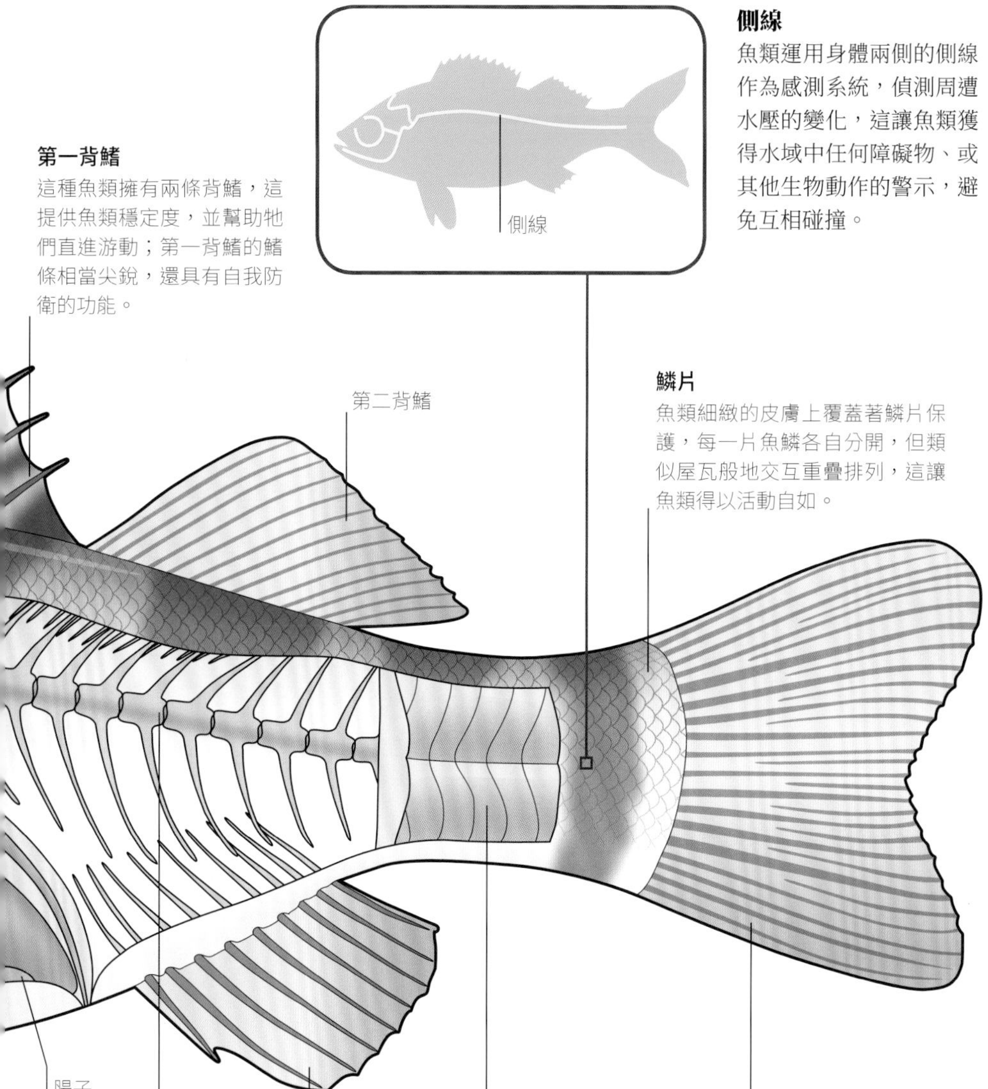
側線
第二背鰭
腸子

側線
魚類運用身體兩側的側線作為感測系統，偵測周遭水壓的變化，這讓魚類獲得水域中任何障礙物、或其他生物動作的警示，避免互相碰撞。

第一背鰭
這種魚類擁有兩條背鰭，這提供魚類穩定度，並幫助牠們直進游動；第一背鰭的鰭條相當尖銳，還具有自我防衛的功能。

鱗片
魚類細緻的皮膚上覆蓋著鱗片保護，每一片魚鱗各自分開，但類似屋瓦般地交互重疊排列，這讓魚類得以活動自如。

臀鰭
用以加強魚類游動時的穩定性。

骨骼
魚類骨骼的主要構造是一條強韌的長脊椎，再加上從中延伸出來的纖細肋骨；此外，跟主要構造分開的，還有用以支撐魚鰭的鰭條(骨)、以及顱骨與下頜骨。

腹脇肌
柔韌脊椎兩側的大塊肌肉稱為腹脇肌，負責收縮身體、提供動力給尾鰭，讓魚類能在水域中向前推進。

尾鰭
這條魚的槳狀尾鰭左右擺動，驅動身體穿越水域。

魚卵與幼魚

大多數魚類每次產下數百顆、數萬顆、甚至數百萬顆卵，魚卵湧入開闊水域，隨著水流漂移。另一方面，一些產卵數量較少的魚類會守護魚卵、甚至將魚卵帶在身邊；還有一些魚類—包括許多鯊魚—則是直接產下完全成型的幼鯊。

保衛魚卵
雌魚產下的魚卵受精之後，雄性黃金大嘴後頜魚就會把受精卵聚攏於自己的嘴巴之中，直到幼魚孵化為止；如此一來，為數稀少的魚卵才不會被其他動物吃掉。

保護幼魚
有些鯊魚在珊瑚礁或海草之間產下「卵鞘」，以獲得保護和屏障，讓幼鯊在堅硬的卵鞘中繼續成長；另有一些魚類直接產下完全發育的幼魚——例如檸檬鯊。

大白鯊

大白鯊擁有幾近完美的超級感官，再結合鋸子般的鋒利牙齒，讓牠們成為地球上最可怕的掠食動物。

300 顆——大白鯊的牙齒總數；大白鯊的牙齒經常替換，終其一生大約用掉 30,000 顆牙齒。

鯊魚大多是高效率的掠食動物，但大白鯊的級數顯然更高一籌，牠們的體型比一般掠食性鯊魚更大、也更為強壯，發動狩獵攻擊時，強大的推進系統讓牠們以驚人的速度劃過水域，超級感官有助於在完全黑暗的水域中精準鎖定獵物，而鋸子般的巨大牙齒更是專為屠殺獵物而演化—而不是一口吞下小型獵物—任何動物只要被大白鯊咬上一口，都可能致命！

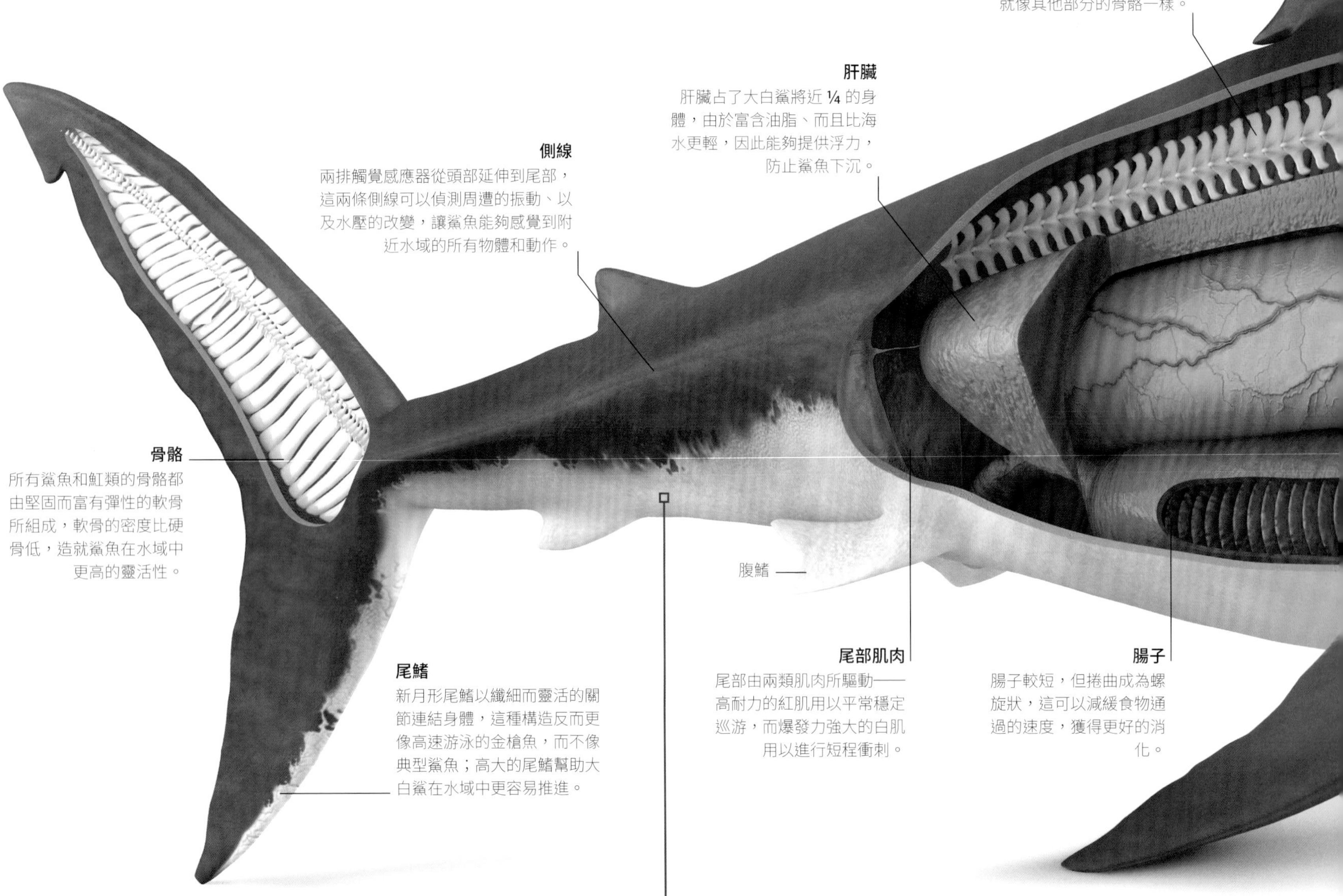
脊椎骨
大白鯊的脊椎由長而柔韌的脊椎骨連結而成，其成分為軟骨——就像其他部分的骨骼一樣。
肝臟
肝臟占了大白鯊將近 ¼ 的身體，由於富含油脂、而且比海水更輕，因此能夠提供浮力，防止鯊魚下沉。
側線
兩排觸覺感應器從頭部延伸到尾部，這兩條側線可以偵測周遭的振動、以及水壓的改變，讓鯊魚能夠感覺到附近水域的所有物體和動作。
骨骼
所有鯊魚和魟類的骨骼都由堅固而富有彈性的軟骨所組成，軟骨的密度比硬骨低，造就鯊魚在水域中更高的靈活性。
腹鰭
尾部肌肉
尾部由兩類肌肉所驅動——高耐力的紅肌用以平常穩定巡游，而爆發力強大的白肌用以進行短程衝刺。
腸子
腸子較短，但捲曲成為螺旋狀，這可以減緩食物通過的速度，獲得更好的消化。
尾鰭
新月形尾鰭以纖細而靈活的關節連結身體，這種構造反而更像高速游泳的金槍魚，而不像典型鯊魚；高大的尾鰭幫助大白鯊在水域中更容易推進。

為速度而生

典型鯊魚的游泳方式是擺動身體的整個後半段，但大白鯊頗為不同，牠們的身體如同魚雷般挺直，由巨大的腹脇肌驅動尾鰭大力地快速擺動——這是一種效率更高的游動方式。另一方面，大白鯊的體型是中段寬廣、而頭尾尖突，非常適合用來高速劃開水域，這帶給牠們非凡的掠食能力，幾乎足以撂到大海中的任何魚類。

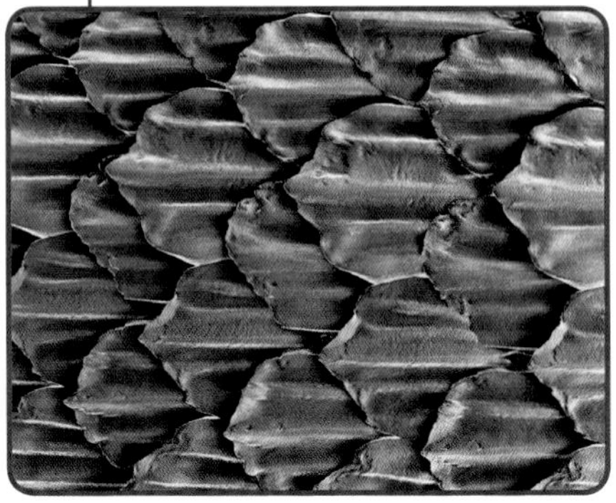

盾鱗
鯊魚的皮膚覆蓋著數以百萬計的鱗片，這種邊緣銳利的鱗片狀如細小牙齒，稱為「盾鱗」，盾鱗表面塗布一層琺瑯質—跟覆蓋我們牙齒表面的物質相同—這種特殊鱗片的功能不只作為高靈活性的「盔甲」，還能提高游泳效率——交疊的鱗片能夠快速導流，大幅降低水中阻力。

獵物即使在250公尺之外做了一個微小動作，大白鯊都能偵測到。

飽餐一頓之後，大白鯊兩個月之內可以不再進食。

7.5 公分——成年大白鯊的牙齒長度。

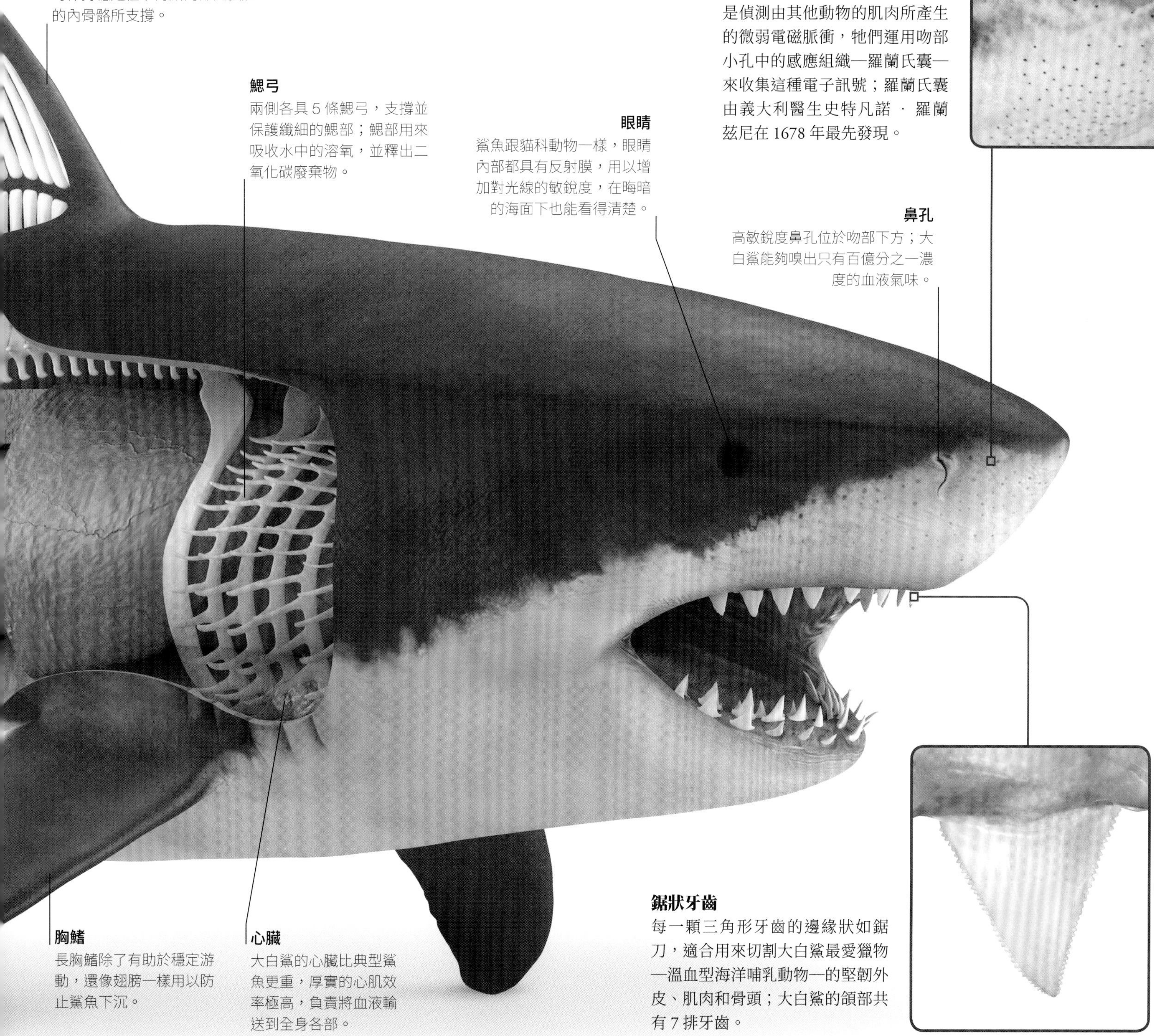

背鰭
高大的漸縮形背鰭幫助鯊魚游動時保持穩定性；背鰭內部由強壯的內骨骼所支撐。

鰓弓
兩側各具5條鰓弓，支撐並保護纖細的鰓部；鰓部用來吸收水中的溶氧，並釋出二氧化碳廢棄物。

眼睛
鯊魚跟貓科動物一樣，眼睛內部都具有反射膜，用以增加對光線的敏銳度，在晦暗的海面下也能看得清楚。

特殊感官
鯊魚的所有感官都是高度特化的，這其中最令人驚訝的能力，是偵測由其他動物的肌肉所產生的微弱電磁脈衝，牠們運用吻部小孔中的感應組織—羅蘭氏囊—來收集這種電子訊號；羅蘭氏囊由義大利醫生史特凡諾．羅蘭茲尼在1678年最先發現。

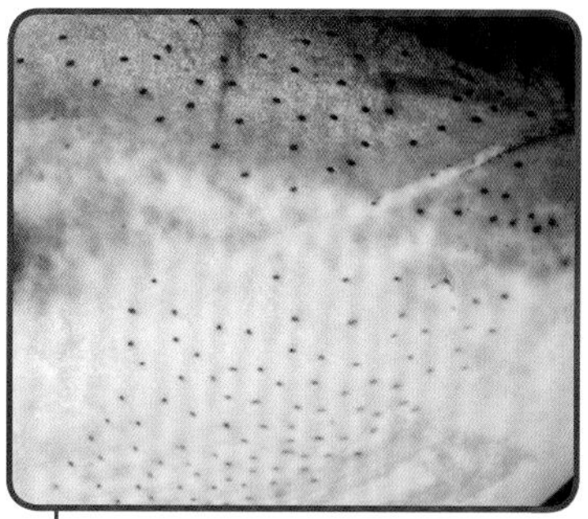

鼻孔
高敏銳度鼻孔位於吻部下方；大白鯊能夠嗅出只有百億分之一濃度的血液氣味。

胸鰭
長胸鰭除了有助於穩定游動，還像翅膀一樣用以防止鯊魚下沉。

心臟
大白鯊的心臟比典型鯊魚更重，厚實的心肌效率極高，負責將血液輸送到全身各部。

鋸狀牙齒
每一顆三角形牙齒的邊緣狀如鋸刀，適合用來切割大白鯊最愛獵物—溫血型海洋哺乳動物—的堅韌外皮、肌肉和骨頭；大白鯊的頜部共有7排牙齒。

大白鯊小檔案

體長	可長到7公尺
最高游速	50公里／小時
壽命	超過30年
獵物	魚類、海龜、海洋哺乳動物

大白鯊有時會**將頭部探出海面**，環顧四周以**搜尋潛在獵物**。

致命頜部

大白鯊的上頜骨鬆散連接在顱骨上，當牠張開大口準備噬咬時，上頜會向前推移，讓吻部微微向上彎曲，以確保能夠緊緊咬住獵物；此外，當大白鯊猛然咬合時，其吻部還會奮力朝向一側擺動，如此一來牙齒像鋸子般撕扯受害者，造成一大片傷口。

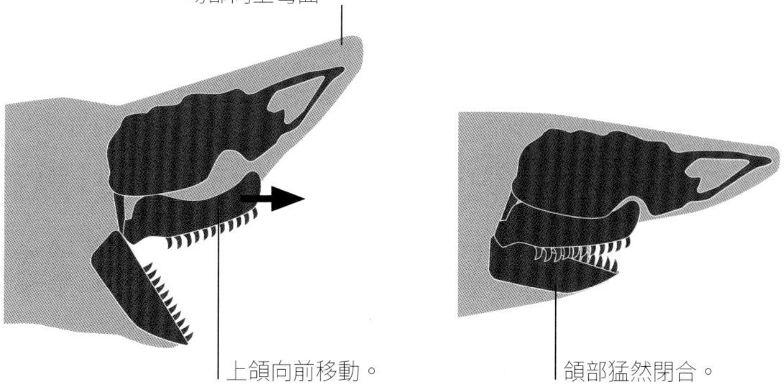
吻部向上彎曲。
上頜向前移動。
頜部猛然閉合。

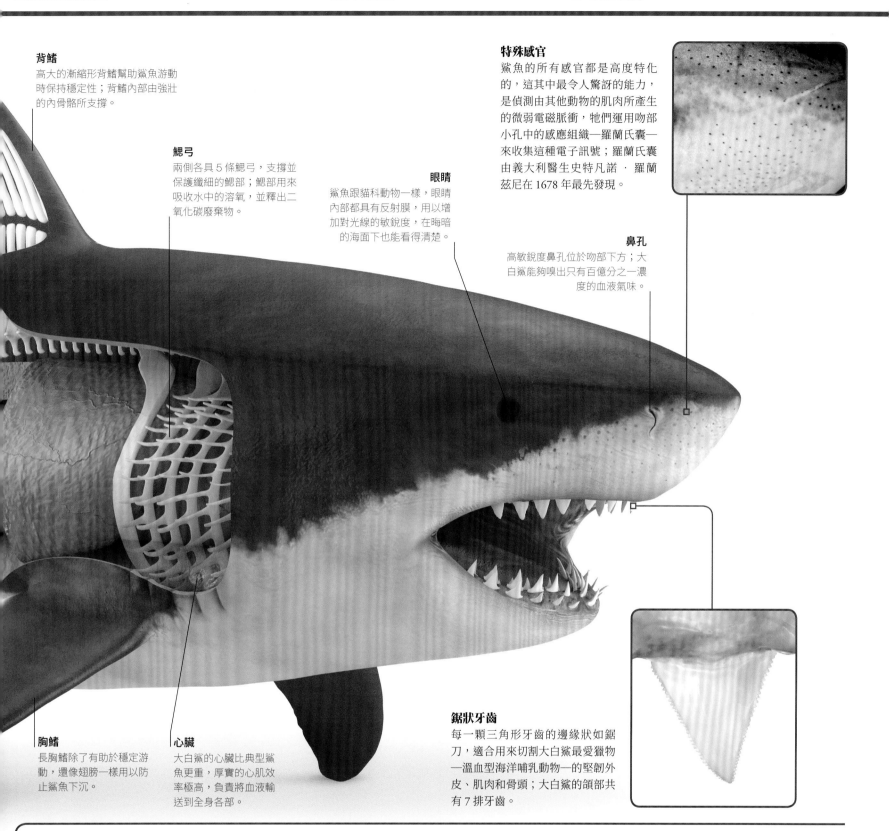

最長的蚓螈大約可以長到2.4公尺長，而最短的蚓螈只有9公分左右。

兩棲動物

兩棲動物最為人所熟知的習性，就是許多物種生命史的一部分棲息於水域，另一部分棲息於陸地；amphibian(兩棲動物)這個字源自古希臘文，原意為「兩種生活」。

早期兩棲動物是最先爬上陸地生活的脊椎動物，牠們從魚類演化出以肺部呼吸的能力，卻保留了水棲型祖先的一些關鍵特徵，特別是兩棲動物的卵不具硬殼，無法防止乾枯，因此牠們通常在水域產卵，卵孵化成為水棲型幼體，最後才轉變為直接呼吸空氣的成體。

關鍵特徵

兩棲動物演化出多樣性的適應能力，幫助牠們得以在陸地生存，造就出陸棲脊椎動物之中最具多樣性的分類群——兩棲綱；然而，幾乎所有兩棲動物還是共享一些關鍵特徵，這對牠們的生活型態造成巨大影響。

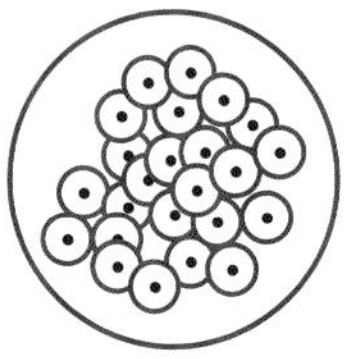
大多產卵繁殖

潮濕的皮膚

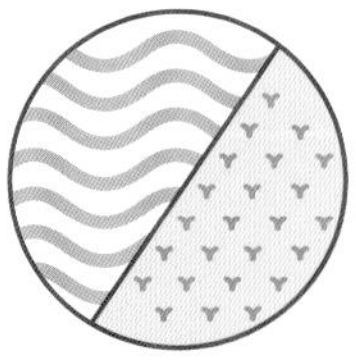
大多數物種生命週期的一部分時間待在水域

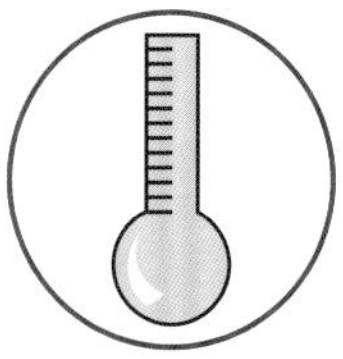
冷血型（外溫型）

兩棲動物的分類

兩棲動物分為3大子類群，其中最著名、物種最多的是蛙類及蟾蜍類，牠們的超長後肢專門用來跳躍；第二個子類群為蠑螈類及水螈類，牠們擁有長尾和短腿；第三個子類群的成員都是不具四肢的穴棲型蚓螈類。

無尾目：青蛙和蟾蜍（通稱蛙類）
約5,900種
不具尾部、但擁有長腿的蛙類與蟾蜍類棲息於水域、陸地、或是樹上；相較於蟾蜍類，大部分蛙類擁有光滑而鮮豔的皮膚，但兩者在科學上並無不同。

有尾目：蠑螈和水螈
約585種
都具有長尾和短腿，蠑螈類與水螈類之間也沒有真正的差異，有些物種完全生活在陸地，另一些會遷移到水域中繁殖，還有少數物種完全生活在水域。

蚓螈目：蚓螈
約190種
這類熱帶動物大多生活在地底，牠們不具四肢，幾乎全盲，運用強壯的顱骨穿梭於土壤之間，堅韌的皮膚保護牠們不被尖銳的石頭所割傷。

有些兩棲動物在繁殖季節**產下50,000枚卵**，但其中**只有少數幼體可以活到成熟期**。

演化史

兩棲動物從一類具有肢狀肉鰭的魚類祖先演化而來—使用肺部呼吸的現代肺魚類，就是魚類演化成為兩棲動物的最好證明—大約3億8,000萬年前，有些肉鰭魚類開始獵食陸地上的小型動物，牠們的後代漸漸演化成現代兩棲動物。

早年的兩棲動物
2億8,000萬年前，已有許多兩棲動物類群生存於陸地，包括圖中這種笠頭螈，牠們像是擁有四肢的水螈，但頭部形狀相當特別。

身體構造

所有兩棲動物基本上也是具有四肢的四足類，但就跟其他動物類群一樣，牠們演化出幾種不同的身體構造；蠑螈類和水螈類仍然保有類似祖先的長尾和短四肢，但四肢退化的蚓螈類、以及專門跳躍的蛙類，都是歷經特別演化的結果。

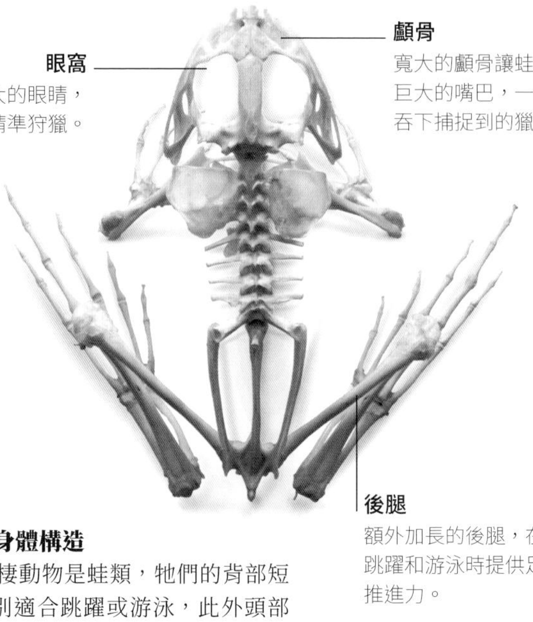
眼窩
大眼窩容納巨大的眼睛，用以精準狩獵。
顱骨
寬大的顱骨讓蛙類擁有巨大的嘴巴，一口就能吞下捕捉到的獵物。
後腿
額外加長的後腿，在牛蛙跳躍和游泳時提供足夠的推進力。

蛙類：成功的身體構造
將近90%的兩棲動物是蛙類，牠們的背部短而長後腿，特別適合跳躍或游泳，此外頭部顯得非常巨大——例如圖中這隻北美牛蛙。

兩棲動物如何呼吸？

就像所有動物一樣，兩棲動物也必須吸入氧氣並排出二氧化碳，但許多兩棲動物的幼體棲息於水域，使用類似魚類的鰓部來吸收溶氧，另一些水棲型兩棲動物則是終生保有鰓部，但大部分物種變為成體之後，就會發展出肺部直接呼吸空氣；另一方面，兩棲動物也能利用潮濕的薄皮膚來進行氣體交換。

透過皮膚呼吸，林蛙整個冬季都待在水面下冬眠。

鰓部的皮膚非常薄，讓氧與二氧化碳得以輕易穿透。

鰓：這隻墨西哥鈍口螈的成體棲息於水面下，牠們的羽狀鰓含有大量血管，用以從水中吸收溶氧。

蟾蜍的肺部形狀有如充氣囊袋，內襯大量血管。

肺：這隻蟾蜍的蝌蚪—蛙類與蟾蜍類的水棲幼體通稱為蝌蚪—使用鰓部呼吸，當牠從幼體轉變為成體時（變態）就會發展出肺部；牠們運用喉嚨肌肉的收縮來抽入空氣。

這隻水螈透過皮膚呼吸，因此可以棲息於水面下。

皮膚：所有兩棲動物—例如這隻水螈—都能透過潮濕的皮膚來吸收氧氣，並釋出二氧化碳；這種過程在空氣中或水面下都能進行。

同類相食

兩棲動物的成體獵捕動物為食，除了蚓螈類之外，兩棲動物主要依賴優秀的視覺來捕捉移動中的獵物，主要包括昆蟲類、蜘蛛類、蛞蝓類、以及其他小型動物，但體型較大的蛙類也會捕食小型爬型動物或哺乳動物，此外，牠們甚至會食用其他兩棲動物——包括尺寸比自己更小的相同物種。

400 公分——長褶雨濱蛙奮力一躍可以跳過的距離；牠的體長只有 5 公分，這段跳躍距離可是體長的 80 倍以上。

一隻潮蟲在附近的樹枝上爬行，引起飢餓青蛙的注意。
巨大的肌肉提供青蛙後腿足夠的動力，讓青蛙撲向獵物。
青蛙的踝骨大幅度延伸，因此後腿看起來好像多出一截。
不到 1 秒鐘之內，青蛙彈出超長黏舌，捕捉潮蟲。
超長後腿的足趾之間帶蹼，有利於游泳。
前腿擁有長趾。

跳躍

許多蛙類在逃命或捕食的時候，會做出驚人的跳躍；牠們加長的後肢擁有強大的肌肉，提供爆炸性的力量把身體推送到空中。

體色與斑紋

幾乎所有兩棲動物的皮膚中都具有毒腺，目的是為了讓掠食者覺得牠們並不好吃，但有時也可能致命。另一方面，許多物種擁有鮮豔的警示體色，用以警告敵人離遠一點；另有一些物種的體色和斑紋，其功能是作為偽裝，讓掠食者難以察覺牠們；還有一些物種會隨著季節變化而改變體色，當牠們轉變成明亮的體色時，就是準備好要繁殖了！

真螈
真螈戲劇性的體色用來警告掠食者，其皮膚是帶有毒素的。

角蟾
這隻熱帶蛙類擁有驚人的偽裝能力，看起來簡直像是森林表層的枯葉。

普通歐螈
當普通歐螈準備要交配時，雄螈和雌螈的腹部都會轉為明亮的橘色。

這隻雌性林蛙在春季可產下2,000枚卵。

蛙類的生命週期

大部分兩棲動物在生命開始的幼體階段，長得並不像牠們的親代（父母），經過一段時間之後，其身體構造才會逐漸轉變為成體——這樣的過程稱為「變態」。

在初春，林蛙從冬眠中甦醒，回到牠們剛出生的淺池之中，雌蛙在水中產卵，雄蛙釋出精子讓蛙卵受精，受精卵開始發育成胚胎，最終孵化為蝌蚪。蝌蚪沒有四肢，像魚類一樣生活在水中，牠們覓食、成長，冒出四肢，變得愈來愈像蛙類成體的模樣，接下來尾部萎縮、消失，開始爬上陸地生活——展開完全不同的「全新人生」。

帝王偉蜓
這種強壯的大型昆蟲能在半空中捕食蚊子及其他類似生物。
蚊子
凝膠包覆
每顆蛙卵都由厚厚的一層堅固凝膠所保護。

變態

蝌蚪歷經數個不同階段，才能轉變為成體幼蛙，而牠們的生活方式也在變態過程中有所改變——一週接著一週，水棲型植食性蝌蚪逐漸變化，最後成為主要生活在陸地、直接呼吸空氣的掠食動物。

1 產卵

蛙卵跟魚卵很像，都必須處於潮濕環境才能存活，因此林蛙會在水域中產卵繁殖——雌蛙找到配偶之後產卵，此時雄蛙緊緊抱住雌蛙的背部（抱接），在水域中讓蛙卵受精，接著就雙雙離開，留下蛙卵自生自滅。

2 小蝌蚪

蛙卵開始孵化，初生蝌蚪像是一小段黑色帶狀物黏在水草上，但很快就會長出頭部、以及不停扭動的尾部——此時蝌蚪就能開始游泳了；最初蝌蚪的一對羽狀鰓裸露在外，但後來長出保護性的鰓蓋；林蛙的蝌蚪從岩石或植物上刮下微小的藻類食用。

3 長出後腿

蝌蚪努力覓食，長得愈來愈胖、愈來愈大，過了5週左右，身體已經長到有如一顆小豆，並冒出一對後腿，最初後腿又小又弱，沒有任何功能，蝌蚪還只能運用尾部游泳，此時牠們的主要食物仍然是藻類，但不久之後就可以食用其他食物碎粒了。

13週——從蛙卵到發育成為能夠跳躍、呼吸空氣、並在陸地捕捉獵物的成體幼蛙所需的時間。

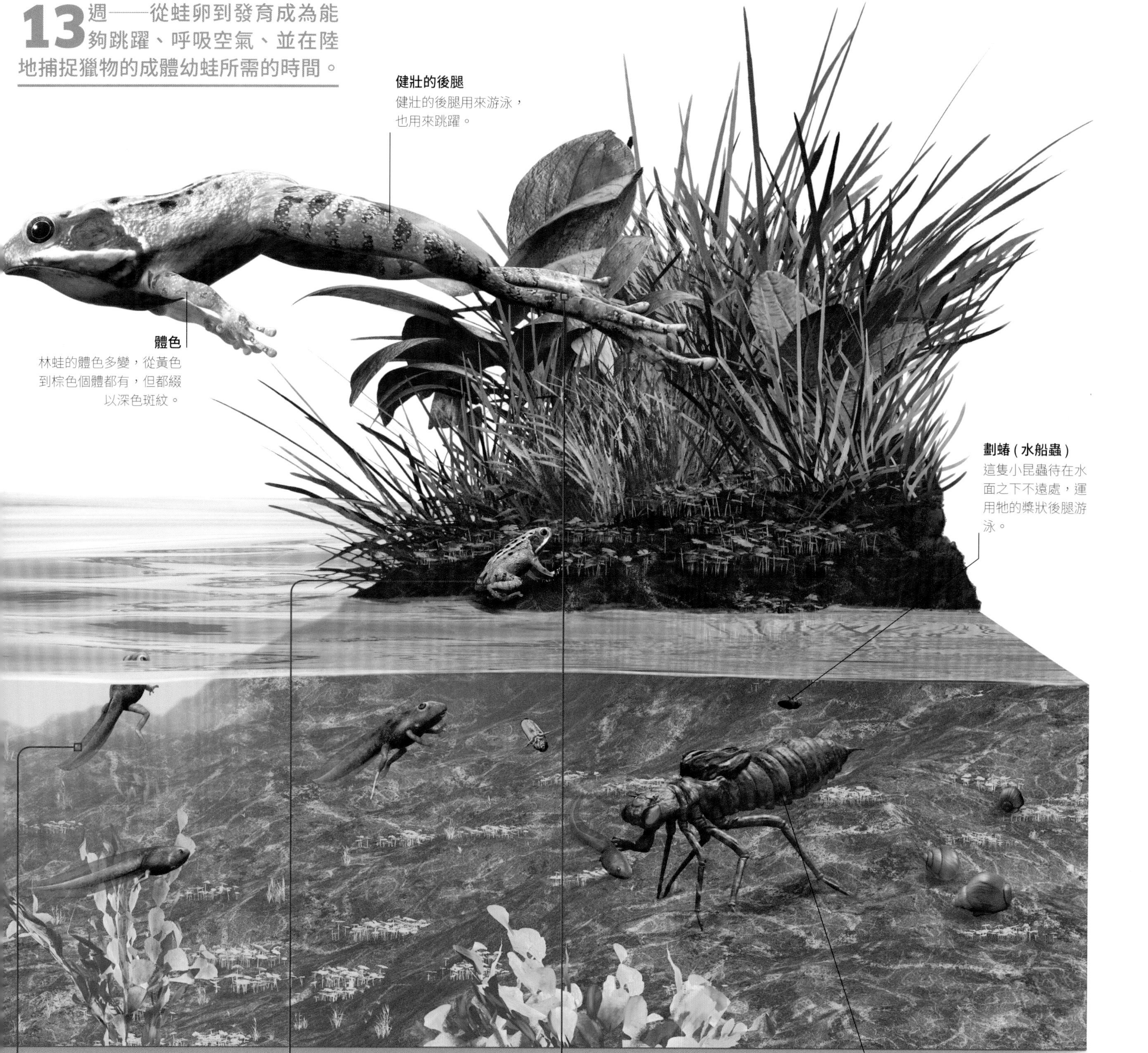
健壯的後腿
健壯的後腿用來游泳，也用來跳躍。
體色
林蛙的體色多變，從黃色到棕色個體都有，但都綴以深色斑紋。
划蝽（水船蟲）
這隻小昆蟲待在水面之下不遠處，運用牠的槳狀後腿游泳。

4 長出前腿

孵化12週之後，蝌蚪停止覓食，而且身形也開始改變了——前腿冒出來，圓胖的身體拉長了一些，尖突的頭部和大嘴也已經成形，此時仍然運用尾部游動，但更多時間是黏附在岩石或水生植物上，露出鼻孔到水面上呼吸空氣。

5 幼蛙

身形變化之後不久，蝌蚪的尾部逐漸萎縮，並開使運用後腿來游動，而且很快就能跳躍了；此時牠已經變成了一隻幼蛙，尺寸跟你的指甲差不了多少，但已經準備要掠食蒼蠅之類的小型動物了——幼蛙爬上陸地，立刻找到一處安全的地點躲藏。

6 成蛙

對幼蛙來說，陸地棲所處處都有危險，掠食者就在一旁環伺，只有倖存者才能在第3年長為可以繁殖的成蛙。林蛙的成蛙體長大約10公分，白天大多待在水域，等到夜間沒有因日照而乾枯的危險，才會來到陸地獵食——只要是牠們長黏舌所能抓到的任何小型動物，林蛙都來者不拒。

蜻蜓的若蟲（幼蟲）

蜻蜓的水棲型若蟲是凶猛的掠食者，運用鉸接的延伸頜部捕捉受害者為食——牠們不費吹灰之力就能逮住蝌蚪食用。

1.7公分——加勒比海侏儒壁虎的體長；牠們是世界上已知體型最小的爬行動物。

爬行動物

堅韌的外皮覆蓋著鱗片，爬行動物簡直像是存活至今的史前動物，但事實上，許多爬行動物並非如同我們所想像的那麼原始。

現代爬行動物都是冷血動物，牠們從兩棲動物—最早爬上陸地生活的脊椎動物—演化而來，卻比兩棲動物更適應乾燥的陸地環境，這是由於牠們堅韌的防水皮膚能夠阻止體內的水分流失，此外也不須尋找潮濕地點才能繁殖，這些特質造就爬行動物可以在一些炙熱而乾燥的棲地生存，卻少有物種能夠存活於寒冷區域。

關鍵特徵

所有存活至今的爬行動物類群，都共享一些關鍵特徵；史前恐龍也是爬行動物，但牠們屬於另一個演化支，許多恐龍都是溫血（內溫）動物。

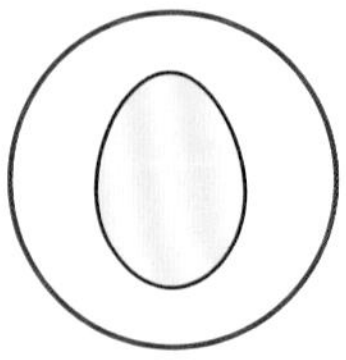

產卵

有些物種直接產下幼體

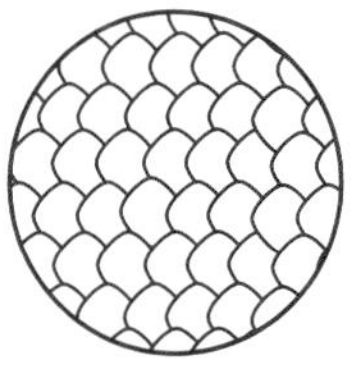

皮膚覆鱗

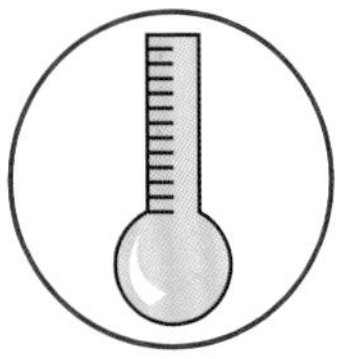

冷血（外溫）動物

演化樹

最早的爬行動物在 3 億 1,000 萬年前的石炭紀演化出來，牠們是具有四肢的冷血動物，外觀跟現代蜥蜴類似。經過一段時間之後，爬行動物分開演化，成為數個不同的類群，其中一類後來演化為鱷類、恐龍類、以及早已滅絕的翼龍類，其他存活至今的類群還包括龜鱉類、楔齒蜥類、蜥蜴類和蛇類。

鳥類

大型恐龍滅絕於 6,600 萬年前，但有一類具有羽毛的小型溫血恐龍存活了下來，成為現代鳥類的祖先；在現存動物之中，鱷類及短吻鱷類算是鳥類在演化上的近親，但在生物分類上，鳥類是自成類群。

爬行動物

綠蠵龜擁有大型的槳狀鰭肢，可以長距離游到遙遠的海灘上產卵。

龜鱉類
317 種

龜鱉類大致上跟最早的恐龍同時演化出來，但兩者分屬不同演化支。龜鱉類擁有堅硬的外殼保護，但這麼大的重量也拖累陸龜類物種，牠們只能在地面緩緩爬行，而海龜類就沒有這個問題，有了海水幫忙支撐，讓牠們能夠在大海中優雅的游動。

美國短吻鱷是體型最大的現存鱷類之一。

鱷類
24 種

這些最強壯的現代爬行動物包括鱷類（廣義的鱷類是指鱷目—如標題所稱—而此處是狹義的鱷類，專指鱷科成員）、短吻鱷類、食魚鱷類和凱門鱷類，都是覆有骨質鱗片的大型掠食動物，牠們在淺水水域狩獵，其生態地位相當於史前的暴龍，但兩者的生活型態非常不同。

楔齒蜥類透過人類的細心保育而存活，否則可能早已走向滅絕。

楔齒蜥類
2 種

這種外觀很像蜥蜴的原始爬行動物，屬於 2 億年前曾經興盛繁衍的類群，但在遠比恐龍滅絕更久遠的時間點，牠們就已經快要消失不見了，只剩 2 種楔齒蜥一直存活至今，但棲地只限於紐西蘭的少數幾座小島。

綠鬣蜥是具有四肢和長尾的典型蜥蜴。

蜥蜴類
約 4,500 種

這是爬行動物之中的最大類群，物種也極具多樣性——從細小的壁虎，到體型龐大的科摩多龍；大部分蜥蜴擁有四肢和長尾巴，另有一些物種不具四肢，蜥蜴大多獵捕小型動物為食，但有少數成員—例如鬣蜥類—屬於植食性動物。

這種珊瑚蛇原生於美國東南部，具有極高的毒性。

蛇類
約 3,000 種

蛇類從蜥蜴演化而來，牠們的四肢退化，並發展出特化的頜部構造，可以一口吞下獵物，有些物種還擁有毒牙。

防水革質卵

不像牠們祖先—兩棲動物—的凝膠卵，爬行動物的卵擁有革質外殼作為保護，防止因水分流失而乾枯，這讓牠們在乾燥區域—例如沙漠—也能興盛繁衍，但卵必須保暖才能發育，因此有些棲息於寒冷地區的爬行動物，直接以胎生產下幼代。

革質卵堅硬而富有彈性——就像薄牛皮一樣。

1 卵
就像鳥蛋一樣，爬行動物產下的卵必須保持溫暖，否則無法孵化，因此牠們選擇在溫暖的地方產卵，例如綠色植物堆——植物一旦腐化就會產生熱氣。

孵化的啟動機制，是由於稚蛇需求更多的氧氣。

2 孵化
準備孵化時，卵中的稚蛇運用吻部末端尖硬的「卵齒」，在革質外殼上劃出裂縫，接著牠探出頭部，呼吸第一口空氣。

3 稚蛇
一旦稚蛇開始自行呼吸，通常在幾個小時之內，牠就會決定來到外面的世界。

孵化後的幾天之內，稚蛇必須保衛自己。

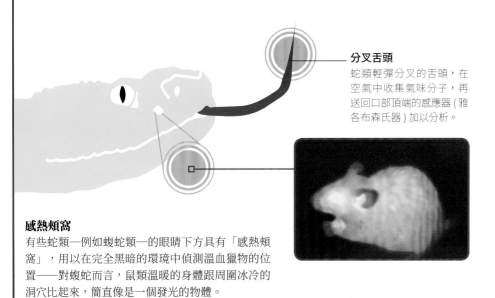

在卵中身體緊密盤繞，稚蛇的體長可能比卵的寬度還長上 7 倍。

鱗片

所有爬行動物都擁有厚實鱗片所組成的堅硬表皮(表皮如同人類指甲，不具神經或血管，表皮之下才是真皮)，鱗片之間以薄而柔韌的關節鉸接，這些鱗片與關節共同組成連續性的表皮。爬行動物終其一生會不斷蛻皮，所有受損或遭到感染的表皮都會被丟棄，並長出新表皮代替。

鱷類
鱷類的表皮之下還具有骨質板，用以加強鱗片、防止被驚慌掙扎的獵物所踢傷。

蛇類
許多蛇類的表皮帶有鮮明的圖案，這些顏色來自表皮之下的色素細胞，而表皮是透明的；蛇類蛻皮時採行「整件脫掉」的方式——連覆蓋眼睛的鱗片也不例外。

蜥蜴類
各類蜥蜴的鱗片差異很大，有些物種具有光滑的小型鱗片，另有一些則是邊緣銳利的大型板狀鱗片；跟蛇類不同，蜥蜴蛻皮時是一大片一大片地脫落。

爬行動物的感官

許多爬行動物擁有敏銳的感官，尤其是鱷類和巨蜥之類的掠食者。變色龍類擁有絕佳視力，牠們的雙眼可以各自單獨轉動，警戒潛在的危險、或盯住獵物。蛇類則是依賴氣味來狩獵，牠們使用分叉的蛇頭在空氣中收集氣味分子，此外牠們不具耳朵，但對於地面傳來的振動非常敏感。

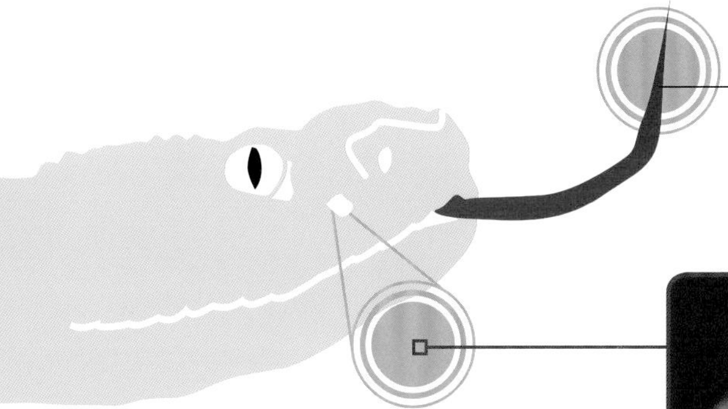

分叉舌頭
蛇類輕彈分叉的舌頭，在空氣中收集氣味分子，再送回口部頂端的感應器(雅各布森氏器)加以分析。

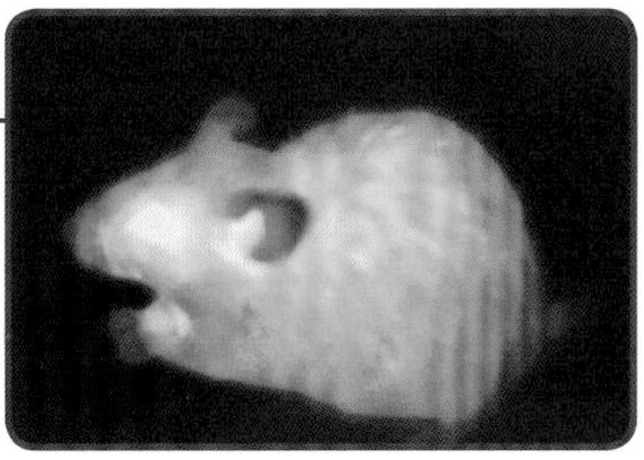

感熱頰窩
有些蛇類—例如蝮蛇類—的眼睛下方具有「感熱頰窩」，用以在完全黑暗的環境中偵測溫血獵物的位置——對蝮蛇而言，鼠類溫暖的身體跟周圍冰冷的洞穴比起來，簡直像是一個發光的物體。

冷血（外溫）動物

爬行動物仰賴棲地環境提供保暖，才能夠讓身體維持運作，如此一來，既然牠們不必將能量轉化為體溫，存活所需的食物也就遠比哺乳動物更少；然而，爬行動物每天早晨可能得耗費數小時晒太陽暖身，到了中午又必須尋找遮蔽來防止身體過熱——下圖顯示蜥蜴在各種狀況之下的體溫變化。

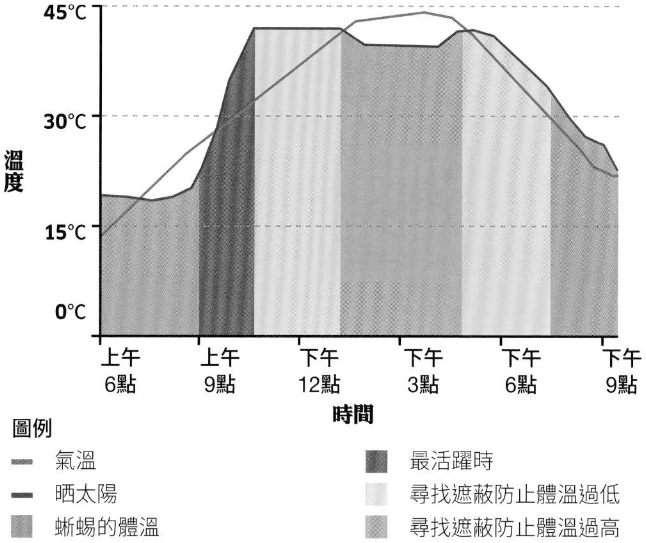
45°C
30°C
15°C
0°C
溫度
上午6點
上午9點
下午12點
下午3點
下午6點
下午9點
時間
圖例
氣溫
晒太陽
蜥蜴的體溫
最活躍時
尋找遮蔽防止體溫過低
尋找遮蔽防止體溫過高

將心跳降低到每小時只有幾次——鱷類運用這種方法待在水面下超過1個小時。

鼻孔
鱷類的鼻孔位於吻部頂端，這讓大部分吻部還淹沒在水下時，鼻孔也能露出水面呼吸；此外當牠們在水中張開大口時，會有一片皮瓣封住氣管。

突出的吻部
鱷類具有狹窄而尖突的吻部，而且上頜與下頜同寬。

夜間視力
鱷類的眼睛類似貓科動物，其瞳孔在光照下縮成垂直的裂縫狀，到了黑夜又可以放大來增加敏感度，此外也能夠反射光線。另一方面，鱷類擁有透明的「瞬膜」覆蓋眼睛，沒入水中時可作為保護，但這也造成牠們在水中無法適當聚焦。

無比強壯的頜部
鱷類的頰肌特別發達，能以巨大的力量閉合頜部，受害者根本毫無機會逃脫。

上下交疊的牙齒
河口鱷擁有 64 ~ 68 顆結實而突出的牙齒，當牠們的嘴巴閉合時，上頜齒與下頜齒會穿插交疊；此外，鱷類的新齒從舊齒內部長出來，磨損時可供替換。

鱷類

鱷類從恐龍時代存活至今，牠們是配備重度「裝甲」的爬行動物，非常強壯，運用可怕的頜部咬住獵物，再狼吞虎嚥的吃下肚！

鱷類[註1]、短吻鱷類、凱門鱷類和食魚鱷類都是最巨大的爬行動物，雖然看起來更像大型蜥蜴，但實際上牠們跟鳥類—以及恐龍類—之間具有最相近的親緣關係，但恐龍已在 6,600 萬年前從地球上消失了。最早期的鱷類就生存在恐龍周邊，當時牠們可能也是採取相同的埋伏策略，獵捕恐龍為食，這跟現代河口鱷獵殺水牛的方法一樣。從恐龍時代至今，鱷類並無太大改變，原因是由於牠們根本不須改變——不論環境如何變遷，鱷類總能完美適應不同的生活方式。

註 1：一般來說，「鱷類」具有狹義和廣義兩種意思，狹義的鱷類專指「鱷科」成員，而廣義的鱷類涵蓋所有「鱷目」成員，亦即除了狹義的鱷類之外，還包括短吻鱷類、凱門鱷類及食魚鱷類。

帶鱗表皮
跟其他爬行動物一樣，鱷類的表皮覆蓋著堅韌的防水鱗片，鱗片由幾丁質 (角質) 所構成——這跟構成我們指甲的成分是相同的。

鱷類小檔案

陸地爬行速度 ······························ 3 公里/小時
水中游泳速度 ······························ 35 公里/小時
棲所 ······ 河流、河口、東南亞和澳大利亞的近岸淺海
獵物 ······························ 水牛般大小的動物
配備武器 ······························ 強力頜部與大型利齒
平均體長 ······························ 3~5 公尺

河口鱷體型**最大**的鱷類物種，有些**公鱷**可以長到**7公尺以上**。

誰是誰？

鱷目之下分為3科：鱷科、短吻鱷科、食魚鱷科，24個物種全都棲息於世界各地的溫暖水域，其中鱷科包含15個物種，短吻鱷科包含8個物種（短吻鱷類和凱門鱷類），而食魚鱷科只有1個物種。相較於鱷科成員，短吻鱷類及凱門鱷類具有相對寬大的吻部，而且上頜的寬度足以覆蓋所有下頜牙齒；至於專吃魚類的食魚鱷，牠們細長的吻部長著110顆尖銳牙齒，適合用來捕捉滑溜的魚類獵物。

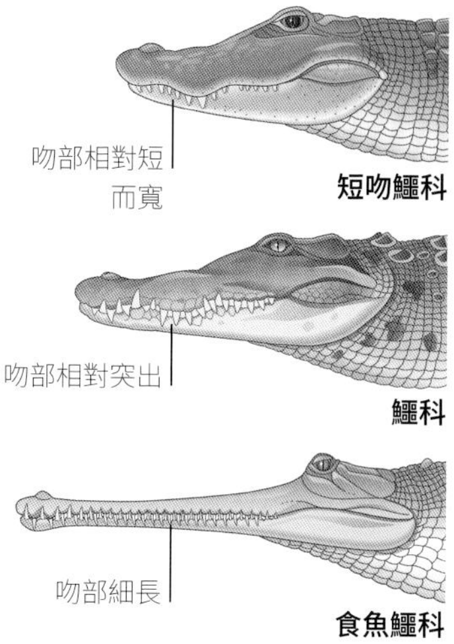
吻部相對短而寬
短吻鱷科
吻部相對突出
鱷科
吻部細長
食魚鱷科

流線體形
鱷類雖然在陸地上相對笨拙，但流線體形讓牠們在水域中能以驚人的速度游動。

骨質板
鱷類背部的大型鱗片之下，再以骨質板加強——這簡直跟盔甲沒有兩樣！

強力尾部
鱷類游泳時，運用健壯的尾部強力掃向兩側，以此獲得在水中前進的動力，而此時腿部通常緊縮在身體旁邊。

健壯的四肢
大多數爬行動物的腿部力量太弱，爬行時總是攤開四肢，腹部幾乎貼地；但鱷類可不一樣，牠們健壯的四肢可以撐起身體，以一種更具效率的「高姿態」爬行。

埋伏型掠食者

鱷類專精於水域狩獵，牠們半身沒入水中埋伏，只要一呼氣就能像潛艇一樣下沉；任何冒險涉入水域的獵物，都會突然被牠咬住、拖進水底，接著大力撕扯獵物，再一口吞下牠們的遺骸，運用強大的胃酸消化所有食物。

12個月——大型鱷類即使經過這麼久的時間不進食，也能存活。

320 公里/小時——遊隼俯衝攻擊獵物時，所能達到的飛行極速。

鳥類

擁有美麗的羽毛、迷人的習性、以及高超的飛行技巧，鳥類可說是最多采多姿、最引人入勝的動物類群之一。

鳥類是人類最熟悉的野生動物，牠們就棲息在我們周遭，不論牠們覓食、築巢、或是餵養雛鳥，我們都能輕易的觀察到。跟人類一樣，鳥類運用視覺作為主要感官，而且對顏色非常敏銳，此外還有一個特點讓鳥類更加有趣——最近的研究結果證實，鳥類其實是會飛的小型恐龍，更精確的說，牠們是迅猛龍之類的史前掠食者的後代，這類早已滅絕的恐龍大多擁有保暖的絕緣羽毛，就像現代鳥類一樣，但鳥類甚至將羽毛變得更有用處——牠們用來飛行！

關鍵特徵

鳥類是溫血型脊椎動物，牠們的身上覆蓋羽毛，產卵繁殖後代，而且大部分鳥類都能飛行。

脊椎動物

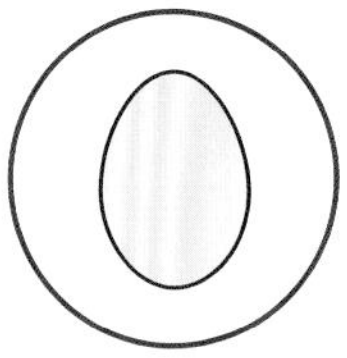
產卵

擁有羽毛

大多能飛行

溫血動物

鳥類的身體構造

鳥類從恐龍祖先繼承數種特徵，例如溫血型生理特性、羽毛、以及高效率的呼吸系統。然而，飛行的需求鼓勵鳥類進一步演化出其他特徵，包括輕量化的喙部和消化系統、以及質輕而特別堅固的骨骼，此外鳥類還擁有優秀的視覺和聽覺，而且有些鳥類一例如烏鴉和鸚鵡類一都足以名列最聰明的動物之林。

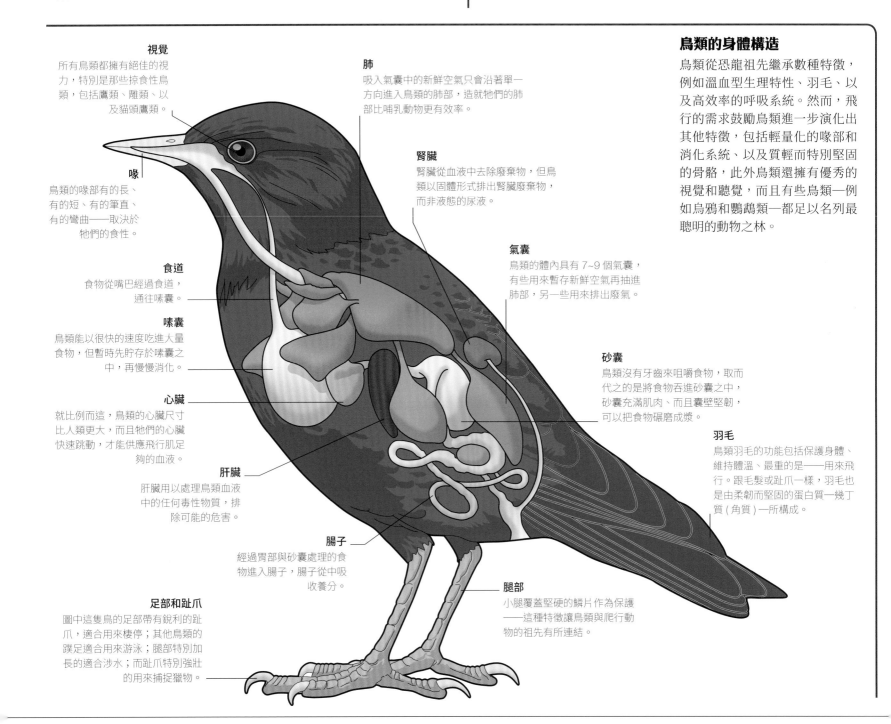

視覺
所有鳥類都擁有絕佳的視力，特別是那些掠食性鳥類，包括鷹類、雕類、以及貓頭鷹類。

肺
吸入氣囊中的新鮮空氣只會沿著單一方向進入鳥類的肺部，造就牠們的肺部比哺乳動物更有效率。

腎臟
腎臟從血液中去除廢棄物，但鳥類以固體形式排出腎臟廢棄物，而非液態的尿液。

喙
鳥類的喙部有的長、有的短、有的筆直、有的彎曲——取決於牠們的食性。

食道
食物從嘴巴經過食道，通往嗉囊。

氣囊
鳥類的體內具有 7~9 個氣囊，有些用來暫存新鮮空氣再抽進肺部，另一些用來排出廢氣。

嗉囊
鳥類能以很快的速度吃進大量食物，但暫時先貯存於嗉囊之中，再慢慢消化。

砂囊
鳥類沒有牙齒來咀嚼食物，取而代之的是將食物吞進砂囊之中，砂囊充滿肌肉、而且囊壁堅韌，可以把食物碾磨成漿。

心臟
就比例而這，鳥類的心臟尺寸比人類更大，而且牠們的心臟快速跳動，才能供應飛行肌足夠的血液。

羽毛
鳥類羽毛的功能包括保護身體、維持體溫、最重的是——用來飛行。跟毛髮或趾爪一樣，羽毛也是由柔韌而堅固的蛋白質一幾丁質（角質）一所構成。

肝臟
肝臟用以處理鳥類血液中的任何毒性物質，排除可能的危害。

腸子
經過胃部與砂囊處理的食物進入腸子，腸子從中吸收養分。

腿部
小腿覆蓋堅硬的鱗片作為保護——這種特徵讓鳥類與爬行動物的祖先有所連結。

足部和趾爪
圖中這隻鳥的足部帶有銳利的趾爪，適合用來棲停；其他鳥類的蹼足適合用來游泳；腿部特別加長的適合涉水；而趾爪特別強壯的用來捕捉獵物。

卵與雛鳥

所有鳥類都以產卵來繁殖，而不同鳥類的鳥蛋(卵)尺寸或顏色差異很大。大部分鳥類築巢安置鳥蛋，並以自己的體溫來保持鳥蛋溫暖，直到孵化為止。有些鳥類—例如鴨子—的雛鳥剛出生就能自己覓食，但其他鳥類—包括大多數鳴禽(雀形目物種)—的雛鳥相當無助，需要親鳥餵食並給予保暖，時間長達數週之久。

1顆鴕鳥蛋的體積相當於24顆雞蛋，若是拿來跟世界上最小的吸蜜蜂鳥蛋相比，差距更是高達驚人的4,700倍。

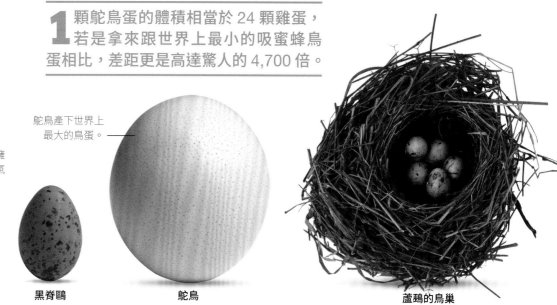

鳥蛋的尺寸如同豌豆。
所有鳥蛋都擁有硬質但透氣的外殼。
鴕鳥產下世界上最大的鳥蛋。
吸蜜蜂鳥
歐歌鶇
家雞
黑脊鷗
鴕鳥

蘆鵐的鳥巢

遷徙

許多鳥類夏季在北方築巢，此時白晝很長而昆蟲湧現，為雛鳥提供大量食物，到了夏末，牠們飛往南方的溫暖區域過冬，其中有些鳥類所進行的遷徙飛行相當驚人——牠們飛越整個大陸或海洋！

圖例

- **金斑鴴** 築巢於加拿大的北極圈，這種濱鳥會遷徙到阿根廷的草原過冬，其中有些族群是中途不停歇的直飛目的地。
- **北極燕鷗** 在北半球的冬季，北極燕鷗飛到南冰洋附近海域掠食，換季時又飛越將近半個地球，回到北方繁殖。
- **短尾水薙鳥** 這種遠洋海鳥每年來回飛行的總里程長達30,000公里——牠們遷徙於澳大利亞東岸與北極之間。
- **大杜鵑** 大杜鵑向南遷徙到赤道附近過冬，春季來臨時就會飛回歐洲北部和亞洲產卵——占據其他鳥類的鳥巢產卵！

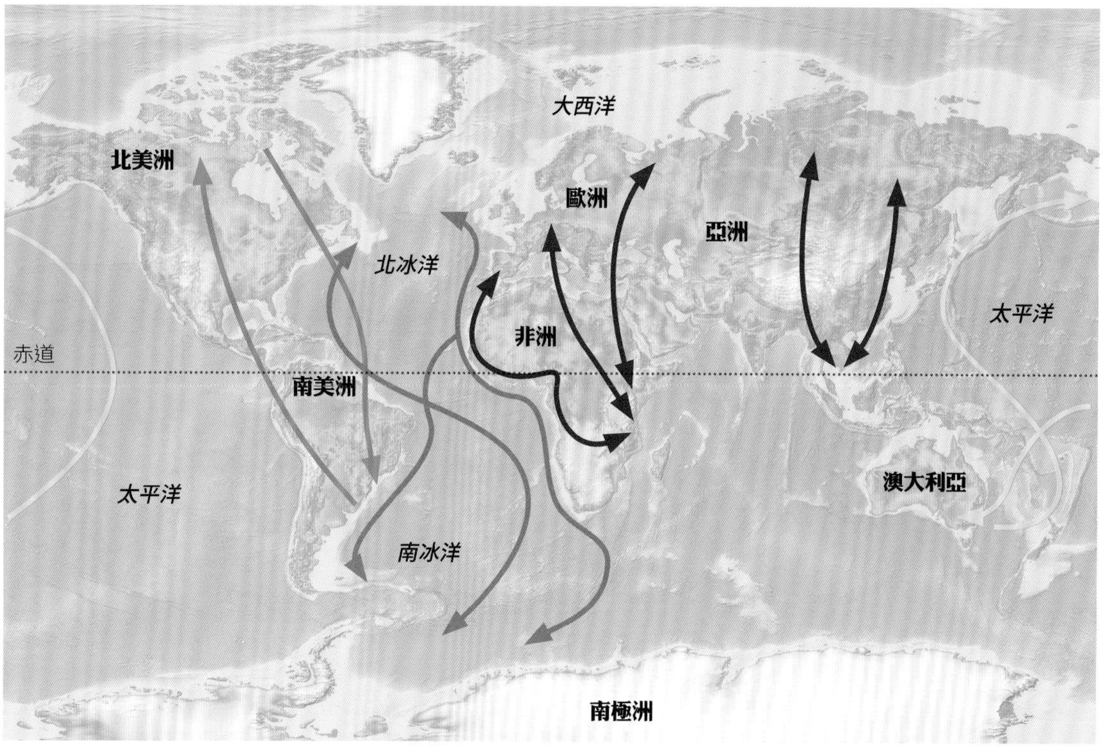
大西洋
北美洲
歐洲
亞洲
北冰洋
非洲
太平洋
赤道
南美洲
澳大利亞
太平洋
南冰洋
南極洲

海鳥

許多鳥類大部分時間待在海域生活，以魚類和其他海洋動物—例如烏賊—為食，牠們遠離陸地長達好幾個月，回到偏僻海岸的目的只為了產孵並養育雛鳥。海鳥類群包括鰹鳥(塘鵝)類、海雀類、水薙鳥類(剪水鸌類)、以及巨大的信天翁類——信天翁翱翔於南冰洋海面。

高速潛水鳥類
高速俯衝潛入海面之下捕食魚類，北方鰹鳥的這種「特技表演」非常壯觀，牠們集體築巢，形成高達60,000對的繁殖群落——有時甚至覆蓋整座島嶼。

無法飛行的鳥類

鳥類的身體構造專為適應飛行而特別演化，儘管有些物種完全無法飛行——這是少有天敵的鳥類的特徵。無法飛行的鳥類包括：強壯的跑者——例如鴕鳥、以及棲息於小島的鳥類——沒有掠食者天敵，但牠們的一些特徵顯示，無法飛行鳥類的祖先是能夠飛行的，只是經過數十萬年的演化而失去飛行能力。

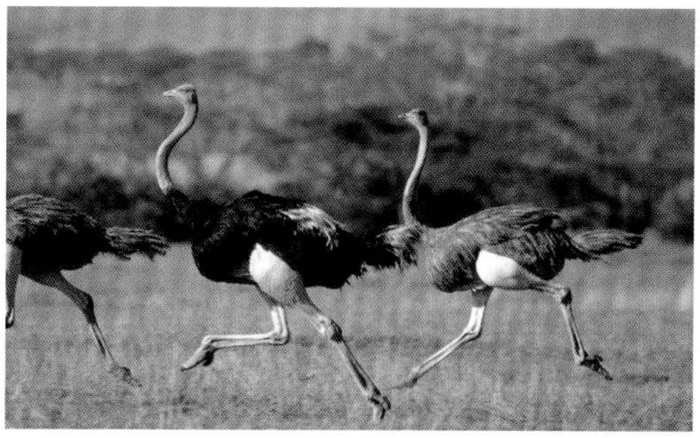

偉大的跑者
就像所有無法飛行的鳥類，鴕鳥的翅膀和飛行肌都相當短小；雖然無法飛行，但牠們運用強壯的長腿快速奔跑—時速高達每小時72公里—也能逃離掠食者的追捕。

信天翁能夠**滑翔**、也能夠乘風**翱翔**長達數小時——期間完全**不必拍動翅膀**。

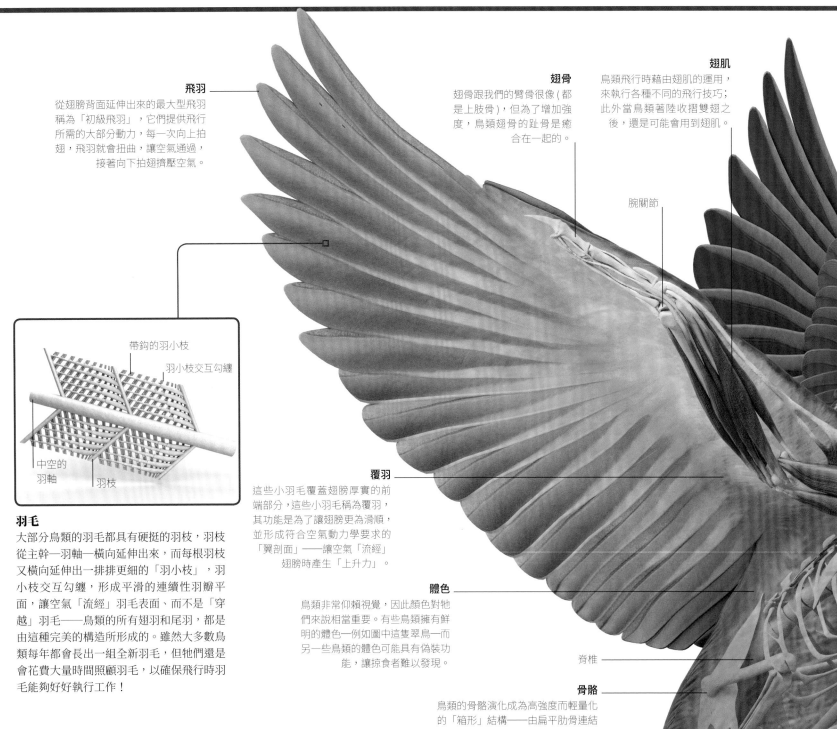

飛羽
從翅膀背面延伸出來的最大型飛羽稱為「初級飛羽」，它們提供飛行所需的大部分動力，每一次向上拍翅，飛羽就會扭曲，讓空氣通過，接著向下拍翅擠壓空氣。

翅骨
翅骨跟我們的臂骨很像(都是上肢骨)，但為了增加強度，鳥類翅骨的趾骨是癒合在一起的。

翅肌
鳥類飛行時藉由翅肌的運用，來執行各種不同的飛行技巧；此外當鳥類著陸收摺雙翅之後，還是可能會用到翅肌。

腕關節

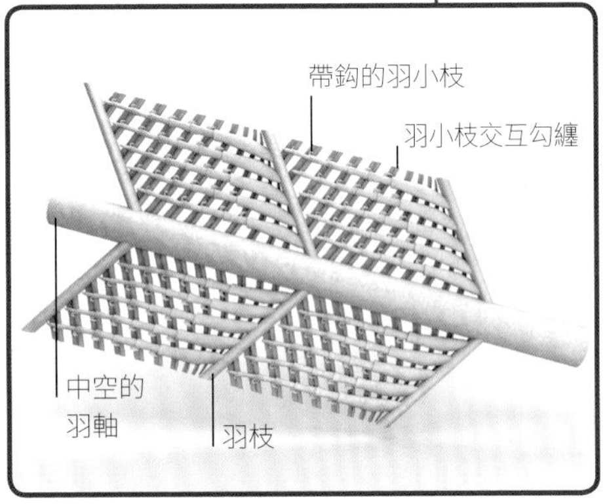
帶鉤的羽小枝
羽小枝交互勾纏
中空的羽軸
羽枝

羽毛
大部分鳥類的羽毛都具有硬挺的羽枝，羽枝從主幹—羽軸—橫向延伸出來，而每根羽枝又橫向延伸出一排排更細的「羽小枝」，羽小枝交互勾纏，形成平滑的連續性羽瓣平面，讓空氣「流經」羽毛表面、而不是「穿越」羽毛——鳥類的所有翅羽和尾羽，都是由這種完美的構造所形成的。雖然大多數鳥類每年都會長出一組全新羽毛，但牠們還是會花費大量時間照顧羽毛，以確保飛行時羽毛能夠好好執行工作！

覆羽
這些小羽毛覆蓋翅膀厚實的前端部分，這些小羽毛稱為覆羽，其功能是為了讓翅膀更為滑順，並形成符合空氣動力學要求的「翼剖面」——讓空氣「流經」翅膀時產生「上升力」。

體色
鳥類非常仰賴視覺，因此顏色對牠們來說相當重要。有些鳥類擁有鮮明的體色—例如圖中這隻翠鳥—而另一些鳥類的體色可能具有偽裝功能，讓掠食者難以發現。

脊椎

骨骼
鳥類的骨骼演化成為高強度而輕量化的「箱形」結構——由扁平肋骨連結到龍骨突、以及剛性非常高的脊椎共同組成；這副骨骼必須非常強壯，才能承受飛行時的高度壓力。

鳥類如何飛行？

鳥類是飛行大師，雖然也有其他動物能夠飛行，但全都無法媲美鳥類飛行的速度、靈活性、以及耐力——這是幾千萬年來持續演化、精進的結果。

比起其他動物，鳥類飛得更快、更高、更遠；許多鳥類每年飛越大半個地球，進行長距離遷徙飛行，而雨燕可以在空中連續飛行好幾年，根本不須降落，此外還有許多鳥類被目睹飛越埃弗勒斯峰(地球最高峰，又稱聖母峰)的山頂，這些「豐功偉業」都是鳥類為了飛行而歷經特別演化的成果——從羽毛到輕量化骨骼，鳥類身體構造的每一部分，都為了飛行所需或減少重量而演化，這些都讓飛行變得愈來愈容易了！

廓羽
鳥類的身體覆蓋著交疊的小型羽毛——廓羽，廓羽提供保護，也造就平滑而流線形的輪廓，因此鳥類在飛行時，空氣可以輕易地「流經」牠們的身體。

尾羽
這隻翠鳥的尾羽很短，但在飛行途中減速時仍然相當有用——尾羽展開時，其作用如同「空氣制動器」。

足部
翠鳥的足部為了適應攀棲而演化，牠們棲停在樹枝上掃描水中的魚類獵物，因此趾爪必須夠長、夠銳利，才能抓緊樹枝。

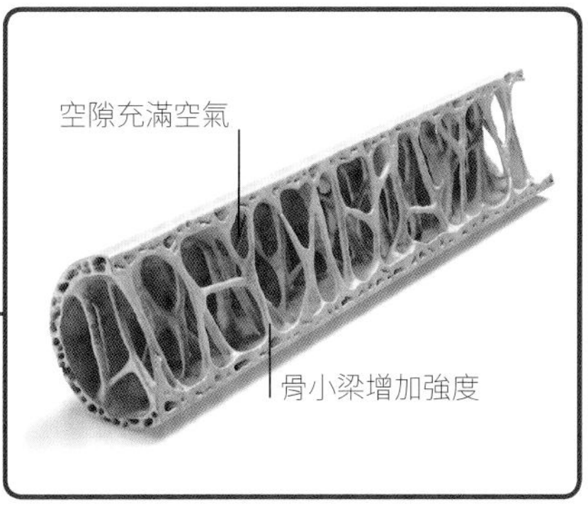

中空骨頭
飛行所消耗的能量很大，鳥類可能很快就會感到疲勞，但體重若是愈輕，消耗的能量就愈少，因此鳥類身體的每一部分構造，都為了適應飛行而演化得愈來愈輕量化，許多骨頭不只變得纖細，強度還得足夠承受飛行所需，有些最大的骨頭甚至是中空的，但內部具有交錯的骨小梁加強支撐，才不會在飛行中因扭曲而斷裂。

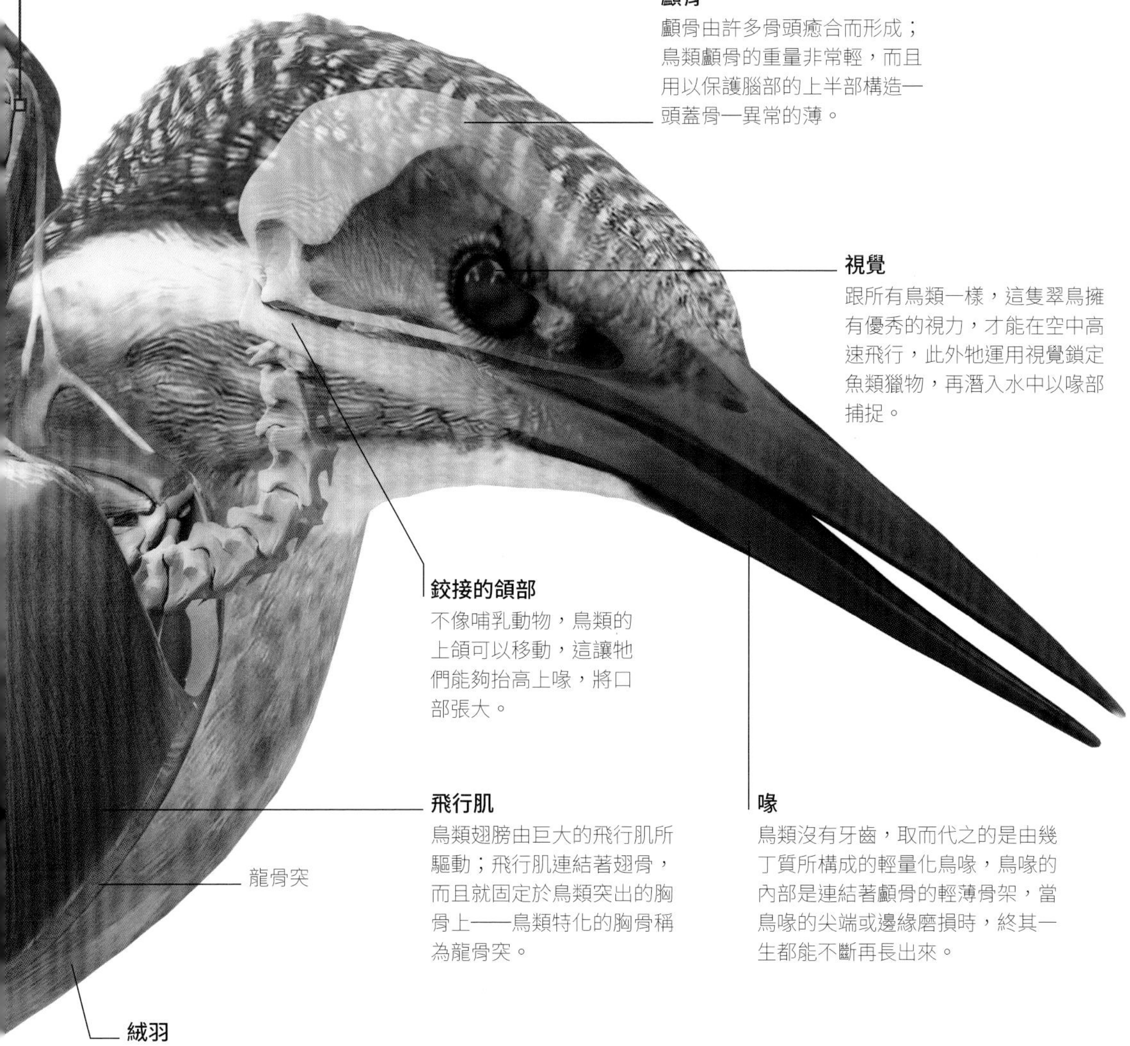

顱骨
顱骨由許多骨頭癒合而形成；鳥類顱骨的重量非常輕，而且用以保護腦部的上半部構造一頭蓋骨一異常的薄。

視覺
跟所有鳥類一樣，這隻翠鳥擁有優秀的視力，才能在空中高速飛行，此外牠運用視覺鎖定魚類獵物，再潛入水中以喙部捕捉。

鉸接的頜部
不像哺乳動物，鳥類的上頜可以移動，這讓牠們能夠抬高上喙，將口部張大。

飛行肌
鳥類翅膀由巨大的飛行肌所驅動；飛行肌連結著翅骨，而且就固定於鳥類突出的胸骨上——鳥類特化的胸骨稱為龍骨突。

喙
鳥類沒有牙齒，取而代之的是由幾丁質所構成的輕量化鳥喙，鳥喙的內部是連結著顱骨的輕薄骨架，當鳥喙的尖端或邊緣磨損時，終其一生都能不斷再長出來。

絨羽
在鳥類的廓羽之下是特化的絨羽層，絨羽緊貼皮膚，幫助鳥類保持溫暖；不像飛羽，絨羽的羽枝柔軟而鬆散，而且不會互相鉤纏，因此處於蓬鬆的狀態，形成能夠抵抗寒氣的隔絕層。

飛行

鳥類也是四足類—就跟我們人類一樣—牠們的翅膀就是由手臂(前肢)演化而來的，而且由皮膚長出來的飛行羽大幅增加翅膀的面積——飛行羽交疊排列形成寬廣的平面，用以向下拍動時將空氣推向後方，因而獲得前進的動力，與此同時，翅膀彎曲的形狀(翼剖面)意味著，當氣流「流經」翅膀表面時會產生上升力，讓鳥類能夠停留在空中；飛機的機翼也是運用相同的道理設計出來的。

翠鳥類、吸食蜂蜜的蜂鳥類、以及鳶類，全都擁有滯空盤旋的驚人飛行技巧，這是由於牠們快速拍翅所產生的上升力，剛好等於地球的重力。

各種翅膀形狀

鳥類的翅膀形狀關乎牠們如何飛行——狹長的翅膀適合用來滑翔，寬大的翅膀幫助鳥類駕馭上升氣流翱翔，而圓弧形的短翅膀則是有利於快速起飛。

滑翔
信天翁擁有狹長的翅膀，能夠提供最大的上升力。

翱翔
雕類寬大的翅膀用來「捕獲」上升氣流。

快速起飛
雉類的圓弧形翅膀幫助牠們快速起飛，逃離掠食者追捕。

高速飛行
末端尖縮的翅膀造就雨燕在空中的高速度與靈活性。

滯空盤旋
蜂鳥的三角形短翅最適合快速拍動。

飛行模式

鳥類以不同的方式運用牠們的翅膀，有些以穩定的頻率拍翅，不快也不慢，但更多鳥類飛行時結合了拍翅和滑翔，另有一些鳥類飛行時幾乎完全不必拍動翅膀。

快速拍翅
跟體型相比，鴨子的翅膀算是相當小，因此飛行時必須規律性的快速拍翅。

慢速拍翅
許多鳥類擁有相對較大的翅膀，例如鷗類，牠們飛行時只須優閒地緩緩拍動翅膀。

間歇性拍翅
啄木鳥飛行時採取間歇性的爆發型拍翅，中間夾雜著短暫的俯衝滑翔。

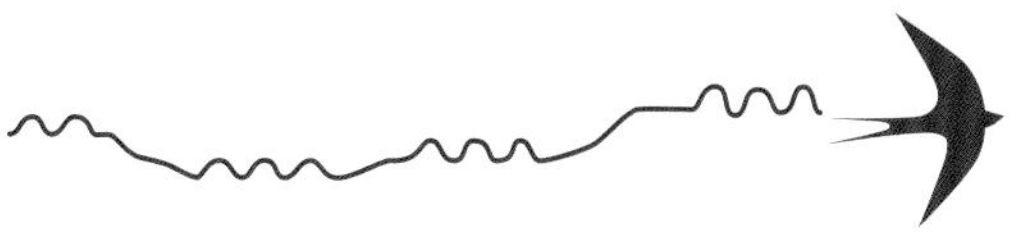

隨機性拍翅
燕子飛行時似乎頗為隨性，當牠們在空中追逐昆蟲獵物時，會隨機結合拍翅和滑翔的動作。

2億2,500萬年前，最早的真正哺乳動物在侏羅紀時代演化出來。

哺乳動物

溫血型、擁有毛髮的哺乳動物是我們最容易瞭解的動物類群，理由很簡單，因為人類自己就是哺乳動物，我們跟其他哺乳動物共享許多特徵，而這些關鍵特徵造就哺乳動物得以成功繁衍。

最早期的陸地哺乳動物從形似爬行動物的祖先演化而來，牠們出現的時間點跟最早的恐龍同期，大約是中生代即將開始的年代。然而，大型恐龍在一次生物大滅絕事件中消失殆盡—此事件標誌著中生代的結束，大約是 6,600 萬年前—而哺乳動物存活了下來，牠們幾乎占領了整個地球，適應性演化讓哺乳動物得以興盛繁衍於每一類棲地——從兩極冰層到炙熱的沙漠，從最高的山峰到最深的海域！

關鍵特徵

所有哺乳動物都是溫血型脊椎動物，以乳汁餵養幼獸，將近 5,400 個物種以胎生產下後代——除了鴨嘴獸和數種針鼴之外，牠們產卵繁殖後代。

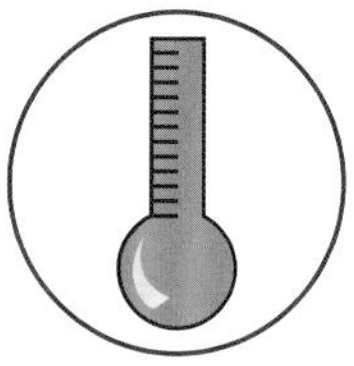
溫血型（內溫型）

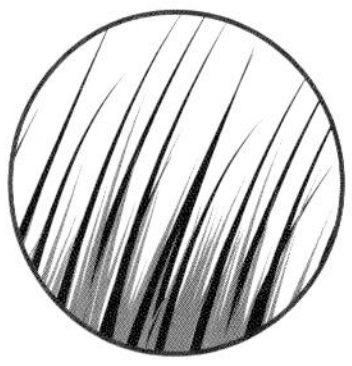
大多擁有毛髮

脊椎

大多胎生

幼獸食用乳汁

適應環境的能力

所有哺乳動物都從棲息於乾燥陸地的四足類祖先演化而來，經過 2 億多年的演化，牠們的身體構造為了適應不同生活模式而作出改變——有些物種能夠飛行，而另一些物種能夠生存於海洋。

陸棲
以四肢站立、擁有長尾巴，雪豹具有陸棲哺乳動物典型的身體構造，此外牠們還擁有一些專為狩獵生活所演化的特徵。

樹棲
許多哺乳動物已經適應在樹上生活的型態，尤其是那些棲息於熱帶森林的物種，這包括許多靈長動物，例如猿類、猴類、以及圖中這隻馬達加斯加狐猴。

空中
蝙蝠挑戰鳥類作為空中霸主的地位，牠們運用趾骨之間大幅延伸的皮翼作為翅膀飛行，大部分物種在夜間捕食飛行昆蟲；蝙蝠是哺乳動物之中繁衍最成功的類群之一。

水域
有些哺乳動物—例如海豹類和鯨豚類—完全適應海洋中的生活，牠們的腿部演化成鰭肢——其中海豹類還保有四肢（4 條鰭肢），而鯨豚類的後肢已經完全退化不見了。

養育幼獸

90% 以上的哺乳動物以胎生繁殖後代，胚胎在母體內度過早期階段才會出生，這類物種稱為胎盤哺乳動物——因為尚未出生的胚胎透過臍帶的連結，由母體的胎盤提供氧氣和養分。相反的，另一類哺乳動物稱為有袋動物，牠們產下半發育完成的幼獸，幼獸一出生就設法爬進母體的育兒袋之中，至到發育完全。

有袋動物的育兒袋
剛出生的有袋動物是個粉紅色小不點，幾乎無法移動，但牠們還是奮力爬進母親的育兒袋之中，開始吸吮特別營養的乳汁，並且持續待在裡面發育、成長，直到能夠食用固體食物為止。

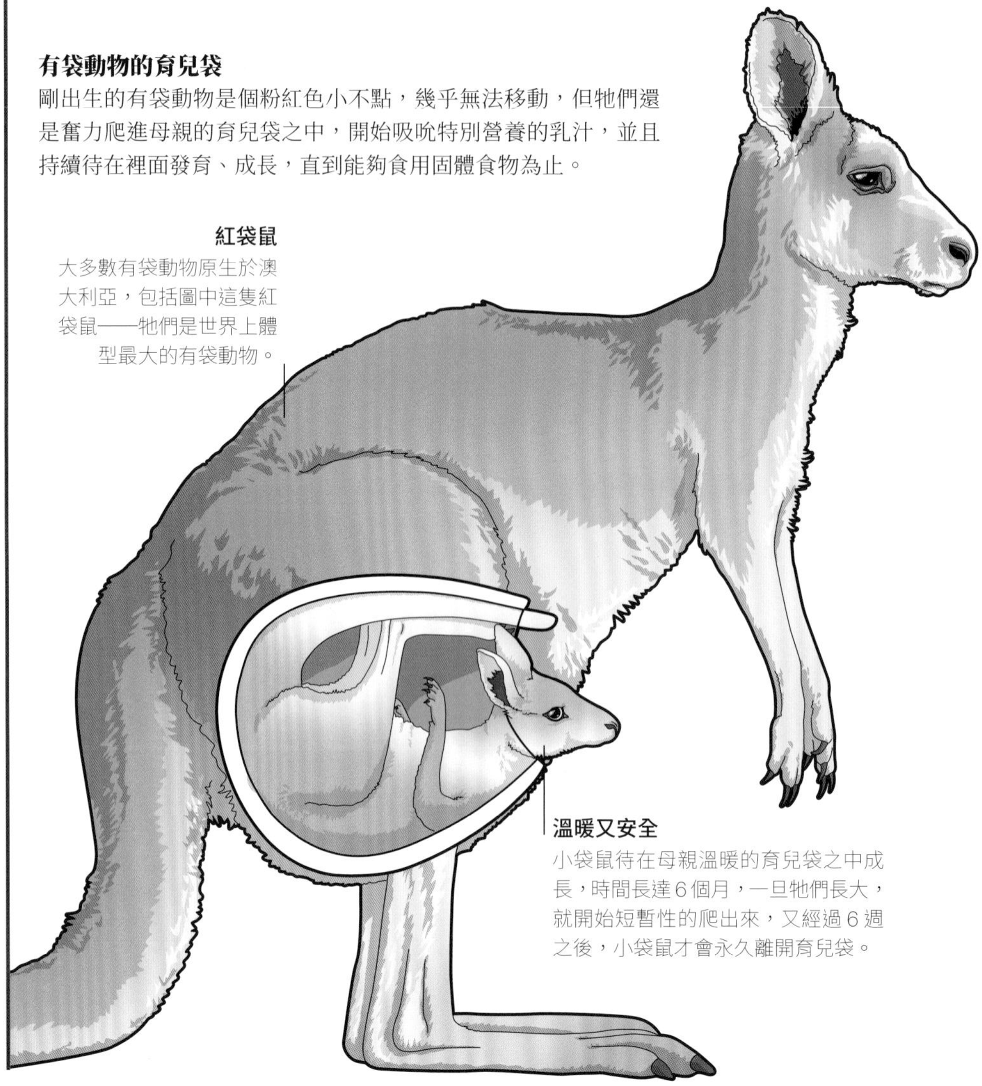
紅袋鼠
大多數有袋動物原生於澳大利亞，包括圖中這隻紅袋鼠——牠們是世界上體型最大的有袋動物。
溫暖又安全
小袋鼠待在母親溫暖的育兒袋之中成長，時間長達 6 個月，一旦牠們長大，就開始短暫性的爬出來，又經過 6 週之後，小袋鼠才會永久離開育兒袋。

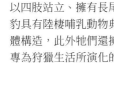

北極狐會在冬季長出**濃密的冬季毛皮**，冬季毛皮非**常保暖**，氣溫必須降到 **-50℃**以下，北極狐才會**開始發抖**。

溫血型（內溫型、恆溫型）

哺乳動物藉由釋放從食物所獲得的能量，讓身體維持在理想溫度——大約是 38° C，這不僅確保所有生理機能都能有效運作，還讓哺乳動物在寒冷的天氣中也能很活躍。另一方面，有些在冬季不容易找到食物的哺乳動物，則是採行冬眠來度過艱難時刻——為了節省能量，牠們進入休眠狀態來降低體溫，直到春天才會甦醒過來

這隻睡鼠在地底鋪滿落葉與苔蘚的巢穴中冬眠。

睡鼠

榛睡鼠每年的冬眠時間長達 6 個月，在冬眠期間，牠們的體溫會降到幾乎結冰的 4°C以下。

感官

許多哺乳動物在夜間特別活躍，牠們特別依賴聽覺和嗅覺—都遠比人類更敏銳—以及高度發展的觸覺。夜行性哺乳動物的眼睛，已經適應在幾近黑暗的環境中視物，這是由於牠們的眼睛具有「視桿細胞」，用以對微弱的光線作出反應，但這也意味著牠們的眼睛容納不了太多「視錐細胞」，因此無法像我們人類一樣看見物體的顏色。

人類所見影像

狗所見影像

色盲

狗的祖先是在夜間狩獵的灰狼，因此狗在黑暗中也能看得很清楚，但對於顏色就不太敏感了——雖然可以看見黃色、藍色和灰色，但幾乎無法辨識紅色和綠色。

食性與牙齒

大多數哺乳動物擁有數種不同類型的牙齒，前方的門齒用來噬咬、尖突的犬齒用來緊抓物體、大型頰齒用來咀嚼，而且這些牙齒都為了不同的食性而特化，結果，肉食性掠食動物的牙齒，就長得跟植食性動物非常不同。

海豚

不像其他哺乳動物，海豚的牙齒全都長成一個樣—單純的尖銳釘狀—適合用來抓住滑溜的魚類。

獅子

獅子的牙齒結合了匕首般的長犬齒、以及剪刀般的頰齒，但牠們完全無法咀嚼。

乳牛

乳牛擁有扁平的頰齒，適合用來咀嚼禾草，此外牠們的門齒位置也比較低，而且缺乏犬齒。

保暖

哺乳動物是溫血型，必須消耗大量能量來保持溫暖，也就是說在相同體型之下，哺乳動物必須比冷血型動物吃進更多食物才能生存；另一方面，哺乳動物若是能夠保留更多身體熱氣，對食物的需求就會減少，這就是許多哺乳動物發展出厚厚一層毛皮（毛髮）的原因，此外皮下脂肪層也能保留體熱；毛髮就是更加厚實的頭髮，這是哺乳動物所獨有的身體構造，但其中有些物種的毛髮已經演化成棘刺、甚至是鱗片。

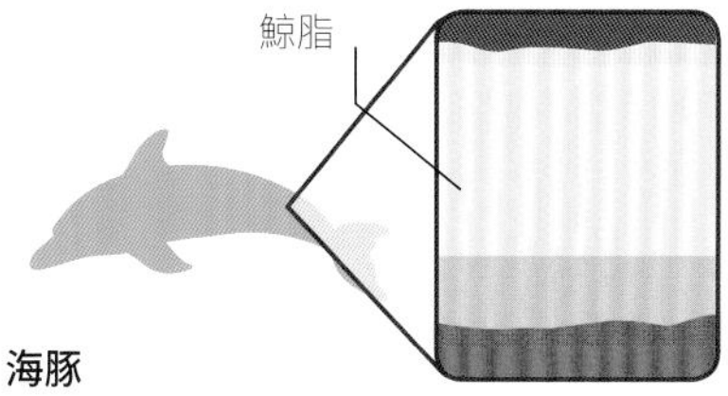

海豚

鯨脂

海洋哺乳動物需要更好的絕緣層，才能防止體溫流失到冰冷的海水中，因此皮膚之下大多發展出一層厚脂肪—稱為「鯨脂」—鯨脂之中布滿血管，用以控制體溫。

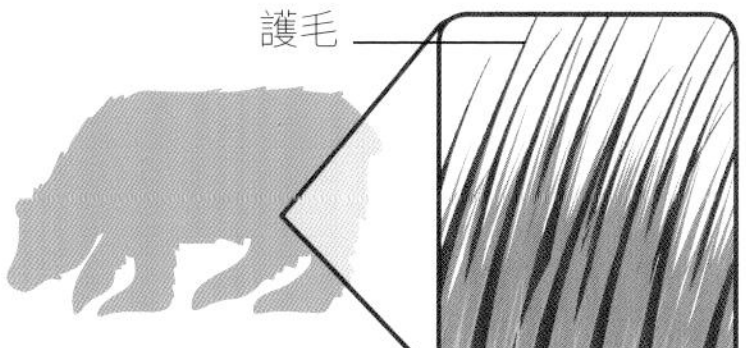

熊

毛皮

一些棲息於寒冷區域的陸棲哺乳動物—例如熊類和狐狸—擁有非常厚的毛皮，毛皮的外層是長而堅韌的「護毛」，用以保護裡面細緻而濃密的內層絨毛。

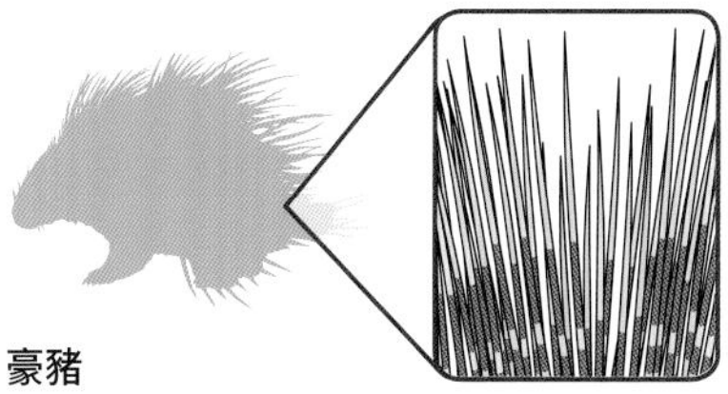

豪豬

棘刺

豪豬類、刺蝟類、以及其他一些哺乳動物擁有棘刺狀毛皮，這些棘刺就是特化的毛髮，只是變得更厚實、更硬挺、更尖銳，讓牠們免於遭受掠食者攻擊。

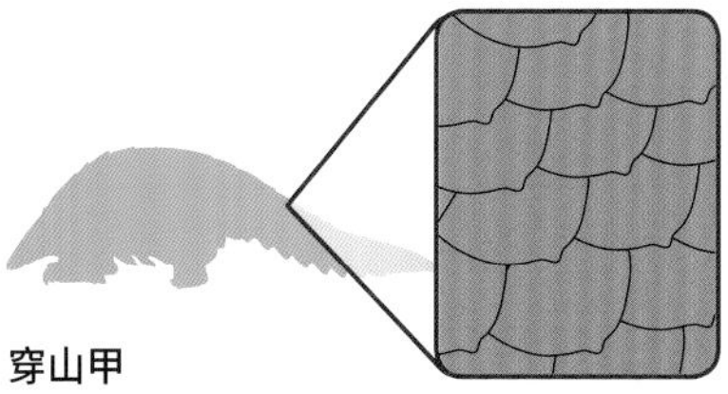

穿山甲

鱗片

穿山甲是哺乳動物之中唯一具有鱗片的類群，鱗片的成分跟動物的毛髮或趾爪相同；另一方面，犰狳類雖然也擁有類似的「盔甲」，但牠們是形成大塊板狀、而不是鱗片。

非洲象

非洲象是地球上最龐大、最壯觀的陸棲動物，牠們是胃口驚人的植食者，具有極高的智能和優秀的記憶力。

擁有長長的象鼻、醒目的象牙、巨大的耳朵、以及最顯眼的龐大尺寸，非洲象是貨真價實的動物界奇觀，牠們食用大量粗糙植物—包括堅韌的禾草和樹皮—若是太餓的話，也會以強大的力量推倒整棵大樹，來吃到樹葉；然而，非洲象也有溫柔與感性的一面，牠們擁有緊密維繫的家庭生活。

妊娠期最長

胚胎得在母象的子宮內待上 22 個月，這麼長的妊娠期沒任何哺乳動物能出其右—包括更巨大的鯨類—幼象在熱帶地區的乾季發育完成，並在雨季開始之時出生，此時禾草豐沛，母象食用以後可轉化為營養的乳汁。

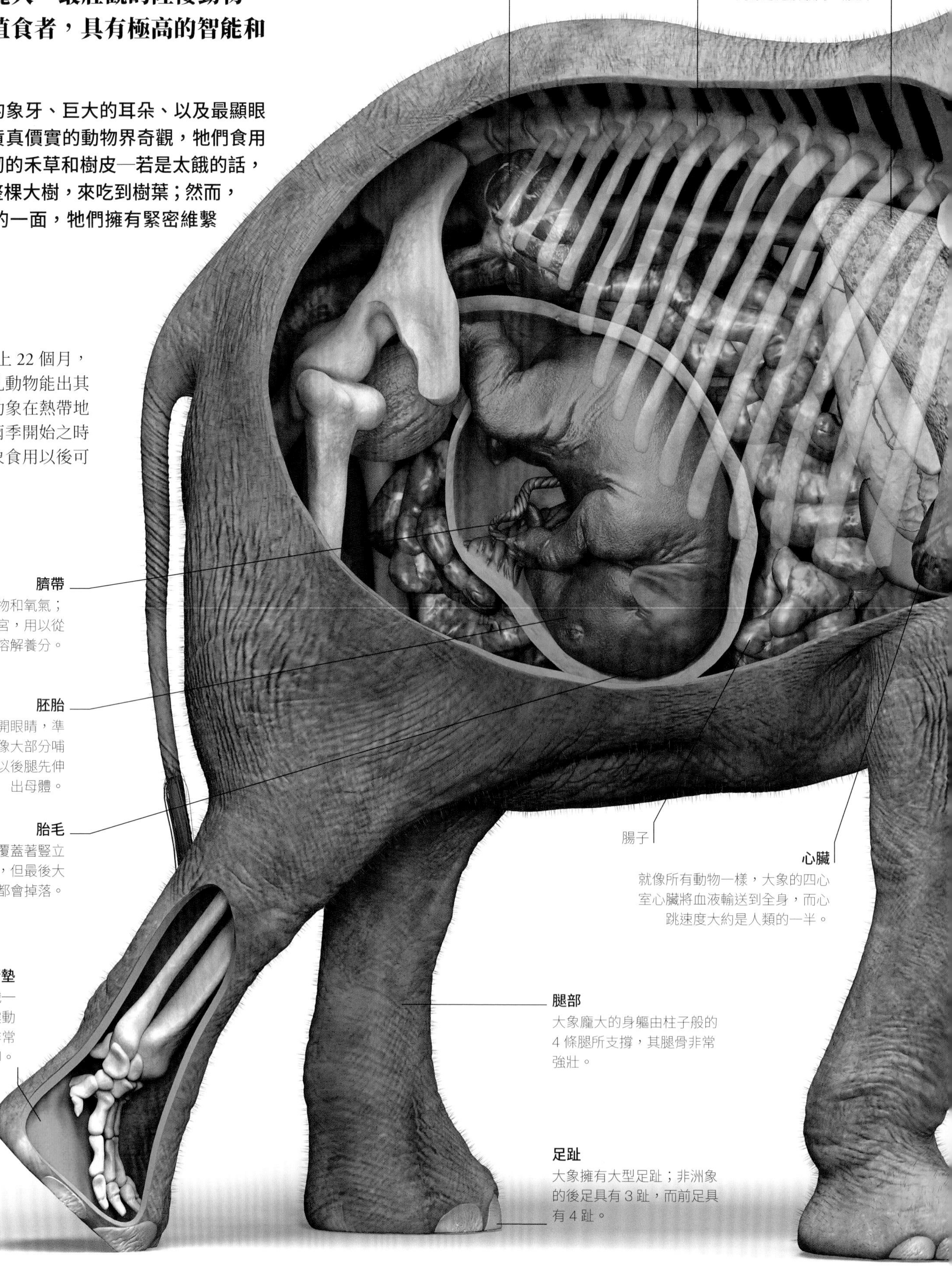
腎臟
腎臟從血液中過濾出廢棄物，送到大象的膀胱排出體外。
脊椎
大象的脊椎呈弓形，幫助牠們支撐身體重量。
肺臟
肺臟吸入空氣並萃取其中的氧氣，二氧化碳廢棄物同樣透過肺臟呼出體外。
臍帶
臍帶提供未出生的胚胎食物和氧氣；臍帶連結胚胎與母體的子宮，用以從母體的血液中吸收溶解養分。
胚胎
此時幼象胚胎已經張開眼睛，準備看看這個世界；不像大部分哺乳動物，大象出生時以後腿先伸出母體。
胎毛
剛出生時，幼象身體覆蓋著豎立的黑色或紅棕色胎毛，但最後大部分胎毛都會掉落。
腸子
心臟
就像所有動物一樣，大象的四心室心臟將血液輸送到全身，而心跳速度大約是人類的一半。
緩衝墊
大象的足骨座落於楔形鬆軟組織—緩衝墊—之上，其功能為吸收震動並分散體重，因此大象走路時非常安靜，只留下淺淺的足印。
腿部
大象龐大的身軀由柱子般的 4 條腿所支撐，其腿骨非常強壯。
足趾
大象擁有大型足趾；非洲象的後足具有 3 趾，而前足具有 4 趾。

18 小時——大象每天的覓食時間，牠們必須大量進食，才能為龐大的身軀供應燃料。

當大象在較深的河流涉水而過，牠們運用象鼻作為呼吸管，高舉在水面之上呼吸。

象鼻末端的敏感度猶如我們的指尖，可供大象多功能使用。

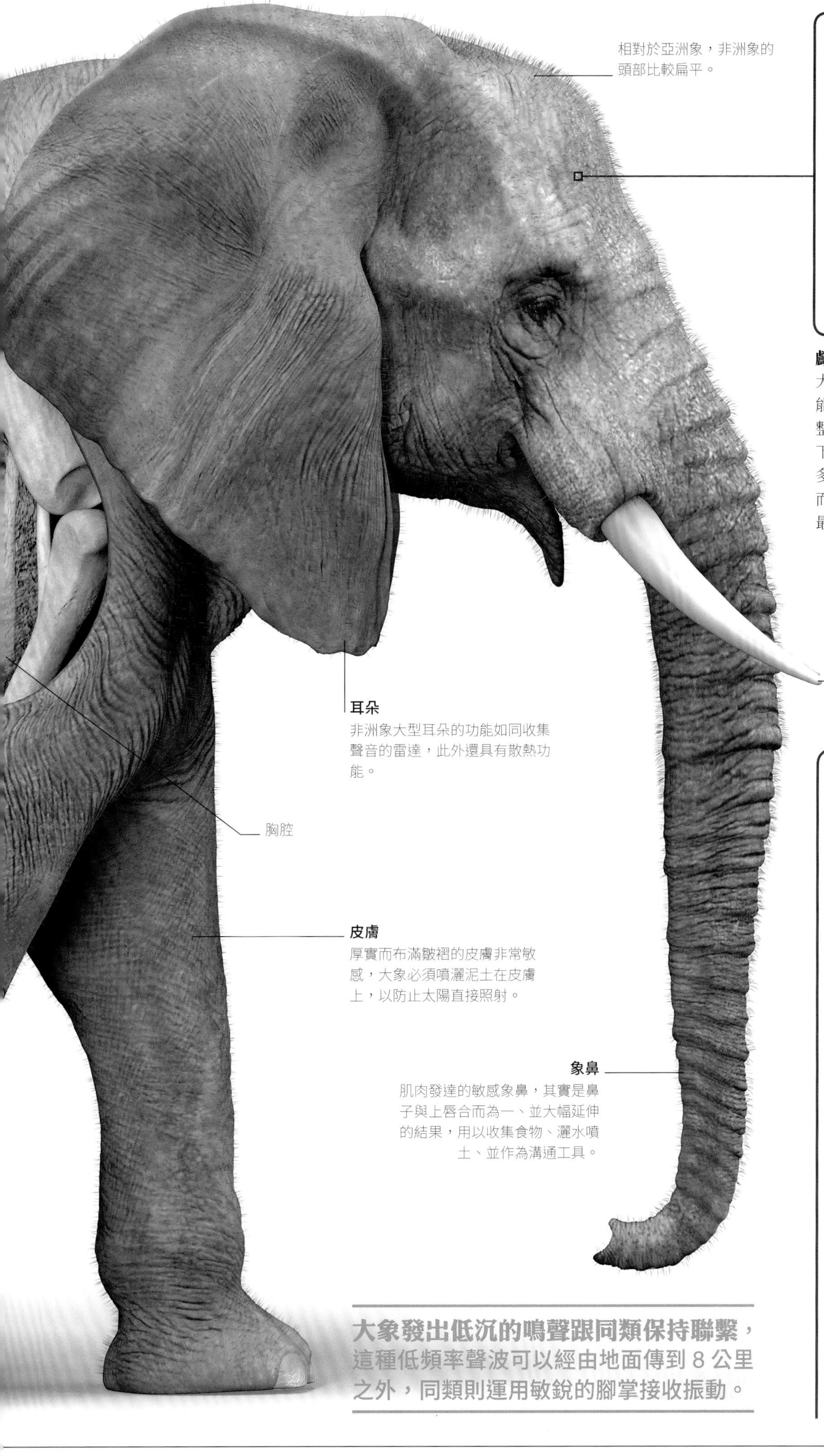
相對於亞洲象，非洲象的頭部比較扁平。
耳朵
非洲象大型耳朵的功能如同收集聲音的雷達，此外還具有散熱功能。
胸腔
皮膚
厚實而布滿皺褶的皮膚非常敏感，大象必須噴灑泥土在皮膚上，以防止太陽直接照射。
象鼻
肌肉發達的敏感象鼻，其實是鼻子與上唇合而為一、並大幅延伸的結果，用以收集食物、灑水噴土、並作為溝通工具。
象牙
大象的獠牙稱為象牙，獠牙其實就是大幅延伸的特化上門齒，用以剝落樹皮、挖掘可食用植物的根部、還能作為防衛武器；但不幸的是，許多大象卻因為象牙而被人類殺害——許多人將象牙視為珍寶。

空隙中充滿空氣，讓顱骨變輕。
頰齒表面帶有稜脊，有助於碾磨食物。

顱骨與牙齒

大象顱骨的骨頭內部如同蜂巢一樣具有許多空隙，其功能是為了減輕重量，但加上牙齒和獠牙（象牙）之後，整個顱骨還是占了將近大象體重的 ¼，牠們的上頜及下頜兩側各具 1 ~ 2 顆頰齒，相當巨大而結實，用以將多纖維的植物碾磨成漿；此外，大象的牙齒會隨著時間而向前移動—就像輸送帶一樣—因此老舊或磨損的牙齒最終會掉落，由新齒移到前面代替。

非洲象小檔案

肩高	可長到 4 公尺高
體重	10 噸
壽命	70 歲
棲地	非洲莽原
食性	植物
生存狀態	易受危害

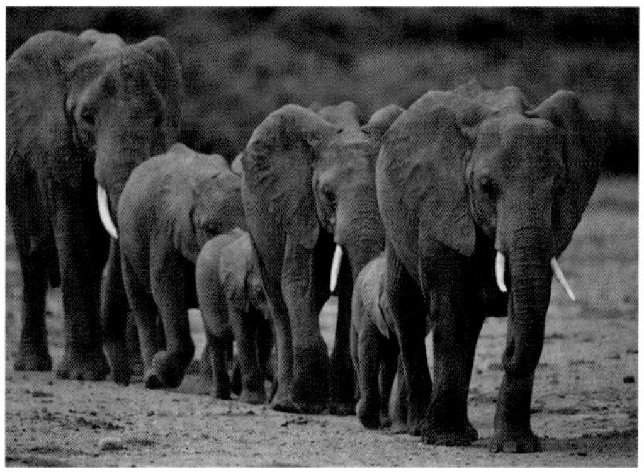

家庭生活

數頭母象與幼象會組成家庭群體，由最老、最有智慧的母象作為領導者，帶領象群尋找食物和水源。象群成員之間的關係非常密切，牠們使用象鼻碰觸彼此來關心對方；當年輕公象到了成熟期，就會離開家庭群體，跟其他公象組成公象群，但經常會偶遇原生家庭。

大象發出低沉的鳴聲跟同類保持聯繫，這種低頻率聲波可以經由地面傳到 8 公里之外，同類則運用敏銳的腳掌接收振動。

動物求生秘技

動物擁有其他生物—例如植物或真菌—所沒有的一項特徵：能夠活動，大部分動物會到處覓食，跟同類溝通，還能進行求偶或繁殖等等複雜行為，這牽涉牠們感知周遭環境的能力，有些甚至是根據經驗作出決定的結果，但最終，動物的所有活動都只有唯一目的——求生！

動物的智能

動物與其他生物之間最大的差異之一，就是動物演化出神經細胞網絡，神經將訊號傳送到動物的身體，對周遭環境作出立即反應，其中構造比較簡單的動物—例如水母或蛞蝓—自動作出反應，而較為先進動物的神經細胞具有節點—也就是腦部—讓牠們可以回想什麼是好、什麼是壞，動物再運用這些資訊來決定如何反應——這就是智能的基礎。

本能

所有動物—包括人類—都具有一些本能，本能是一種不經仔細思考所作的行為模式，昆蟲從親代（父母）繼承本能，例如小蜘蛛不經任何教導就會結網——就跟牠們擁有 8 隻腳一樣自然，結網的本能是與生俱來所繼承的一部分。對許多動物而言，本能至少掌控了牠們 90% 以上的行為模式。

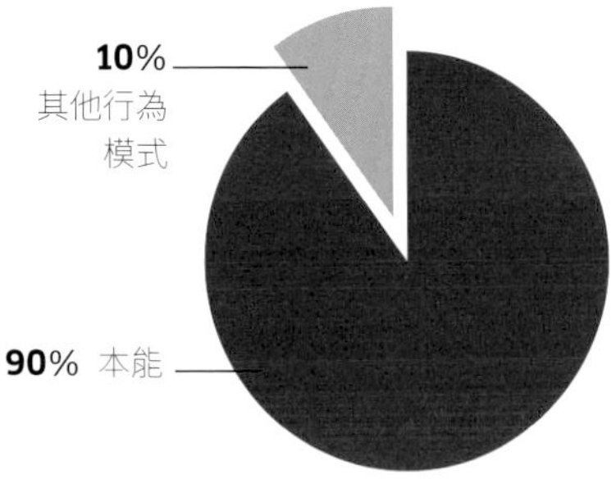

10% 其他行為模式
90% 本能

動物的行為模式

記憶與學習

昆蟲的大腦只是一小束神經細胞，但即使是昆蟲都擁有記憶力——採集蜂蜜的蜜蜂記得哪裡長著最棒的花朵，並將這個訊息傳遞給其他蜜蜂；動物的腦容量愈大，就能儲存愈多記憶，這讓牠們能夠運用經驗來指導行為，而不只對正在發生的事情作出反應，也就是說，這類動物能夠思考與學習——然而動物到底學習哪些事物，雖然我們至今所知不多，但全部是具有實用性的事物！

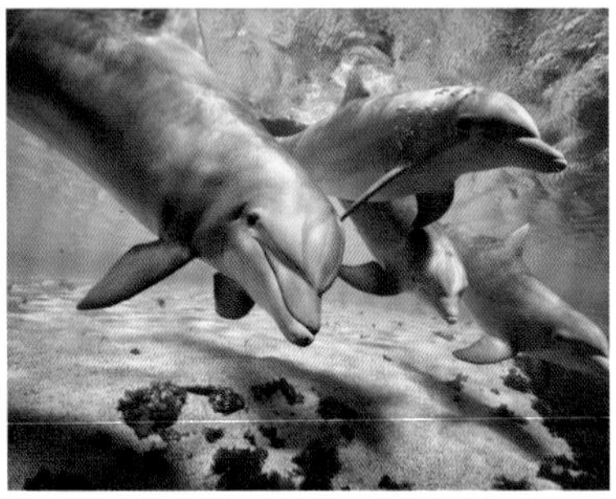

聰明的海豚
海豚的腦部比人類更大，牠們的確相當聰明，不僅學習能力強，人類還能透過手語來教導某些海豚物種。

經驗傳授

有些聰明的動物能夠學習新技能，並運用自己的經驗，將學到的技能傳授給同類—動物的親代就是這樣教導幼代的—但有些生活在社會群體中的動物，會從特別聰明的「始作俑者」身上學習，例如黑猩猩學習如何使用工具——牠們剝除樹枝的葉片，用來挖出小洞中的昆蟲食用，這類學習模式稱為「文化」，而文化就是人類文明的基礎。

猴子泡溫泉
在日本中部寒冷的積雪山頭，許多日本獼猴會浸泡溫泉來取暖，這是從一隻母猴身上學來的，而那隻母猴在 1963 年無意中學會這種技巧！

在美**國夏威夷**的一處研究中心，科學家透過手語**教導一隻海豚**，至今海豚已經**學會 60 個以上的單字**、並瞭解超過 **2,000 個句子**的涵義。

移動

動物總是不停的移動，有些固著於定點的物種只能微微抽動，但大部分物種運用爬行、游泳、行走、奔跑、或飛行來尋找食物、庇護所、以及繁殖地點，這可能只是隨機漫遊，但一些物種明確知道自己正在邁向何方。此外，有些動物具有領域性，牠們熟知地盤中的一草一木，也有許多動物會進行遷徙，牠們設法找出方向，跨越很長的距離—甚至大半個地球—才能抵達目的地。

尋找方向

候鳥每年進行兩次（來回）長距離的遷徙飛行，而鯨類和海龜也會在廣闊的大海中洄游，年復一年回到相同的地點。鳥類可能是利用天然地標來尋找方向，但這無法解釋鯨類如何跨越茫茫大海，牠們似乎天生就知道要往哪個方向游動；但不論如何，遷徙動物並非盲目遵循本能來尋找方向，牠們會謹慎的選擇遷徙路徑，若是遇上不好的天氣，還會延後出發時間。

導航
鳥類可能結合多種線索來導航，包括太陽或星星的位置、感應地球磁場、以及辨識海岸線或山丘等等自然地標。

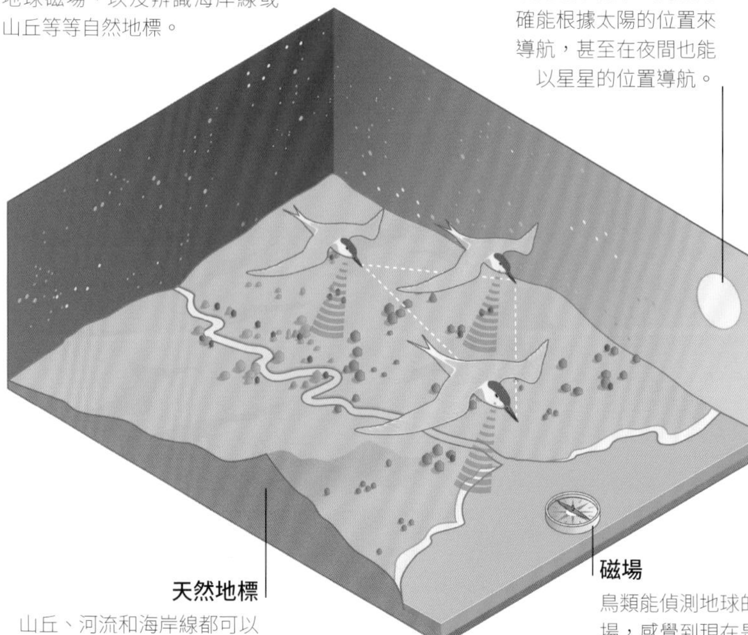

太陽和星星
研究結果顯示，鳥類的確能根據太陽的位置來導航，甚至在夜間也能以星星的位置導航。

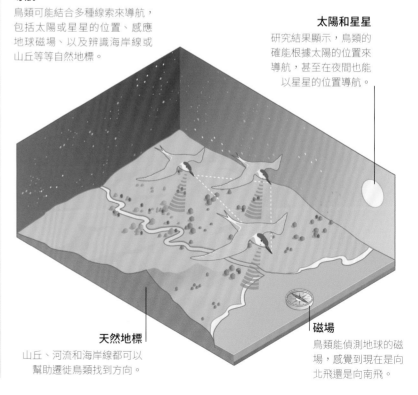

天然地標
山丘、河流和海岸線都可以幫助遷徙鳥類找到方向。

磁場
鳥類能偵測地球的磁場，感覺到現在是向北飛還是向南飛。

群體生活

雖然有些動物獨來獨往，但大部分物種都跟同類住在一起，或跟其他動物混居，甚至與不同的生物共生；群居或共生讓彼此的生活都更加容易，特別是在環境嚴苛的棲地——食物、庇護所、或是生活所需的其他必需品難以找到的地方。

完美的伙伴

貼身服務

裂唇魚是一種小型珊瑚礁魚類，又稱為「清潔魚」，牠們以其他魚類身上的死皮和吸血蟲為食——裂唇魚的「客戶」通常大到足以吃掉牠，但由於需要牠的服務而不會這麼做。

蚜蟲農場

蚜蟲是一類身體柔軟的小型昆蟲，牠們會分泌一種糖質流體—甘露—蟻類極愛食用，因此蟻類會「畜養」蚜蟲，彷彿將牠們視為農場動物，甚至還為蚜蟲趕跑敵人，這樣就能得到「甜蜜的回報」。

食物工廠

建造珊瑚礁的珊瑚蟲身上帶有共生藻，藻類能夠進行光合作用，製造食物來餵養珊瑚蟲；此外，棲息於珊瑚礁海域的硨磲貝與藻類之間，也具有這種互利的共生關係。

嚮蜜鴷

黑喉嚮蜜鴷是一種非洲鳥類，以野生蜜蜂的蜂巢為食，牠會在更強壯的動物—例如蜜獾—之前飛舞作為引導，讓蜜獾去破壞蜂巢，這樣嚮蜜鴷也能分到一些食物。

大型動物的**胃部**通常棲息著數百萬隻**微生物**，幫助牠們**消化食物**。

求偶

尋找配偶並繁殖後代，是物種得以延續的基礎，許多動物會進行繁複的求偶儀式，通常是雄性動物在雌性面前「表演」，例如雄性變色龍會展現明亮的體色，以顯示自己急於交配；配對動物也可能一起「表演」，例如蠍子會舉起螯肢對握，彷彿牠們在沙地上跳起了華爾滋；此外，配對水螈也會在水中一起「跳舞」。

鳴聲與“歌聲”

聲音在求偶行為中扮演重要的角色，尤其是在森林深處，濃密的植物造成動物難以發現彼此的存在，因此公鳥或雄性樹蛙通常會發出鳴聲或「歌聲」互相競爭，看看誰能壓倒其他雄性，獲得雌性同類的青睞，而雌性動物通常會選擇聲音最雄壯的「歌唱家」交配，因為牠們可能也是最健康的！

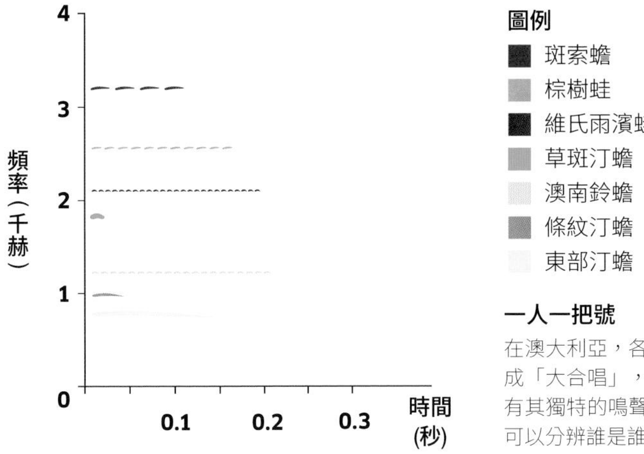

4
3
2
1
0
頻率（千赫）
0.1
0.2
0.3
時間（秒）
圖例
斑索蟾
棕樹蛙
維氏雨濱蛙
草斑汀蟾
澳南鈴蟾
條紋汀蟾
東部汀蟾

一人一把號

在澳大利亞，各種雄蛙通常會形成「大合唱」，但每一個物種都有其獨特的鳴聲，因此同類雌蛙可以分辨誰是誰。

求偶舞

鳥類通常會展現最華麗的求偶舞蹈。在歐洲的湖泊中，一對對鳳頭鸊鷉曼妙的跳起雙人芭蕾，這包含好幾支「舞碼」，而且按照嚴格的順序進行，舞伴必須互相配合、達到和諧一致；如果雄鳥與雌鳥搭配良好，就會進一步交配繁殖、共組家庭。

搖頭晃腦

求偶鸊鷉面對面一起游泳，不停以牠們的鳳冠頭部上下搖動。

潛水尋草

分別潛入水中銜起滿嘴水草，接著在湖面上朝向對方「飛奔」。

交換禮物

拼命划水「站立」到水面上，互相獻出神聖的水草「禮物」。

親代照顧

許多動物—包括大部分魚類—產下數百或數千枚卵，因為後代即使孵化，也大多無法存活。另有一些動物產下數量較少的卵或後代，但牠們會加以照顧，以確保更大的存活機會——親代（父母）保衛幼代、餵食幼代、或教導幼代如何覓食；其中有些物種會照顧幼代長達數個月、甚至數年之久，在這段期間教導後代所有求生必備的技巧。

自謀生路

熱帶閃蝶的毛蟲（幼蟲）孵化，牠的母親稍早在一旁植物中產下未受精卵，給牠作為食物，就此一去不回；毛蟲一孵化就必須保衛自己，牠依賴本能和體內的化學物質來躲避飢餓的鳥類，但毛蟲必須非常幸運才能活得夠久，最後變成蝴蝶成體。

溫柔的血盆大口

母鱷會待在產卵的巢穴將近 3 個月，等待幼鱷孵化，當牠一聽到破殼聲，就立刻把卵挖起，幫助幼鱷從蛋殼中爬出來，再以嘴巴銜著幼鱷，小心翼翼的帶往水域；接下來，母鱷會持續照顧幼鱷長達數個月之久，而幼鱷必須在這段期間盡快學會如何獵食。

漫長的童年

幼狼在狼群之中長大。最初，幼狼由產下牠的母狼負責照顧、餵奶，學會吃肉之後，幼狼會被帶回狼群的洞穴之中照顧，等到長得夠大了，就開始跟著狼群一起狩獵，並學習所有求生技巧。

1顆橡樹就可以成為**多到令人吃驚的多種動物的棲所**——可能有上百隻動物**棲息**在它的**樹枝上**。

棲地

動物、植物、以及所有生物都必須適應它們所處的自然環境，這些各式各樣的自然環境，就稱為生物的棲地（棲所）。

地球上每一個物種都有自己偏好的棲地，牠們跟其他生物共享棲地，彼此互動，也跟自然環境產生互動。自然環境不論冷、熱、乾、濕，都能創造出一個生物網絡——也就是生態系統，有些生態系統非常小，另有一些生態系統非常龐大，例如雨林或沙漠，而相似生態系統的集合，就稱為「生物群落」——也稱為「生物群系」或「生域」，而生物群落常以植被類型作為特色，故又稱為「植被氣候帶」。

生態消長

生態系統是持續變化的，不同的生物類群搬進來，將原本的「居民」排擠出去，這種過程稱為「生態消長」。例如一片光禿禿的土地，最初低矮植物長了出來，不久更大型的植物在此扎根，接下來是灌木，最後大樹也來了，它們長高之後形成樹林，但萬一樹林被災難所摧毀，之前這一連串的變化—或消長—就得重頭來過。

較大型的植物和灌木移入，逐漸扼殺小型植物的生存空間。
動物被吸引而來，在植物之間覓食。
種子在光禿禿的土地上發芽，小型植物茂盛成長。
樹木開始扎根，逐漸成為優勢植被。

持續變化
「生態消長」的不同階段通常一個接一個連續發生在相同的棲地，如圖所示，新植物正在占領森林中的空地。

生態系統

所有動物、植物、真菌、以及微生物，都必須依賴其他類型的生物才能生存，這種生物社群互相提供每一個成員庇護所、食物、養分、甚至是生存不可或缺的氧氣。所有生態系統都由當地的氣候所形塑，氣候影響了植物的生長，例如仙人掌生長在沙漠中、而不像樹木長在熱帶雨林，而仙人掌也會支持特定的動物生存。另一方面，當地的岩石種類也扮演重要角色，因為這會影響土壤、溪水、湖水或地下水的礦物成分，富含礦物的水體非常營養，足以支持許多藻類和水生植物生長，藻類及水生植物被小型動物吃掉，再透過食物鏈餵養魚類或大型動物。

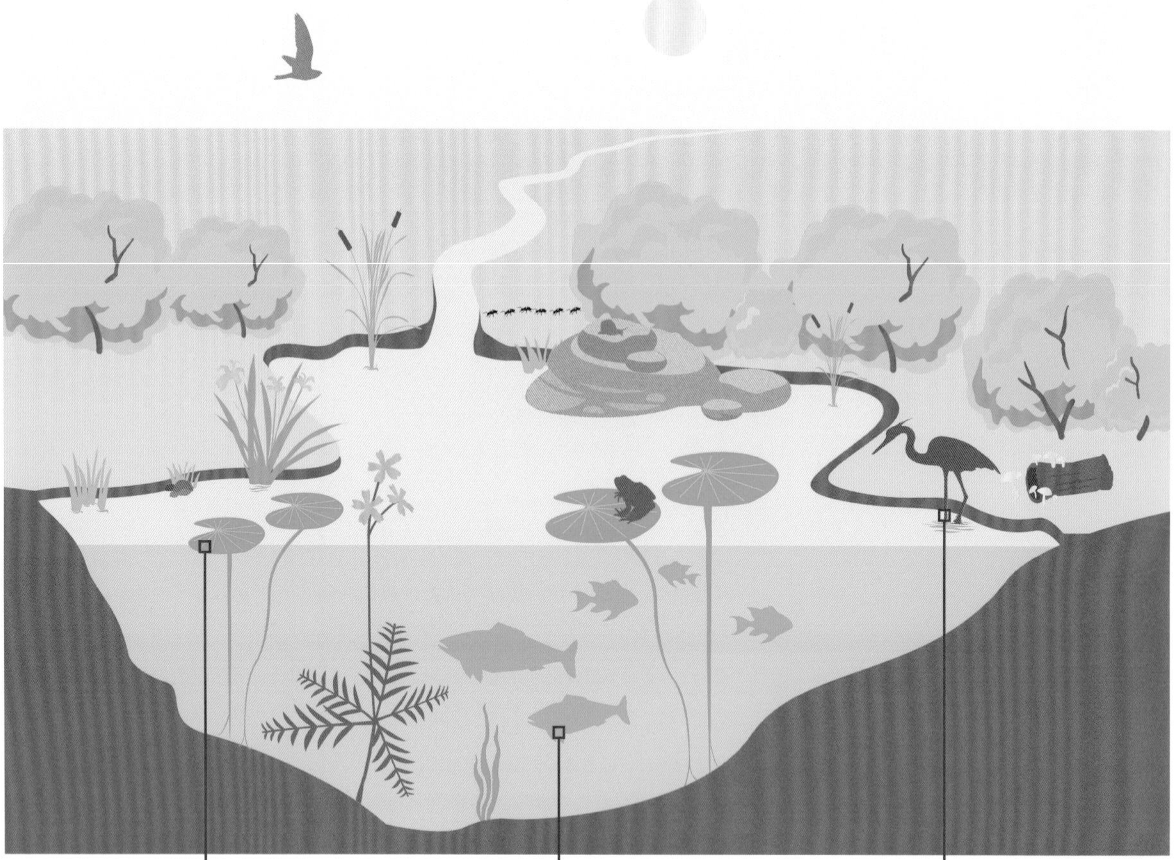

淡水生態系統
這個池塘是一個微型生態系統，水中的水生植物支持動物生存，而動物最終又會提供養分給植物生長。

水生植物
沉水植物釋放氧氣到水中，其他植物浮在水面上、或是長在淺水處。

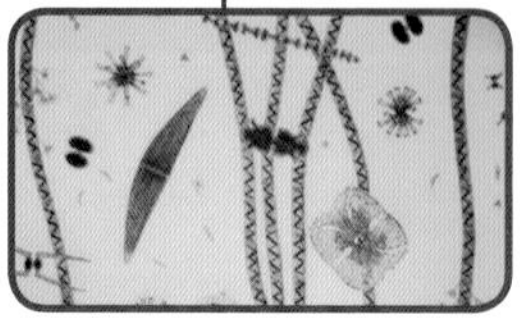

水生生物
池塘水充滿藻類和微生物，作為較大型動物—例如魚類—的食物。

蒼鷺
蒼鷺之類的掠食者捕食魚類或蛙類，但蒼鷺可能會在好幾處池塘獵食——因此，沒有任何生態系統是完全獨立的。

佛羅里達大沼澤
地位於美國東南部，它是全世界最大的淡水棲地。

陸地生物群落

不同的氣候會在陸地形成各種不同的生物棲地，例如溫暖而潮濕的區域形成蒼翠森林，又乾又熱的區域發展成沙漠，而這只是世界上的兩種「生物群落」而已，每一種生物群落都涵蓋許多較小的棲地，而在許多地區，人類的活動—例如農耕—早已徹底改變了棲地的特性。

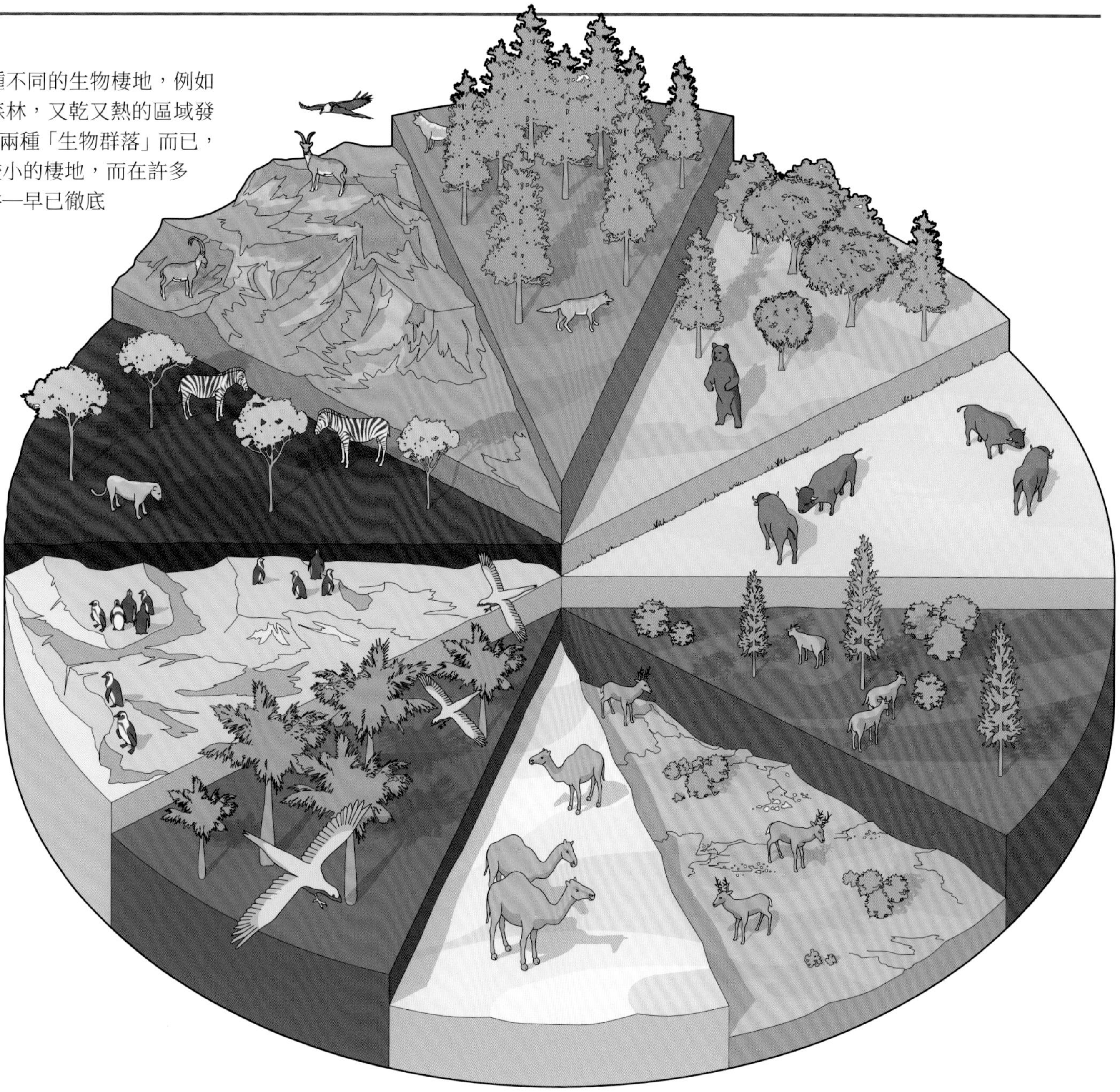

圖例

針葉林
斯堪地那維亞 (瑞典與挪威)、俄羅斯、美國的阿拉斯加、以及加拿大，這些地方的廣大區域都被針葉林所覆蓋，針葉林是麋鹿、河狸、灰狼……等動物的家園。

山區
山區的高山具有近乎極地的氣候，只有少數植物能夠生長，而動物必須適應危險的地形。

莽原
這種熱帶草原分為明顯的濕季與乾季，支持著大量食草動物、以及牠們的掠食者生存於其間。

極地海冰或冰原
形成於寒冷海洋的海冰是許多動物的庇護所——這些動物 (例如北極熊) 用以作為中繼站在海洋獵食；至於陸地冰原 (例如南極洲)，幾乎沒有任何生物能夠生存。

熱帶雨林
分布於赤道附近的熱帶雨林是所有生物群落之中最為富饒的，具有極高的植物與動物多樣性。

沙漠
有些沙漠只存在裸露於地表的岩石和砂子，但仍有一些植物與動物能夠適應，存活在這種乾燥的環境之中。

苔原
這種棲地位於極地冰原的邊緣，苔原的冰層在夏天融化，植物冒出，吸引馴鹿之類的動物、以及築巢鳥類前來。

地中海型灌叢
乾燥的灌叢棲地—例如地中海周邊地區—是許多昆蟲、以及耐旱灌木與植物的家園。

溫帶草原
乾燥的溫帶草原夏季很熱而冬季又很冷，支持羚羊與野牛之類的食草動物生存於其間。

落葉林
在寒冷而潮濕的區域，許多樹木在夏季長得很快，冬季一到就會落葉，生存於此地的動物會隨著季節變化而作出改變。

水面下的生物

全世界最大的生物群落就是海洋，覆蓋地表將近¾的面積，海洋包含多種棲地，從熱帶珊瑚礁到極地海域、以及黑暗的海床。此外，也有許多動物和水生植物生存於淡水棲地，例如河流、湖泊和沼澤。

海洋這個生物群落棲息著地球上最龐大、最壯觀的許多動物。

棲地喪失

對世界各地的生物而言，最具威脅性的生存危機就是自然棲地的喪失；大部分生物從特定生態系統演化出來，這個生態系統一旦被摧毀，生物就無法存活。棲地喪失就是許多野生物種的數量愈來愈稀少的主要原因。

森林砍伐
人類每天砍伐大片原始森林，目的是為了取得木材、或是整地成為農田。

索諾蘭沙漠是全世界生物多樣性最高的沙漠之一，支持多到令人訝異的植物與動物物種生存。

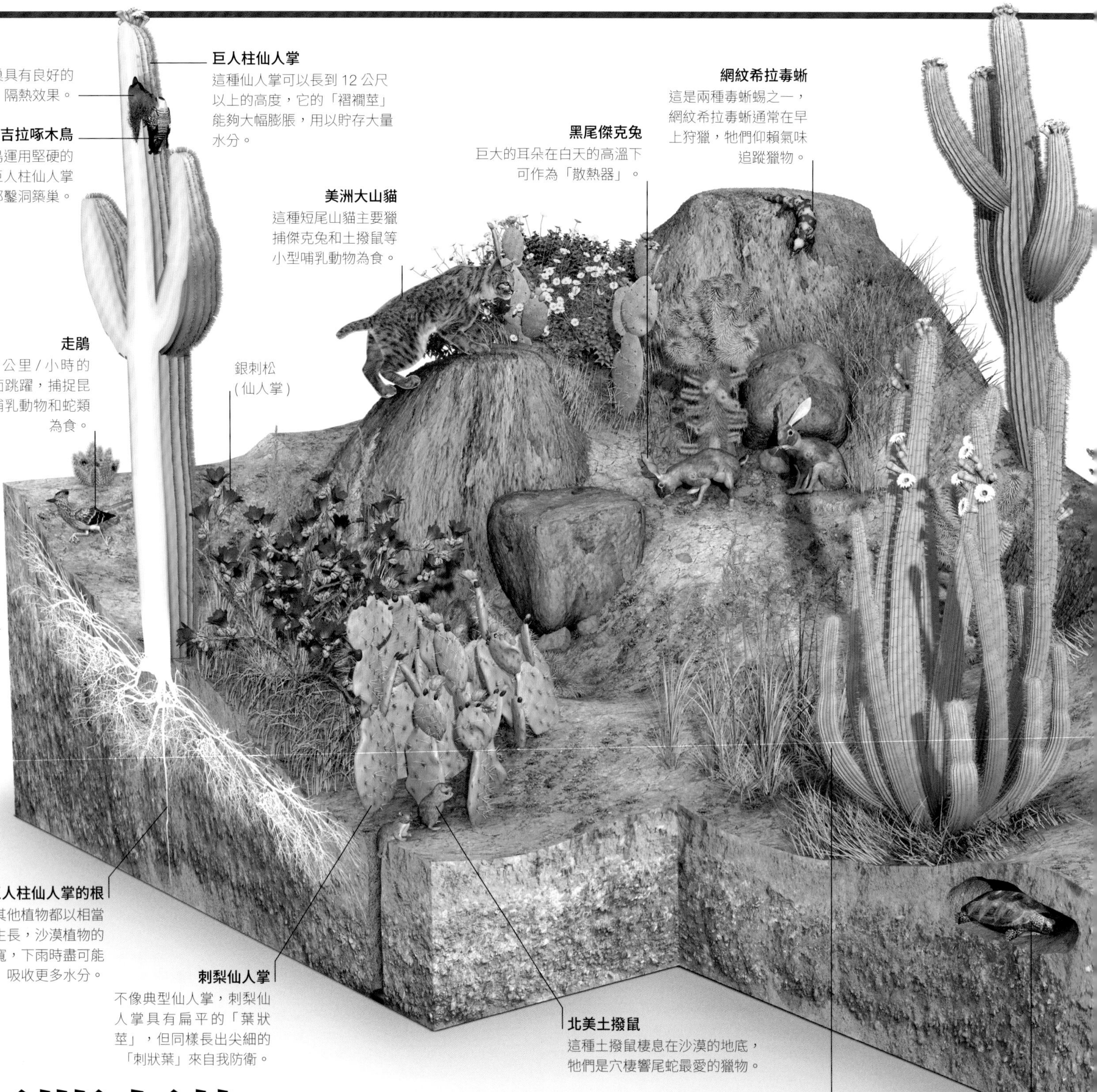
巨人柱仙人掌
這種仙人掌可以長到 12 公尺以上的高度，它的「褶襉莖」能夠大幅膨脹，用以貯存大量水分。
鳥巢具有良好的隔熱效果。
吉拉啄木鳥
吉拉啄木鳥運用堅硬的喙部，在巨人柱仙人掌的莖部鑿洞築巢。
網紋希拉毒蜥
這是兩種毒蜥蜴之一，網紋希拉毒蜥通常在早上狩獵，牠們仰賴氣味追蹤獵物。
黑尾傑克兔
巨大的耳朵在白天的高溫下可作為「散熱器」。
美洲大山貓
這種短尾山貓主要獵捕傑克兔和土撥鼠等小型哺乳動物為食。
走鵑
走鵑以 37 公里 / 小時的速度在地面跳躍，捕捉昆蟲、小型哺乳動物和蛇類為食。
銀刺松
(仙人掌)
巨人柱仙人掌的根
仙人掌或其他植物都以相當大的間隔生長，沙漠植物的根部淺而寬，下雨時盡可能吸收更多水分。
刺梨仙人掌
不像典型仙人掌，刺梨仙人掌具有扁平的「葉狀莖」，但同樣長出尖細的「刺狀葉」來自我防衛。
北美土撥鼠
這種土撥鼠棲息在沙漠的地底，牠們是穴棲響尾蛇最愛的獵物。
管風琴仙人掌
就像其他一些仙人掌，管風琴仙人掌在夜間開花，這些花朵吸引夜行性動物—例如吸蜜蝙蝠—前來覓食。
沙漠陸龜
這種爬行動物大部時間待在地底，只有覓食禾草及其他植物時才會出沒在地面。

美洲沙漠

美國西南部和墨西哥境內座落著許多仙人掌沙漠，這些沙漠是大量植物與動物物種的家園，它們都已經適應乾燥而炎熱的氣候。

沙漠是世界上最乾燥的環境，多數沙漠很熱，但另有一些寒帶沙漠很冷，有些沙漠數年完全不下一滴雨水，生物幾乎完全絕跡，然而北美沙漠的氣候並非如此極端—例如索諾蘭沙漠—雖然雨量不多，但還是會規律性的下雨，雨水被仙人掌及其他植物所吸收，支持植食性動物—例如囊鼠、土撥鼠和野兔—生存，這些動物進而成為響尾蛇、貓頭鷹、以及郊狼等掠食者的獵物。

許多沙漠中的掠食動物都具有很強的毒性，確保牠們能夠**捕捉**到數量相對**稀少的獵物**。

沙漠生物

在寒冷的清晨，索諾蘭沙漠卻顯得生機勃勃，許多動物忙著搜索植物和種子食用、或是捕食獵物。另有一些動物則是在夜間出沒，牠們運用敏銳的感官徹夜行動，一旦溫度升高，大部分就會撤回地底的庇護所，躲閉白天的熱氣。

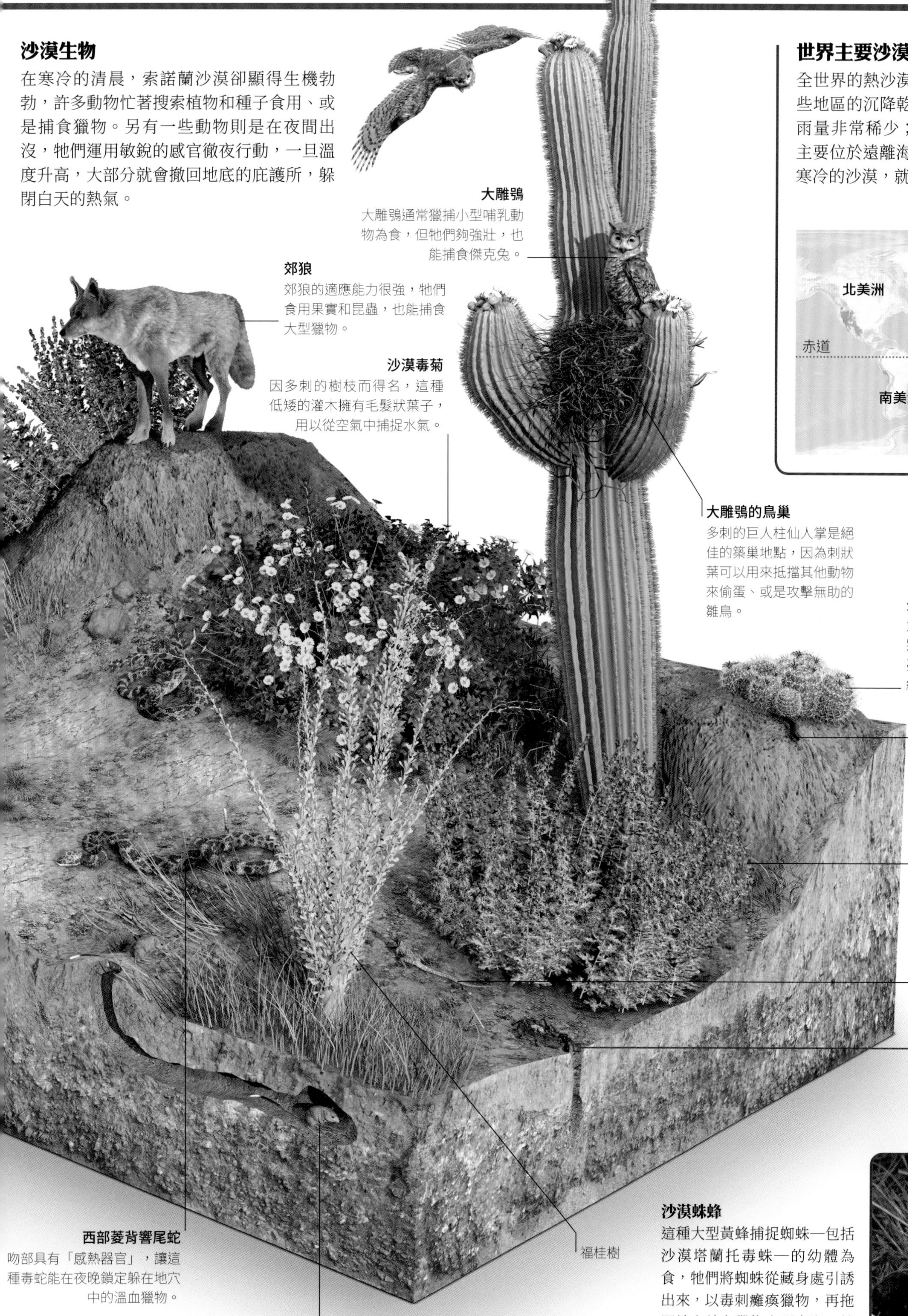

大雕鴞
大雕鴞通常獵捕小型哺乳動物為食，但牠們夠強壯，也能捕食傑克兔。

郊狼
郊狼的適應能力很強，牠們食用果實和昆蟲，也能捕食大型獵物。

沙漠毒菊
因多刺的樹枝而得名，這種低矮的灌木擁有毛髮狀葉子，用以從空氣中捕捉水氣。

大雕鴞的鳥巢
多刺的巨人柱仙人掌是絕佳的築巢地點，因為刺狀葉可以用來抵擋其他動物來偷蛋、或是攻擊無助的雛鳥。

米勒氏乳突仙人掌
這種桶狀仙人掌具有暗色刺狀葉，其尖端彎曲如鉤，而亮粉色花朵開花之後，就會結出鮮紅色的果實。

北美巨人蜈蚣
體長約 20 公分，這種具有毒性的多足類掠食者，體型大到足以獵殺蜥蜴或小型哺乳動物。

沙漠球葵
這種堅韌的沙漠灌木在春季開出橘色花朵，花期通常持續數個月之久。

索諾蘭沙漠項圈蜥
這種移動快速的項圈蜥捕食昆蟲和其他小型動物；牠們有時會單獨用後腿快速奔跑。

西部菱背響尾蛇
吻部具有「感熱器官」，讓這種毒蛇能在夜晚鎖定躲在地穴中的溫血獵物。

福桂樹

沙漠囊鼠
長腿讓這種食種子動物能夠跳得非常遠，在廣大的沙漠中搜尋稀少的食物。

沙漠蛛蜂
這種大型黃蜂捕捉蜘蛛—包括沙漠塔蘭托毒蛛—的幼體為食，牠們將蜘蛛從藏身處引誘出來，以毒刺癱瘓獵物，再拖回地穴並在獵物上頭產卵，蛛蜂的幼蟲一孵化就可以立即吃到大餐。

世界主要沙漠

全世界的熱沙漠大多座落於赤道南北兩側，這些地區的沉降乾燥空氣會阻止雲層形成，因此雨量非常稀少；另一方面，寒帶沙漠 (寒漠) 主要位於遠離海洋的亞洲中部，至於全世界最寒冷的沙漠，就是南極洲的中央地帶。

北美洲
歐洲
亞洲
赤道
非洲
南美洲
澳大利亞
南極洲

亞馬遜雨林

環境又濕又熱、充滿驚人多樣性的各種植物和動物，亞馬遜雨林是地球上生物物種最豐富的棲地之一。

因巨大的亞馬遜河流過而得名，亞馬遜雨林是一片廣闊的熱帶森林，面積幾乎跟澳大利亞國土一樣大，潮濕而炎熱的氣候對植物生長非常有利，由於完全沒有寒冷或乾燥的季節，植物整年都能快速成長，大型常綠樹從森林底層拔地而起，形成幾乎連續不斷的林冠層，支持大量昆蟲、樹蛙、蛇類、鳥類和猴類棲息於此。

緋紅金剛鸚鵡
托哥巨嘴鳥
這種鳥類使用大型鳥喙打開果實食用，但也會捕食一些小型動物。
黑框藍閃蝶
這種昆蟲在幽暗雨林的斑駁光影之間飛舞，其眩目的翅膀會閃爍著藍色虹彩。
黑凱門鱷
這種致命的掠食動物棲息於河流，主要捕食魚類，但也會獵捕涉入河流飲水的動物為食。
駝鼠
泳技精湛，駝鼠棲息於3公尺深的地穴中，夜間才會出沒覓食。
食人魚
亞馬遜王蓮
這種壯觀植物的大型漂浮葉片寬達2.5公尺以上，而花朵也有40公分寬。
大水獺
體長約1.7公尺，大水獺在水域獵捕魚類為食——包括惡名昭彰的食人魚。
水豚
水豚是世界上體型最大的嚙齒動物，棲息於雨林的沼澤或河流中。

上層生活

棲息於熱帶雨林的動物大多待在高處生活，在樹上牠們可以食用樹葉、果實和花朵—這些食物終年不斷生長—或是捕食大量湧現的昆蟲、以及其他動物；只有極少數動物生活在森林的林床，其中包含許多體型最大的掠食動物。

昆蟲界的舉重冠軍
切葉蟻非常強壯，堪稱昆蟲界的舉重冠軍，牠們能夠搬動達到自身體重20倍的葉片。

切葉蟻

細小的切葉蟻群居於地底的大型蟻巢之中，蟻群數量高達800萬隻，牠們食用一種特別的真菌，並以葉片作為為肥料在巢穴中「種植」這種真菌；工蟻從雨林中採集葉片，使用鋒利的口器把葉片剪碎，再循著稍早留下的氣味將葉片搬回蟻巢。

藍黃金剛鸚鵡
這種大型鸚鵡在樹林高處食用果實和堅果——牠們以強壯的喙部打開堅果。
角雕
角雕非常強壯，牠們運用巨大的趾爪捕食樹上的猴類和樹懶。
吼猴
這種食葉猴類的叫聲大到不可思議，在雨林的黎明和黃昏時刻常可聽見。
三趾樹懶
三趾樹懶以樹葉為食，牠們運用強壯的長趾爪，頭下腳上從樹枝倒掛下來，其動作是出了名的遲緩！
翡翠樹蚺
在雨林，即使是蛇類也棲息於樹上，翡翠樹蚺也不例外，牠們以牙齒逮住獵物，再運用身體纏繞、縊縮致死。
美洲豹
這種強壯的掠食動物在夜間巡行於森林底層，到處搜尋獵物，牠們張開大口一咬，甚至能殺死凱門鱷。
藤蔓植物
藤蔓植物是一類軟莖植物的通稱，它們攀附高大樹木的樹幹，朝著陽光蔓生而上。
吉貝木棉
吉貝木棉擁有巨大的板根支撐，能夠長到 60 公尺高——突出於雨林的主要樹冠層之上。
綠鬣蜥
不像大部分蜥蜴，鬣蜥類是植食性動物，牠們爬到林冠層高處食用樹葉、果實和花朵。

箭毒蛙

小巧而體色鮮豔的箭毒蛙類棲息於樹林高處，牠們的皮膚會分泌強效毒素，而鮮豔體色則是用來警告掠食鳥類不要輕舉妄動。許多箭毒蛙類會將自己的蝌蚪放入植物葉面或樹枝上的小水池中，加以照顧。

熱帶雨林

全世界的熱帶雨林分布於南美洲、中美洲、非洲中部、東南亞、新幾內亞島和北澳大利亞的赤道附近，這些雨林因終年溫暖而潮濕的氣候所形成——潮濕暖空氣上升，在空中形成濃密的風暴雲，降下大雨。

北美洲
歐洲
亞洲
新幾內亞島
赤道
非洲
南美洲
澳大利亞

雨林的林冠層

發展成熟的雨林會形成數層不同的生物棲所，其中「主林冠層」幾乎是綿延不斷的，但中間會有許多「突出木」從中竄出，在林冠層之下鬆散生長著小型樹，構成所謂的「下層林」，而最下方是「地面層」，只有少數植物能在大樹遮蔽的巨大陰影之下成長，大部分的非木質植物都是藤蔓植物、或是扎根、附生在樹木的高處。

圖例

突出木　林冠層

下層林　地面層

地球上**至少半數**以上的**植物和動物物種**，生存於**熱帶雨林**。

非洲莽原棲息著世界上最大的陸棲動物——非洲象、以及最高的動物——長頸鹿。

獅子
強壯的掠食者，獅子躡手躡腳接近獵物，看準時機再群起圍攻；在炎熱的白天，獅群大都待在遮蔭處休息。
旋扭金合歡
非洲莽原除了一望無際的草原，還稀稀疏疏點綴著高大而多刺的平頂金合歡樹，這類植物完全不需一滴雨水也能存活好幾個月，經歷草原火災也能迅速復原。
牛羚
牛羚是永不疲累的旅行家，牠們集結成龐大的群落，長途遷徙尋找食物；牛羚是獅群鎖定的主要獵物。
非洲象
這種龐大的動物食用多種植物，牠們甚至會把整顆樹推倒，以獲取樹葉食物。
白背兀鷲
掠食動物吃剩的獵物吸引目光銳利的兀鷲飛來，將遺骸吃乾抹淨。
白蟻丘
莽原中大群大群的白蟻組成巨大的群落共同生活，其中多種白蟻會以太陽晒乾的黏土建造高聳的蟻丘。
土豚
土豚專吃白蟻和螞蟻，牠們夜間出沒覓食，白天則是躲藏在土穴中。
獵豹
身形低伏而輕量化，獵豹憑藉飛快的速度，獵捕瞪羚之類的獵物為食；牠們基本上獨來獨往，但有時也會組成「雙人組」。
斑點鬣狗
斑點鬣狗是食腐動物、也是高超的掠食者，牠們的頷部極為強壯，能夠咬碎受害者的骨頭。
鬣狗組成大型的氏族(具有親緣關係)群體，共同生活

非洲莽原

非洲的熱帶草原是一派空曠的地景，但季節性的變化相當劇烈，許多物種生存於其中，共同構成地球上最令人驚訝的野生生物奇觀之一。

在熱帶地區，凡是雨量不足以支持濃密森林形成的區域，通常就會發展成草原，而非洲這類散落著稀疏樹木的草原，就稱為「莽原」，莽原的氣候有半年是又乾又熱，而且經常發生野火燎原，接著雨季來臨，又讓草原復原，大量禾草提供各種食草動物作為食物，牠們漫步於平原之上，成為凶猛掠食者—例如獅子或鬣狗—的獵物。

食嫩植物動、食草動物、掠食性動物

雨季來了，一場暴風雨讓雨水注滿乾枯的水塘，吸引口渴的動物從四面八方聚集而來，包括食用高大樹木葉片的長頸鹿、啃食禾草的牛羚和瞪羚，另有一些掠食性動物暗中埋伏，伺機攫獲一頓大餐！

10,000——牛羚集體遷徙時所集結的最大群體數量。

專吃植物的蝗蟲在非洲莽原湧現時，其規模足以遮蔽整座城市。

100 公里/小時——獵豹在空曠的莽原中加速，只需5秒就可以到達這個速度。

這些金合歡樹之所以變成平頂的傘狀，部分原因是長頸鹿的傑作，牠們沿著周圍啃食樹葉時，就順便「整修」了樹枝。

莽原

全世界的熱帶草原都座落於赤道附近，主要是熱帶雨林的南北兩側、擁有明顯乾濕兩季的熱帶區域，包括南美洲、澳大利亞、印度都有熱帶草原，但非洲莽原才是其中面積最大、也是生物物種最豐富的莽原。

北美洲
歐洲
亞洲
赤道
非洲
南美洲
澳大利亞

長頸鹿

可以長到6公尺高，長頸鹿具備良好的條件來啃食高處的葉子，牠們的嘴唇與舌頭具有特別堅韌的外皮，用以應付金合歡樹的長棘刺。

鐮莢金合歡

長頸鹿就算再餓，也不敢在這種樹木上覓食，這是由樹上住著一大群具有螫刺的螞蟻軍團——螞蟻棲息於鐮莢金合歡脹大的長棘刺之中，蟻群窸窣作響地從小洞進進出出，只要任何食葉動物一靠近，牠們就會使用螫刺群起圍攻。

侏獴

這種獴類組成家族群落，棲息於白蟻棄置的蟻丘之中；牠們白天出沒獵食小型動物。

非洲岩蟒

體長可長到7公尺，非洲岩蟒是非洲最大的蛇類，能夠輕易地獵食瞪羚一般大小的獵物——牠們纏繞受害者的身體使之窒息，再整隻吞下！

葛氏瞪羚

這種瞪羚是許多掠食動物的主要獵物，但牠們的速度和敏捷性常常能幫助自己逃脫。

普通斑馬

擁有美麗斑紋的普通斑馬集結成群，漫步在莽原中尋找新鮮禾草和水源；每一隻斑馬都有自己獨特的斑紋。

糞金龜

在莽原中，食草動物所製造的糞便含有大量半消化禾草，勤奮的糞金龜就專門回收利用這些糞便，牠們把糞便滾成球狀，埋起來保存，作為幼蟲的食物。

現今我們所見到的**珊瑚礁**，有的已有**數萬年歷史**——著名的**大堡礁**更是從**500,000萬年前**就開始形成了。

熱帶珊瑚礁

珊瑚礁生長在熱帶地區鄰近陸地的清澈淺海，其海水溫度高於 18° C，尤以太平洋西南部海域、以及印度洋近海分布最廣。

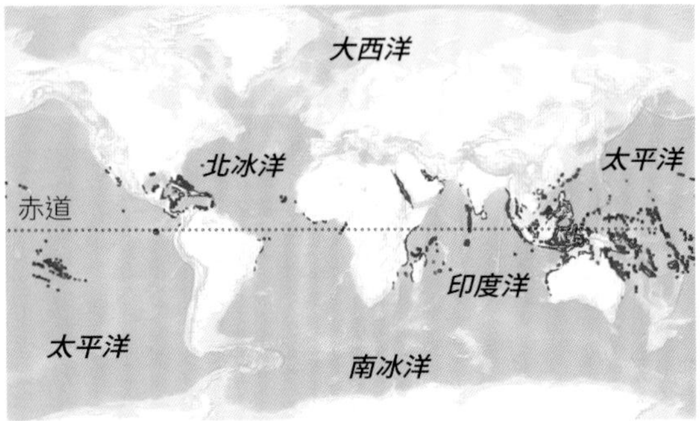
大西洋
北冰洋
太平洋
赤道
印度洋
太平洋
南冰洋

世界級自然奇觀：大堡礁

「大堡礁」位於澳大利亞東北部外海，是全世界最大的珊瑚礁，覆蓋面積高達驚人的 340,000 平方公里——大致上相當於日本國土。大堡礁由 2,900 多種珊瑚礁所組成，許許多多生物物種生存、棲息於其間。

海豚
30 種海豚與鯨類棲息於大堡礁較深的海域。

魚類
超過 1,500 種魚類棲息於珊瑚礁之間。

珊瑚
包含 400 種左右的不同珊瑚，共同構成色彩繽紛的海底世界。

軟體動物
大約 4,000 種軟體動物出現於大堡礁之中，包括龐大的硨磲貝。

海龜
全世界的 7 種海龜有 6 種會來此繁殖。

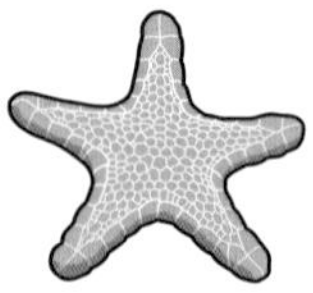

海星
珊瑚礁支持 600 種左右的棘皮動物生活於此，包括各種海星和海膽。

大堡礁是世界上由**生物體所製造**的**最大單一結構**，甚至從**太空中都能看見**。

黃唇青斑海蛇
這種海蛇的尾部扁平，用以在水中驅動自己前進，追捕魚類獵物。
藍指海星
海星在珊瑚礁之上緩緩爬行，啃食海草和有機殘屑。
織錦芋螺
芋螺運用魚叉狀齒舌攻擊獵物，其毒性足以殺死一名成年人。
海草
這是少數幾種真正能夠生長在海水中的海草之一，它們在珊瑚礁瀉湖的淺水中長成廣大的海底草原。
指表孔珊瑚
灰光鰓魚
蝟形齒指蝦蛄
蝦蛄是凶猛的掠食者，牠們運用覆有「裝甲」的螯肢砸碎蚌蛤類的外殼，食用裡面柔軟的肉食。
鹿角軸孔珊瑚
這類快速生長的珊瑚在珊瑚礁海域相當常見，不同物種各具不同顏色，其質地脆弱，常遭損壞。
管海綿
這類動物的構造相當簡單，牠們唧取水流通過身體，濾出可食用的食物微粒。

海葵與小丑魚
海葵以帶有刺細胞的觸手捕食獵物—包括許多魚類—但小丑魚不一樣，牠們能在某些海葵的觸手之間生活，而不被傷害，原因可能在於小丑魚的皮膚具有保護層；另一方面，海葵的觸手還能保護小丑魚，不被大型魚類所攻擊。

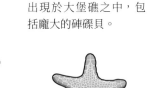

珊瑚礁

熱帶珊瑚礁海域是最壯觀的海洋棲所，提供具有驚人多樣性的各種海洋生物作為生存的家園。

建造珊瑚礁的動物是跟海葵長得很像的珊瑚蟲，牠們的身體構造很簡單，但大量個體會連結起來，在溫暖的淺海組成群落共同生活，並從海水中吸收礦物建構石灰質外骨骼，當珊瑚蟲死亡後，牠們的岩質外骨骼還繼續留存下來，而新生珊瑚蟲就在上面繼續造礁，經過幾個世紀的累積，成為現今我們所見的壯觀珊瑚礁。

珊瑚礁生物

造礁珊瑚蟲的體內存在微小的共生藻類，這些藻類利用陽光製造食物，其中一部分提供給珊瑚蟲，讓牠們得以生存於食物種類不多—就算珊瑚蟲也會自己捕食小型浮游動物—的清澈熱帶海域，而牠們所建構的珊瑚礁，則是提供多到令人眩目的魚類物種和其他生物作為棲所。

珊瑚礁魚類

一群群色彩鮮豔的小型魚類穿梭於珊瑚礁之間，由於食物供給不多，為了避免直接競爭同樣的食物，每一種魚類都發展出稍微不同的生活方式，導致許多物種因此而演化，形成自己獨特的適應性。

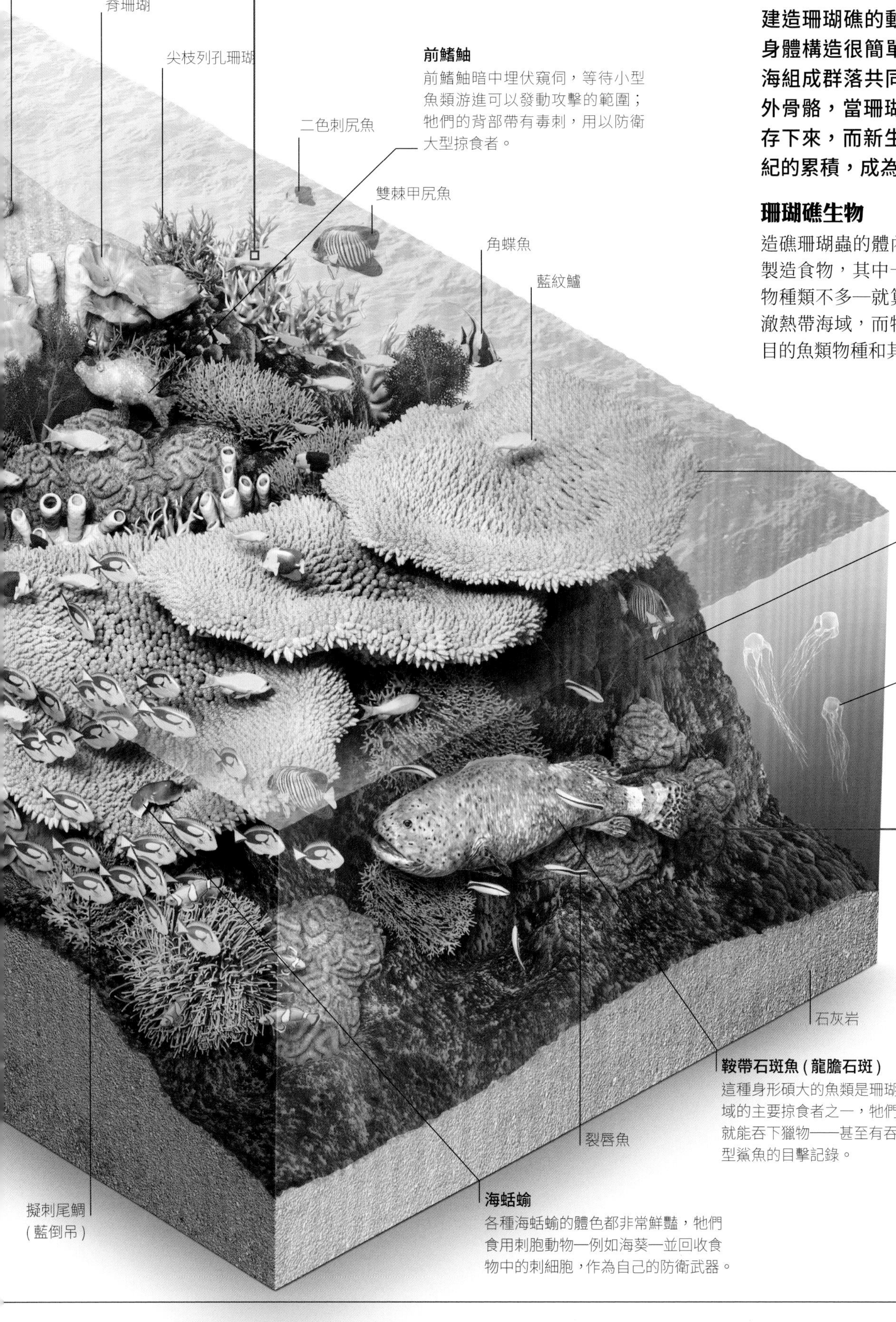
澳洲球形海綿
脊珊瑚
尖枝列孔珊瑚
二色刺尻魚
雙棘甲尻魚
角蝶魚
藍紋鱸
石灰岩
裂唇魚
擬刺尾鯛
(藍倒吊)

前鰭觟

前鰭觟暗中埋伏窺伺，等待小型魚類游進可以發動攻擊的範圍；牠們的背部帶有毒刺，用以防衛大型掠食者。

輻板軸孔珊瑚

這是建造最大型珊瑚礁的珊瑚之一，每一「桌」珊瑚礁體都是由成千上百隻珊瑚蟲所組成的群落，牠們吸收陽光，由體內的共生藻製造食物。

紅色柳珊瑚

柳珊瑚又稱為海扇，形狀類似硬珊瑚，但礁體更為柔韌，每一個分枝都有細小的珊瑚蟲生活在其中，牠們運用觸手捕捉可食用微粒。

箱形水母

這是海洋中最致命的動物之一，箱形水母的長觸手分為 4 大簇，每隻觸手都包含上百萬個帶有劇毒的刺細胞。

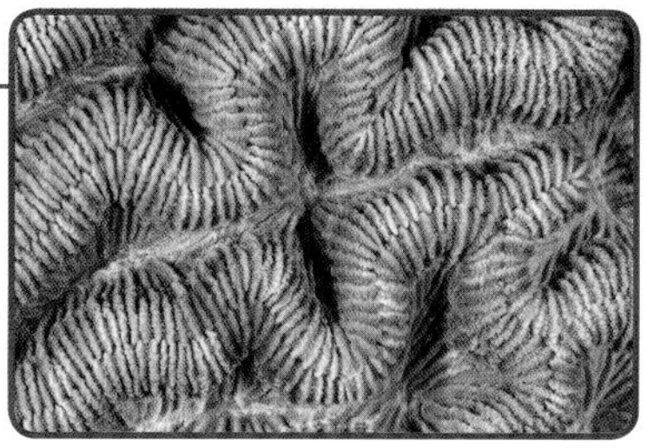

腦珊瑚

就像所有造礁珊瑚，腦珊瑚也是珊瑚蟲所組成的群落，牠們以窄溝作為區隔連結成排，形成類似動物腦部的外觀，並以此得名；每一隻珊瑚蟲都具有觸手，用以捕食微小的浮游動物——這種類型的食物是珊瑚蟲體內的共生藻所無法製造的。

鞍帶石斑魚(龍膽石斑)

這種身形碩大的魚類是珊瑚礁海域的主要掠食者之一，牠們一口就能吞下獵物——甚至有吞下小型鯊魚的目擊記錄。

海蛞蝓

各種海蛞蝓的體色都非常鮮豔，牠們食用刺胞動物—例如海葵—並回收食物中的刺細胞，作為自己的防衛武器。

白蟻蟻后每天可產下30,000枚卵，組成包含700萬隻工蟻和兵蟻的白蟻群。

動物建築師

有些動物擁有驚人的建築技術，牠們有的建構永久性家園、有的打造暫時性巢穴，有的甚至創造出巧妙的陷阱來捕捉獵物。

10 公尺——最大白蟻丘的高度：從深入地底的地基，測量到高聳「煙囪」的尖頂。

許多動物都會挖穴或築巢，但有少數動物的建築技術非常精良，堪稱動物界的建築大師，其中有些最令人驚訝的構造，其實是由最簡單的動物建造出來的，例如白蟻的城堡式蟻丘，經過數百萬年的演化，牠們發展出依靠本能而創造出複雜結構的能力；其他的例子還包括河狸和鳥類，牠們主要也是依賴本能，但這類動物進一步藉由「試誤法」來精煉技術，或是從其他同類學習。

白蟻城市

白蟻以單一繁殖蟻后作為中心，組成龐大的群體共同生活，其中有些種類的白蟻群會建造出驚人的蟻丘，內部包含給白蟻蟻后住的「皇室專用房」、照顧若蟲（幼蟻）的「育幼室」、還有用來種植食物的「室內花園」，這一切都是數百萬隻全盲工蟻所建造的——牠們具備建築大師般的本能，一代接著一代傳承。

真菌花園

某些特殊的白蟻無法消化植物，取而代之的是，牠們咀嚼植物作為肥料，在蟻丘內部培植特定種類的真菌，再食用這些真菌。

蟻后

白蟻蟻后的體型遠比工蟻更大，她住在特別準備的「皇室」，由一群體型較小的蟻王照料；蟻后每天產下數萬枚卵，白蟻卵由工蟻搬移至育幼室照顧。

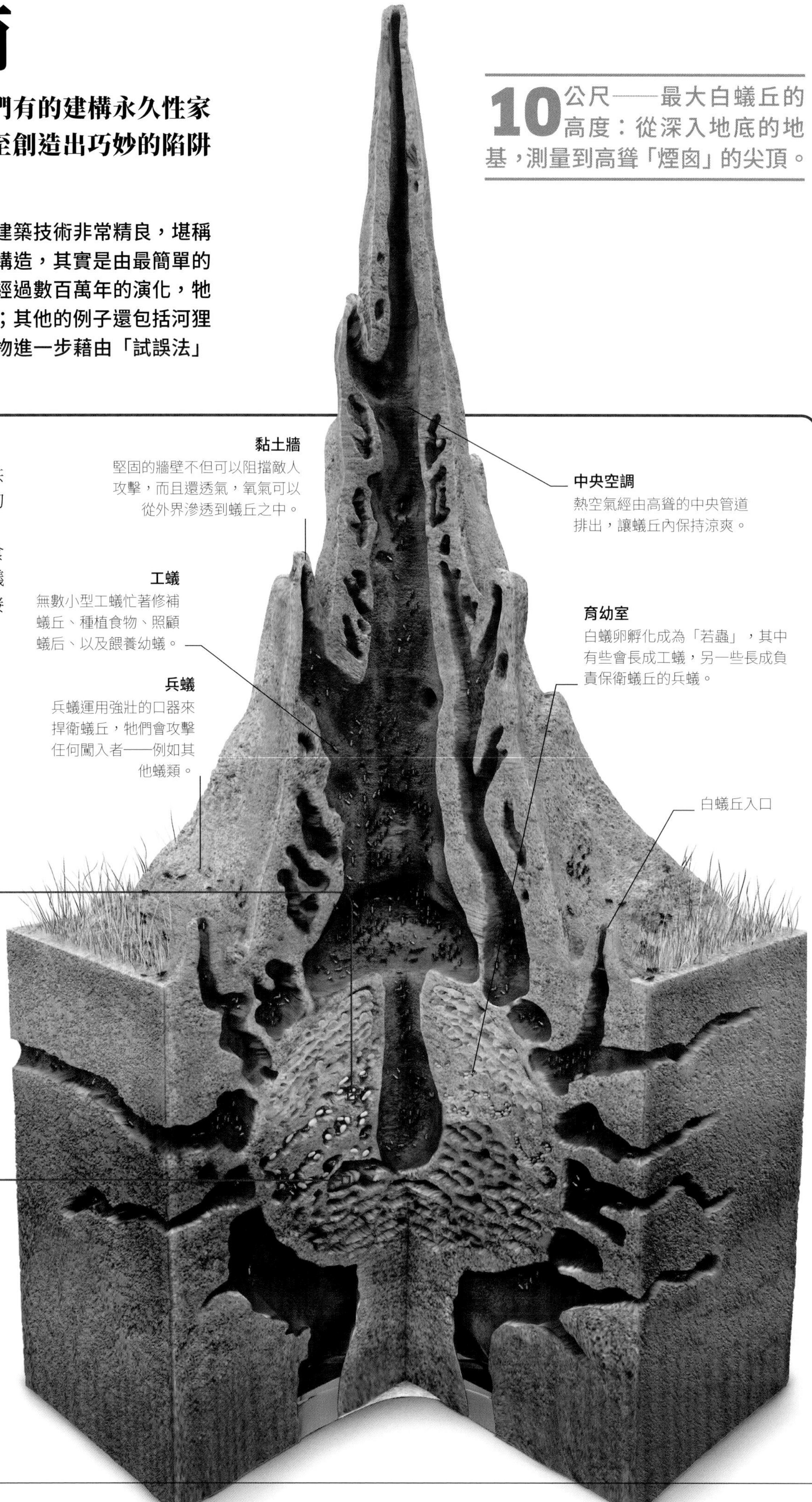
黏土牆
堅固的牆壁不但可以阻擋敵人攻擊，而且還透氣，氧氣可以從外界滲透到蟻丘之中。
工蟻
無數小型工蟻忙著修補蟻丘、種植食物、照顧蟻后、以及餵養幼蟻。
兵蟻
兵蟻運用強壯的口器來捍衛蟻丘，牠們會攻擊任何闖入者——例如其他蟻類。
中央空調
熱空氣經由高聳的中央管道排出，讓蟻丘內保持涼爽。
育幼室
白蟻卵孵化成為「若蟲」，其中有些會長成工蟻，另一些長成負責保衛蟻丘的兵蟻。
白蟻丘入口

30-60 分鐘——金蛛科成員結出球狀蜘蛛網所需的時間。

850 公尺——目前已知河狸所建造的最長水壩。

300 對織布鳥組成群體集體築巢，牠們所建造的鳥巢可以掛滿好幾顆樹。

河狸的工寮

河狸分布於歐亞大陸和北美洲的北方森林，牠們利用樹枝搭建「工寮」，在裡頭築巢，並以此作為基地，繼續在附近的溪流中建造「水壩」，宛如「護城河」一樣保衛巢穴，其目的是為了防止灰狼之類的敵人入侵——到了冬天河面可能結冰，但由於巢穴的出入口位於冰層之下，河狸仍然可以安全進出。

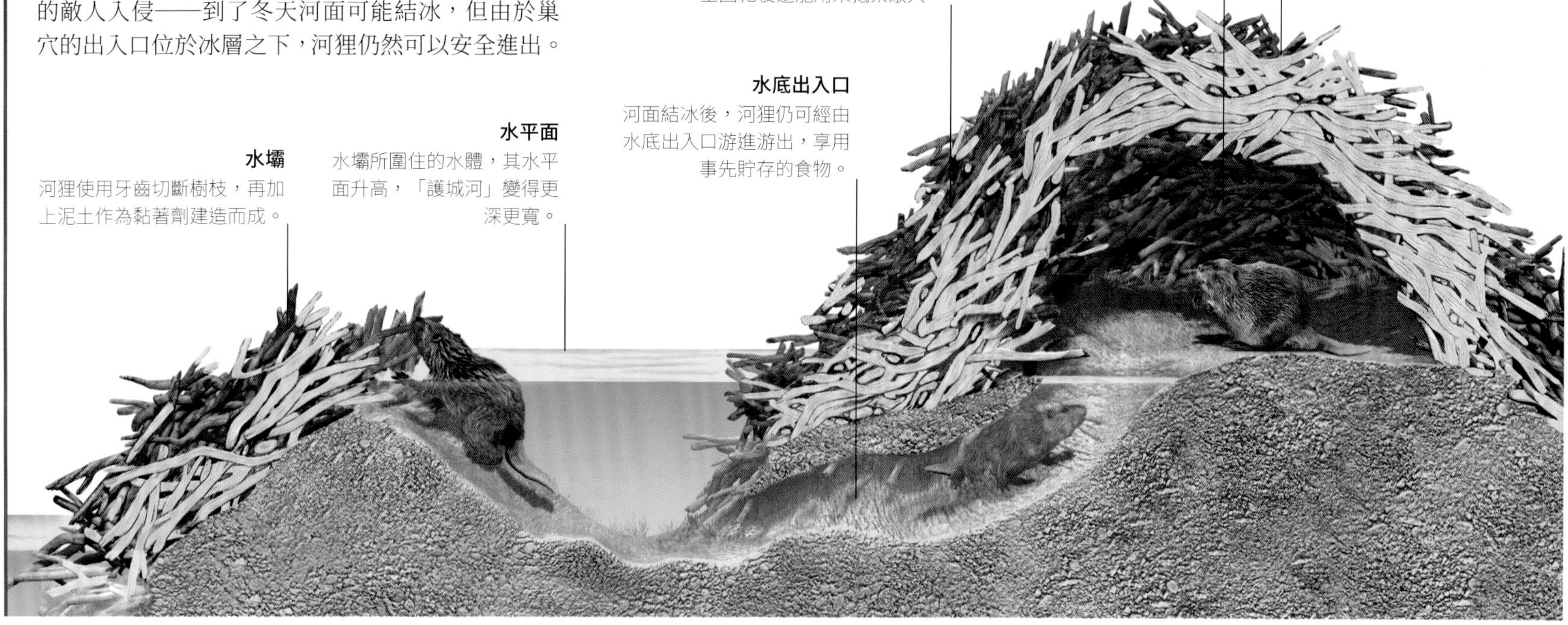
空氣流通
河狸會留下沒有泥土封住的通風口，讓起居室的空氣可以跟外界互相流通。
起居室
巢穴位於水平面之上，河狸在此將身體弄乾。
隔絕寒氣
冬季來臨，河狸使用泥土封住工寮的縫隙，將寒氣隔絕在外，泥土固化後還能用來抵禦敵人。
水底出入口
河面結冰後，河狸仍可經由水底出入口游進游出，享用事先貯存的食物。
水平面
水壩所圍住的水體，其水平面升高，「護城河」變得更深更寬。
水壩
河狸使用牙齒切斷樹枝，再加上泥土作為黏著劑建造而成。

蜘蛛結網

蜘蛛是利用蛛絲捕捉獵物的專家，其中最壯觀的蛛網陷阱出自於金蛛科成員。即使是剛出生的蜘蛛都能結出完美的蛛網，這意味著牠們完全依賴本能織網。開始結網時，蜘蛛先從尾端拉出一條堅固的蛛絲，蛛絲隨著微風飄揚，直到在遠端纏住某個物體，一旦這個「工作鷹架」搭好了，蜘蛛就會爬上去，開始建構牠的螺旋狀捕蟲陷阱。

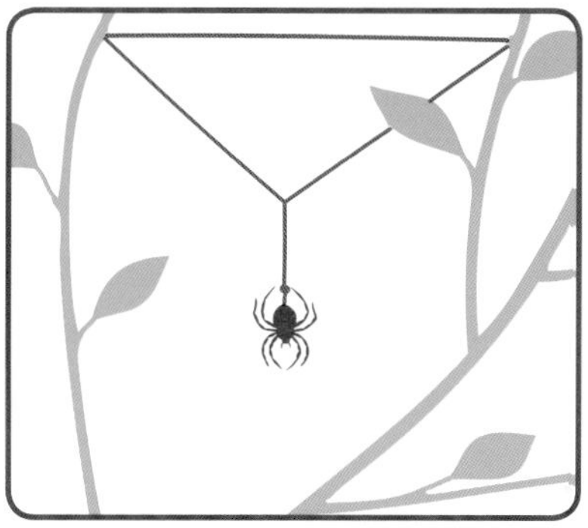

1 開工
蜘蛛爬上作為「鷹架」的第一條蛛絲，從而釋出第二條鬆散的蛛絲，接著蜘蛛向下墜落，讓第二條蛛絲形成Y字形。

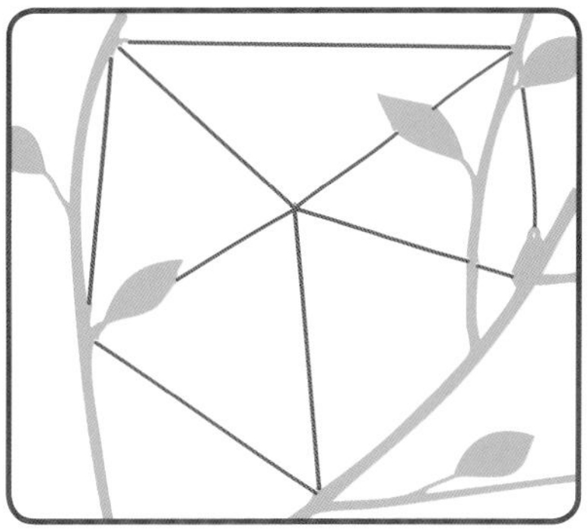

2 骨架
從中心點向外輻射，加入更多條蛛絲，構成堅固的蛛網骨架，牢牢固定在植物「地基」上。

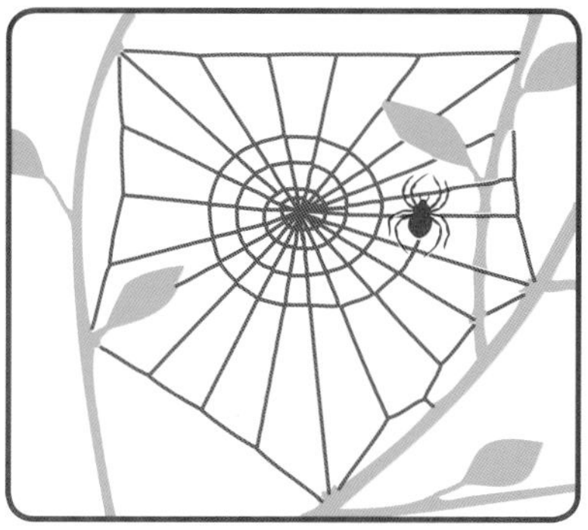

3 螺旋網
接著以蛛網骨架作為基礎，蜘蛛釋出一種特別黏稠的蛛絲，沿著輻射狀骨架一圈圈建構螺旋蛛網，最終完成這個陷阱。

編織鳥巢

這隻棲息於東非的雄性朱巴蘭織布鳥正在建造自己的鳥巢，牠使用喙部編織禾草，一開始先把織好的草環掛上樹枝，接下來沿著草環編織更多禾草，直到織成一顆中空球體，但牠會在球體鳥巢的底部留下一個出入口。

樹枝
完成後的鳥巢是一顆中空草球。
新鮮禾草最初是綠色，但很快就因乾燥而轉為黃色。
出入口

朱巴蘭織布鳥

小型鳥類通常會在空中攻擊比自己體型更大的掠食性鳥類，其用意是警告牠們滾開——即使必須冒著被吃掉的危險！

掠食者與獵物

許多動物必須獵殺並食用其他動物，才能生存，這些掠食動物都發展出特別的適應性演化，用以搜尋、獵捕、殺死獵物；另一方面，牠們的獵物也演化出相應的防衛機制，幫助自己逃脫。

狩獵既困難又危險，但掠食動物演化出許多增加成功機會的方法，牠們配備敏銳的感官，發展出埋伏、或是暗中趨近而不被獵物發現的方法，此外還有尖牙、利爪或毒液作為獵殺武器。然而，被掠食者鎖定的獵物也不是全然無助的受害者，牠們會設法不被發現、逃跑、迷惑敵人、甚至奮勇抵抗；因此，在掠食者與獵物之間，沒有永遠的輸家，也沒有永遠的贏家！

陷阱和詭計

跟蹤或追捕獵物都是硬派功夫，必須消耗許多能量，有些毒蛇不用這種方法，而是引誘獵物自己送上門來；另一些掠食動物會製造陷阱，例如蜘蛛結網來困住獵物，此外還有一些昆蟲也會製造陷阱來捕捉獵物。

沙坑的陡坡無立足之地，獵物難以爬出陷阱逃脫。
受害者跌落蟻獅鋒利的口器之中。

沙坑陷阱
蟻蛉類昆蟲棲息於溫暖地區，牠們的幼蟲稱為蟻獅，蟻獅會在沙地中挖掘筆直的沙坑，在一旁對著路過的其他昆蟲丟擲砂粒，讓獵物跌落沙坑之中。

合作狩獵

掠食動物大多單獨狩獵，但有少數物種發現，群體合作狩獵不但更容易得手，還能撂倒自己單打獨鬥無法捕獲的大型獵物，這類合作狩獵的物種範圍很寬，從行軍蟻、灰狼、鬣狗、海豚到大翅鯨都是。近年來，科學家進一步發現，有時黑猩猩也會拉幫結夥，從樹頂圍捕小型猴類為食。

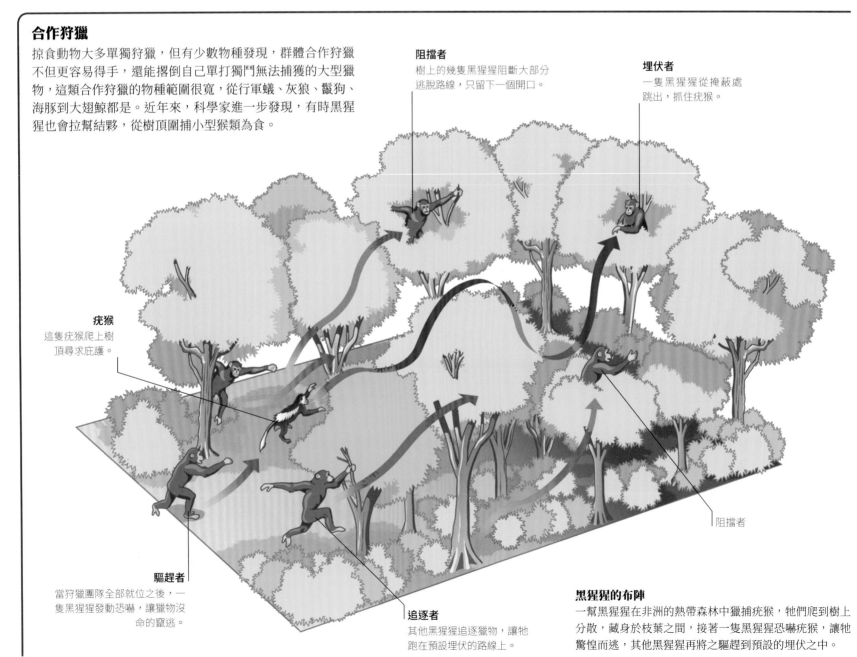

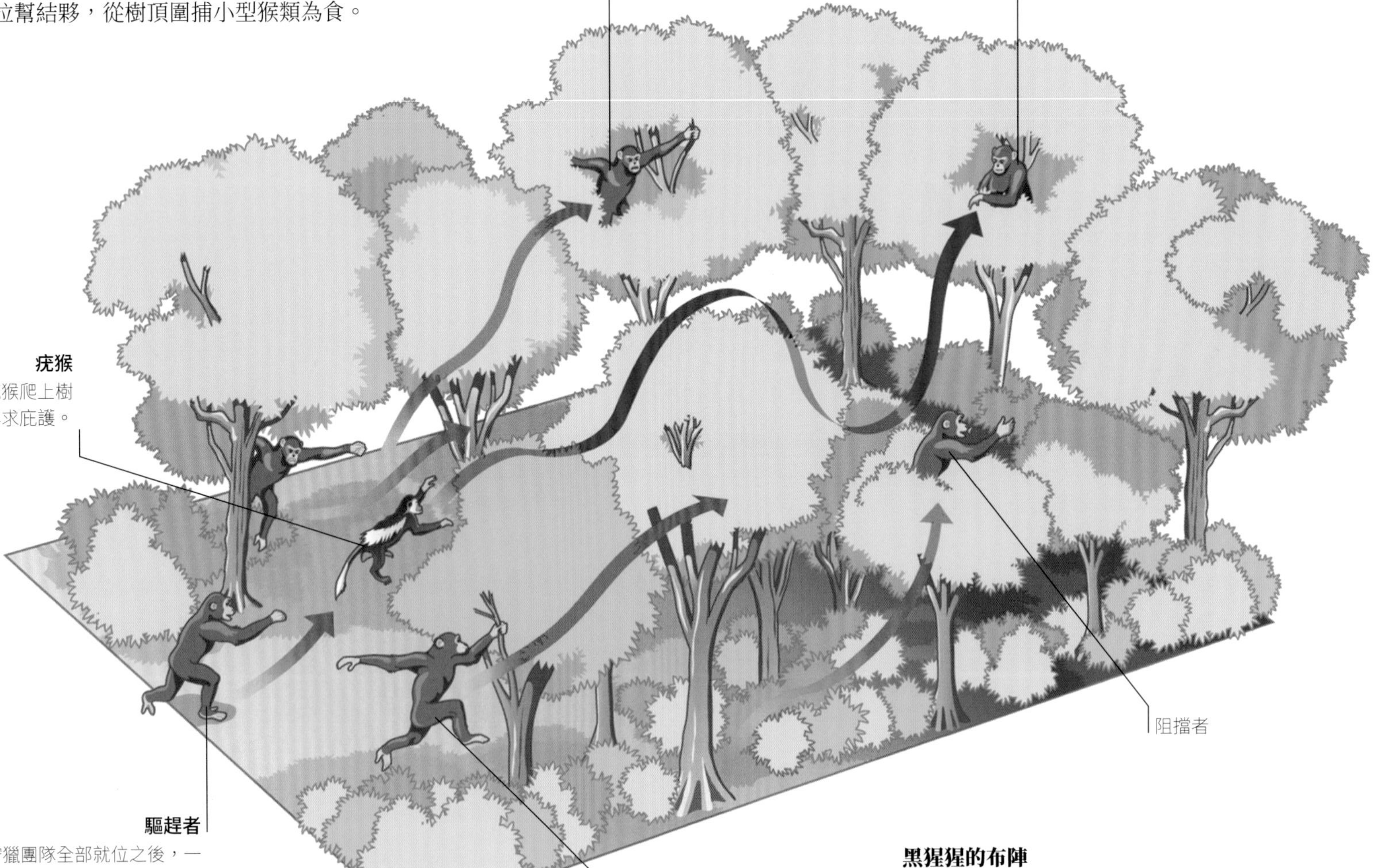
阻擋者
樹上的幾隻黑猩猩阻斷大部分逃脫路線，只留下一個開口。
埋伏者
一隻黑猩猩從掩蔽處跳出，抓住疣猴。
疣猴
這隻疣猴爬上樹頂尋求庇護。
阻擋者
驅趕者
當狩獵團隊全部就位之後，一隻黑猩猩發動恐嚇，讓獵物沒命的竄逃。
追逐者
其他黑猩猩追逐獵物，讓牠跑在預設埋伏的路線上。

黑猩猩的布陣
一幫黑猩猩在非洲的熱帶森林中獵捕疣猴，牠們爬到樹上分散，藏身於枝葉之間，接著一隻黑猩猩恐嚇疣猴，讓牠驚惶而逃，其他黑猩猩再將之驅趕到預設的埋伏之中。

獨自狩獵

獨自狩獵的動物在開闊地形中仰賴潛行、速度、以及力量來捕捉獵物。狩獵消耗巨大的能量，掠食者必須盡量縮短追逐里程，因此牠們一開始伏身潛行、偷偷接近獵物，等到距離夠近之後再爆發高速攻擊；此外，獨自狩獵者通常會鎖定體型較小的目標，這樣才能輕易撂倒獵物。

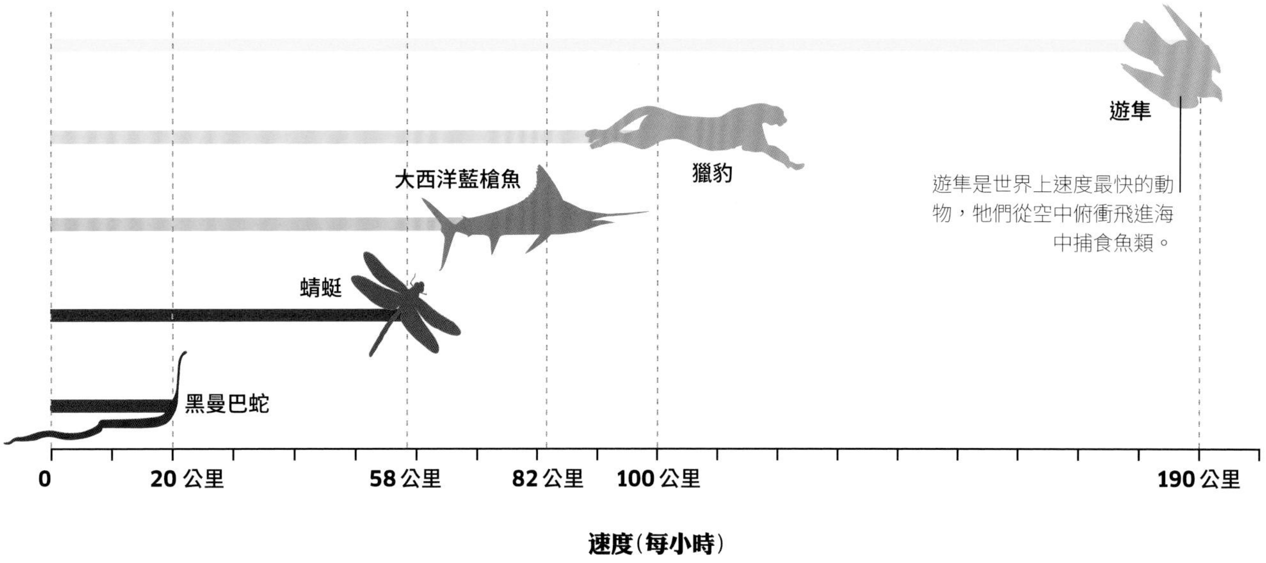
遊隼
遊隼是世界上速度最快的動物，牠們從空中俯衝飛進海中捕食魚類。
獵豹
大西洋藍槍魚
蜻蜓
黑曼巴蛇
0
20 公里
58 公里
82 公里
100 公里
190 公里
速度(每小時)

高速度掠食動物

這些掠食動物憑恃超快的速度偷襲獵物，受害者難有逃脫機會。

防衛策略

有些獵物配備「裝甲」或棘刺作為保護，讓掠食動物難以攻擊，「裝甲」動物包括犰狳、龜類、蟹類，而豪豬、刺蝟和海膽則是一身棘刺。另一方面，兩棲動物的皮膚具有毒腺，讓自己變得噁心難吃、甚至造成掠食者致命，此外許多昆蟲也會在體內累積毒素，而臭鼬則是朝向敵人噴灑難聞的化學物質。

拉河三帶犰狳是世界上唯一能把自己身體蜷曲成緊密「盔甲球」的動物。

球形盔甲

犰狳類的頭部和身體都有骨質板保護。遭到攻擊時，這隻三帶犰狳讓自己蜷曲成一顆「盔甲球」，少有掠食者能夠找到弱點下手。

堅固的「盔甲」由堅韌的骨質板結合而成。

1 堅守「立場」 遇到危險時犰狳並不逃跑，而是留在原地。

2 固若金湯 犰狳蜷曲身體，將頭部和腿部縮進球體之中。

3 完美接合 這個「盔甲球」沒有大縫隙，敵人難以扳開。

精巧偽裝術

不論掠食者或獵物都會設法偽裝，以避免被對方發現。把自己跟背景環境融為一體，掠食性動物就能對不小心靠得太近的獵物發動攻擊，而獵物也依賴「隱身術」來保護自己不被掠食者—例如鳥類—察覺。運用偽裝術的動物，其身體形狀或體色大多模仿棲地中的植物或地質。

當守宮緊貼樹上，其皮瓣形成圍繞身體的流蘇，有助於融入樹皮之中。

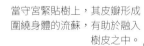

葉竹節蟲的身體表面不但具有假葉脈，連腿部形狀也像葉子，造就牠們幾乎不被掠食者察覺的完美偽裝。

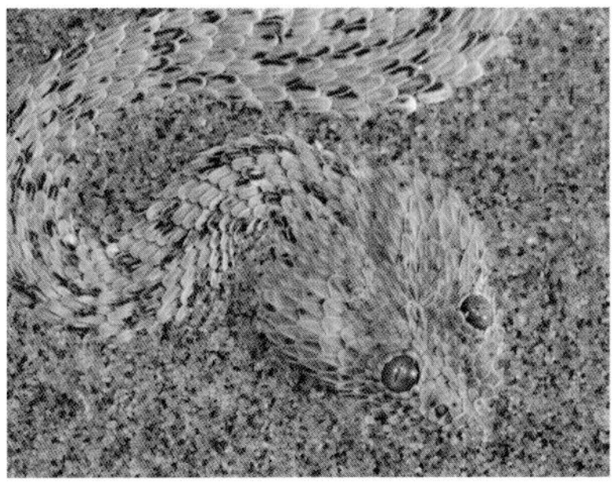

砂膨蝰
這種毒蛇把自己埋入納米比沙漠的乾沙之中，等待粗心的小型動物進入攻擊範圍。

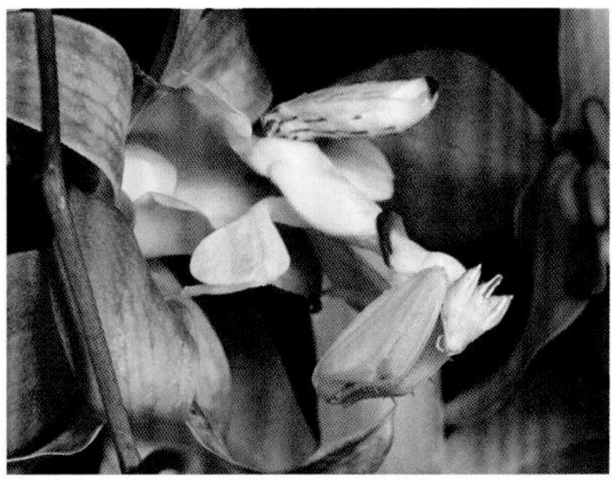

蘭花螳螂
這種熱帶掠食性昆蟲的身體形狀與體色就像一朵蘭花，昆蟲獵物搜尋花蜜時，一不小心就會被牠逮住。

馬達加斯加葉尾守宮
這種夜行性守宮白天蜷伏在樹上，利用牠們驚人的偽裝術作為掩護，甚至連眼睛都跟樹皮密切融為一體。

葉竹節蟲
葉竹節蟲偽裝成葉片時，少有其他動物能夠察覺，而移動時牠們甚至會左右搖擺，看起就像被微風吹動的葉片。

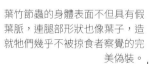

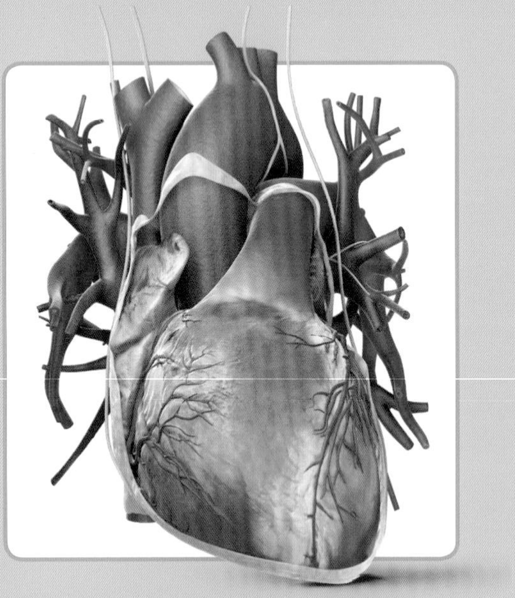

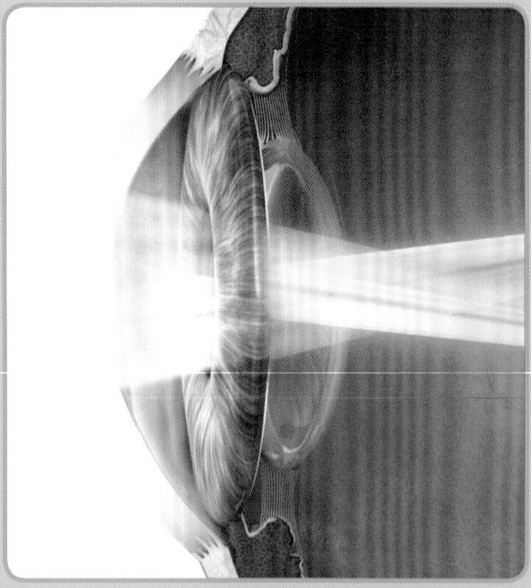

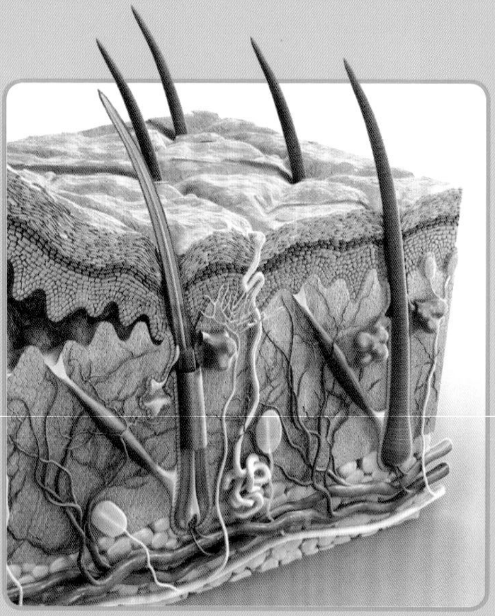

人體

人體就像一具複雜而精密的機器，包含 206 根骨頭、650 條肌肉、以及 75 兆個細胞。在歷史上，科學家對於人體的研究之詳細，沒有任何其他事物能出其右，但直到今日，人體仍然存在著許多未解之謎！

人體基本構造

人體就像一具非常複雜的機器，由數百萬個不同的部分所組成，這些全都緊密結合於皮膚之下。為了瞭解人體如何運作，我們必須透視人體，觀察這些部分如何配合、共同運作，讓我們成為能夠呼吸、能夠生活、能夠思考的人類。

人體系統

組成人體的所有組織與器官可被歸類於不同的群組—科學家稱之為「系統」—每一個系統都執行特定的工作，例如消化系統將食物分解成養分，讓身體得以吸收；又如循環系統，負責將這些養分、以及必要的化學物質輸送到全身各部。以下是一些主要的人體系統：

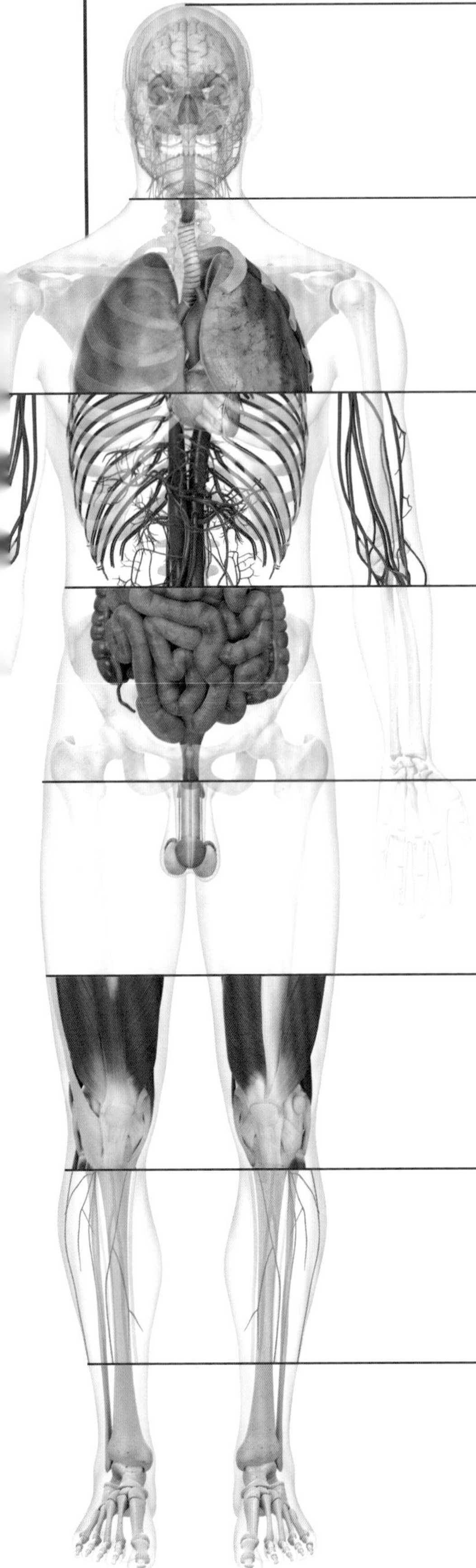

神經系統
神經系統讓我們的身體迅速作出反應；大量神經貫通你我身體，攜帶電子訊號來回於神經與腦部之間，有些神經將來自感覺器官的訊號傳遞到大腦，另一些則是傳送訊號給肌肉，幫助身體作出反應。

呼吸系統
人體中的所有細胞都需要氧氣供應才能維生，氧氣來自空氣之中，我們的呼吸系統吸入氧氣，並輸送到血液之中；呼吸系統的主要器官是肺臟——負責在呼吸時吸入空氣。

循環系統
心臟、血液、以及血管網絡共同構成循環系統，負責輸送不可或缺的氧氣和食物分子到身體各部，此外，血液還負有帶走細胞代謝廢棄物的功能。

消化系統
我們吃下的食物都會通過消化系統——從口部通到肛門的一段複雜長管，其中多種消化器官負責將食物的大分子，分解成較小的分子，讓血液能夠吸收。

生殖系統
生殖系統只有在成年期才會運作，而且男性與女性的生殖系統不同，但功能都是生產幼兒——雄性生殖細胞（精子）與雌性生殖細胞（卵子）結合，就能成長為胎兒。

肌肉系統
肌肉讓人體能夠運動；你我身體中尺寸最大的一類肌肉負責拉動骨頭，驅使骨骼移動，讓我們能跑、能跳、能繫鞋帶、或是踢球，但另一方面，肌肉也用來維持心臟跳動、或碾磨胃部的食物。

免疫系統
免疫系統的工作是打敗病菌，維護我們身體的健康。任何入侵你我身體的病菌，都會遭到白血球攻擊——白血球在人體的血液與其他組織之中，不斷地「巡邏」。

骨骼系統
骨骼是由骨頭所組成的堅固活動架構，用以支撐我們身體的重量，並保護脆弱的體內器官——例如腦部和心臟。骨骼系統與肌肉系統協同運作，讓我們的身體能夠移動。

建構人體

就像建築物由數以萬計的磚塊小心堆砌而成，人體也是由大量「小零件」井然有序地組合而成，這些具有生命的「小零件」就是細胞，而細胞所建構的「建築物」就是組織，不同組織再組合成為器官、以及更上一層的人體系統。

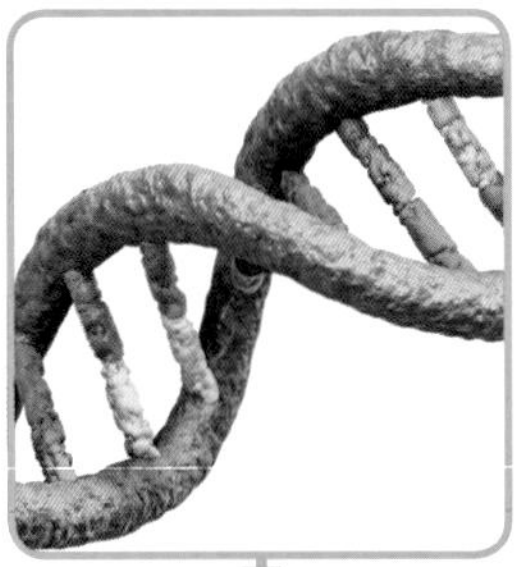

原子與分子
組成人體的最小單位是原子和分子，例如左圖的DNA（去氧核糖核酸）分子，就是用來儲存如何建構並維護人體的指令。

細胞
人體的所有部分都由具有生命的微小單位—細胞—所組成，人體總共包含75兆個細胞，大部分細胞專司特定工作——從貯存脂肪，到負責傳送神經訊號……等等。

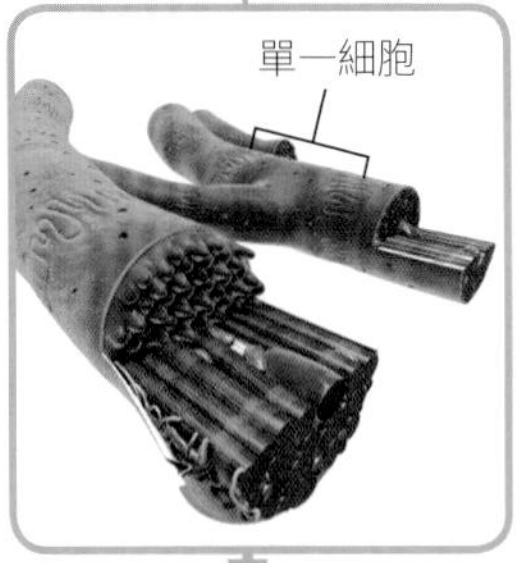

組織
細胞組合成為組織，例如心臟的心壁，就是由特殊類型的肌肉所形成的組織，其他身體組織還包括皮膚、脂肪、骨頭……等等。

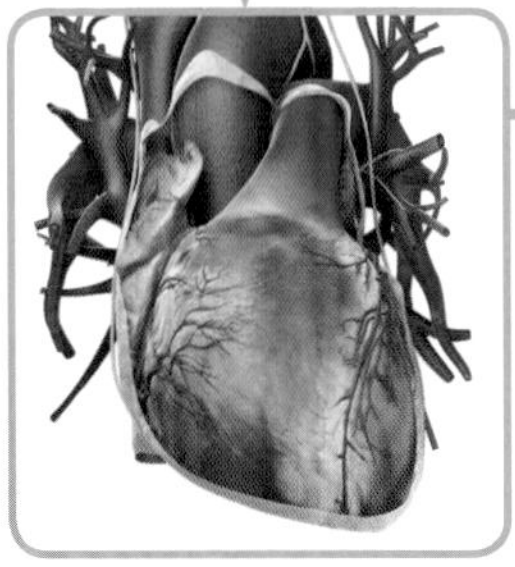

器官
不同組織組合成為器官，心臟、胃、或腦部都是器官，器官負責執行特定工作，比如心臟就是負責將血液壓送到身體各部。

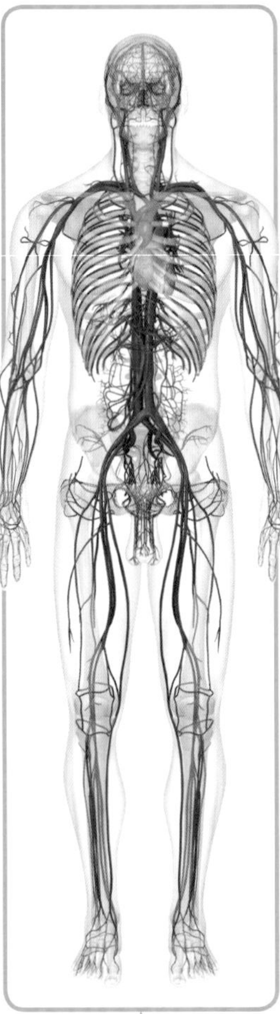

系統
器官組成系統協同運作，例如心臟就是循環系統的一部分，它跟血管及血液共同運作。

人體的組成成分

人體幾乎完全由數種簡單的化學元素所組成，其中含量最豐富的是氧和氫，這兩種元素組成水分子——人體約有 60% 的成分是水；其他元素包括鈉、鎂和鐵，都是生命體不可或缺的成分，但只需很少的分量。

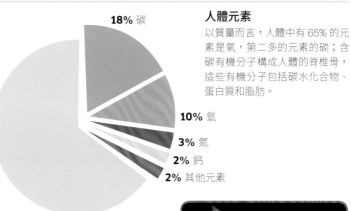

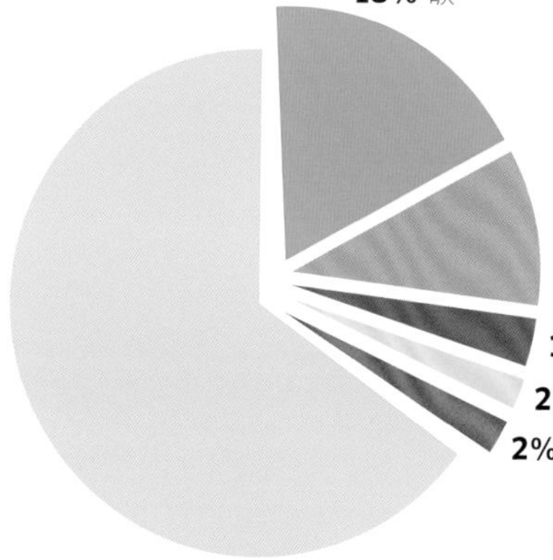
18% 碳
10% 氫
3% 氮
2% 鈣
2% 其他元素
65% 氧

人體元素
以質量而言，人體中有 65% 的元素是氧，第二多的元素的碳；含碳有機分子構成人體的脊椎骨，這些有機分子包括碳水化合物、蛋白質和脂肪。

透視人體

在古代，醫生只能經由解剖遺體來研究人體內部如何運作，他們沒有任何方法透視活生生的人體，找出到底是什麼原因導致疾病產生。現今，各式各樣的掃描機器或科技，讓醫生能以各種方法檢視病人的身體內部，這些技術讓即早發現疾病成為可能，如此一來疾病就更容易治癒了。

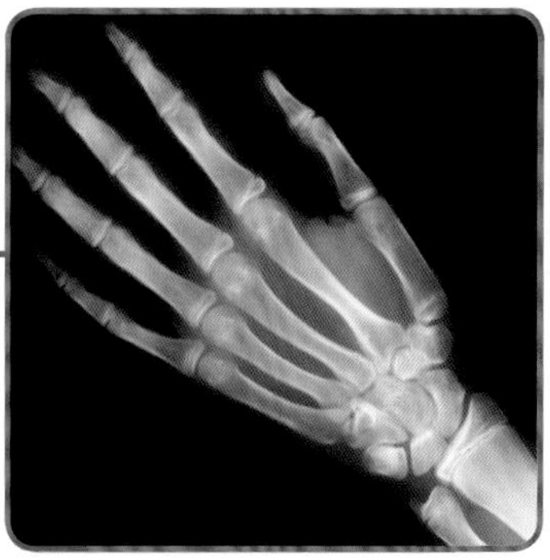

X 射線影像
X 射線是一種電磁輻射—就像光線一樣—但肉眼無法看見，這種射線能用來照射人體，並配合照相機捕捉骨頭的影像。

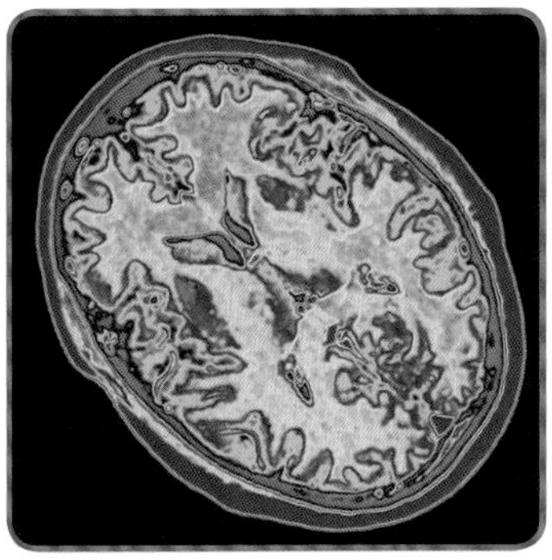

核磁共振成像
核磁共振掃描機利用強大的磁鐵，讓身體中的水分子釋放無線電波，再運用電腦將電波轉換成影像——例如上圖中的腦部影像。

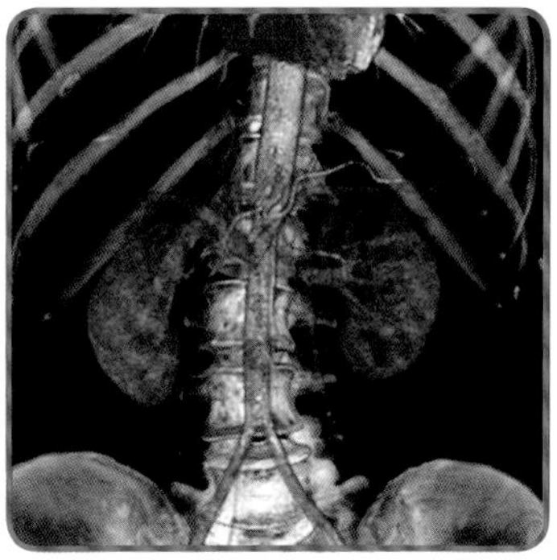

電腦斷層掃描
電腦斷層掃描使用 X 光射線，從多種角度穿透人體，再配合電腦建構 3-D 影像；醫生運用這種科技，可以「看見」人體不同斷面的剖面圖。

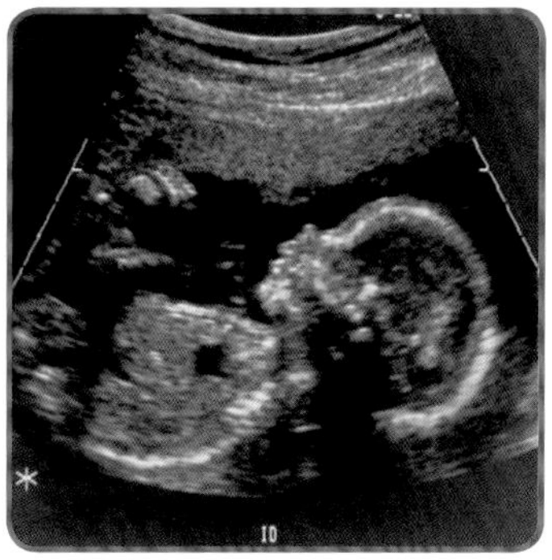

超音波
超音波用來檢查母體內的胎兒；高頻聲波人類無法聽見，但能夠用以穿透人體，碰到體內器官之後產生反彈，再配合電腦將回波轉換成影像。

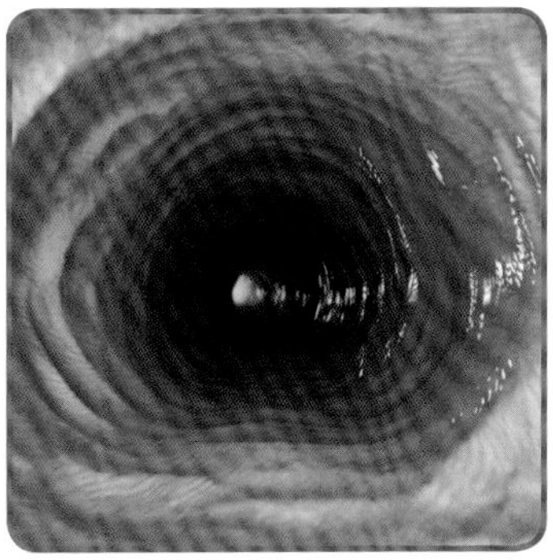

內視鏡
內視鏡基本上是一根具有彈性的管子，末端裝設微型攝影機和光源，用以從自然開口—例如嘴巴—或小切口插入人體內部檢查。

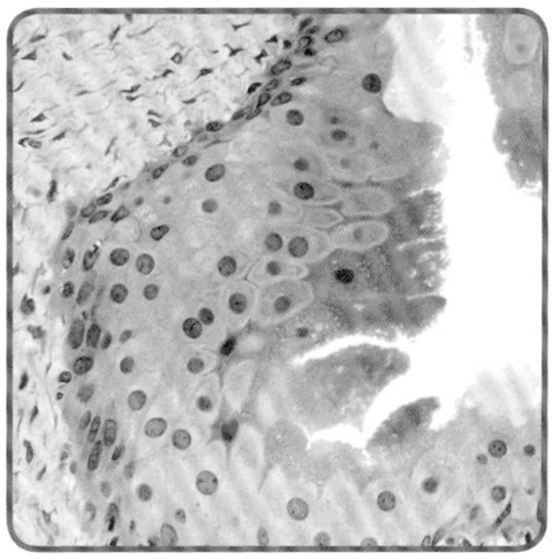

光學顯微鏡
就像望遠鏡一樣，光學顯微鏡利用透鏡來放大影像。醫生運用光學顯微鏡來檢查人體組織樣本中的細胞，找出疾病的來龍去脈。

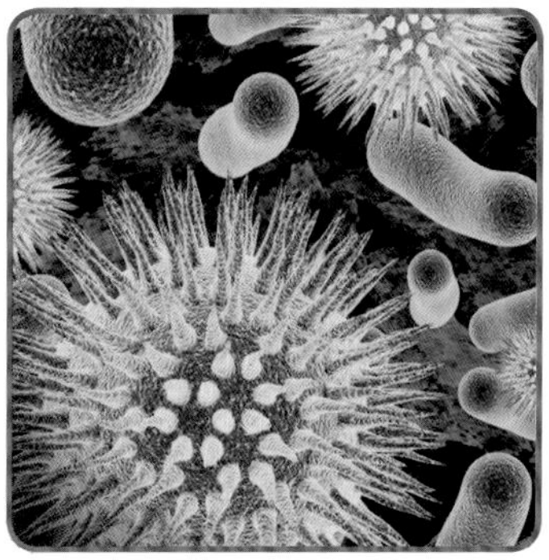

電子顯微鏡
比光學顯微鏡更強大，電子顯微鏡可以把影像放大 1,000 萬倍，這讓微小的病菌無所遁形，包括各種細菌和病毒都看得一清二楚。

醫學簡史

在人類歷史的大部分時間，「人體如何運作」這件事一向具有神祕性，人類仰賴超自然理論來解釋疾病。最早試圖以科學方法研究人體的記錄，可回溯到古埃及時期，但自此又經過漫長的數千年，人類才真正發現生物體如何運作、以及疾病如何產生的原因。

西元前 3000—前 1000 年

古埃及人
為了準備把遺體製成木乃伊，古埃及人取出器官分開保存，這讓他們發現心臟的功能如同幫浦，用以將血液壓送到身體各部。

西元前 400 年

醫學之父
希波克拉底
現今，古希臘醫生希波克拉底被西方醫學界譽為「醫學之父」，他是最早瞭解疾病是自然因素所引發的人之一——而不是眾神給予人類的懲罰。

1500 年代

解剖人體
佛萊明人（現今比利時北部）安德雷亞斯 · 維薩里在 1500 年代解剖一具遺體，並據以詳細畫出人體的骨頭、肌肉和器官，他的創舉後來集結成書出版，將人體研究提升到解剖學的層次。

1670 年代

發現細胞
荷蘭商人安東尼 · 范 · 雷文霍克製造出史上第一具顯微鏡，他用來觀察血液與精蟲細胞，並發現微生物的存在——而我們現在已經瞭解某些微生物會引發疾病。

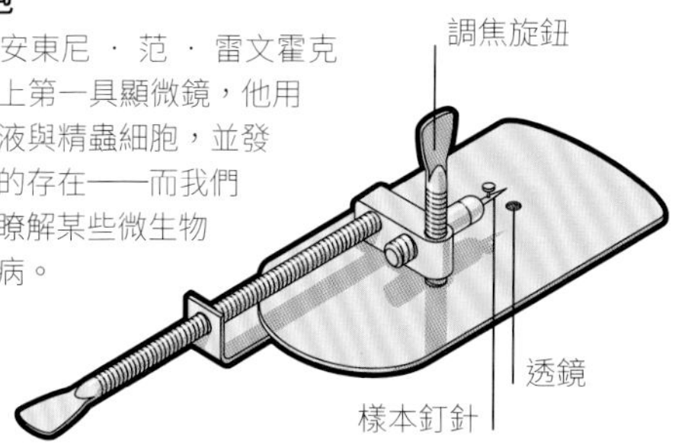
調焦旋鈕
透鏡
樣本釘針

1953 年

DNA（去氧核糖核酸）
西元 1953 年，英國科學家法蘭西斯 · 克里克和他的美國同事詹姆士 · 華森共同發現了 DNA（去氧核糖核酸）的結構，這種分子儲存著生命的遺傳指令。

3億個——當你閱讀這段文字的同時，你的身體又形成這麼多的新細胞。

細胞

人體是由 75 億個微小細胞所組成的立體大拼圖，你我身體的每一部分都由細胞建構而成——從眼捷毛到指甲都是！

個別細胞太微小，肉眼無法看見，細胞的平均尺寸還不到人類毛髮寬度的一半，但有些細小到集合 30,000 個細胞都能擠進一個逗點之中。細胞能單獨運作來吸收食物、氧氣、以及周圍的基本化學物質，並製造成長與運作所需的複雜有機化合物，有些細胞—例如血液細胞—能夠單獨在身體中行進，而其他細胞結合為層狀，形成身體組織——例如皮膚或肌肉。

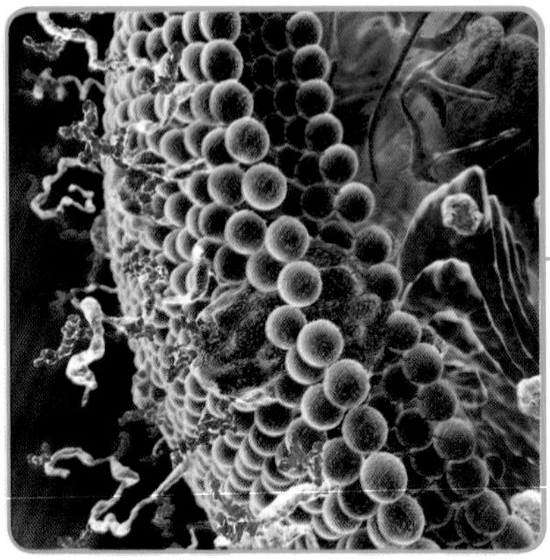

細胞膜
細胞膜位於細胞的最外部，由兩層特殊分子—磷脂質—構成油膜，包覆細胞內部的水質成分，兩層磷脂質之間鑲嵌著大型蛋白質分子，其功能如同閘門，只容許特定分子進出細胞。

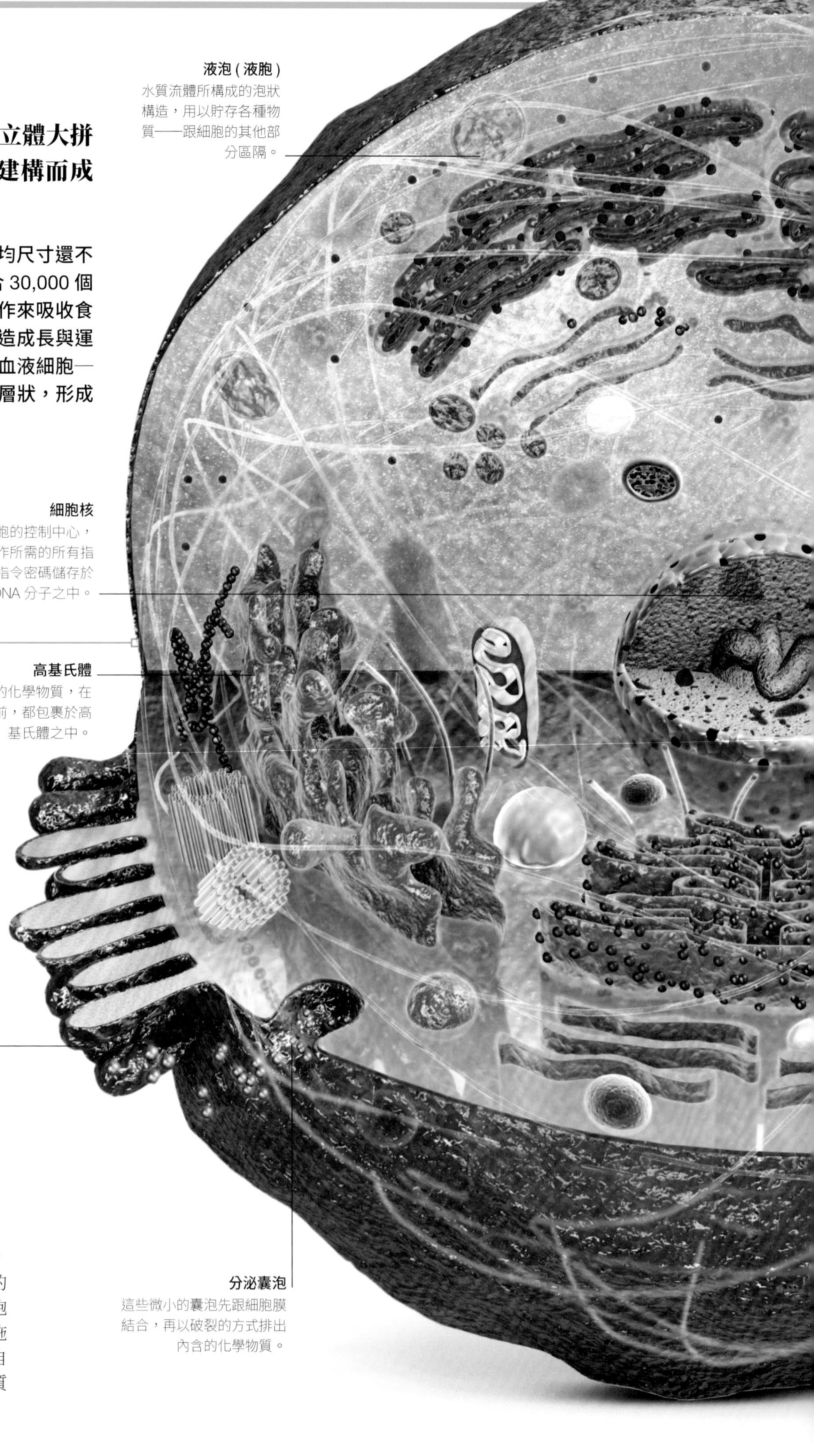
液泡（液胞）
水質流體所構成的泡狀構造，用以貯存各種物質——跟細胞的其他部分區隔。
細胞核
細胞核是細胞的控制中心，含有細胞運作所需的所有指令——這些指令密碼儲存於 DNA 分子之中。
高基氏體
細胞所製造的化學物質，在離開細胞之前，都包裹於高基氏體之中。
微絨毛
有些細胞帶有細小的指狀延伸物—微絨毛—用以跟外界環境接觸，並吸收細胞之外的化學物質。
分泌囊泡
這些微小的囊泡先跟細胞膜結合，再以破裂的方式排出內含的化學物質。

細胞的內部構造

儘管尺寸微小，細胞內部的構造可是非常複雜的，每一個細胞都像一座工廠，塞滿負責不同工作的各種機器，這些細胞工廠中的小機器稱為「胞器」，其中最重要的胞器是細胞核，專司發號施令，將化學指令傳送給其他胞器，所有胞器各自分工，執行釋放能量、製造化學物質、輸送物質進出細胞……等工作。

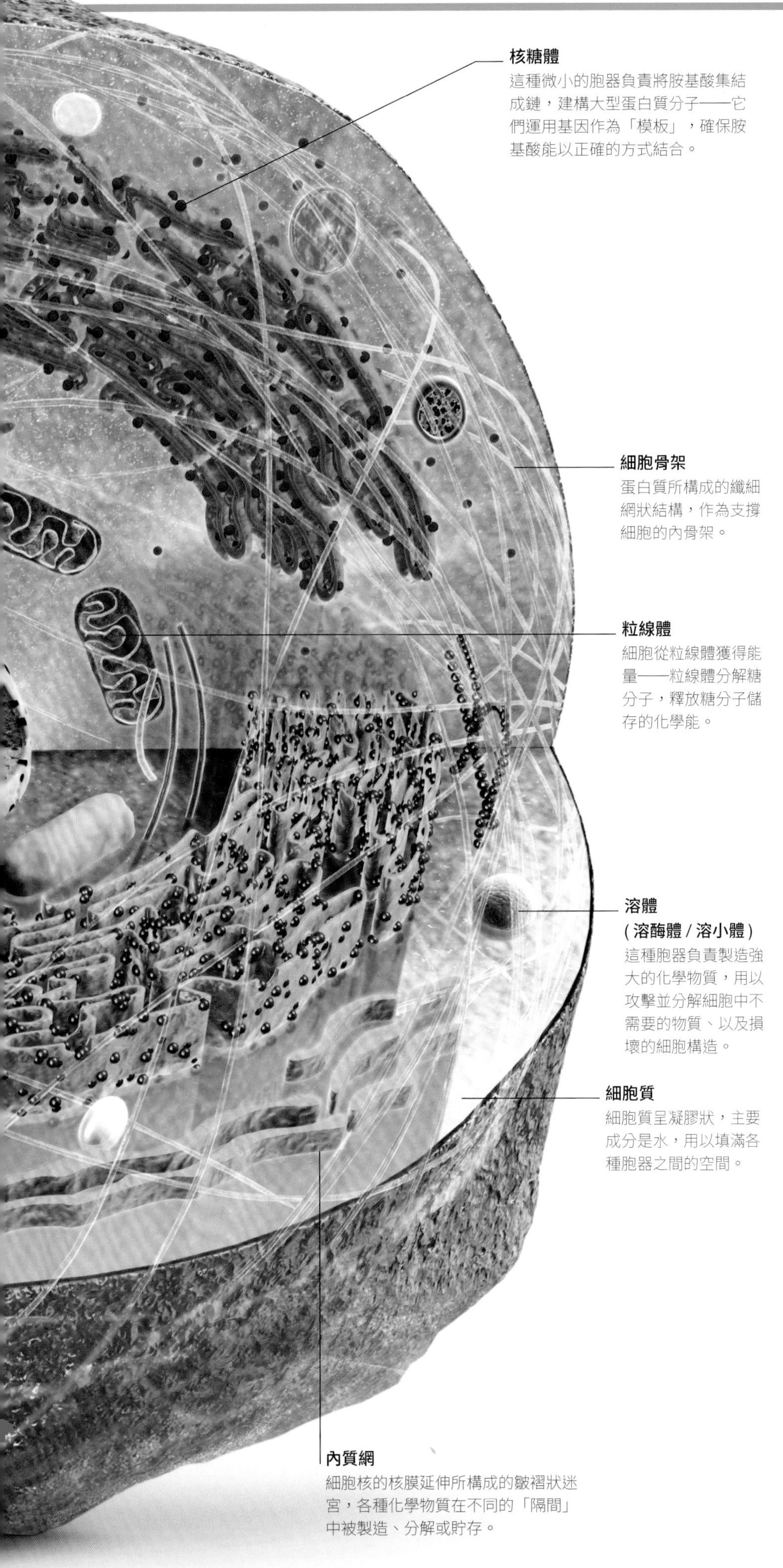
核糖體
這種微小的胞器負責將胺基酸集結成鏈，建構大型蛋白質分子——它們運用基因作為「模板」，確保胺基酸能以正確的方式結合。
細胞骨架
蛋白質所構成的纖細網狀結構，作為支撐細胞的內骨架。
粒線體
細胞從粒線體獲得能量——粒線體分解糖分子，釋放糖分子儲存的化學能。
溶體
（溶酶體／溶小體）
這種胞器負責製造強大的化學物質，用以攻擊並分解細胞中不需要的物質、以及損壞的細胞構造。
細胞質
細胞質呈凝膠狀，主要成分是水，用以填滿各種胞器之間的空間。
內質網
細胞核的核膜延伸所構成的皺褶狀迷宮，各種化學物質在不同的「隔間」中被製造、分解或貯存。

細胞類型

人體中的細胞可分為 200 種以上的不同類型，每一類細胞都專司特定工作，例如皮膚細胞或血液細胞只能生存數週就會死亡，不斷被新細胞所替換；而腦細胞相反，它們的生命跟人體一樣長。

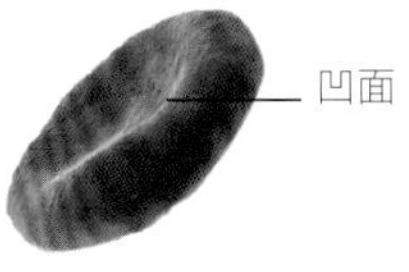
凹面

紅血球細胞
這種盤狀細胞充滿血紅素，負責將氧氣輸送到全身，

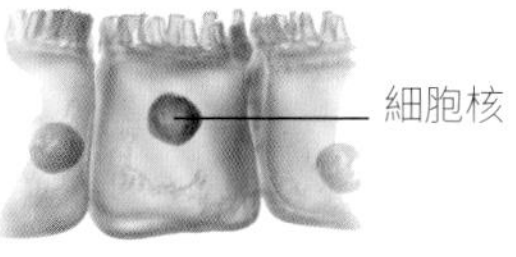
細胞核

上皮細胞
上皮細胞覆蓋口腔與腸道內部的表面；皮膚則是由特別強韌的上皮細胞所構成。

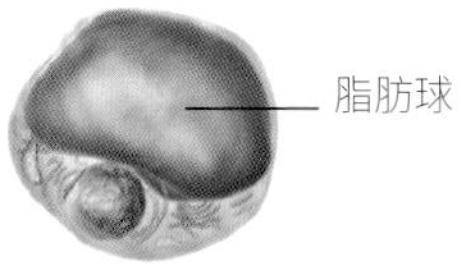
脂肪球

脂肪細胞
人體的脂肪儲存於脂肪細胞之中，脂肪細胞像氣球一樣具有伸縮性，其功能除了貯存能量，還幫助人體保持溫暖。

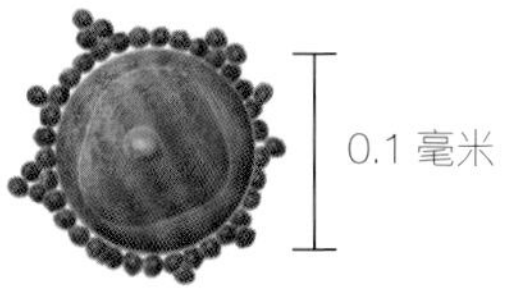
0.1 毫米

卵細胞
人體中尺寸最大的細胞就是卵細胞，卵細胞一旦受精，就會發展成胎兒。

1 公尺長

人體中**最長的細胞**是**神經細胞**——從你我的**脊柱延伸到腳趾**。

基因與 DNA

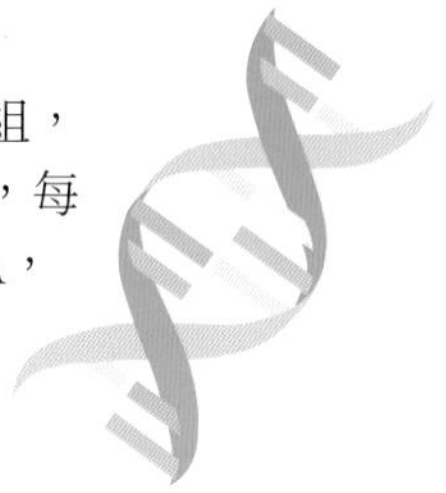

大多數細胞的細胞核之中包含完整的基因組，基因以化學密碼的形式儲存於 DNA 之中，每一個細胞含有總長度大約 2 公分的 DNA，不用時蜿蜒地緊密包裹在一起——稱為染色體；每一個細胞核都含有 46 條染色體。

細胞分裂

人體最初從單一細胞開始，藉由不斷分裂，成長為數十兆個細胞。最普遍的細胞分裂方式稱為「有絲分裂」——一開始染色體自我複製、形成雙股，接下來雙股分開，最後細胞的其他部分分離。

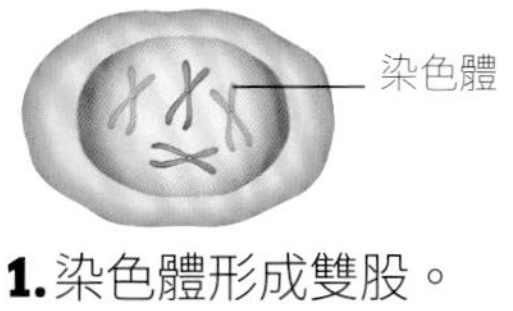
染色體

1. 染色體形成雙股。

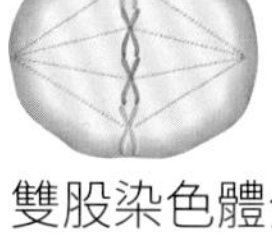

2. 雙股染色體分開。

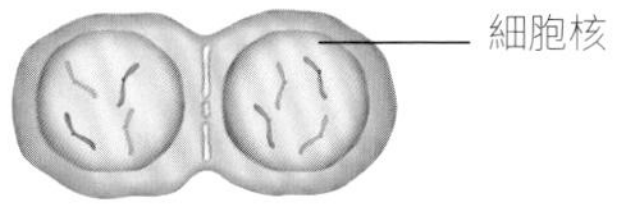
細胞核

3. 形成兩個細胞核

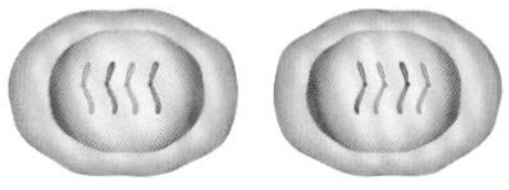

4. 細胞分離

50%——在人體骨骼中，有這麼多比例的**骨頭**位於**手部**和**腳部**。

人體中的所有**紅血球細胞**，都是由**骨骼**所製造的。

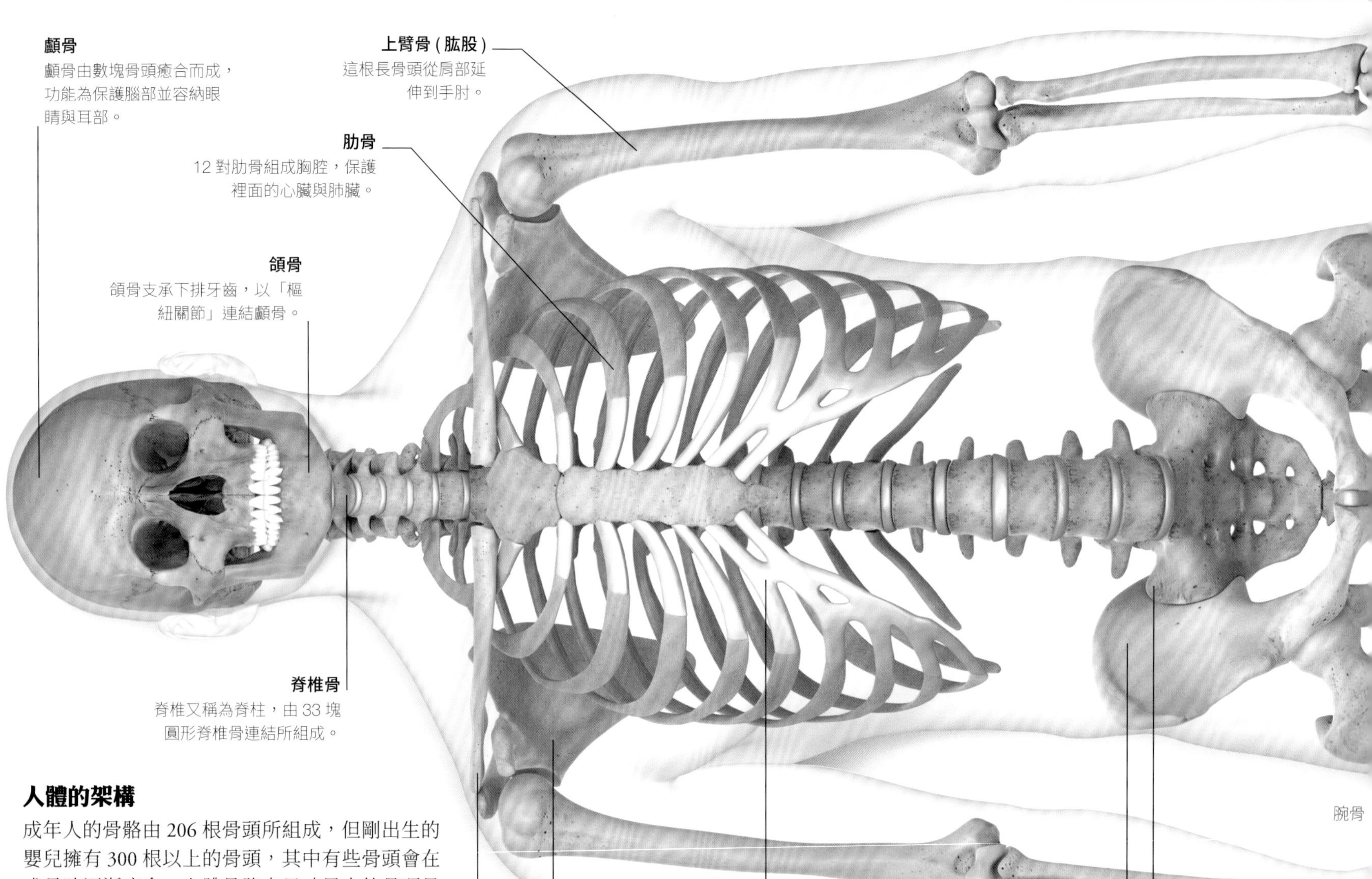

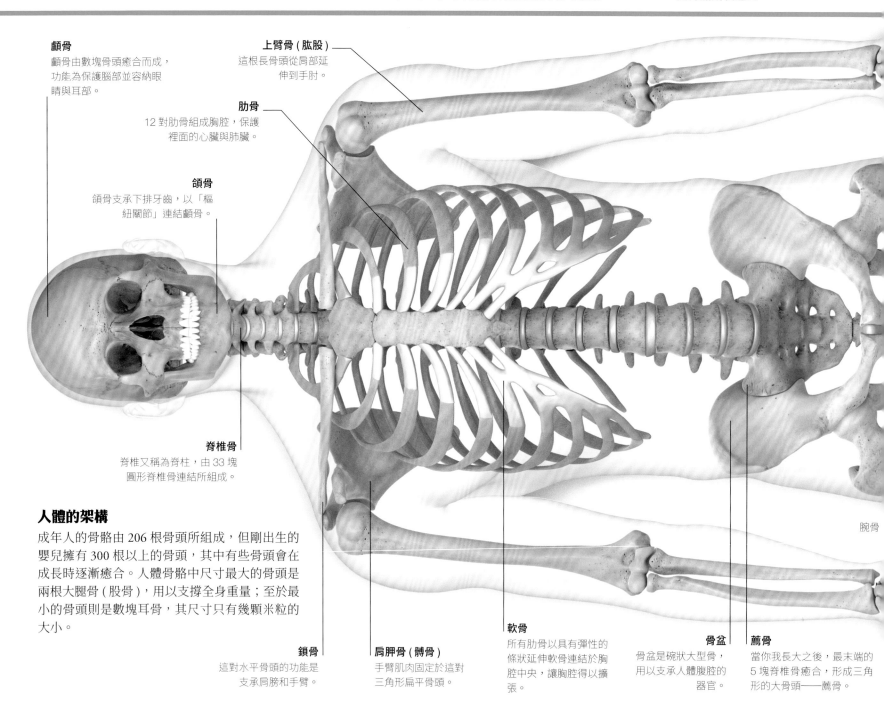

顱骨
顱骨由數塊骨頭癒合而成，功能為保護腦部並容納眼睛與耳部。
上臂骨（肱股）
這根長骨頭從肩部延伸到手肘。
肋骨
12 對肋骨組成胸腔，保護裡面的心臟與肺臟。
頜骨
頜骨支承下排牙齒，以「樞紐關節」連結顱骨。
脊椎骨
脊椎又稱為脊柱，由 33 塊圓形脊椎骨連結所組成。
腕骨
鎖骨
這對水平骨頭的功能是支承肩膀和手臂。
肩胛骨（髆骨）
手臂肌肉固定於這對三角形扁平骨頭。
軟骨
所有肋骨以具有彈性的條狀延伸軟骨連結於胸腔中央，讓胸腔得以擴張。
骨盆
骨盆是碗狀大型骨，用以支承人體腹腔的器官。
薦骨
當你我長大之後，最末端的 5 塊脊椎骨癒合，形成三角形的大骨頭——薦骨。

人體的架構

成年人的骨骼由 206 根骨頭所組成，但剛出生的嬰兒擁有 300 根以上的骨頭，其中有些骨頭會在成長時逐漸癒合。人體骨骼中尺寸最大的骨頭是兩根大腿骨（股骨），用以支撐全身重量；至於最小的骨頭則是數塊耳骨，其尺寸只有幾顆米粒的大小。

骨骼

若是沒有骨頭所組成的骨骼作為架構，你我的身體都將瓦解，成為毫無形狀的肉堆。骨骼不僅支撐我們的身體，還作為肌肉固定之處，讓我們得以移動。

骨頭由活組織所構成，能感受疼痛，切開時會流血，一旦受損也具有自我修復的能力。一般人通常認為骨頭可能又乾又脆，但事實上，活體骨頭是相當潮濕而帶有一點彈性的，其表面看似平滑而堅固，但內部可是充滿空隙的輕量化結構。以重量而言，骨頭約有 50% 的成分是一種富含鈣元素的礦物質—氫氧基磷灰石—我們的牙齒中也具有這種成分，這種堅硬的結晶物質讓骨頭擁有高強度，才能承受身體的重量。

骨折

一旦發生骨折，我們的骨頭就立刻啟動修復程序，一開始先在斷裂處形成血凝塊，接著堅固的纖維組織跨越受損區域長出來，最後再由新生骨細胞取代血凝塊與纖維組織的位置。此外，有些骨折必須運用模具加以固定，以免痊癒時長成彎曲的模樣。

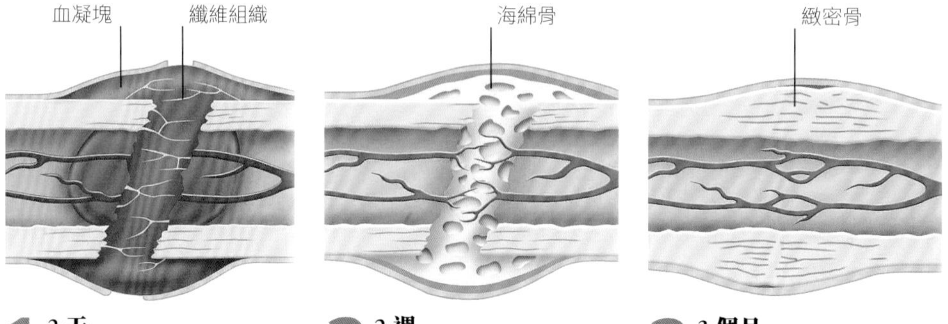

血凝塊
纖維組織
海綿骨
緻密骨

1 **2 天** 血凝塊充填骨頭的斷裂處，接著纖維組織快速在受損區域生長。

2 **2 週** 骨細胞分裂形成海綿骨，取代血凝塊的位置。

3 **3 個月** 緻密骨取代了海綿骨，受損區域重新成形。

10%——人體骨骼中每年約有這麼多比例的組織會**分解**，被**再造**的骨骼所取代。

每一名**成年人**的**骨骼**之中，含有1公斤以上的**鈣**。

鈣是人體中**含量最豐富**的**金屬**元素。

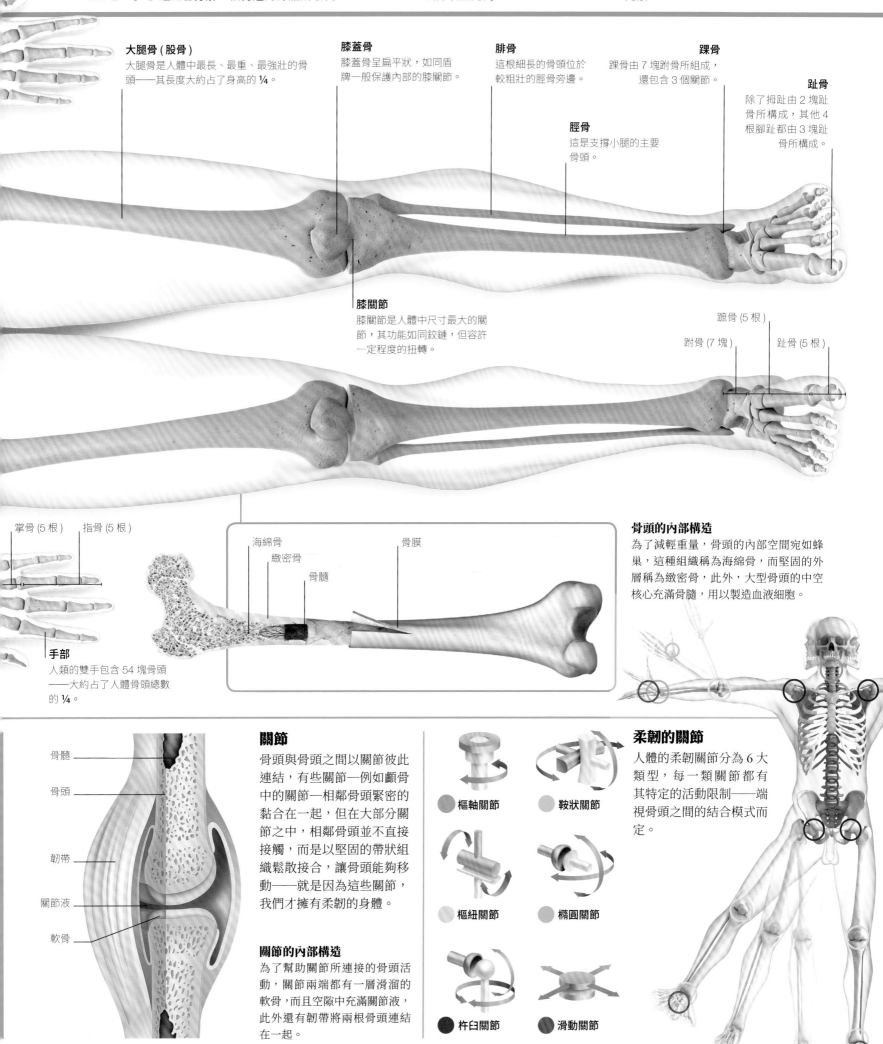

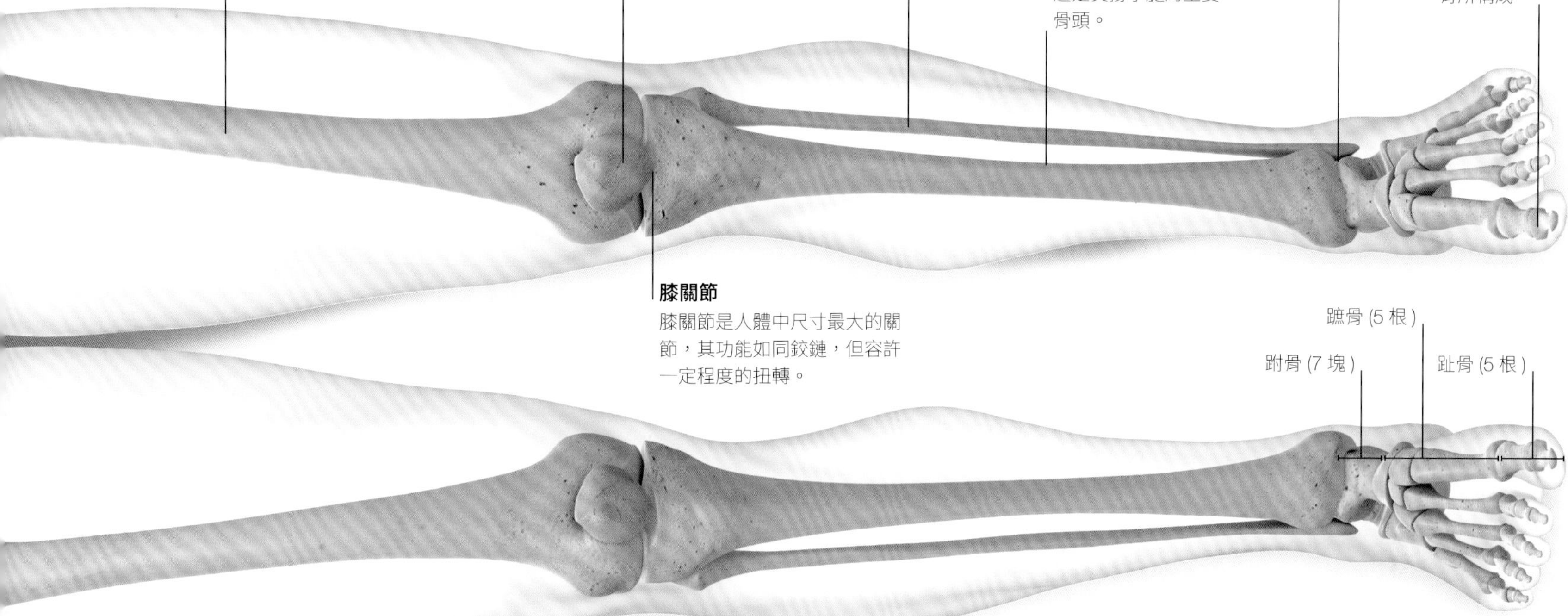
大腿骨(股骨)
大腿骨是人體中最長、最重、最強壯的骨頭——其長度大約占了身高的¼。
膝蓋骨
膝蓋骨呈扁平狀，如同盾牌一般保護內部的膝關節。
腓骨
這根細長的骨頭位於較粗壯的脛骨旁邊。
踝骨
踝骨由7塊跗骨所組成，還包含3個關節。
趾骨
除了拇趾由2塊趾骨所構成，其他4根腳趾都由3塊趾骨所構成。
脛骨
這是支撐小腿的主要骨頭。
膝關節
膝關節是人體中尺寸最大的關節，其功能如同鉸鏈，但容許一定程度的扭轉。
蹠骨(5根)
跗骨(7塊)
趾骨(5根)

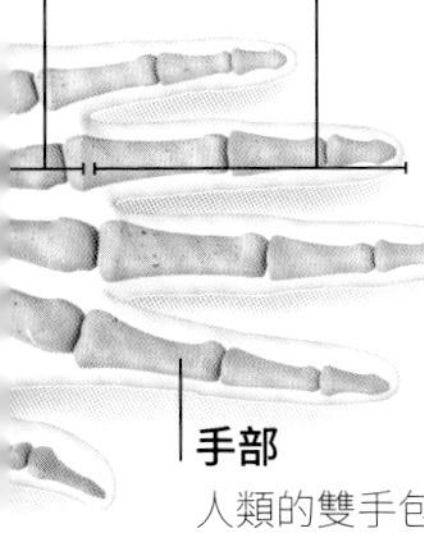
掌骨(5根)
指骨(5根)
手部
人類的雙手包含54塊骨頭——大約占了人體骨頭總數的¼。

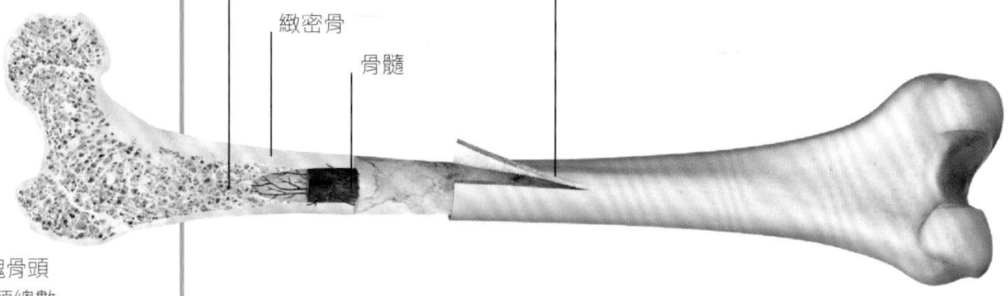
海綿骨
緻密骨
骨髓
骨膜

骨頭的內部構造

為了減輕重量，骨頭的內部空間宛如蜂巢，這種組織稱為海綿骨，而堅固的外層稱為緻密骨，此外，大型骨頭的中空核心充滿骨髓，用以製造血液細胞。

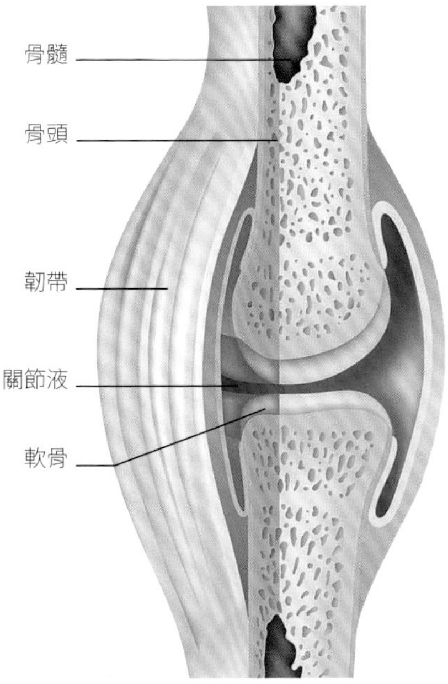
骨髓
骨頭
韌帶
關節液
軟骨

關節

骨頭與骨頭之間以關節彼此連結，有些關節—例如顱骨中的關節—相鄰骨頭緊密的黏合在一起，但在大部分關節之中，相鄰骨頭並不直接接觸，而是以堅固的帶狀組織鬆散接合，讓骨頭能夠移動——就是因為這些關節，我們才擁有柔韌的身體。

關節的內部構造

為了幫助關節所連接的骨頭活動，關節兩端都有一層滑溜的軟骨，而且空隙中充滿關節液，此外還有韌帶將兩根骨頭連結在一起。

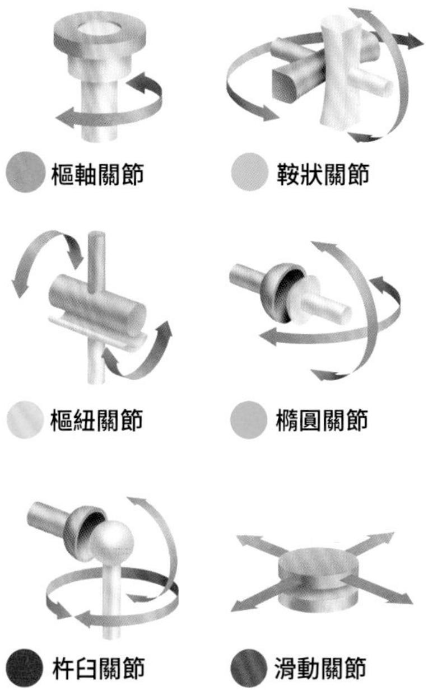
樞軸關節
鞍狀關節
樞紐關節
橢圓關節
杵臼關節
滑動關節

柔韌的關節

人體的柔韌關節分為6大類型，每一類關節都有其特定的活動限制——端視骨頭之間的結合模式而定。

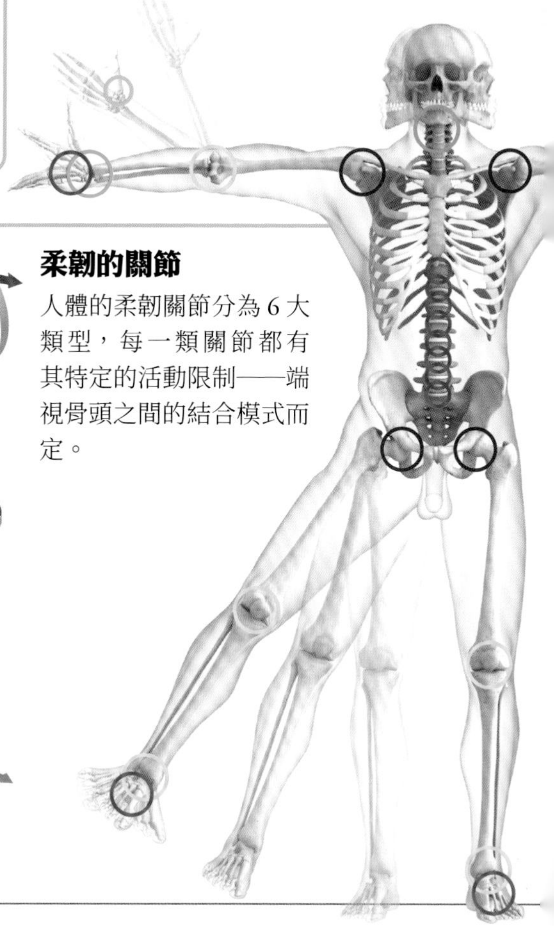

40%——在人體的**重量**之中，約有這麼多的比例是**肌肉**。

人體擁有**500萬根毛髮**，每一根都毛髮都連結**獨立的微小肌肉**。

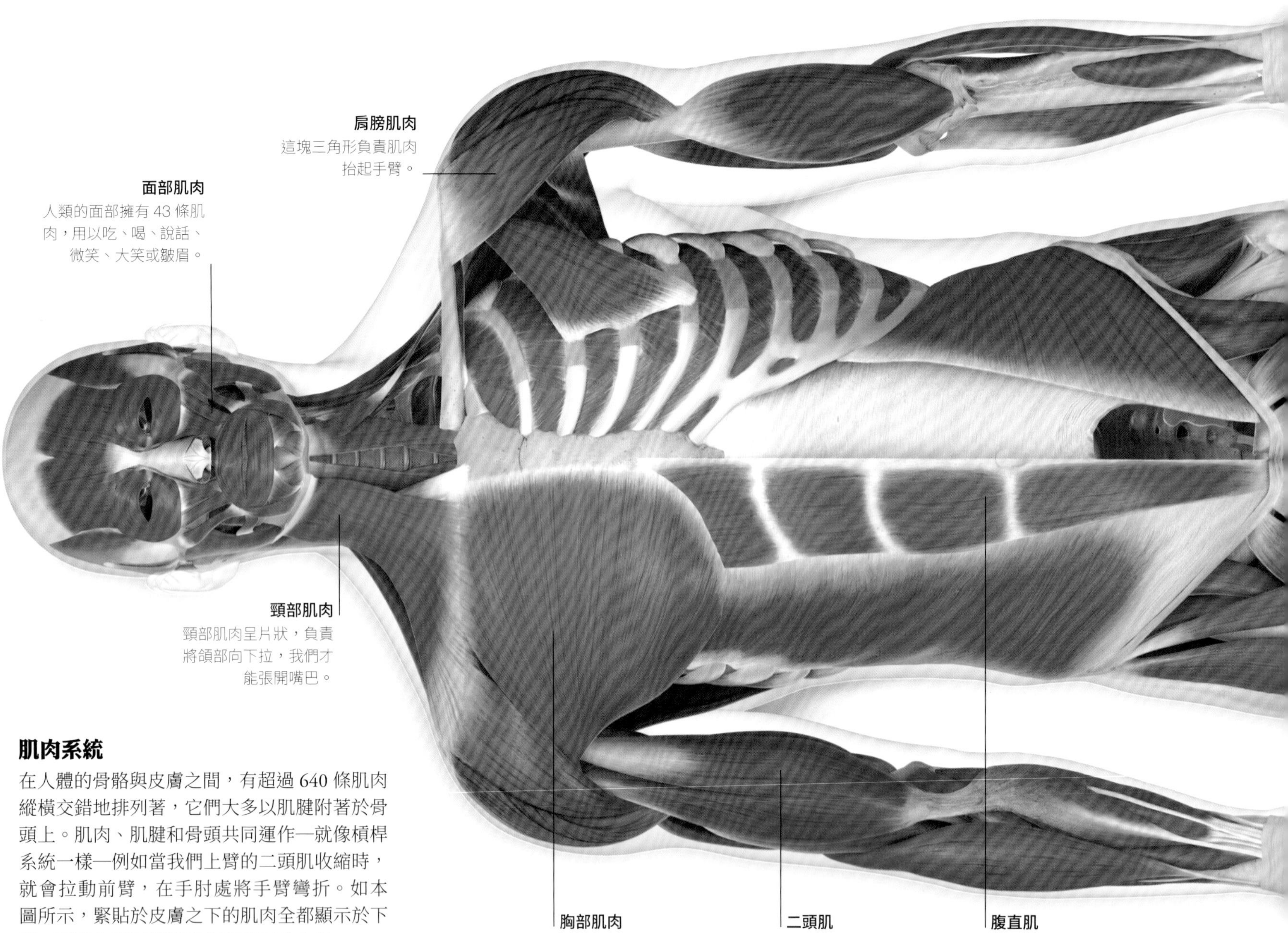
肩膀肌肉
這塊三角形負責肌肉抬起手臂。
面部肌肉
人類的面部擁有 43 條肌肉，用以吃、喝、說話、微笑、大笑或皺眉。
頸部肌肉
頸部肌肉呈片狀，負責將頜部向下拉，我們才能張開嘴巴。
胸部肌肉
尺寸最大的胸部肌肉是兩塊「胸大肌」；伏地挺身、重量訓練或游泳，都能把胸大肌練得更加健壯。
二頭肌
二頭肌位於上臂前側，用以從手肘彎折前臂，或轉動手掌朝向上方。
腹直肌
腹直肌用以彎折脊椎下半部、或維持身體的姿勢；發展良好的腹直肌通稱為「六塊肌」——腹直肌實際上是一整塊肌肉，因肌腱交錯而劃分成 6 塊的外觀。

肌肉系統

在人體的骨骼與皮膚之間，有超過 640 條肌肉縱橫交錯地排列著，它們大多以肌腱附著於骨頭上。肌肉、肌腱和骨頭共同運作—就像槓桿系統一樣—例如當我們上臂的二頭肌收縮時，就會拉動前臂，在手肘處將手臂彎折。如本圖所示，緊貼於皮膚之下的肌肉全都顯示於下側，而較為深層的肌肉全都顯示於上側。

肌肉

肌肉讓我們能夠行走、奔跑、跳躍、或扭動手指，另一方面，肌肉也驅使血液流到全身、將食物送到腸道、或是讓我們能夠說話。

肌肉讓人體擁有運動能力，所有肌肉都由能夠收縮的細小纖維所組成，當肌肉收縮、變短時，就能拉動身體的某一部分。人體之中尺寸最大的一類肌肉是連結著骨頭的骨骼肌，大部分的骨骼肌是「隨意肌」，意即可以隨著我們的意志而運動，另一些肌肉—例如心臟與胃部的肌肉—稱為「不隨意肌」，不經我們指揮就能自動運作。人體之中總共約有數十億條肌肉纖維——包括每一根毛髮、每一條微血管都連結著微小的肌肉纖維。

肌肉的類型

人體中的肌肉分為 3 種類型：骨骼肌、平滑肌和心肌。骨骼肌連結於骨頭，由極長的絲線狀細胞（肌纖維）所構成，這些肌纖維能夠快速地用力收縮，但持續時間較短。平滑肌存在於人體的胃、腸子、血管與眼睛，由紡錘狀的短細胞所組成，能夠長時間收縮。至於心肌只存在於人體的心臟，由相對較短的肌肉細胞所組成，它們具有節奏性地持續收縮，永不懈怠！

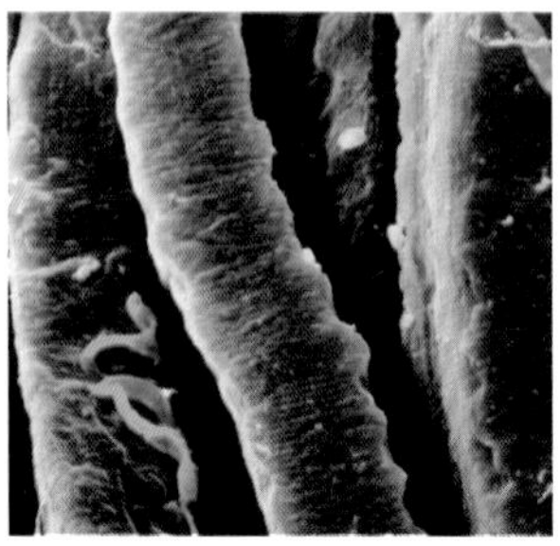
骨骼肌細胞

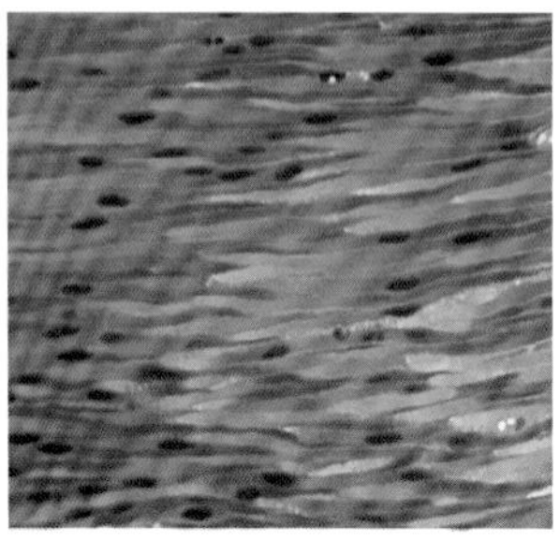
平滑肌細胞

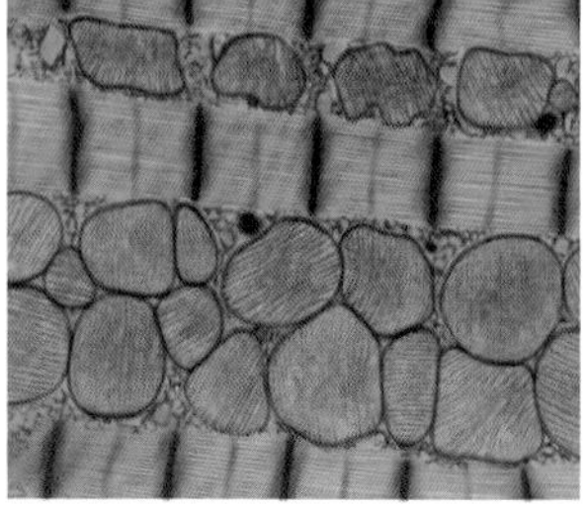
心肌細胞

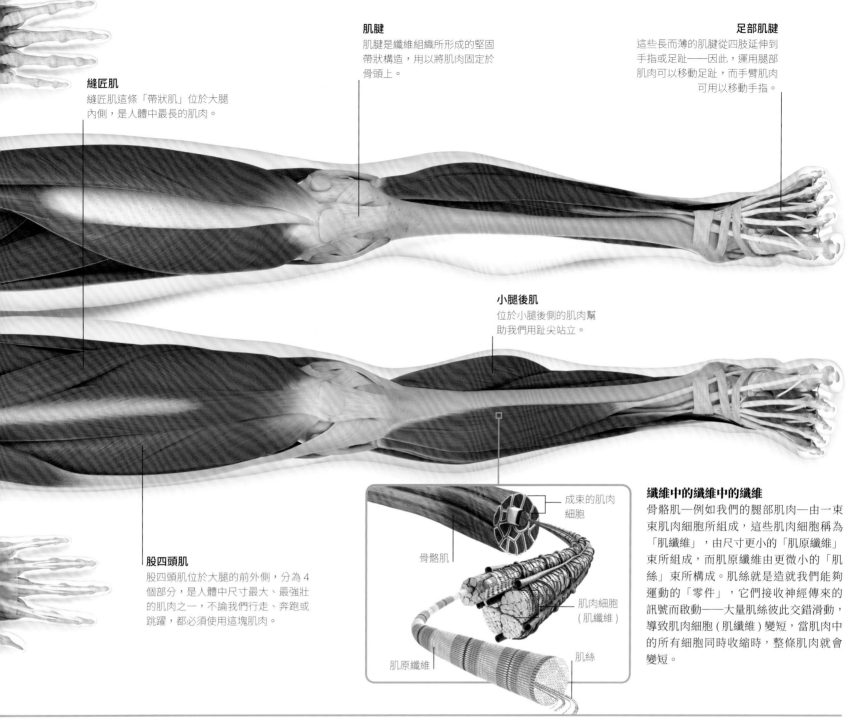

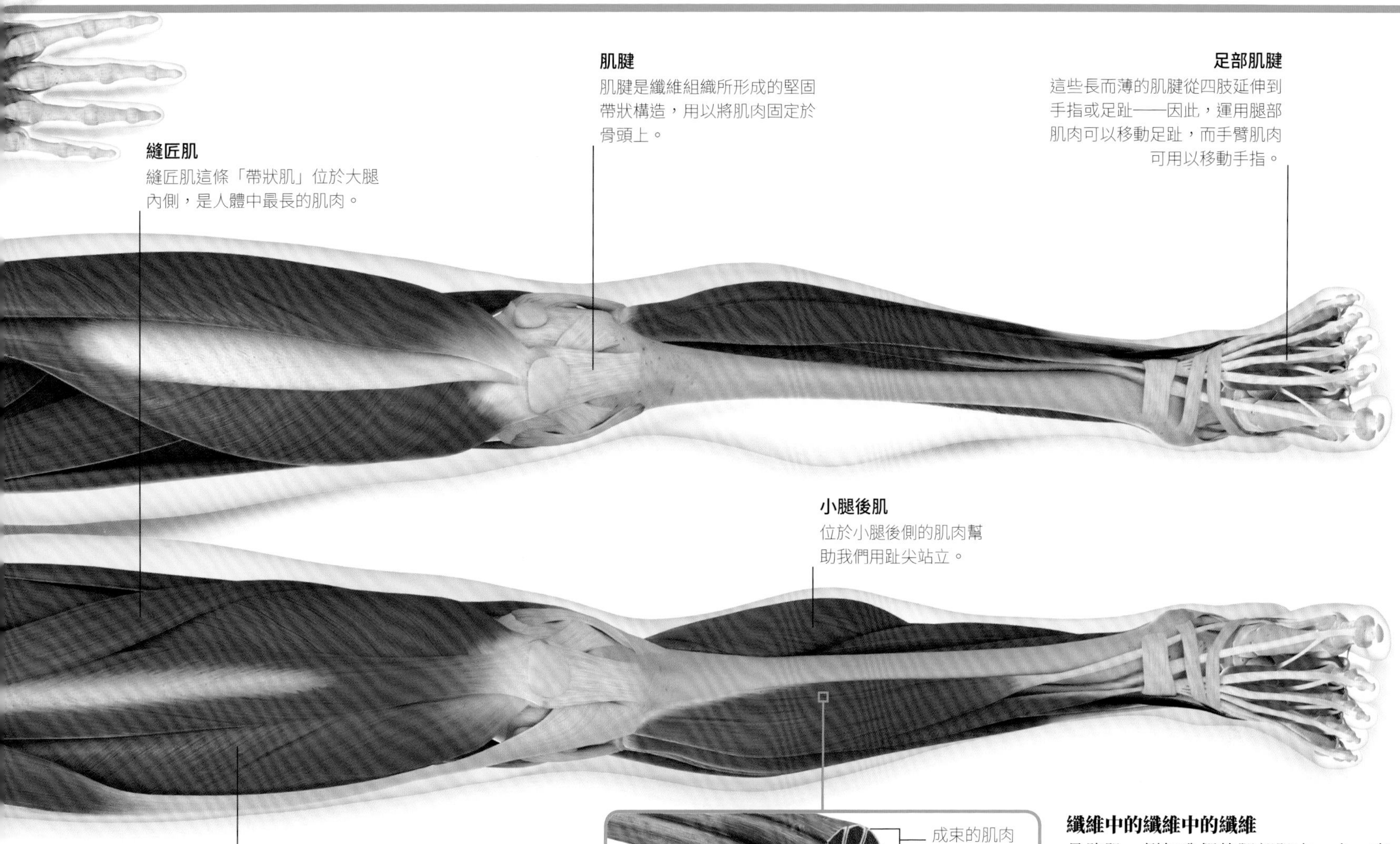
肌腱
肌腱是纖維組織所形成的堅固帶狀構造，用以將肌肉固定於骨頭上。
足部肌腱
這些長而薄的肌腱從四肢延伸到手指或足趾——因此，運用腿部肌肉可以移動足趾，而手臂肌肉可用以移動手指。
縫匠肌
縫匠肌這條「帶狀肌」位於大腿內側，是人體中最長的肌肉。
小腿後肌
位於小腿後側的肌肉幫助我們用趾尖站立。
股四頭肌
股四頭肌位於大腿的前外側，分為 4 個部分，是人體中尺寸最大、最強壯的肌肉之一，不論我們行走、奔跑或跳躍，都必須使用這塊肌肉。

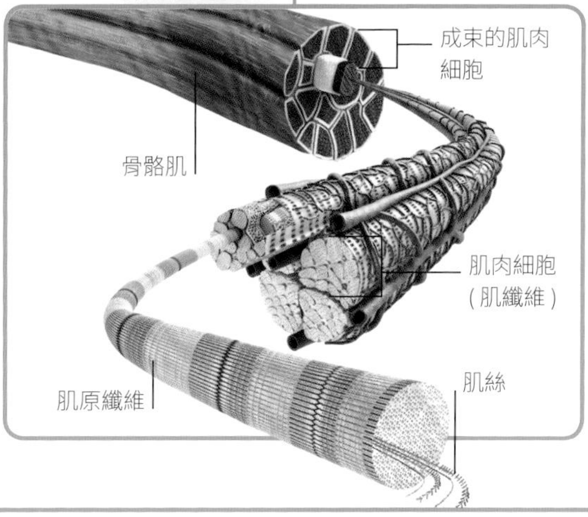
成束的肌肉細胞
骨骼肌
肌肉細胞（肌纖維）
肌絲
肌原纖維

纖維中的纖維

骨骼肌—例如我們的腿部肌肉—由一束束肌肉細胞所組成，這些肌肉細胞稱為「肌纖維」，由尺寸更小的「肌原纖維」束所組成，而肌原纖維由更微小的「肌絲」束所構成。肌絲就是造就我們能夠運動的「零件」，它們接收神經傳來的訊號而啟動——大量肌絲彼此交錯滑動，導致肌肉細胞（肌纖維）變短，當肌肉中的所有細胞同時收縮時，整條肌肉就會變短。

配對運作

骨骼肌通常配對運作，以相反方向來拉動骨頭，例如我們上臂的兩條大肌肉—前側的二頭肌和後側的三頭肌—當二頭肌收縮時，就能彎折我們的手臂，而三頭肌收縮時則是拉直手臂。

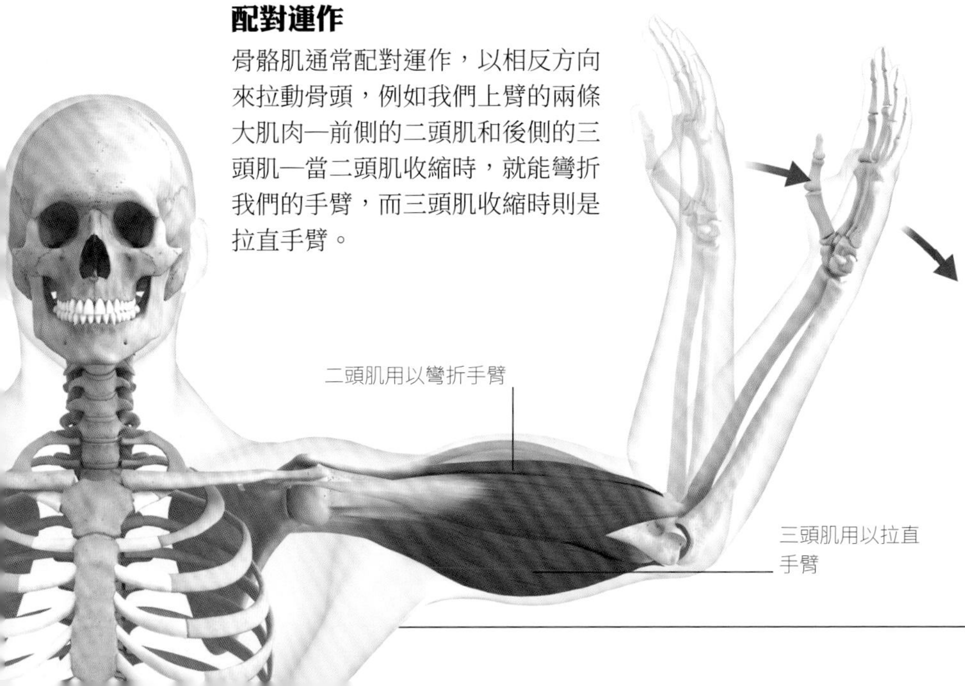
二頭肌用以彎折手臂
三頭肌用以拉直手臂

各種肌肉形狀

不同部位的肌肉形狀各異，這取決於肌肉的位置、以及它在身體中扮演的角色。有些肌肉在一端或兩端漸縮，用以製造最大的拉力；另一些肌肉呈簡單的帶狀；至於身體開口處的肌肉通常呈環狀——例如口部、或是膀胱的出口。

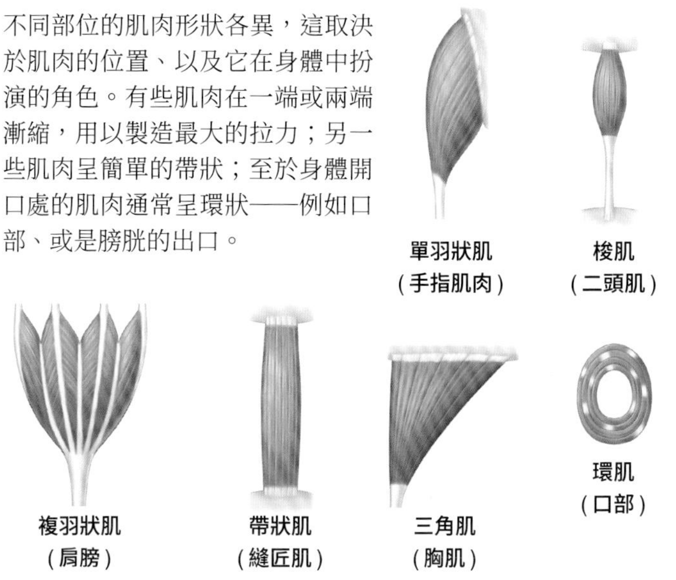
單羽狀肌（手指肌肉）
梭肌（二頭肌）
複羽狀肌（肩膀）
帶狀肌（縫匠肌）
三角肌（胸肌）
環肌（口部）

30,000——我們的身體平均每分鐘掉落這麼多片皮屑。

人體皮膚的表層，每30天就會全部換新一次。

皮膚的構造

皮膚包含兩層，外層稱為「表皮」，大部分是死細胞，用以提供保護；眼瞼皮膚的表皮大概只有一張紙的厚度，但腳掌皮膚的表皮卻有 1 公分厚。在表皮之下則是「真皮」，真皮是活細胞層，布滿血管和神經，具有觸感——當然也具有痛覺。

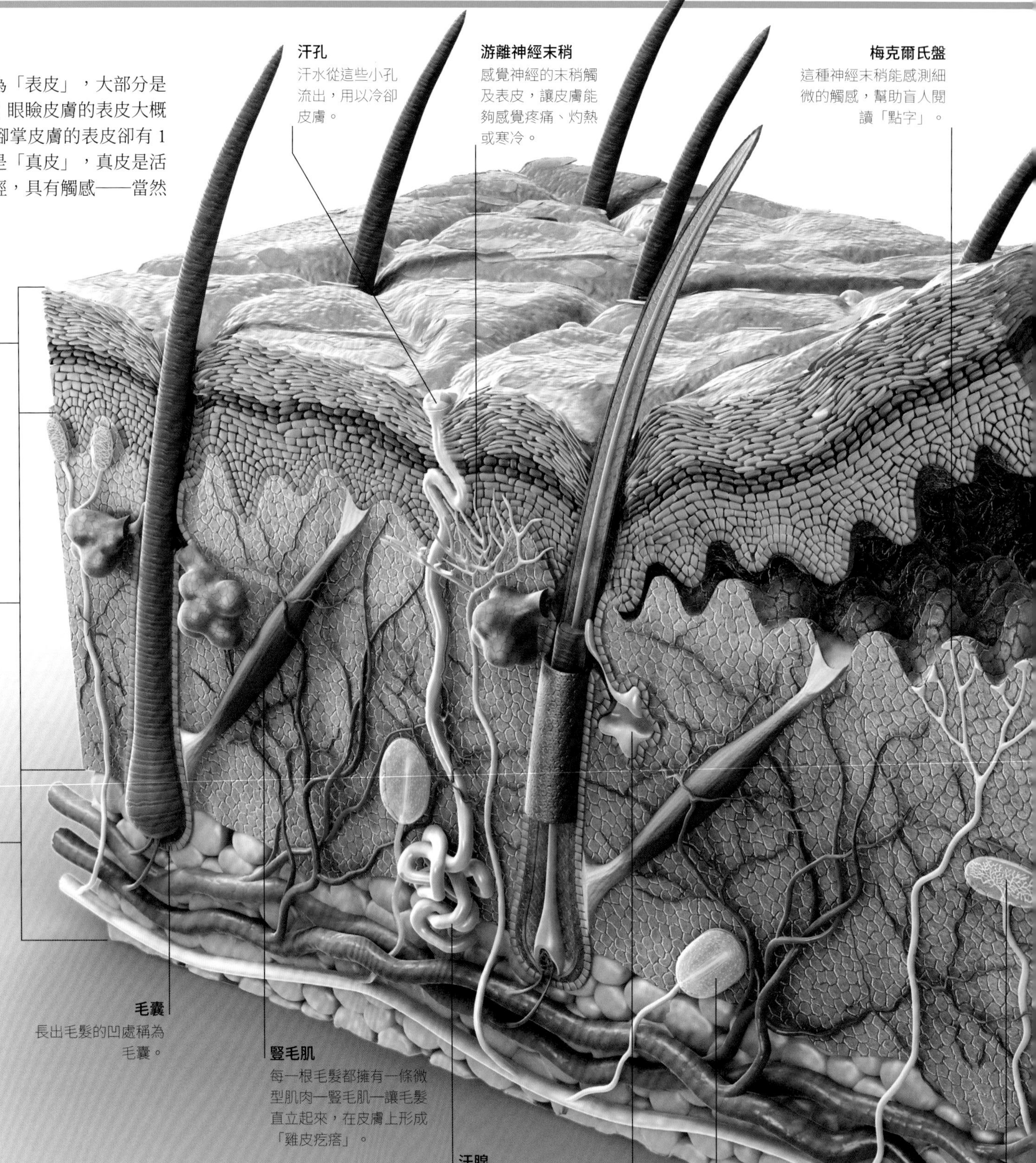
汗孔
汗水從這些小孔流出，用以冷卻皮膚。
游離神經末梢
感覺神經的末梢觸及表皮，讓皮膚能夠感覺疼痛、灼熱或寒冷。
梅克爾氏盤
這種神經末梢能感測細微的觸感，幫助盲人閱讀「點字」。
表皮
這種堅韌的皮膚外層由扁平狀細胞堆疊所形成，新細胞持續從表皮底部生長出來，並向上推移，在此過程中填滿防水的角蛋白，接下來變成扁平狀、細胞死亡，最終從皮膚脫落——成為皮屑。
真皮
這是皮膚的活體內層，含有血管、汗腺、毛根、以及各種神經末梢——用以感受觸覺、疼痛、灼熱或寒冷。
脂肪層
緊接於皮膚之下的是脂肪層，用以保留身體的熱氣，並於身體碰撞時提供緩衝，還具有貯存能量的功用。
毛囊
長出毛髮的凹處稱為毛囊。
豎毛肌
每一根毛髮都擁有一條微型肌肉—豎毛肌—讓毛髮直立起來，在皮膚上形成「雞皮疙瘩」。
汗腺
這些盤繞的管狀構造稱為汗腺，負責製造汗水；在一片郵票大小的皮膚上，約有 500 條汗腺。
皮脂腺
皮脂腺分泌油性物質，讓毛髮與皮膚表面具有防水性，但有時它們會堵塞、腫脹，形成丘疹。
巴齊尼氏小體
這類蛋形「感覺受器」位於真皮的底部附近，用以感覺振動和壓力。
盧菲尼氏小體
這類「感覺受器」普遍存在於指尖，用以感覺延展與滑動，幫助我們抓握物體。

皮膚

皮膚如同大衣一般包覆我們全身，在身體內部與外界環境之間形成屏障。

皮膚具有防水性，能隔絕外界的細菌，損壞時也能自我修復；在陽光照射之下，皮膚幫助身體過濾有害射線；皮膚讓我們擁有觸感，還有助於人體控制體溫。

人類皮膚的厚度只有幾毫米，卻是人體之中尺寸最大的器官，大約占了身體重量的 16%。皮膚堅韌的外層稱為表皮，舊表皮會被磨損，但下方也會不斷長出新表皮來替換。另一方面，皮膚也負責製造毛髮和指甲，這些保護性組織跟表皮一樣，都是由一種強韌的蛋白質—角蛋白—造成死細胞硬化而形成的。

5.6公尺——最長人類毛髮的世界紀錄。

3毫米——人類指甲1個月的平均生長長度。

人類手指甲的生長速度大約是腳趾甲的3倍。

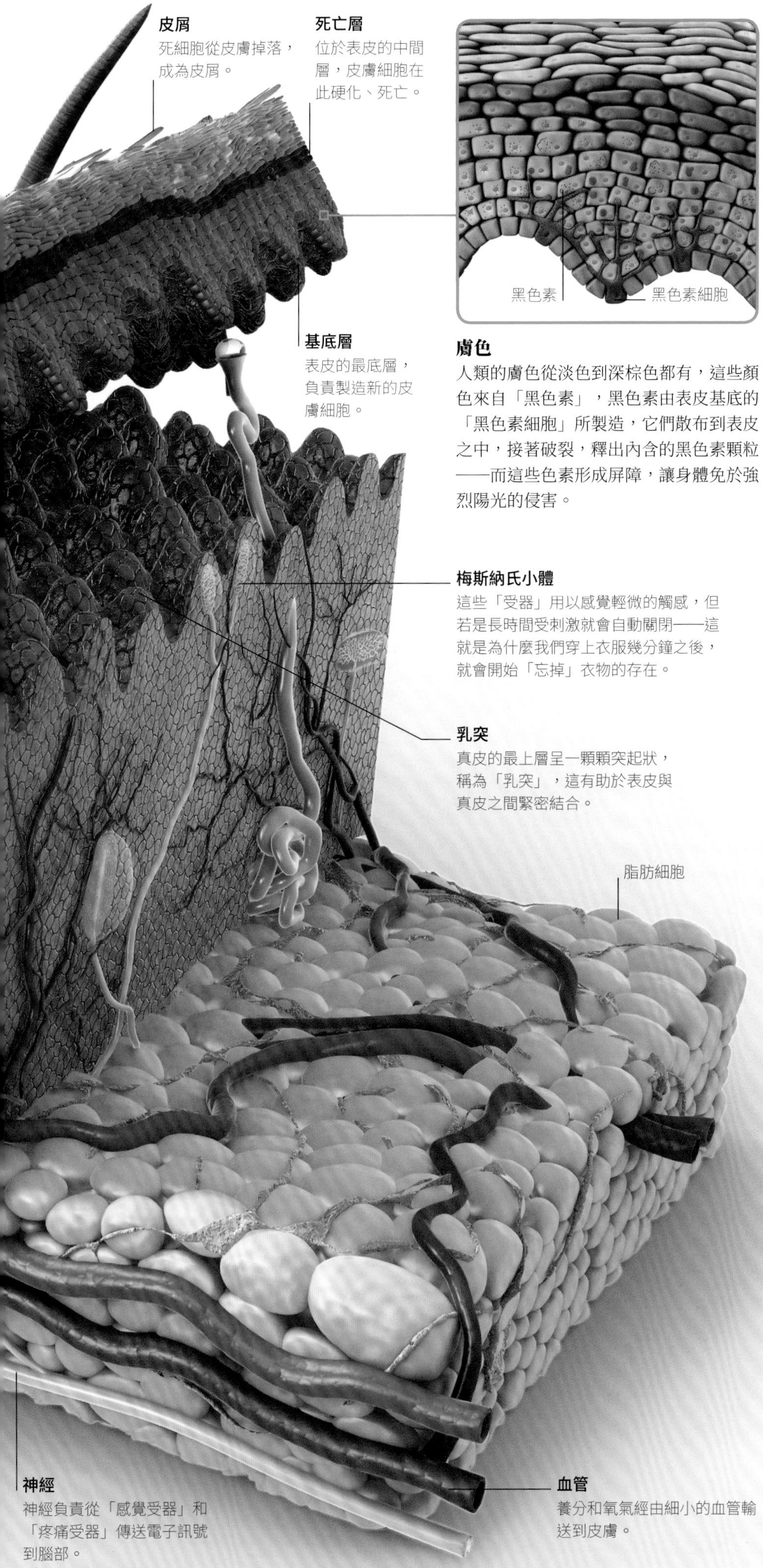

皮屑
死細胞從皮膚掉落，成為皮屑。
死亡層
位於表皮的中間層，皮膚細胞在此硬化、死亡。
基底層
表皮的最底層，負責製造新的皮膚細胞。
梅斯納氏小體
這些「受器」用以感覺輕微的觸感，但若是長時間受刺激就會自動關閉——這就是為什麼我們穿上衣服幾分鐘之後，就會開始「忘掉」衣物的存在。
乳突
真皮的最上層呈一顆顆突起狀，稱為「乳突」，這有助於表皮與真皮之間緊密結合。
脂肪細胞
神經
神經負責從「感覺受器」和「疼痛受器」傳送電子訊號到腦部。
血管
養分和氧氣經由細小的血管輸送到皮膚。
黑色素
黑色素細胞

膚色

人類的膚色從淡色到深棕色都有，這些顏色來自「黑色素」，黑色素由表皮基底的「黑色素細胞」所製造，它們散布到表皮之中，接著破裂，釋出內含的黑色素顆粒——而這些色素形成屏障，讓身體免於強烈陽光的侵害。

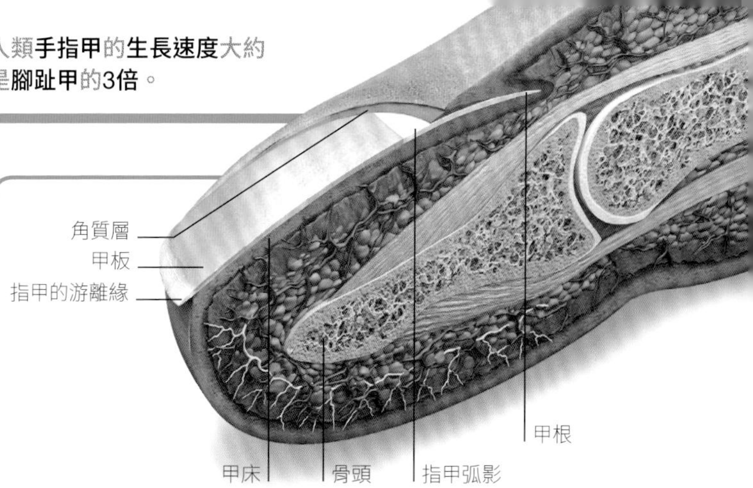

角質層
甲板
指甲的游離緣
甲根
甲床
骨頭
指甲弧影

指甲

當我們碰觸或握住物體時，指甲會在指尖形成反壓，將原本細微的觸感予以放大，另一方面，指甲也能幫助我們撬出或抓住非常微小的物體。指甲的上側稱為「甲板」，由死細胞與堅韌的角蛋白緊密結合所組成，在甲板之下是活體「甲床」——特殊種類的皮膚，用以製造指甲細胞、而不是普通的表皮細胞。此外，構成甲床的細胞，是人體之中分裂速度最快的細胞。

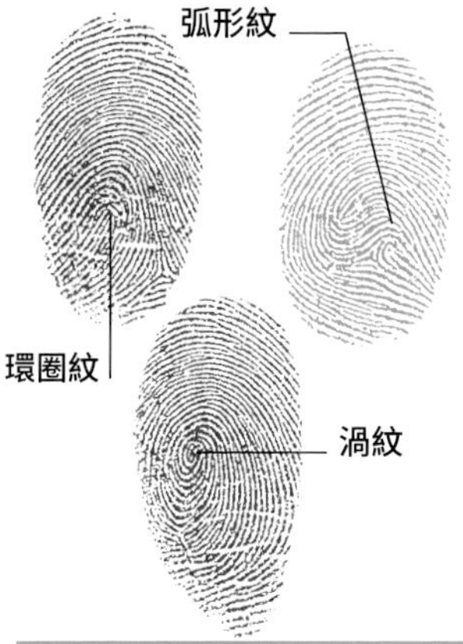

弧形紋
環圈紋
渦紋

指紋

近看你我的手指皮膚，會看見呈現旋轉圖案的微小隆脊——指紋。指紋幫助我們抓握物體，就像輪胎的胎紋一樣。沒有任何兩個人擁有完全相同的指紋，這就是為何警察總是根據指紋來指認嫌疑犯；指紋專家比對指紋時，主要是尋找指紋的某些特徵——例如是渦紋、弧形紋或環圈紋。

毛髮如何生長

就像指甲，毛髮也是由充滿角蛋白的死細胞所組成，它們從毛囊中的活根開始生長，典型的毛髮會生長 2 ~ 3 年，接下來血液供應就會被切斷，導致根部死亡，而新生的毛髮開始成長，並將舊毛髮擠出來；我們的身體每天會蛻除 50 ~ 100 根舊毛髮。

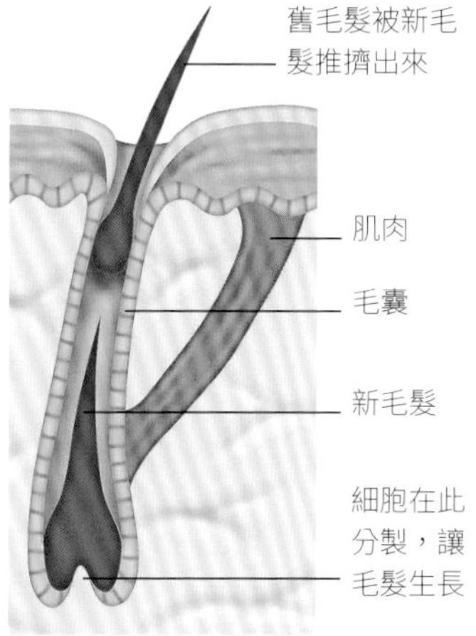

舊毛髮被新毛髮推擠出來
肌肉
毛囊
新毛髮
細胞在此分製，讓毛髮生長

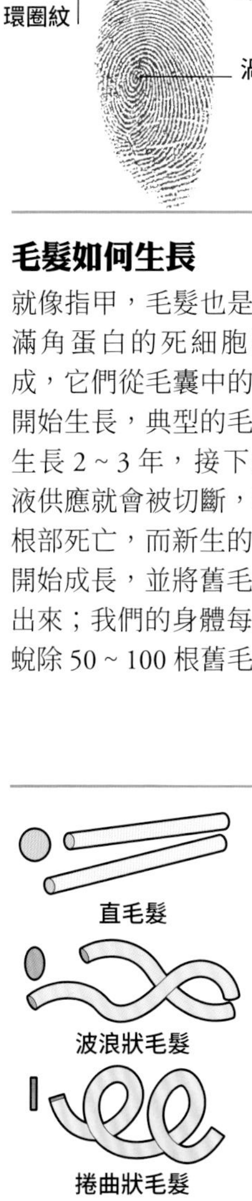

直毛髮
波浪狀毛髮
捲曲狀毛髮

毛髮的形狀

毛髮的形狀會影響它們生長的型態。剖面呈圓形的毛髮傾向直線生長；剖面呈橢圓形的毛髮傾向長成波浪狀；而剖面呈矩形的毛髮傾向長成捲曲狀——此外，捲曲狀毛髮也跟毛髮冒出來的偏斜角度有關。

為身體提供能量

人體的每一個細胞都需要燃料與氧氣的持續供應，才能保持活躍，燃料來自於我們吃下的食物，而氧氣來自於空氣，在細胞中，食物分子和氧氣產生化學作用，釋放能量作為細胞活動的動力。人體中的數個系統共同合作，才能供應燃料和氧氣給細胞，並帶走細胞產生的廢棄物，這些系統包括消化系統、呼吸系統、循環系統、以及泌尿系統。

呼吸

人體產生能量的化學過程其實跟汽車很像，在汽車引擎中，燃料跟氧氣進行反應並釋放能量，再轉移到車輪上，至於在人體中，則是由食物分子跟氧氣產生反應。人體從空氣中獲得氧氣、並運用於細胞之中的過程，稱為呼吸，而將氧氣帶入人體的所有器官，合組為「呼吸系統」。

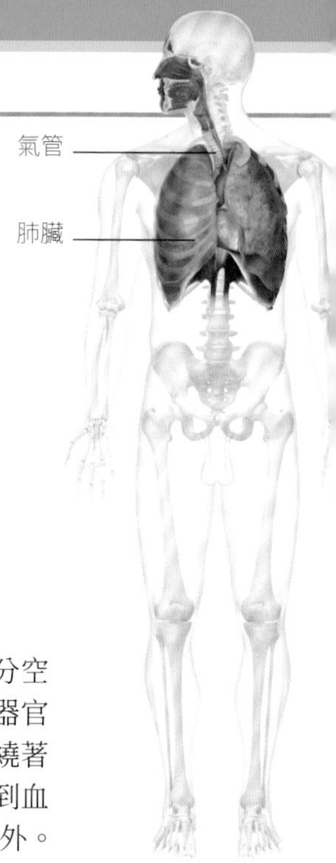
氣管
肺臟

呼吸系統

肺臟是柔軟的海綿狀器官，占據人體胸腔的大部分空間，也是呼吸系統之中最主要的器官，其他呼吸器官還包括通往肺臟的氣道——氣管。肺臟的周圍環繞著肌肉，用以擴張肺臟、吸入空氣，並將氧氣輸送到血液之中；至於二氧化碳，則是循著相反方向排出體外。

消化

食物是多種有機化合物所組成的混合物，這些有機化合物包括碳水化合物、脂肪和蛋白質，它們都是由大型長鏈分子所構成，難以進入血液或身體組織之中，因此必須透過消化作用，將這些大分子分解成為較小的單位，讓身體容易吸收。消化作用將碳水化合物轉化為糖，將蛋白質轉化為胺基酸，將脂肪轉化為脂肪酸。

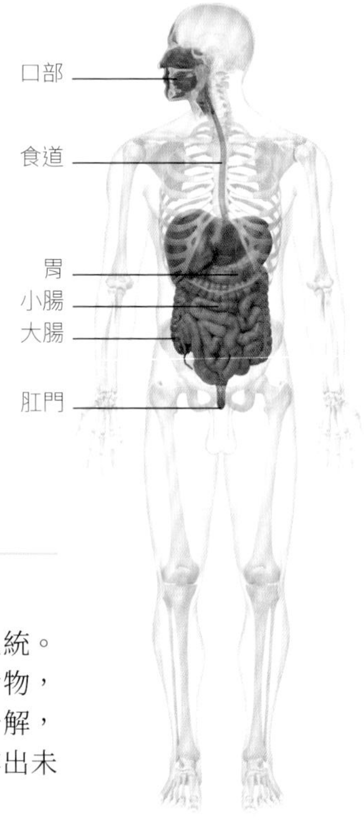
口部
食道
胃
小腸
大腸
肛門

消化系統

人體用以分解食物的器官共同組成消化系統。消化作用從口部開始，口腔物理性分解食物，吞嚥之後進入胃部和腸道，以進行化學分解，而腸道也負責吸收消化作用的產物、並排出未消化的殘留物。

健康飲食

食物中的主要養分是蛋白質，用以幫助身體建構組織、修復組織；碳水化合物提供人體能量；而脂肪的功能是用來貯存能量。健康的飲食還必須包括植物纖維，這些纖維雖然無法被人體所消化，卻能幫助腸道良好運作，此外，人體還需要少量的維生素和礦物質。各式各樣食物的組合變化—如下圖所示—能夠確保我們獲得均衡的健康飲食。

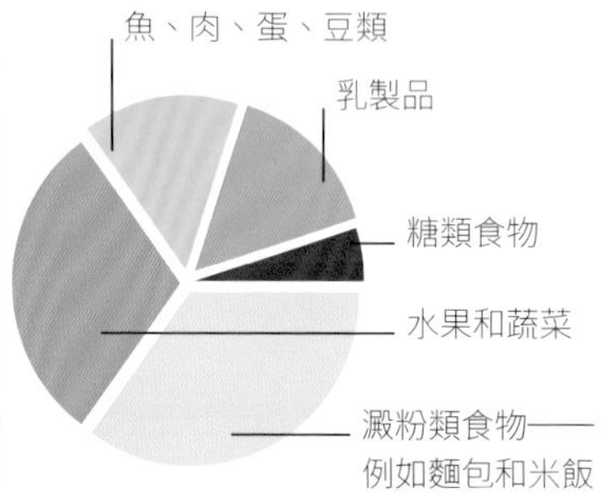
魚、肉、蛋、豆類
乳製品
糖類食物
水果和蔬菜
澱粉類食物——
例如麵包和米飯

食物蘊含的能量

科學家以「卡路里」作為單位來測量食物所蘊含的能量。我們所需要的能量，取決於不同的活動量與年齡層，如果你吃進的食物超過所需能量，多餘的能量就會以脂肪的形式貯存於體內，而常態性的過量飲食會讓體重超重，最終可能導致健康問題——尤其是中老年人。

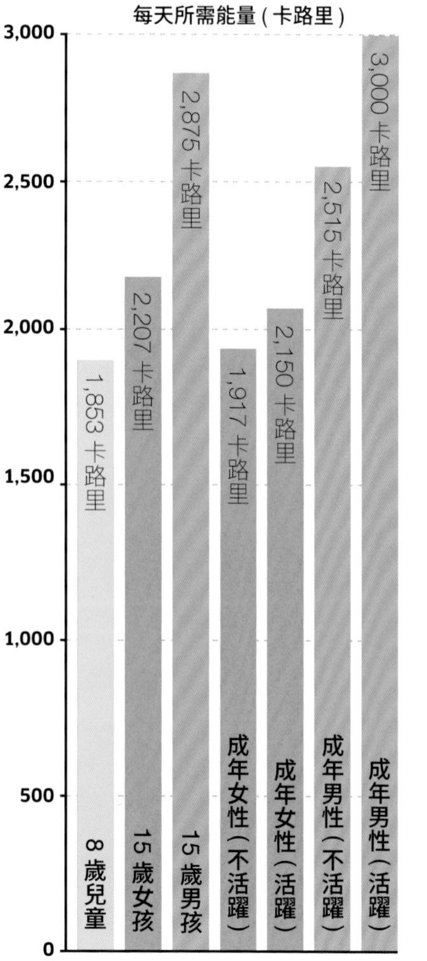
每天所需能量（卡路里）
3,000
2,500
2,000
1,500
1,000
500
0
1,853 卡路里
8 歲兒童
2,207 卡路里
15 歲女孩
2,875 卡路里
15 歲男孩
1,917 卡路里
成年女性（不活躍）
2,150 卡路里
成年女性（活躍）
2,515 卡路里
成年男性（不活躍）
3,000 卡路里
成年男性（活躍）

酵素

消化器官所製造的化學物質稱為酵素，用以裂解食物分子的化學鍵，將長鏈分子轉化為較小的單位。酵素分為很多類型，每一種酵素專門分解特定的食物分子，例如「蔗糖酶」，就是專門在腸道中分解蔗糖的酵素。

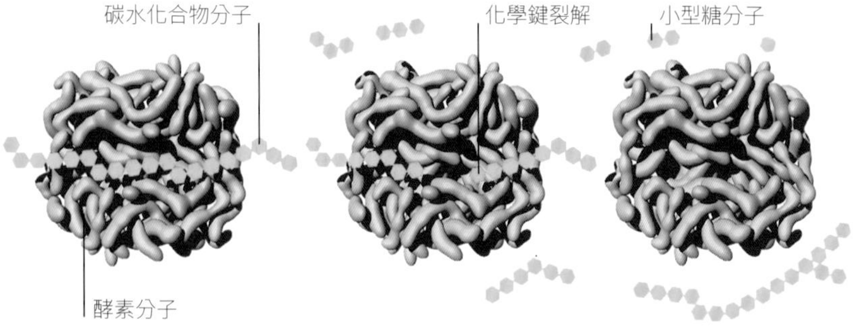
碳水化合物分子
化學鍵裂解
小型糖分子
酵素分子

附著
碳水化合物分子附著於酵素分子的某一部分——稱之為「活性部位」。

裂解
「活性部位」裂解碳水化合物分子的化學鍵，將之轉變成較短的分子鏈。

釋放
酵素釋放裂解的分子，再繼續找尋下一個目標附著；每個酵素分子在 1 秒鐘之內可以裂解 10,000 個食物分子。

生化酶洗衣粉利用**消化酵素**來分解衣物上的髒污。

細胞呼吸作用

食物分子含有化學能，就像汽油之於汽車一樣，活細胞透過「細胞呼吸」這個過程來產生能量，例如糖與氧分子進行反應，打破糖的「化學鍵」，從中釋放潛藏的能量，而二氧化碳和水是細胞呼吸作用的副產品，尤其是大量的二氧化碳具有毒性，因此必須透過血流帶離細胞，再從肺臟呼出。

$$C_6H_{12}O_6 + 6O_2 \longrightarrow 6CO_2 + 6H_2O + \text{能量}$$

葡萄糖　氧　二氧化碳　水

粒線體

「細胞呼吸」作用在細胞的微型發電廠—粒線體—之中進行，人體的每一個細胞都擁有粒線體，有些細胞只有 1 或 2 個，但需要大量能量的細胞—例如肌肉細胞—可能擁有數百個粒線體。每個粒腺體都由雙層膜所包覆，外膜平坦，而內膜具有很深的皺褶，化學反應就在內膜上進行。

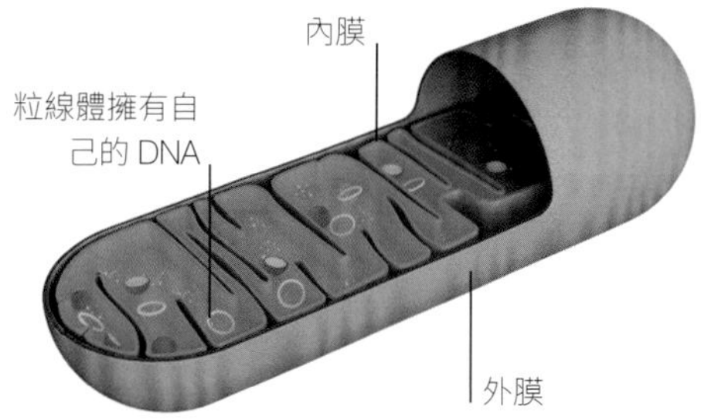
內膜
粒線體擁有自己的 DNA
外膜

食物處理器官

腸道所吸收的養分經由血液輸送到肝臟，肝臟如同一座化學工廠，儲存著數百種化合物，用以執行許多化學反應。

肝臟的主要功能
將糖分子轉化為「肝醣」，短暫性儲存。
從血液中去除有毒化合物——包括藥品和酒精。
製造膽汁，幫助腸道分解脂肪。
儲存維生素 A、B12、D、E、K、以及各種礦物質——包括鐵和銅。
將過剩的蛋白質轉化為脂肪，用以貯存能量。

體內運輸

人體擁有 16 萬公里長的血管，從拇指一般粗大的動脈，到比毛髮還細小的微血管；就像道路網通往每一幢房屋，血管也負責將必要物質輸送到人體的每一個活細胞，並帶走細胞運作所產生的廢棄物。

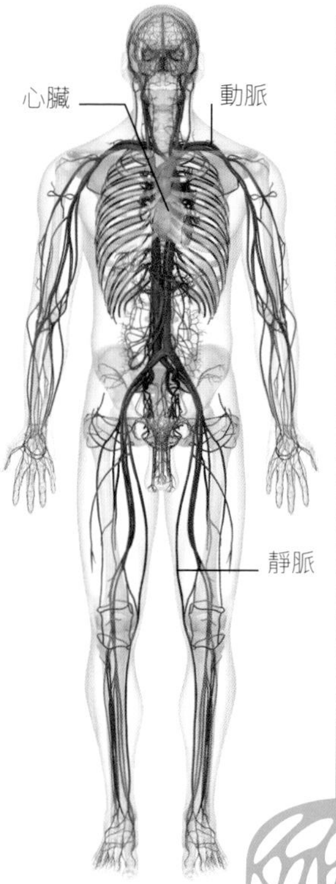
心臟
動脈
靜脈

循環系統

心臟和血管組成人體的循環系統。心臟每一次跳動，就經由厚壁血管—動脈—將血液壓送出去，再經由靜脈流回心臟，在動脈與靜脈之間，則是由微血管所構成的龐大網絡；微血管的血管壁非常薄，可讓氧氣、食物分子、以及其他化學物質自由通過。

雙重循環

血液在人體中的循環系統分為 2 圈迴路，都由心臟所驅動，其中路徑較短的小循環(肺循環，如下圖的藍色箭號所示)，血液從心臟流到肺臟吸收氧氣，另一圈路徑較長的大循環(體循環，黃色箭號所示)，將富含氧氣的血液輸送到身體其他部位。含氧量豐富的血液呈亮紅色，而含氧量極少的血液呈暗紅色，在大部分的人體解說圖中，含氧量貧乏的血液都以藍色呈現。

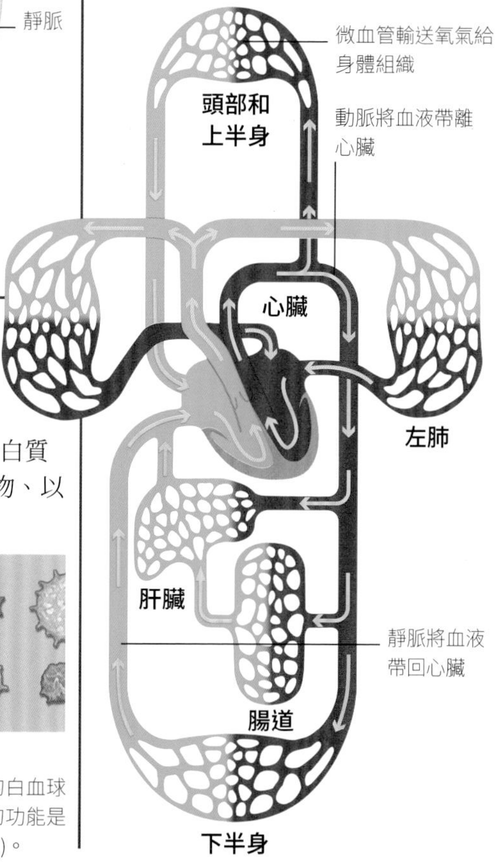
微血管輸送氧氣給身體組織
頭部和上半身
動脈將血液帶離心臟
心臟
左肺
肝臟
靜脈將血液帶回心臟
腸道
下半身

血液如何運作？

血液是液態組織，由數百億的細胞懸浮於血漿中所組成——就體積而言，血液中的血漿占 54%，而細胞占 46%。血液中負責攜帶氧氣的是紅血球細胞中的蛋白質——血紅素，至於食物分子、內分泌激素、鹽、廢棄物、以及其他各種化學物質，都是溶解於血漿之中。

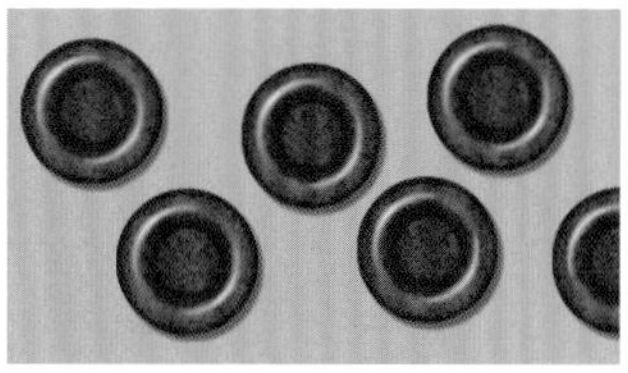

紅血球

這種碟形細胞從肺臟吸收氧氣，再釋放到身體各部。

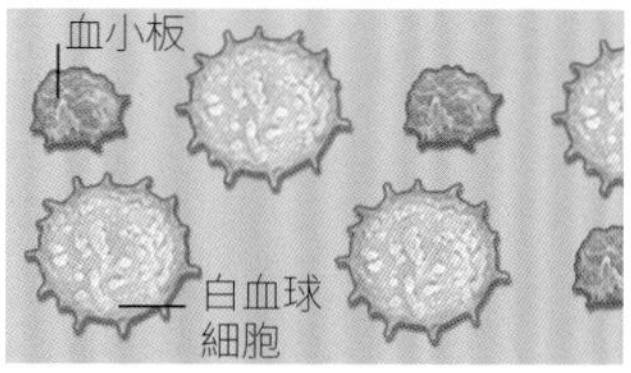
血小板
白血球細胞

白血球與血小板

侵入人體的病菌由血液中的白血球細胞負責摧毀；而血小板的功能是幫助血液形成血凝塊(血栓)。

人體廢棄物處理

細胞中所進行的化學反應會產生廢棄物，一旦累積過多就會毒害人體，這些化學物質被血液輸送到數種器官之中，予以摧毀或排出，這些器官包括腎臟、肝臟、皮膚和肺臟——肺臟呼出二氧化碳。

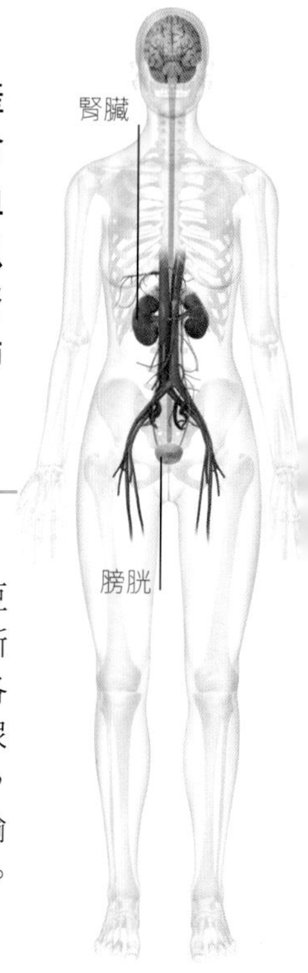
腎臟
膀胱

泌尿系統

血液中的多種廢棄物透過兩顆豆狀器官—腎臟—去除，腎臟不斷過濾血液，去除多餘的水分和各種化學物質，這些廢棄物形成尿液，流入貯存器官—膀胱—之中，準備排出人體。腎臟、膀胱和輸尿管，共同構成人體的泌尿系統。

尿液的成分

尿液的主要成分是水和尿素——當過剩的蛋白質在肝臟中被分解，就形成尿素；此外，尿液中還包含其他微量化合物，其中大部分是鹽。當我們大量飲水之後，尿液中的水分比例會升高，而當你感到口渴時，就代表尿液中的水分比例下降。

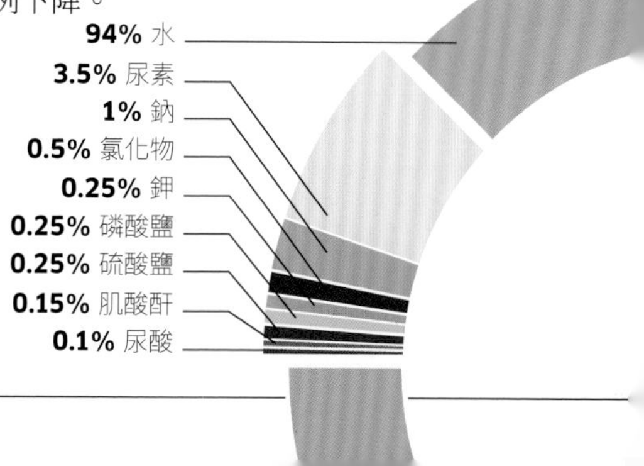
94% 水
3.5% 尿素
1% 鈉
0.5% 氯化物
0.25% 鉀
0.25% 磷酸鹽
0.25% 硫酸鹽
0.15% 肌酸酐
0.1% 尿酸

25,000 公升——人類一生之中所製造的唾液量。

從口部到胃部

僅僅是想到或聞到食物，就足以讓你的口腔及胃部分泌消化液，而食物一旦進入人體，就會被攪碎成漿並附著化學物質，啟動分解過程。

食物中的大部分養分都是「長鏈分子」，尺寸大到難以溶解於水中、或是被血液所吸收，而消化過程將這些大型分子轉化為人體能夠吸收的小單位。消化作用的最初階段是物理性的——當我們使用牙齒咀嚼食物，將之撕扯、壓碎，這種物理性作用幫助消化液滲入食物之中，再進行化學性分解。

胃部填滿食物時，其容量最多比空腹時**膨脹 70 倍。**

口腔

不像貓或狗可以狼吞虎嚥地吞進一大堆食物，人類吞下食物之前必須咀嚼。在口腔中，食物被牙齒壓碾，並混合唾液而變得潮濕，如此一來食物更加滑溜、容易下嚥，此外唾液還含有消化酵素，用以將大型食物分子分解成碎片——以澱粉酵素為例，它們將麵包或米飯之類的澱粉類食物轉化為糖；又如解脂酵素用以分解脂肪分子。

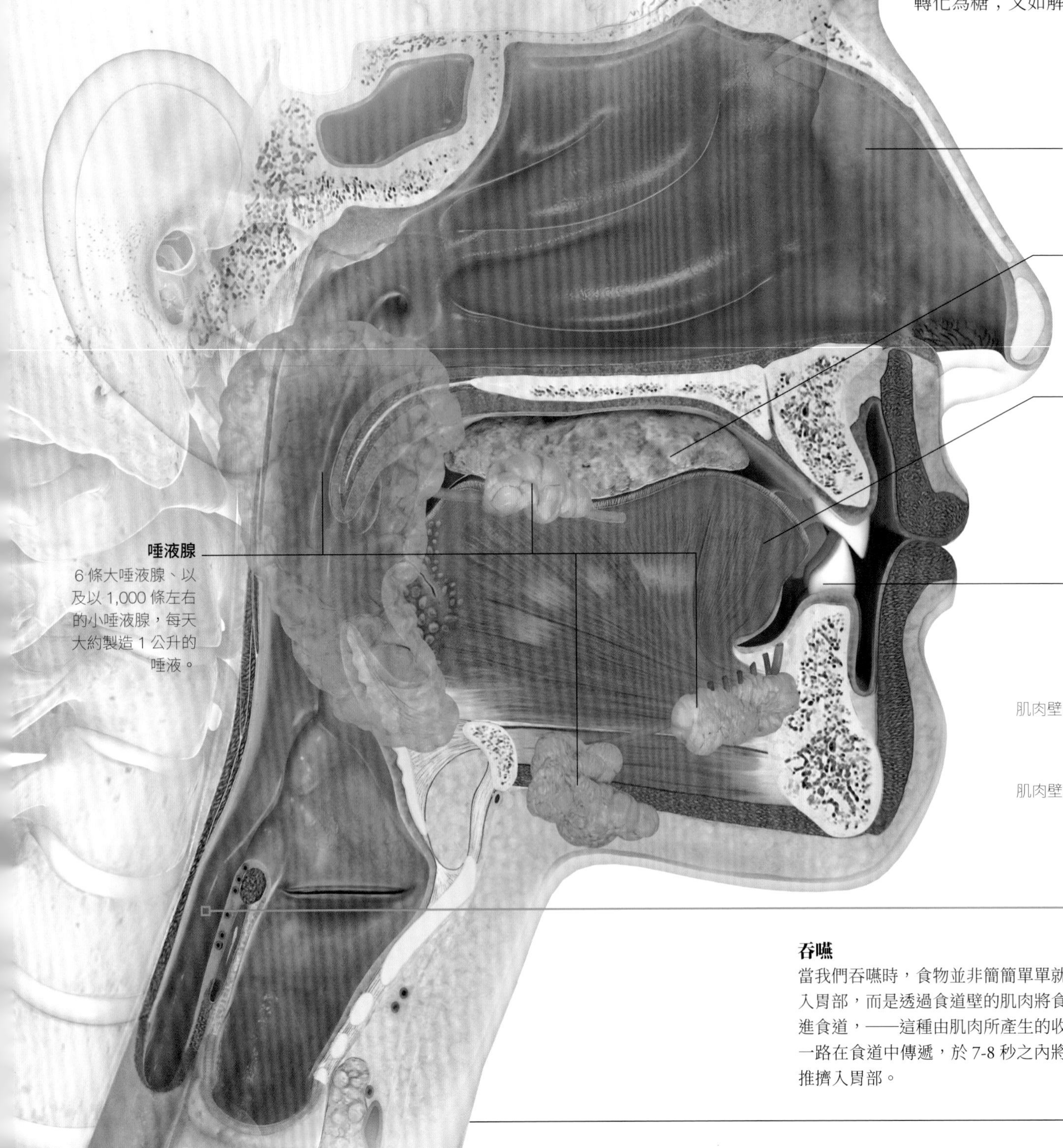
鼻
食物的風味主要來自嗅覺，而氣味從鼻子進入人體。
食物
食物經過咀嚼並與唾液混合，被舌頭「塑形」成為鬆軟而潮濕的團狀，更容易吞嚥。
舌
舌頭是靈活而強大的肌肉器官，用以精準地將食物放置於牙齒之間咬碎，加上唾液混合之後，塑形成為團塊狀，再將之推進食道；此外，舌頭還用以感受所接觸食物的味道。
牙齒
牙齒將食物剁細、撕裂、壓碎、碾磨，成為更細小的碎片。
唾液腺
6 條大唾液腺、以及以 1,000 條左右的小唾液腺，每天大約製造 1 公升的唾液。

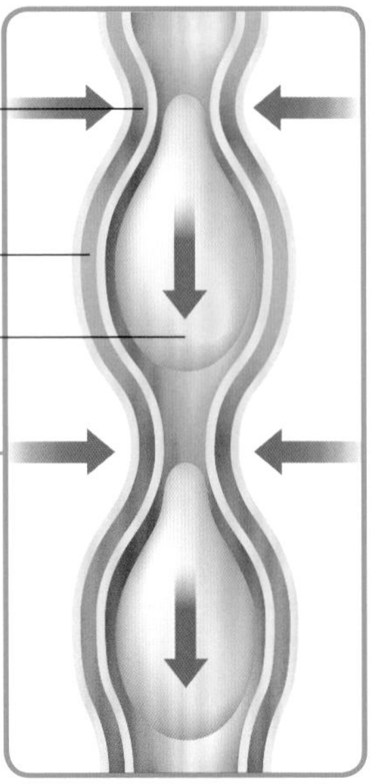
肌肉壁擠壓
肌肉壁鬆弛
食物

吞嚥

當我們吞嚥時，食物並非簡簡單單就能掉入胃部，而是透過食道壁的肌肉將食物擠進食道，——這種由肌肉所產生的收縮波一路在食道中傳遞，於 7-8 秒之內將食物推擠入胃部。

45 毫升——空胃的內部容量。

3 公升——裝滿食物時，胃部的最大容量。

4 小時——每一頓大餐停留在胃部的平均時間。

牙齒如何運作？

我們的牙齒是消化過程中的第一道攻擊發起線，咀嚼、碾磨食物成為較小的碎片。人類一生之中會長出兩組牙齒：延續6-10年的20顆「乳齒」、以及之後持續終生的32顆「恆齒」，這些牙齒分為數種類型，前方門齒的邊緣比較薄，適合剪斷或咬穿食物；而後方牙齒—臼齒與前臼齒—的齒面寬大、並帶有稜脊，適合用來碾磨或壓碎食物；至於尖銳的犬齒用來刺穿或緊咬——相對於其他哺乳動物銳利的長犬齒，人類的犬齒顯然小得多！

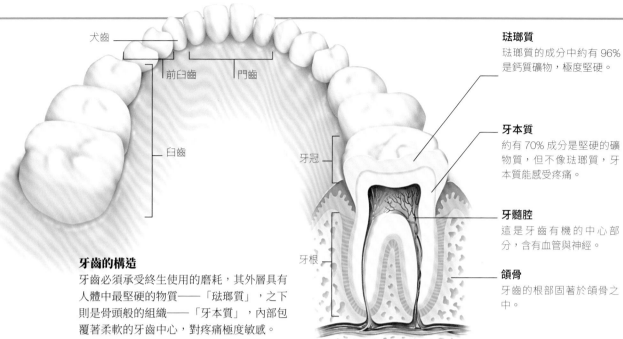

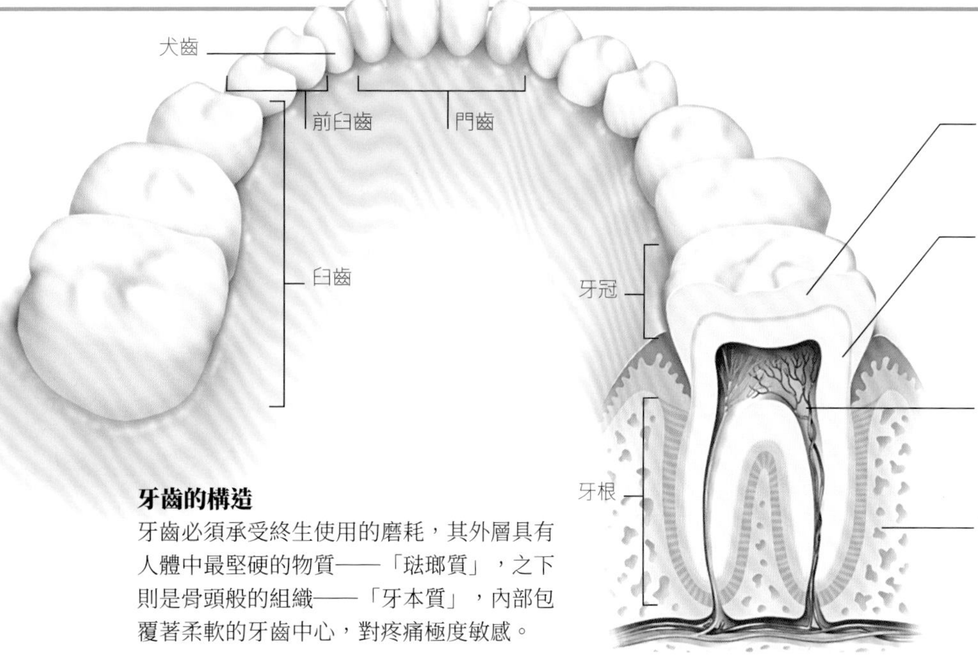
犬齒
前臼齒
門齒
臼齒
牙冠
牙根

牙齒的構造
牙齒必須承受終生使用的磨耗，其外層具有人體中最堅硬的物質——「琺瑯質」，之下則是骨頭般的組織——「牙本質」，內部包覆著柔軟的牙齒中心，對疼痛極度敏感。

琺瑯質
琺瑯質的成分中約有96%是鈣質礦物，極度堅硬。

牙本質
約有70%成分是堅硬的礦物質，但不像琺瑯質，牙本質能感受疼痛。

牙髓腔
這是牙齒有機的中心部分，含有血管與神經。

頜骨
牙齒的根部固著於頜骨之中。

胃部的構造

如同食物處理機，胃部翻攪並混合食物，直到食物成為濃稠的液態，加上胃壁腺體所分泌的胃酸和酵素，合作分解食物—例如肉類或魚類—的蛋白質分子；胃壁無法吸收食物的養分，但能夠吸收水分及阿斯匹靈之類的藥物。

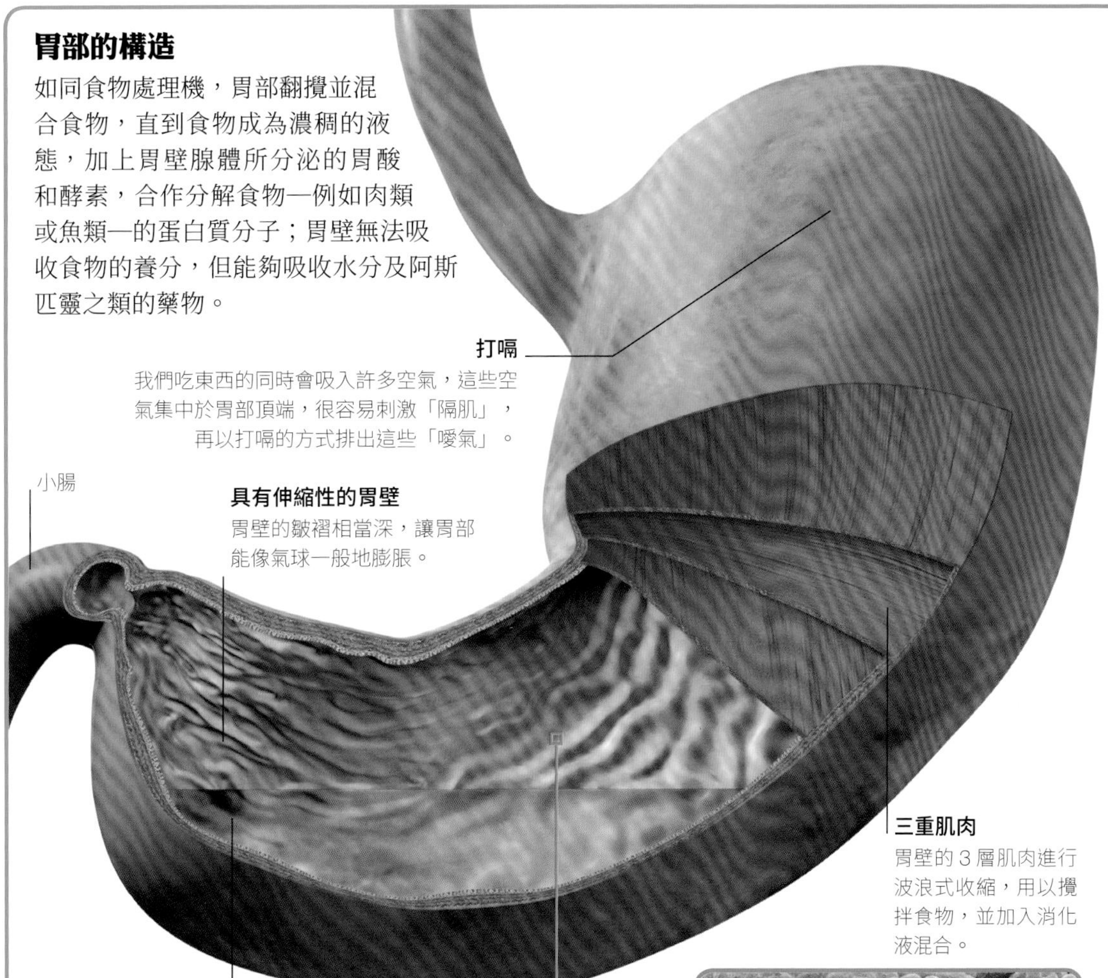
小腸

打嗝
我們吃東西的同時會吸入許多空氣，這些空氣集中於胃部頂端，很容易刺激「隔肌」，再以打嗝的方式排出這些「噯氣」。

具有伸縮性的胃壁
胃壁的皺褶相當深，讓胃部能像氣球一般地膨脹。

三重肌肉
胃壁的3層肌肉進行波浪式收縮，用以攪拌食物，並加入消化液混合。

食物液化器
食物在胃部滯留，直到成為濃湯一樣的液態狀——沒有任何團塊。

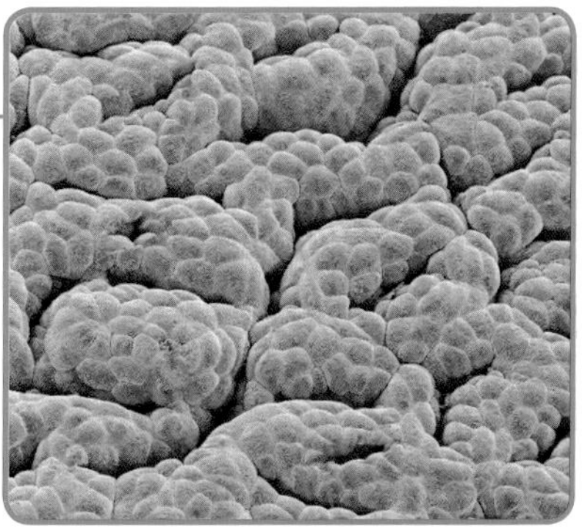

胃黏膜
胃壁的胃黏膜布滿密密麻麻的微小窪洞，釋出比檸檬汁更酸的胃酸，用以殺死病菌、並活化胃蛋白酶（酵素），來分解蛋白質；此外，胃黏膜還會分泌一層黏液，防止胃部消化自己的胃壁。

胃部的伸縮性

胃部充填食物時像氣球一樣地膨脹，可輕易容納1公升左右的食物或飲料，必要時還能夠擴大3倍。食物在胃部消化40分鐘到5小時不等——端視食物的分量與成分而定。

1 充填食物
吞進食物後胃部膨脹並分泌胃液，混合之後集中於胃部底端。

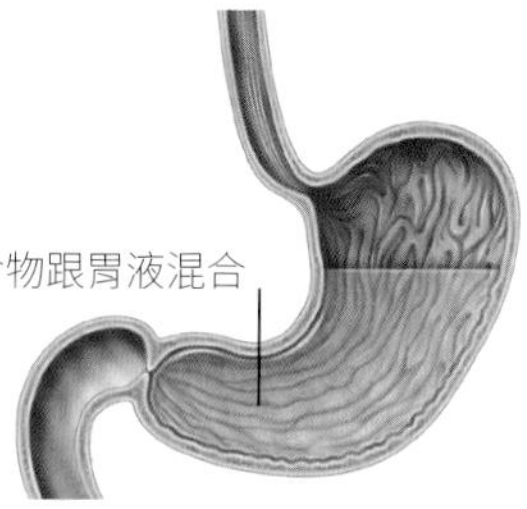
食物跟胃液混合

2 攪拌食物
胃壁肌肉節奏性地收縮，將食物與胃液充分攪拌，而胃液中的酵素對蛋白質進行化學性分解。

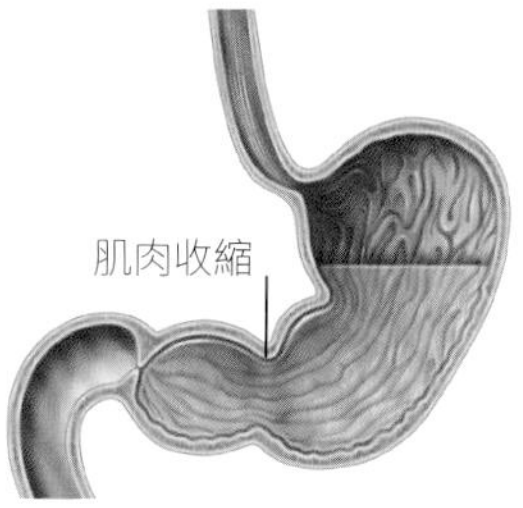
肌肉收縮

3 排出食物
「幽門環束肌」打開，讓食物通過，進入腸道——透過胃壁的持續收縮，將液態食物擠壓出去。

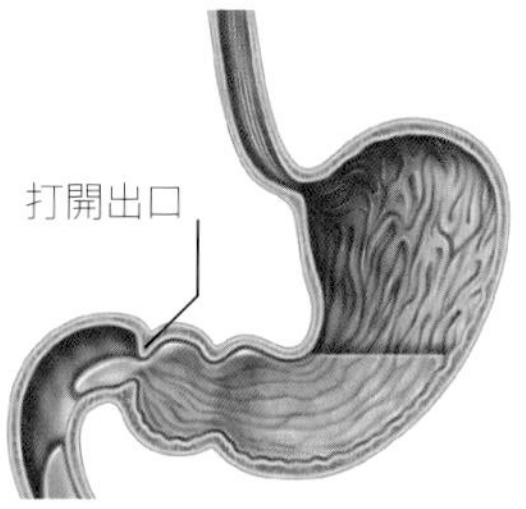
打開出口

胃部清空後肌肉繼續收縮，將未用完的消化液擠壓到腸道之中，此時就會發出「轆轆」聲響。

化學「攻擊」

食物一離開胃部就進入小腸，小腸從附近兩種器官─膽囊和胰臟─混入強大的消化性化學物質，其中膽囊分泌綠色的膽汁，用以中和胃酸，並將脂肪轉化為更容易消化的微小顆粒，而胰臟更是分泌 7 種以上的消化酵素，它們「攻擊」碳水化合物、蛋白質和脂肪分子，將之分解成更小的單位。

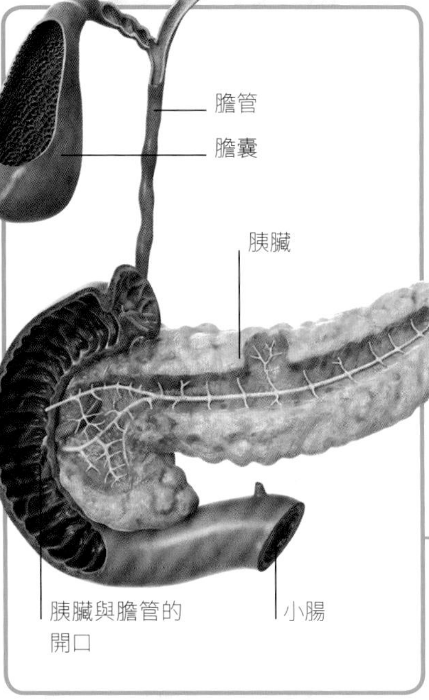

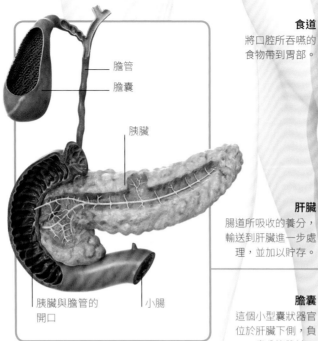

膽管
膽囊
胰臟
胰臟與膽管的開口
小腸

腸

盤繞於腹部，人類的小腸與大腸組成大約 8 公尺長的單一管道，當食物通過時，內部的混合化學物質會將食物分解成人體能夠吸收的分子。

腸道是消化系統之中最重要的一環，食物的化學消化過程在此完成，接著養分進入血流，輸送到身體各部。就像胃部，充滿肌肉的腸壁一路收縮來擠壓食物，每一餐只需數小時就能通過小腸，幾乎所有養分都被小腸所吸收，而剩餘物質必須耗費一天左右，緩緩通過大腸，水分被大腸所吸收，細菌也在此幫助消化堅韌的纖維物質；食物的整段消化旅程在肛門結束，所有殘留物質成為排泄物排出體外。

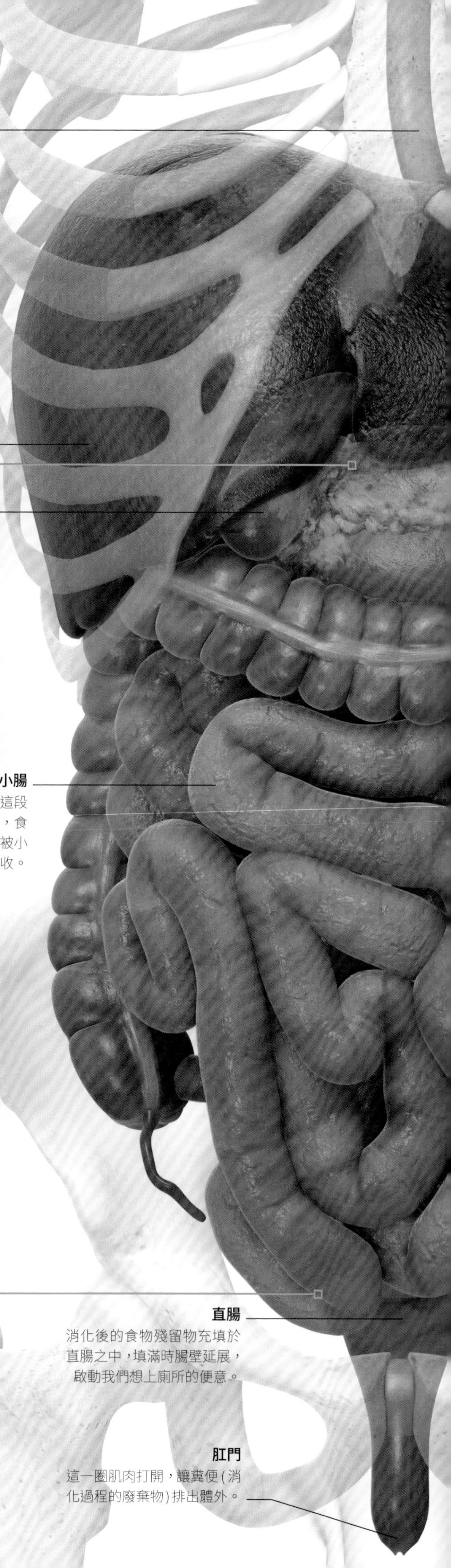

食道
將口腔所吞嚥的食物帶到胃部。
肝臟
腸道所吸收的養分，輸送到肝臟進一步處理，並加以貯存。
膽囊
這個小型囊狀器官位於肝臟下側，負責分泌膽汁。
小腸
人體大部分的消化作用在這段 7 公尺長的管道之中進行，食物分解後釋出養分，旋即被小腸壁的血管所吸收。
直腸
消化後的食物殘留物充填於直腸之中，填滿時腸壁延展，啟動我們想上廁所的便意。
肛門
這一圈肌肉打開，讓糞便(消化過程的廢棄物)排出體外。

吸收食物

小腸內部的腸壁布滿大量手指狀微小突起─小腸絨毛─每根絨毛只有 1 毫米長，其功能為吸收消化過程所形成的小型食物分子，例如糖類和胺基酸，這些分子進入絨毛的血管之中，再由血液送走。小腸絨毛的尺寸雖小，但數量多得驚人，構成巨大的養分吸收面積──如果將人體的小腸絨毛全都攤平，足以覆蓋一整面網球場。

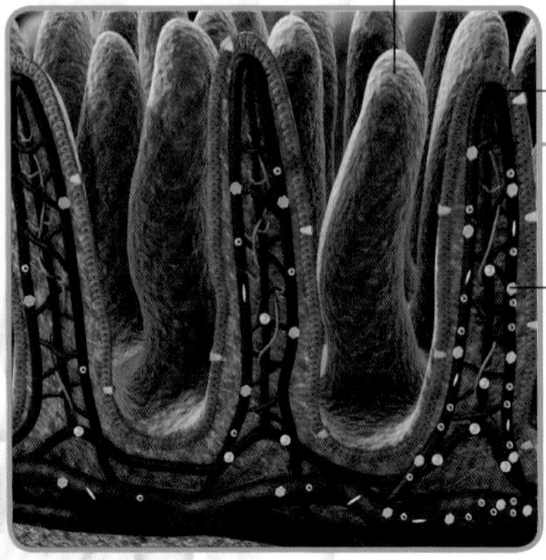

絨毛
血管
食物分子被絨毛所吸收

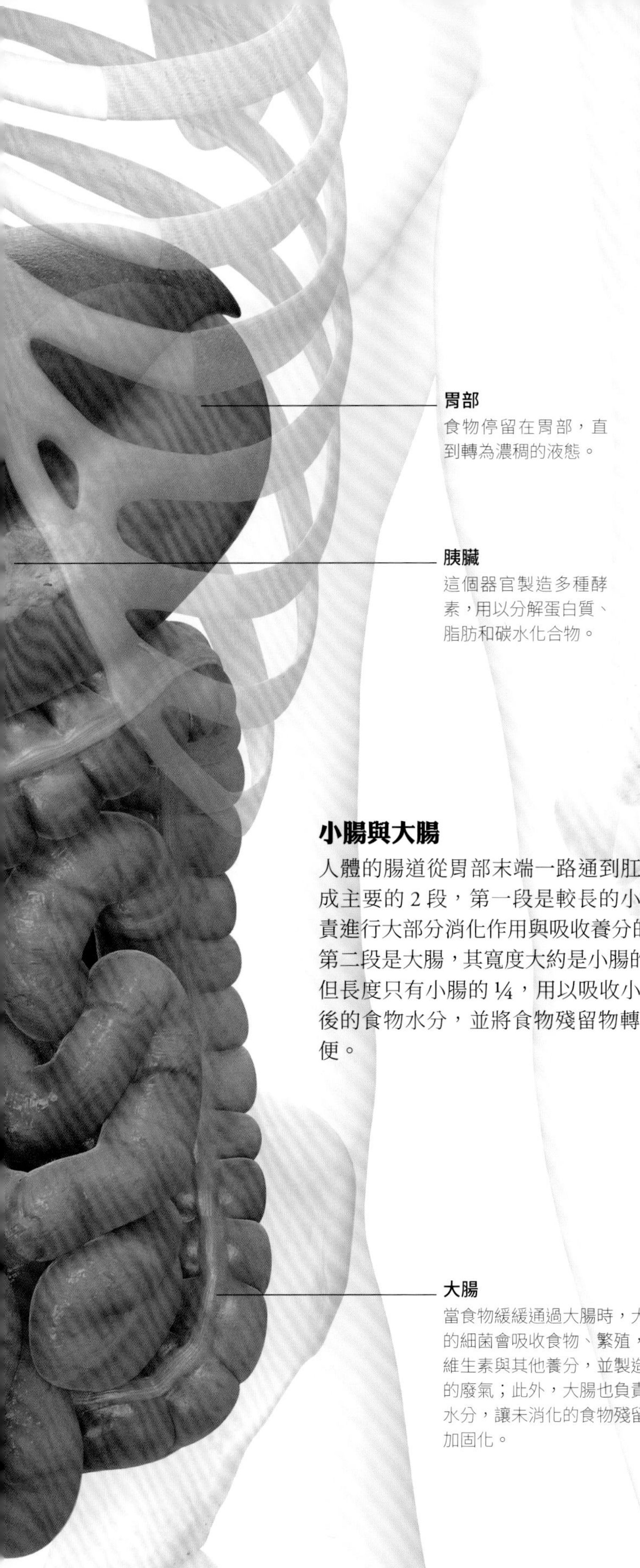

胃部
食物停留在胃部，直到轉為濃稠的液態。

胰臟
這個器官製造多種酵素，用以分解蛋白質、脂肪和碳水化合物。

小腸與大腸

人體的腸道從胃部末端一路通到肛門，分成主要的 2 段，第一段是較長的小腸，負責進行大部分消化作用與吸收養分的工作；第二段是大腸，其寬度大約是小腸的 2 倍，但長度只有小腸的 ¼，用以吸收小腸消化後的食物水分，並將食物殘留物轉變成糞便。

大腸
當食物緩緩通過大腸時，大腸中的細菌會吸收食物、繁殖，釋出維生素與其他養分，並製造難聞的廢氣；此外，大腸也負責吸收水分，讓未消化的食物殘留物更加固化。

約有 100 兆個細菌

寄生於人體，這個數量甚至比人體的細胞更多，這些細菌能夠從食物的纖維素分解出額外的養分。

消化作用如何運作？

食物的養分鎖在大型分子之中，人體無法直接吸收，而消化作用就是分解這些大分子，讓它們成為能夠溶解於流體、並進入身體組織的較小分子。消化器官分泌各種化學物質—酵素—來分解食物，每一種酵素都專門「攻擊」特定的食物分子。

脂肪

在食物中，奶油和食用油是脂肪的主要來源；小腸中的酵素將脂肪分解成甘油與脂肪酸分子。

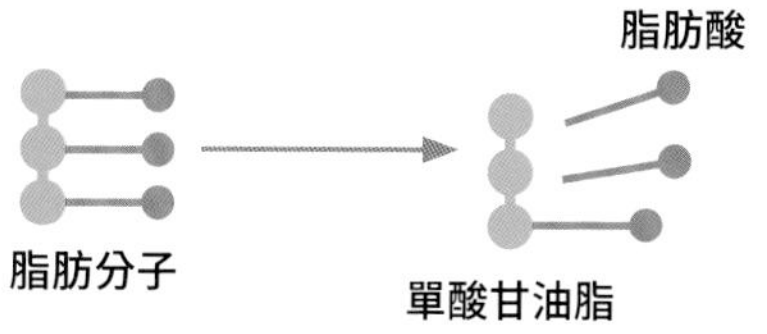

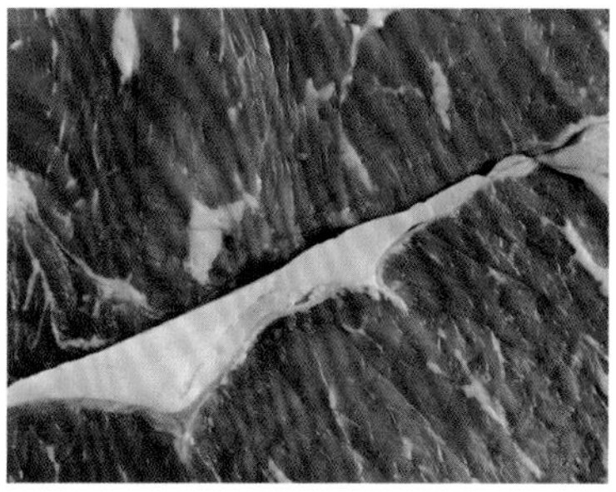

蛋白質

肉類和乳酪含有豐富的蛋白質；胃部與小腸中的酵素將蛋白質分子分解成胺基酸。

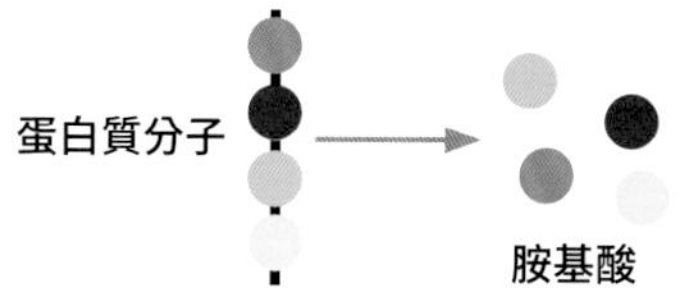

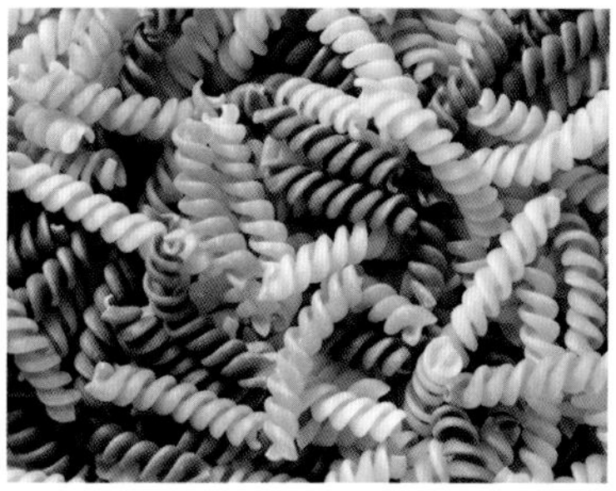

碳水化合物

富含碳水化合物的食物包括麵食和米飯；口腔與小腸中的酵素將大型碳水化合物分子分解成為糖。

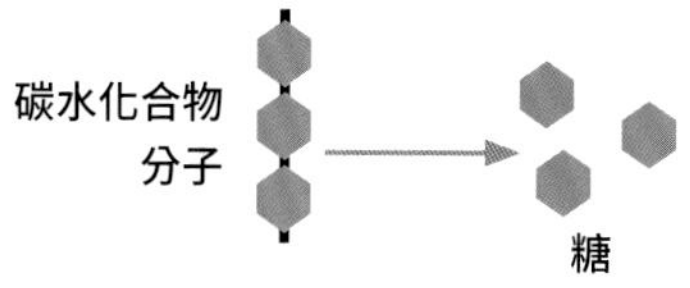

緩慢的過程

從食物中獲取養分需要一段不算短的時間；從吃進一餐到成為消化過的殘留物，必須耗費 20-44 小時，消化速度取決於食物的種類，水果與蔬菜的消化速度普遍比肉類更快。

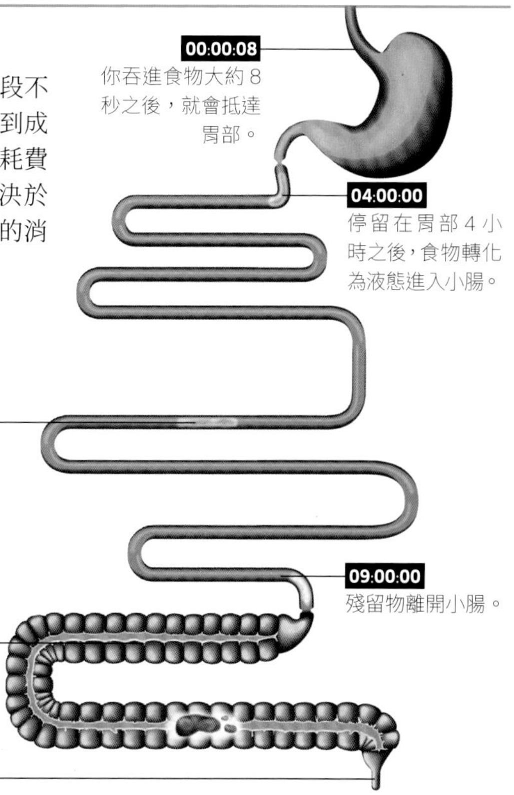

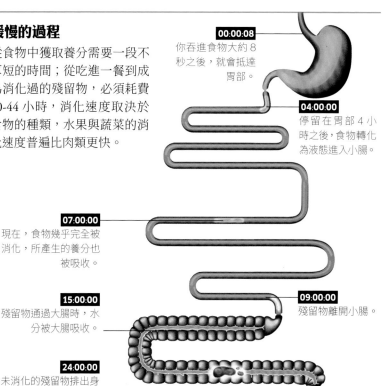

00:00:08
你吞進食物大約 8 秒之後，就會抵達胃部。

04:00:00
停留在胃部 4 小時之後，食物轉化為液態進入小腸。

07:00:00
現在，食物幾乎完全被消化，所產生的養分也被吸收。

09:00:00
殘留物離開小腸。

15:00:00
殘留物通過大腸時，水分被大腸吸收。

24:00:00
未消化的殘留物排出身體——成為糞便。

160,000公里——人體血管的總長度。

血液與血管

血液與血管是人體中的「運輸系統」，負責將食物、氧氣、激素、熱量和其他維生所需的資源，輸送到每一個活體細胞之中，並帶走細胞運作所產生的廢棄物。

血液經由十幾萬公里長的血管網絡，永不停歇地在人體中循環流動。尺寸最大的血管跟家用塑膠水管一般大小，而最細小的微血管，其寬度只有頭髮直徑的 ⅒ ——小到肉眼無法看見，當血液流經最細小的微血管時，就會釋放養分和氧氣到細胞之中，讓細胞保持活躍、能夠正常運作，並從細胞中收集廢棄物，將之帶離，最終排出體外。另一方面，血液含有攻擊病菌並治癒傷口的細胞，其他功能還包括輸送激素（荷爾蒙）、以及將熱量傳遞到身體各部。

循環系統

心臟與血管、血液構成人體的循環系統，血液從動脈（以紅色顯示的血管）離開心臟，血管分支得愈來愈小，接著流入微血管之中，在此釋放所輸送的養分，並回收廢棄物；之後血液朝向心臟回流，過程中微血管合併得愈來愈粗大，這種回流的血管稱為靜脈（以藍色顯示）。

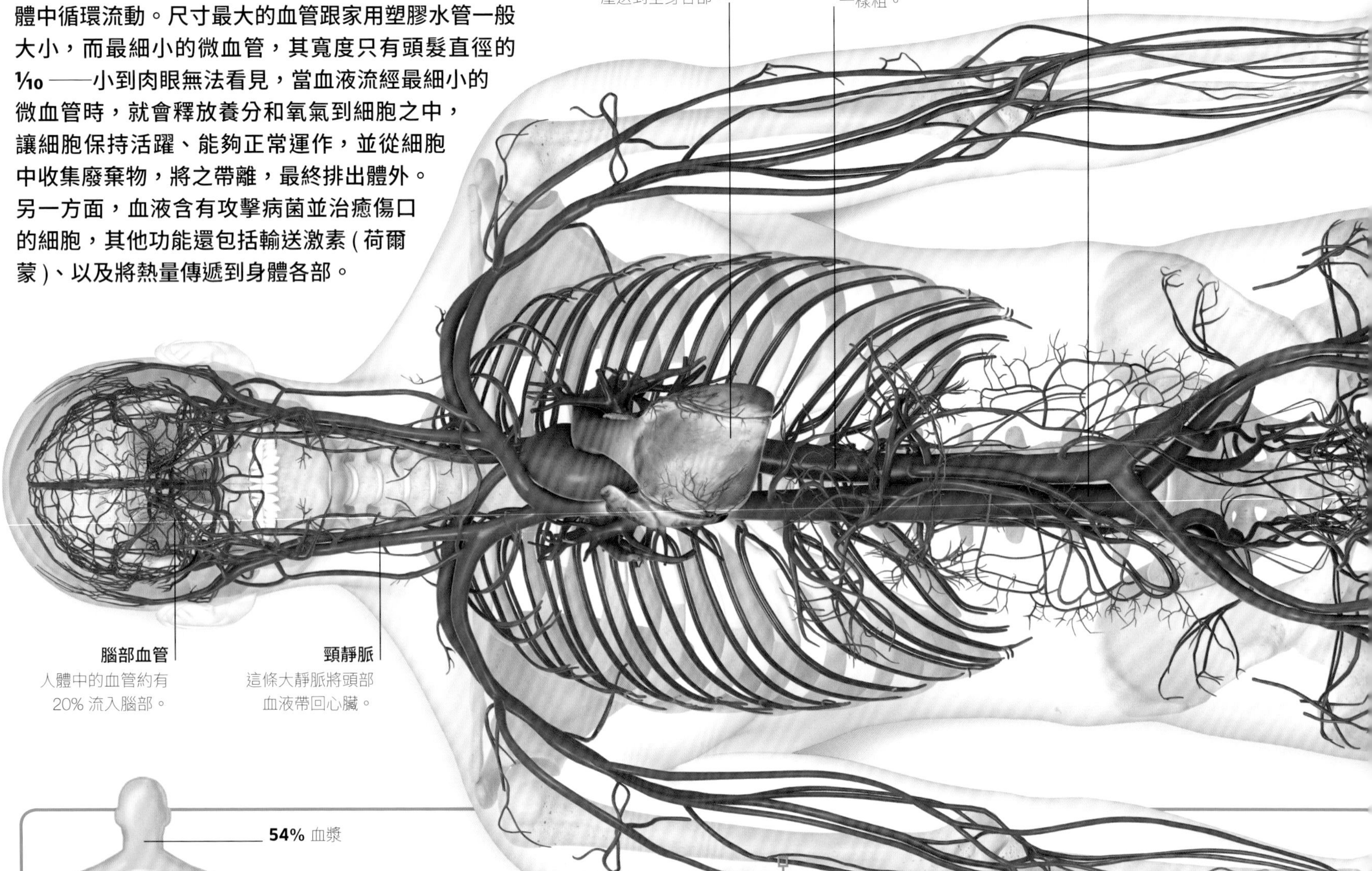
大靜脈
人體中最大的靜脈，負責將血液帶回心臟。
心臟
心臟就像是肌肉所構成的抽水機，負責將血液壓送到全身各部。
主動脈
主動脈是人體中最大的動脈，大約跟你我的大拇指一樣粗。
腦部血管
人體中的血管約有20% 流入腦部。
頸靜脈
這條大靜脈將頭部血液帶回心臟。

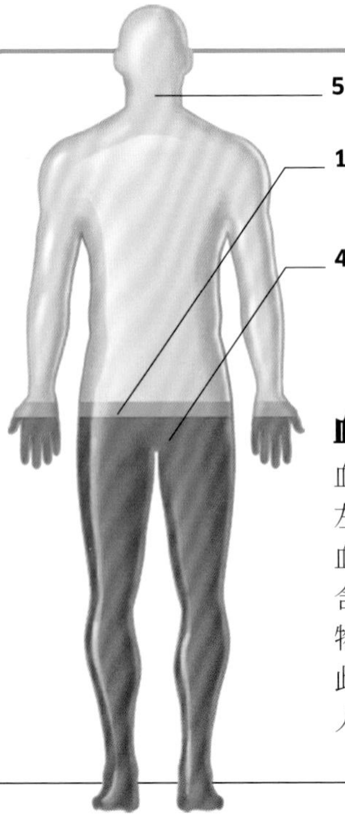
54% 血漿
1% 白血球細胞和血小板
45% 紅血球細胞

血液的成分

血液是人體中的活組織，包含 20 兆左右的微小活細胞，漂浮於淡黃色的血漿之中。血漿的主要成分是水，並含有數百種身體組織維生所需的必要物質，例如鹽、糖、脂肪和蛋白質，此外，血漿也負責帶走化學廢棄物；人體平均擁有 5 公升左右的血液。

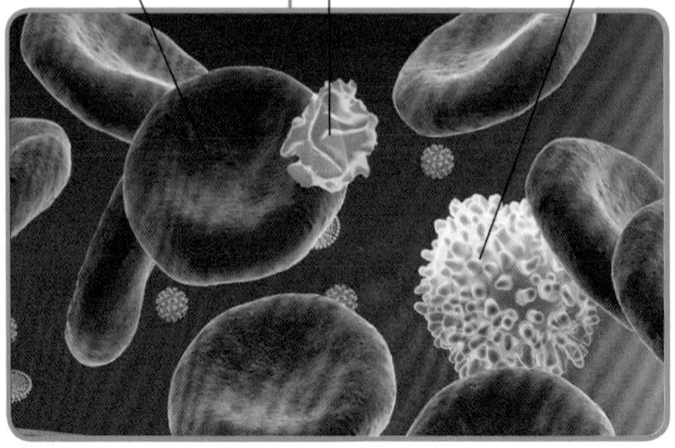
紅血球細胞
紅血球負責攜帶氧氣，其數量大約占了人體細胞總數的¼。
血小板
萬一我們的皮膚被割傷了，這些細胞就會在傷口形成血凝塊（血栓）。
白血球細胞
白血球負責殺死病菌。

血細胞（血球）

血細胞主要分為 3 類，數量最多的紅血球細胞，這些亮紅色碟狀細胞的唯一任務，就是從人體的肺臟吸收氧氣，並輸送到身體的每一個部分；而白血球細胞負責在身體各處巡邏，「獵捕」病菌並消滅它們；至於血小板則是微小的細胞碎片，當身體受損時，用以幫助血液凝結。

7%——**血液**占人體**體重**的比例。

5 公升——一名成年人的**身體**擁有**這麼多血液**。

500 萬個——**一滴血液**之中，就包含這麼多**數量**的紅血球細胞。

動脈

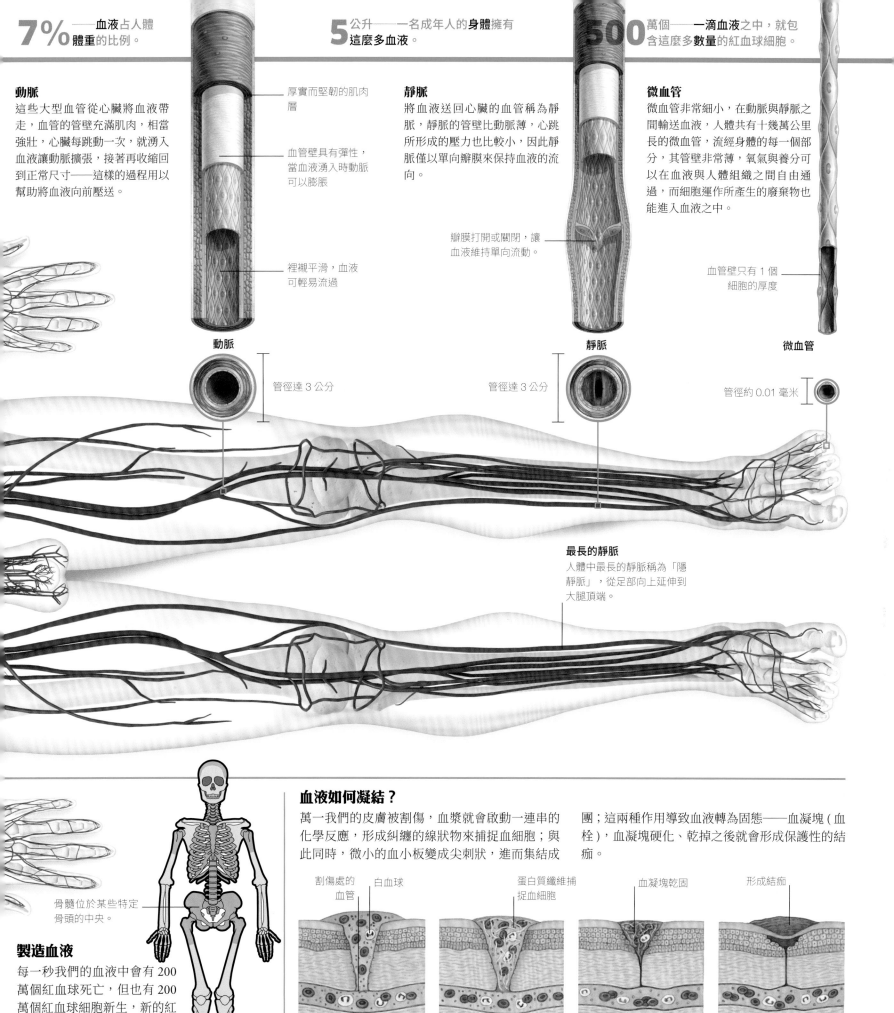

這些大型血管從心臟將血液帶走，血管的管壁充滿肌肉，相當強壯，心臟每跳動一次，就湧入血液讓動脈擴張，接著再收縮回到正常尺寸——這樣的過程用以幫助將血液向前壓送。

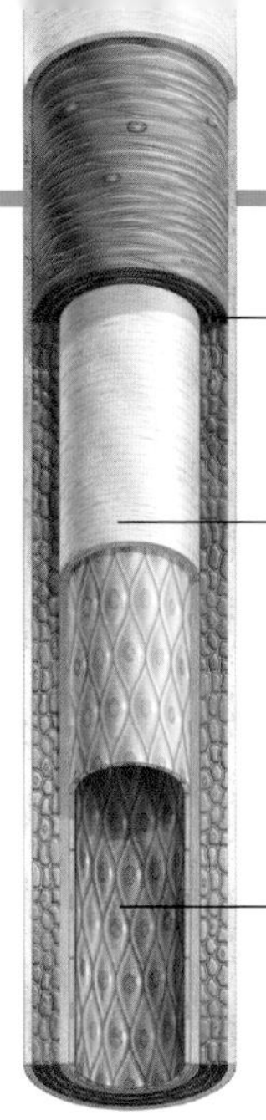

厚實而堅韌的肌肉層
血管壁具有彈性，當血液湧入時動脈可以膨脹
裡襯平滑，血液可輕易流過

靜脈

將血液送回心臟的血管稱為靜脈，靜脈的管壁比動脈薄，心跳所形成的壓力也比較小，因此靜脈僅以單向瓣膜來保持血液的流向。

瓣膜打開或關閉，讓血液維持單向流動。

微血管

微血管非常細小，在動脈與靜脈之間輸送血液，人體共有十幾萬公里長的微血管，流經身體的每一個部分，其管壁非常薄，氧氣與養分可以在血液與人體組織之間自由通過，而細胞運作所產生的廢棄物也能進入血液之中。

血管壁只有 1 個細胞的厚度

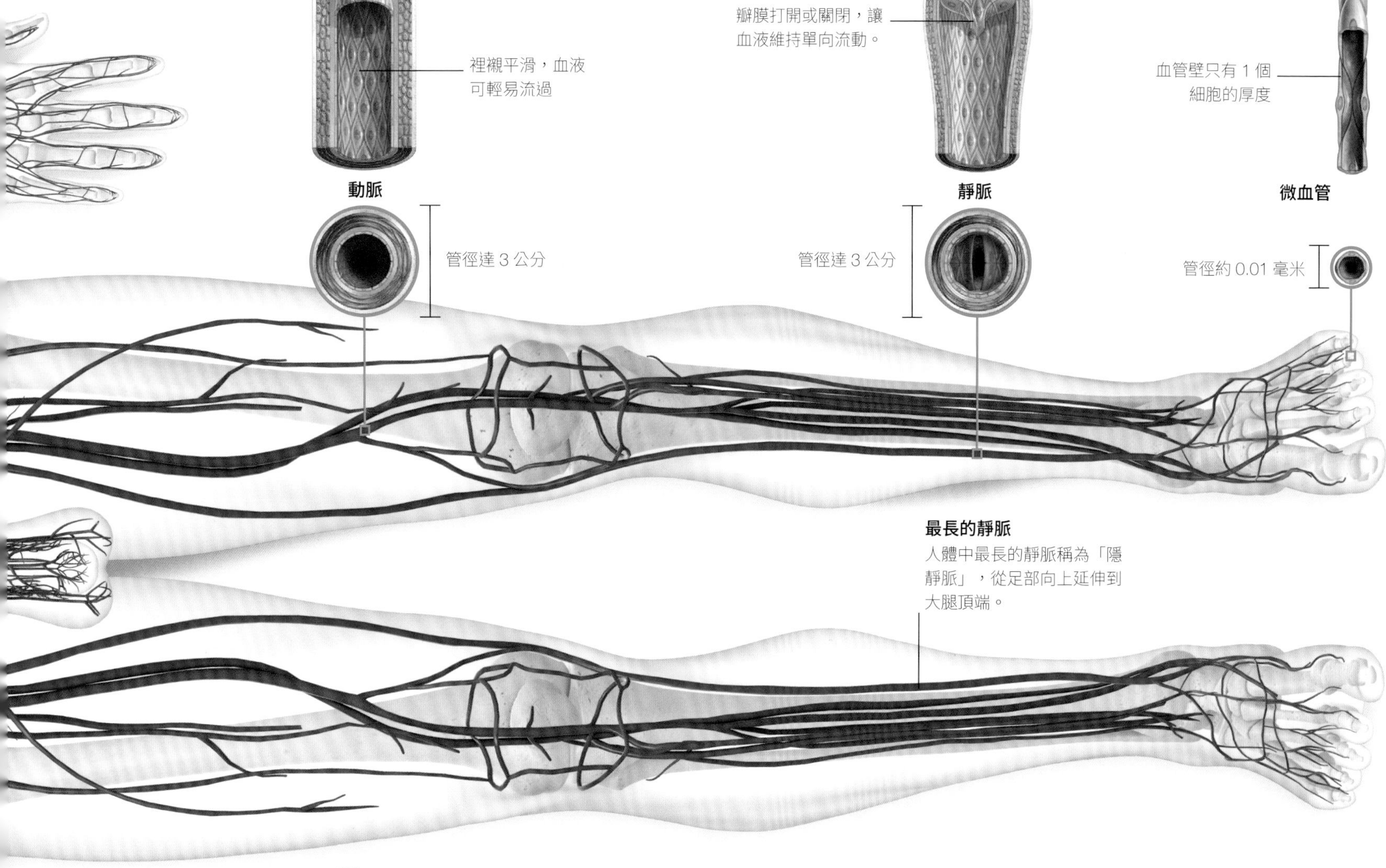

動脈
靜脈
微血管
管徑達 3 公分
管徑達 3 公分
管徑約 0.01 毫米
最長的靜脈
人體中最長的靜脈稱為「隱靜脈」，從足部向上延伸到大腿頂端。

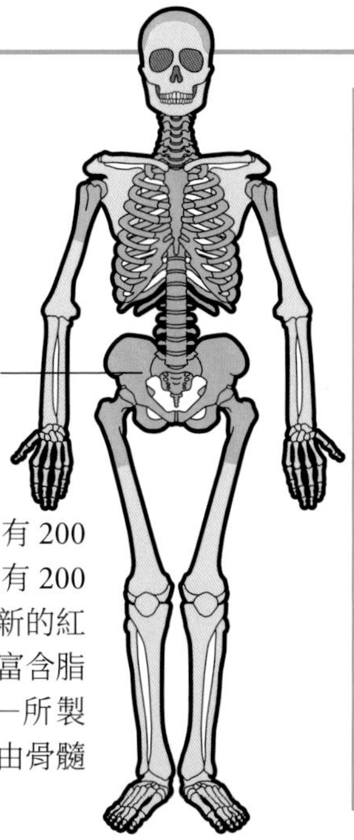

骨髓位於某些特定骨頭的中央。

製造血液

每一秒我們的血液中會有 200 萬個紅血球死亡，但也有 200 萬個紅血球細胞新生，新的紅血球細胞由中空骨頭中富含脂肪的柔軟組織—骨髓—所製造；而白血球細胞也是由骨髓製造出來的。

血液如何凝結？

萬一我們的皮膚被割傷，血漿就會啟動一連串的化學反應，形成糾纏的線狀物來捕捉血細胞；與此同時，微小的血小板變成尖刺狀，進而集結成團；這兩種作用導致血液轉為固態——血凝塊（血栓），血凝塊硬化、乾掉之後就會形成保護性的結痂。

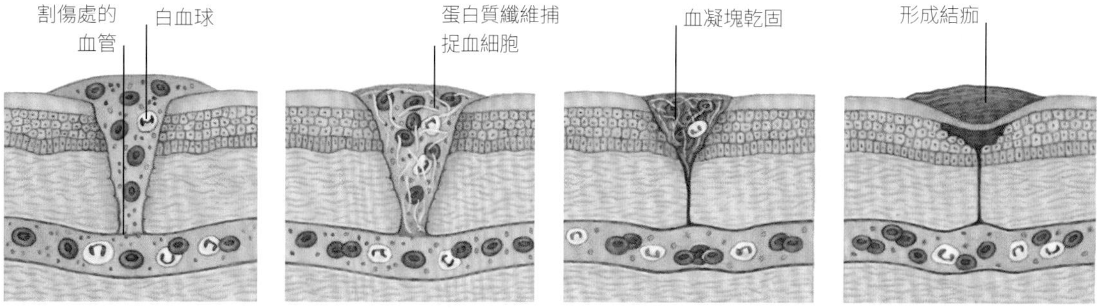

割傷處的血管
白血球
蛋白質纖維捕捉血細胞
血凝塊乾固
形成結痂

1 受傷 血液從傷口的血管滲出，啟動了凝血作用。

2 凝結 蛋白質纖維形成糾纏的網線，阻止血液流動。

3 密封 血凝塊密封受傷區域，阻止血液進一步流失。

4 結痂 血凝塊固化，成為具有保護性的結痂，而傷口逐漸癒合。

心臟

過去人類一度認為，心臟是人體的思考與情緒中心，但現在我們已經瞭解，心臟其實像是一具「肌肉抽水機」，它持續不斷地跳動，讓血液保持流動。

不像人體其他部位的肌肉，在重度使用之後需要休息來復原，心臟是以連續運作的模式來建構的器管，它每分鐘跳動約 70 次、每天約 100,000 次、每年約 4,000 萬次——在人類一生之中，其心臟總共壓送了足以加滿 3 艘超級油輪的血液。心臟每跳動 1 次，就擠出大約 1 茶杯的血液量，再以充足的壓力將血液輸送到人體總計 16 萬公里左右的血管之中。新鮮血液的持續供應，對人體細胞而言至關重大，一旦沒有新鮮血液，細胞就會在數分鐘之內因缺氧而死亡

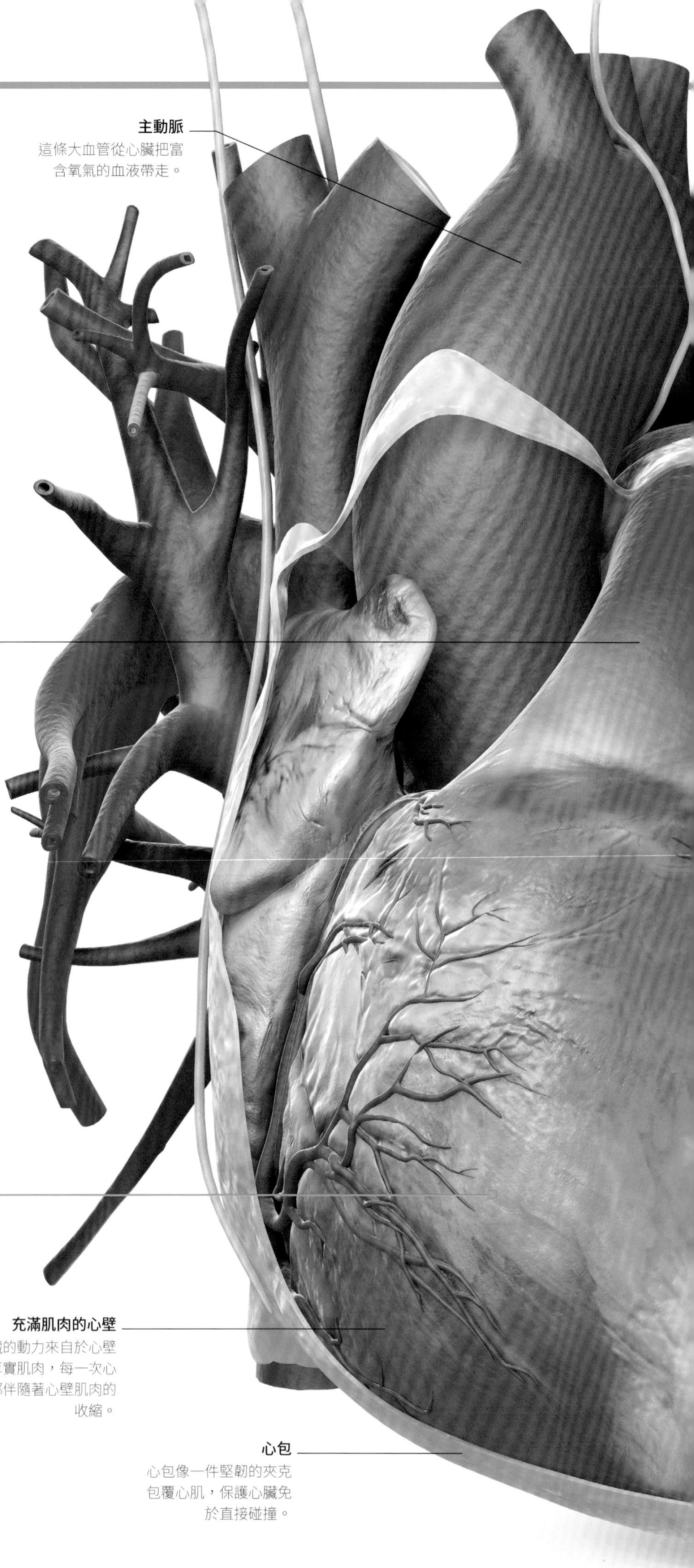
主動脈
這條大血管從心臟把富含氧氣的血液帶走。
肺動脈
這條血管將缺氧的血液帶到肺部，吸取新鮮的氧氣。
充滿肌肉的心壁
心臟的動力來自於心壁的厚實肌肉，每一次心跳都伴隨著心壁肌肉的收縮。
心包
心包像一件堅韌的夾克包覆心肌，保護心臟免於直接碰撞。

心臟跳動

中空、周圍包覆著強壯的肌肉，心臟的尺寸跟緊握的拳頭差不多——連強度也是，其頂部連接著迷宮般的重要血管，將血液注入心臟的血管稱為靜脈，而當心臟跳動時，血液則是被壓送進入稱為動脈的血管之中。

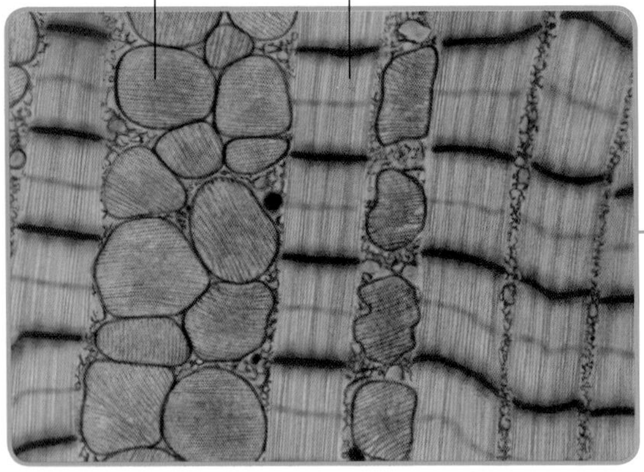
粒線體
蛋白質纖維

心臟細胞

心臟是由特殊肌肉—心肌—所構成的，上方是放大數萬倍的心臟細胞圖，細胞以驚人的速率消耗能量，它們比其他細胞需求更多的燃料和氧氣，這些燃料由脂肪供給，而能量從橢圓形的粒線體所釋出。就像其他肌肉細胞，心臟細胞也充滿平行排列的微小蛋白質纖維，當纖維彼此交錯滑移，就會導致細胞收縮。

7,000公升——平均每天通過心臟的血液量有這麼多。

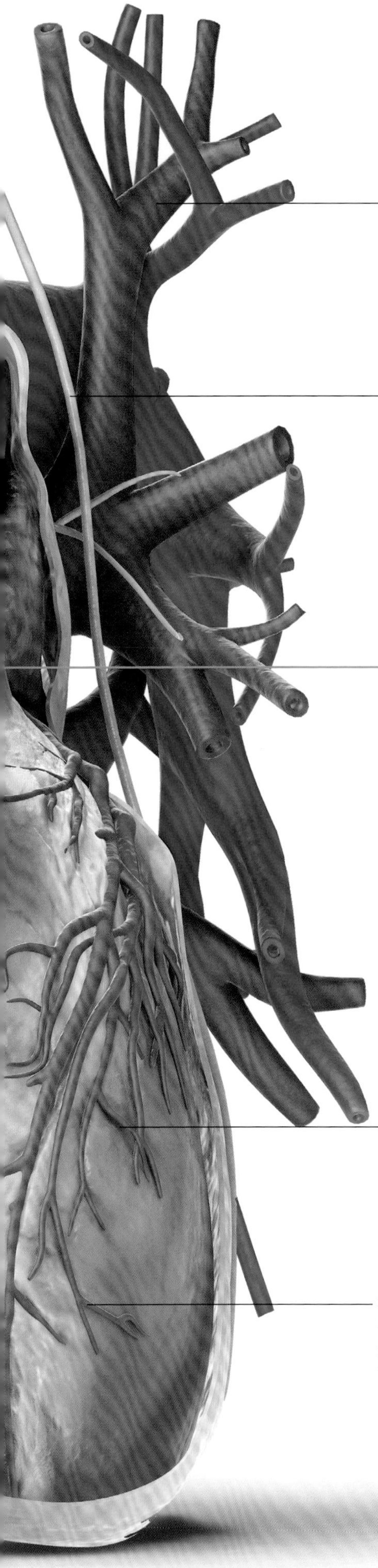

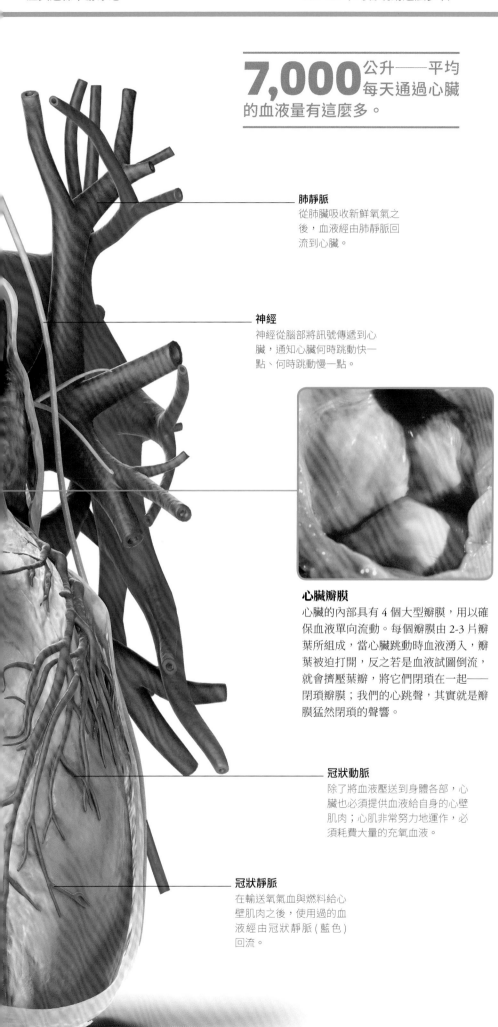

肺靜脈
從肺臟吸收新鮮氧氣之後，血液經由肺靜脈回流到心臟。

神經
神經從腦部將訊號傳遞到心臟，通知心臟何時跳動快一點、何時跳動慢一點。

心臟瓣膜
心臟的內部具有 4 個大型瓣膜，用以確保血液單向流動。每個瓣膜由 2-3 片瓣葉所組成，當心臟跳動時血液湧入，瓣葉被迫打開，反之若是血液試圖倒流，就會擠壓葉瓣，將它們閉瑣在一起——閉瑣瓣膜；我們的心跳聲，其實就是瓣膜猛然閉瑣的聲響。

冠狀動脈
除了將血液壓送到身體各部，心臟也必須提供血液給自身的心壁肌肉；心肌非常努力地運作，必須耗費大量的充氧血液。

冠狀靜脈
在輸送氧氣血與燃料給心壁肌肉之後，使用過的血液經由冠狀靜脈（藍色）回流。

心臟的內部構造

心臟分為兩部分，如同兩部獨立運作的抽水機，右半部（人體的左半部）將耗盡氧氣的血液送到肺部吸收新鮮空氣，而左半部（人體的右半部）再將充氧血液輸送到人體其他部位。

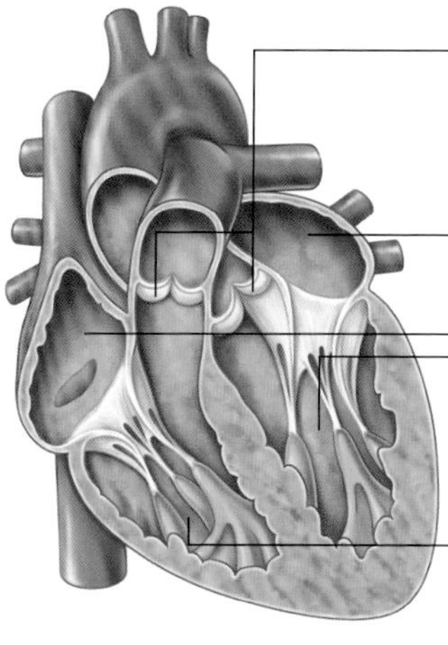

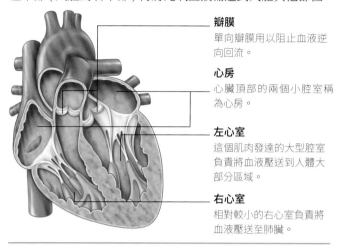

瓣膜
單向瓣膜用以阻止血液逆向回流。

心房
心臟頂部的兩個小腔室稱為心房。

左心室
這個肌肉發達的大型腔室負責將血液壓送到人體大部分區域。

右心室
相對較小的右心室負責將血液壓送至肺臟。

心週期

心臟的每一次跳動都牽涉數道精準配合的步驟，整個程序由掃過心壁肌肉的電波所控制，這些電波啟動心肌細胞的收縮。

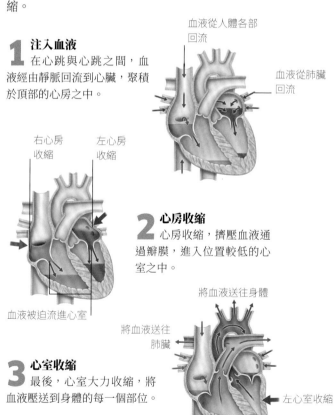

1 注入血液
在心跳與心跳之間，血液經由靜脈回流到心臟，聚積於頂部的心房之中。

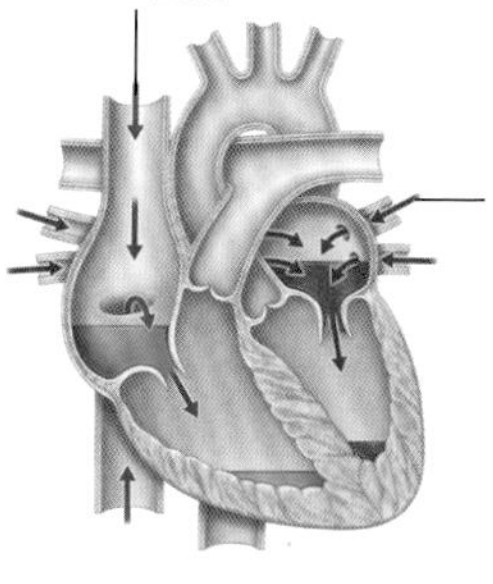
血液從人體各部回流
血液從肺臟回流

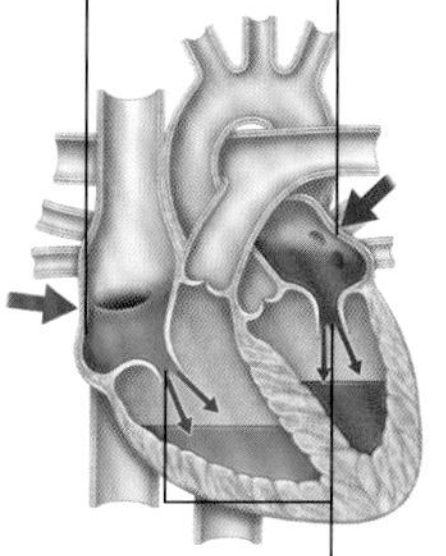
右心房收縮
左心房收縮
血液被迫流進心室

2 心房收縮
心房收縮，擠壓血液通過瓣膜，進入位置較低的心室之中。

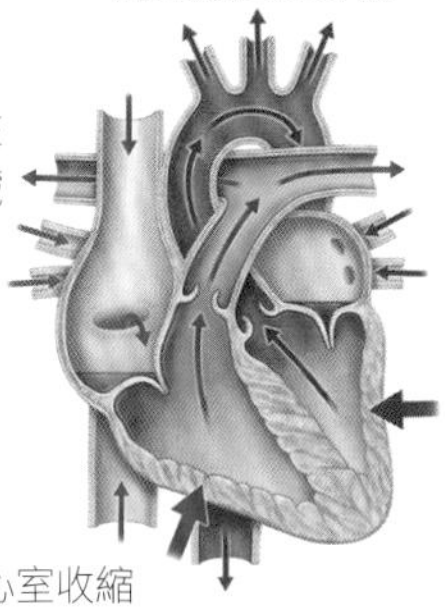
將血液送往身體
將血液送往肺臟
左心室收縮
右心室收縮

3 心室收縮
最後，心室大力收縮，將血液壓送到身體的每一個部位。

心率（心跳速率）

當我們激烈活動或處於興奮狀態時，心率高達每分鐘 200 下，反之如果是休息或睡覺時，心率就會下降到每分鐘 60 下。

平均心率每分鐘
70-80下

眼淚
每一次眨眼，眼淚就洗掉我們眼睛表面的髒污和細菌；此外眼淚還含有溶菌酵素——一種能夠摧毀細菌細胞壁的化學物質。

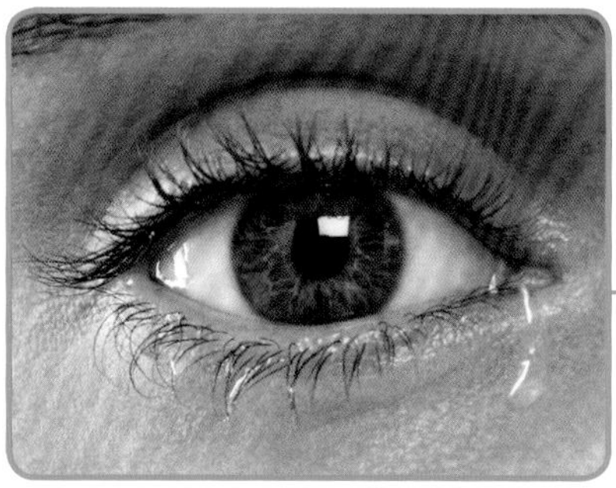

唾液
我們臉頰與舌頭底下的唾液腺持續製造唾液，將口腔中的病菌沖刷到胃部，再由胃酸加以摧毀；此外唾液也含有多種抗菌物質，用以攻擊病菌。

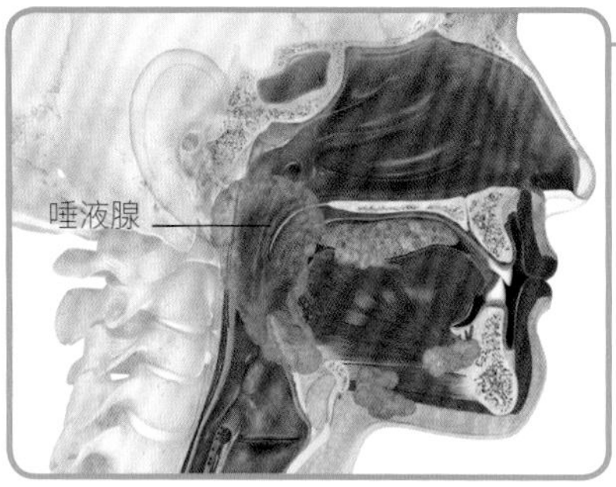
唾液腺

扁桃腺
口腔後側這些柔軟的紅色區域充滿白血球細胞，用以摧毀食物或空氣中的病菌；當我們因病毒或細菌感染而引發喉嚨痛時，扁桃腺就會腫脹起來——這代表它們正在跟病菌搏鬥。

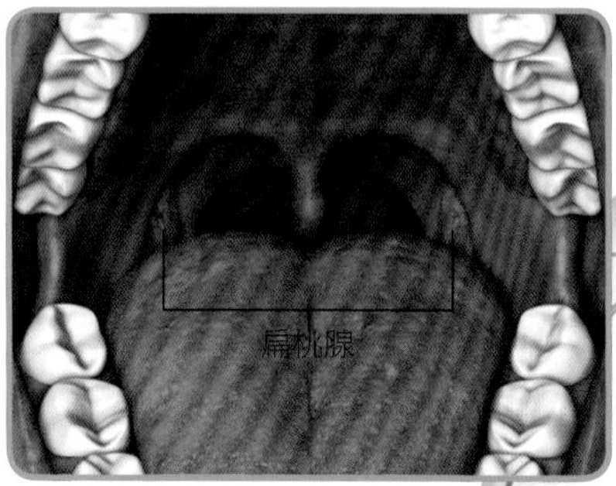
扁桃腺

皮膚
對病菌來說，人類的皮膚是一道厚實的保護牆，難以穿越，除非皮膚受損；皮膚中的腺體會分泌汗水和皮脂，兩者都含有能夠驅逐病菌的化學物質。

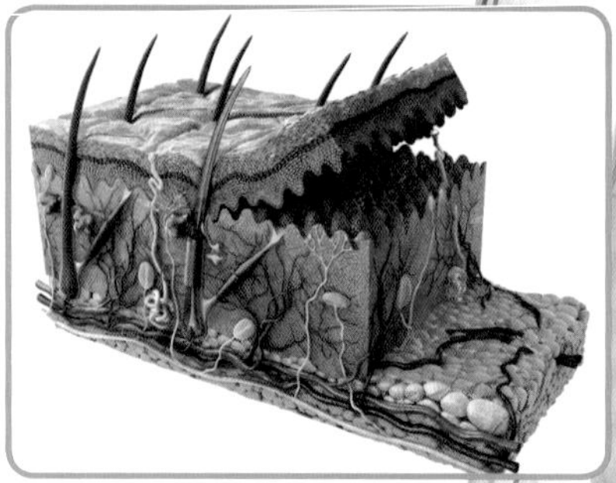

胃酸
胃部的裡襯會製造強大的鹽酸，用以摧毀食物中的病菌，也殺死來自喉嚨黏液中的病菌——我們常態性的吞嚥黏液，以確保氣道清潔。

淋巴結
人體的體液在淋巴管之中流動，並於膨脹的淋巴節進行過濾；淋巴節可從逗點一般大小，擴張成葡萄般的尺寸，其內部充滿白血球細胞，用以從流過的體液中篩濾出病菌、並加以摧毀。

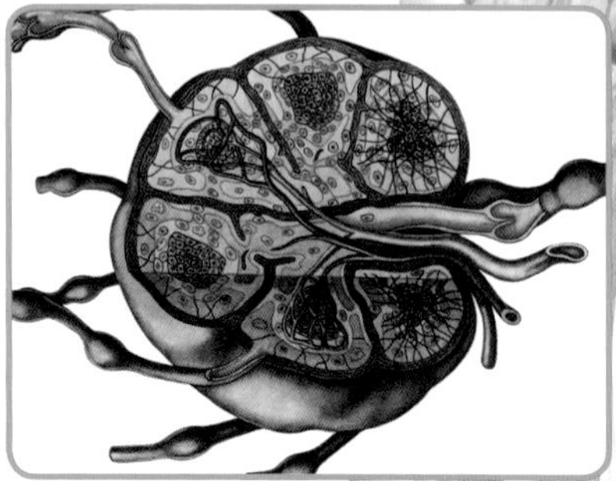

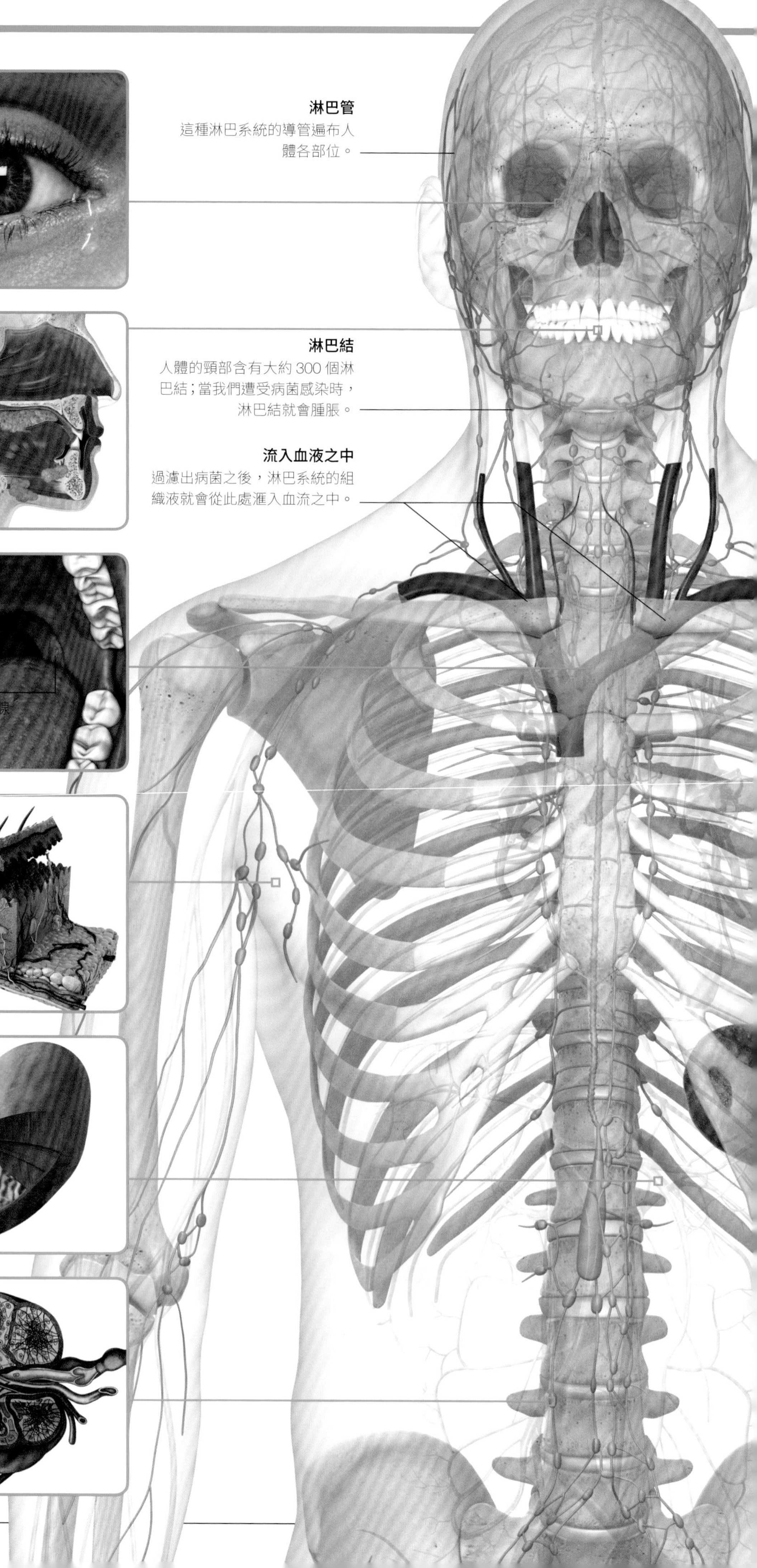
淋巴管
這種淋巴系統的導管遍布人體各部位。
淋巴結
人體的頸部含有大約 300 個淋巴結；當我們遭受病菌感染時，淋巴結就會腫脹。
流入血液之中
過濾出病菌之後，淋巴系統的組織液就會從此處滙入血流之中。

700萬——1茶匙血液之中所包含的白血球細胞數量。

500萬——人體的每1平方公分皮膚之中，可以發現這麼多細菌。

對抗病菌

我們的身體隨時都在遭受攻擊，微生物不斷嘗試進入你我體內來繁殖，其結果可能會導致生病；但幸運的是，我們的身體擁有強大的免疫系統，幫忙擊退這些入侵者。

我們身體的表面是對抗病菌入侵的第一道防線，身體的表面不只是皮膚，還包括眼部、以及口腔、鼻子、喉嚨或胃部裡襯的柔軟組織。病菌一旦在身體上找到一處破損的地方—例如傷口—入侵，傷口就會立即反應，也就是發炎——傷口組織因充滿被病菌摧毀的血細胞而腫脹。人體免疫系統的許多部分，都能有效運作來阻擋各種病菌，但另有一些比較特別的—例如「後天免疫系統」—能夠辨識新種病菌，再針對性地殲滅目標，之後還會「記住」這些新敵人，提供免疫性給人體對抗這種新疾病。

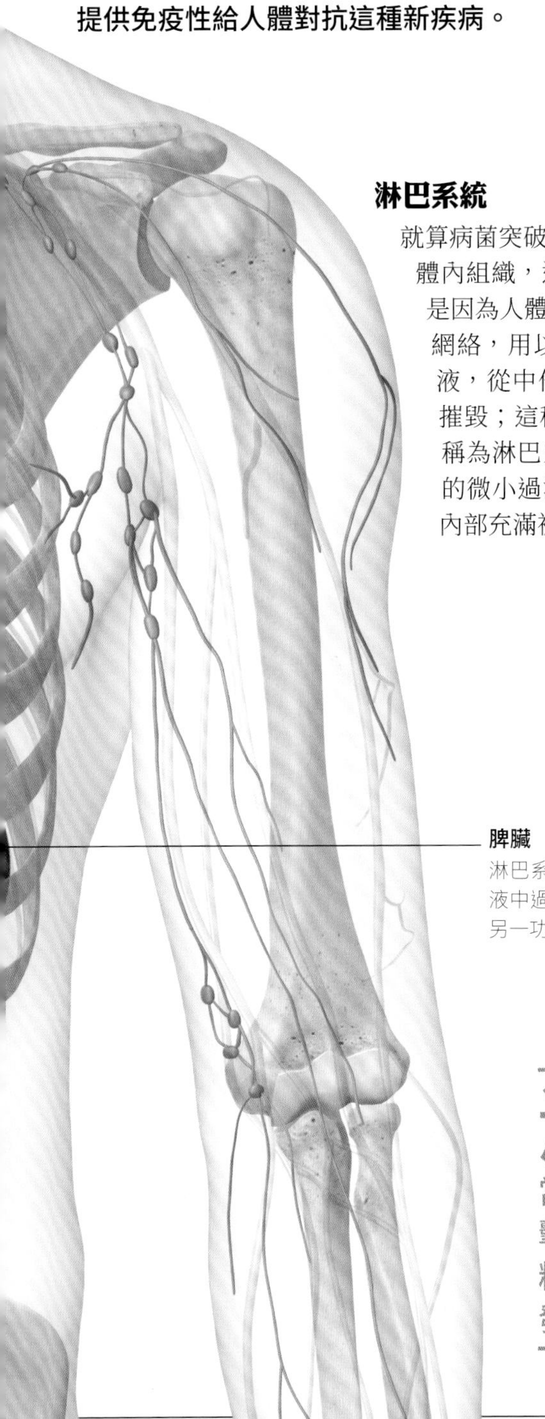

淋巴系統

就算病菌突破人體的第一道防線而入侵體內組織，通常也無法存活太久，那是因為人體擁有細小的導管所形成的網絡，用以從每一個器官收集組織液，從中仔細過濾出病菌，再迅速摧毀；這種細小導管所構成的網絡稱為淋巴系統，而延著淋巴管散布的微小過濾單位，稱為淋巴結，其內部充滿被摧毀的病菌細胞。

脾臟

淋巴系統之中的最大器官，脾臟從血液中過濾出病菌，加以摧毀；脾臟的另一功能是用以貯存血細胞。

過敏症

當人體的免疫系統攻擊無害物質—例如花粉或灰塵—就可能引發過敏症。

病菌

當我們呼吸或碰觸外界物體，都可能沾染小到無法看見的微生物，其中大多數無害，但有些會企圖進入身體，把我們當作食物。有害微生物通稱為病菌，最常見的類型是病毒與細菌，病毒會導致感冒、長疣、以及多種疾病，而細菌會引發傷口腫脹、並造成各種疾病。

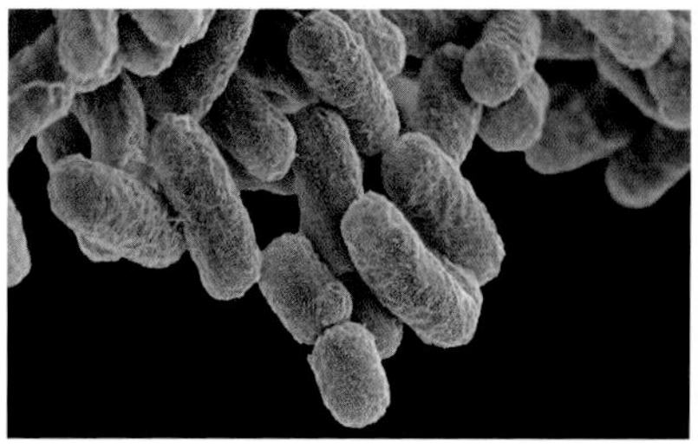

細菌

細菌是單細胞生物，其尺寸非常微小，數萬個細菌才能集結成針頭般的大小。

白血球細胞

人體擁有大約500億個白血球細胞，它們的身體的守護者，運用各種不同的方法搜尋並殺死病菌——例如巨噬細胞這種白血球細胞，它們會吞噬病菌，並將之消化。

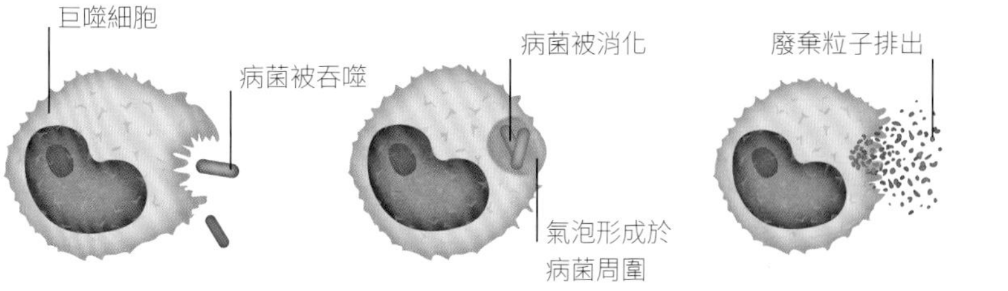
巨噬細胞
病菌被吞噬
病菌被消化
廢棄粒子排出
氣泡形成於病菌周圍

抗體如何運作？

抗體是黏附於特定病菌的化學物質，「標記」這些病菌要被摧毀。病菌雖有千百萬種，但人體卻能製造100億種的不同抗體，這確保我們能夠對抗所有病菌；一旦人體遭到病菌感染，相對應的抗體細胞就會被活化、自我複製，以形成身體的免疫性。

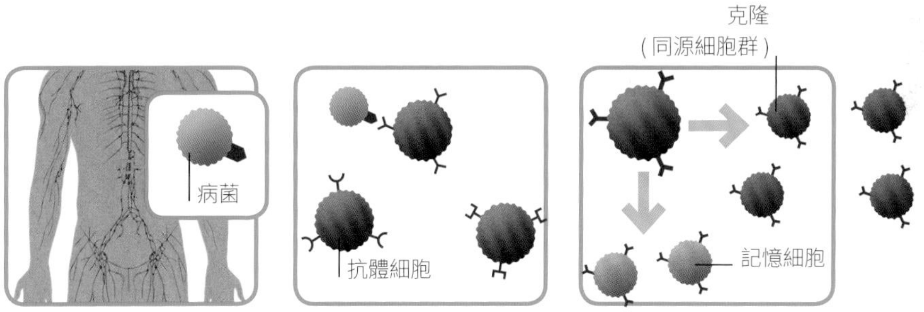
病菌
抗體細胞
克隆
（同源細胞群）
記憶細胞

1 感染 當新種病菌入侵人體並複製，就會被體液輸送到淋巴節——許多不同種類的白血球細胞集結於此，等著檢驗病菌。

2 偵測 抗體細胞碰觸病菌，偵測是否跟自身表面的分子相符合，最終抗體細胞跟相符合分子共同黏附於病菌。

3 活化 現在相符合的抗體細胞已被活化，開始自我複製，形成「克隆」（同源細胞群）大軍，並產生「記憶細胞」——記憶細胞會在體內存活好幾年，以防同種病菌再度侵襲。

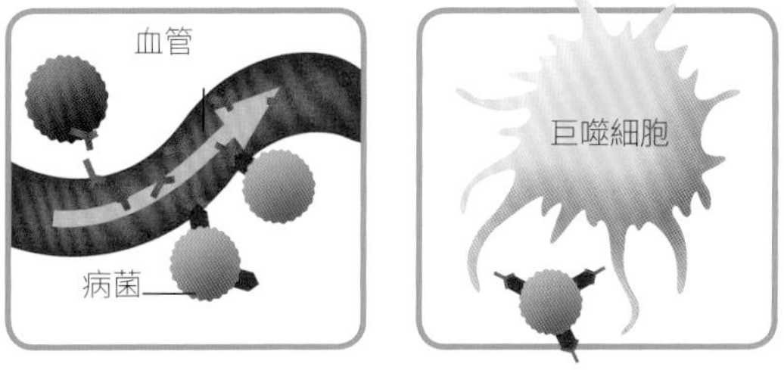
血管
病菌
巨噬細胞

4 搜尋 「克隆」製造抗體，釋放到血液之中，一旦發現病菌就會黏附上去。

5 摧毀 對巨噬細胞而言，抗體的作用如同指示牌，只要是被抗體黏附的病菌，都會被巨噬細胞所摧毀。

疫苗的功能是啟動身體製造抗體，幫助我們針對特定疾病產生免疫性。

膀胱

膀胱壁具有伸縮性，讓膀胱能夠容納 700 毫升的尿液，但只要達到「滿水量」的 ¼，我們就會產生尿意。

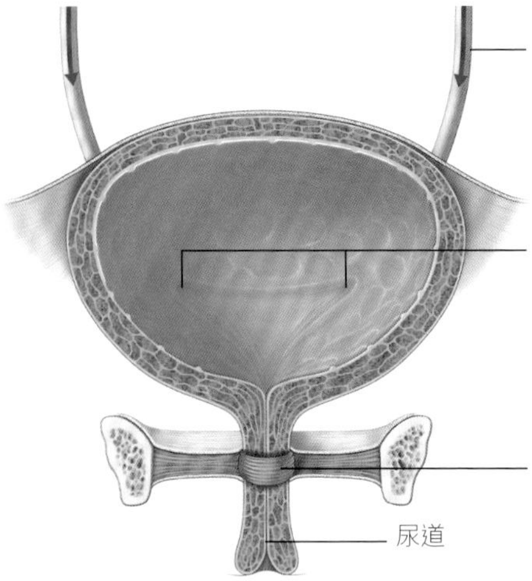
輸尿管
尿液由此進入
「括約肌」關閉出口
尿道

裝滿尿液

膀胱充滿尿液時肌肉就會收縮，觸發嵌入膀胱壁之中的神經細胞傳送訊號到腦部，啟動排尿的慾望。

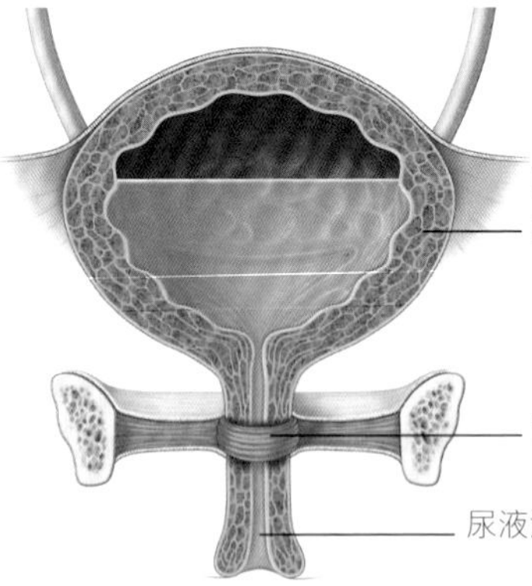
膀胱壁肌肉擠壓尿液
括約肌打開
尿液湧出

清空尿液

稱之為「括約肌」的環肌通常讓膀胱的出口保持在關閉狀態，當我們排尿時，括約肌會打開，而膀胱壁產生收縮，壓送尿液進入尿道。

尿液為什麼是黃色的？

尿液之所以呈現黃色，是由於人體分解老舊紅血球細胞時，所產生的化學廢棄物。另一方面，有些食物也會改變尿液的顏色，例如食用甜菜根讓尿液呈現粉紅色、而蘆筍讓尿液呈現綠色；此外，尿液中的含水量也會影響它的顏色。

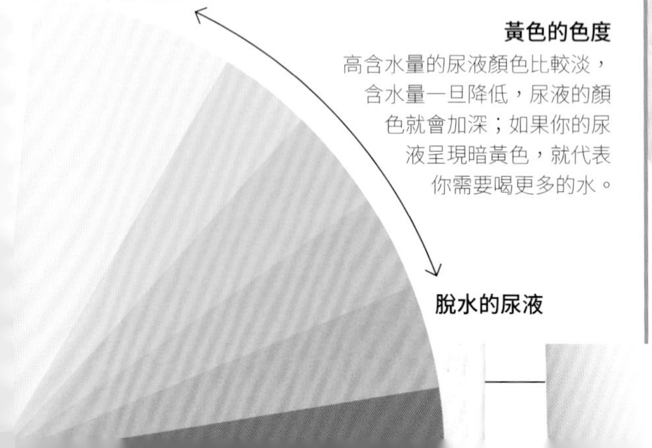
水分充足
黃色的色度
高含水量的尿液顏色比較淡，含水量一旦降低，尿液的顏色就會加深；如果你的尿液呈現暗黃色，就代表你需要喝更多的水。
脫水的尿液

泌尿系統

人體的泌尿系統包含 2 顆腎臟、膀胱、以及各種輸送尿液的導管。腎臟位於脊椎兩側，外觀呈紅棕色，尺寸接近滑鼠般大小。腎臟所製造的尿液持續滴進兩條輸尿管，送到具有伸縮性的貯存器官—膀胱—之內；膀胱中的尿液一旦裝滿，就會經由尿道排出體外。

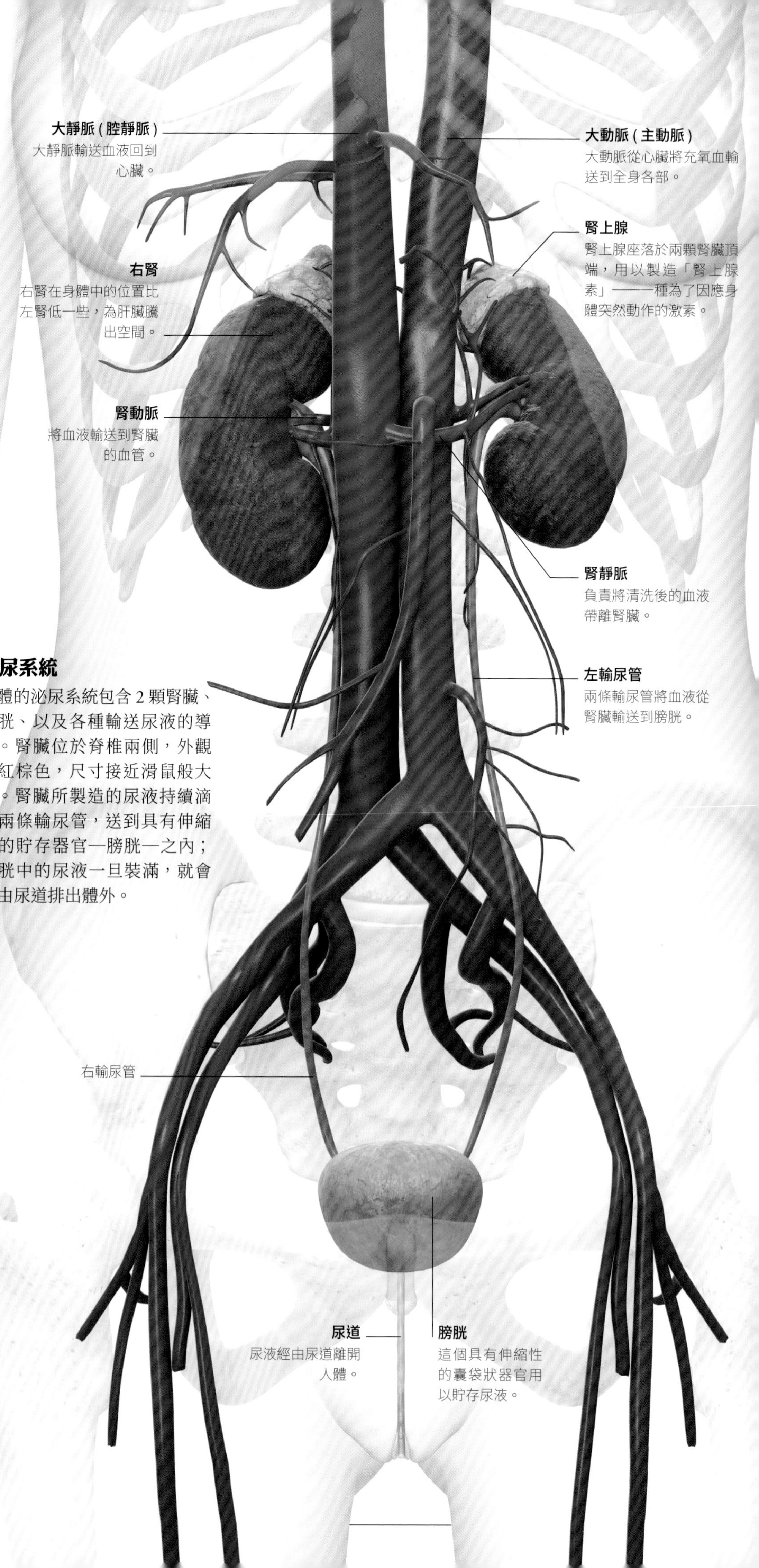
大靜脈（腔靜脈）
大靜脈輸送血液回到心臟。
大動脈（主動脈）
大動脈從心臟將充氧血輸送到全身各部。
腎上腺
腎上腺座落於兩顆腎臟頂端，用以製造「腎上腺素」——一種為了因應身體突然動作的激素。
右腎
右腎在身體中的位置比左腎低一些，為肝臟騰出空間。
腎動脈
將血液輸送到腎臟的血管。
腎靜脈
負責將清洗後的血液帶離腎臟。
左輸尿管
兩條輸尿管將血液從腎臟輸送到膀胱。
右輸尿管
尿道
尿液經由尿道離開人體。
膀胱
這個具有伸縮性的囊袋狀器官用以貯存尿液。

清洗血液

人體擁有自己的「清洗服務部門」—泌尿系統—用以過濾血液，從中去除毒性廢棄物和多餘的水分，將它們轉化為尿液、並截留住有用的物質。

除了輸送氧氣和養分等維生物質到身體各部，血液還負有回收廢棄化學物質的功能，這些廢棄物一旦留在體內累積，對身體會造成危害，因此必須透過泌尿系統加以去除。

血液通過人體中的一對豆狀器官—腎臟—進行過濾與清洗。腎臟位於脊椎兩側，人體中的所有血液每天必須通過腎臟 300 次；雖然我們擁有兩顆腎臟，但只需其中 1 顆腎臟發揮 75% 的功能，就足以有效運作、不讓人體因而生病，這就是為什麼有些人可以捐出自己的 1 顆腎臟，移植給腎臟受損的病患！

水平衡

除了排除化學廢棄物，泌尿系統還幫助人體維持健康的水平衡；血液中的水分一旦過多，腎臟就會把一些水分轉變成尿液，反之血液中的水分若是太少，大腦就會釋出激素，通知腎臟從尿液回收一些水分，如此一來我們的身體就會脫水，只製造少量的暗色高濃度尿液。

水分進出

人體中的水分大多來自食物和飲料，但其中有一小部分稱為「代謝水」，是由人體細胞進行化學反應所製造的。另一方面，人體主要是透過尿液與呼吸來排出水分。

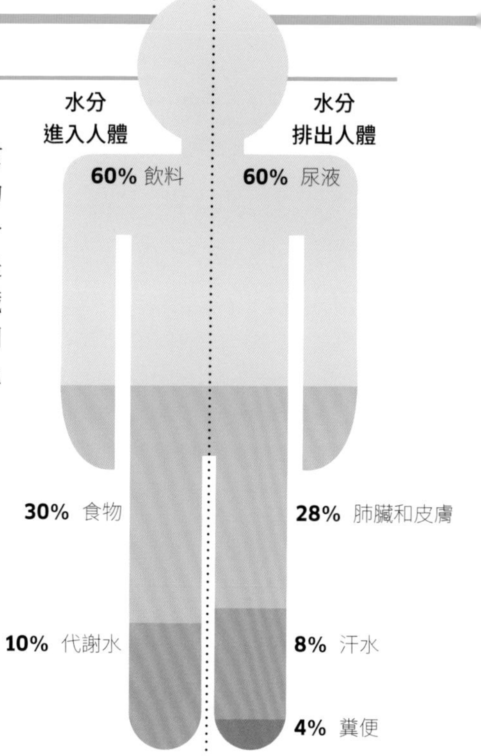
水分
進入人體
水分
排出人體
60% 飲料
60% 尿液
30% 食物
28% 肺臟和皮膚
10% 代謝水
8% 汗水
4% 糞便

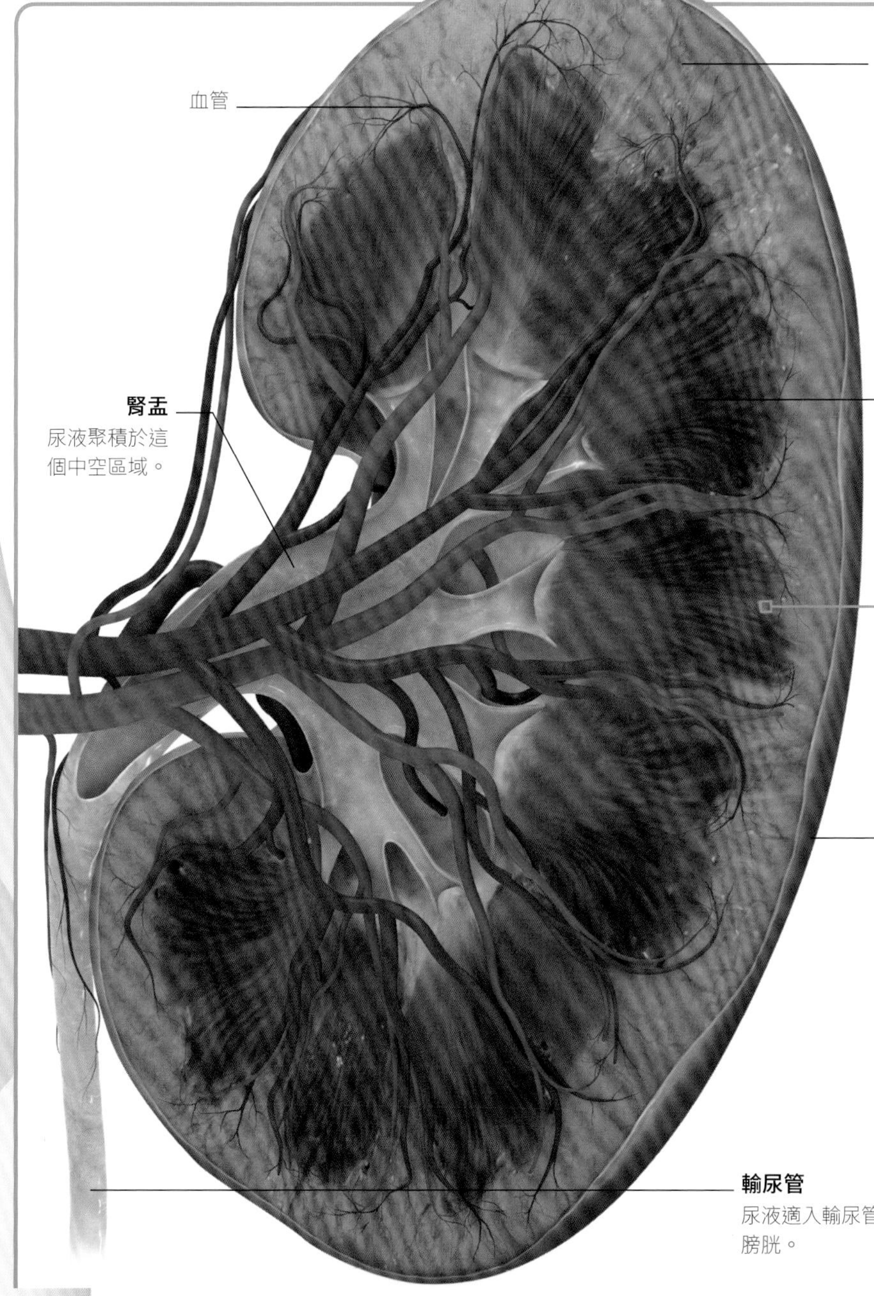
血管
腎皮質
腎臟的外層；血液經由腎皮質過濾。
腎盂
尿液聚積於這個中空區域。
腎髓質
腎臟的內層；腎髓質負責從尿液中回收水分。
腎囊
堅固的腎囊包覆腎臟，作為保護層。
輸尿管
尿液滴入輸尿管，通往膀胱。

腎臟的內部構造

每一顆腎臟大約包含100萬個過濾單位——腎元，腎元的第一個部分是眾多微血管交纏所形成的細小節點，讓血液中的液體滲出，接著流入循環長導管，腎臟再從中回收有用物質和水分，而殘留液體成為尿液，從腎臟流進膀胱之中貯存。

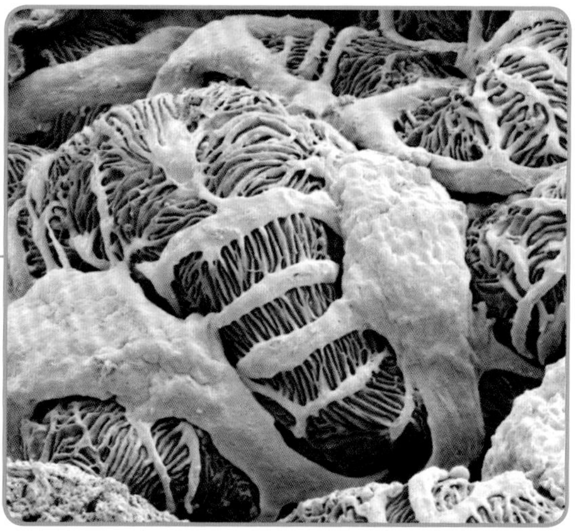

過濾血液

血液流經腎元（上圖中呈粉紅色）進行過濾，腎元的外覆細胞稱為「腎小球」（上圖中呈米黃色），腎小球的功能如同前置篩網，准許較小的分子—例如水分—通過，但阻止細胞與較大分子離開血液。

在中世紀，醫生就試圖透過研究尿液來診斷疾病，他們檢視尿液的顏色、氣味和濁度——後來甚至親口品嚐尿液樣本。

呼吸

不經思考或特別注意，我們的肺部每分鐘呼吸空氣 15 次，讓身體的所有細胞獲得維生不可或缺的氣體——氧氣。

氧氣是維持生命的必要物質，若是沒有氧氣，人體細胞將無法從食物分子中釋放隱藏的能量。我們每次大口吸進空氣，新鮮氧氣就被抽進肺部；空氣經由中空導管進入人體，導管分枝得愈來愈細，最終來到「死巷」—數百億個微小的肺泡—之中，它們如同氣球一樣地膨脹來容納這些空氣，接著氧氣通過肺泡的囊壁，進入包覆在外的微血管之中，進而被紅血球細胞帶走。另一方面，呼吸作用的廢氣—二氧化碳—以相反方向的路徑，從血液進入肺泡，再呼出體外

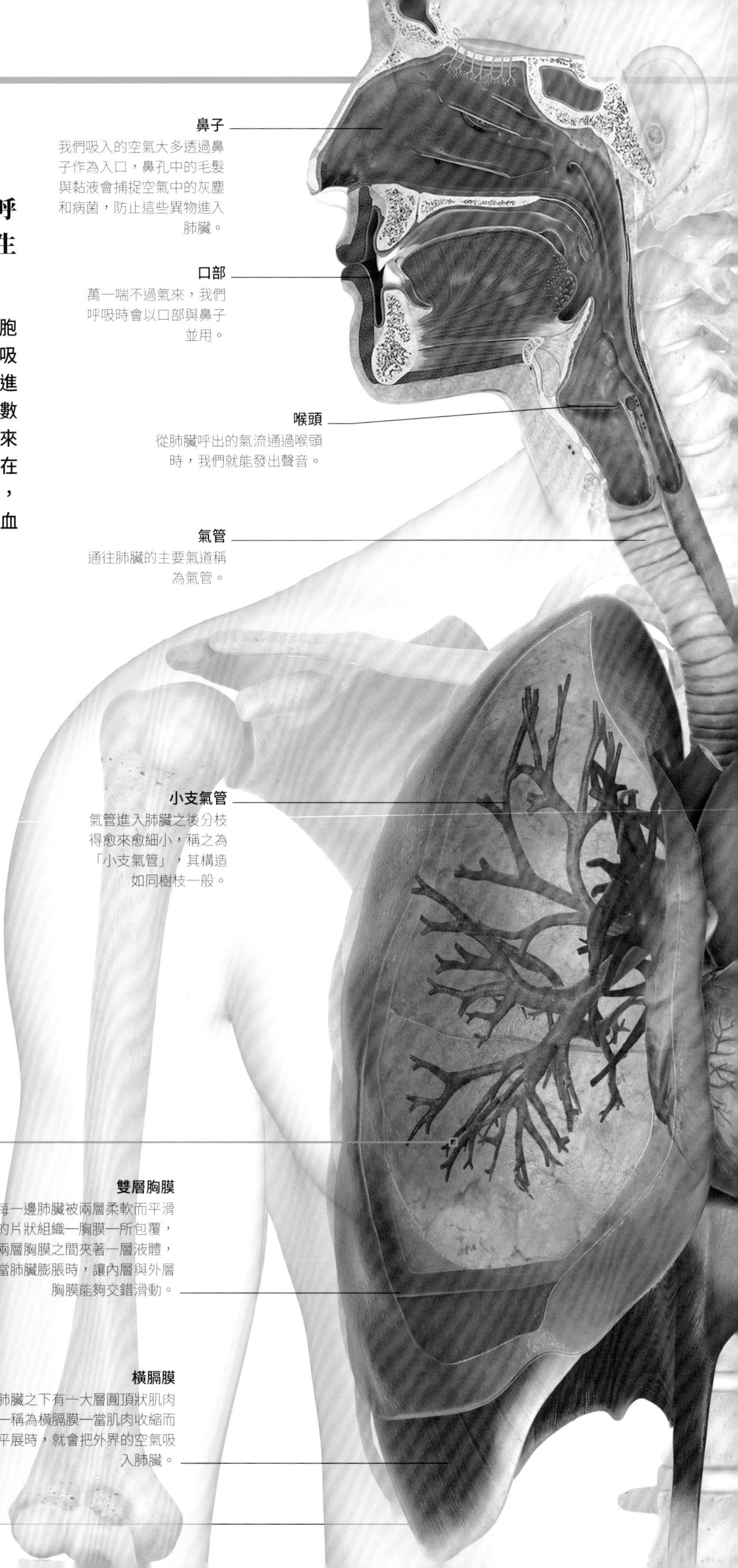
鼻子
我們吸入的空氣大多透過鼻子作為入口，鼻孔中的毛髮與黏液會捕捉空氣中的灰塵和病菌，防止這些異物進入肺臟。
口部
萬一喘不過氣來，我們呼吸時會以口部與鼻子並用。
喉頭
從肺臟呼出的氣流通過喉頭時，我們就能發出聲音。
氣管
通往肺臟的主要氣道稱為氣管。
小支氣管
氣管進入肺臟之後分枝得愈來愈細小，稱之為「小支氣管」，其構造如同樹枝一般。
雙層胸膜
每一邊肺臟被兩層柔軟而平滑的片狀組織—胸膜—所包覆，兩層胸膜之間夾著一層液體，當肺臟膨脹時，讓內層與外層胸膜能夠交錯滑動。
橫膈膜
肺臟之下有一大層圓頂狀肌肉—稱為橫膈膜—當肌肉收縮而平展時，就會把外界的空氣吸入肺臟。

肺臟的內部構造

肺臟是輕而軟的海綿狀器官，占據人體胸腔的大部分空間，其構造是 10% 的固態組織、加上 90% 的空氣；若是放入水中，肺臟將會浮在水面上。肺臟的所有微小氣囊—肺泡—其表面積加總起來廣達 70 平方公尺左右——將近人體皮膚總面積的 40 倍；也就是如此寬廣的表面積，肺臟才得以在每一次吸氣時，盡可能吸收大量氧氣。

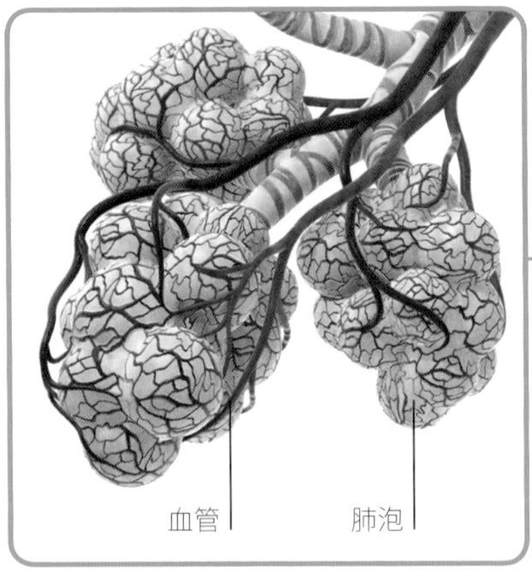
血管
肺泡

肺泡

肺部的微小氣囊稱為肺泡，每個肺泡的直徑不到 1 微米，外面包覆著微血管網絡；肺泡壁與微血管壁都非常薄，氧氣可自由進入血液之中。

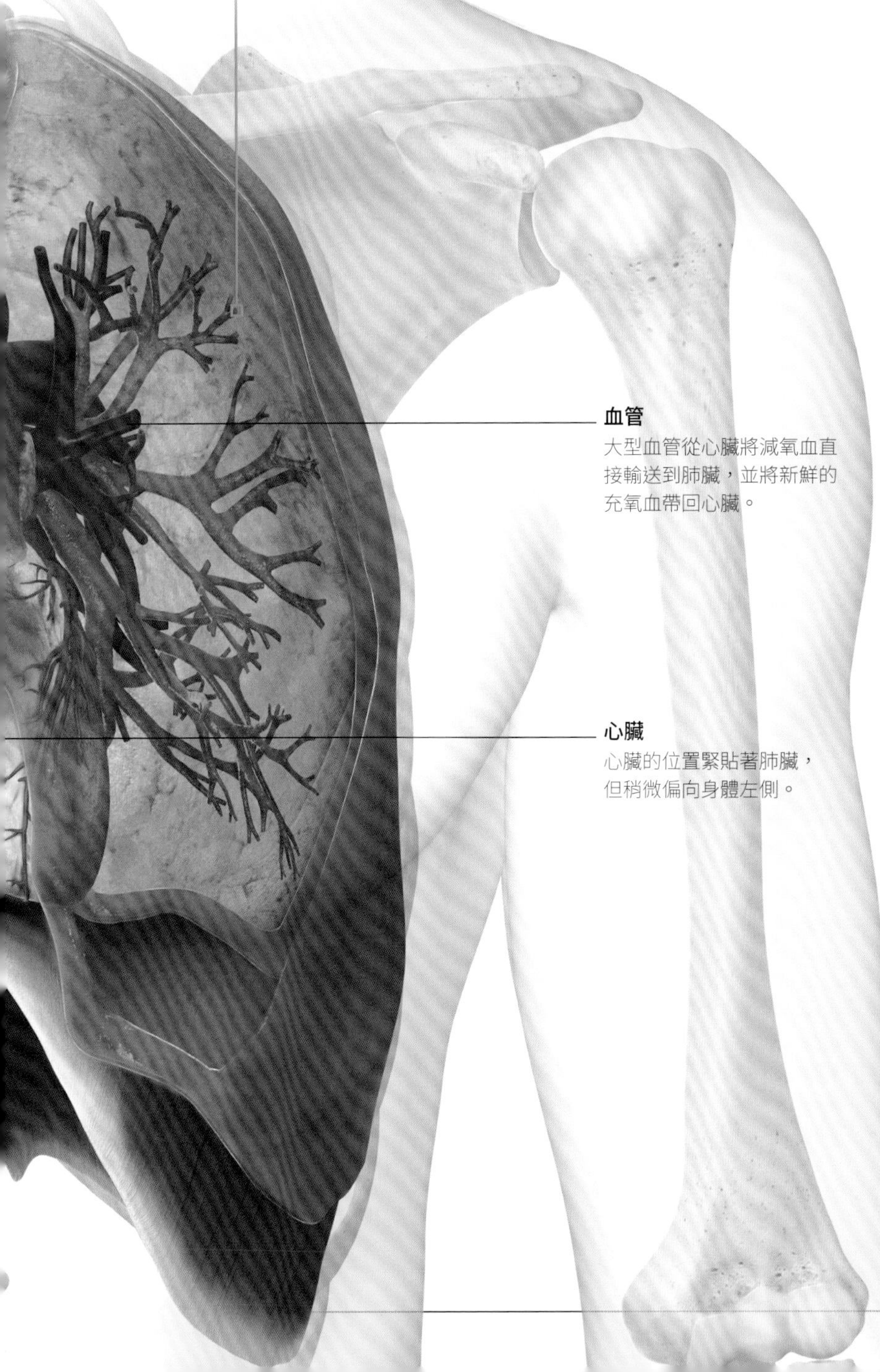
血管
大型血管從心臟將減氧血直接輸送到肺臟，並將新鮮的充氧血帶回心臟。
心臟
心臟的位置緊貼著肺臟，但稍微偏向身體左側。

清理肺部

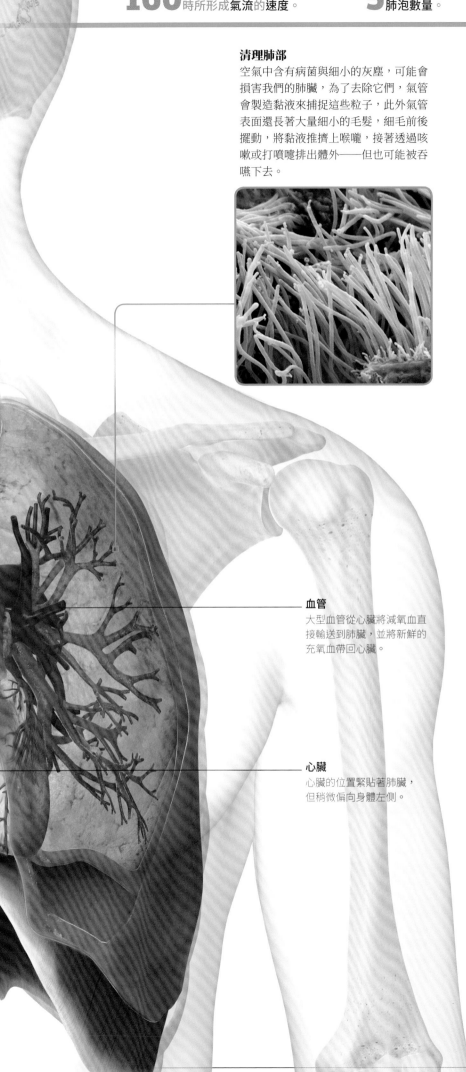

空氣中含有病菌與細小的灰塵，可能會損害我們的肺臟，為了去除它們，氣管會製造黏液來捕捉這些粒子，此外氣管表面還長著大量細小的毛髮，細毛前後擺動，將黏液推擠上喉嚨，接著透過咳嗽或打噴嚏排出體外——但也可能被吞嚥下去。

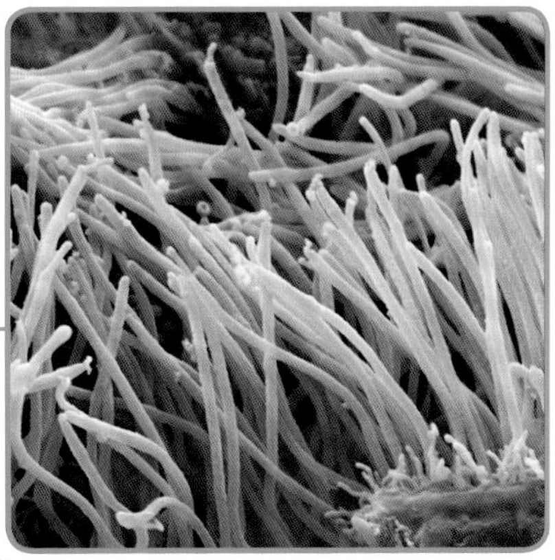

呼吸作用如何進行？

肺臟本身不具任何肌肉，不論吸氣或呼氣，都仰賴包覆肺臟的肌肉來進行，其中橫膈肌負責大部分的工作，但肋骨肌肉也會幫忙，尤其是深呼吸時。

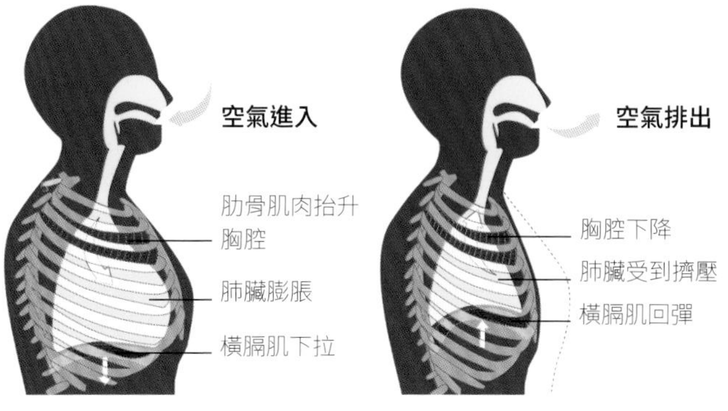
空氣進入
肋骨肌肉抬升胸腔
肺臟膨脹
橫膈肌下拉
空氣排出
胸腔下降
肺臟受到擠壓
橫膈肌回彈

吸氣

橫膈膜收縮而平展，再加上肋骨肌肉抬高胸腔，整個胸腔就會加大，讓肺臟膨脹，進而吸入空氣。

呼氣

橫膈肌放鬆、回彈，而胸腔同時降回原本位置，整個胸腔就會縮小，擠壓肺臟，進而將空氣排出。

氣體交換

肺臟從空氣中吸收氧氣，並釋放二氧化碳廢棄物，因此，我們所吸入的空氣，其成分跟呼出的空氣有所不同，後者所含的水蒸氣也比較多——當天氣變冷時，你可以看見我們呼出的水氣轉變成薄霧。

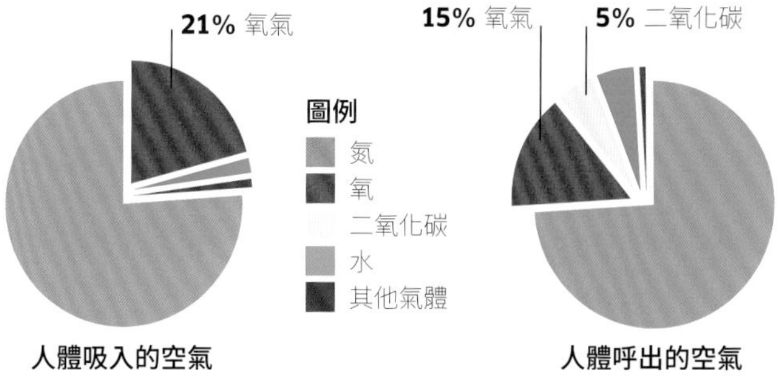
21% 氧氣
15% 氧氣
5% 二氧化碳
圖例
氮
氧
二氧化碳
水
其他氣體
人體吸入的空氣
人體呼出的空氣

我們每天呼吸
10,000 公升
左右的空氣，這些空氣
足以充滿 1,000 顆氣球。

肺葉

人體的右肺比左肺稍大，右肺分成 3 片肺葉，而左肺只有 2 片肺葉；就跟身體的許多部位一樣，肺臟也是成對存在的，萬一其中一個遭到損害，另一個也能獨立運作，幫助我們繼續存活。

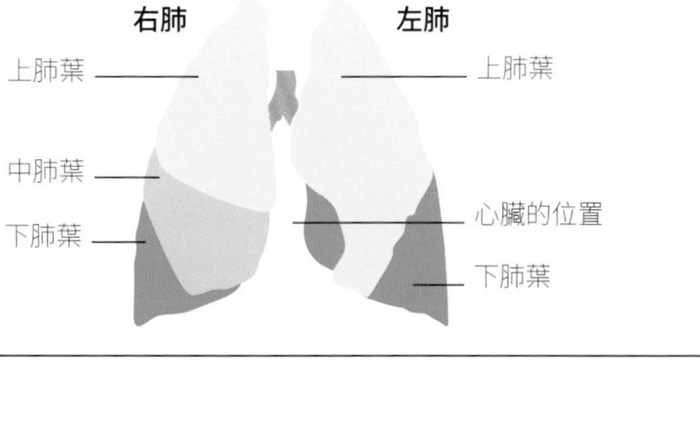
右肺
左肺
上肺葉
上肺葉
中肺葉
心臟的位置
下肺葉
下肺葉

控制身體

就像交響樂團需要一位指揮者，人體中的眾多器官也必須協同運作，才能發揮應有的功能。神經系統是人體主要的控制網絡，以高速電子訊號沿著神經傳送指令，用以控制肌肉、腺體和器官。另一方面，人體也使用稱為激素（荷爾蒙）的化學物質，經由血液輸送來傳遞指令，但速度遠比神經慢得多。

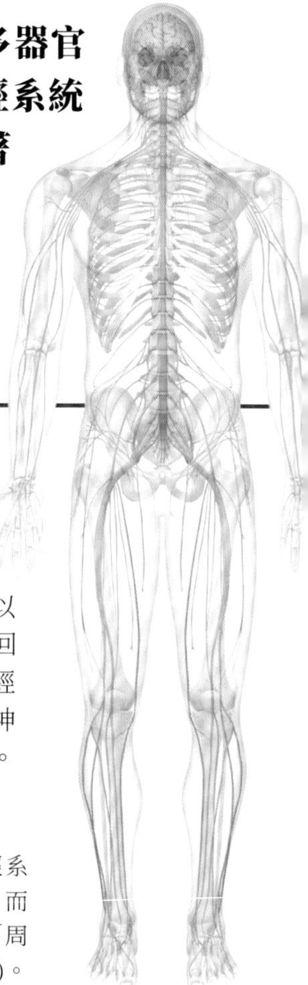

控制中心

腦部和脊髓組成人體的中樞神經系統，作為整體神經系統的控制中心。對於構造非常簡單的動物而言，其腦部除了協調反射動作，其他功能不多；至於人類的反射動作是由脊髓發出指令，而大腦的功能遠比這種事情更加複雜——腦部建構內心世界，建構自我意識，能夠深思、計畫，能夠作出決定；但這些高階功能到底如何運作，至今仍是科學上的未解之謎！

人類的腦部

人類的腦部位於顱骨之中，主要由大型皺褶狀構造所組成，稱為「大腦」，人類的大腦遠比其他動物更大，專司「意識思考」、計畫、社會判斷、以及語言；緊貼大腦之下的是「大腦邊緣系統」，專司情緒；此外還有「小腦」，其功能為協調動作。

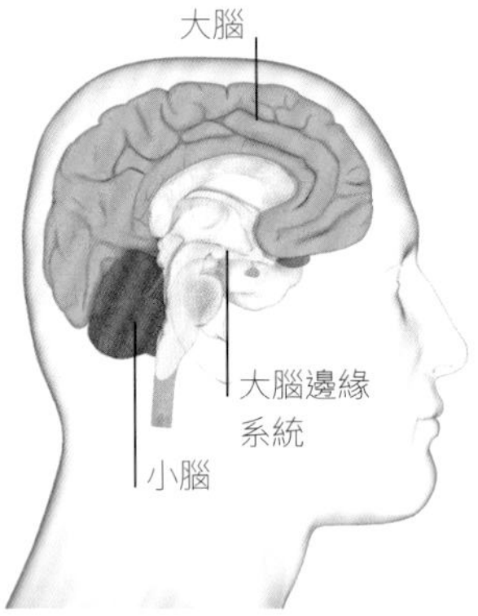
大腦
大腦邊緣系統
小腦

腦部如何運作？

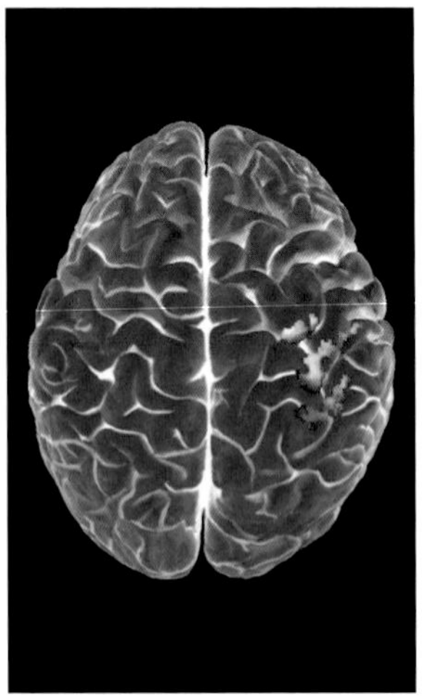

直到最近，科學家還只能猜測人類的腦部如何產生思想。然而，腦部掃描技術的發明，終於提供觀察腦部運作的另一扇窗口——運作中的腦部掃描結果顯示，不同的腦部區域都專司特定功能，而心智功能通常牽涉眾多不同的腦部區域共同運作。

腦部掃描

左側這張「磁振造影（MRI）」掃描圖顯示，當人類移動左手時，腦部的右半部就會亮起來。

腦部的演化

人類的腦部與其他脊椎動物的腦部共享許多特徵，這就是兩者具有相同演化歷史的證明。跟我們親緣關係最相近的脊椎動物是哺乳動物，就像我們人類一樣，所有哺乳動物也擁有大型「大腦」—腦部的思考區域—讓牠們能夠學習複雜的行為；此外哺乳動物同樣具有「大腦邊緣系統」，會產生諸如發怒或恐懼……等等情緒。

大腦
小腦

蛙類的腦部

蛙類的「大腦」很小，主要仰賴天生的本能——而不是學習而來的行為。

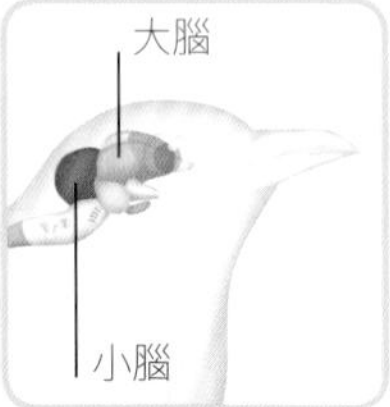
大腦
小腦

鳥類的腦部

鳥類的小腦發展良好，有助於飛行時控制速度與平衡。

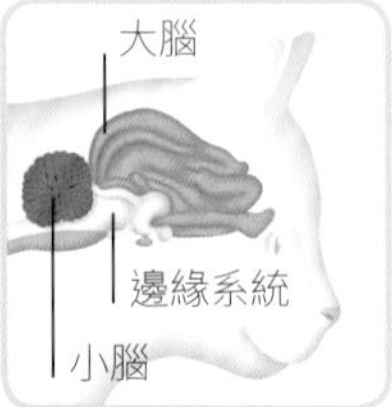
大腦
邊緣系統
小腦

貓的腦部

哺乳動物的「大腦」相對比其他動物更大，讓牠們擁有較好的學習與適應能力。

神經系統

腦部、神經和感覺器官組成人體的神經系統，神經系統以電子訊號的形式傳送身體各部所獲得的資訊，而系統中的每一個部分都隨時保持活躍，並互相溝通；當訊息在一剎那之間從感覺器官傳遞到腦部，腦部就會同時協調千百條身體肌肉精確伸展——從移動眼球的微小肌肉，到奔跑所動用的大塊肌肉。

控制網絡

人體的許多神經細胞集結成束，形成神經，貫穿你我身體的每一個部位，它們攜帶訊息，以每小時 400 公里的速度來回穿梭；人體中的大部分神經透過脊髓—脊椎中的柱狀神經組織—跟腦部互相連絡。

中樞系統與周圍系統

腦部與脊髓組成「中樞神經系統」（上圖中的綠色部分），而身體的其他神經組織構成「周圍神經系統」（末稍神經系統）。

感知與反應

神經系統分為 3 大部分，第一部分負責收集來自感覺器官監控外界與身體內部狀況所獲得的訊息；第二部分是中樞神經系統，負責處理資訊並產生認知；第三部分則是讓身體作出反應。這 3 大部分以非常快的速度共同運作，幫助身體在電光火石之間對刺激作出快速反應。

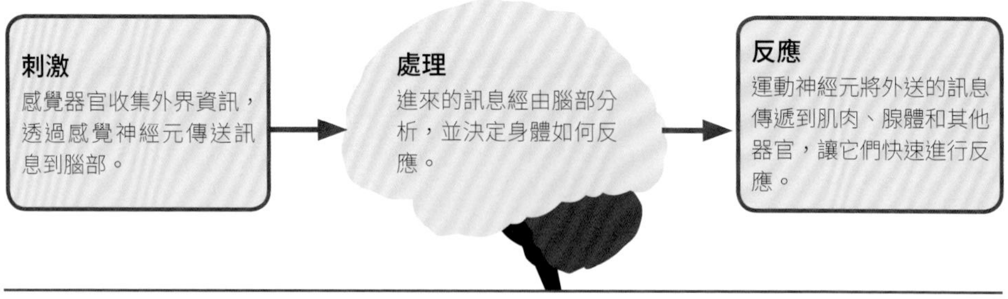
刺激
感覺器官收集外界資訊，透過感覺神經元傳送訊息到腦部。
處理
進來的訊息經由腦部分析，並決定身體如何反應。
反應
運動神經元將外送的訊息傳遞到肌肉、腺體和其他器官，讓它們快速進行反應。

自主運動與反射運動

神經系統所作的反應，有些是在自主控制之下的自主運動，另一些則是非自主的反射運動；負責自主運動的部分稱為「體神經系統」，而負責反射運動的部分稱為「自律神經系統」。

體神經系統

這部分的神經系統根據你我的意志，來控制身體某些部分的運動，例如使用肌肉拿書本、或是踢球。

自律神經系統

這部分的神經系統不需經過你我的思考，就能控制身體器官，例如讓你的心跳加速或減慢、壓迫食物進入腸道、或是眼睛中的瞳孔要張多開。

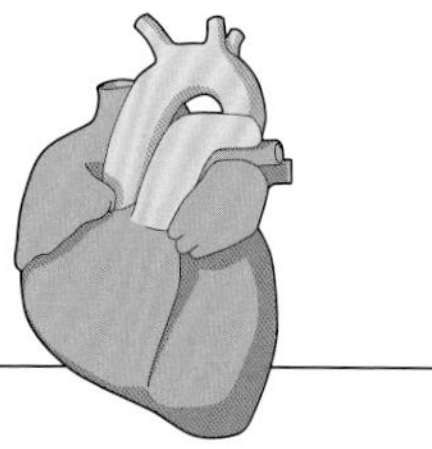

激素（荷爾蒙）

利用神經傳導的電子訊號並非傳遍人體的唯一訊息，激素就是攜帶訊息的化學物質，它們從腺體釋放到血液中，對身體其他部位的功能產生強大的影響，只是速度比神經訊息慢得多；激素只針對特定的目標細胞產生影響，進而改變它們的運作模式——激素運用兩種主要的方法來活化目標細胞。

水溶性激素

可溶解於水中、但不溶解於脂肪中的激素，稱為水溶性激素，它們無法通過目標細胞的細胞膜—細胞膜具有脂肪層—取而代之的是，激素黏結於目標細胞表面的「受體」，進而啟動細胞之內的化學變化。

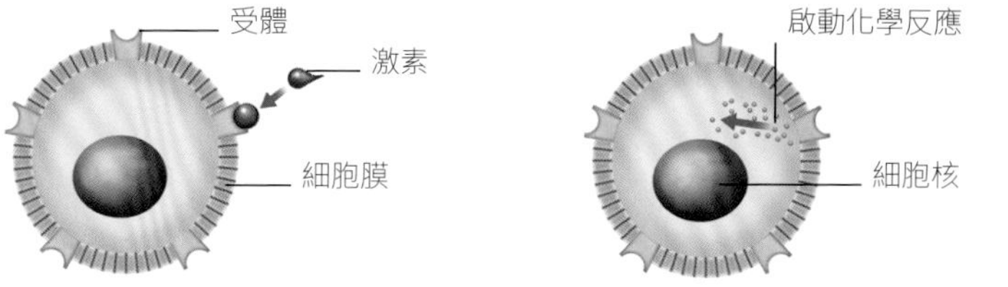

激素黏結細胞　**細胞反應**

脂溶性激素

這類激素可以溶解於脂肪中，它們通過目標細胞的細胞膜，黏結細胞之內的受體分子，接著進入細胞核，將特定基因開啟或關閉；脂溶性激素包括性激素類——例如睪固酮。

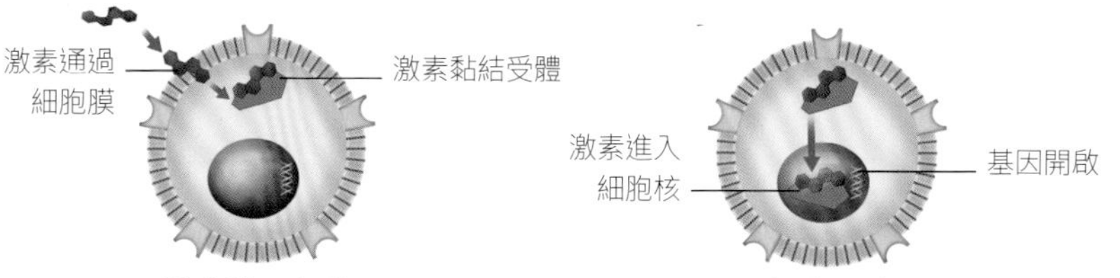

激素進入細胞　**細胞反應**

神經細胞

組成神經系統的細胞稱為神經細胞，又稱為「神經元」，神經元沿著「軸突」這種長纖維傳送電子訊號；軸突外覆由「髓磷脂」（一種脂肪）所構成的「髓鞘」，幫助訊號傳送得更快。人體的神經元分為3類，分述如下：

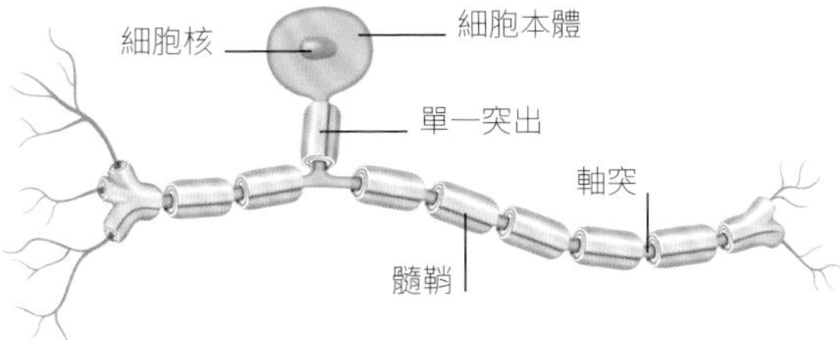

單極神經元
這類神經元通常用來傳達進來的感覺訊號，其細胞本體只具有單一突出。

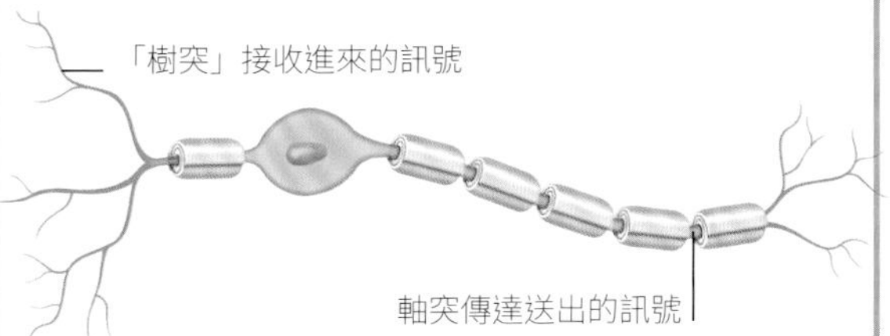

雙極神經元
雙極神經元長在眼部和肌肉之中，其細胞本體具有兩條突出。

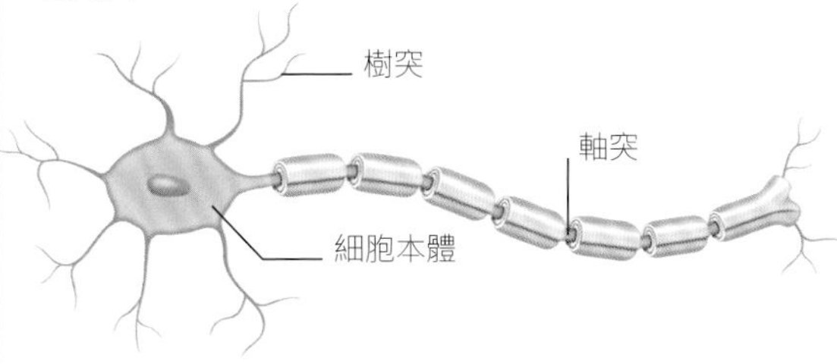

多極神經元
這種神經元長在腦部，是人體中最常見的神經元類型，其細胞本體具有多條突出。

人體的腦部含有長達**165,000 公里**左右的**軸突**。

感官

感覺器官收集外界資訊，以電子訊號的形式傳送到腦部，腦部將這些資訊解碼，建構有意識的認知。

主要感覺

5種主要感官主宰人類的內在世界，其中最重要的是視覺；這些主要感官大多由特化的器官—例如眼睛或耳朵—所產生，而腦部中的大片區域，專注於處理這些感官傳送進來的訊號。

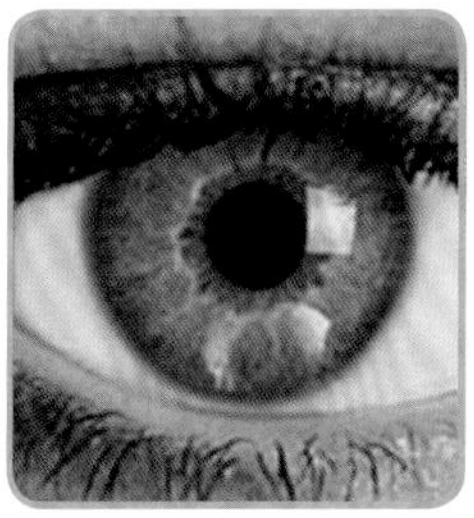

視覺
視覺來自於偵測光線的神經元，就像照相機一樣，眼睛聚焦光線來產生影像。

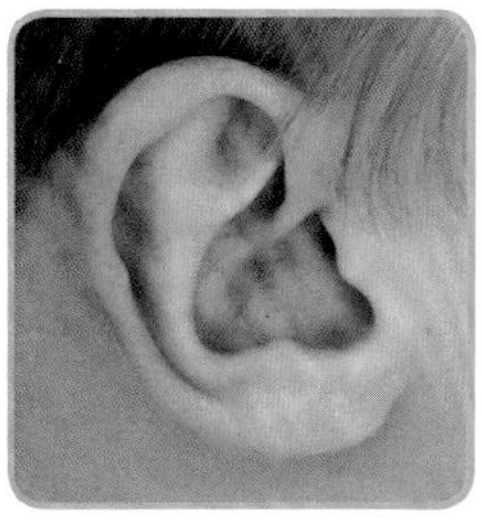

聽覺
聲音是看不見的波，聲波以高速在空氣中傳播，而我們的耳朵捕捉並放大聲波。

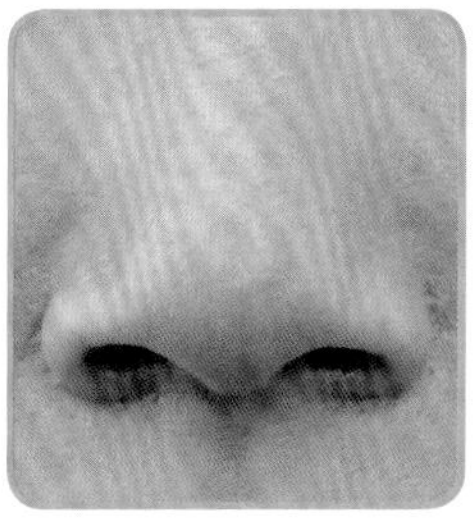

嗅覺
當我們呼吸空氣時，鼻子頂部的神經元感測數萬種不同的化學物質，從中產生嗅覺。

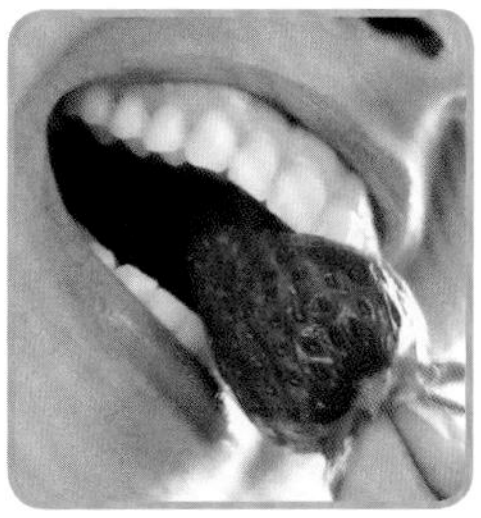

味覺
口腔中的化學感測器能夠分辨5種味覺：鹹、甜、酸、苦、鮮。

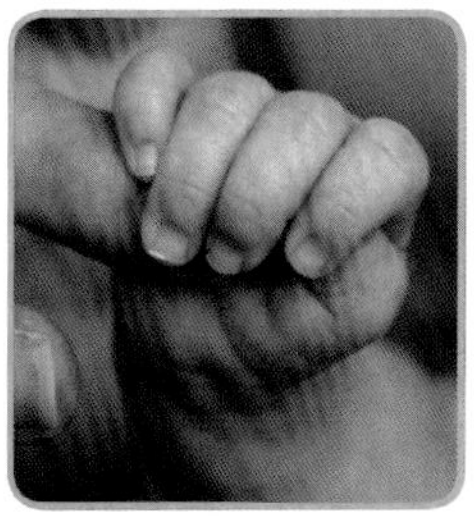

觸覺
皮膚含有各式各樣的「感覺受器」，對不同類型的觸覺都相當敏銳。

其他感覺

人體的感覺遠遠不只5種，還有許多感覺幫助我們移動、保持平衡、感受炙熱及疼痛、或是時間的流逝。

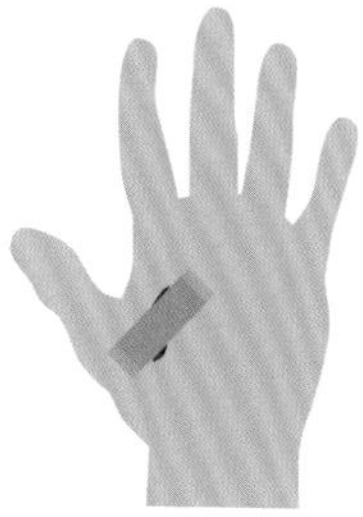

疼痛
疼痛感是一種警示——我們身體的某個部分已經受損，癒合期間千萬不要碰觸。

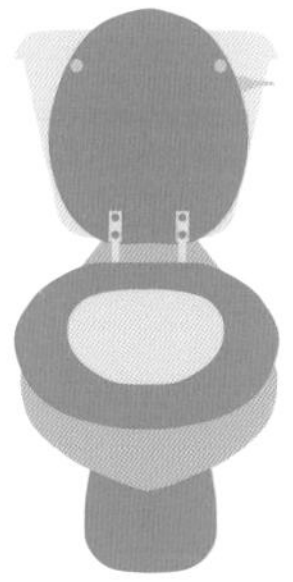

膀胱和直腸
膀胱和直腸的內壁都含有「張力感測器」，這些受體啟動我們想上廁所的意圖。

熱
「熱感受器」遍布人體的皮膚、嘴唇和口腔，用以感受溫暖或寒冷——甚至隔著一段距離、而不須直接碰觸。

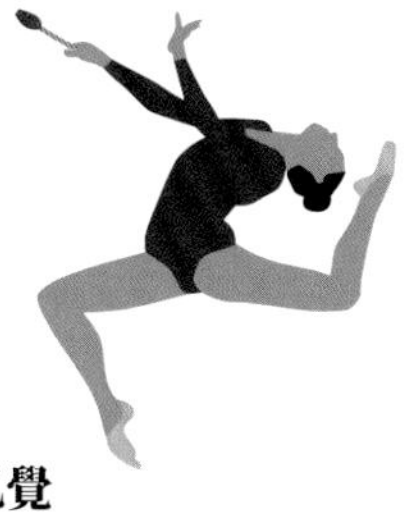

肌覺
肌肉含有「張力感測器」，用以通知腦部關於身體的姿勢、位置和動作……等等訊息。

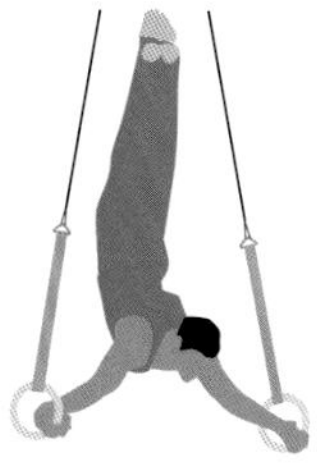

重力
我們的內耳包含「重力感測器」，用以告知腦部哪一個方位比較高，幫助人體保持平衡。

時間
我們腦部的中心具有一簇神經元，其功能如同體內時鐘，幫助我們感受時間。

0.01 秒——神經訊號從腦部傳遞到腳趾所需的時間。

中樞神經系統與周圍神經系統

神經系統分為兩大主要部分：中樞神經系統(圖中綠色部分)和周圍神經系統(圖中黃色部分)，前者包含腦部與脊髓，兩者共同運作，來處理身體各部傳來的訊息、並通知身體如何反應；而後者連結中樞神經與各種感官、肌肉和身體各部，同樣用來傳送訊號。

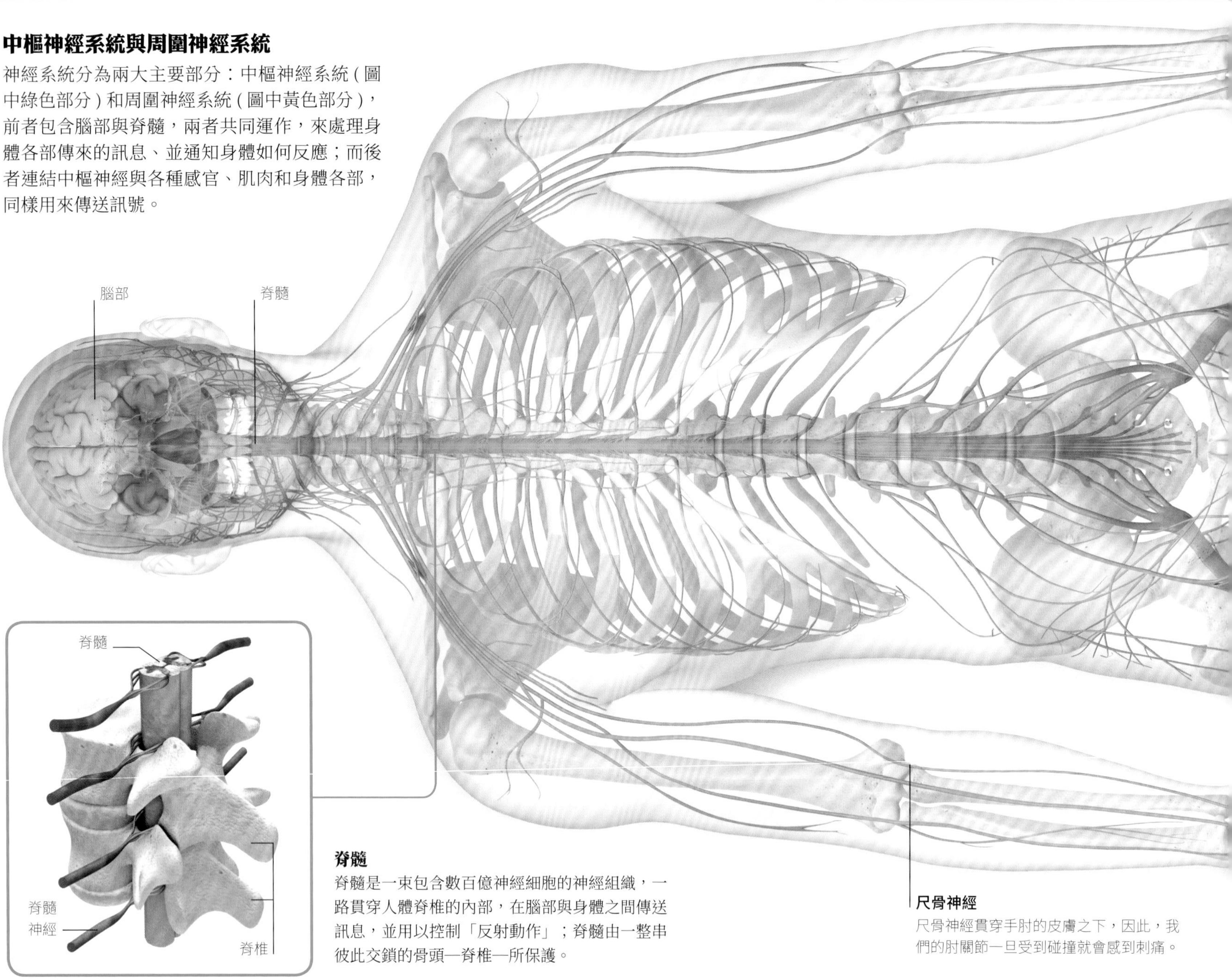

腦部
脊髓
脊髓
脊髓
神經
脊椎

脊髓
脊髓是一束包含數百億神經細胞的神經組織，一路貫穿人體脊椎的內部，在腦部與身體之間傳送訊息，並用以控制「反射動作」；脊髓由一整串彼此交鎖的骨頭—脊椎—所保護。

尺骨神經
尺骨神經貫穿手肘的皮膚之下，因此，我們的肘關節一旦受到碰撞就會感到刺痛。

神經系統

人體由「活體電線」所構成的網絡—神經系統—所控制；人造電線用來輸送電力，而組成神經系統的神經細胞，其功能是傳送電子訊息。

人體的神經系統讓我們能以電光火石的速度，對外在世界作出反應，遍布身體的「感覺受器」隨時都透過神經發射電子訊號，以 400 公里 / 小時的速度飛奔到我們的腦部，腦部分析蜂湧而至的大量資訊，作出如何反應的決定，再發出指令通知肌肉與其他器官，告訴它們因應之道。人體的神經系統有一部分屬於「體神經系統」，意即我們可以選擇如何反應，而另一大部分屬於「自律神經系統」，它們自主運作，來控制人體的內部器官並作出反射運動——不須經過我們的自覺意識。

神經細胞

人體的神經系統由數百億個神經細胞(神經元)所組成，外觀古怪的神經細胞具有許多纖細的分枝纖維，從主要的細胞本體向外延伸，典型的神經細胞只有 1 條大纖維—「軸突」—負責向外傳送電子訊號，另有大量小型纖維—稱為「樹突」—用以接收外界傳來的訊號；至於不同神經細胞之間的連接點，稱為「突觸」。

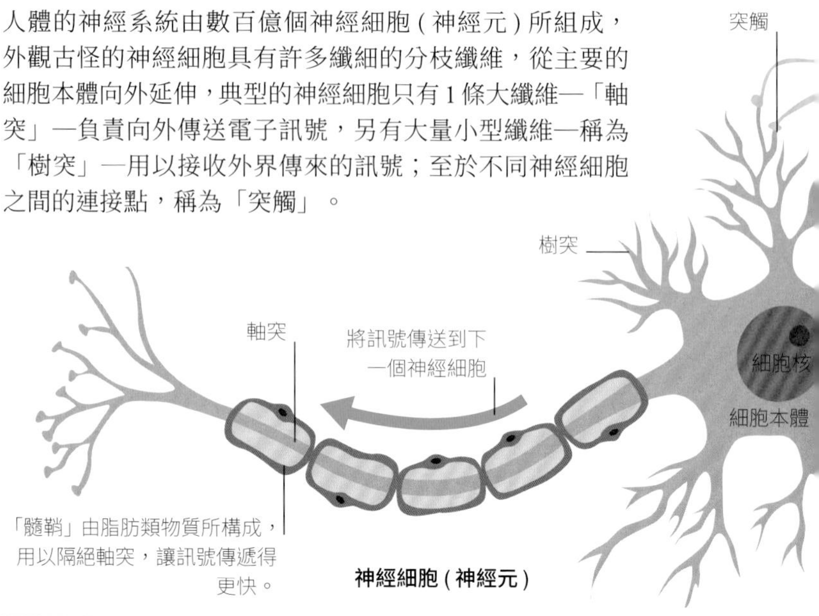

突觸
樹突
軸突
將訊號傳送到下一個神經細胞
細胞核
細胞本體
「髓鞘」由脂肪類物質所構成，用以隔絕軸突，讓訊號傳遞得更快。

神經細胞(神經元)

10億——人體**皮膚**所有擁有的**神經末稍**的大致**數量**。

100兆——**人體腦部**之中至少含有這個**數量**的**突觸**。

0——人體**腦部**所擁有的**痛感受器數量**。

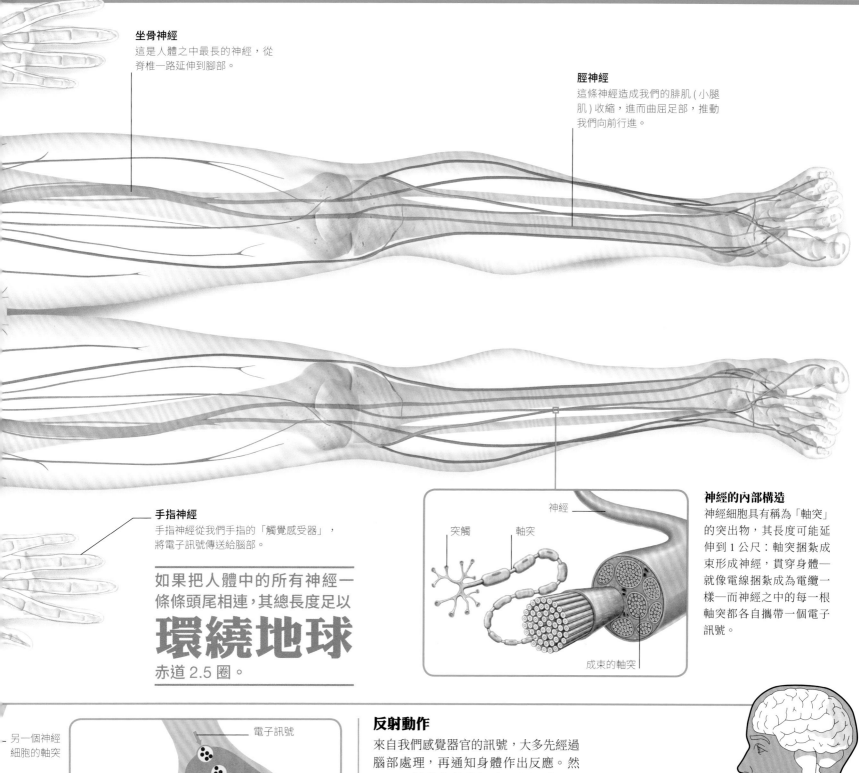

坐骨神經
這是人體之中最長的神經，從脊椎一路延伸到腳部。

脛神經
這條神經造成我們的腓肌（小腿肌）收縮，進而曲屈足部，推動我們向前行進。

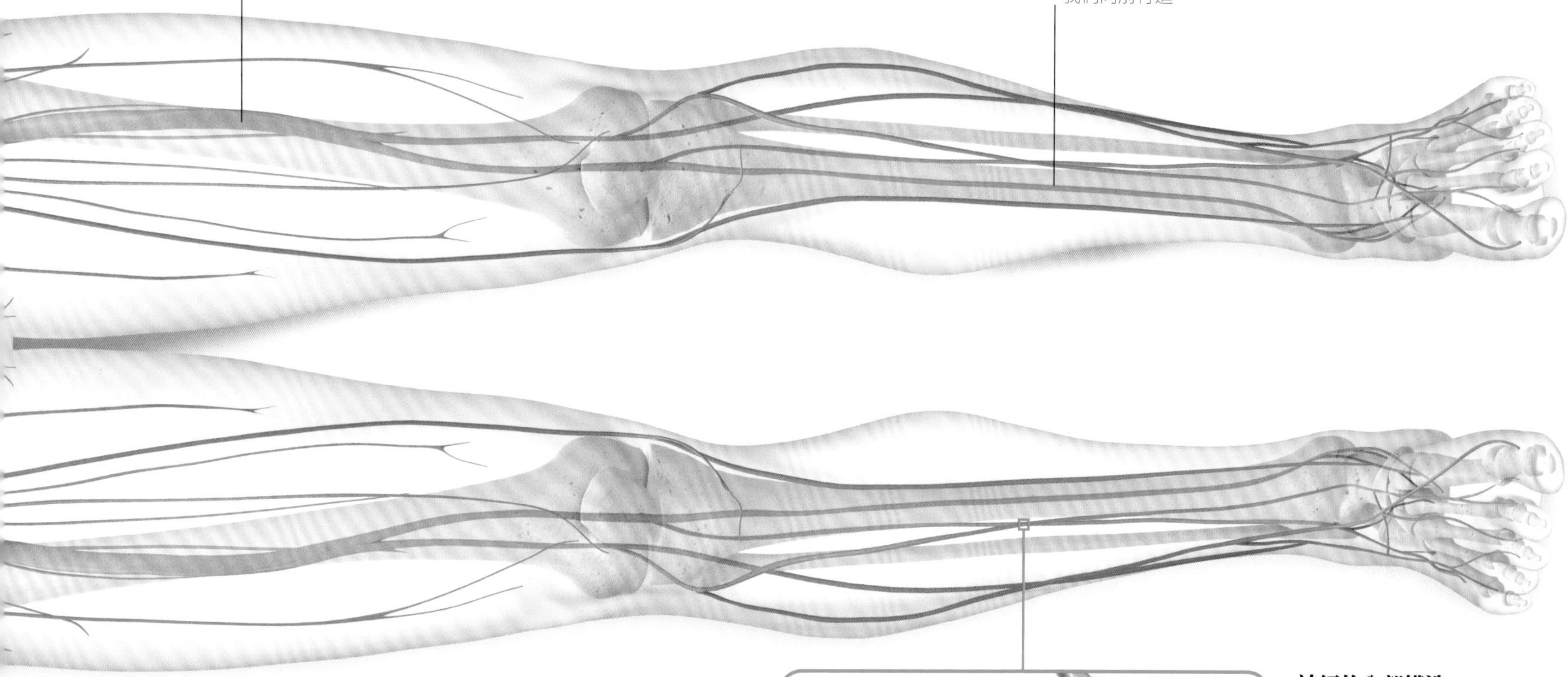

手指神經
手指神經從我們手指的「觸覺感受器」，將電子訊號傳送給腦部。

如果把人體中的所有神經一條條頭尾相連，其總長度足以
環繞地球
赤道 2.5 圈。

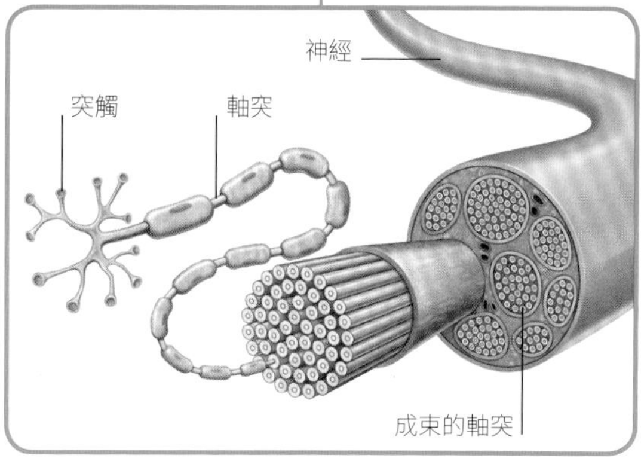

神經
突觸
軸突
成束的軸突

神經的內部構造
神經細胞具有稱為「軸突」的突出物，其長度可能延伸到 1 公尺：軸突捆紮成束形成神經，貫穿身體—就像電線捆紮成為電纜一樣—而神經之中的每一根軸突都各自攜帶一個電子訊號。

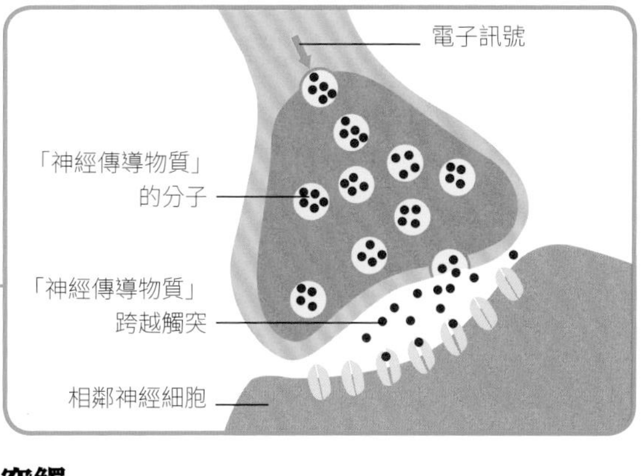

另一個神經細胞的軸突
電子訊號
「神經傳導物質」的分子
「神經傳導物質」跨越觸突
相鄰神經細胞

突觸
訊號如同電波一樣，沿著神經細胞的纖維穿梭，當訊號抵達神經細胞的末端，有一處微小的缺口—突觸—用以防止訊號直接跳過，取而代之的是利用化學物質—「神經傳導物質」—所形成的分子流，穿越這個缺口，並啟動下一個神經細胞產生新的電子訊號。

反射動作
來自我們感覺器官的訊號，大多先經過腦部處理，再通知身體作出反應。然而，反射動作並非如此，它們透過脊髓抄捷徑，來進行更快速的反應；例如當我們碰觸了會產生疼痛感的物體，反射動作就會立即將手部拉開，而不須經由腦部耗費時間來察覺疼痛感。

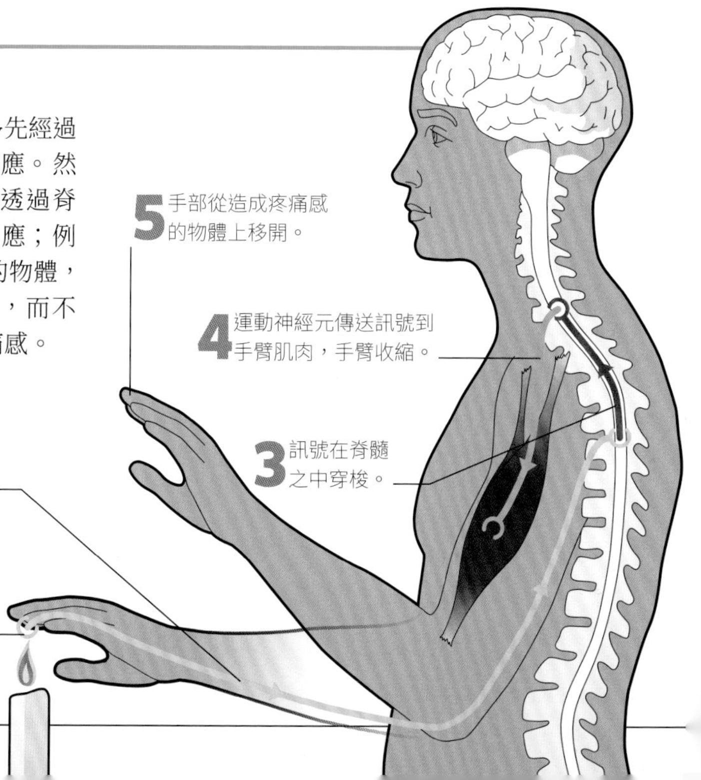

1 碰觸針頭，啟動皮膚中的「痛感受器」。
2 「痛感受器」向脊髓發送神經訊號。
3 訊號在脊髓之中穿梭。
4 運動神經元傳送訊號到手臂肌肉，手臂收縮。
5 手部從造成疼痛感的物體上移開。

1,000億——人類腦部所包含的**神經細胞數量**。

125兆——人類**腦部**擁有這麼多數量的**突觸**。

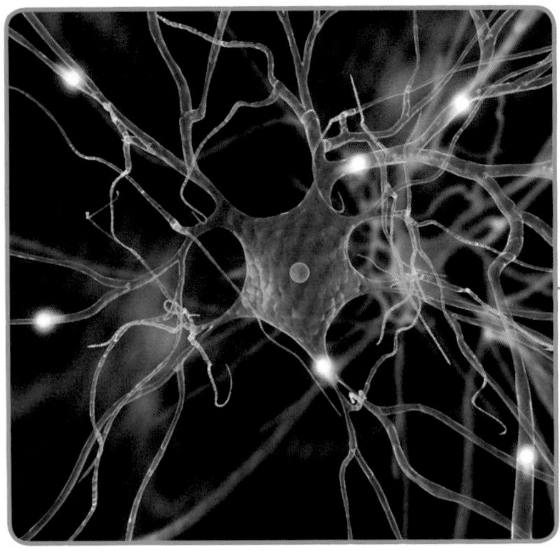

腦細胞
腦部由稱為神經元的細胞所組成，神經元透過電線般的細絲，以「突觸」作為結點來傳送電子訊號。單一電腦晶片大約具有 10 億個電晶體，每一個電晶體包含 3-4 個接點；然而，人類的腦部卻擁有 1,000 億條神經元，每一條神經元具有 10,000 個「突觸」，而且不像電晶體只有簡單的開 / 關功能，突觸的構造更為複雜——單一突觸含有 1,000 個分子開關，造就人腦驚人的資訊處理能力。

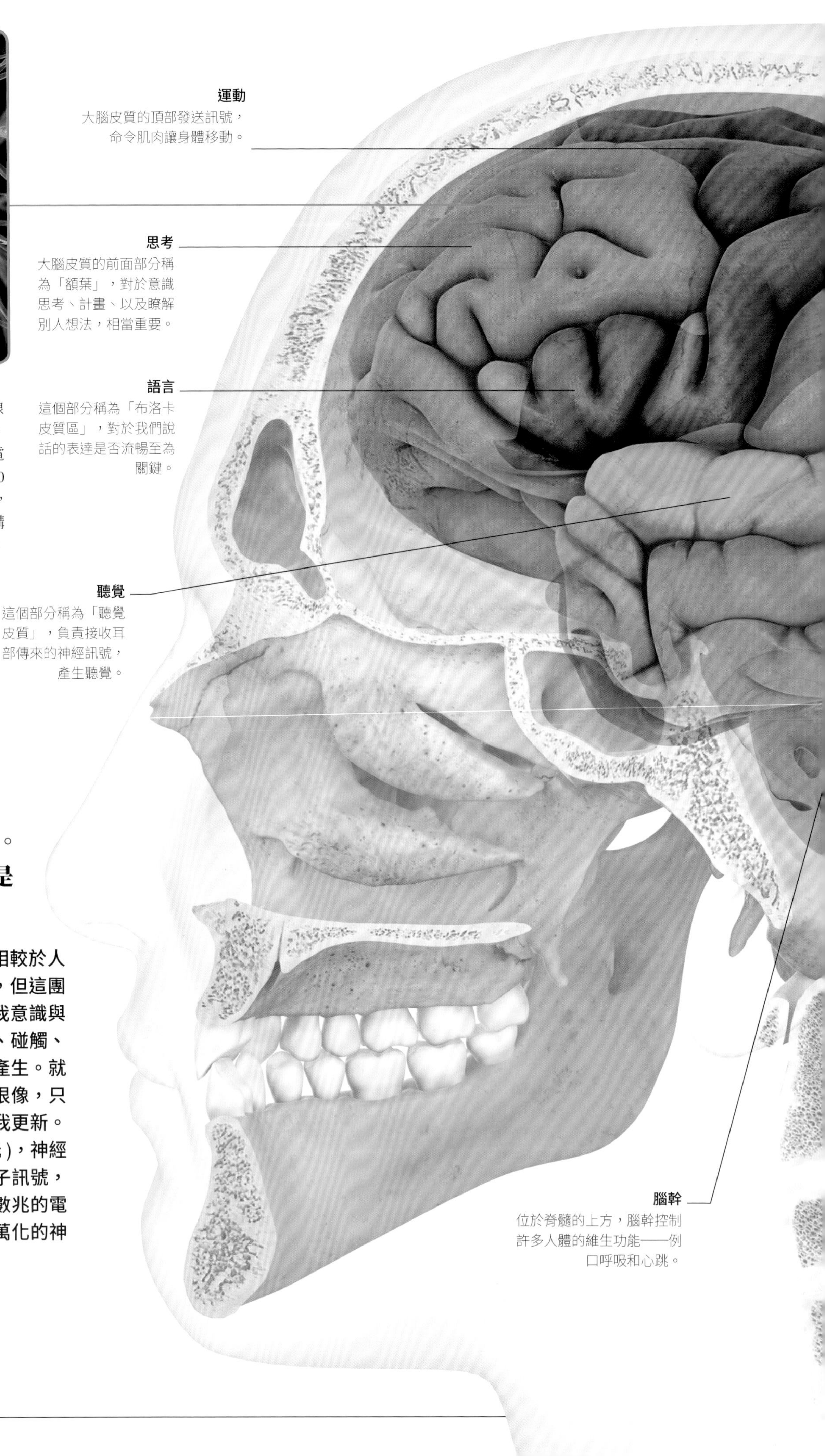
運動
大腦皮質的頂部發送訊號，命令肌肉讓身體移動。
思考
大腦皮質的前面部分稱為「額葉」，對於意識思考、計畫、以及瞭解別人想法，相當重要。
語言
這個部分稱為「布洛卡皮質區」，對於我們說話的表達是否流暢至為關鍵。
聽覺
這個部分稱為「聽覺皮質」，負責接收耳部傳來的神經訊號，產生聽覺。
腦幹
位於脊髓的上方，腦幹控制許多人體的維生功能——例如呼吸和心跳。

腦

人類的腦部牢牢固定於顱骨之中。腦部是神經系統的運作總部，也是人體的控制中心。

人類的腦部比任何動物的腦部都強大，相較於人體的其他器官，我們對腦部的瞭解甚少，但這團狀似花椰菜的神經細胞，為我們創造自我意識與經驗的整個內在世界，任何我們所看見、碰觸、思考、夢想、記憶的事物，都由腦部所產生。就某些方面而言，腦部與電腦的運作模式很像，只是前者能夠透過持續學習與適應，來自我更新。構成腦部的基本單元是神經細胞（神經元），神經細胞的功能如同導線，用以互相傳送電子訊號，形成複雜的運作網絡——每 1 秒鐘都有數兆的電子脈衝從我們的腦部細胞發送，在千變萬化的神經系統迷宮之中交織穿梭。

1.35 公斤——成年人**腦部**的**平均重量**。

78% ——人類**腦部**的**水分**比例，另有11%的比例是**脂肪**。

20% ——人類所**攝取的能量**，有這麼多比例是**腦部**所用掉的。

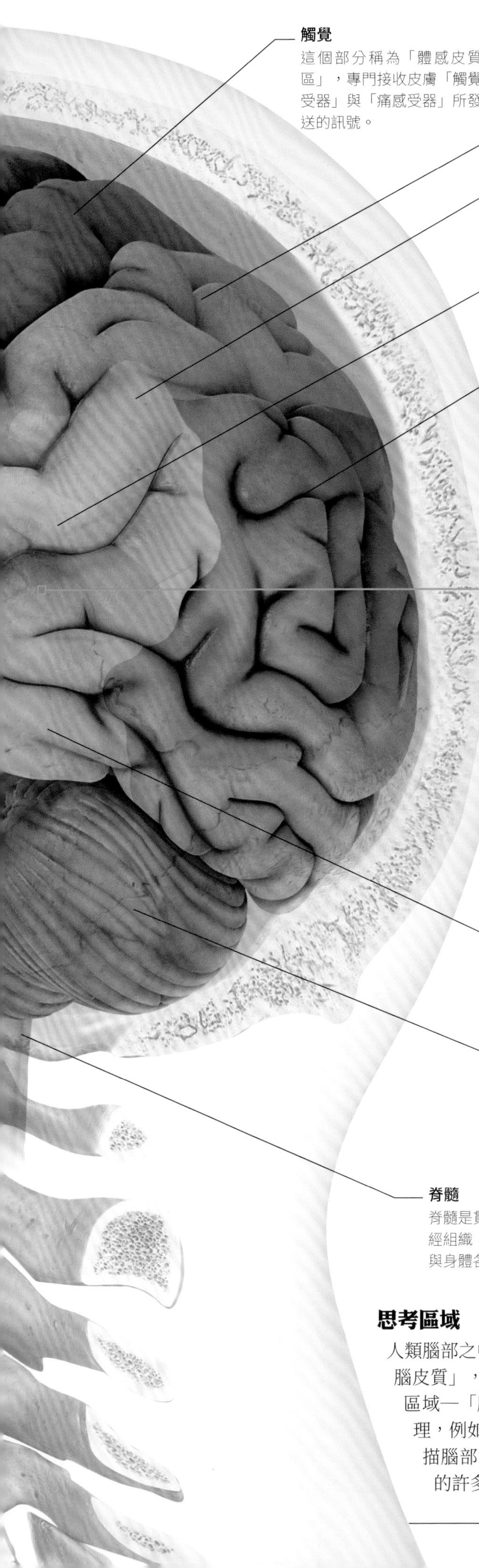

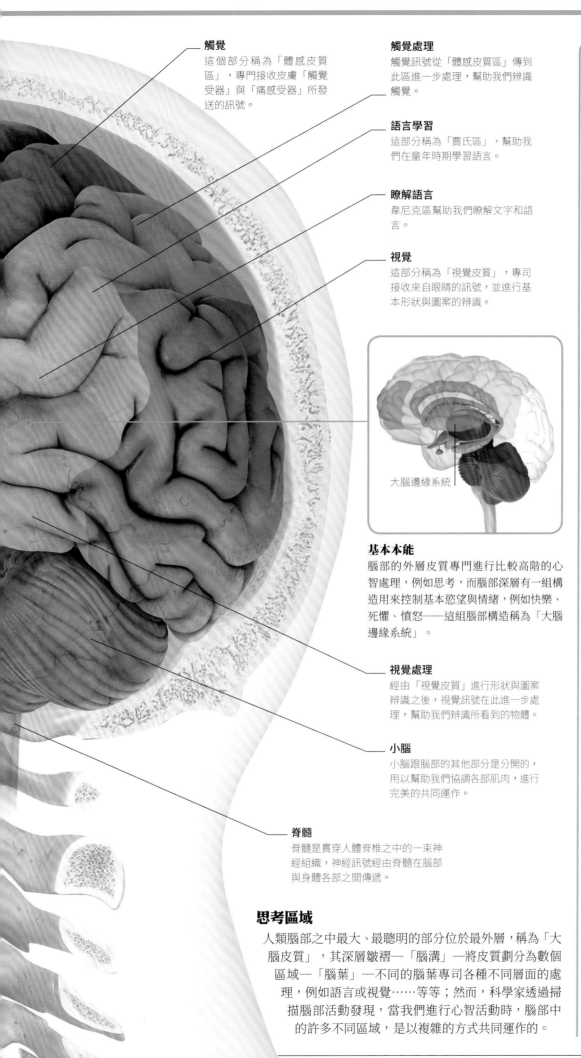

觸覺
這個部分稱為「體感皮質區」，專門接收皮膚「觸覺受器」與「痛感受器」所發送的訊號。
觸覺處理
觸覺訊號從「體感皮質區」傳到此區進一步處理，幫助我們辨識觸覺。
語言學習
這部分稱為「賈氏區」，幫助我們在童年時期學習語言。
瞭解語言
韋尼克區幫助我們瞭解文字和語言。
視覺
這部分稱為「視覺皮質」，專司接收來自眼睛的訊號，並進行基本形狀與圖案的辨識。
視覺處理
經由「視覺皮質」進行形狀與圖案辨識之後，視覺訊號在此進一步處理，幫助我們辨識所看到的物體。
小腦
小腦跟腦部的其他部分是分開的，用以幫助我們協調各部肌肉，進行完美的共同運作。
脊髓
脊髓是貫穿人體脊椎之中的一束神經組織，神經訊號經由脊髓在腦部與身體各部之間傳遞。

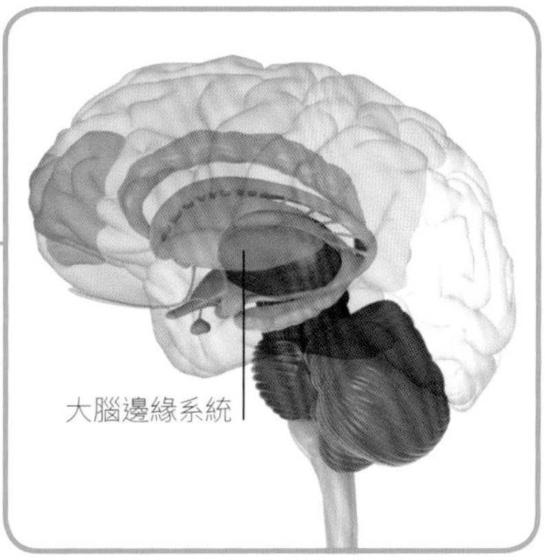

大腦邊緣系統

基本本能

腦部的外層皮質專門進行比較高階的心智處理，例如思考，而腦部深層有一組構造用來控制基本慾望與情緒，例如快樂、死懼、憤怒——這組腦部構造稱為「大腦邊緣系統」。

思考區域

人類腦部之中最大、最聰明的部分位於最外層，稱為「大腦皮質」，其深層皺褶—「腦溝」—將皮質劃分為數個區域—「腦葉」—不同的腦葉專司各種不同層面的處理，例如語言或視覺……等等；然而，科學家透過掃描腦部活動發現，當我們進行心智活動時，腦部中的許多不同區域，是以複雜的方式共同運作的。

腦容量

腦部進行複雜處理過程的位置大多位於表面——大腦皮質，其內部充滿「突觸」；人類的大腦皮質總面積遠大於其他動物，這讓我們擁有能力處理更多的訊息。

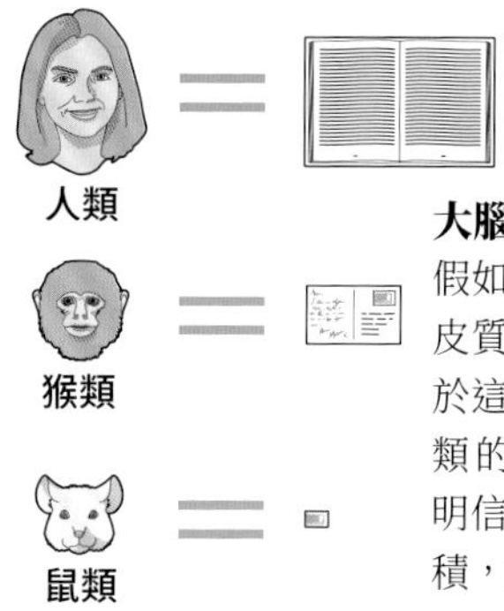

人類
猴類
鼠類

大腦皮質的面積

假如能把我們腦部中的大腦皮質展開攤平，總面積相當於這本書的 4 頁總合，而猴類的皮質面積相當於 1 張明信片，至於鼠類的皮質面積，大約等同於 1 張郵票。

觸感

大腦皮質的頂部專門處理觸覺，而身體有些部位比其他部位提供更多的觸覺訊號——右圖人像顯示，大腦皮質接收來自人體不同部位的神經訊號，圖像中比例較為誇張的部分，代表這個人體部位的觸覺比其他部位敏銳。

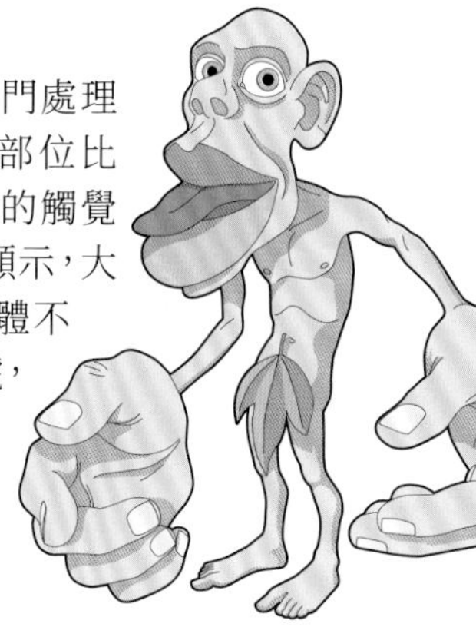

記憶功能如何運作？

人腦的神經元之間連結成網絡，用以儲存記憶，每一次嶄新的經驗或資訊片斷，都在神經元烙下特殊的模式，當我們回想這些事件或資訊時，都讓神經元重新燃起相同的模式，進一步加強記憶。

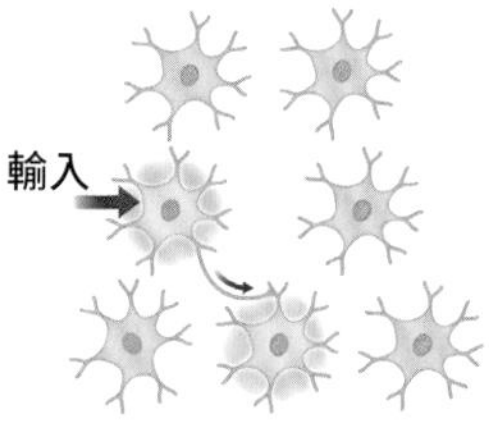

輸入

1 經驗
全新的經驗讓神經元以特別模式傳送訊號——事實上，共有成千上萬的神經元牽涉於這個記憶網絡中。

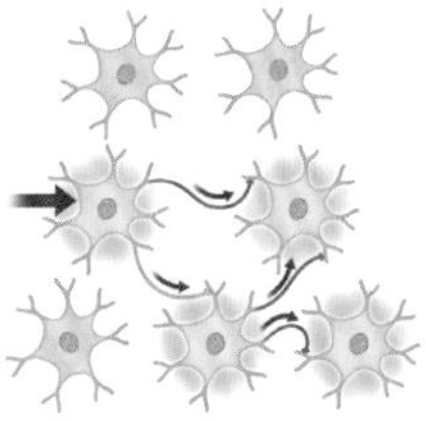

2 重覆
當我們重覆或回想這種經驗時，就會導致新的連結形成，讓記憶網絡變得更大、更容易啟動。

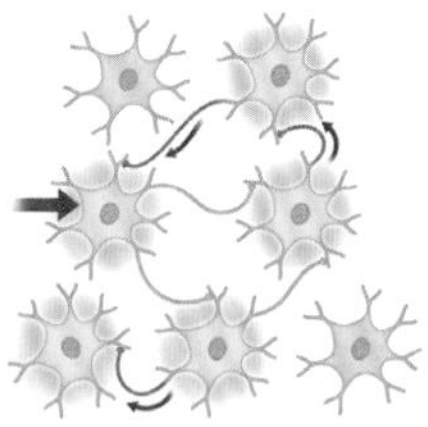

3 鞏固
進一步重覆這種經驗，就會鞏固記憶網絡；反之記憶網絡若是不經活化，就會逐漸淡化、消失。

24 毫米——人類眼球的平均寬度。

視覺

視覺是人類最重要的感覺，我們透過雙眼所蒐集的資訊，比其他感官加總起來還多。

我們的眼睛能在不到 1 秒鐘的時間內捕捉影像，這不只是「快照」，而是透過雙眼快速而本能的移動，短暫停留在腦部認為重要的細節上——例如臉部、移動中的物體、或是吸引你我眼球的任何事物。

人類眼睛的運作模式跟照相機很像，都是捕捉光線並聚焦在水晶體上，以形成清晰的影像；然而跟照片不同的是，眼睛的影像只在非常中心的區域具有高度細節和明亮色彩，這個清晰點小區位於視網膜中央的小凹陷處，稱為「中央窩」——當你的眼睛閱讀這行文字時，文字的高解晰度影像就形成於你的中央窩上面。

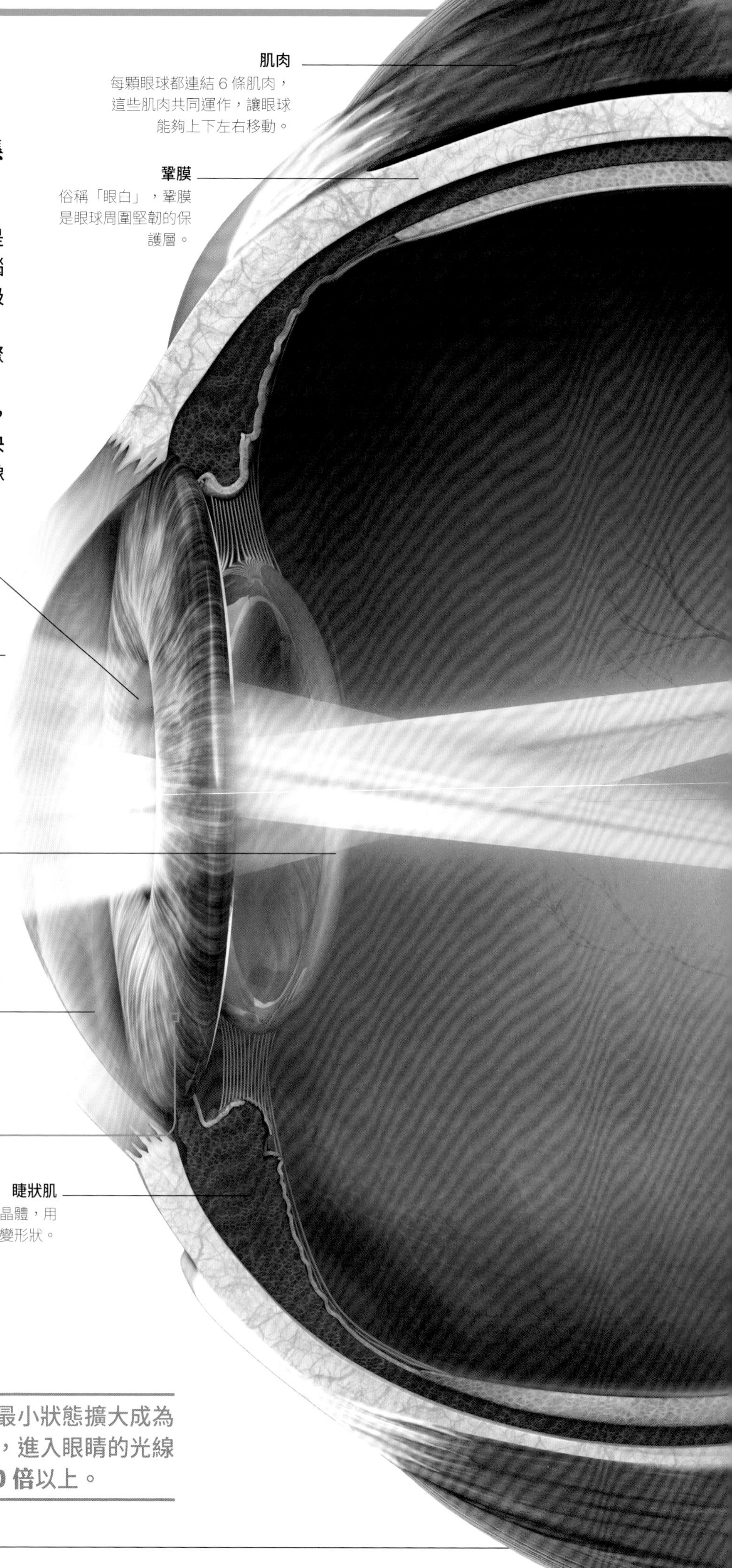

肌肉
每顆眼球都連結 6 條肌肉，這些肌肉共同運作，讓眼球能夠上下左右移動。
鞏膜
俗稱「眼白」，鞏膜是眼球周圍堅韌的保護層。
瞳孔
瞳孔位於虹膜的中央，光線經由這個黑洞進入眼睛。
角膜
位於眼睛前方的彎曲部分，負責大部分的聚焦工作；但不像水晶體，角膜無法改變形狀。
水晶體
在瞳孔之後是水晶體，可改變形狀來自動對焦。
水漾液
水質流體，注滿眼睛的前面部分。
睫狀肌
這圈肌肉環繞著水晶體，用以控制水晶體改變形狀。

眼睛的內部構造

人類的眼睛是一個中空球體，內部的大部分空間充滿果凍般的清澈流體，讓光線得以穿透。進入眼睛的光線，一部分由眼球前方彎曲的角膜所聚焦，另一部分由水晶體所聚焦；照像機經由移動透鏡來自動聚焦，而人類的眼睛透過改變水晶體的形狀來聚焦，聚焦後的影像被眼球內部裡襯的一層感光細胞—視網膜—所捕獲，接著視網膜以電子訊號將影像傳送給腦部。

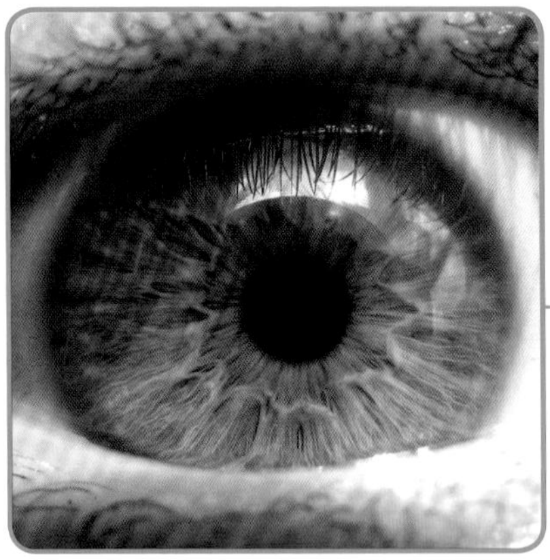

虹膜

眼睛中帶有顏色的部分稱為虹膜。虹膜是一圈肌肉纖維，用以控制進入瞳孔的光線，白天瞳孔收縮到 2 毫米寬，而夜間可擴大到 9 毫米。虹膜不只對光線有所反應，也跟情緒相關，一旦我們看到喜愛的人、事、物，瞳孔就會放大。瞳孔的顏色來自於「黑色素」——這種色素也造就個體頭髮與皮膚的顏色。

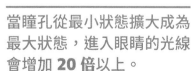

當瞳孔從最小狀態擴大成為最大狀態，進入眼睛的光線會增加 20 倍以上。

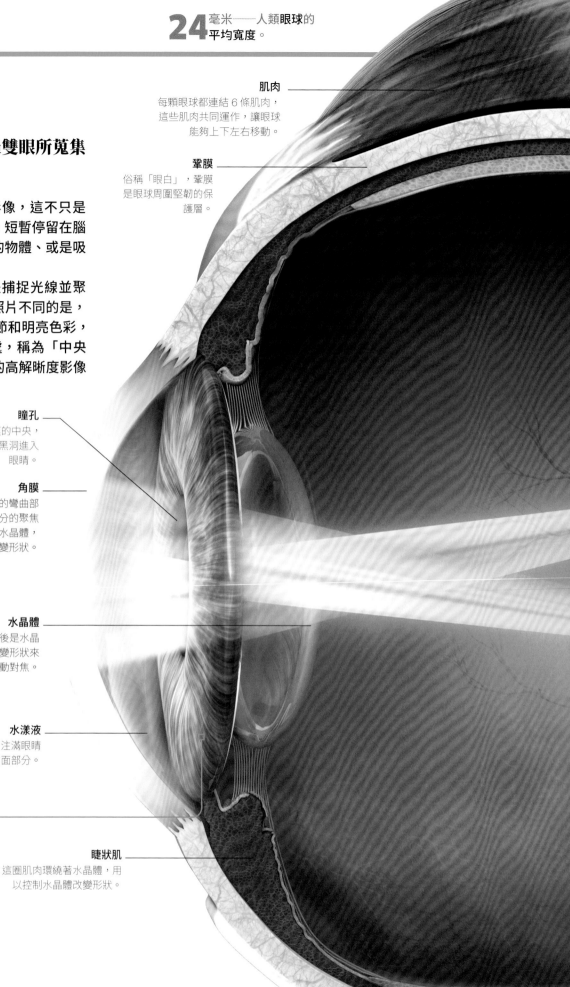

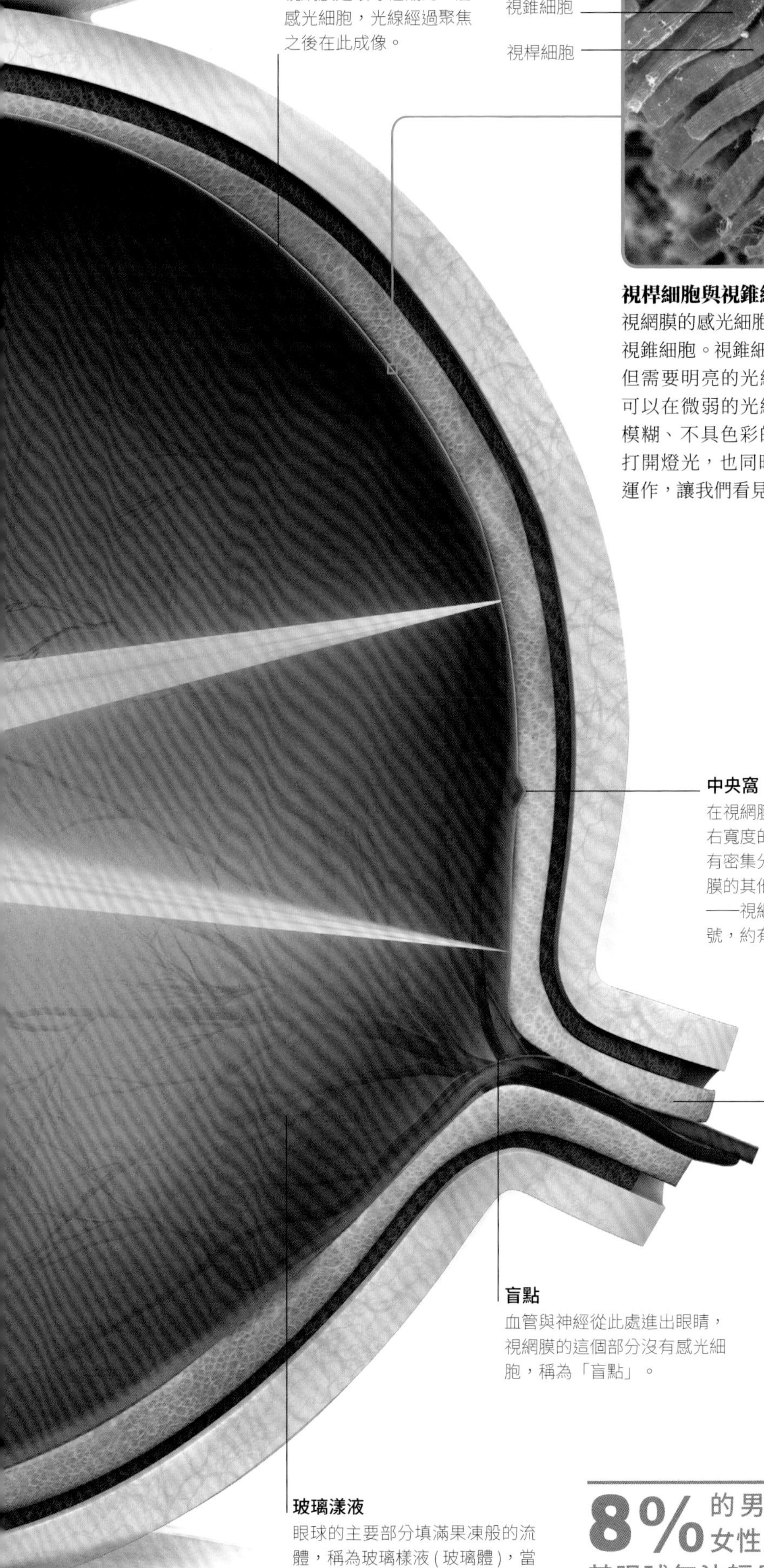

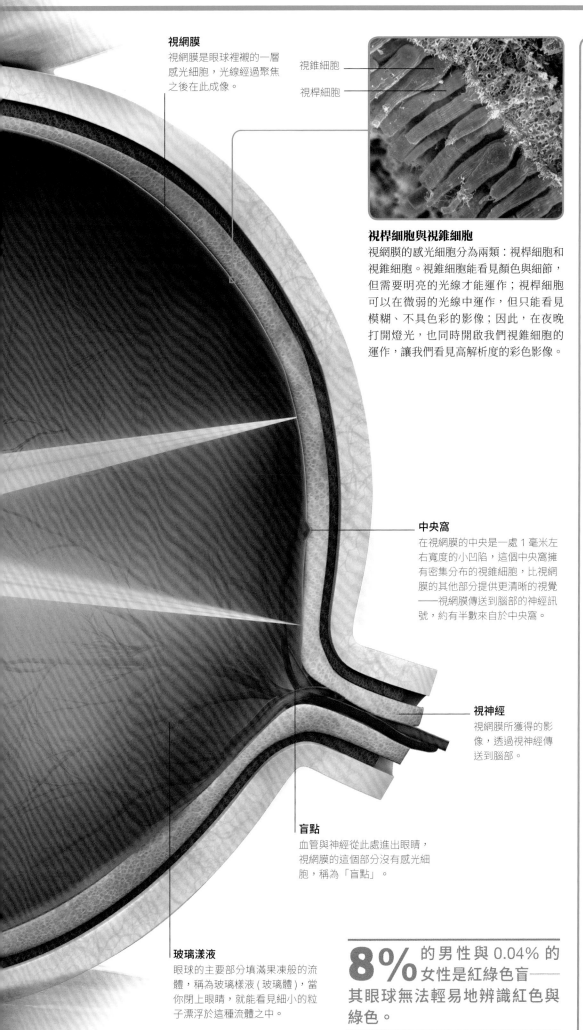

視網膜
視網膜是眼球裡襯的一層感光細胞，光線經過聚焦之後在此成像。

視錐細胞
視桿細胞

視桿細胞與視錐細胞
視網膜的感光細胞分為兩類：視桿細胞和視錐細胞。視錐細胞能看見顏色與細節，但需要明亮的光線才能運作；視桿細胞可以在微弱的光線中運作，但只能看見模糊、不具色彩的影像；因此，在夜晚打開燈光，也同時開啟我們視錐細胞的運作，讓我們看見高解析度的彩色影像。

中央窩
在視網膜的中央是一處1毫米左右寬度的小凹陷，這個中央窩擁有密集分布的視錐細胞，比視網膜的其他部分提供更清晰的視覺——視網膜傳送到腦部的神經訊號，約有半數來自於中央窩。

視神經
視網膜所獲得的影像，透過視神經傳送到腦部。

盲點
血管與神經從此處進出眼睛，視網膜的這個部分沒有感光細胞，稱為「盲點」。

玻璃漾液
眼球的主要部分填滿果凍般的流體，稱為玻璃樣液（玻璃體），當你閉上眼睛，就能看見細小的粒子漂浮於這種流體之中。

8% 的男性與0.04%的女性是紅綠色盲——其眼球無法輕易地辨識紅色與綠色。

聚焦成像

光線一旦離開物體就會發散，為了形成清晰的影像，眼睛必須折射這些發散的光線，讓它們回到單點—這個過程稱為「聚焦」—我們眼睛中的角膜和水晶體共同運作，將光線聚焦在視網膜之上；這種聚焦成像雖然是上下顛倒的，但我們的腦部會把影像翻轉過來。

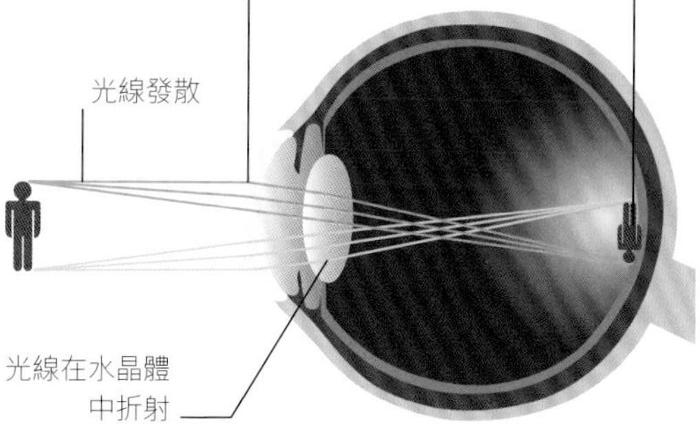
光線在角膜中折射
光線聚焦，形成影像
光線發散
光線在水晶體中折射

遠與近

當我們觀看附近的物體，水晶體周圍的肌肉將水晶體拉得比較圓，以增加聚焦力量；反之當我們觀看遠處的物體，肌肉就會放鬆、讓水晶體變成扁平狀。有些人的水晶體，其聚焦功能若非太強、就是太弱，此時都必須配戴眼鏡來矯正。

水晶體比較圓
近視

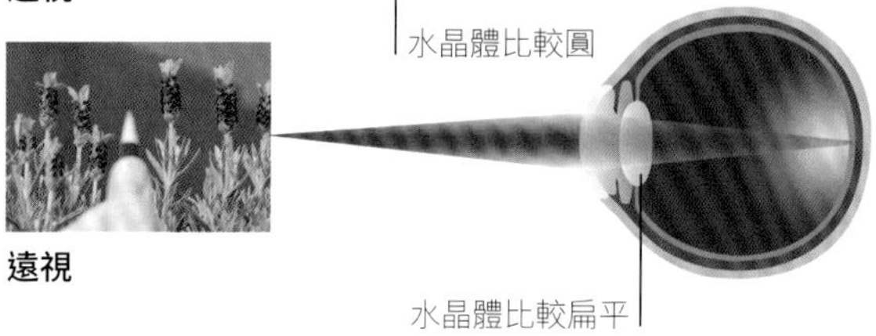
水晶體比較扁平
遠視

立體感

觀看這個世界時，我們的雙眼從些微不同的角度視物，分別創造出獨立的影像，這兩個影像在腦部合而為一，形成3-D影像，讓我們能夠判斷物體的遠近距離。

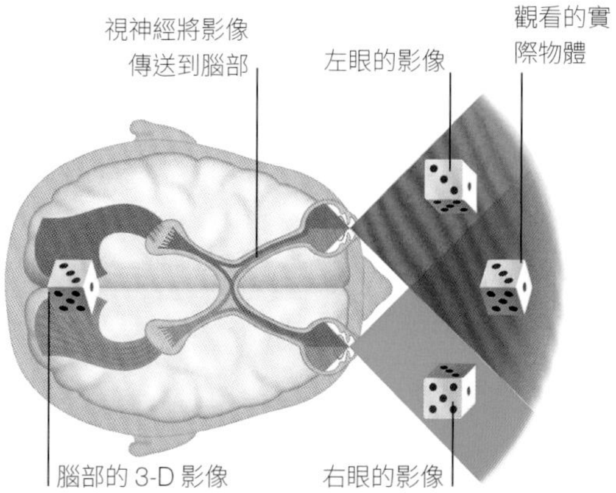
視神經將影像傳送到腦部
左眼的影像
觀看的實際物體
腦部的3-D影像
右眼的影像

聽覺

聲音是由看不見的聲波以高速穿越空氣所形成的，我們的耳朵捕捉並分析這些快速但微弱的振動，產生聽覺。

拿一顆石頭丟進池塘中，就會形成一圈圈向外擴散的水波，這跟聲音的運作方式很像。聲波以「球面波」在空氣中傳播，但我們無法看見；不像水平面的波，聲波是空氣分子短暫擠壓所形成的高壓區域，這種壓力波以每秒 20-20,000 的頻率抵達我們的耳朵，我們的耳朵深處具有一片纖細的薄膜—鼓膜—一旦接收到聲波就會顫動，非常敏銳，能收集最微弱的聲音，在鼓膜以相同的頻率振動，讓耳部得以判斷聲調。

除了給予我們聽覺，耳部還含有許多微小的感覺構造，它們來回擺盪，對移動與重力作出反應，讓我們察覺身體的姿勢、並產生平衡感。

耳部的構造

人類的耳部分為 3 區：外耳、中耳、內耳，其中可見的外觀部分是具有彈性的瓣狀物—耳廓—用以引導聲音進入耳道；耳廓奇特的形狀幫助我們判斷聲音來自哪個方向，而耳道是深入顱骨的中空管道，將聲音導入鼓膜，跟鼓膜鉸接的 3 塊小聽骨傳遞振動，通過充滿空氣的中耳，再通向充滿流體的內耳。

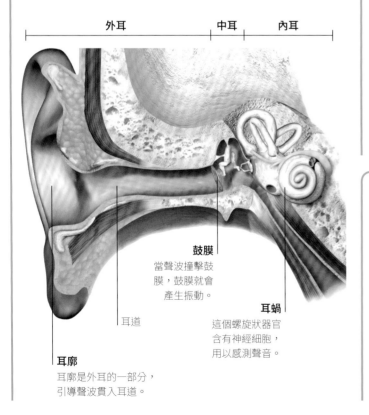

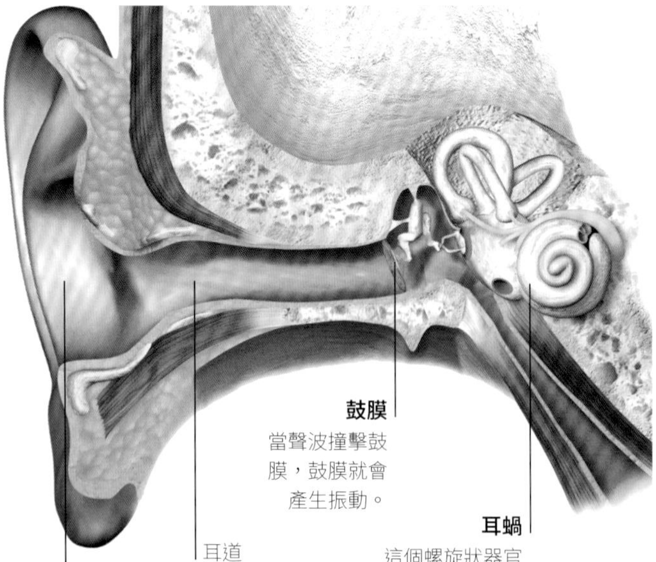
外耳
中耳
內耳
鼓膜
當聲波撞擊鼓膜，鼓膜就會產生振動。
耳道
耳蝸
這個螺旋狀器官含有神經細胞，用以感測聲音。
耳廓
耳廓是外耳的一部分，引導聲波貫入耳道。

感測聲音

鼓膜的振動通過中耳的 3 塊聽小骨—錘骨、砧骨和鐙骨—而被放大，再由最後一塊鐙骨將聲音的振動轉傳給內耳，接著經由流體傳遞到螺旋狀的耳蝸之中；耳蝸的尺寸如同豌豆，其內部流體的振動，啟動了神經訊號傳送到腦部。

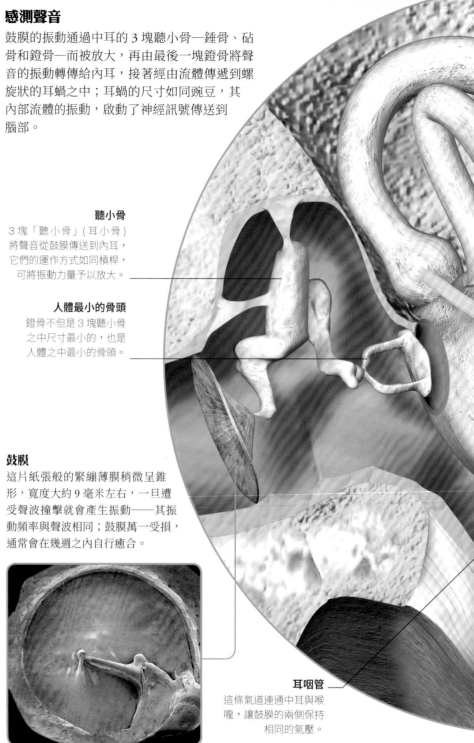

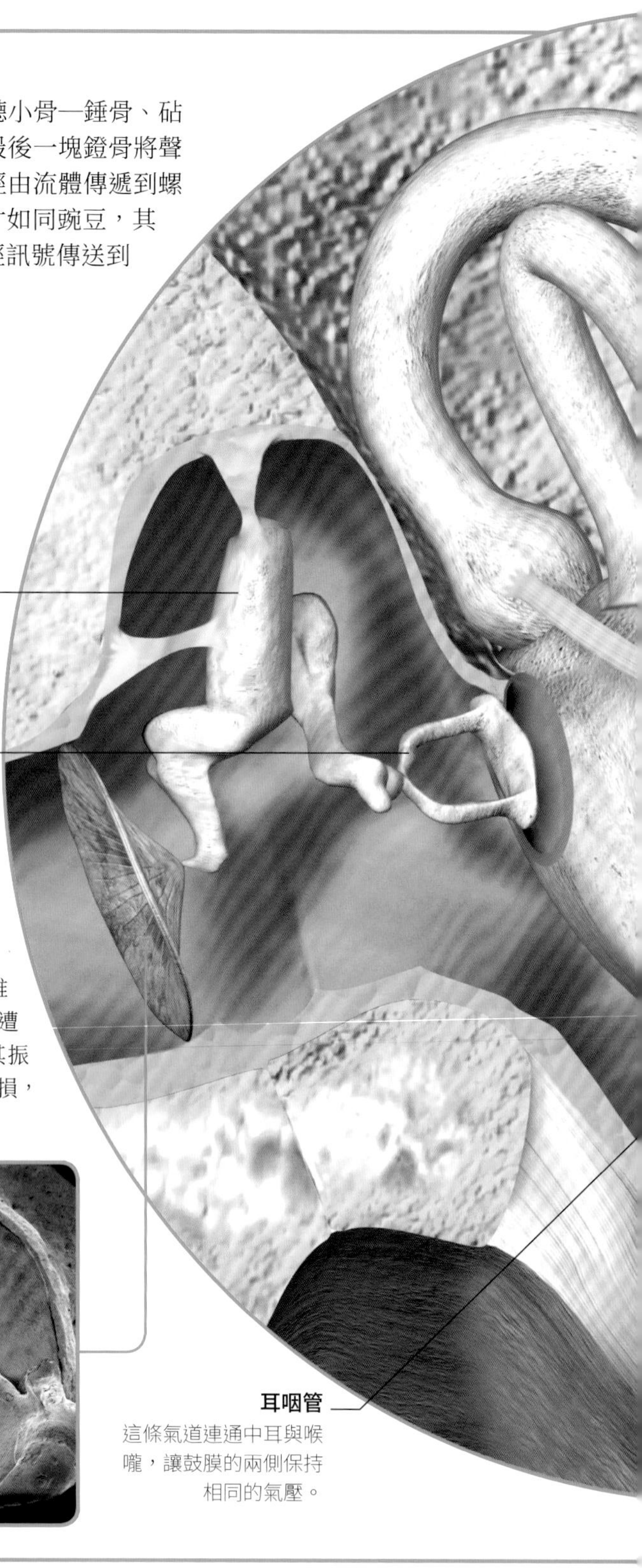
聽小骨
3 塊「聽小骨」(耳小骨)將聲音從鼓膜傳送到內耳，它們的運作方式如同槓桿，可將振動力量予以放大。
人體最小的骨頭
鐙骨不但是 3 塊聽小骨之中尺寸最小的，也是人體之中最小的骨頭。
鼓膜
這片紙張般的緊繃薄膜稍微呈錐形，寬度大約 9 毫米左右，一旦遭受聲波撞擊就會產生振動——其振動頻率與聲波相同；鼓膜萬一受損，通常會在幾週之內自行癒合。
耳咽管
這條氣道連通中耳與喉嚨，讓鼓膜的兩側保持相同的氣壓。

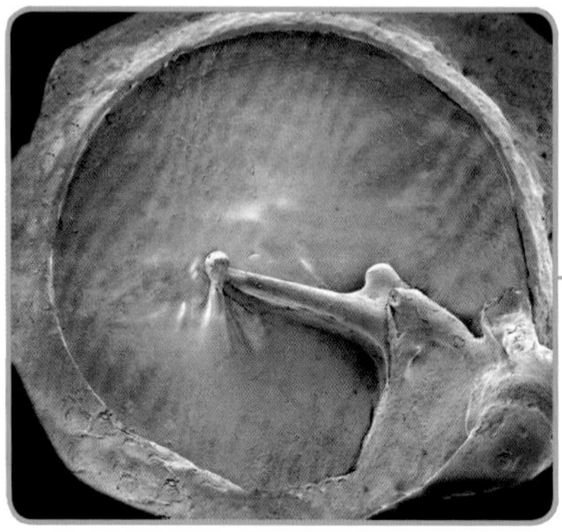

平衡器官

耳部不只感測聲音，還提供我們平衡感。每一側內耳都具有一組充滿流體的複雜囊室與管道，其內部構造鬆散，可以前後擺動；其中某些構造在我們轉動頭部時，讓流體形成渦流，另一些構造則是用以反應重力，而這些構造都會傳送訊號到腦部，讓腦部獲得即時資訊——瞭解身體各部的位置和一舉一動。

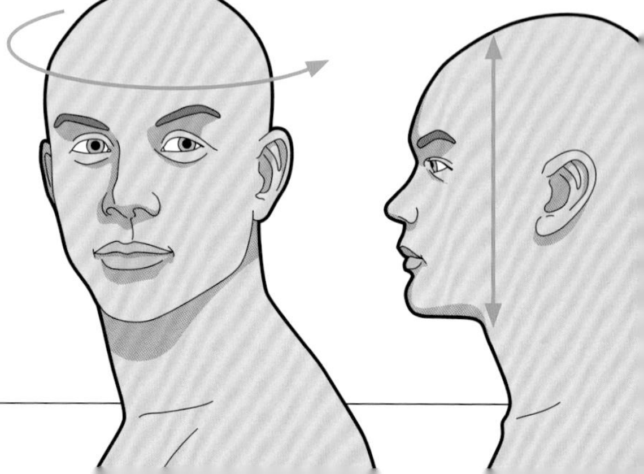
半規管用以偵測頭部的旋轉動作
「球囊」用以偵測頭部的上下移動

20,000——人類內耳之中用以感測聲音的毛細胞的數量。

1.9公尺——人類說話聲音的平均波長。

我們能夠聽到非常微弱的聲音——這種微弱聲波造成鼓膜振動的幅度，甚至不到**1個原子的寬度。**

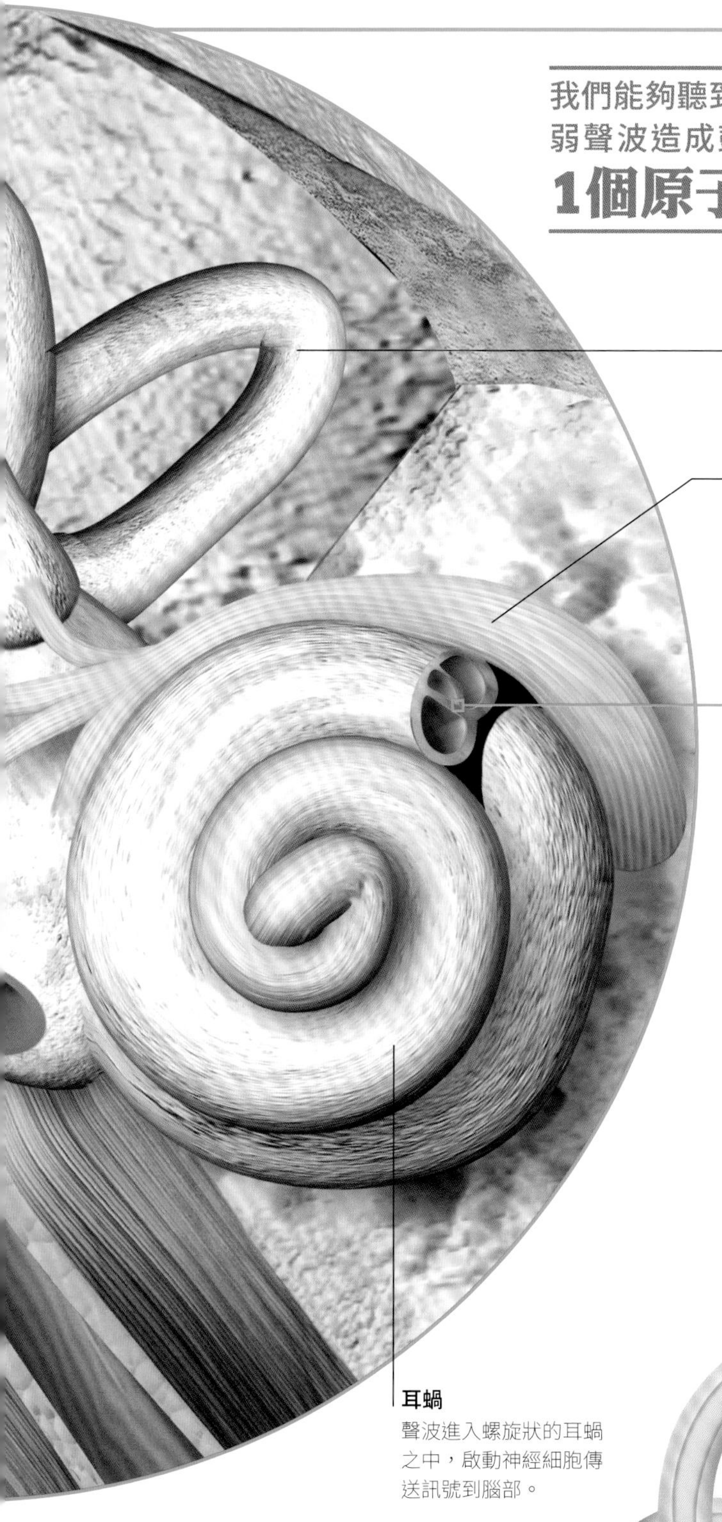

半規管
這些填滿流體的彎曲管道稱為「半規管」，用以幫助我們產生「平衡覺」。

神經
感測聲音的細胞與半平衡器官發出訊號，由神經傳送到腦部。

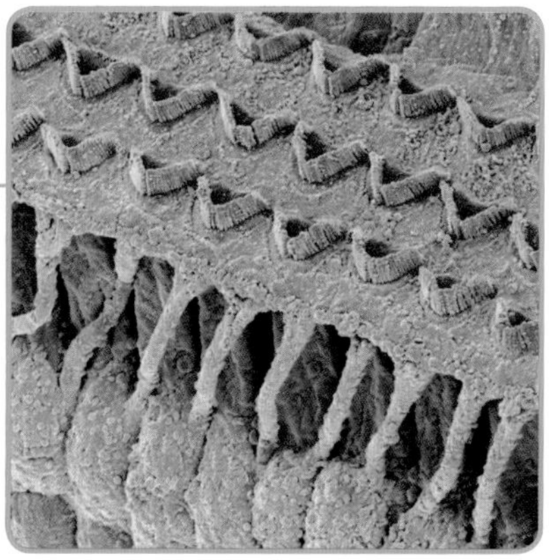

毛細胞
聲波在耳蝸內部的流體中傳送，導致貫穿耳蝸的薄膜產生擺動，而嵌入薄膜的一簇簇V形硬纖毛(圖中粉紅色部分)因此產生彎曲，啟動連結纖毛的毛細胞發送訊號傳到腦部；過大的聲響可能損害這些毛細胞，造成聽力減弱。

耳蝸
聲波進入螺旋狀的耳蝸之中，啟動神經細胞傳送訊號到腦部。

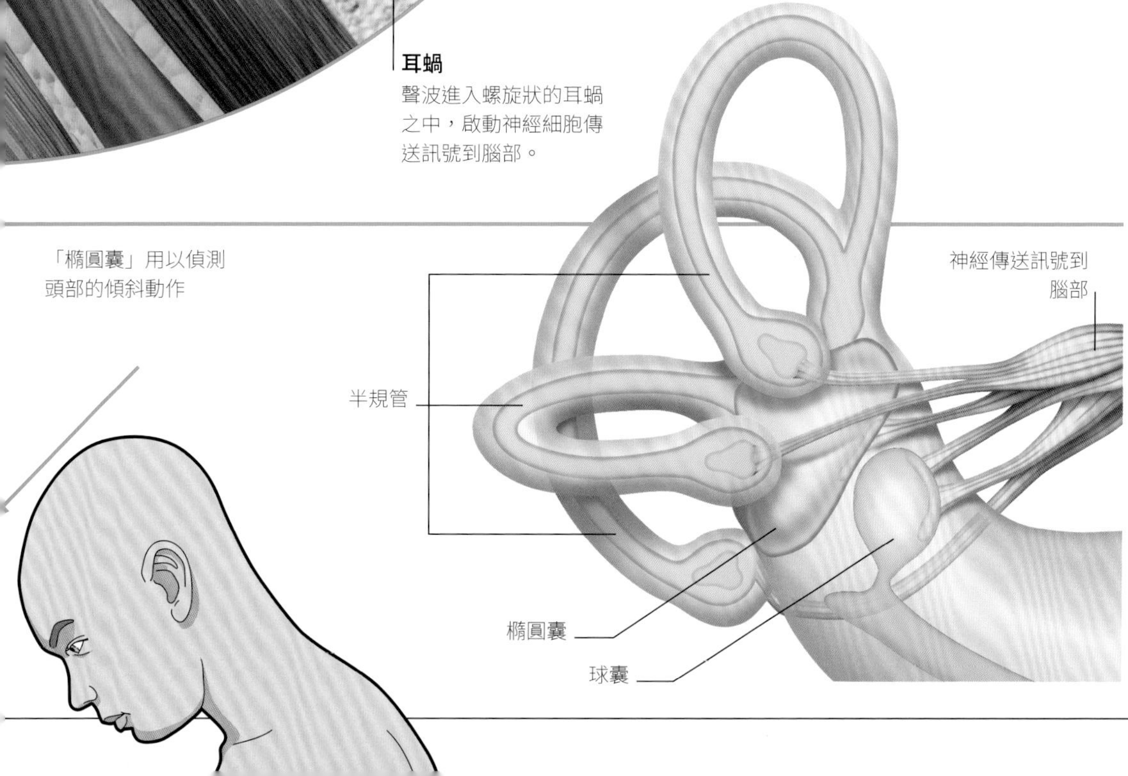

「橢圓囊」用以偵測頭部的傾斜動作
神經傳送訊號到腦部
半規管
橢圓囊
球囊

音調

人耳能夠感測的聲波，波長介於1.7公分到17公尺之間，波長較短的聲波其頻率較高(數千赫茲)、音調也比較高；反之波長較長的聲波其頻率較低(數十赫茲)，音調也比較低。

3
2
1

盤旋進入耳蝸
聲波一開始先進入耳蝸的外層，接著朝向中心繞行；耳蝸的外層感測高音調的聲音，而內層感測低音調的聲音。

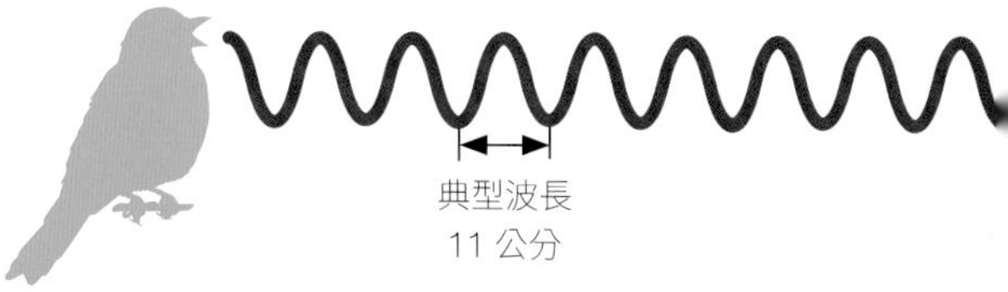

典型波長
11公分

❶ 高音調
耳蝸的外層負責感測高音調的聲音，例如鳥類的鳴聲，典型的鳥類鳴聲其頻率大約在3,000赫茲左右，而波長大約是8公分；大多數人無法聽見頻率超過20,000赫茲的聲音。

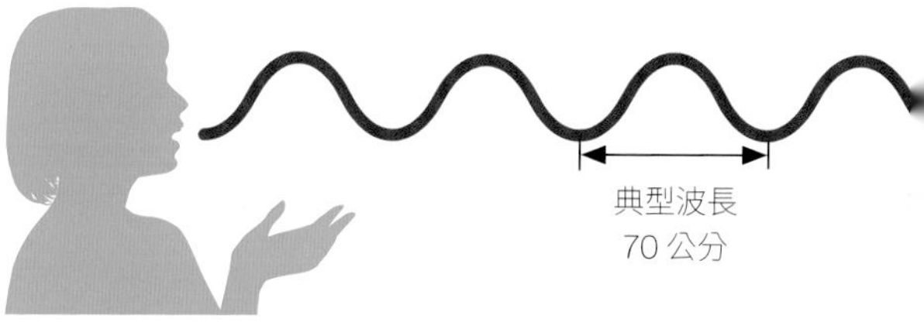

典型波長
70公分

❷ 中音調
人類的說話聲混合著高低不同的頻率，從100赫茲到1,000赫茲不等，其波長介於30公分到3公尺之間，耳蝸運用不同的部位來感測這些不同頻率的聲波。

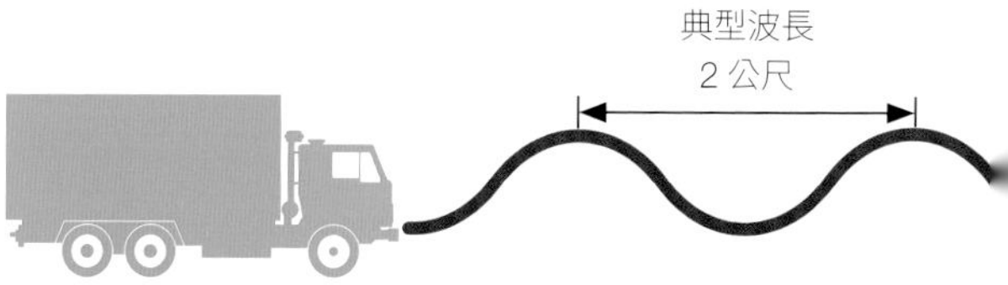

典型波長
2公尺

❸ 低音調
大卡車駛過的低沉轆轆聲響，其音調介於100-200赫茲之間，耳蝸運用接近中心的部位感測這種聲響；人耳無法聽到頻率在20赫茲以下的低音調，但我們的骨頭有時會察覺這類波動。

蝙蝠能夠感測比人耳極限**高上10倍**頻率的聲音，然而**人類所發出的聲音太低，蝙蝠反而無法聽到。**

10天——人類味蕾的平均壽命。

人類的舌頭大約擁有
10,000 個味蕾，
每個味蕾都含有100個
以上的味覺受器細胞。

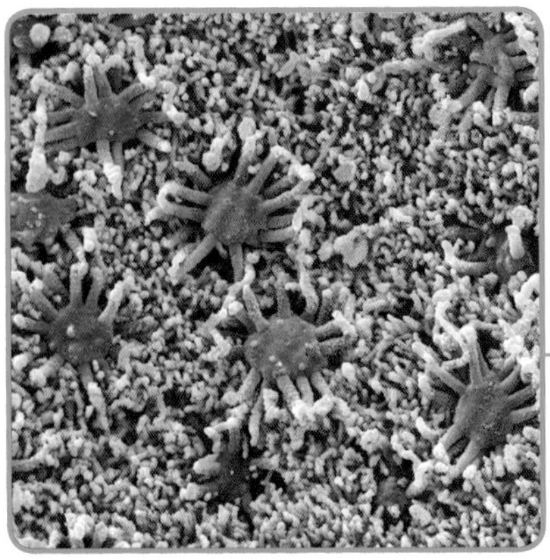

嗅覺細胞
鼻子內側的頂端擁有一小片郵票大小的組織，稱為「嗅覺上皮」，這就是味覺開始之處——空氣中的氣味分子溶解於覆蓋嗅覺上皮的濃稠流體之中，活化了嗅覺細胞的纖毛（上圖粉紅色部分），啟動細胞傳送訊號到腦部。

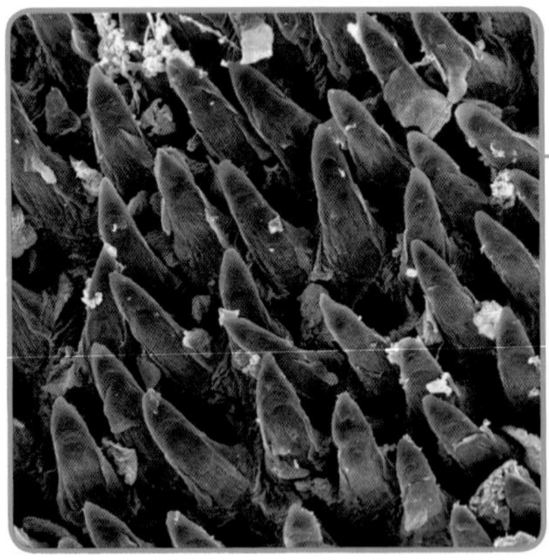

舌頭表面
我們的舌頭表面之所以凹凸不平，是由於覆蓋著大量微小指頭狀的「乳突」，用以幫助舌頭抓住食物，而大型乳突也有助於產生味覺，每一個大型乳突嵌著數十個小孔——稱為味蕾，味蕾含有感測細胞，用以偵測鹽或糖之類的化學物質。

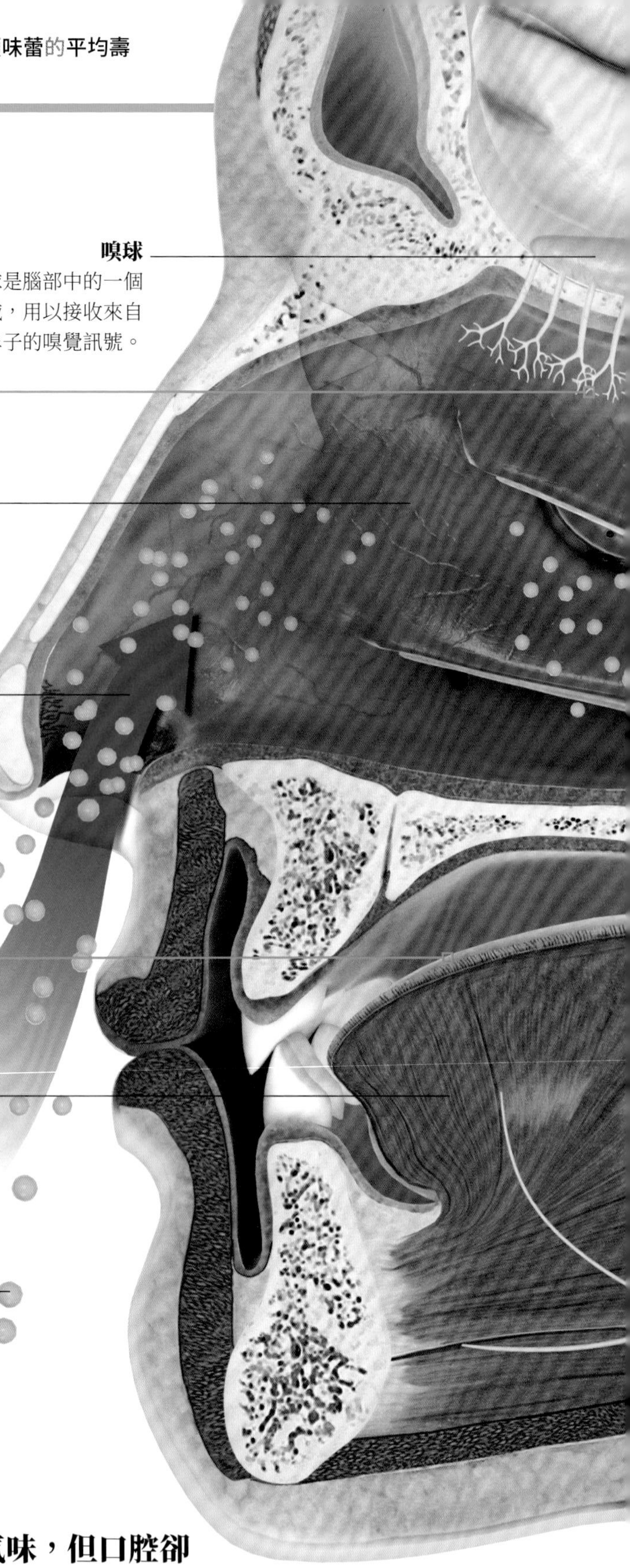

嗅球
嗅球是腦部中的一個區域，用以接收來自鼻子的嗅覺訊號。
鼻腔
鼻子後方的大型空腔。
空氣中的氣味
當我們呼吸空氣時，氣味分子透過鼻孔被吸入鼻腔之中。
舌頭
舌頭的溫度幫助口腔中的食物釋放氣味。
氣味分子

味覺與嗅覺

人類的鼻子可以感測 10,000 種左右的氣味，但口腔卻只能分辨 5 種味道，嗅覺與味覺在腦部結合，讓我們所吃的食物形成千變萬化的風味。

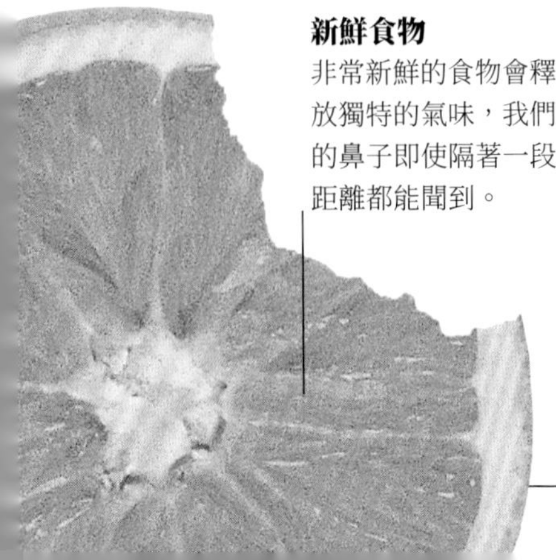

新鮮食物
非常新鮮的食物會釋放獨特的氣味，我們的鼻子即使隔著一段距離都能聞到。

味覺與嗅覺的運作模式相當類似，兩者都屬於「化學感覺」，意即都是以偵測化學物質來運作。我們喜愛的食物—從披薩到新鮮柳橙汁—所具有的獨特風味，是由這兩種感覺共同形成的，事實上，我們所認定的「味道」之中，至少有 75% 實際上來自於嗅覺——這就是為何當我們鼻塞時，任何食物總是食之無味的原因。我們的味覺與嗅覺在腦部引發愉快的感覺，這告訴我們哪些食物是富含能量、或是可安全食用的，反之當腦中浮現噁心感覺時，就是在警告我們某些食物吃下肚是具有危險性的！

鼻子和口腔
味覺主要來自於我們的舌頭，但口腔頂部、喉嚨、甚至肺臟也都具有味蕾。嗅覺則是全部來自於鼻子，當食物進入口腔，氣味分子從口腔後端進入鼻子，讓食物得以展現繁複的風味。

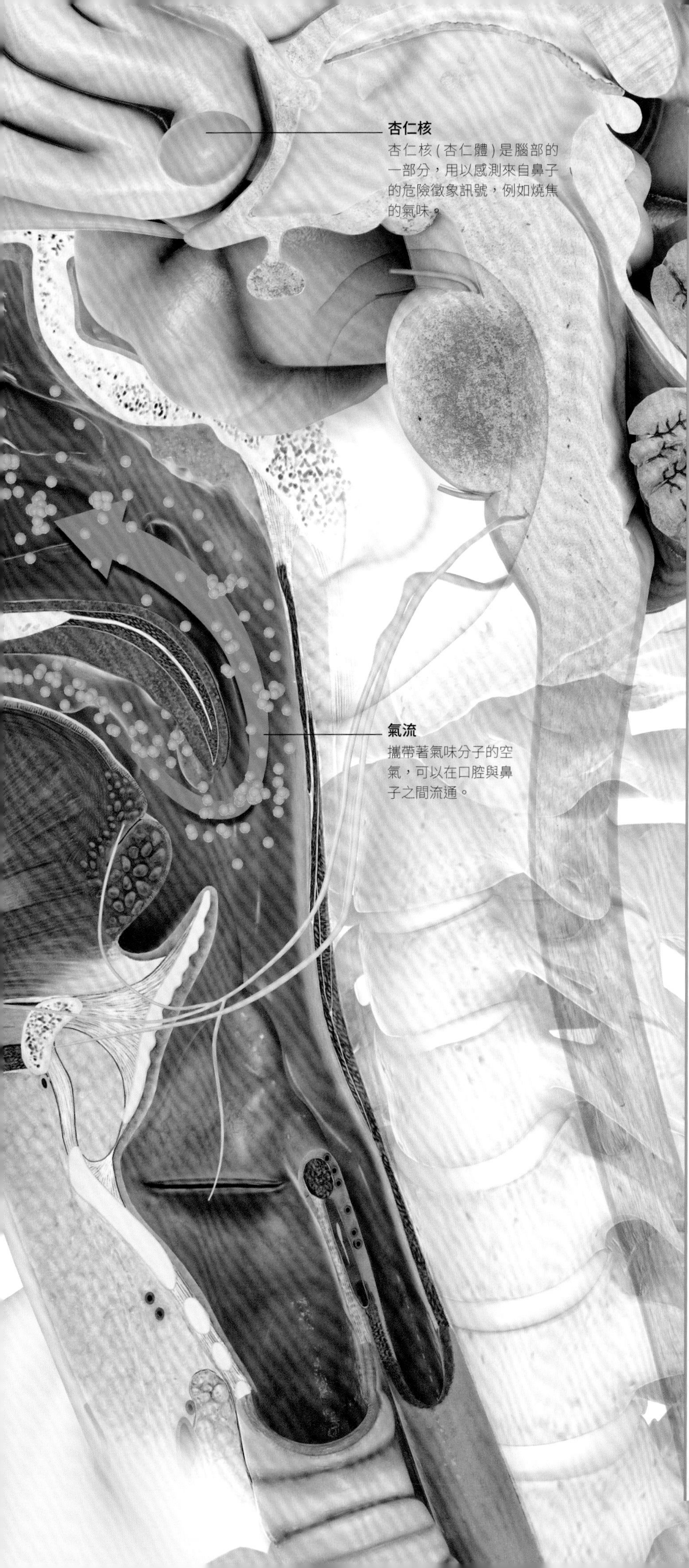

杏仁核
杏仁核（杏仁體）是腦部的一部分，用以感測來自鼻子的危險徵象訊號，例如燒焦的氣味。
氣流
攜帶著氣味分子的空氣，可以在口腔與鼻子之間流通。

舌頭

由 8 種不同肌肉所組成的複雜肌肉束，舌頭是異常強壯而靈活的器官，能操縱口腔中任何位置的食物，其粗糙的表面有助於保持口腔乾淨；除了作為味覺的主要器官，舌頭對於人類的說話功能也非常重要。

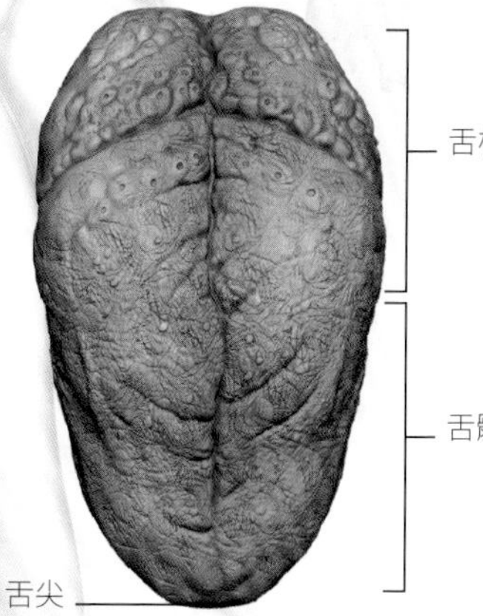

舌根
舌體
舌尖

味蕾如何運作？

來自食物的化學物質溶解於覆蓋舌頭的唾液之中，唾液經由乳突的「味孔」進入味蕾，在味孔中，「味覺受器」頂端的纖毛（味毛）感測到 5 種基本味道的其中一種，就會啟動電子訊號，訊號以高速傳送到腦部，產生味覺的感受意識。

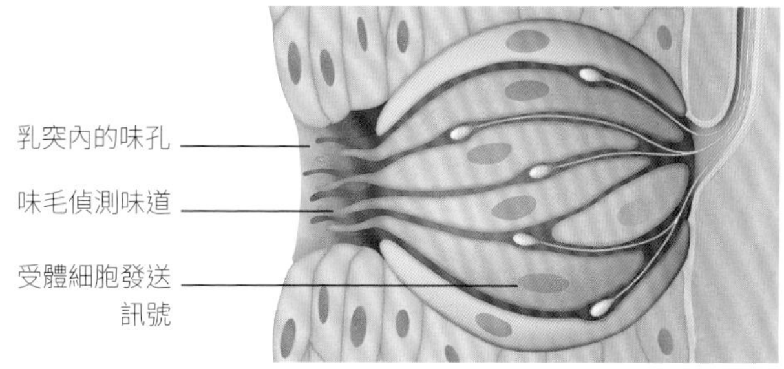

乳突內的味孔
味毛偵測味道
受體細胞發送訊號

5種味道

味蕾只能反應 5 種物學物質，因此我們只有 5 種主要味覺。

鹹
味蕾品嚐鹽，啟動強烈的鹹味感受。

甜
甜食啟動味蕾感受糖的甜味。

酸
品嚐酸性食物—例如檸檬汁—味蕾就會感受酸味。

苦
嚐到具有毒性或不宜食用的食物，就會啟動味蕾產生苦味。

鮮
有些味蕾對於烹煮過的食物所產生的深層鮮味有所反應。

嗅覺與記憶

嗅覺有時會開啟強烈的記憶，例如大海的氣味，可能帶來對於歡樂假期的鮮明回憶；科學家猜測，腦部中用以辨識嗅覺的區域，可能與杏仁核具有強烈的連結，而杏仁核在情緒和回憶方面扮演重要的角色。

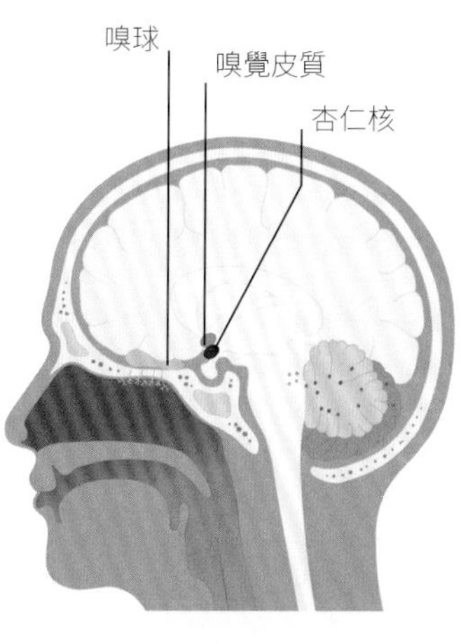

嗅球
嗅覺皮質
杏仁核

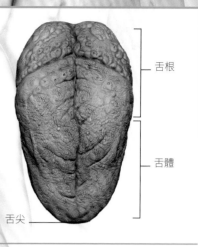

內分泌系統

內分泌系統包含所有製造激素的腺體和組織，它們散布在人體各處，腺體或組織所製造的激素直接分泌到血流之中。跟神經系統一樣，內分泌系統的功能也是幫助身體有效運作——對於維持身體內部的穩定狀態—「恆定」—具有關鍵性的影響。

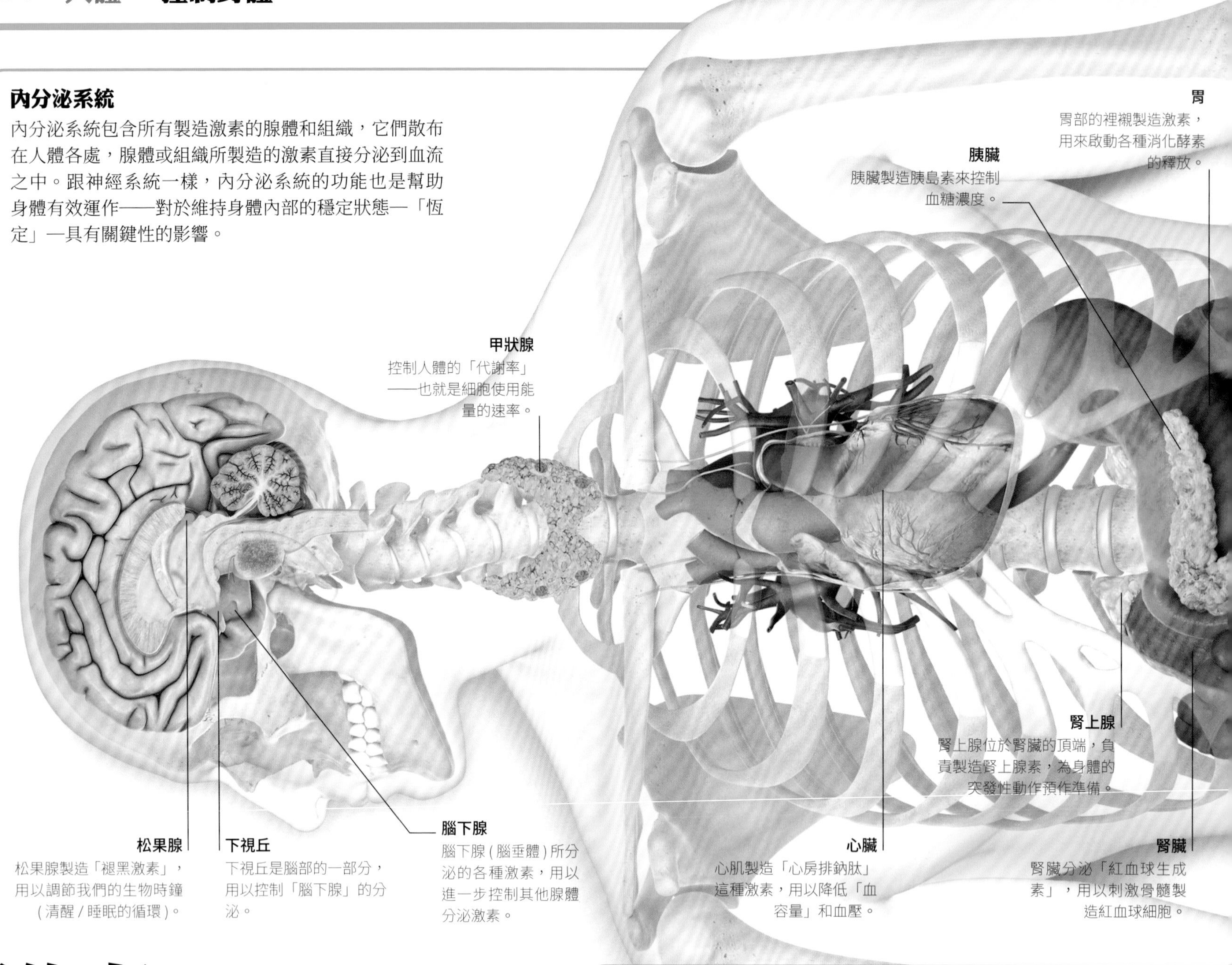
胃
胃部的裡襯製造激素，用來啟動各種消化酵素的釋放。
胰臟
胰臟製造胰島素來控制血糖濃度。
甲狀腺
控制人體的「代謝率」——也就是細胞使用能量的速率。
腎上腺
腎上腺位於腎臟的頂端，負責製造腎上腺素，為身體的突發性動作預作準備。
松果腺
松果腺製造「褪黑激素」，用以調節我們的生物時鐘（清醒／睡眠的循環）。
下視丘
下視丘是腦部的一部分，用以控制「腦下腺」的分泌。
腦下腺
腦下腺（腦垂體）所分泌的各種激素，用以進一步控制其他腺體分泌激素。
心臟
心肌製造「心房排鈉肽」這種激素，用以降低「血容量」和血壓。
腎臟
腎臟分泌「紅血球生成素」，用以刺激骨髓製造紅血球細胞。

激素

激素（荷爾蒙）是強烈的化學物質，無時無刻都在我們的血液之中流動；激素在人體中製造出來，它們鎖定特定器官作為目標，控制其運作模式。

激素是複雜的化學物質，用以控制身體許多功能的運作，例如生長、水平衡、性發展…等等。人體以「內分泌腺」製造激素，再釋放到血液之中；相較於電子脈衝透過神經傳送，激素的傳導速度雖然比較慢，但其功效通常持續更久。

激素經由血液傳送到身體各部位，但它們只針對特定的目標組織或目標器官發揮功效。當激素抵達目標，就會在細胞中啟動化學變化，有時是開啟或關閉特定的基因，或是改變細胞的運作模式。此外，許多激素由其他激素所控制，另有一些激素則是成對運作，共同維持身體某些化學物質的含量水準——例如血糖平衡。

主腺體：腦下腺

碗豆般大小的腦下腺位於大腦底部，常被稱為「主腺體」，在內分泌系統之中占有重要的地位。腦下腺分泌 9 種激素，其中 5 種直接控制身體的某些主要功能，另外 4 種進一步啟動其他腺體釋放激素。此處列出受到腦下腺所影響的腺體或器官：

2.7公尺 這是羅伯特．瓦德羅不可思議的身高，他是史上最高的人類，但事實上他罹患了「巨人症」——生長激素過量所導致的疾病。

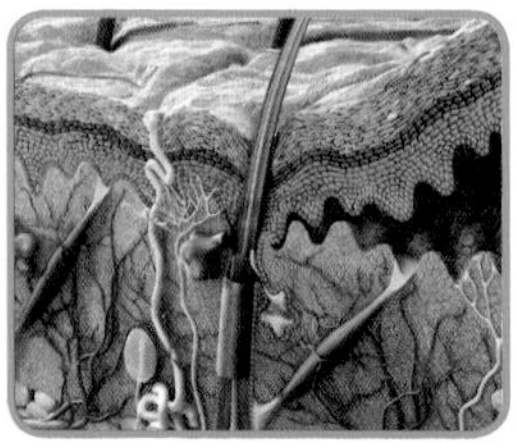

皮膚
腦下腺製造「黑色素細胞促素」，促使皮膚細胞分泌「黑色素」，讓膚色變暗。

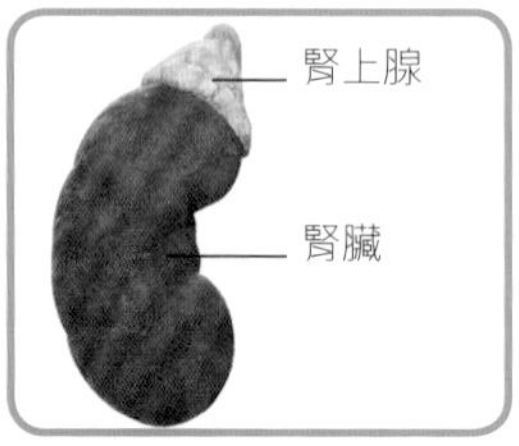
腎上腺
腎臟

腎上腺
腦下腺製造「腎上腺皮質促素」，促使腎上腺分泌幫助身體應付壓力的腎上腺素。

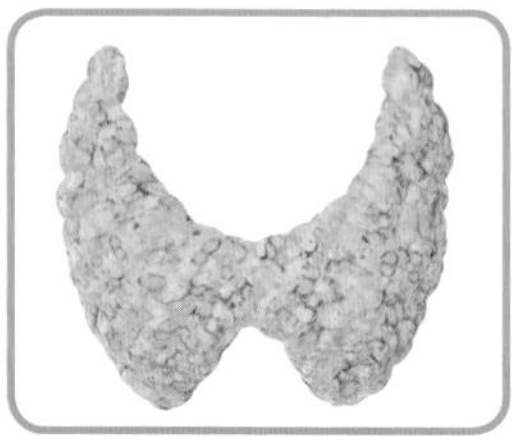

甲狀腺
「甲狀腺促素」促使甲狀腺分泌甲狀腺素，用以加速身體的化學作用。

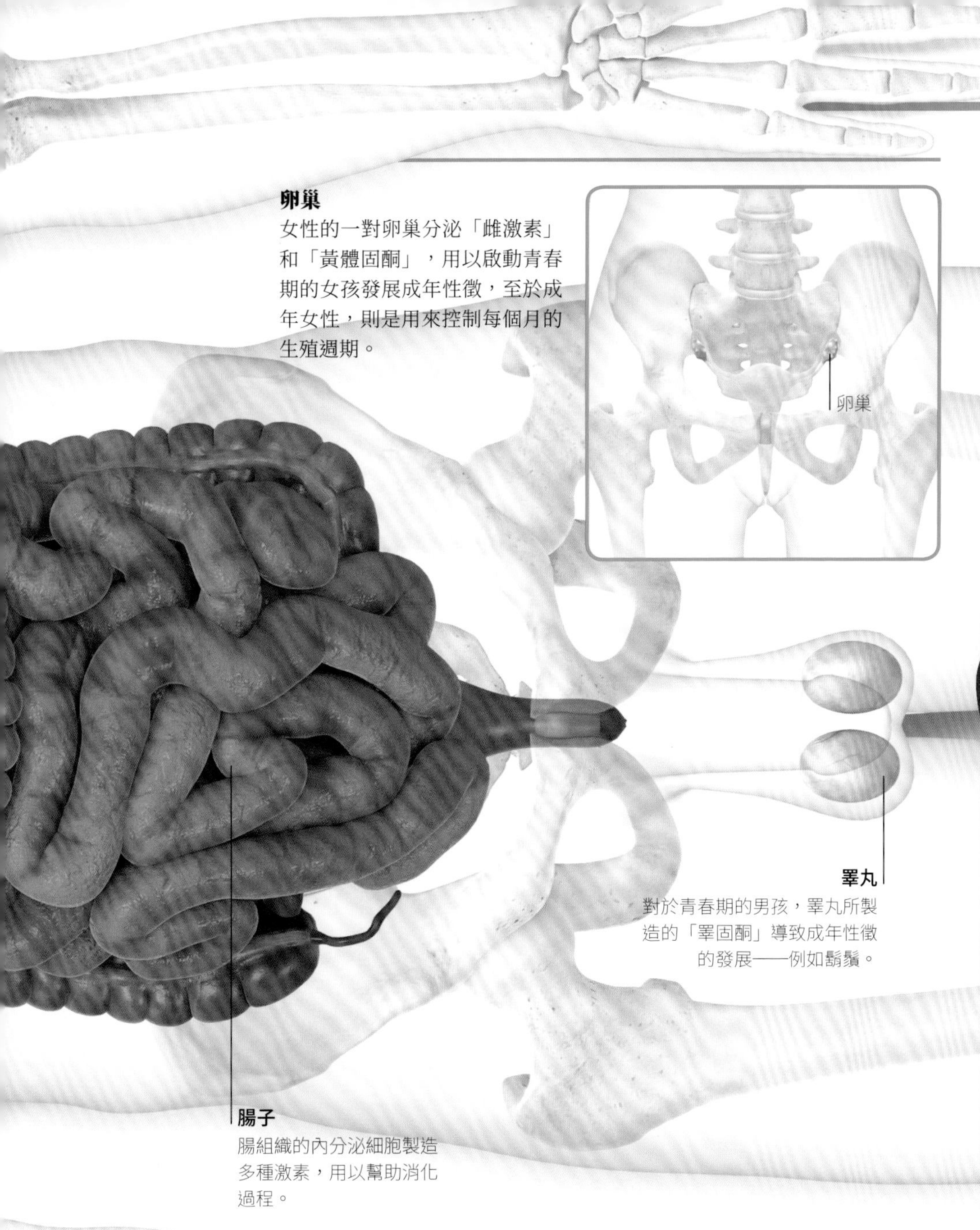
卵巢

卵巢
女性的一對卵巢分泌「雌激素」和「黃體固酮」，用以啟動青春期的女孩發展成年性徵，至於成年女性，則是用來控制每個月的生殖週期。

睪丸
對於青春期的男孩，睪丸所製造的「睪固酮」導致成年性徵的發展——例如鬍鬚。

腸子
腸組織的內分泌細胞製造多種激素，用以幫助消化過程。

血糖平衡

激素可用以維持人體化學物質的平衡，例如胰臟所釋出的「胰島素」與「升糖素」，就是用來控制我們的血糖濃度。葡萄糖是一種單純的糖類，提供人體活動所需的能量，胰島素能夠降低血糖濃度，而升糖素用以升高血糖濃度；血液中的葡萄糖濃度若是太高，胰臟就會製造較多的胰島素，反之葡萄糖的濃度太低，胰臟就會分泌較多的升糖素——這兩種激素交互運作，就能維持人體的血糖平衡。

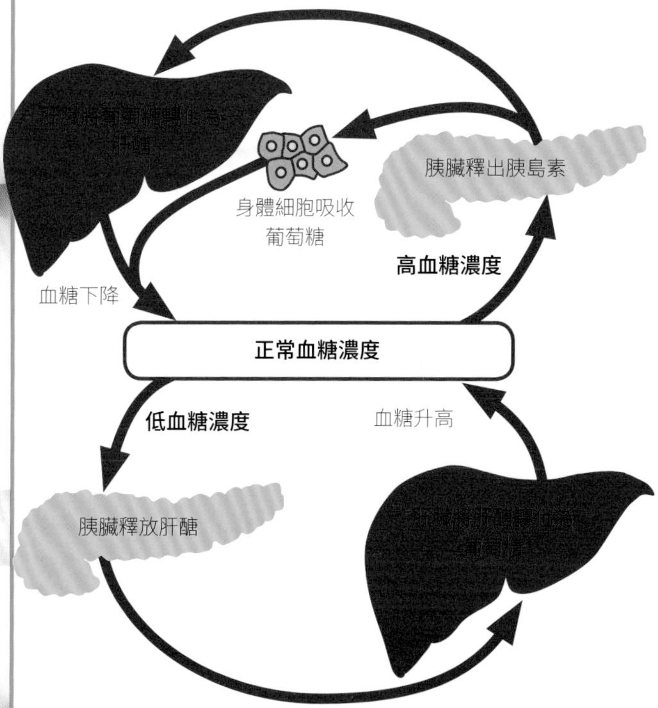
胰臟釋出胰島素
身體細胞吸收
葡萄糖
高血糖濃度
血糖下降
正常血糖濃度
低血糖濃度
血糖升高
胰臟釋放肝醣

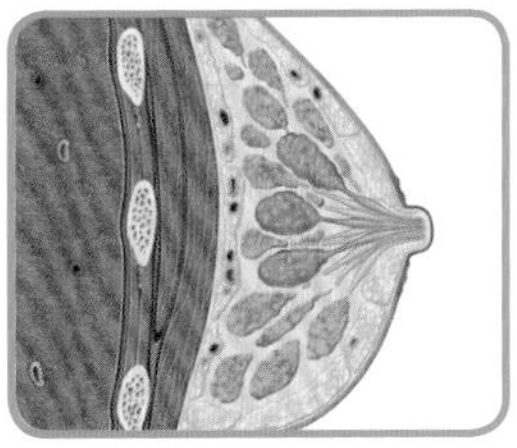

製造乳汁
女性生產之後，「催乳素」這種腦下腺激素啟動身體製造乳汁。

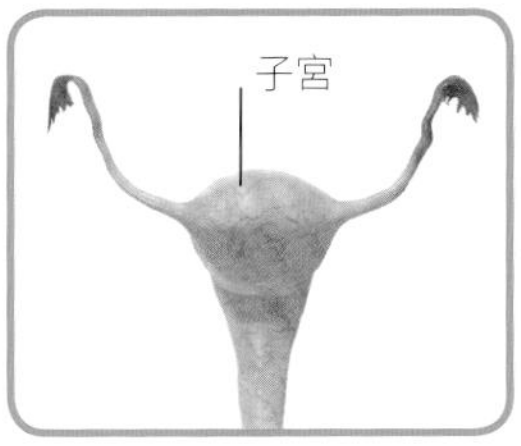
子宮

子宮
在分娩階段，「催產素」引發子宮的肌肉收縮，將胎兒推擠出來。

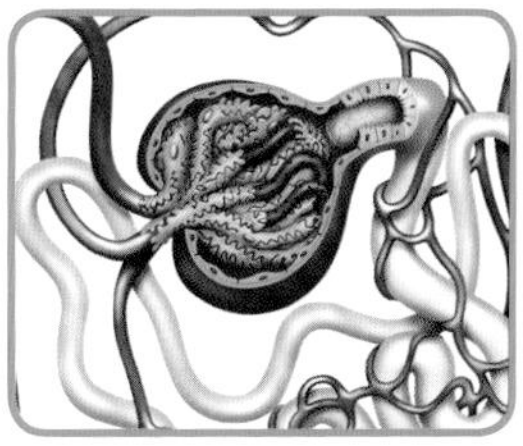

腎小管
「抗利尿素」通知腎臟從尿液中回收水分，幫助身體維持水平衡。

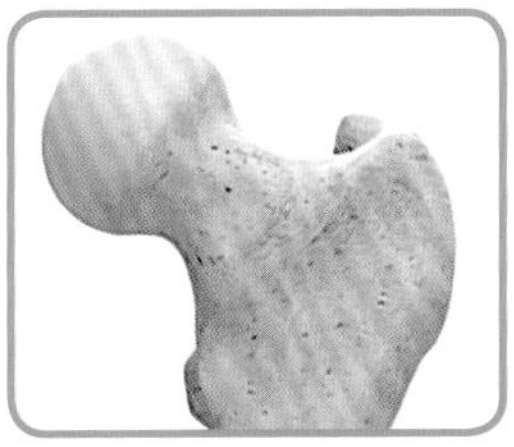

骨頭
「生長激素」刺激骨頭中的「生長板」，在孩童時期幫助身體成長。

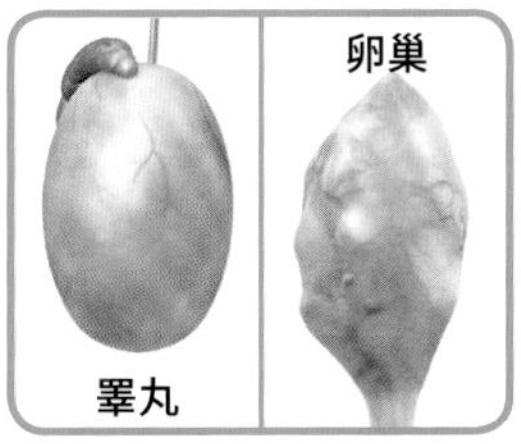
卵巢
睪丸

生殖器官
兩種腦下腺激素引發睪丸或卵巢釋出性激素。

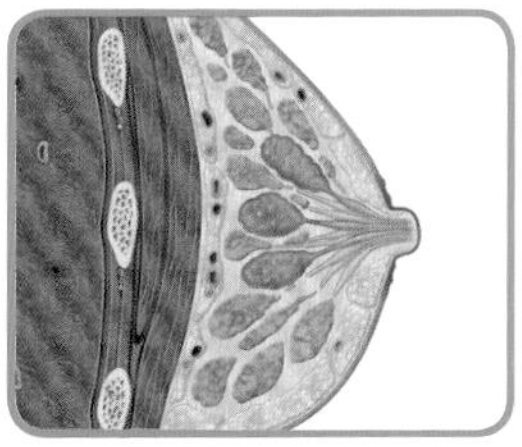

釋出乳汁
當嬰兒吸吮乳頭時，「催產素」這種腦下腺激素會刺激乳頭釋出乳汁。

腎上腺素

當我們感到恐懼或害怕時，就會加快心跳並加深呼吸——這是腎上腺素的兩種功效；腎臟腺釋出這種激素預作準備，在人體面對突發的緊急狀況時，用以刺激心臟與肺臟更努力運作，讓身體肌肉獲得額外的氧氣和燃料。

極限運動
牽涉高速與危險動作的運動稱為「極限運動」，例如風箏衝浪，進行這類運動時腎上腺素就會增加，用以因應強力競爭的興奮、危險和壓力。

生命週期

人類的生命週期始於肉眼幾乎看不見的單一細胞，這個細胞傳承了親代（父母）的基因，透過分裂成為一大團細胞—胚胎—新生命於焉開始成長。人類可以持續成長、發展到 20 歲左右，在此之前我們已經成熟到足以繁衍自己的後代；就跟所有生物—從微小的細菌到最高大的樹木—一樣，人類會在老化之前努力創造新生命，這種過程稱為「生殖」。

有性生殖

就像大部分動物，人類也採行有性生殖，亦即須有成對雌雄親代彼此配合，才能創造子代。有性生殖混合來自雙親的基因，結合兩者的特徵來產生一個獨特的胎兒（雙胞胎或多胞胎例外）。親代製造特殊的生殖細胞—雄性生殖細胞與雌性生殖細胞—在母體內結合，形成胚胎，之後的 9 個月期間待在母親的子宮內接受保護，直到發展成熟，準備來到外面的世界生活。

精子與卵子

男性的生殖細胞稱為精子，女性的生殖細胞稱為卵子，兩者都攜帶單套基因組，貯存於稱為染色體的構造上，當精子與卵子一結合，雙方的染色體也會合而為一，給予新生命完整的基因。卵細胞遠比精細胞更大，原因在於卵子含有儲備食物。

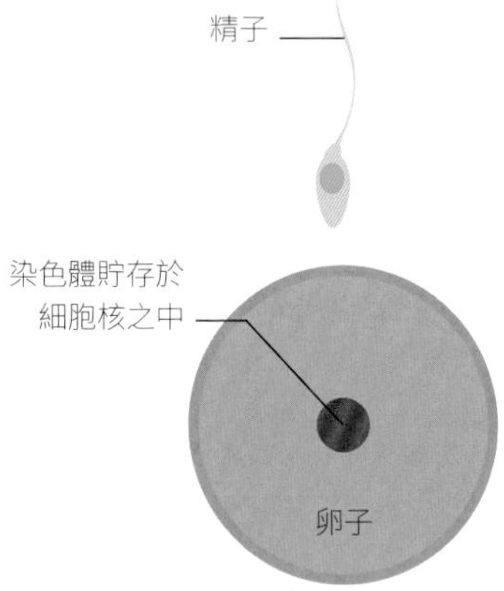
精子
染色體貯存於
細胞核之中
卵子

當精子遇上卵子

精細胞必須游泳來尋找卵細胞，一旦找到了，就會設法鑽進卵細胞之中。

精子是人體中尺寸最小的細胞，而卵子是尺寸最大的細胞。

製造生殖細胞

生殖細胞透過一種特殊的細胞分裂方式—減數分裂—所形成，在分裂期間，基因在染色體之間重組，而生殖細胞的染色體數量只有普通細胞的一半。

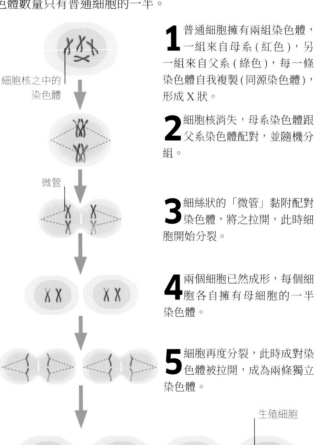

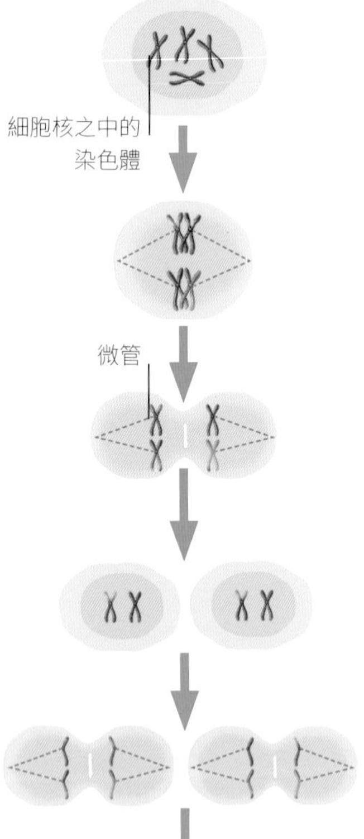
細胞核之中的
染色體
微管

1 普通細胞擁有兩組染色體，一組來自母系（紅色），另一組來自父系（綠色），每一條染色體自我複製（同源染色體），形成 X 狀。

2 細胞核消失，母系染色體跟父系染色體配對，並隨機分組。

3 細絲狀的「微管」黏附配對染色體，將之拉開，此時細胞開始分裂。

4 兩個細胞已然成形，每個細胞各自擁有母細胞的一半染色體。

5 細胞再度分裂，此時成對染色體被拉開，成為兩條獨立染色體。

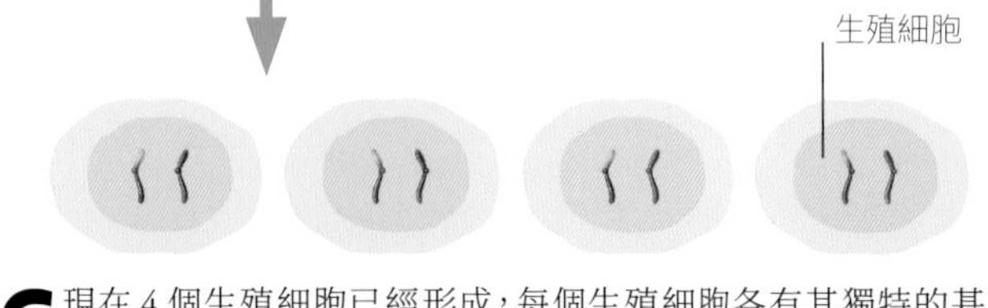
生殖細胞

6 現在 4 個生殖細胞已經形成，每個生殖細胞各有其獨特的基因組合，但染色體數量只有普通細胞的一半，當雄性生殖細胞與雌性生殖細胞結合之後，就會再度形成擁有完整染色體數量的細胞。

生殖系統

人體專門創造新生命的部分合組為生殖系統，男性生殖系統跟女性頗為不同，但兩者都會製造生殖細胞，而女性生殖系統還必須負責保護胚胎、並提供養分。

男性生殖系統

男性的生殖細胞稱為精子，精子在「睪丸」中以每分鐘大約 50,000 個的速率不停地製造。睪丸則是位於懸掛於人體之外的鬆弛皮囊—「陰囊」—之中，精子混合稱為「精液」的液體，經由「陰莖」進入女性體內；精液之中大約 5% 的成分是精子。

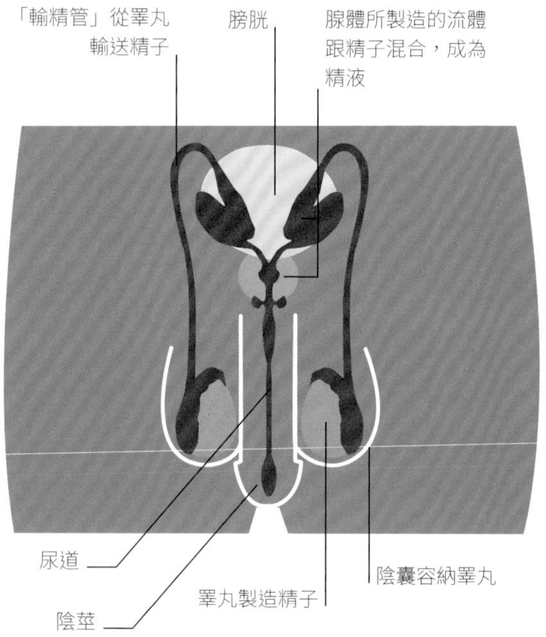
「輸精管」從睪丸
輸送精子
膀胱
腺體所製造的流體
跟精子混合，成為
精液
尿道
陰莖
睪丸製造精子
陰囊容納睪丸

女性生殖系統

女性生殖細胞稱為卵子，在女性出生之前，其體內稱為「卵巢」的器官就早已貯存數百萬顆未成熟的卵子，成熟女性的卵巢每個月釋出 1 顆卵子，經由輸卵管送往「子宮」，中途一旦遇到精子完成受精作用，「受精卵」就會在子宮「著床」，成為胚胎，進而長成胎兒。

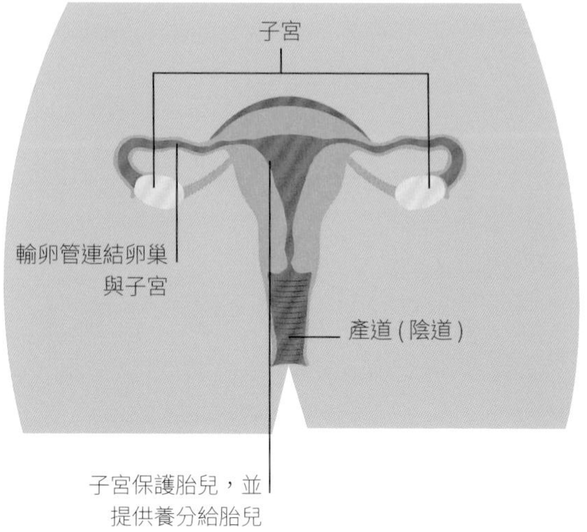
子宮
輸卵管連結卵巢
與子宮
產道（陰道）
子宮保護胎兒，並
提供養分給胎兒

基因與 DNA(去氧核糖核酸)

所有活細胞都帶有一組遺傳指令，用以控制細胞內的化學活動，這些遺傳指令稱為基因，以 4 個字母—4 種鹼基 (縮寫 A、T、C、G) —所組成的密碼儲存於 DNA 分子之中。人類的細胞含有大約 20,000 個基因，這些基因主導我們的成長過程——從單細胞的胚胎，發展為數十兆細胞所組成、器官功能完備的人體。

遺傳密碼

DNA 儲存於絲鏈狀的構造—染色體—之中，人體的普通細胞含有 46 條染色體，每條染色體都包含一個緊密盤旋的 DNA 分子，若是將盤旋的 DNA 分子拉直，就能發現它是由交纏的兩股長鏈所構成，形成所謂的「雙螺旋」結構，支撐雙股之間的「橫樑」是一種化學物質——由「鹼基」所構成的「核苷酸」鏈。DNA 分子包含 4 種不同的鹼基，它們組合成各種遺傳指令—基因—貫穿整個分子；平均而言，每個基因是由大約 3,000 個鹼基排列而成的。

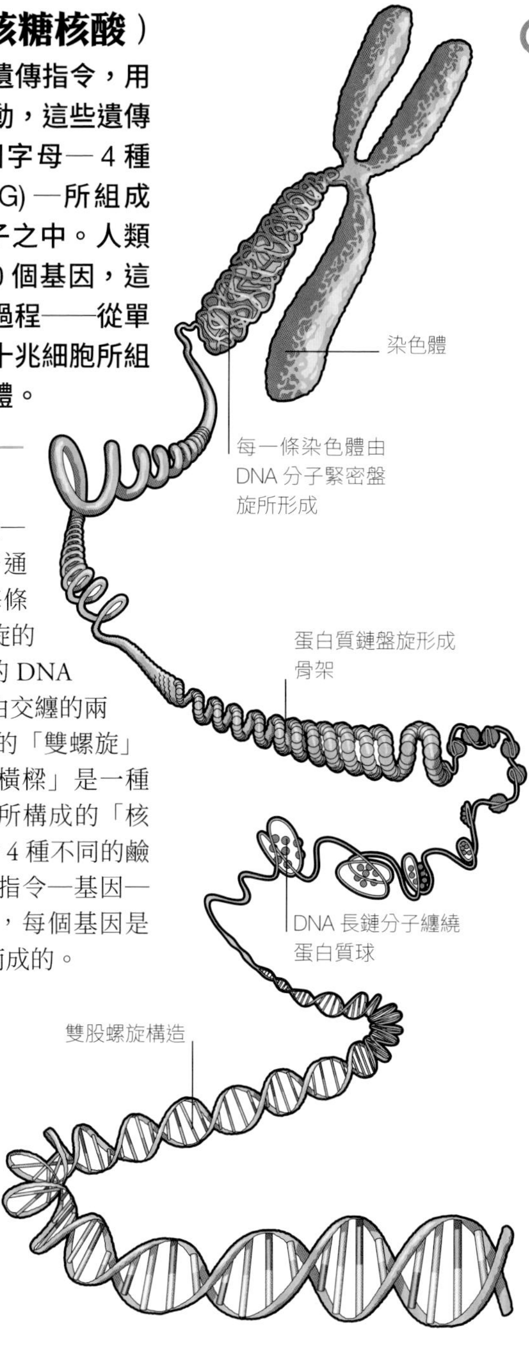

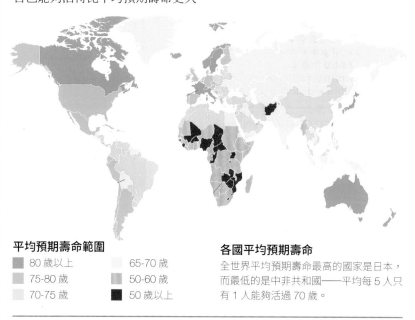

染色體
每一條染色體由
DNA 分子緊密盤
旋所形成
蛋白質鏈盤旋形成
骨架
DNA 長鏈分子纏繞
蛋白質球
雙股螺旋構造

DNA 分子

DNA 分子具有非凡的自我複製能力——雙股螺旋從中間斷開，再各自重建另一側構造。人體細胞每分裂一次，細胞核之中的 DNA 分子就複製一倍，也同時複製每一條染色體和每一個基因。

性染色體

人類的性別取決於兩條特殊染色體，以其形狀分別稱為「X 染色體」與「Y 染色體」。女性擁有 2 條 X 染色體，而男性擁有一條 X 染色體和一條 Y 染色體，Y 染色體的尺寸比 X 染色體小得多；Y 染色體的基因數量不到 100 個，遠比 X 染色體的 2,000 個還少。母系的卵子細胞含有一條 X 染色體，而父系的精子細胞可能含有一條 X 染色體，也可能含有一條 Y 染色體。

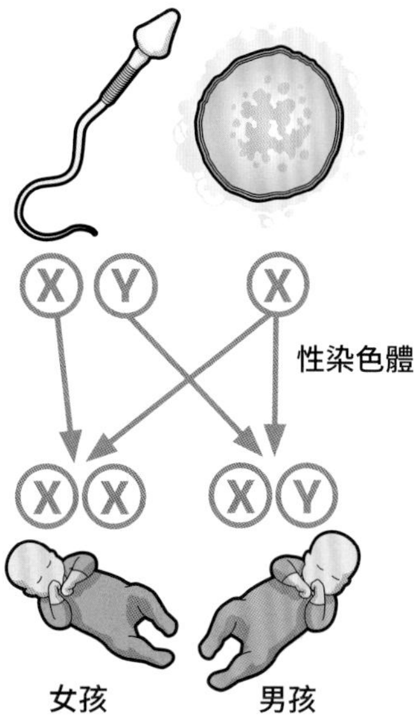

父親
母親
X
Y
X
性染色體
X
X
X
Y
女孩
男孩

決定性別

母系個體只能遺傳 X 染色體給子代，因此父系個體的精子才是決定子代性別的關鍵——如果精子所包含的性染色體是 X 染色體，胎兒就是女性；精子若是包含 Y 染色體，胎兒就是男性。

生命終點

人類的身體構造無法永久運作，當我們來到晚年，許多器官會開始衰竭，而罹患疾病—例如癌症—的風險逐漸增高。然而，由於醫藥、衛生保健、以及健康飲食的長足進步，現今人類的「預期壽命」比從前高得多，而且還在繼續增加之中；至於你我的預期壽命會有多長，大部分取決於我們生活在世界上的哪一個地區。

預期壽命

世界各地居民的平均預期壽命相差甚大，這跟該地區的富裕程度息息相關；在富裕地區—例如北美洲與歐洲—約有 2/3 的人口可以活到 70 幾歲，而貧困地區—例如非洲—其平均壽命就低了許多，部分原因是由於新生兒的夭折率太高——孩童只要平安度過生命中最危險的頭幾年，就可以期待自己能夠活得比平均預期壽命更久。

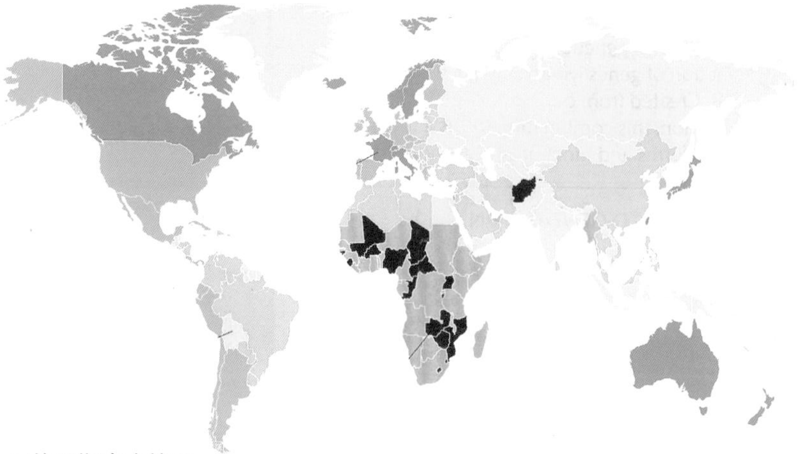

平均預期壽命範圍

- 80 歲以上
- 75-80 歲
- 70-75 歲
- 65-70 歲
- 50-60 歲
- 50 歲以上

各國平均預期壽命

全世界平均預期壽命最高的國家是日本，而最低的是中非共和國——平均每 5 人只有 1 人能夠活過 70 歲。

全世界經過認證活得最久的人瑞是法國人雅娜．卡爾芒，她生於西元 1875 年，活到 1997 年才去世，**享年 122 歲又 164 天**。

死因統計

在開發中國家，致命傳染病—例如愛滋病或瘧疾—是居民的主要致死原因之一，而且嬰兒與孩童特別容易死於營養不良與腹瀉——通常由不潔飲用水的病菌所引發。另一方面，富裕國家的健康照護、公共衛生、以及飲食習慣都相對較好，其主要致死因素來自於老化所衍生的疾病，例如心臟病或癌症。至於肺部疾病，則是全球性的普遍致死因素，其中大量病例跟吸菸有關——科學家估計，吸菸導致全世界 10% 左右的死亡原因。

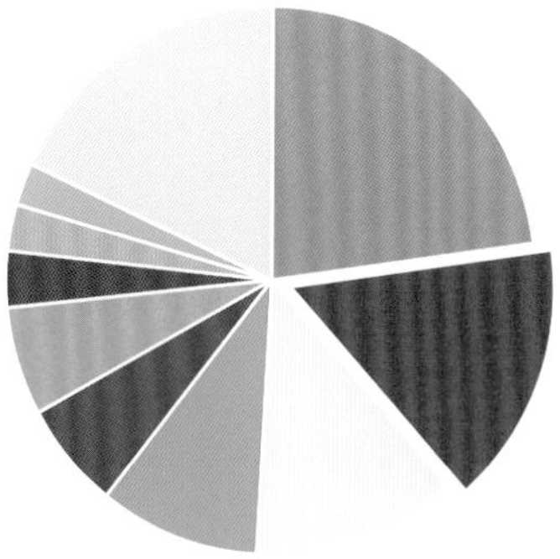

全球死因統計圖

- 傳染病
- 心臟疾病
- 癌症
- 猝死
- 肺部疾病
- 意外受傷致死
- 消化系統疾病
- 蓄意傷害
- 腦部疾病
- 其他

3億——男性的身體每天所製造的精子數量。

9公分——精子游向卵子的平均游動距離。

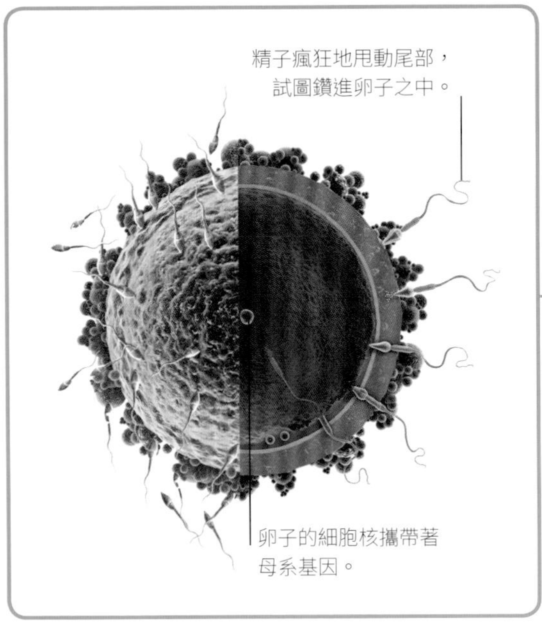
精子瘋狂地甩動尾部，試圖鑽進卵子之中。
卵子的細胞核攜帶著母系基因。

當卵子遇上精子
當一個精子成功鑽入卵子之中，並傳送它的基因，新生胚胎就此形成——這個過程稱為「受精」；進行性行為時，男性身體會釋出大約 3 億個精子進入女性體內，但只有其中一個精子能夠贏得競賽，讓卵子受精——精細胞具有尾部，能像蝌蚪一樣甩動尾部，在人體的體液中游動。

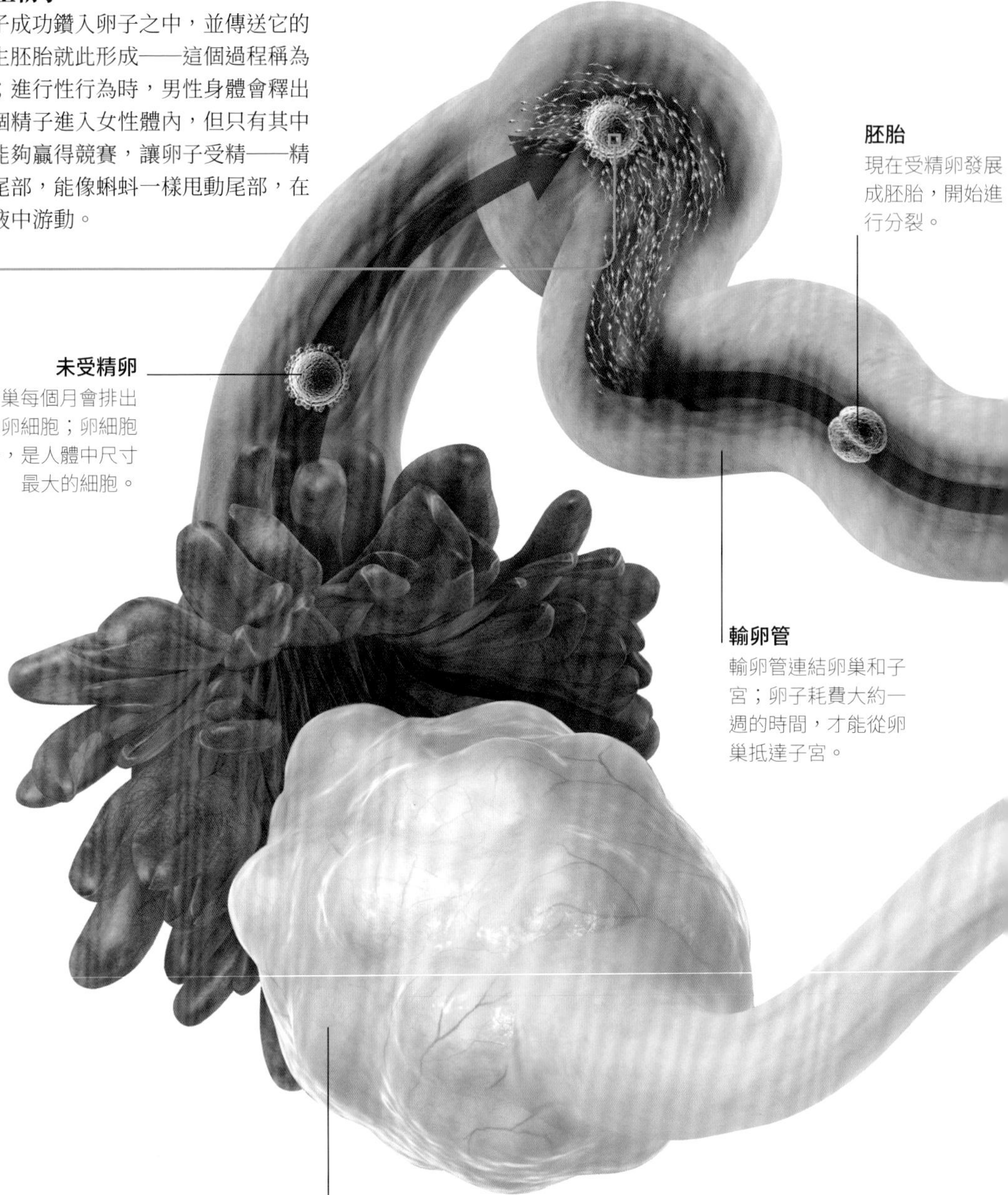
胚胎
現在受精卵發展成胚胎，開始進行分裂。
未受精卵
女性的卵巢每個月會排出一顆新的卵細胞；卵細胞充滿養分，是人體中尺寸最大的細胞。
輸卵管
輸卵管連結卵巢和子宮；卵子耗費大約一週的時間，才能從卵巢抵達子宮。
卵巢
女性擁有一對貯存卵子的器官——卵巢；當女孩一出生，其卵巢之中就已經貯存了數百萬顆卵子。

新生命

人類的生命始於單一細胞（受精卵），其尺寸大約只有本文逗點的一半寬度；由這個細胞中的基因主導、再加上母親的身體提供養分，這個細小的生命顆粒逐漸發展成為獨特的人類個體——由數十兆細胞所組成的胎兒。

當男性生殖細胞（精子）與女性生殖細胞（卵子）結合，將雙方的基因混合在一起，新生命於焉誕生。精子與卵子結合成為受精卵，在母親的身體中形成胚胎，最初幾天看起來並不像人體，但 4 週之後胚胎就會長出頭部，並出現眼睛、手臂和腿部的雛型，心臟也開始跳動。本篇呈現胚胎最初幾個月的成長情形，而下一篇的內容，則是介紹胎兒出生前幾個月的發展。

胚胎成長

新生胚胎會經歷一連串不可思議的變化過程，最初數週胚胎不成長，而是分裂成兩個細胞，再分裂成 4 個細胞，接下來 8 個、16 個……直到成為外觀類似漿果的一團細胞簇，細胞簇之中的大多數細胞成長為支持並滋養胎兒的構造——胎盤，另一小部分細胞形成扁平的薄板狀（胚盤），最終長為胎兒的身體——再經過 2 週左右，這層細胞平板成長為隱約可辨的人體形狀，擁有頭部、手臂、腿部、眼睛、以及跳動的心臟和體內器官。

第 0 天

最初，胚胎只是包覆於厚實外層之內的單一細胞（受精卵），在輸卵管內的體液中緩緩漂移，由輸卵管內壁長出的成排顫動小纖毛推擠著向前移動。

真實尺寸（放大影像）→○

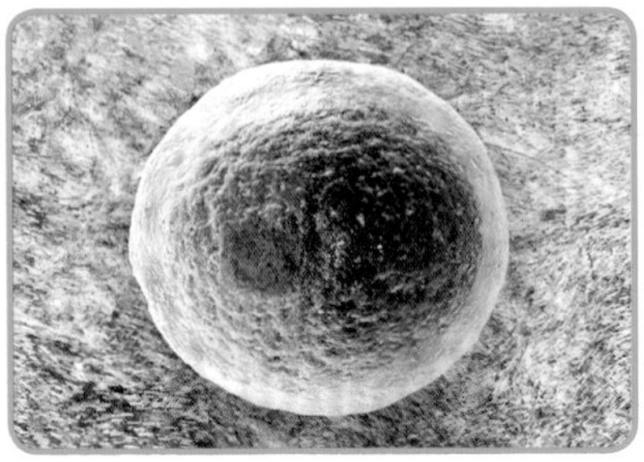

第 4 天

受精之後 1 天左右，受精卵細胞分裂成兩個，大約 12 小時之後度分裂，如此經過 4 天之後，胚胎成為含有 32 個小細胞的球體，看起來像是一顆漿果。

真實尺寸 →○

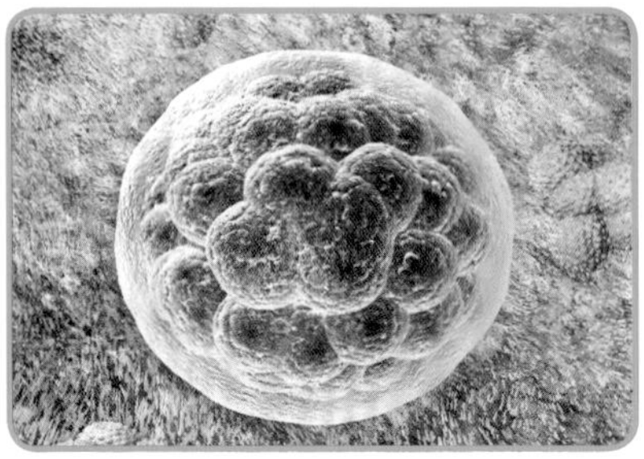

1 週

胚胎現在已經進入子宮，將自己黏附在子宮壁，並長出指狀突出物，用以從母體的血液中吸收養分。

真實尺寸 →○

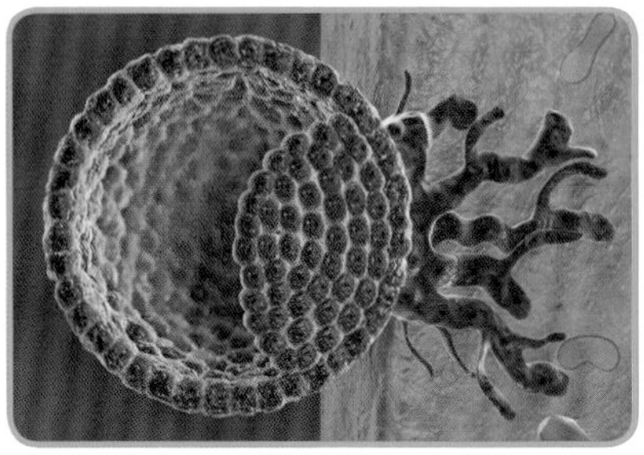

400——**女性**在一生之中，**子宮**的平均排卵數量。

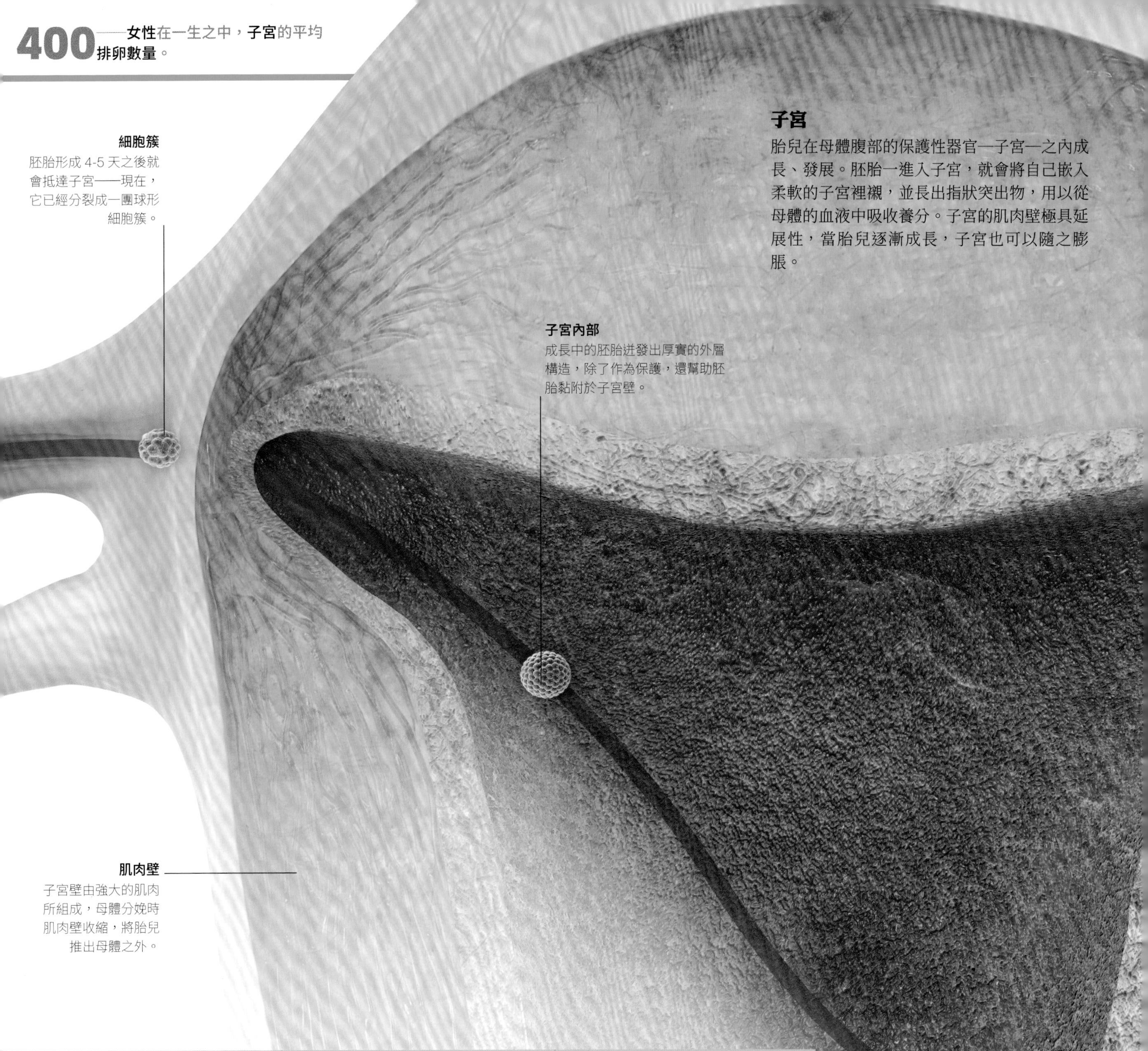

子宮

胎兒在母體腹部的保護性器官—子宮—之內成長、發展。胚胎一進入子宮，就會將自己嵌入柔軟的子宮裡襯，並長出指狀突出物，用以從母體的血液中吸收養分。子宮的肌肉壁極具延展性，當胎兒逐漸成長，子宮也可以隨之膨脹。

細胞簇

胚胎形成 4-5 天之後就會抵達子宮——現在，它已經分裂成一團球形細胞簇。

子宮內部

成長中的胚胎迸發出厚實的外層構造，除了作為保護，還幫助胚胎黏附於子宮壁。

肌肉壁

子宮壁由強大的肌肉所組成，母體分娩時肌肉壁收縮，將胎兒推出母體之外。

著床

就像植物種子種在土壤裡，胚胎也必須著床在子宮柔軟的襯裡之中，從母體的組織吸收養分，開始成長。

2 週

又過了 1 週，胚胎發展出「卵黃囊」、以及一處充滿液體的空間——「羊膜」，羊膜之內則是一層細胞—「胚盤」—胚盤最終發育成為胎兒。

真實尺寸 ➞ •

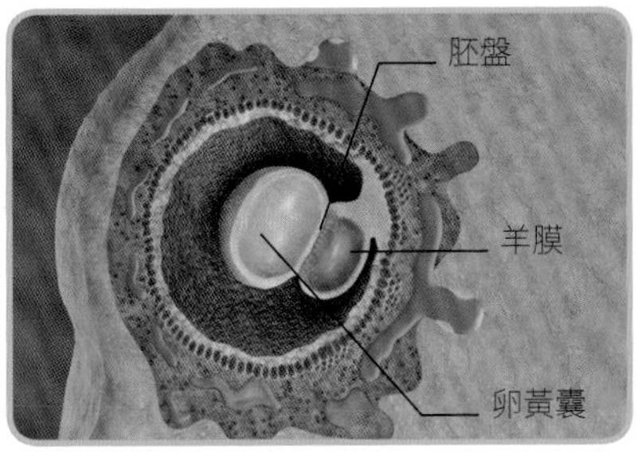

胚盤
羊膜
卵黃囊

3 週

胚盤成長迅速，並摺疊成為彎曲形狀，數天之後就發展出頭部、尾部、血管、以及體內主要器官的雛型。

真實尺寸 ➞ ●

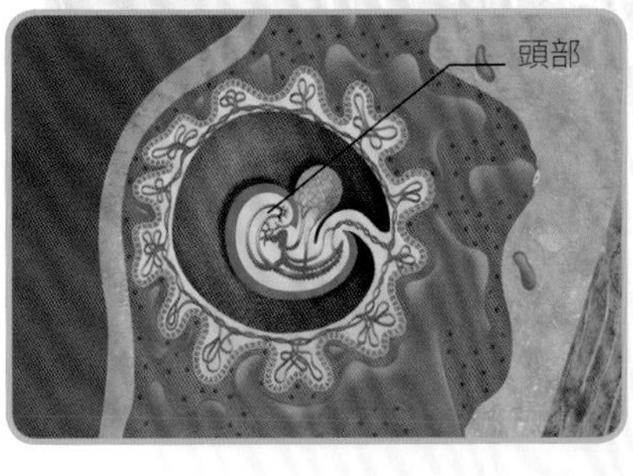

頭部

4 週

現在胚胎的尺寸如同一顆大豆實，開始長出手臂和腿部，心臟也開始跳動，而神經和肌肉長了出來，眼睛也開始成形——但最初不具眼瞼。

真實尺寸 ➞

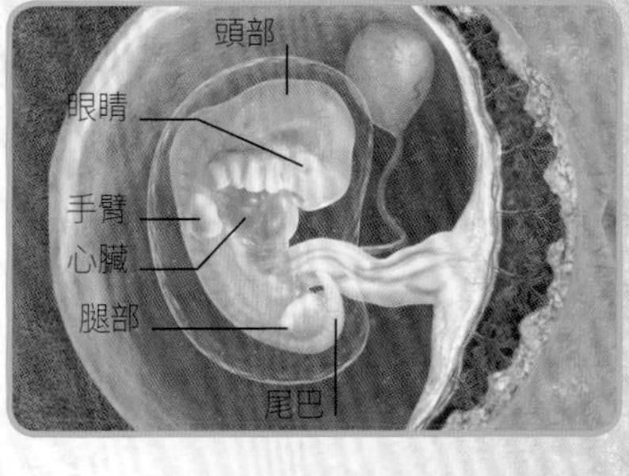

頭部
眼睛
手臂
心臟
腿部
尾巴

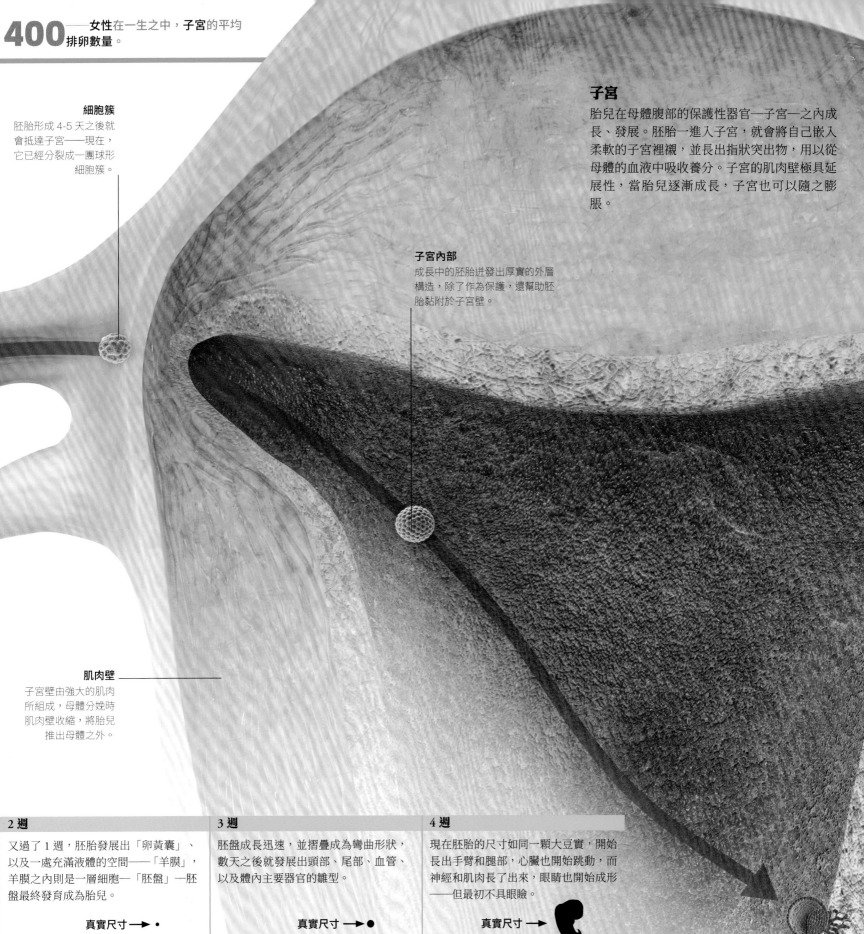

胎兒

尚未出生之前的嬰兒稱為胎兒，胎兒在子宮中受到母體保護，從母體的血液中獲得養分，成長非常迅速——大約每隔4-5週，體重就會增加1倍。

人類雖然不可能記得出生之前的那段生活，但當時，我們的腦部和感官都已經開始運作。在妊娠期的最後階段，尚未出生的嬰兒可以隔著母親的皮膚看見粉紅色的亮光，也能聽見母親的說話聲、呼呼作響的心跳聲、以及子宮中流體翻攪的吵雜聲響。胎兒運用手部和腳部探索周圍的「水世界」，感覺自己的身體；由於身處液體環境之中，胎兒無法自行呼吸，但它會吸入並吞嚥液體來練習呼吸。在長達9個月的妊娠期，子宮提供胎兒安全、溫暖、舒適的環境，而母親的血流為胎兒帶來身體成長所需的氧氣和養分。

胎盤
氧氣和養分從母親的血液輸送到胎盤中的胎兒血液。
胎盤中的母親血管
胎盤中的胎兒血管
臍帶
這是胎兒的「生命線」，母親血液中的養分透過胎盤、再經由臍帶輸送給胎兒。

準備出生

在妊娠期的尾聲，胎兒將自己的身體調整為頭下腳上的位置，準備出生；此時它的消化系統已能處理食物，但仍然經由一束血管—臍帶—從母親的血液吸收養分；另一方面，胎兒的全身會長出一層細毛，但通常出生前就會全數消失。

> 胎兒形成6個月之後，**眼睛就會張開**，但只能分辨明暗度。

胎兒成長過程

在新生命初生的最初9週—這段期間稱為「胚胎」—所有主要器官都會長出來，之後胚胎成長為胎兒，再經過7個月的迅速成長，期間複雜的身體組織與系統形成、強化，並開始運作，骨骼也會成形，但最初由具有彈性的軟骨—而非硬骨—所組成，而腦部與各種感官也發展出來——胎兒在出生之前，早就擁有視覺、聽覺、嗅覺、味覺和觸覺！

4週

此時胚胎的形狀像蝦子，還帶有尾巴，手臂與腿部的尺寸小得像是才剛發芽，眼睛和耳部正在形成，而心臟開始壓送血液——其心跳速率每分鐘150次，大約是成年人的2倍快。

體長：1.1公分

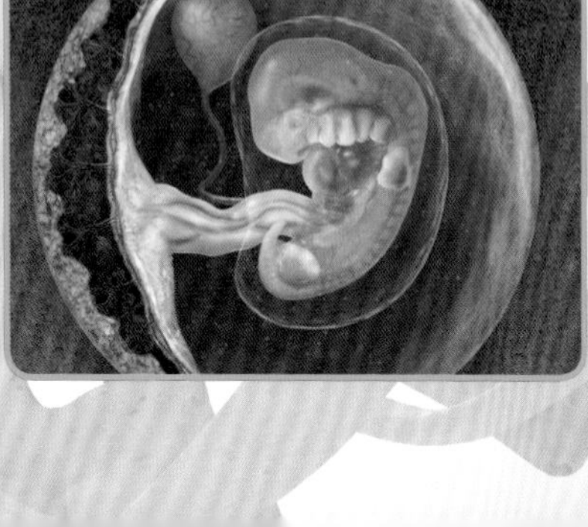

6週

臉部輪廓出現，手部和腳部逐漸成形——最初手指與腳趾以皮膚連結成蹼狀，看起來像船槳，而骨骼的一部分軟骨開始硬化，逐漸轉變為骨頭。

體長：1.6公分

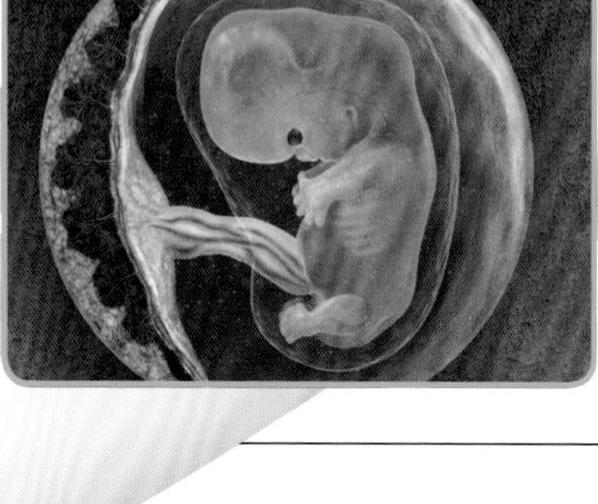

10週

胎兒長出眼瞼，但未來3個月之內還無法張開；能夠吞嚥，並開始將尿液排入羊水之中；肘關節和腕關節形成，胎兒可以進行簡單的手臂和手部運動。

體長：5.4公分

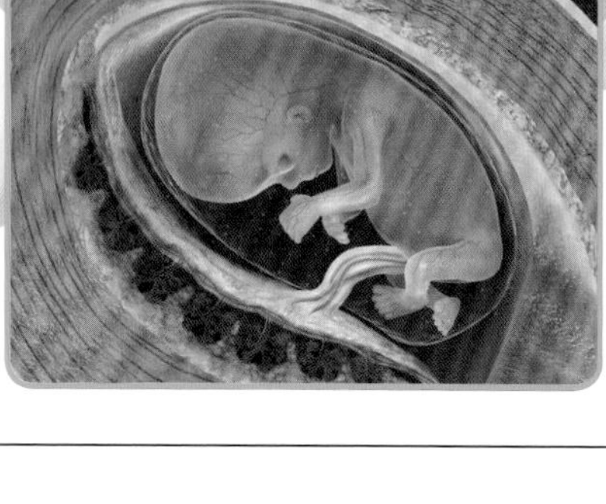

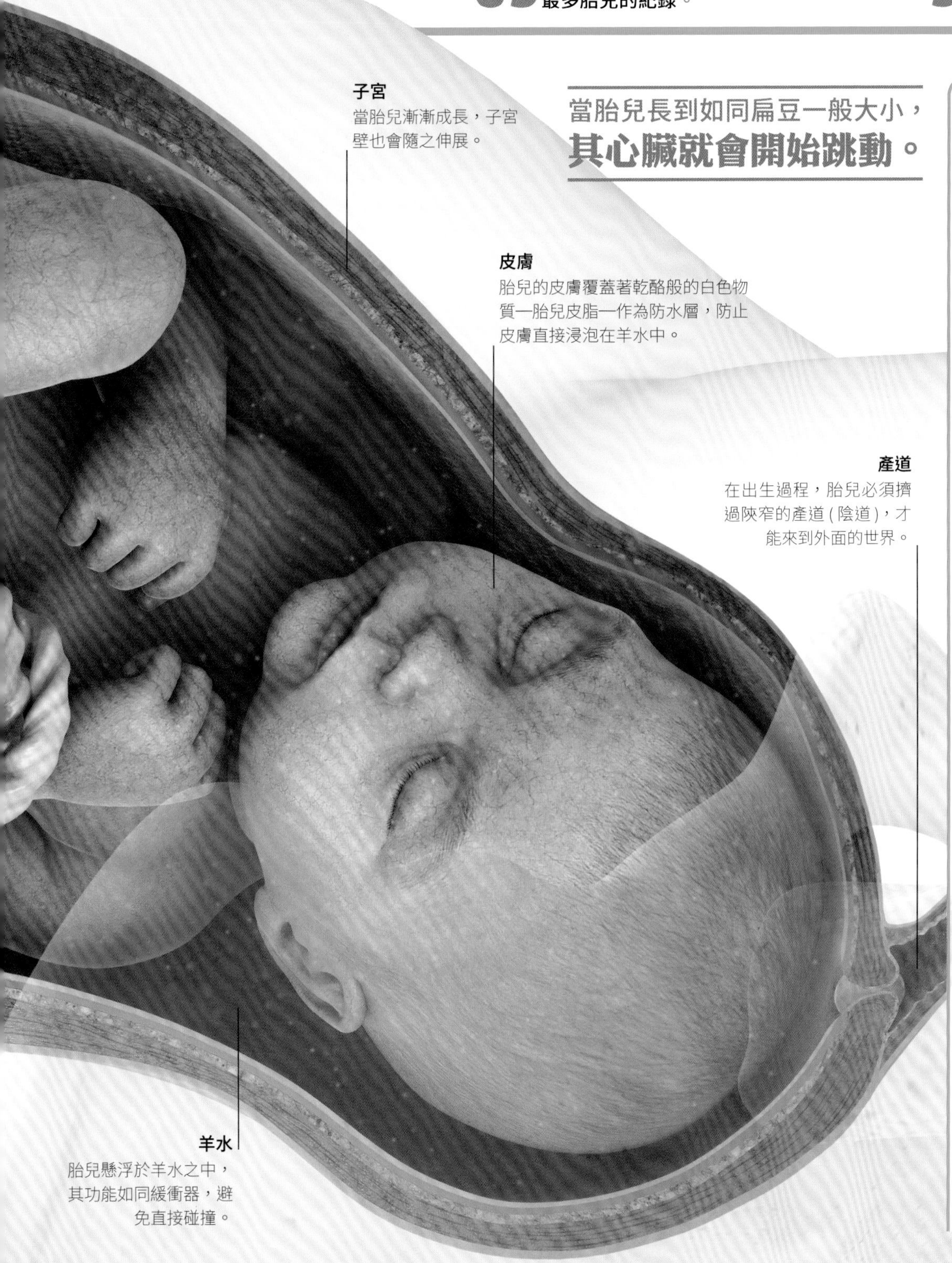
子宮
當胎兒漸漸成長，子宮壁也會隨之伸展。
皮膚
胎兒的皮膚覆蓋著乾酪般的白色物質—胎兒皮脂—作為防水層，防止皮膚直接浸泡在羊水中。
產道
在出生過程，胎兒必須擠過陝窄的產道（陰道），才能來到外面的世界。
羊水
胎兒懸浮於羊水之中，其功能如同緩衝器，避免直接碰撞。

當胎兒長到如同扁豆一般大小，**其心臟就會開始跳動。**

胎兒身體比例的變化

在妊娠期的早期階段，胎兒的腦部與神經系統快速發展，因此頭部長得比身體其他部分更快，到了第 9 週，頭部大概占了體長的一半，顯得非常巨大；至於身體其他部位，則是在妊娠期的稍後幾個月迎頭趕上。

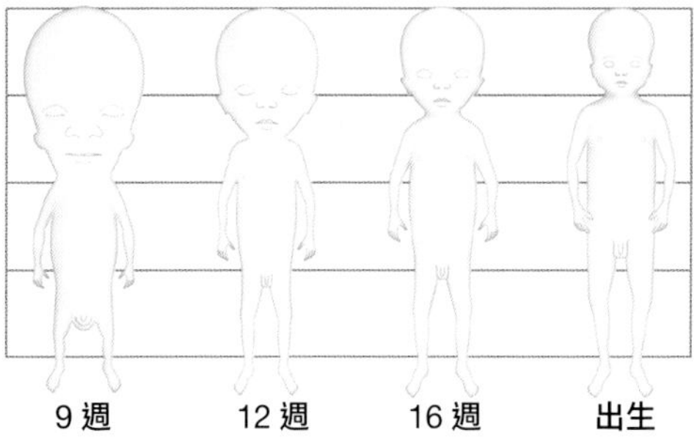
9 週
12 週
16 週
出生

多胞胎

有時會有 1 個以上的胎兒同時在子宮內成長，根據統計，每 80 名產婦就有 1 人生出雙胞胎，而每 8,000 名產婦就有 1 人生出三胞胎。雙胞胎可能源自於不同卵子（異卵雙胞胎 / 長相不同）、也可能源自於分裂的同一顆卵子（同卵雙胞胎 / 長相一樣）。

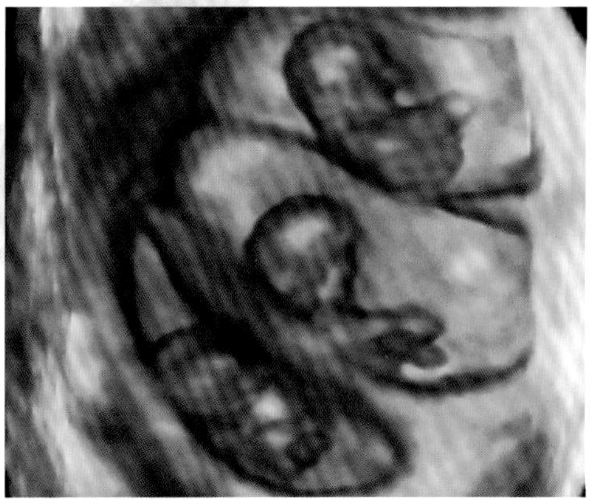

三胞胎
上方的超音波掃描圖顯示三胞胎在同一個子宮內成長，每一個胎兒都擁有自己的羊膜囊。

15 週

此時胎兒的尺寸如同倉鼠，頭部很大而身體相對很小，其面部特徵發展良好，並開始練習作出臉部表性——包括微笑或皺眉；此外胎兒會吞進羊水並強烈打嗝——連母親都能感覺到。

體長：13 公分

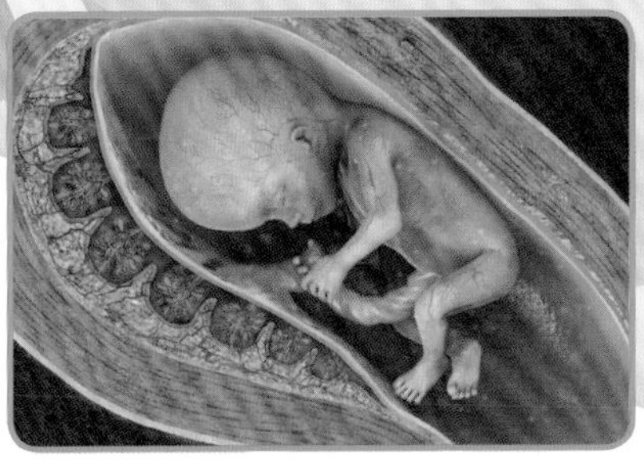

22 週

此時妊娠期剛過一半，胎兒已能移動手指並發展出指紋；對聲音有所反應，還會被噪音所驚嚇；母親則是開始感覺到「胎動」。

體長：30 公分

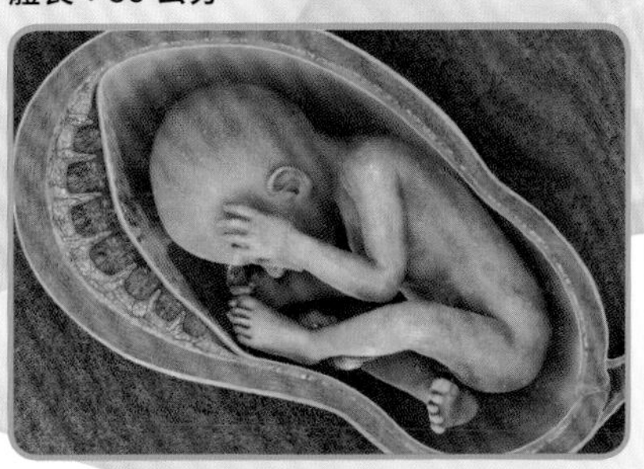

34 週

胎兒近乎完全成長，90% 的時間都在睡覺，還會作夢；每分鐘吸入 40 次羊水，籍此練習呼吸；能夠嗅出母親所吃下的食物氣味，也能辨識母親的聲音。

體長：47 公分

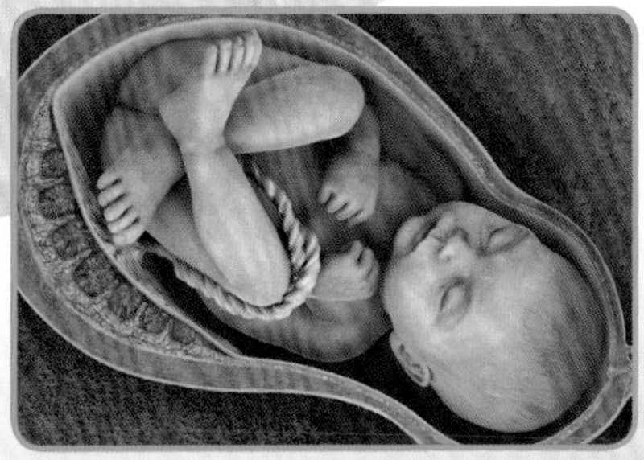

出生

剪斷臍帶之後，新生嬰兒首度呼吸空氣，肺部中的羊水流出來、重新填滿空氣，現在，嬰兒開始透過肺部從空氣中吸收氧氣——不再透過胎盤從母體吸收。

體長：53 公分

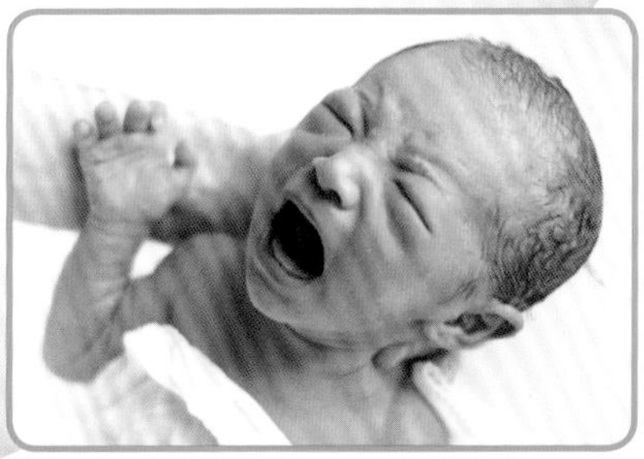

成長

當我們成長時，身體和腦部都會產生變化，雖然改變最劇烈的階段發生於嬰兒期與青春期，但這種改變是終生持續的。

新生嬰兒的體重只有 3 公斤左右，他們不會走路、不能自己進食，而且只能看見幾公分之外的物體，此時完全依賴父母的照顧，直到 20 歲之前，我們的體重可能增加了 20 倍，已能獨立生活。這種將嬰兒轉變為成年人的發育過程是漸進式的，但其中有兩個階段會出現爆發性的成長，第一段是出生後 6 個月之內，這段期間嬰兒的體重會增加 1 倍；第二段是青春期，此時「性激素」啟動了成年人特徵的出現。人類的成長過程不只在身體方面，還包含感情方面與智能方面的成長，當我們漸漸學習複雜的知識與社交技巧，腦部也會跟著發生改變，以因應成年人世界的生活。

骨頭的成長

當我們長高、長壯，體內的骨頭也會跟著變長、變寬；實事上，骨頭的質地太硬，難以直接延伸長度，而是利用靠近骨頭末端的軟組織來增生新的骨頭細胞，這個軟組織區域稱為「生長板」，其 X 光影像看起來像是一處裂口。然而，當我們來到成年期之後，骨頭就會停止生長，而生長板也融入硬骨之中、消失不見了。

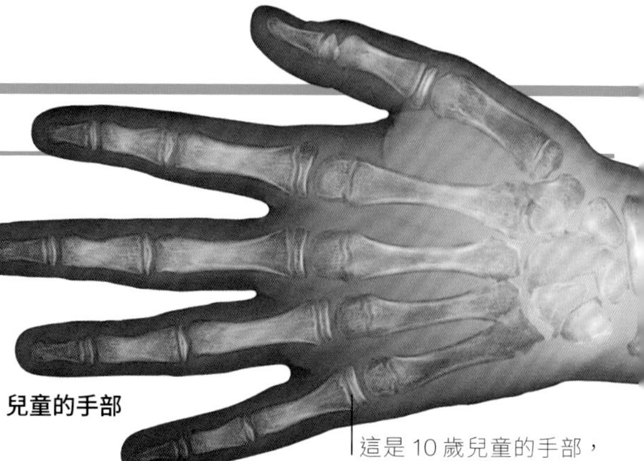

兒童的手部

這是 10 歲兒童的手部，其手指骨生長板的 X 光影像，看起來像是骨折的裂縫。

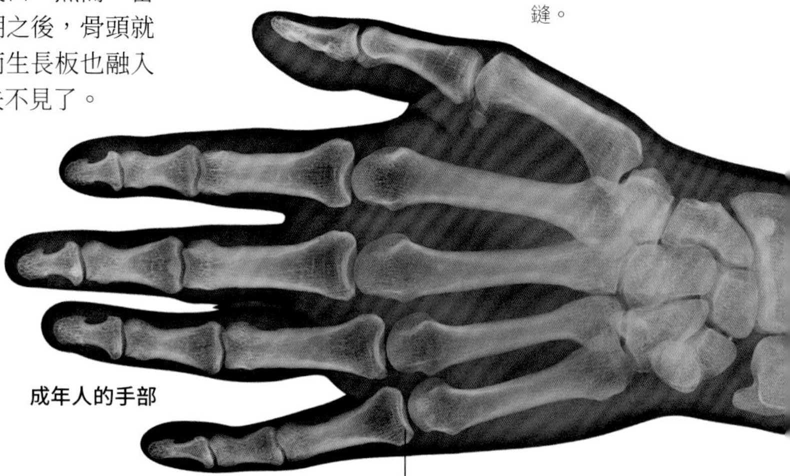

成年人的手部

這是 20 歲成年人的手部，其骨頭已經停止生長，而生長板消失不見了。

變化中的身體

人類的身體終其一生都在持續變化，在最初 18 年，我們從一名需要父母幫助的無助嬰兒，成長為能夠養育自己孩子的獨立成年人；到了 20 幾歲~ 30 幾歲，不論男性或女性的身體都處於最佳狀態，接下來，身體在 30 幾歲中段之後就逐漸走下坡，但退化速度不一，這取決於個人的生活型態—例如飲食習慣、運動習慣—以及基因是否良好。

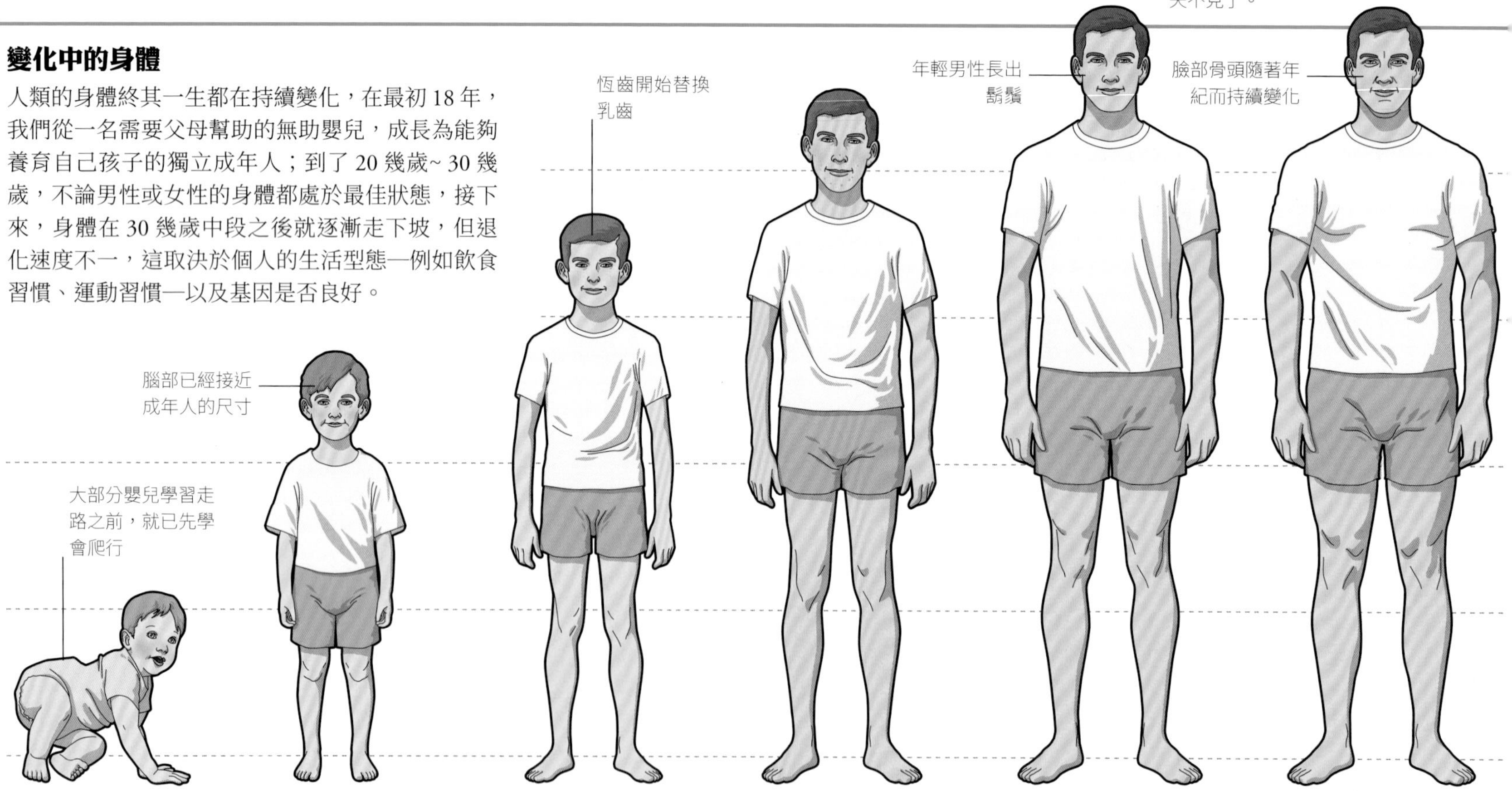
大部分嬰兒學習走路之前，就已先學會爬行
腦部已經接近成年人的尺寸
恆齒開始替換乳齒
年輕男性長出鬍鬚
臉部骨頭隨著年紀而持續變化

嬰兒期
就比例而言，嬰兒的頭部很大而四肢短小，到了 12-18 個月大，他們就會發展出學習走路必備的身體強度與平衡感。

幼兒期
四肢的成長開始追上頭部，幼兒學習走路與跑步，並熟練運用手部來操縱物體。

兒童期
持續穩定地成長，身高每年大約長高 6 公分；在這段期間，兒童逐漸熟練各種身體技能，例如騎單車、游泳、爬山、以及進行各種運動。

青春期
人類來到青春期，身高會大幅增加，而由於「性激素」的分泌，成年人的特徵也開始出現，此時情緒波動相當常見。

成年前期
此時身高已長到成年人的高度，而身體也幾近最佳狀態，男性與女性都已能生兒育女，但仍然需要幾年才能達到心理的成熟。

成年期
人類的身體在 20 ~ 35 歲之間達到最佳狀態，此時骨頭的強度最高，而所有身體系統都能順利運作——這是最適合生養自己後代的時期。

8公分/年——人類在**青春期**的**尖峰成長速率**。

16歲——**女孩**完全成長到**成年人身高**的典型年紀。

18歲——**男孩**完全成長到**成年人身高**的典型年紀。

腦部的發展

剛出生的嬰兒其腦部尺寸大約是成年人的 ¼，但兩者所包含的細胞數量幾乎相同（約 1,000 億個），接著腦部在 6 歲之前迅速成長，達到成年人腦部尺寸的 90%。在幼兒期，腦部細胞之間會形成密密麻麻的連結網絡（神經迴路），造就腦部非凡的學習潛力，之後這些連結若不經使用，就會消失不見，但殘留的連結則會繼續強化。

兒童的腦部

到了 3 歲左右，腦部中稱為「海馬體」的區域發展成熟，其功能是形成鮮明的記憶。另一方面，此時腦部中的「網狀組織」也已成形，讓兒童具有較長時間的專注力。至於「頂葉皮質」與「前額葉皮質」開始成熟，則是導致語言能力的進步、以及社交技巧的發展。

青少年的腦部

腦部中用以產生情感的區域—杏仁核—在青春期發展成熟，但牽涉思考與計畫的「前額葉皮質」尚未完全成熟，因此青少年容易不經深思而衝動行事。此外在青春期，腦部不常使用的「神經迴路」也會自動斷線。

成年人的腦部

「前額葉皮質」在成年期發展成熟，此時思緒變得更周全，較少感情用事（壓抑杏仁核的影響），而不使用的「神經迴路」已經斷線，導致腦部學習新技能的能力下降。人類的腦部之中除了稱為「海馬體」的區域，其他部位都無法產生新的腦細胞。

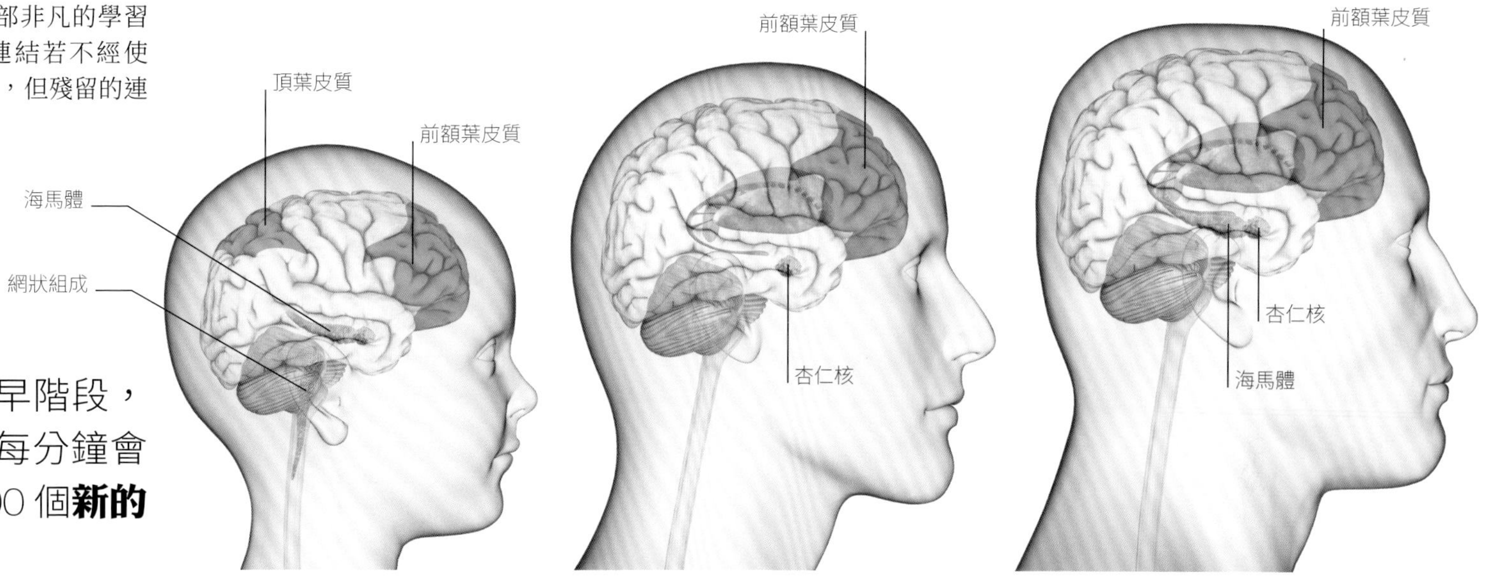
頂葉皮質
前額葉皮質
海馬體
網狀組成
前額葉皮質
杏仁核
前額葉皮質
杏仁核
海馬體

在**妊娠期**較早階段，**胎兒的腦部**每分鐘會製造 250,000 個**新的腦細胞**。

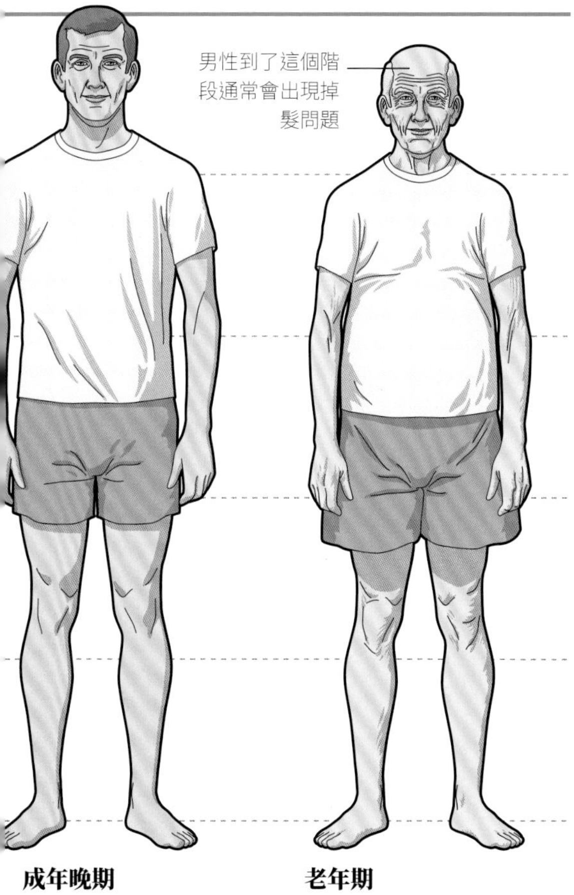
男性到了這個階段通常會出現掉髮問題

成年晚期

到了 50 幾歲或 60 幾歲，皮膚開始失去彈性，皺紋出現，肌肉慢慢萎縮，而視力和聽力也逐漸退化；女性在這個階段會失去生育能力。

老年期

此時骨骼與肌肉的強度雙雙減弱，身高下降，而關節硬化導致動作變慢；此外，在 90 歲之前腦部會萎縮 10% 左右，所有感官退化，而心臟的效率也會降低。

青春期

女生在 10-14 歲、男生在 11-15 歲之間，其身體會經歷快速成長、以及「性發展」的階段，此稱為青春期，此時男性的睪丸—或是女性的卵巢—開始釋出「性激素」（性荷爾蒙），進而導致身體產生變化，例如體毛和鬍鬚的生長、胸部與月經週期的發展、以及身高和體型的改變。除了身體上的變化，青春期還伴隨著情緒和行為上的改變，這是由於腦部的發展漸漸成熟——然而這個過程相當緩慢，通常會持續到 20 幾歲。

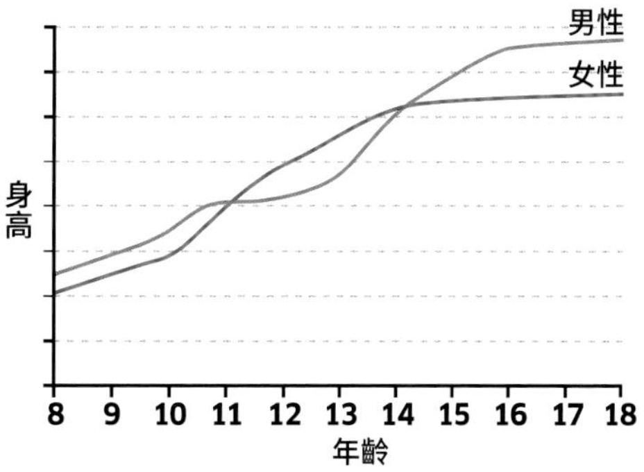
男性
女性
身高
8 9 10 11 12 13 14 15 16 17 18
年齡

青春期發育陡增

骨頭在青春期長得特別快，進而導致身高突然增加；而女孩比男孩更早進入青春期，因此 11 歲左右的女孩，其平均身高會勝過男孩；男孩的平均身高直到 14 歲才追過女孩。

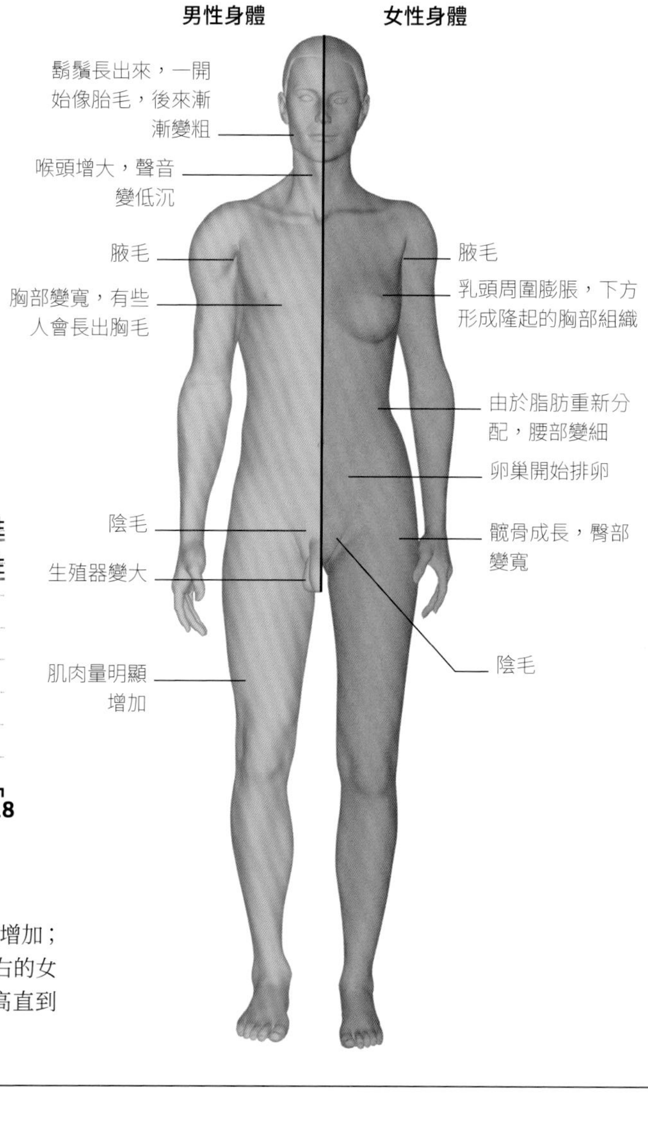
男性身體
女性身體
鬍鬚長出來，一開始像胎毛，後來漸漸變粗
喉頭增大，聲音變低沉
腋毛
胸部變寬，有些人會長出胸毛
陰毛
生殖器變大
肌肉量明顯增加
腋毛
乳頭周圍膨脹，下方形成隆起的胸部組織
由於脂肪重新分配，腰部變細
卵巢開始排卵
髖骨成長，臀部變寬
陰毛

1——1條染色體所包含的DNA分子的數量。

基因與DNA

在人體每一個細胞核之中，都有一組用以控制身體運作與發展的指令，這些遺傳指令稱為基因。基因由4個英文字母(代表4種鹼基)組成字串(鹼基序列)，儲存於DNA(去氧核糖核酸)分子之中。

假如你能解開身體中每一個細胞的所有 DNA，其總長度足以折返地球與太陽之間 **400 次！**

除非你是同卵雙胞胎之一，否則你必定擁有獨一無二的基因組，讓你跟所有人都不一樣。我們身上的基因有一半來自父親，另一半來自母親，兩者結合形成完整的「基因組」，基因組之中的每一個基因都帶有來自父系與母系的遺傳指令；基因組控制每一個人的大部分身體特徵，不論是眼珠的顏色、或是體型，另一方面，基因組也影響每一個人的能力和個性——雖然人生經歷也在其中扮演重要的角色。

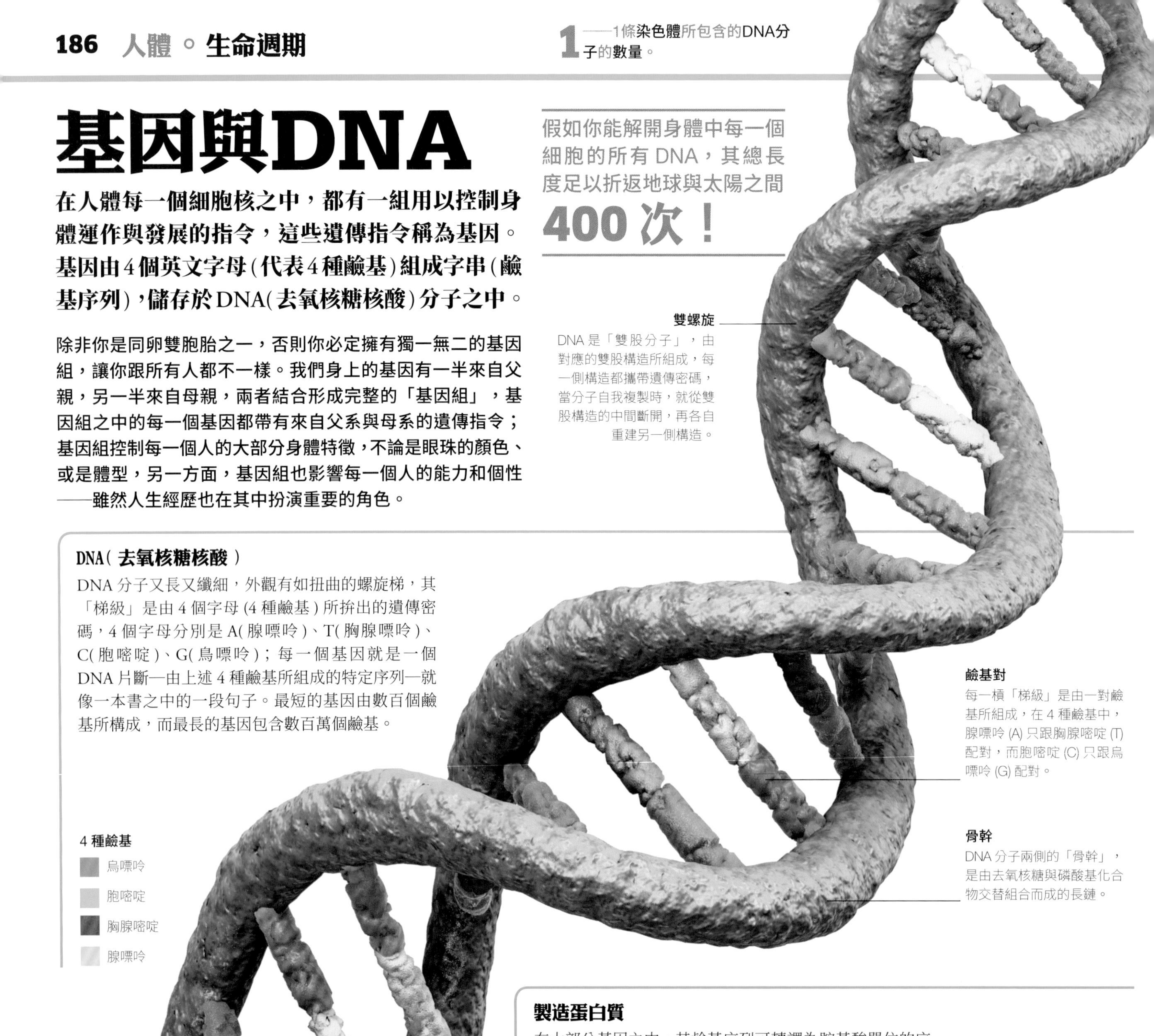

雙螺旋
DNA 是「雙股分子」，由對應的雙股構造所組成，每一側構造都攜帶遺傳密碼，當分子自我複製時，就從雙股構造的中間斷開，再各自重建另一側構造。

DNA(去氧核糖核酸)

DNA 分子又長又纖細，外觀有如扭曲的螺旋梯，其「梯級」是由 4 個字母 (4 種鹼基) 所拚出的遺傳密碼，4 個字母分別是 A(腺嘌呤)、T(胸腺嘌呤)、C(胞嘧啶)、G(鳥嘌呤)；每一個基因就是一個 DNA 片斷—由上述 4 種鹼基所組成的特定序列—就像一本書之中的一段句子。最短的基因由數百個鹼基所構成，而最長的基因包含數百萬個鹼基。

鹼基對
每一槓「梯級」是由一對鹼基所組成，在 4 種鹼基中，腺嘌呤 (A) 只跟胸腺嘧啶 (T) 配對，而胞嘧啶 (C) 只跟烏嘌呤 (G) 配對。

骨幹
DNA 分子兩側的「骨幹」，是由去氧核糖與磷酸基化合物交替組合而成的長鏈。

4 種鹼基
- 烏嘌呤
- 胞嘧啶
- 胸腺嘧啶
- 腺嘌呤

製造蛋白質

在大部分基因之中，其鹼基序列可轉譯為胺基酸單位的序列，用以合成蛋白質分子，蛋白質構成我們的身體織組，並控制細胞中的化學活動——每一類胺基酸都是由 DNA 之中的 3 個字母 (鹼基) 所拚出來。為了合成蛋白質，細胞從類似 DNA 的分子—「傳訊 RNA」—的基因中複製密碼；「傳訊 RNA」的功能是作為「範本」，用以指示小分子—「轉送 RNA」—將胺基酸輸送到正確的位置。

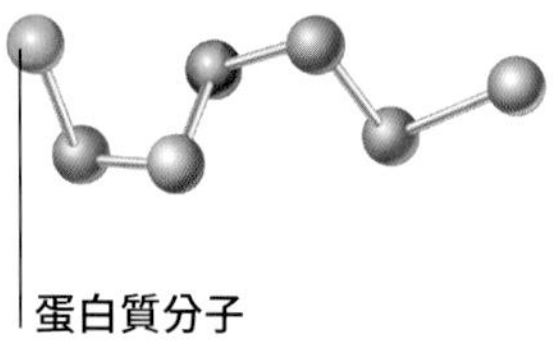

蛋白質分子
所有蛋白質都是由胺基酸所組成的長鏈分子。

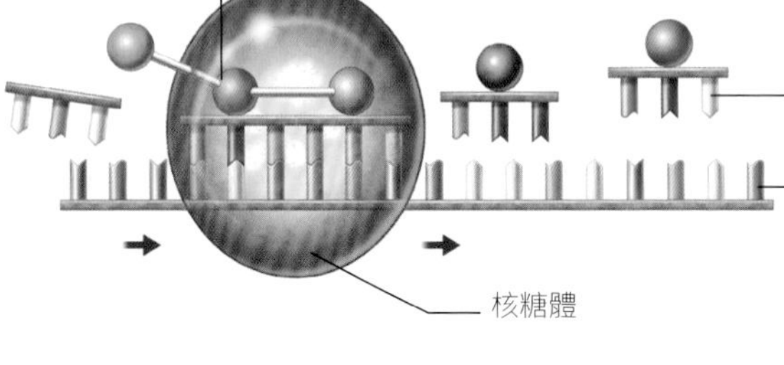

轉送 RNA
這些 RNA 的短股將細胞中的特定胺基酸轉送到核糖體——負責合成蛋白質的胞器。

傳訊 RNA
這種分子負責將基因的遺傳密碼傳送到核糖體。

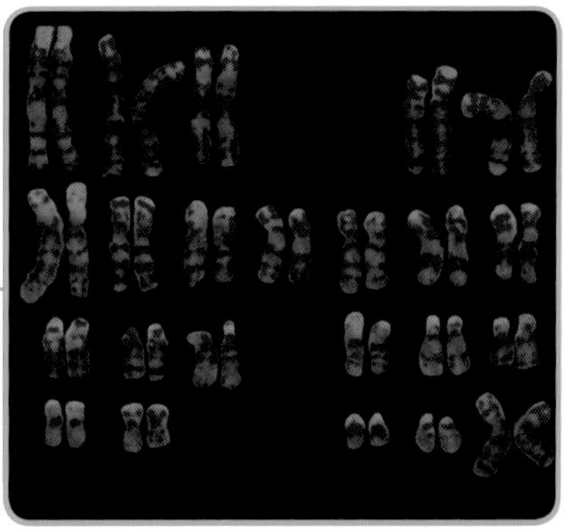

壓縮包裝DNA

用以容納 DNA 的空間非常小，因此細胞必須以精巧的方式壓縮包裝 DNA；每一個 DNA 分子像是蜿蜒的絲線一般，纏繞球狀的核小體形成粗線狀，這條粗線盤旋成為更粗的線狀，接著再進一步盤旋，最終成為粗短的 X 形構造——染色體，染色體之內包含長達 4 公分的單一 DNA分子，但染色體本身的尺寸卻是小到肉眼無法看見；就算 10,000 染色體聚集在一起，也只有一個逗點般的大小。

染色體

人體的每一個細胞都含有 46 條 (23 對) 染色體，擁擠地塞進細胞核之中 (除了紅血球細胞不具細胞核之外)，其中最特別的是 X 染色體和 Y 染色體，它們決定胎兒的性別。

核小體 (組織蛋白) 緊密排列成線圈狀，再多重纏繞成為扭轉的粗線
DNA 纏繞核小體

基因遺傳

我們「基因組」之中的每一個基因都包含兩種基因型—稱為「等位基因」—其中一型來自父親，另一型來自母親。有些基因型具有遺傳優勢，意即不論另一個基因型是什麼，前者總是在人體上顯現出來，這種基因型稱為「顯性基因」；另一類稱為「隱性基因」，當它們跟顯性基配對時，前者總是無法對身體產生功效——除非是分別來自父親的兩個隱性基因配對。

血型

我們的血型是哪一種型，取決於 3 種等位基因—A、B、O—的配對組合，其中「等位基因 A」和「等位基因 B」是顯性，而「等位基因 O」是隱性；只有那些擁有兩個「等位基因 O」配對的人，其血型才會是 O 型。

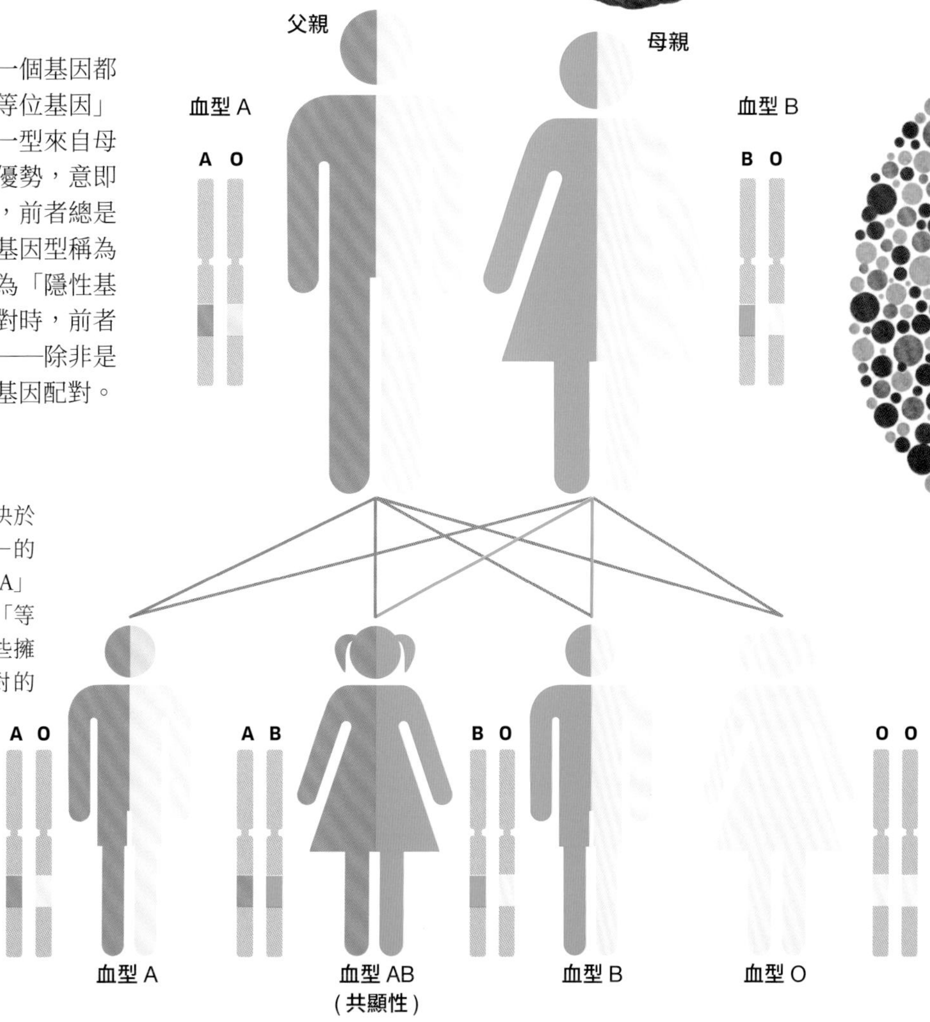
父親
母親
血型 A
A O
血型 B
B O
A O
A B
B O
O O
血型 A
血型 AB
(共顯性)
血型 B
血型 O
圖例
等位基因 A
等位基因 B
等位基因 O

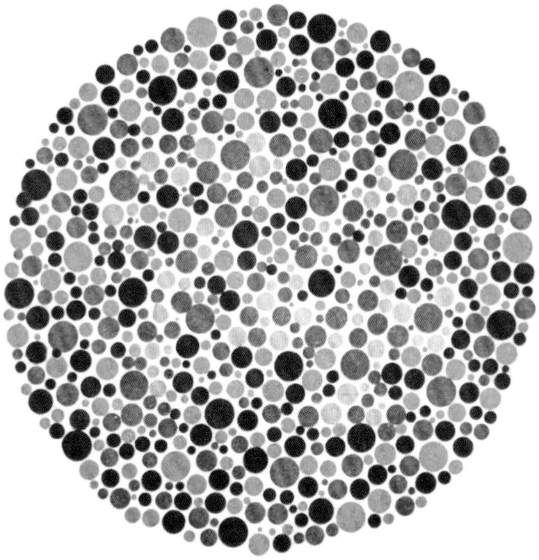

X 性聯基因

有些基因由「X 染色體」所攜帶，男孩只有 1 個 X 染色體，而女孩擁有 2 個 X 染色體，因此缺陷基因比較可能在男孩身上產生問題，這種狀況稱為「X 性聯隱性遺傳病」，最常見的例子就是色盲——上圖是用以測試色盲的影像，如果你無法從圖中看出「74」這個數字，你可能就是帶有色盲基因；歐洲人約有 8% 比例的男性是色盲，但女性只有 0.5%。

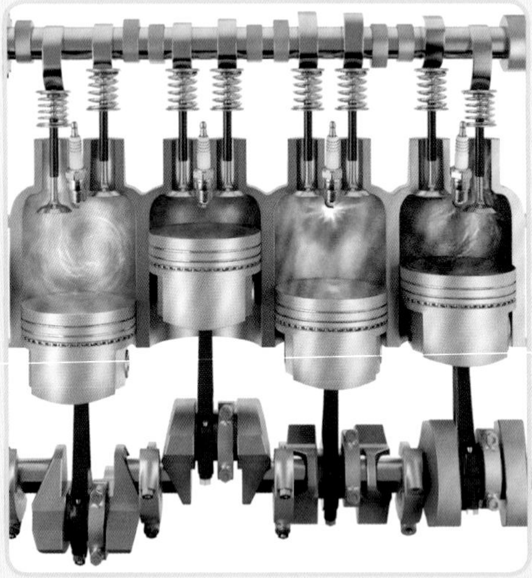

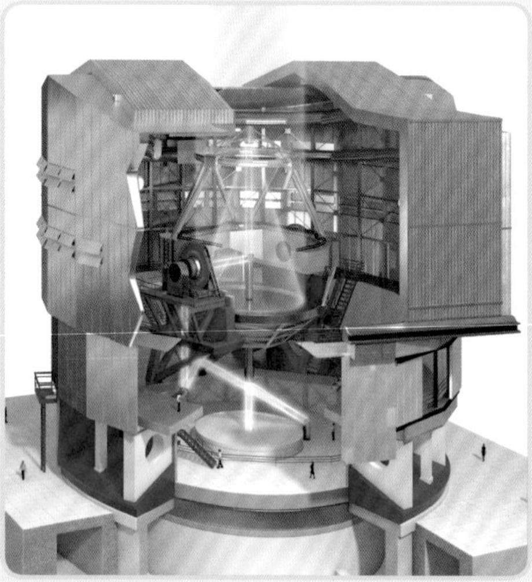

科學

科學，是研究宇宙萬物隱藏的運作規則與模式——從原子、光，到重力和磁性…等等。至於科技，就是應用各種科學知識，來創造更複雜、更有用的機器或設備。

物質

你可能認為自己的身體算是固體，但事實上，人體是一具主要由液體和氣體所組成的皮囊。固態、液態、氣態合稱「物質三態」，所有物質—甚至這個世界本身—都是由原子所構成的，例如人體主要由 4 種原子—氧、碳、氫、氮—所組成，但要建構整個世界，就需要大約 100 種原子了；不同原子以各種方式組合成為宇宙萬物——從一棵大樹，到一根牙刷都是。

物質是什麼？

我們周遭所見的一切都是物質。原子會組成更大、更複雜的單位，例如分子，或是組成有機物的基本單位——細胞，然而原子並非最小的單位，原子本身包含更小的粒子—例如質子和中子—甚至連它們，都是由更小的單位所組成的。

宇宙中的物質

我們所認知的地球，主要包括陸地 (固態)、環繞四周的海洋 (液態)、以及飄浮的空氣 (氣態)，至於廣闊的宇宙中大多空無一物，只零星散落著恆星和行星。事實上，以上所提到的都是「普通物質」，它們只占了宇宙的一小部分，宇宙中的大部分事物都以兩種神祕的形式存在——「暗物質」與「暗能量」。

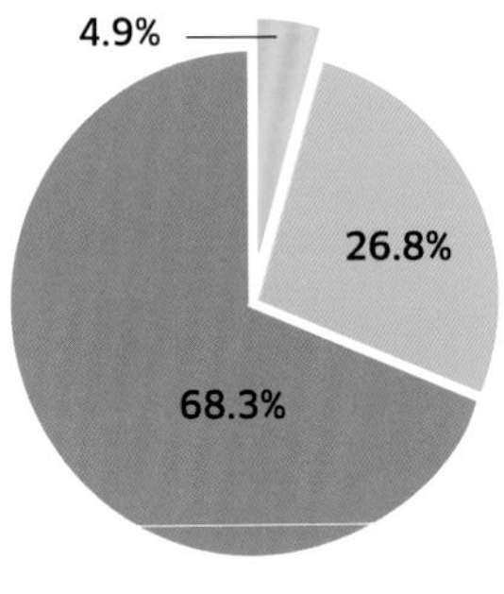

4.9%
26.8%
68.3%
圖例
普通物質
暗物質
暗能量

物質分析

普通物質只構成當前宇宙的一小部分，但回溯到「宇宙大爆炸」剛過後，宇宙中的一切幾乎都由「普通物質」或「暗物質」所組成。

暗物質

不像周遭我們所見的普通物質，暗物質是看不見的，只能從暗物質對普通物質所造成的影響，來確認暗物質的存在。天文學家最初提出暗物質的觀念，主要是用來解釋——為什麼有些恆星或星系的質量，似乎比原本所預期的還來得小。

暗能量

暗能量的理論之所以出現，是為了解釋為什麼宇宙的膨脹速率會比預期中更快；一般認為，暗能量就是對抗重力的相反力量，從而導致了宇宙快速膨脹——儘管如此，目前並無暗能量存在的明確證據，而且，並非所有科學家都認同暗能量的存在。

地球上的物質

環繞在我們周遭的所有事物若非物質、就是能量。我們每天都會用到數千種不同的材料，通常也都能分辨哪些是有機物、哪些又是無機物，儘管兩者都由原子所組成，但運作方式不同——有機物不斷自我更新，而無機物只在受到外力作用時才會改變。

有機物質

有機物從外在環境吸收能量與物質來生長、變化，其能量來自陽光，陽光讓植物成長，提供動物作為食物。

無機物質

地球大體上由岩石所構成，所有岩石都由數十種不同的化學元素所組成，而人類以各種方式運用這些元素——我們每天所使用的物品和設備，都是由無機物製造而成的。

能量

亞伯特．愛因斯坦發現，只需一點點物質，就能轉變成為大規模的能量——而同樣的過程造就太陽產生光能，支持地球上的所有生命。

物質的基本構件

地球上的所有物質都來自 100 種左右的元素。原子互相結合，形成更大的結構——分子，而不同元素的原子結合，則形成化合物；我們只要研究不同物質的組成成分，幾乎就可以瞭解地球上的所有物體。

有機物質

細胞是組成生物體的基本單位，雖然我們也可以將葉子之類的有機物視為原子的集合體，但原子的層級太小，不適合用來瞭解生物體，因此較大的單位—細胞—更適合用來瞭解葉子如何生存、如何死亡。

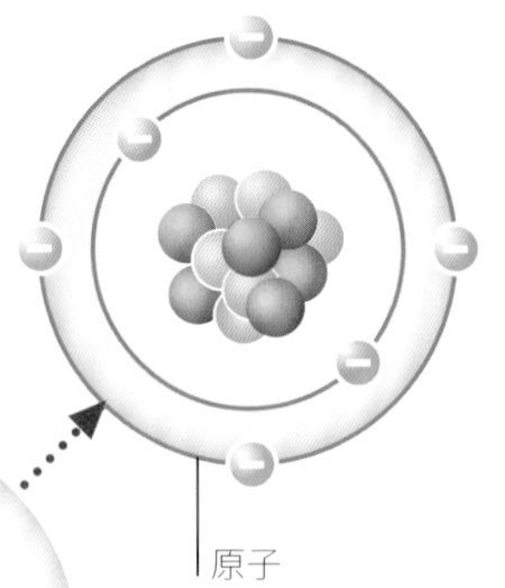
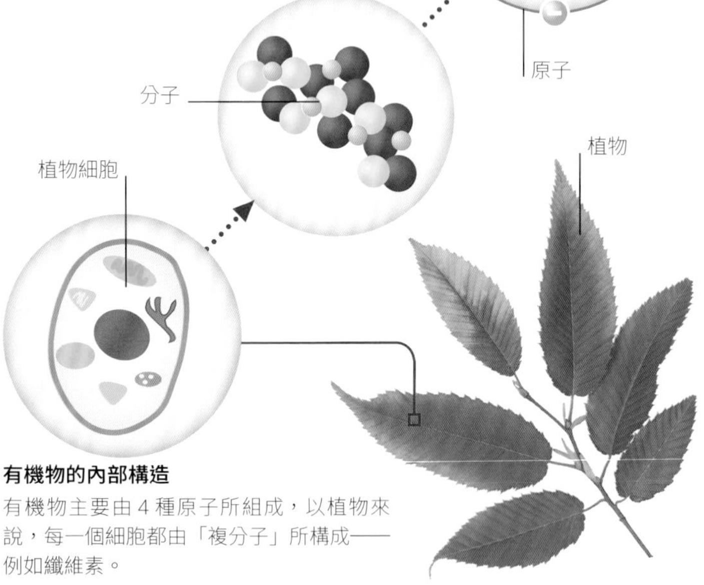

原子
分子
植物細胞
植物

有機物的內部構造

有機物主要由 4 種原子所組成，以植物來說，每一個細胞都由「複分子」所構成——例如纖維素。

無機物質

跟植物一樣，塑膠牙刷之類的無機物也是由原子與分子所組成，牙刷中的原子跟葉片中的原子基本上沒有什麼不同，只是牙刷中的原子組成較長且具有彈性的分子，賦予塑膠牙刷很好的彈性。

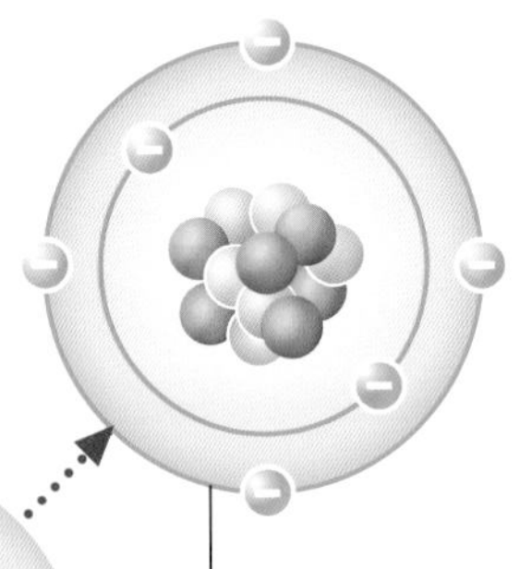
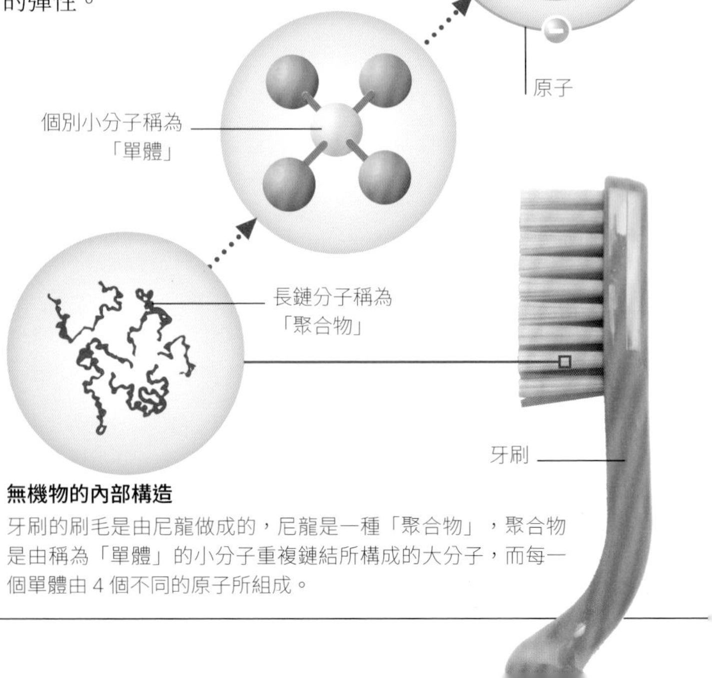

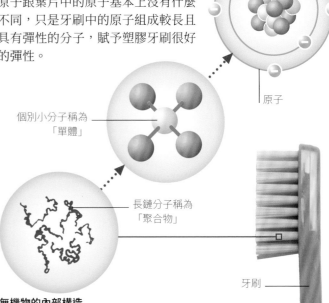

原子
個別小分子稱為「單體」
長鏈分子稱為「聚合物」
牙刷

無機物的內部構造

牙刷的刷毛是由尼龍做成的，尼龍是一種「聚合物」，聚合物是由稱為「單體」的小分子重複鏈結所構成的大分子，而每一個單體由 4 個不同的原子所組成。

物質的變化

有機物隨時都在變化，而無機物看似永遠不變，例如地球上的岩石，有些形成至今已有數億年之久。有機物一旦死亡，就會轉變成其他事物，例如落葉可以當作樹木自身的肥料，但一般而言，有機物通常會以無機物的形式「重生」，例如石油，就是死亡的微型植物經過數百萬年腐化的結果。

變化類型

物質之所以產生變化，背後都有其科學邏輯；透過觀察有機物或無機物在變化前後的樣貌，我們就能瞭解這些邏輯，並分辨其變化類型是哪一種——物理變化、化學變化、或是生物變化。

冰 + 熱 ▶ 水

物理變化
冰轉變成水或水蒸氣，但本質上仍然都是相同的物質，只是產生了物理變化。

氫 + 氧 ▶ 水

化學變化
氫與氧結合成為水，這種過程是化學變化——原始物質的性質已被改變。

二氧化碳 + 水 + 陽光 ▶ 植物生長

生物變化
植物將水轉變成新的生長物——在生物變化的過程中，原始物質消失不見了。

化學世界

從我們餐盤中的食物、到腳底踩的鞋子，化學對於人類的生活影響甚鉅。化學是一門關於元素、以及不同元素如何結合的科學，但涉及範圍極廣，不僅僅是混合或搖動試管中的物質這麼簡單！

化學的應用

在古代，人類直覺式地利用周遭可見的材料，例如石頭、木材或獸骨。後來，我們創造出更好的方法來使用材料，例如加熱銅金屬來製造青銅，而現在，科學家已經瞭解成千上萬種材料，並懂得針對特定用途來選用最適合的材料。

家用化學製品
許多居家生活用品都是化學製品，例如肥皂和洗髮精，都是運用化學反應來分解、去除汙垢；又如油漆，其功能是藉由減緩化學變化一例如生鏽或日晒一的速率來保存物品。

生物化學
維生素和礦物質都是化學元素所組成的混合物，人體需要這些物質才能正常運作；至於藥品，則是複雜的化學物質，用以幫助人體進行修復。

有機化學
「碳」是組成有機物的關鍵元素，也是塑膠或汽油等無機物的重要成分；有機化學就是專門研究「碳基化合物」、以及它們的各種應用。

材料科學
透過研究各種材料一例如玻璃或木材一的「原子結構」，科學家可以發展出更有用的材料。

工程學
工程師運用材料科學、化學和物理學的知識，來設計安全而耐用的產品。

原料從何而來？

地球就像一座大倉庫，裝滿人類所需的各種原始材料，但不幸的是，這些原料必須經過長時間的醞釀才能形成——就算是一棵樹，都得歷經數十年才能長成，提供木材給我們使用；至於煤礦或油田，那就是數百萬、數千萬年的積累成果了！然而，隨著全球人口不斷成長，石油之類的原料變得愈來愈貴，科學家與發明家必須設法尋找替代原料，或是讓這些原料利用得更有效率，否則，地球現存的原料很快就會被我們用光了！

各種原料的全球分布圖
有些國家的財富來自他們地底下的原料，例如中東地區擁有豐富的石油蘊藏，而中國和美國擁有大量煤礦。

圖例
鋁礬土、銅、高嶺土、石油、硫、煤、鐵礦、天然氣、鹽、木材

比較各種材料

我們每天都在比較各種材料，並從中選擇，例如早餐吃蛋，而不是吃吐司，這個選擇標準是根據不同食材的熱量來決定的。另一方面，你可能選擇穿著厚毛織套衫，而不是薄棉T恤，此一選擇的標準則是根據衣料的物理性質——哪一種才能保存你的體溫。當你洗澡時，可能使用塊狀肥皂，也可能使用沐浴乳，其標準則是根據兩者的化學性質而定——哪一種分解汙垢的功效更好。

材料的各種性質

每一種材料都有其優點與缺點，這取決於材料的各種性質而定。材料的物理性質包括強度、硬度、塑性，以及是否易於受到熱、電、光的影響。至於材料的化學性質，主要是當它們跟其他物質一例如水或酸一接觸時，會產生什麼樣的變化。

物質	漂浮性	顏色	透明度	光澤	可溶性	導電性	質地
銅	否	紅	不透明	有光澤	可溶解於酸	導體	平滑
粉筆(白堊)	否	白	不透明	無光澤	可溶解於酸	絕緣體	粉狀
鉛筆心	否	黑	不透明	有光澤	不可溶	導體	光滑
松木	是	棕	不透明	無光澤	不可溶	絕緣體	粗糙
鹽粒結晶	否	白	透明	有光澤	可溶解於水	不一定[註1]	尖突狀
玻璃	否	多變	透明	有光澤	不可溶	絕緣體	平滑
滑石	否	多變	不透明	蠟質	可溶解於酸	絕緣體	油滑
鑽石	否	多變	透明	閃亮	不可溶	絕緣體	平滑

註1：固態為絕緣體/溶解時是導體

一名成年人的體重，大約是最小原子的50,000×1兆×1兆倍。

6,000 萬兆──**單一沙粒**所包含的原子數量。

原子與分子

宇宙中所有物質都是由肉眼看不見的微小粒子──原子──所構成的，你我手指上的皮膚、書本上的印刷字、我們所呼吸的空氣、或是在人體血液中流動的細胞，這些物體不論你看得見或看不見，全部都由原子所組成。

「原子」這個觀念在科學界存在已久，早在古希臘時期，有些哲學家認為原子就是組成物質的最小單位，無法再被分解，他們選擇「atom」作為原子的名稱，意味著原子是「不可切割」、或是「看不見」的；這種關於原子的早期理論持續了數千年之久，直到 20 世紀初期，幾位優秀的科學家終於「裂解原子」──撞擊原子，形成尺寸更小的粒子。

原子互相結合，組成更大的團塊──分子；宇宙中只存在大約 100 種原子，但不同原子彼此結合，就能組成千百萬種不同的分子。

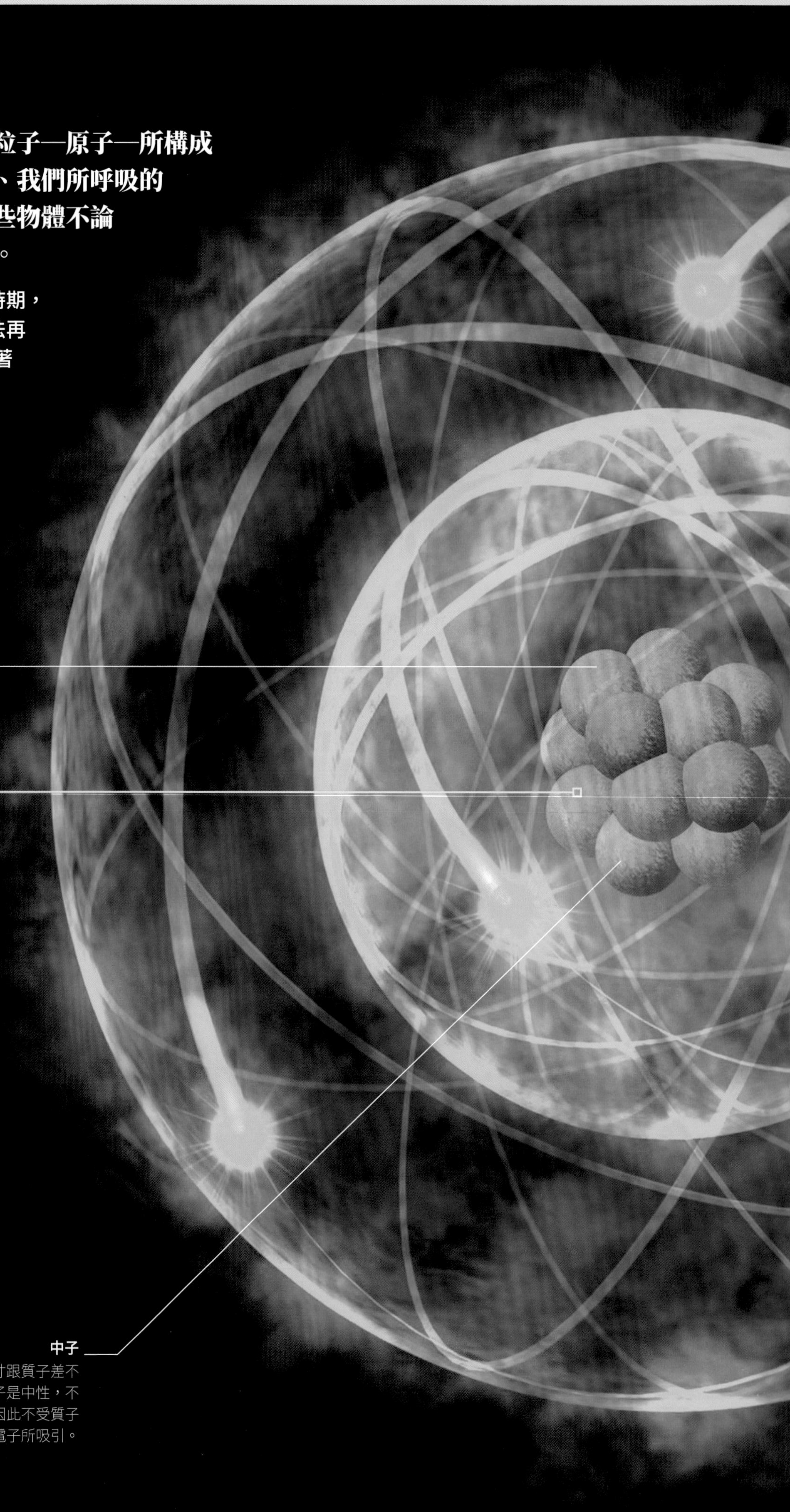

質子

質子帶有正電荷，會被電子所吸引。

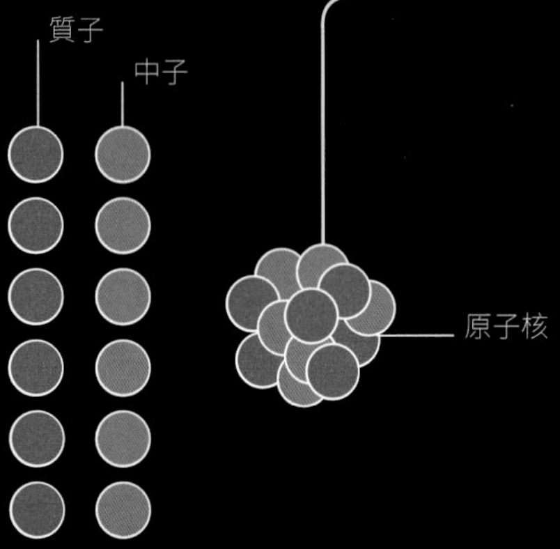

原子核

質子與中子聚集成團塊，形成原子的原子核。原子的大部分重量來自原子核，但原子核的體積只占原子的一小部分，在原子核之外，原子的 99.9% 空間都是空無一物的──若是將單一原子的尺寸比喻為足球場，那麼，原子核就是球場中央的一粒豌豆，而電子則像是在外圍座位區嗡嗡飛舞的蚊子！

中子

中子的尺寸跟質子差不多，但中子是中性，不帶電荷，因此不受質子或電子所吸引。

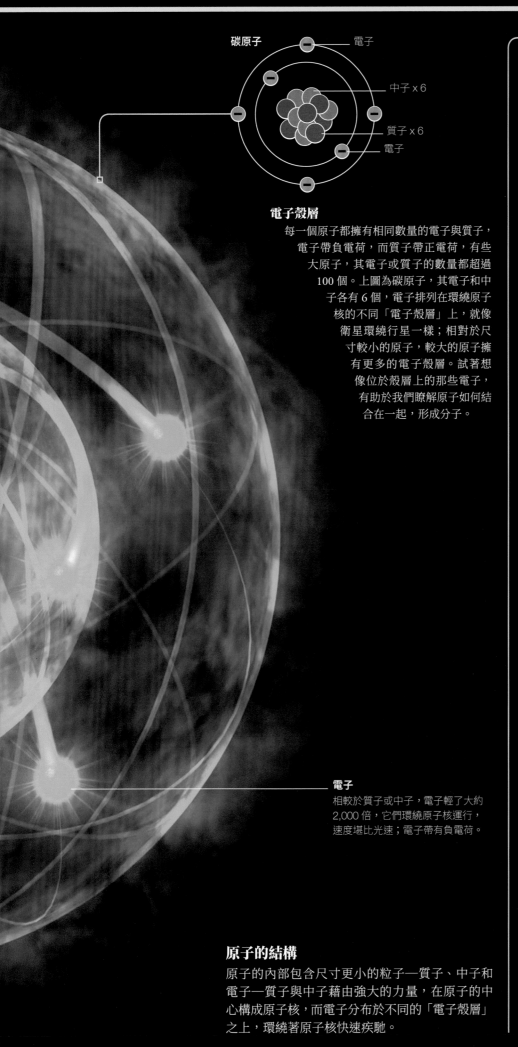

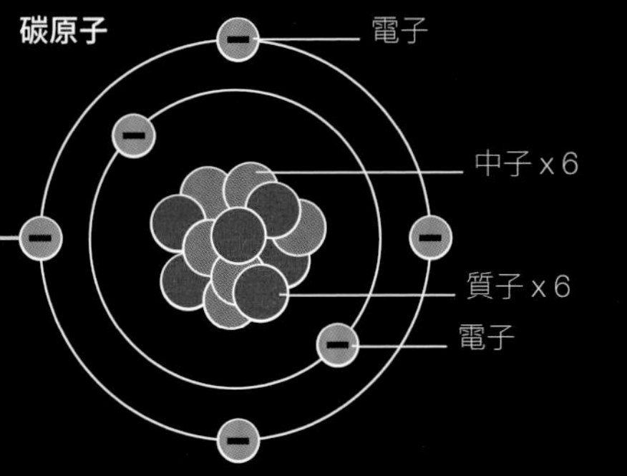
碳原子
電子
中子 x 6
質子 x 6
電子

電子殼層

每一個原子都擁有相同數量的電子與質子，電子帶負電荷，而質子帶正電荷，有些大原子，其電子或質子的數量都超過 100 個。上圖為碳原子，其電子和中子各有 6 個，電子排列在環繞原子核的不同「電子殼層」上，就像衛星環繞行星一樣；相對於尺寸較小的原子，較大的原子擁有更多的電子殼層。試著想像位於殼層上的那些電子，有助於我們瞭解原子如何結合在一起，形成分子。

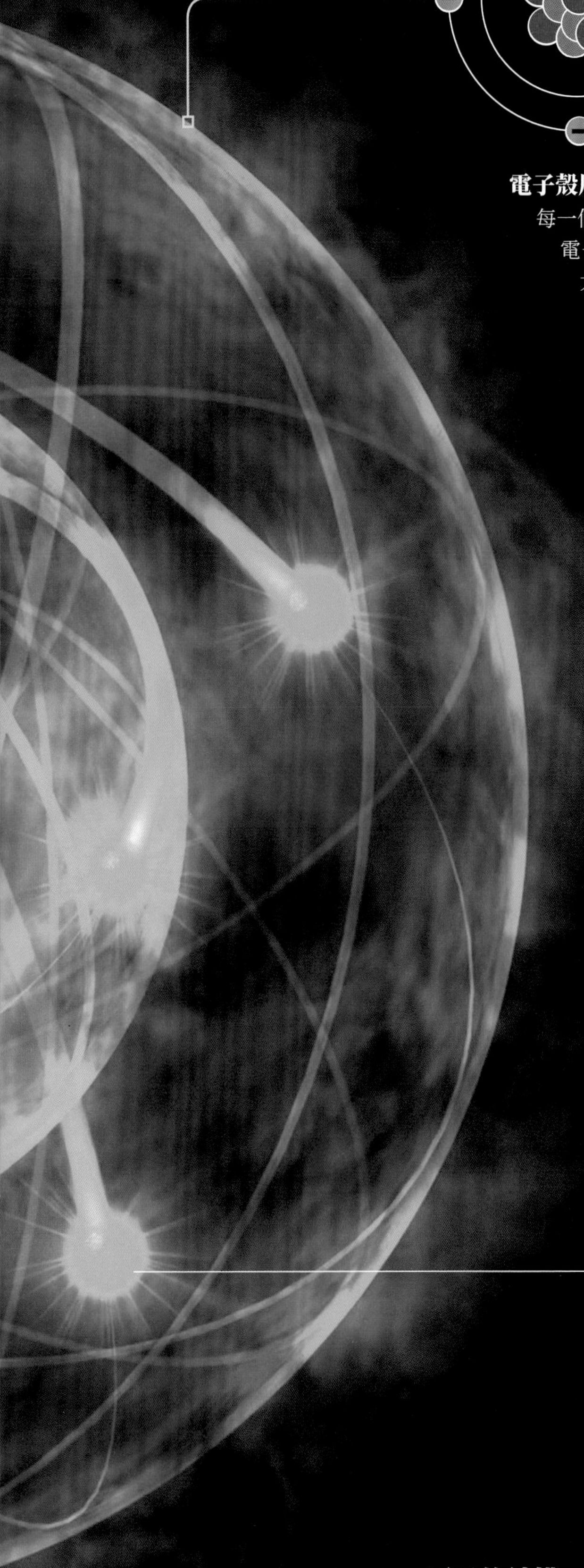

電子

相較於質子或中子，電子輕了大約 2,000 倍，它們環繞原子核運行，速度堪比光速；電子帶有負電荷。

原子的結構

原子的內部包含尺寸更小的粒子—質子、中子和電子—質子與中子藉由強大的力量，在原子的中心構成原子核，而電子分布於不同的「電子殼層」之上，環繞著原子核快速疾馳。

組成分子

原子互相結合—或稱「鍵結」—來形成分子，分子可能由一種原子組成，也可能由數種不同的原子所組成，例如氫分子由兩個氫原子結合而成，而塑膠則是由大分子（包含數千個原子）無限重覆所形成的極長分子鏈。

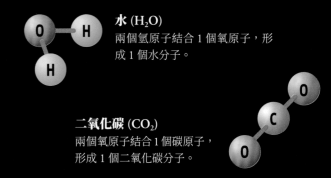

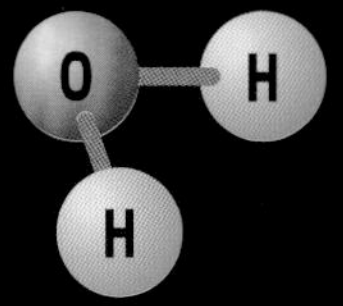
O
H
H

水 (H_2O)

兩個氫原子結合 1 個氧原子，形成 1 個水分子。

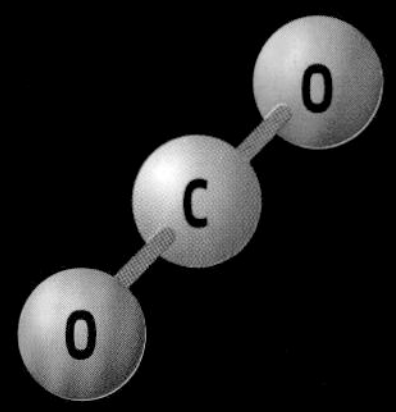
O
C
O

二氧化碳 (CO_2)

兩個氧原子結合 1 個碳原子，形成 1 個二氧化碳分子。

原子之間如何結合

原子利用自己的電子來跟其他原子結合——透過失去電子、獲得電子、或共用電子這 3 種化學鍵結方式，將不同原子結合在一起。

離子鍵

當原子將自己的電子給予另一個原子，前者就會帶正電荷，而後者帶負電荷，因此這兩個原子會互相吸引、彼此交鎖。

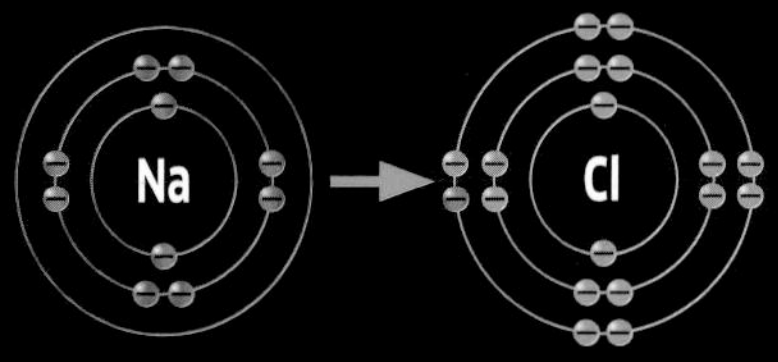
Na
Cl

共價鍵

兩個原子讓外側的電子殼層重疊，共享外層電子。

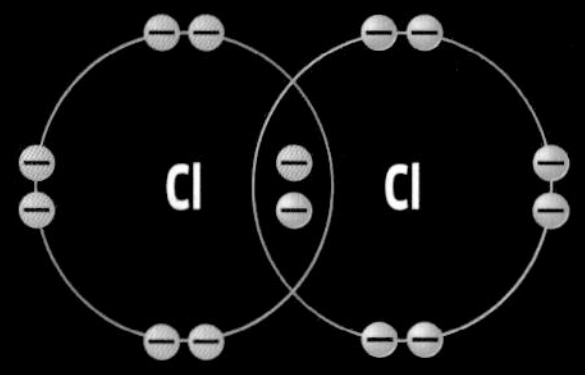
Cl
Cl

金屬鍵

金屬原子藉由共享的電子—電子雲—形成金屬鍵，堆疊成為「晶格」。

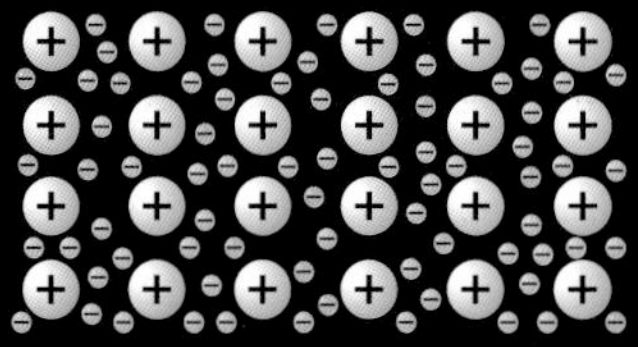

夸克或「能量弦線」

原子核由中子與質子所組成，那麼，又是那些物質組成中子或原子呢？目前的理論認為，它們是由 3 種稱為「夸克」的更小粒子所組成的；然而，另有一些科學家提出「弦理論」，他們認為所有物體都是由振動的物質或能量—稱為「能量弦線」—所組成，但就算這些弦線真的存在，也沒人知道那是什麼！

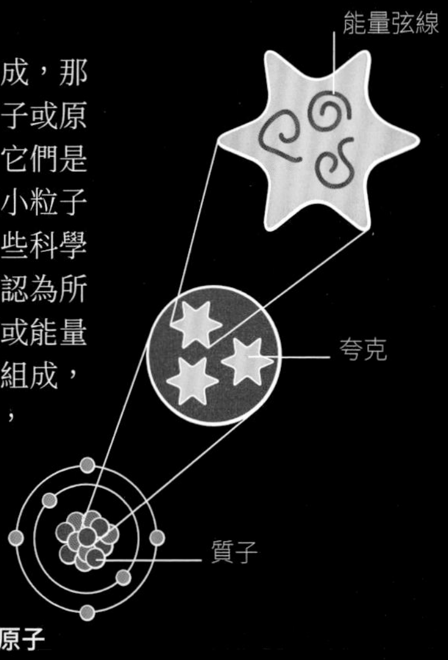
能量弦線
夸克
質子
原子

每1秒鐘，大型強子對撞機的內部都會出現**6億次碰撞**。

大型強子對撞機 (LHC)

這座超大型機器包含長達 27 公里的圓形隧道，隧道深埋於地底 100 公尺之下，可從中射出兩道方向相反的原子束，將其加速到光速的 99.9999999%，接著改變方向讓它們互相碰撞，再運用隧道迴路中的 4 台偵測器，研究原子猛烈碰撞的結果;這 4 台偵測器分別是「大型離子對撞機實驗」(Alice)、「超環面儀器」(Atlas)、「緊湊緲子線圈」(CMS)、「底夸克實驗」(LHC-b)。

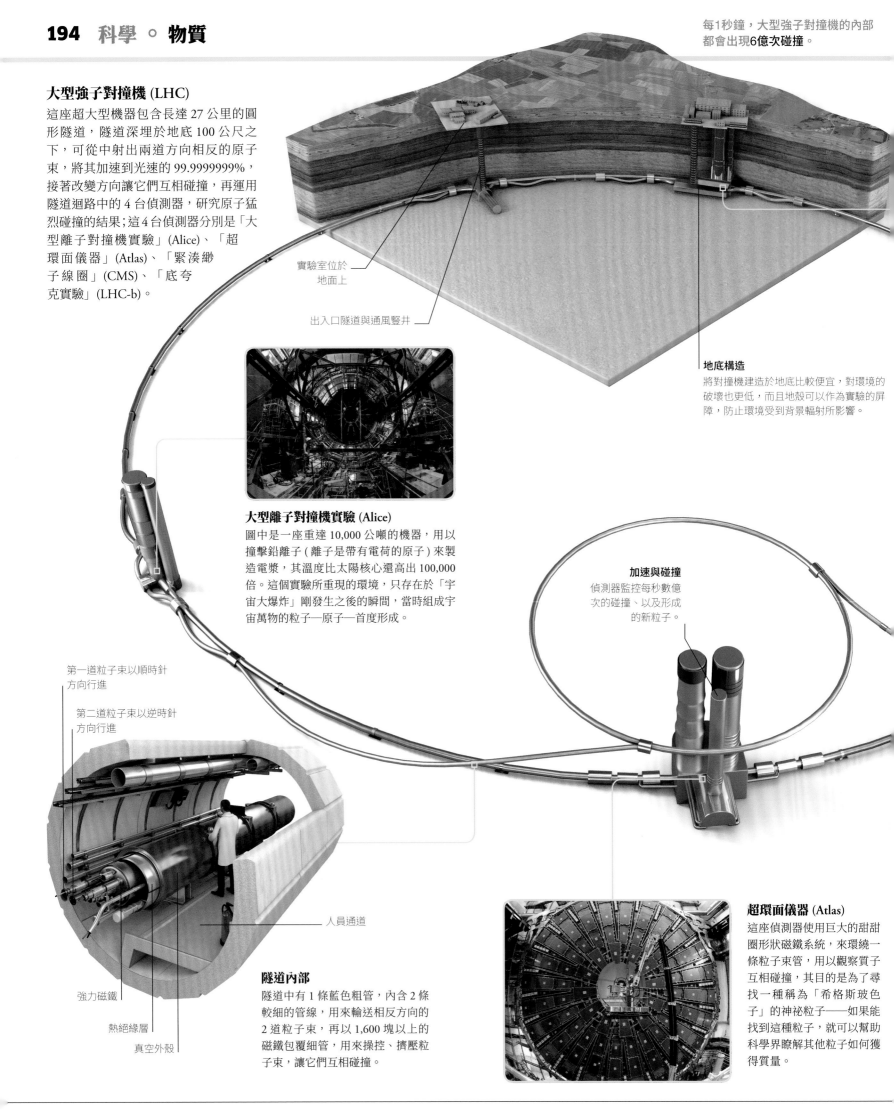

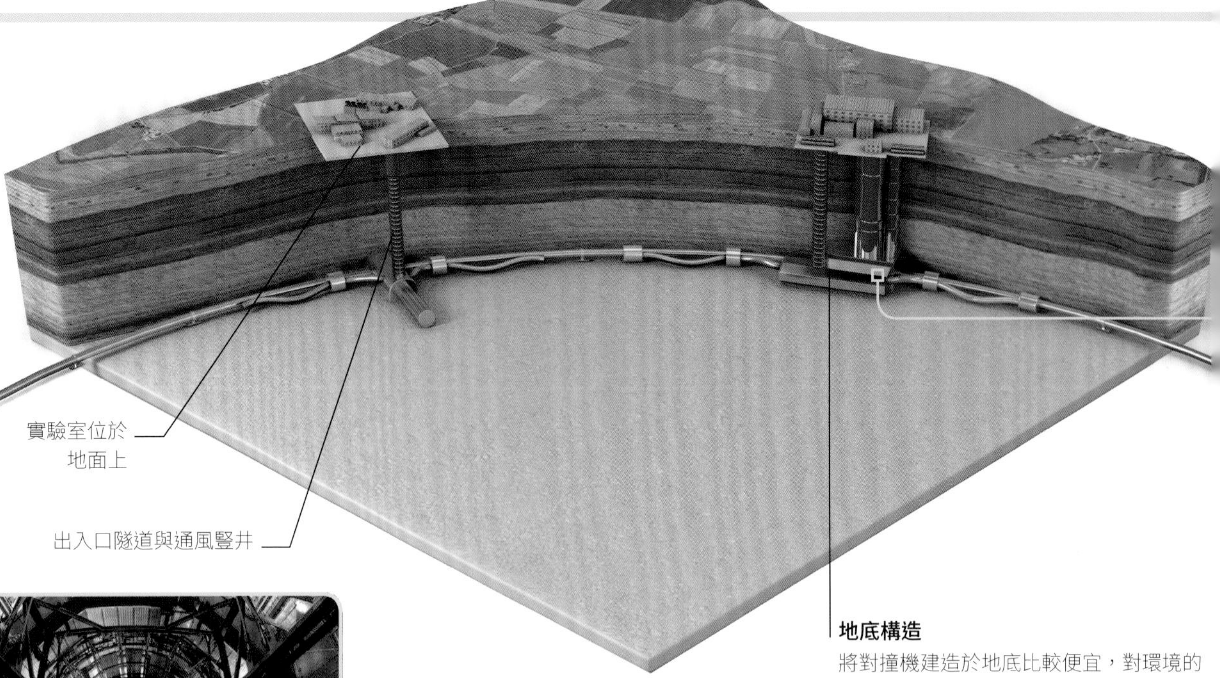
實驗室位於
地面上
出入口隧道與通風豎井

地底構造

將對撞機建造於地底比較便宜，對環境的破壞也更低，而且地殼可以作為實驗的屏障，防止環境受到背景輻射所影響。

大型離子對撞機實驗 (Alice)

圖中是一座重達 10,000 公噸的機器，用以撞擊鉛離子 (離子是帶有電荷的原子) 來製造電漿，其溫度比太陽核心還高出 100,000 倍。這個實驗所重現的環境，只存在於「宇宙大爆炸」剛發生之後的瞬間，當時組成宇宙萬物的粒子—原子—首度形成。

加速與碰撞

偵測器監控每秒數億次的碰撞、以及形成的新粒子。

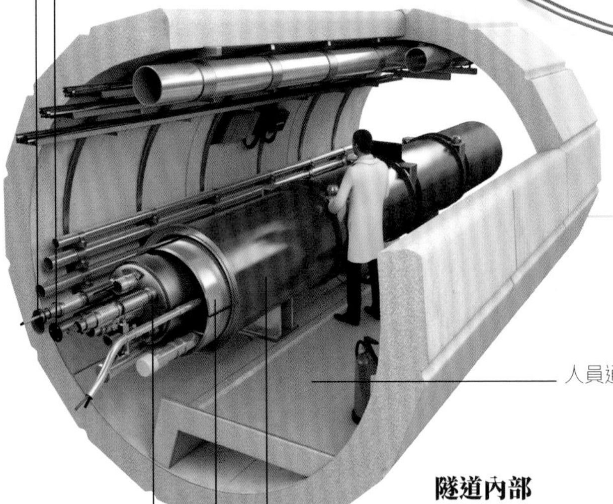
第一道粒子束以順時針
方向行進
第二道粒子束以逆時針
方向行進
人員通道
強力磁鐵
熱絕緣層
真空外殼

隧道內部

隧道中有 1 條藍色粗管，內含 2 條較細的管線，用來輸送相反方向的 2 道粒子束，再以 1,600 塊以上的磁鐵包覆細管，用來操控、擠壓粒子束，讓它們互相碰撞。

超環面儀器 (Atlas)

這座偵測器使用巨大的甜甜圈形狀磁鐵系統，來環繞一條粒子束管，用以觀察質子互相碰撞，其目的是為了尋找一種稱為「希格斯玻色子」的神祕粒子——如果能找到這種粒子，就可以幫助科學界瞭解其他粒子如何獲得質量。

10,000 名科學家來自100個不同國家，共同參與大型強子對撞機這項大型計畫。

大型強子對撞機隧道中的**強力磁鐵**，所使用的電纜總長度足以**環繞地球6圈**。

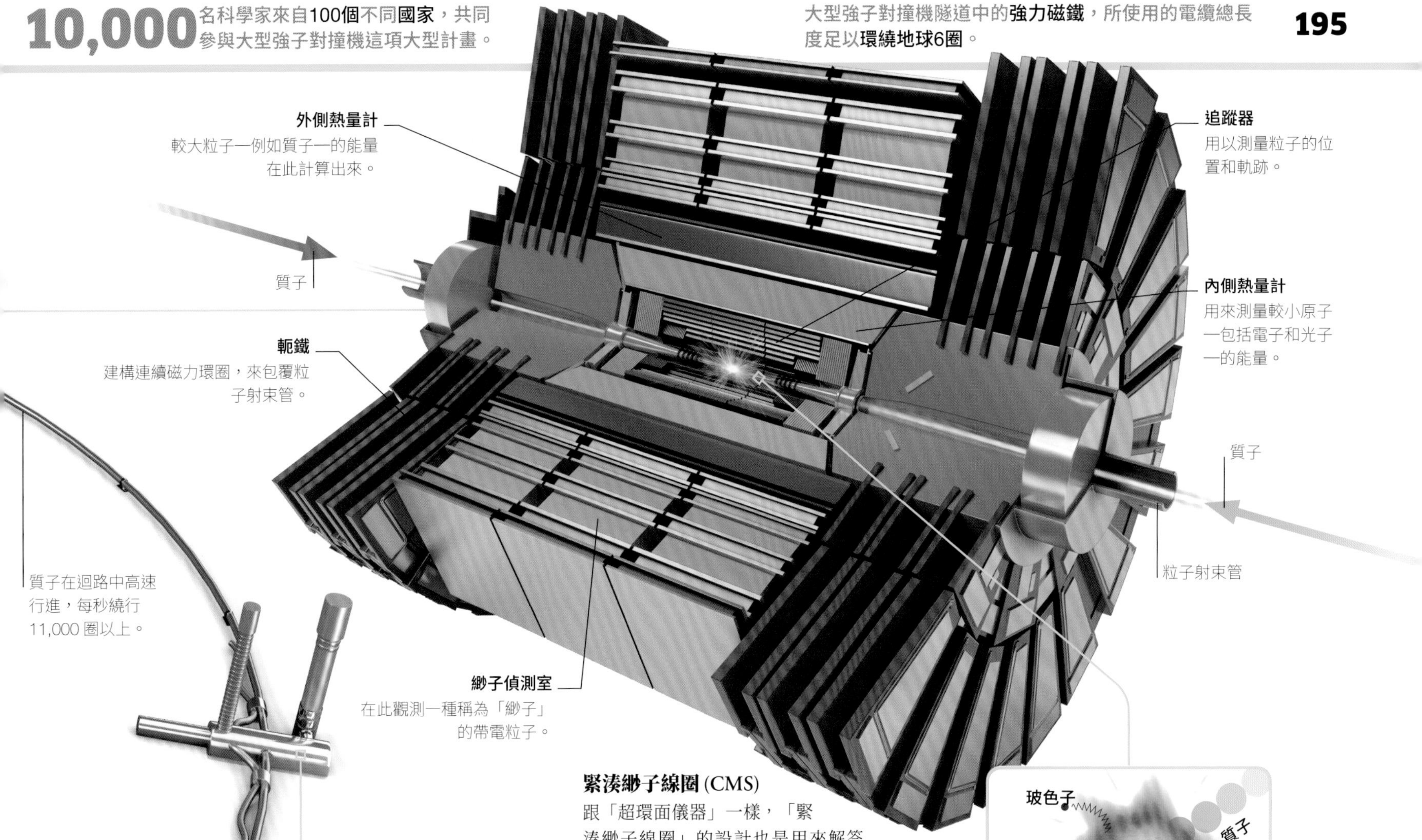
外側熱量計
較大粒子—例如質子—的能量在此計算出來。
追蹤器
用以測量粒子的位置和軌跡。
質子
內側熱量計
用來測量較小原子—包括電子和光子—的能量。
軛鐵
建構連續磁力環圈，來包覆粒子射束管。
質子
粒子射束管
質子在迴路中高速行進，每秒繞行11,000 圈以上。
緲子偵測室
在此觀測一種稱為「緲子」的帶電粒子。

緊湊緲子線圈 (CMS)
跟「超環面儀器」一樣，「緊湊緲子線圈」的設計也是用來解答關於宇宙與物質的基本問題，其主體是一塊大型磁鐵—以粗大的鋼鐵線圈包覆粒子射束管—可產生比地球磁場強大 100,000 倍的磁性。建造這座偵測器所使用的鋼鐵，比艾菲爾鐵塔更多，其重量超過 30 架波音 747 客機的總合。

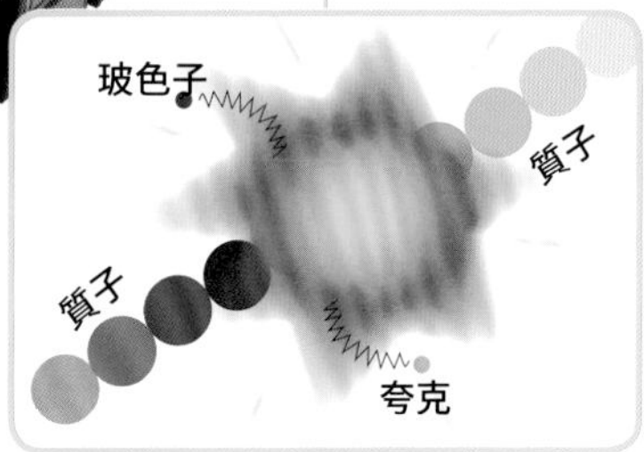
玻色子
質子
質子
夸克

粒子碰撞
科學家設法將粒子加速並撞擊，已經發現了原子內部更小的數百種粒子。這些粒子 (例如質子) 互相碰撞，就會產生更小粒子—例如玻色子和夸克—朝著四面八方飛離，只要偵測它們在「緊湊緲子線圈」之中的行進軌跡，就能判斷該粒子的類型。

底夸克實驗 (LHC-b)
這座偵測器用來研究「反物質」與「反粒子」，二者都是粒子—例如電子與質子—的鏡像物；在宇宙大爆炸之後，宇宙中理應存在等量的物質與反物質，但反物質現在似乎已經消失不見，「底夸克實驗」的目的，就是為了幫助科學家瞭解其原由。

原子撞擊

我們所能想像的最龐大事物，就是宇宙，然而，關於宇宙如何形成的秘密，或許就深鎖於最小的事物之中——也就原子、以及原子內部更微小的粒！

人類對於原子的瞭解，大多是在「粒子加速器」之中撞擊原子而發現的。最早的粒子加速器建造於 1930 年代，當時是以電力在筆直的短管中加速粒子，後來，科學家發現可以在環形管道中加速粒子，讓它們達到前所未見的超高速度，當這些粒子互相碰撞之後，就會分裂成一團團更小的碎片，科學家再加以捕捉並研究。

現今，全世界規模最大的粒子加速器就座落於一座國際實驗室—位於法國與瑞士邊界的「歐洲核子研究組織」(CERN) —之中，這個組織目前正在進行一項史上最大膽、最昂貴的科學實驗，稱為「大型強子對撞機」，這項實驗的目的，是為了重現 140 億年前創造「宇宙大爆炸」環境！

大型強子對撞機 (LHC) 的隧道堪稱
全世界最大的冰箱
——運用真空泵持續讓空氣隔絕在外，將隧道內的溫度降到比外太空更低。

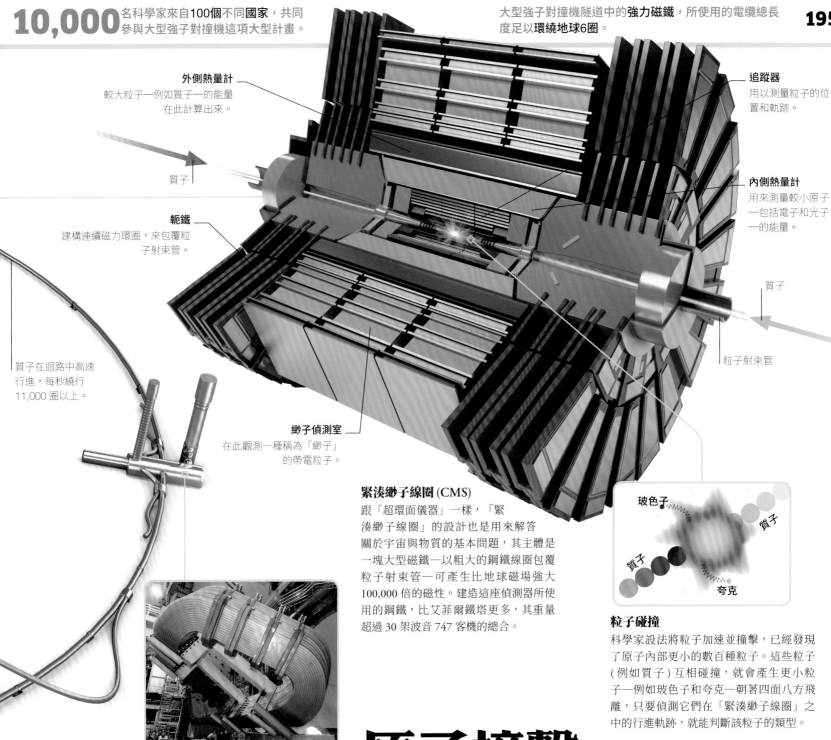

氣壓一旦下降，水的沸點就隨之降低，例如在聖母峰的山頂，其大氣壓力堪稱地表最低，煮水時大約在70C °就會煮沸。

固體、液體、氣體

拿冰塊放在手掌，不久你的手中會出現液態水，如果放著不管，液態水就會蒸發，消失不見。然而，到底什麼原因會讓水呈現冰的狀態、而不是水蒸氣？又是什麼因素，導致水在固體、液體或氣體之間轉換？

每一種物質都是由原子或分子所組成的，物質中的原子或分子持續性地移動，而移動速度的快慢，以及這些原子或分子到底是聚攏在一起、或是彈跳開來，都取決於當時的溫度與氣壓而定——也就是因為原子或分子這種不同的移動方式，導致了物質呈現固體、液體、氣體、或電漿體——物質的 4 種主要狀態。

不論呈現固態、液態或氣態，物質本身的原子數量都相同，只是內部結構產生了變化——冰、水和水蒸氣之所以表現出驚人的不同性質，全都源自於內部原子不同的結構型態！

固體

當物體冷卻、或是處於較大的壓力之下，其內部原子或分子就會緊密交鎖在一起，形成固態。固體內部原子之間的強大鍵結，造就固體難以被彎折或塑形。有些物質會形成規則性的固體，稱為「晶體」(晶形固體)；另一些物質的固體結構比較隨機，稱為「非晶固體」。

原子之間具有強大的鍵結，因此固體的形狀不容易改變。

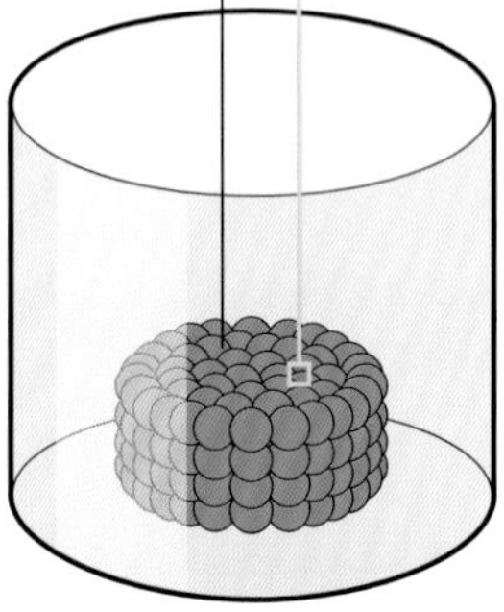

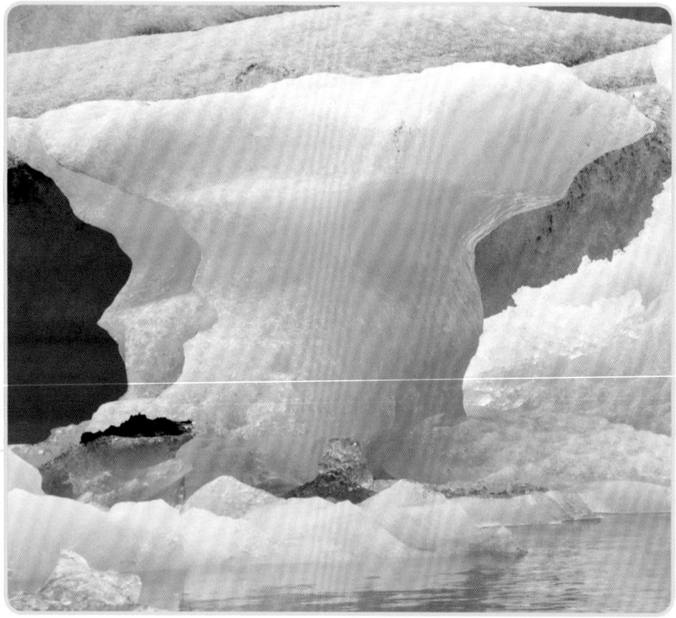

固態水：冰

大部分物質結凍時會收縮，但水不同，水結冰時其密度反而稍微降低，因此冰可以浮在水面上，而水管在冬天可能會被撐爆開來(水結冰後體積變大)。

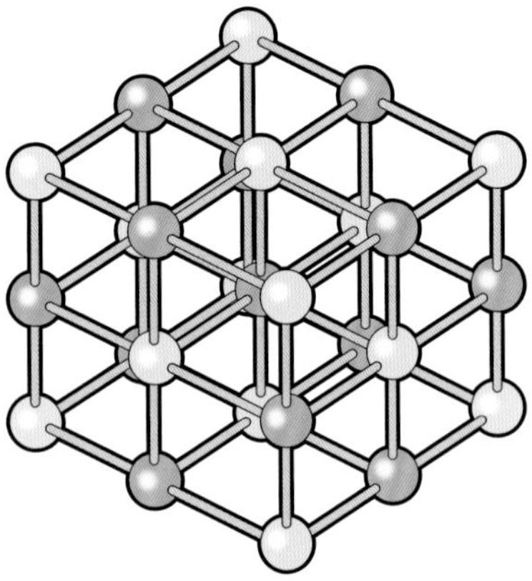

晶形固體

慢慢冷卻某一種液體，讓它有充分的時間將原子或分子排列成非常規則的形式，就會形成「晶體」——許多金屬都是晶形固體。

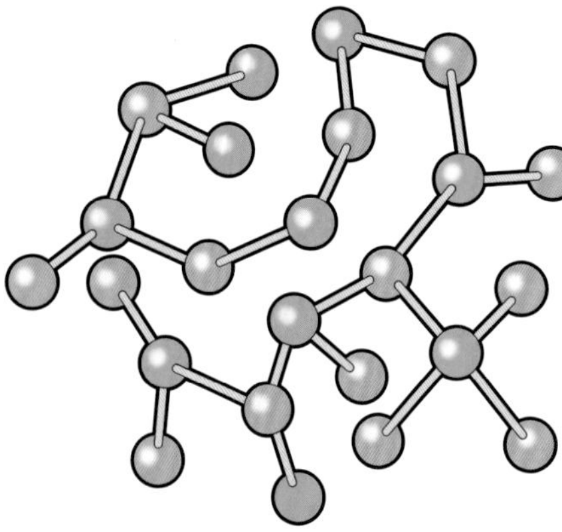

非晶固體

有些物質在冷卻時會猛裂收縮，形成較無規則的結構，例如玻璃就是這類非晶固體——一種介於規則性固體與混亂液體之間的混合物。

液體

相較於固體，液體的溫度通常比較高，所承受的壓力也比較小，因此其原子或分子之間的距離比固體稍大，亦即粒子(原子或分子)間的鍵結力量較弱，導致液體移動的自由度比固體更高——這就是液體不具固定形狀的原因，可以順著容器的形狀而展開。

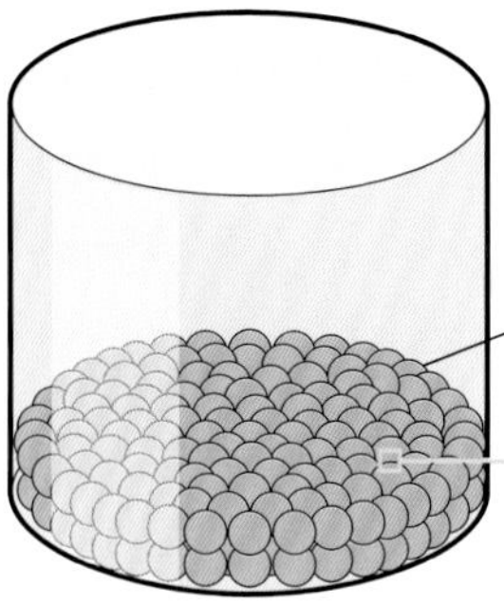

液體中的原子或分子，其排列空間跟固體差不多，但前者的鍵結力量較弱。

液態水

地球得以蘊育生命的主要原因是擁有水，水在常溫及常壓之下呈現液態，易於輸送或回收，而且對於植物或動物而言也相當容易吸收。

黏滯性

液體的原子或分子之間，其鍵結力較弱，因此潑灑出去的液體可以順勢流動，而流動速度是快是慢，取決於不同液體的「黏滯性」而定。

蜂蜜具有較高的黏滯性，因此流動速度緩慢。

石油的黏滯性比蜂蜜低，但也不致於到處噴濺。

水具有更低的黏滯性，易於四處滴濺。

氣體

氣體中的原子或分子並非緊密鍵結在一起，而是快速地自由移動；由於氣體具有足夠的能量，因此可以自行流動，其粒子之間恆常性地互相撞擊，所以不論裝在任何容器之中，氣體都能擴散、填滿所有空間。

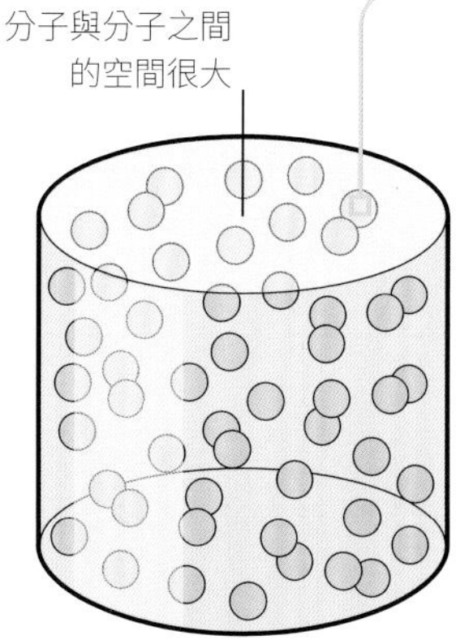
分子與分子之間
的空間很大

水蒸氣

物質在氣態的溫度通常比液態時更高，例如水蒸氣比液態水更熱，此外，降低壓力也可以造就氣體形成——例如在雲團中，水能以較冷的水蒸氣形式存在，就是由於高空的氣壓比地表更低，讓水得以維持在氣態。

電漿體

將氣體加熱、或是壓力降得夠低，氣體中的原子就會分離，成為帶有電荷的雲團狀——也就是電漿體。電漿體由帶電粒子—電子和離子（失去電子的原子）—所組成，因此一旦靠近電流或磁場，電漿體就會展現奇特的性質。

極光

來自太陽的電漿體（帶電粒子流）撞擊地球大氣層，彎折地球的磁場，就會產生極光的現象。

改變物質的狀態

加熱水壺，可以將液態水轉變成水蒸氣（氣態水），將食物結凍，也能把食物中的液態水轉變成冰（固態水）。改變水的狀態相當容易，這是由於水的固態、液態、以及氣態形式，都存在於自然界日常的溫度與氣壓範圍之內。另一方面，要把某一些物質—例如金屬—改變成為液態或氣態，就比較困難了，必須要有更高的溫度和壓力。

液態水轉變成水蒸氣時，體積會膨脹到
1,600 倍左右。

氣體

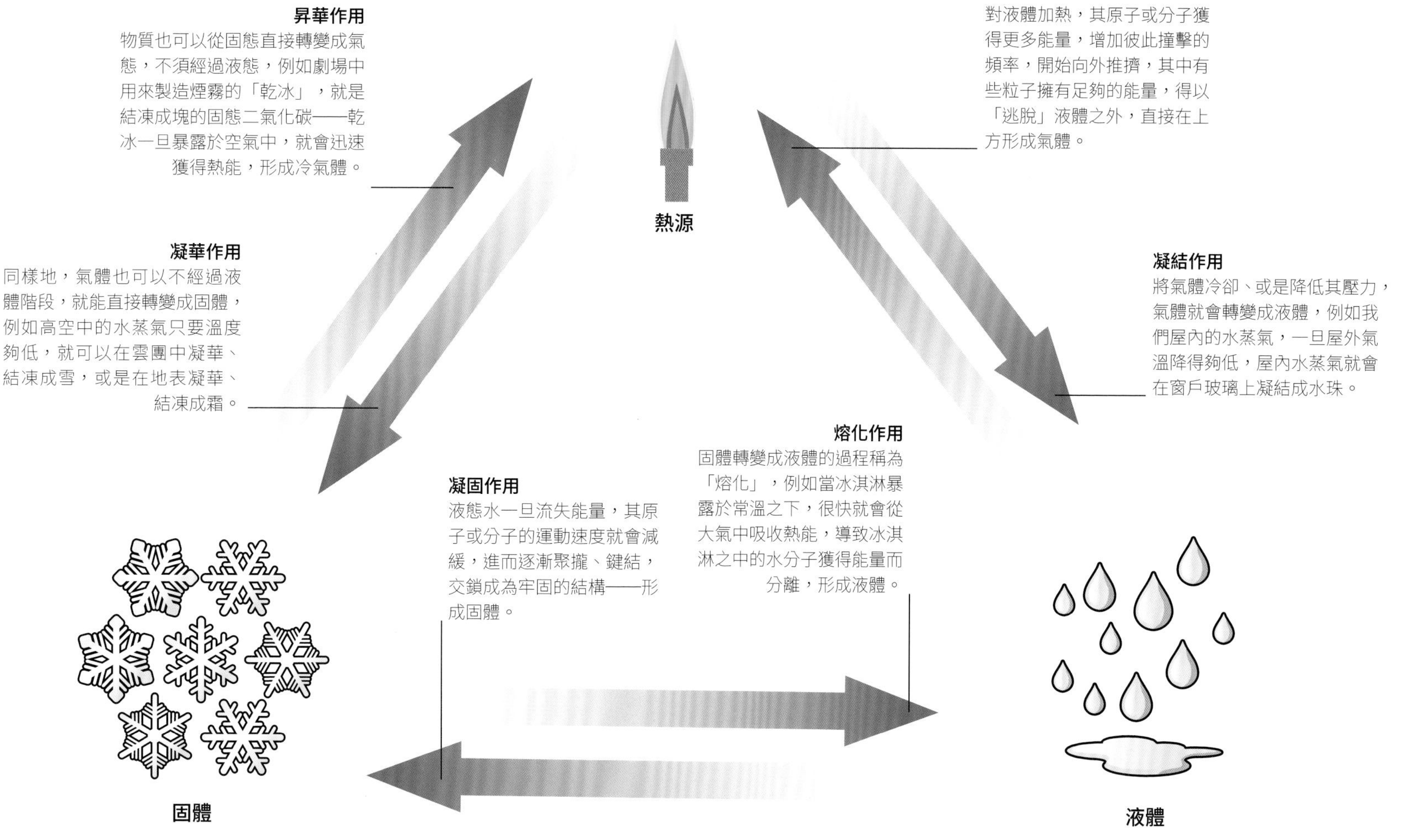
熱源
固體
液體
昇華作用
物質也可以從固態直接轉變成氣態，不須經過液態，例如劇場中用來製造煙霧的「乾冰」，就是結凍成塊的固態二氧化碳——乾冰一旦暴露於空氣中，就會迅速獲得熱能，形成冷氣體。
凝華作用
同樣地，氣體也可以不經過液體階段，就能直接轉變成固體，例如高空中的水蒸氣只要溫度夠低，就可以在雲團中凝華、結凍成雪，或是在地表凝華、結凍成霜。
蒸發作用
對液體加熱，其原子或分子獲得更多能量，增加彼此撞擊的頻率，開始向外推擠，其中有些粒子擁有足夠的能量，得以「逃脫」液體之外，直接在上方形成氣體。
凝結作用
將氣體冷卻、或是降低其壓力，氣體就會轉變成液體，例如我們屋內的水蒸氣，一旦屋外氣溫降得夠低，屋內水蒸氣就會在窗戶玻璃上凝結成水珠。
熔化作用
固體轉變成液體的過程稱為「熔化」，例如當冰淇淋暴露於常溫之下，很快就會從大氣中吸收熱能，導致冰淇淋之中的水分子獲得能量而分離，形成液體。
凝固作用
液態水一旦流失能量，其原子或分子的運動速度就會減緩，進而逐漸聚攏、鍵結，交鎖成為牢固的結構——形成固體。

鉑是最昂貴的元素之一；跟一名成年男性差不多重量的鉑，其價值高達300萬英鎊。

西元2010年，科學家在實驗室合成出鿬，成為週期表中最新發現的元素。

元素

元素是所有物質的基本化學構件，原子則是元素的基本單位，將不同化學元素的原子結合在一起，就能組成地球上的所有物體——從小巧的甲蟲、到高大的摩天樓都是！

以碳元素作為基礎，再加上一些元素，就能建構地球上的所有生物。水域覆蓋地表的大部分面積，要合成水只需 2 種化學元素，氫和氧，但要建構地球上的所有物體，就需要 100 種左右的化學元素了。大部分元素存在於自然界，可能鎖在岩石之中，或是漂浮於大氣層，然而，由於元素是由質子、中子和電子以強大的力量結合而成的，當然也可能人工合成全新的元素——科學家已經在實驗室合成出一些新元素，將週期表的元素總數量推升到 118 種！

同族元素的質量與尺寸向下遞增

在元素週期表中，同一欄（同一族）的元素，愈往下其原子質量和尺寸都愈大，這是由於原子核之中的質子愈來愈多，而「電子殼層」也愈來愈多——每向下移動一列，電子殼層就多出一層。

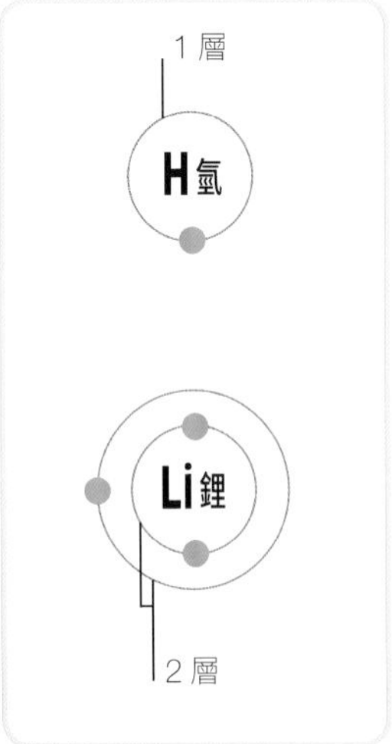

1 層
H 氫
Li 鋰
2 層

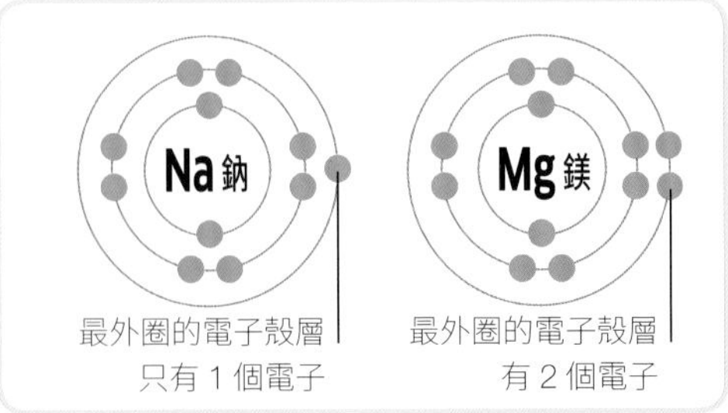

Na 鈉
Mg 鎂
最外圈的電子殼層只有 1 個電子
最外圈的電子殼層有 2 個電子

同週期元素的尺寸向右遞減

在元素週期表的每一列（同一週期），位置愈往右的元素，其質子與中子數量愈多，但由於電子殼層的層數相同，而質子吸引電子殼層的力量卻遞增—導致原子愈來愈緊縮—因此，同一週期元素的原子尺寸是向右遞減的。

元素週期表

科學家根據原子結構將所有元素分類，製作出「元素週期表」（跨頁大圖），週期表中性質相似的元素歸類在一起，我們只要辨識某一元素位於週期表的哪一列（同一週期）、或哪一欄（同一族），就能預測該元素的化學性質。元素週期表是由俄羅斯化學家德米特里．門德列夫在西元 1869 年所創建的。

	1	2	3	4	5	6
1	1 H 氫 1.0079 HYDROGEN					
2	3 Li 鋰 6.941 LITHIUM	4 Be 鈹 9.0122 BERYLLIUM				
3	11 Na 鈉 22.990 SODIUM	12 Mg 鎂 24.305 MAGNESIUM				
4	19 K 鉀 39.098 POTASSIUM	20 Ca 鈣 40.078 CALCIUM	21 Sc 鈧 44.956 SCANDIUM	22 Ti 鈦 47.867 TITANIUM	23 V 釩 50.942 VANADIUM	24 Cr 鉻 51.996 CHROMIUM
5	37 Rb 銣 85.468 RUBIDIUM	38 Sr 鍶 87.62 STRONTIUM	39 Y 釔 88.906 YTTRIUM	40 Zr 鋯 91.224 ZIRCONIUM	41 Nb 鈮 92.906 NIOBIUM	42 Mo 鉬 95.94 MOLYBDENUM
6	55 Cs 銫 132.91 CAESIUM	56 Ba 鋇 137.33 BARIUM	57-71 La-Lu 鑭系元素 LANTHANIDE	72 Hf 鉿 178.49 HAFNIUM	73 Ta 鉭 180.95 TANTALUM	74 W 鎢 183.84 TUNGSTEN
7	87 Fr 鍅 (223) FRANCIUM	88 Ra 鐳 (226) RADIUM	89-103 Ac-Lr 錒系元素 ACTINIDE	104 Rf 鑪 (261) RUTHERFORDIUM	105 Db 𨧀 (262) DUBNIUM	106 Sg 𨭎 (266) SEABORGIUM

	7	8	9	10	11	12
4	25 Mn 錳 54.938 MANGANESE	26 Fe 鐵 55.845 IRON	27 Co 鈷 58.933 COBALT	28 Ni 鎳 58.693 NICKEL	29 Cu 銅 63.546 COPPER	30 Zn 鋅 65.39 ZINC
5	43 Tc 鎝 (96) TECHNETIUM	44 Ru 釕 101.07 RUTHENIUM	45 Rh 銠 102.91 RHODIUM	46 Pd 鈀 106.42 PALLADIUM	47 Ag 銀 107.87 SILVER	48 Cd 鎘 113 CADMIUM
6	75 Re 錸 186.21 RHENIUM	76 Os 鋨 190.23 OSMIUM	77 Ir 銥 192.22 IRIDIUM	78 Pt 鉑 195.08 PLATINUM	79 Au 金 196.97 GOLD	80 Hg 汞 201 MERCURY
7	107 Bh 𨨏 (264) BOHRIUM	108 Hs 𨭆 (277) HASSIUM	109 Mt 䥑 (268) MEITNERIUM	110 Ds 鐽 (281) DARMSTADTIUM	111 Rg 錀 (272) ROENTGENIUM	112 Cn 鎶 285 COPERNICIUM

57 La 鑭 138.91 LANTHANUM	58 Ce 鈰 140.12 CERIUM	59 Pr 鐠 140.91 PRASEODYMIUM	60 Nd 釹 144.24 NEODYMIUM	61 Pm 鉕 (145) PROMETHIUM	62 Sm 釤 150.36 SAMARIUM	63 Eu 銪 151.96 EUROPIUM	64 Gd 釓 157.25 GADOLINIUM	65 Tb 鋱 158.93 TERBIUM
89 Ac 錒 (227) ACTINIUM	90 Th 釷 232.04 THORIUM	91 Pa 鏷 231.04 PROTACTINIUM	92 U 鈾 238.03 URANIUM	93 Np 錼 (237) NEPTUNIUM	94 Pu 鈽 (244) PLUTONIUM	95 Am 鋂 (243) AMERICIUM	96 Cm 鋦 (247) CURIUM	97 Bk 鉳 231.04 BERKELIUM

超鈾元素

「原子序」大於鈾元素（原子序 92）的重元素稱為「超鈾元素」。不像原子序介於 1-92 的元素，超鈾元素不存在於自然界，而是從「粒子加速器」或「核子反應爐」之中製造出來的，因此價值非常昂貴。

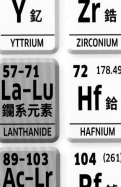

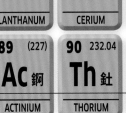

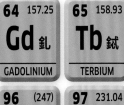

週期表圖例

- 鹼金屬
- 鹼土金屬
- 過渡金屬
- 稀土金屬
- 其他金屬
- 類金屬
- 其他非金屬
- 鹵素
- 惰性氣體
- 未知

在自然界的正常狀態下，週期表中的元素只有2種—汞和溴—是液體，另有11種元素是氣體，**其他都是固體。**

氦
氦氣占了宇宙所有物質組成成分的1/4左右。

碳
碳是第4常見的元素，植物和動物的組織中約有18%是碳。

13	14	15	16	17	18
					2 4.0026 He 氦 HELIUM
5 10.811 B 硼 BORON	6 12.011 C 碳 CARBON	7 14.007 N 氮 NITROGEN	8 15.999 O 氧 OXYGEN	9 18.998 F 氟 FLUORINE	10 20.180 Ne 氖 NEON
13 26.982 Al 鋁 ALUMINIUM	14 28.086 Si 矽 SILICON	15 30.974 P 磷 PHOSPHORUS	16 32.065 S 硫 SULPHUR	17 35.453 Cl 氯 CHLORINE	18 39.948 Ar 氬 ARGON
31 69.723 Ga 鎵 GALLIUM	32 72.64 Ge 鍺 GERMANIUM	33 74.922 As 砷 ARSENIC	34 78.96 Se 硒 SELENIUM	35 79.904 Br 溴 BROMINE	36 83.80 Kr 氪 KRYPTON
49 114.82 In 銦 INDIUM	50 118.71 Sn 錫 TIN	51 121.76 Sb 銻 ANTIMONY	52 127.60 Te 碲 TELLURIUM	53 126.90 I 碘 IODINE	54 131.29 Xe 氙 XENON
81 204.38 Tl 鉈 THALLIUM	82 207.2 Pb 鉛 LEAD	83 208.96 Bi 鉍 BISMUTH	84 (209) Po 釙 POLONIUM	85 (210) At 砈 ASTATINE	86 (222) Rn 氡 RADON
113 284 Nh 鉨 NIHONIUM	114 289 Fl 鈇 FLEROVIUM	115 288 Mc 鏌 MOSCOVIUM	116 293 Lv 鉝 LIVERMORIUM	117 294 Ts 鿬 TENNESSINE	118 294 Og 鿫 OGANESSON
66 162.50 Dy 鏑 DYSPROSIUM	67 164.93 Ho 鈥 HOLMIUM	68 167.26 Er 鉺 ERBIUM	69 168.93 Tm 銩 THULIUM	70 173.04 Yb 鐿 YTTERBIUM	71 174.97 Lu 鎦 LUTETIUM
98 (251) Cf 鉲 CALIFORNIUM	99 (252) Es 鑀 EINSTEINIUM	100 (257) Fm 鐨 FERMIUM	101 (258) Md 鍆 MENDELEVIUM	102 (259) No 鍩 NOBELIUM	103 (262) Lr 鐒 LAWRENCIUM

元素是什麼？

元素是由具有不同內部結構的原子所組成的不同物質，元素可能是固體、液體、也可能是氣體。如果兩個原子的質子數量相同，這兩個原子必定是同一種元素，而且原子是元素的最小單位。

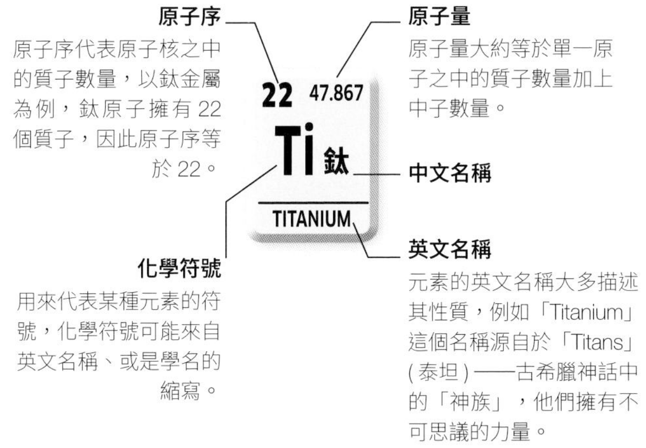
原子序
原子序代表原子核之中的質子數量，以鈦金屬為例，鈦原子擁有22個質子，因此原子序等於22。
原子量
原子量大約等於單一原子之中的質子數量加上中子數量。
22 47.867
Ti 鈦
TITANIUM
中文名稱
化學符號
用來代表某種元素的符號，化學符號可能來自英文名稱、或是學名的縮寫。
英文名稱
元素的英文名稱大多描述其性質，例如「Titanium」這個名稱源自於「Titans」(泰坦)——古希臘神話中的「神族」，他們擁有不可思議的力量。

人體的組成成分約有96%來自4種元素：**氧、碳、氫和氮。**

週期表的構件

在元素週期表中，位於同一列的元素屬於同一「週期」，位於同一欄的元素則屬於同一「族」。每一週期中，位於左半邊的都是固體元素，到了右半邊才會出現氣體元素。

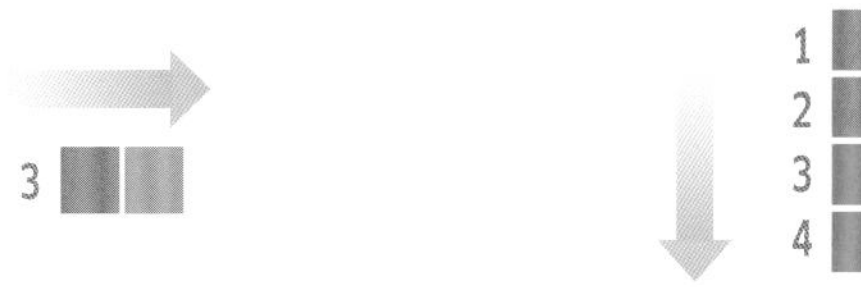
3
1
2
3
4

週期
同一週期的所有元素，都擁有相同的電子殼層。

族
同一族的所有元素具有類似的性質，其「最外電子層」擁有相同的電子數量。

區塊
按照元素性質的相似性，週期表也可以分為較大的區塊，左側是「活性金屬」，例如鈉；中間區塊大部分是常見的金屬，稱為「過渡金屬」；「非金屬」大多位於右側區塊；而下方區塊中的「稀土金屬」全部都是軟金屬。

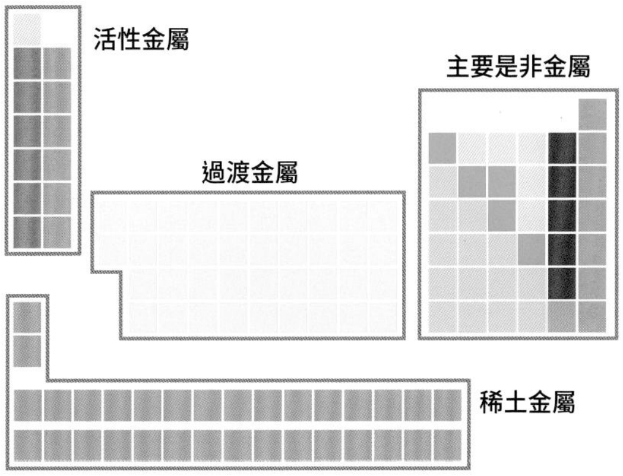
活性金屬
主要是非金屬
過渡金屬
稀土金屬

我們先看到煙火，之後才會聽到爆炸聲，這是由於光的行進速度比聲音快了將近100萬倍。

77,282 發—史上規模最大的煙火表演(2012年，科威特)，總共使用了這麼多的煙火。

化學反應

欣賞煙火表演時，當我們看到煙火發射，聽見煙火劃過天空的聲音、以及最後的爆炸聲，在這個過程中，其實我們都見證了活生生的化學威力！

這個世界表面上看起來變化不大，但事實上，少有事物是恆久不變的！原子和分子都會持續性地重新排列—舊物質分解、新物質重組—而化學，正是用以一步一步解釋這些「化學反應」是如何發生的。

透過化學反應，元素得以互相結合，形成較大的單位——分子，反之化合物分解，還原成為元素狀態。有許多化學反應進行時無聲無息，我們也看不見，但另一些化學反應—例如施放煙火—則是充滿活力與爆發性。化學反應導致我們周遭的事物產生驚人的變化，例如蠟燭搖曳閃爍，或蛋糕在烤箱中膨脹起來，都代表著原子正在重新排列、重新組合，產生完全不同的新形態。

2 外殼爆炸

當煙火飛抵空中，延時引信會燃燒自身外殼，並點燃內部的星火，造成數十個獨立的小規模爆炸，競相竄入天際。

對稱性
煙火爆炸時通常具有對稱性，帶有相同能量的火花朝向四面八方散開。
強光
「殼狀煙火」爆炸時顏色最多彩，通常聲響也最大。

煙火是什麼？

煙火是內部充填爆炸性化學物質的發射物，射向天空之後，以一連串精心控制的過程爆炸、粉碎，展現出絢爛的色彩。在大多數化學反應中，終端產物是我們關注的重點，但煙火不同——煙火進行化學反應的過程，才是我們想要見到的！

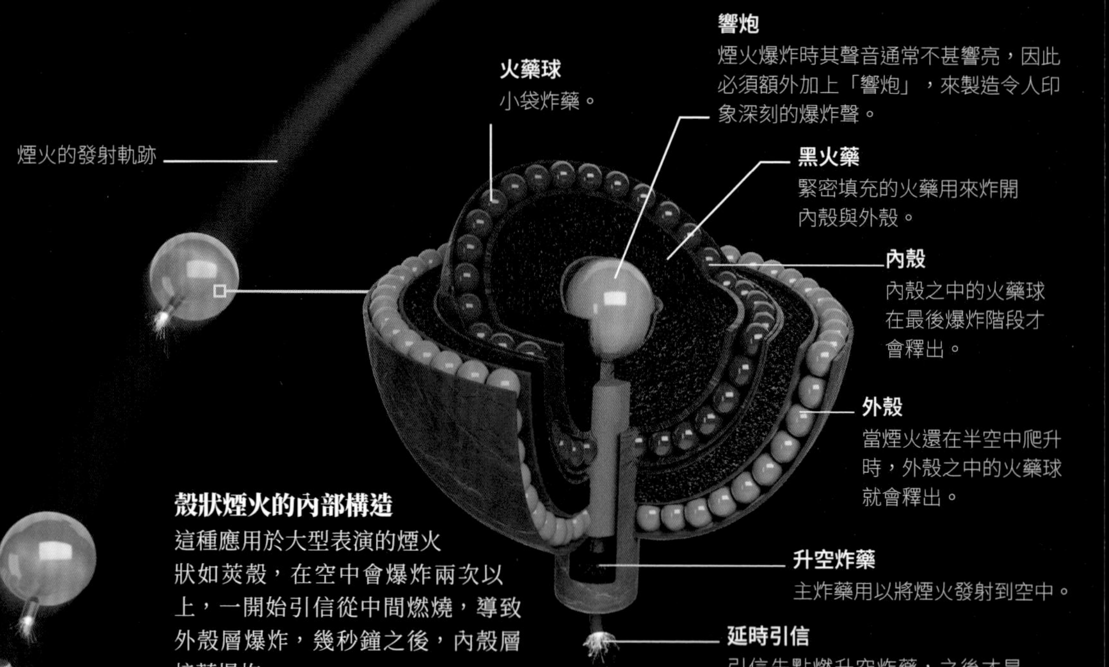

煙火的發射軌跡
火藥球
小袋炸藥。
響炮
煙火爆炸時其聲音通常不甚響亮，因此必須額外加上「響炮」，來製造令人印象深刻的爆炸聲。
黑火藥
緊密填充的火藥用來炸開內殼與外殼。
內殼
內殼之中的火藥球在最後爆炸階段才會釋出。
外殼
當煙火還在半空中爬升時，外殼之中的火藥球就會釋出。
升空炸藥
主炸藥用以將煙火發射到空中。
延時引信
引信先點燃升空炸藥，之後才是煙火的外殼和內殼。

殼狀煙火的內部構造

這種應用於大型表演的煙火狀如莢殼，在空中會爆炸兩次以上，一開始引信從中間燃燒，導致外殼層爆炸，幾秒鐘之後，內殼層接著爆炸。

1 發射

化學反應大多需要「活化能」才能觸發。煙火發射時，電火花點燃引信，讓炮管底部的小規模炸藥開始燃燒，接著煙火才從炮管中爆發出來。

炮管
煙火存放於不同的炮管之中，預設瞄準空中某一特定位置。
引信
每一根炮管連接一條或多條引信，某一炮管發射後，再啟動後續的反應。

什麼是化學反應？

在化學反應中，某一種反應物會跟其他反應物結合，亦即原本用以結合原子或分子的「化學鍵」裂解，接下來原子重新排列，並形成新的化學鍵，重組完全不同的化學物質——也就是化學反應的「生成物」。

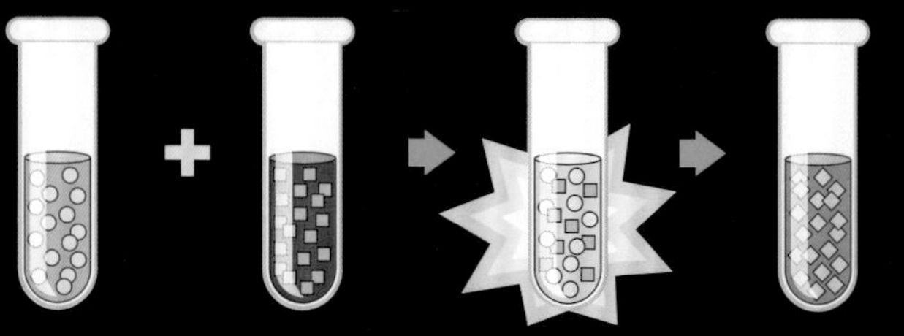

第 1 種反應物
第 2 種反應物
化學反應
生成物

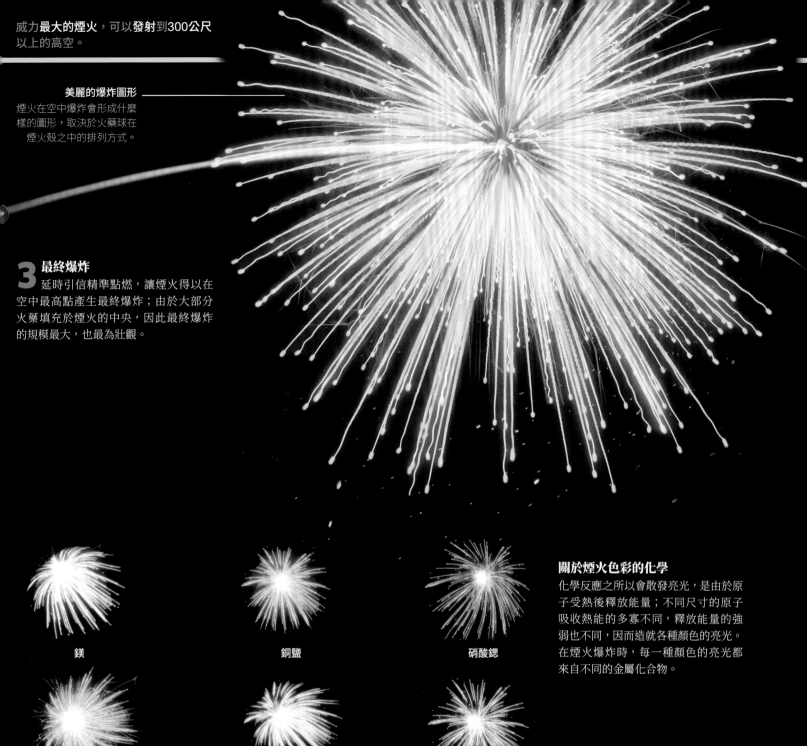

威力最大的煙火，可以發射到300公尺以上的高空。

美麗的爆炸圖形
煙火在空中爆炸會形成什麼樣的圖形，取決於火藥球在煙火殼之中的排列方式。

3 最終爆炸

延時引信精準點燃，讓煙火得以在空中最高點產生最終爆炸；由於大部分火藥填充於煙火的中央，因此最終爆炸的規模最大，也最為壯觀。

鎂

銅鹽

硝酸鍶

硝酸鋇

鈉鹽

鐵

關於煙火色彩的化學

化學反應之所以會散發亮光，是由於原子受熱後釋放能量；不同尺寸的原子吸收熱能的多寡不同，釋放能量的強弱也不同，因而造就各種顏色的亮光。在煙火爆炸時，每一種顏色的亮光都來自不同的金屬化合物。

化學反應的類型

在化學反應中，生成物可能跟原本的反應物非常不同，但過程中並無任何原子生成、或是被摧毀，因此不論化學反應如何進行，反應前後各種原子的總數量都不會改變。所有化學反應可分為三大類型：

合成反應——兩種以上的反應物互相結合

分解反應——單一反應物分解成為兩種生成物

置換反應——反應物之間互相交換原子，各自形成新的化合物

燃燒

汽車引擎、發電廠、以及家用暖氣，都是透過「燃燒」來獲得能量。「燃燒」是一種化學反應，反應物包括燃料（汽油或煤）和氧氣(來自空氣)，經由「活化能」點燃燃料，啟動化學反應，就開始以「火」的形式釋放更多能量。

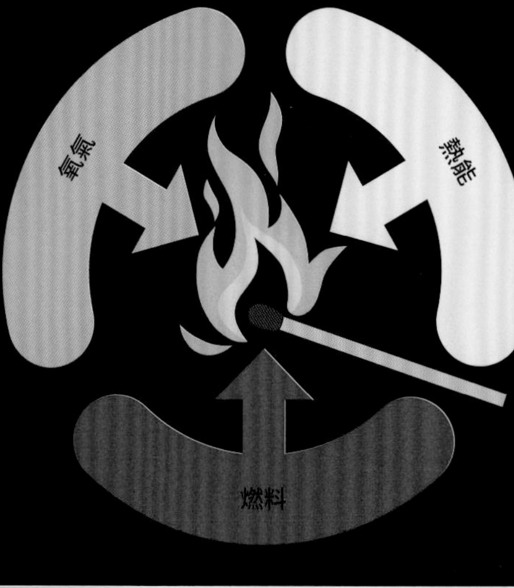

2011 年──這一年，科威特工程師使用回收材料，打造有史以來最大的雕像──28公尺寬的一頂大帽子。

材料世界

為什麼不使用混凝土來製造衣物、以金屬來印書、或是運用玻璃來打造自行車？每一種材料都有其特性，而材料科學就是研究材料的原子與分子結構，將各種材料應用在正確的地方。

火箭升空時，要如何避免火箭自行解體？為什麼橡膠輪胎可以讓自行車騎起來如此舒適？只要透過顯微鏡研究這些材料，我們就不難發現答案，太空火箭使用鋼合金來建造，鋼合金的原子緊密交鎖在一起，因此非常堅固；至於自行車輪胎所使用的橡膠，其分子之間相距較遠，造就輪胎成為鬆軟的緩衝器。瞭解各種物質的神秘故事，有助於我們為每一項工作挑選最完美的材料，並希望未來發展出更好的材料。

選擇材料

木材或塑膠之類的材料雖然用途很廣，但世界上沒有任何一種材料是全能的，選擇材料時，必須仔細考量其功能性──該軟該硬？是否必須堅固、或是耐久？或者必須夠脆弱，在垃圾掩埋場之中可以快速分解！

陶瓷

陶瓦或磚塊都屬於陶瓷材料，它們的原料是從地底挖出來的黏土，經過塑形及高溫燒製而硬化，這類材料可以耐得住高溫，也是電的絕緣體，但相當容易碎裂。

玻璃

玻璃是一種獨特的透明陶瓷，價格相當便宜，製造時易於塑形，還能承受高溫。雖然玻璃容易碎裂，但可以透過「積層」來強化──在兩層玻璃之間袼合一層塑膠。

塑膠

塑膠價格便宜，易於塑形，而且可以製造成各種顏色（包括透明的）；此外，塑料分為許多類型，從 ABS 樹脂（強度足以用來製造汽車保險桿）、到質輕而富有彈性的聚乙烯（用以製造飲料的寶特瓶）。

合成纖維織物

羊毛之類的天然纖維雖然質地溫潤，但大多不防水，而且不易清理，因此我們以塑料作為基礎，創造出許多合成纖維織物，例如尼龍、聚酯和萊卡──這些都是特別適合用來製造運動衣物的布料。

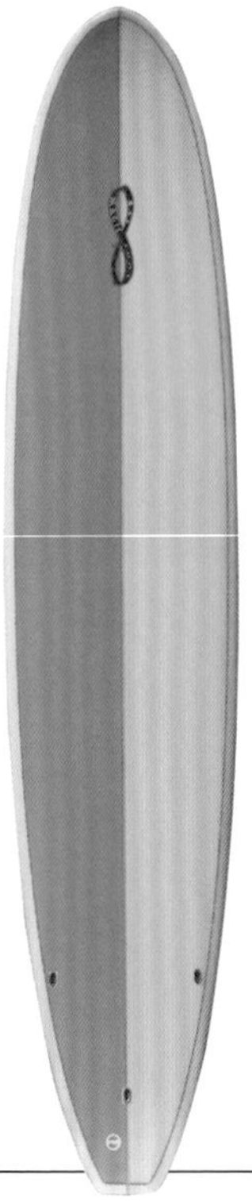

複合材料

結合兩種以上的材料，可以做出更好的複合材料，例如衝浪板要求良好的強度、輕量化、浮力、以及防水性，因此玻璃纖維這種加入玻璃強化的塑料，就成為製造衝浪板的最佳複合材料。

石墨烯氣凝膠是世界上最輕的固體材料；一塊草莓般大小的石墨烯，輕到連**一片小草的葉身都能托住它。**

新材料

經過數千年來的創新發明，你或許以為我們該有的材料都已經存在了，但科學家仍然孜孜不倦地發展更好的材料，來取代許多傳統材料──例如木材、玻璃或金屬。

生物塑料

一般塑料難以回收再利用，而且在自然界必須經過 500 年才能分解，因而導致嚴重的環境污染。為了改善這種現象，科學家已經從天然原料—例如玉米澱粉—發展出「生物塑料」，將它們埋進土壤中，只需短短幾週或幾個月就能分解，非常適合用來製造塑膠袋。

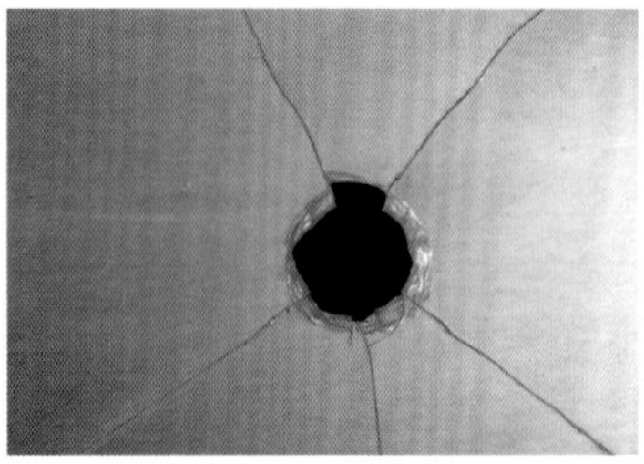

自修復材料

當你的汽車烤漆被刮傷時，若是可以自動修復，那該有多好？「自修復材料」就能辦到！它們具有內建的修復膠囊，膠囊中的黏著劑會自動滲出，填充任何裂縫──有些太空材料甚至能夠自動修復彈孔！

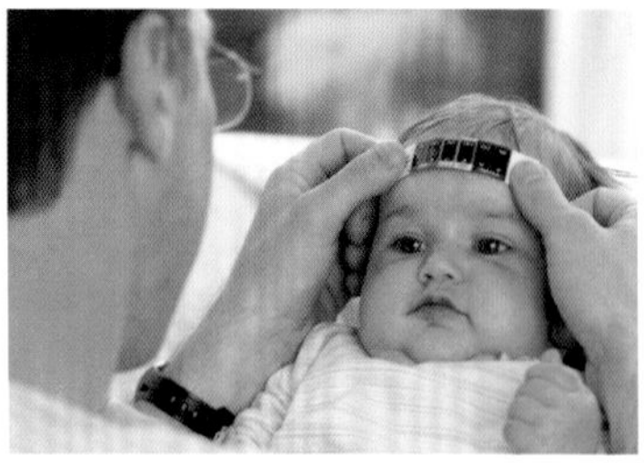

變色塑料

額頭溫度計和電池測試器的色條，都是以變色塑料做成的，這種塑料會隨著溫度變化而改變顏色──一旦溫度升高或降低，其分子層就會吸收或釋出不同頻率的光線。

奈米技術

一旦我們可以在顯微鏡之下讓原子或分子到處移動，理論上就能以原子或分子的尺寸，來製造各種材料，這就是奈米技術，未來將在材料科學掀起革命性的發展。

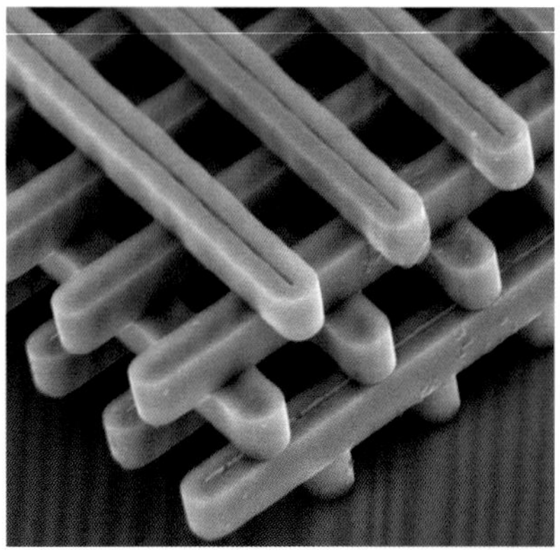

以原子尺寸建構材料

奈料技術即將幫助人類創造出比毛髮寬度還細小數千倍的結構，把這些微型結構層層堆疊，就能製造出新藥物、人體器官、微型機器、以及數不清的新型器物。

複合材料

專業自行車車手能在公路上高速騎行，其實是受益於最新發展的材料科學，許多高科技材料，例如合金與複合材料，都能供他們額外的競爭優勢——使用複合材料來建構自行車的車體，可以獲得輕量化的效果，加快車速；而專用頭盔和服裝使用能吸收撞擊的塑料來製造，也可以保護車手的安全。

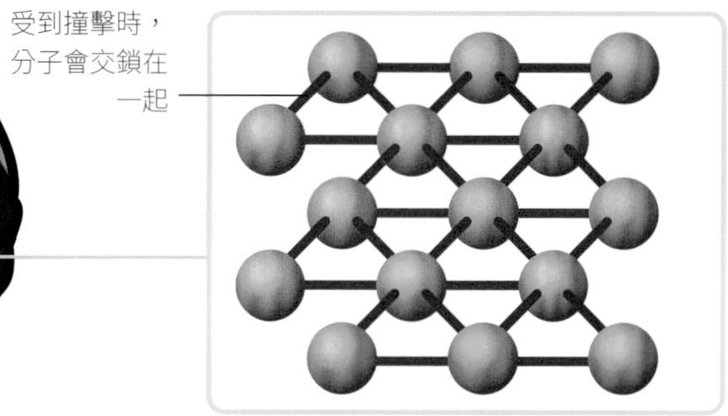
受到撞擊時，
分子會交鎖在
一起

D30 頭盔

「D30」這種塑料的特性是平常輕輕按壓時頗為柔軟，但只一受到外力衝擊時，其內部分子會交鎖在一起，變得非常堅固，因此相當適合用來製造頭盔。

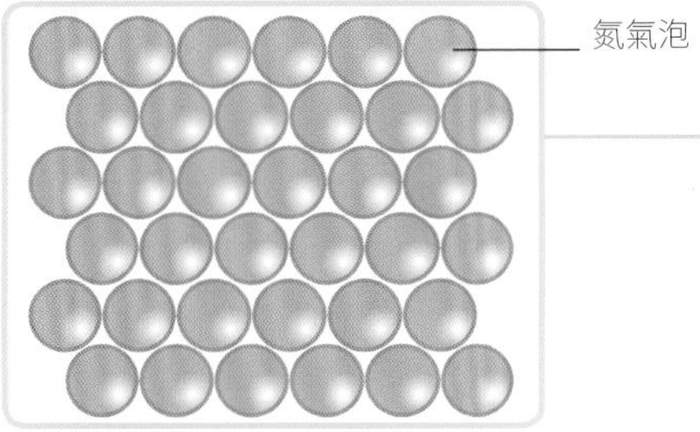
氮氣泡

合成橡膠短褲

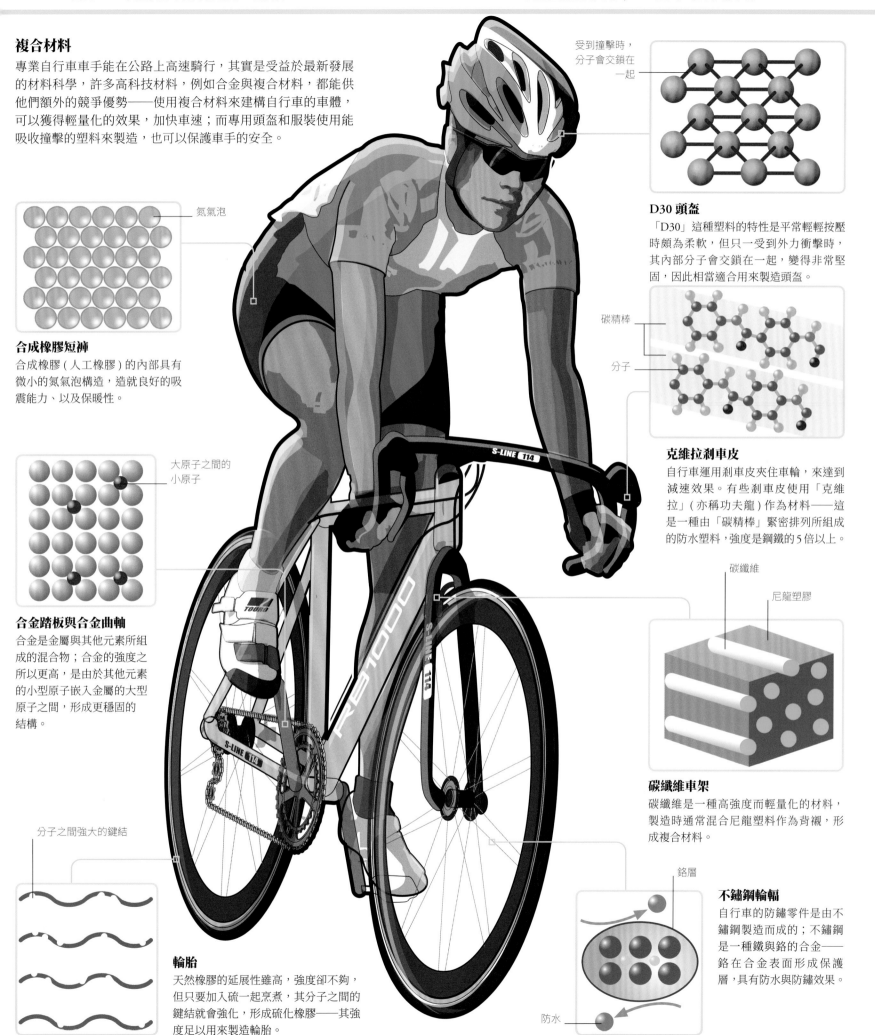

合成橡膠（人工橡膠）的內部具有微小的氮氣泡構造，造就良好的吸震能力、以及保暖性。

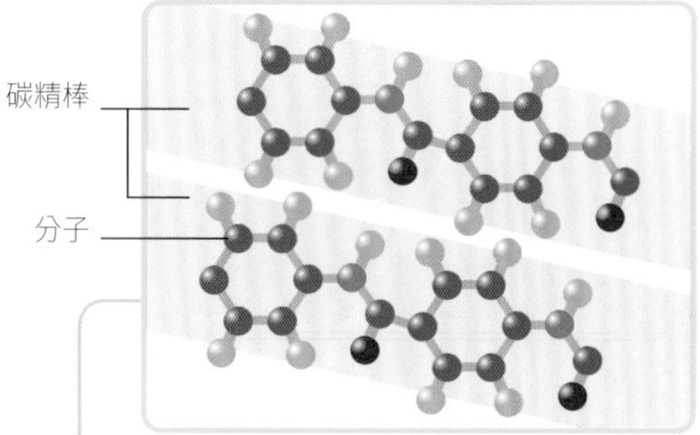
碳精棒
分子

克維拉剎車皮

自行車運用剎車皮夾住車輪，來達到減速效果。有些剎車皮使用「克維拉」（亦稱功夫龍）作為材料——這是一種由「碳精棒」緊密排列所組成的防水塑料，強度是鋼鐵的5倍以上。

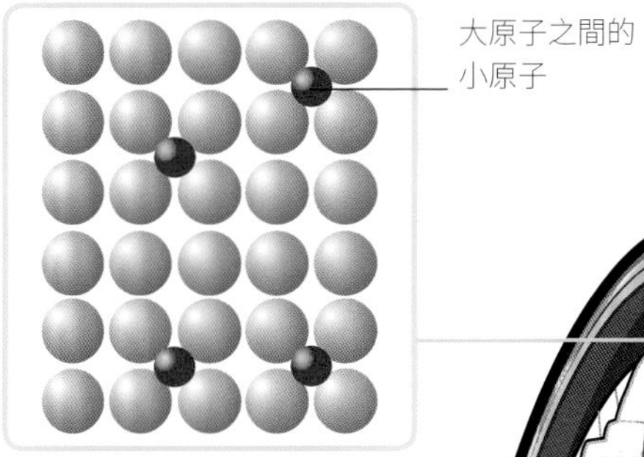
大原子之間的
小原子

合金踏板與合金曲軸

合金是金屬與其他元素所組成的混合物；合金的強度之所以更高，是由於其他元素的小型原子嵌入金屬的大型原子之間，形成更穩固的結構。

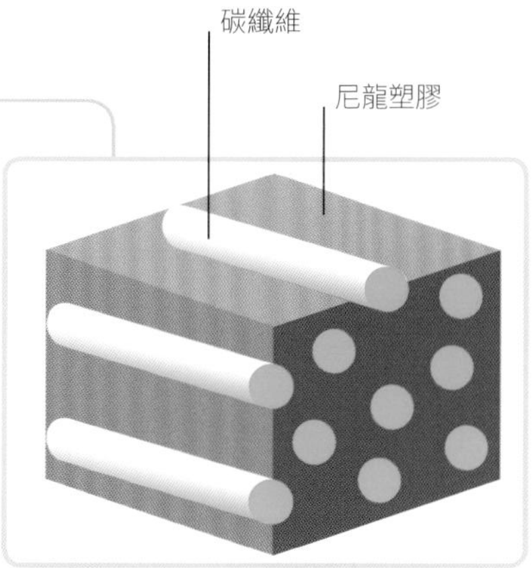
碳纖維
尼龍塑膠

碳纖維車架

碳纖維是一種高強度而輕量化的材料，製造時通常混合尼龍塑料作為背襯，形成複合材料。

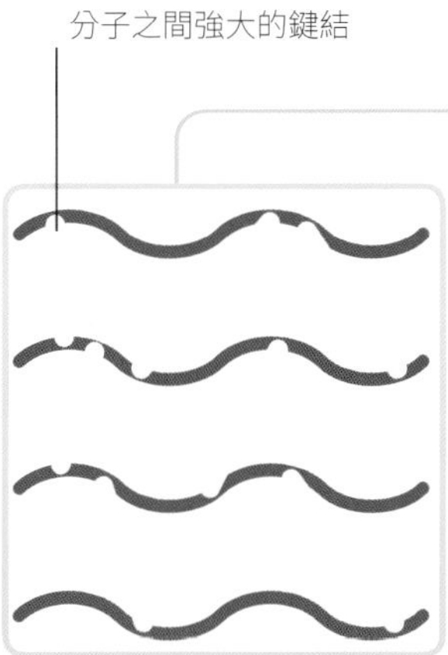
分子之間強大的鍵結

輪胎

天然橡膠的延展性雖高，強度卻不夠，但只要加入硫一起烹煮，其分子之間的鍵結就會強化，形成硫化橡膠——其強度足以用來製造輪胎。

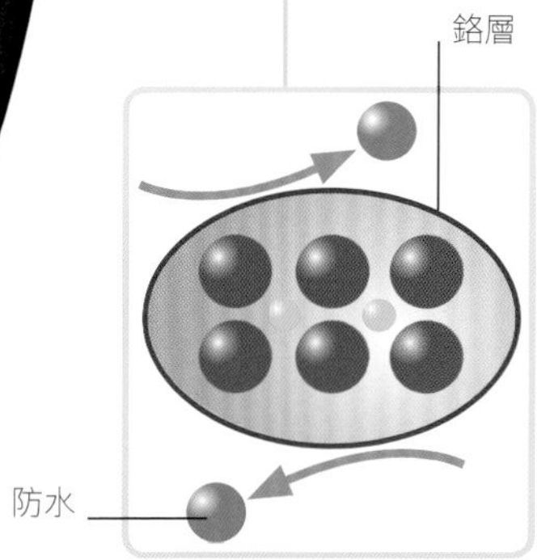
鉻層
防水

不鏽鋼輪輻

自行車的防鏽零件是由不鏽鋼製造而成的；不鏽鋼是一種鐵與鉻的合金——鉻在合金表面形成保護層，具有防水與防鏽效果。

力

不論是飛機加足油門起飛，或汽車猛然剎停，其背後都是「力」在努力運作的結果。就更大的尺度而言，萬有引力驅使整個宇宙運轉，讓恆星聚攏形成星系，也讓太陽系所有行星都在軌道上繞行太陽運轉。至於在另一端的最小尺度，原子也會產生「力」，例如黏附力和摩擦力。

力是什麼？

「力」是造成事物改變狀態的一種推擠或拉扯，當你踢球時，你的腳部提供了力量，造成足球飛上空中。然而，「力」通常是看不見的，重力就是一種看不見的力量，將你我牢牢「釘在」地面上，而磁力是另一種隱藏的力量，會導致羅盤旋轉。單純的「力」能夠改變物體的形狀、改變物體的行進方向，或是改變行進速度。

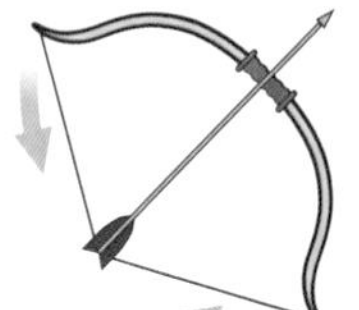

改變形狀
當你動手彎折某一個物體，其實就是在擠壓或拉扯它的內部原子，改變其形狀。

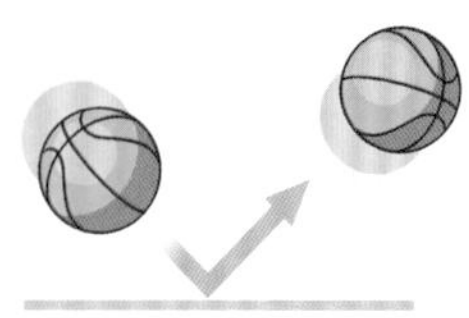

改變方向
運球時，施予力量給籃球，讓籃球改變了行進方向。

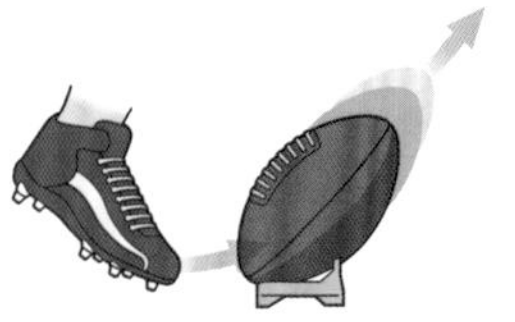

改變速度
踢球的力量愈大，球的飛行數度就愈快、飛行距離也愈遠。

力的平衡

如果兩個同樣大小的力量以相反方向作用，兩者會互相抵消，如此一來，就不會出現任何運動、或是任何改變。因此，當建築師設計建築物時，必須讓結構體具有足夠的向上支撐力，用以平衡本身向下的重力。

鋼纜的拉力向上拉起橋梁

橋梁本身向下的重力（重量）

支撐橋梁
觀察圖中的吊橋，你或許以為沒有任何力量施予在橋上，但實際上，吊橋結構正是力量完美平衡的範例——橋面原本勢必墜入海面，但其重量被粗大的鋼纜所支撐。

簡單機械

槓桿、輪軸、滑輪和齒輪的功能，都是用來放大力量，讓工作更加輕鬆，這些放大力量的裝置稱為「簡單機械」。當你坐上蹺蹺板，只要位置比平衡點更遠，就可以抬起比你更重的人，而蹺蹺板本身就是一種槓桿，能放大你的體重所造成的升力——你輕輕向下按壓，而槓桿產生更大的升力。另一方面，諸如起重機之類的複雜機械，也是運用多種簡單機械共同運作來建構的。

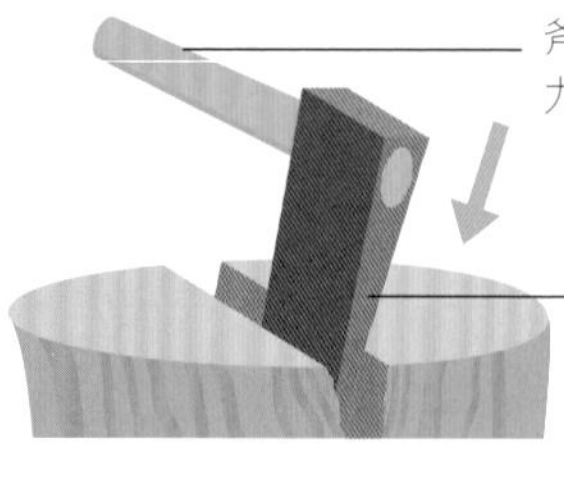

斧把加大砍伐的力量

楔形斧身讓力量集中於更小區域

集中力量
斧頭的構造看似簡單，實際上卻是結合了兩種「簡單機械」——斧把具有槓桿功能，讓你揮出更快的速度；而斧身的構造是另一種簡單機械—楔子—讓力量集中於較薄的利刃，輕鬆砍進木材之中。

運動

「牛頓運動定律」可用以解釋「力」如何影響「運動」：1. 物體除非受到外力作用，否則會持續保持靜止不動、或維持等速運動；2. 受到外力作用時，運動中的物體就會改變運動速度、或是改變運動方向；3. 物體受到外力作用時，必定會產生反作用力，兩者大小相同，但方向相反。

速度與加速度

速率是「純量」，但速度具有方向性，也就是「向量」；運動中的物體不論改變速率、或是改變方向，都屬於速度的改變——速度的改變量稱為「加速度」，而必須出現「力」，才能提供物體加速度。

增加速度
汽車之所以能夠加速，是由於引擎產生更多的「力」。

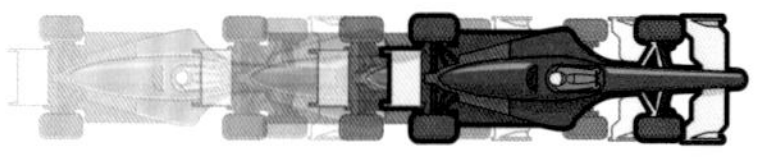

改變方向
汽車就算維持相同的速率前進，但只要改變了方向，就是因為加速度的影響——改變行進方向，就是改變了速度。

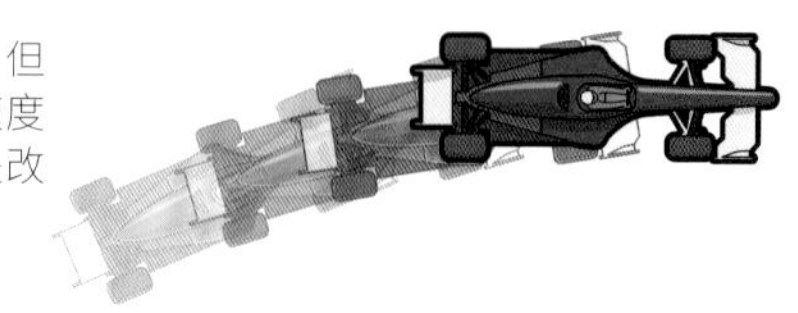

降低速度
當駕駛者踩剎車，制動力施加在車輪上，導致汽車減速，這也是因為加速度的出現——但這種加速度是負數的加速度（加速度也是向量）。

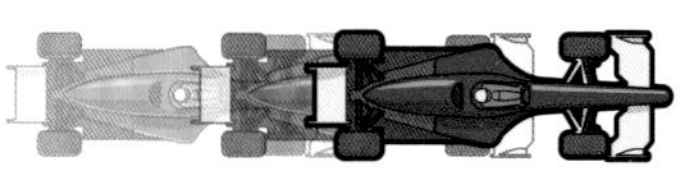

相對速度

兩個運動中的物體，彼此之間的速度差距就稱為「相對速度」。由於速度是向量，因此計算相對速度時，必須考量物體運動的方向性。

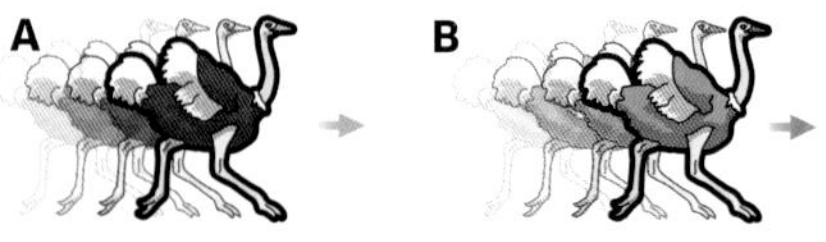

相對速度等於 0
當兩隻鴕鳥以相同速率朝向同一方向奔跑，兩者之間的相對速度等於 0。

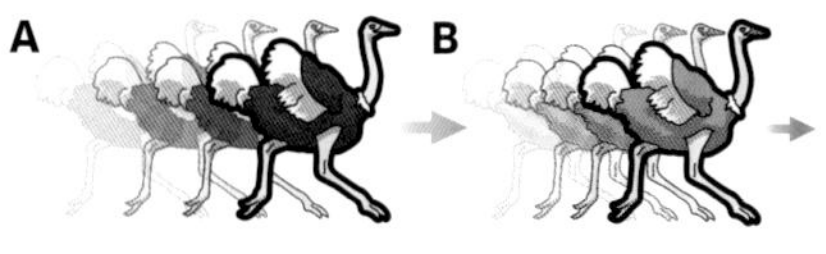

相同方向
若其中一隻鴕鳥的速率比另一隻鴕鳥更快，但方向一致，則兩者的速率差距就等於相對速度。

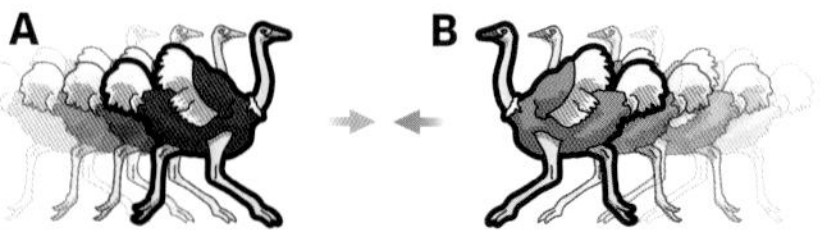

相反方向
若兩隻鴕鳥朝著相反方向跑動，相對速度則是兩隻鴕鳥速率的總合。

速度比一比

配置引擎的機械—例如火箭—通常速度較快，這是由於引擎能夠產生巨大的推力；另一方面，當物體來到太空，由於擺脫了地球重力的牽引，速度就會更快。

- **太陽神號（無人）太空探測器：**252,800 公里／小時
- **阿波羅太空船：**40,000 公里／小時
- **超音速推進號（創下陸地速度紀錄的實驗車）：**1,228 公里／小時
- **麥拉倫 F1（超級跑車）：**349 公里／小時
- **自行車的極速：**269 公里／小時
- **露營拖車的極速：**224 公里／小時
- **獵豹的奔跑速度：**100 公里／小時
- **坦克的極速：**82 公里／小時
- **潛水艇的極速：**74 公里／小時
- **蜻蜓的飛行速度：**58 公里／小時
- **人類奔跑的極速：**43 公里／小時

萬有引力和宇宙

萬有引力[註1]像是一張神祕的無形蜘蛛網，將宇宙中所有事物維繫在一起。另一方面，萬有引力也是將我們身體吸附於地球上的力量——只是人體跟地球的質量相比微不足道，因此這種萬有引力不具相對性，稱為為地球的重力。

註 1：「萬有引力」與「重力」都是指物體之間的吸引力，但意義稍有不同，
萬有引力指涉相對性的吸引力，而重力具有「場」(field) 的概念。

萬有引力 (重力)

宇宙中所有具有質量的物體，都會產生萬有引力來吸引其他物體，物體的質量愈大、或是距離愈近，彼此之間的萬有引力也就愈大。至於地球的重力，則是我們不會漂浮到太空中、或是空中的物體會墜落到地面的原因；此外，若是沒有空氣阻力來拖慢下墜的物體，所有物體—不論羽毛或是球體—都會以相同的速度墜落。

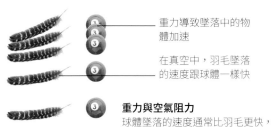

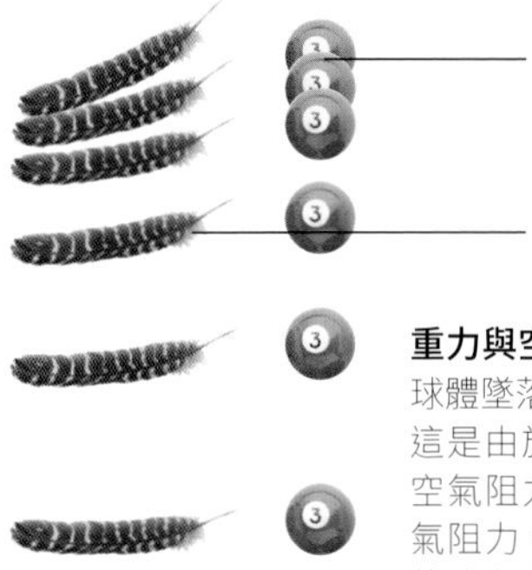
重力導致墜落中的物體加速
在真空中，羽毛墜落的速度跟球體一樣快

重力與空氣阻力
球體墜落的速度通常比羽毛更快，這是由於前者的形狀產生較小的空氣阻力；若是在真空中沒了空氣阻力，球體和羽毛就會以相同的速度墜落。

萬有引力與相對論

大質量物體—例如太陽—的萬有引力，就算相距很遠也能發揮作用，不但能吸引其他物體，對光線也會造成影響。根據德國出生的猶太裔科學家—艾伯特．愛因斯坦—著名的《相對論》，太陽的萬有引力會導致時間和空間的扭曲，其作用如同重物壓在橡膠墊一樣；由於時空受到扭曲，任何物體只要靠近太陽，就會被太陽所吸引，向內產生彎折。

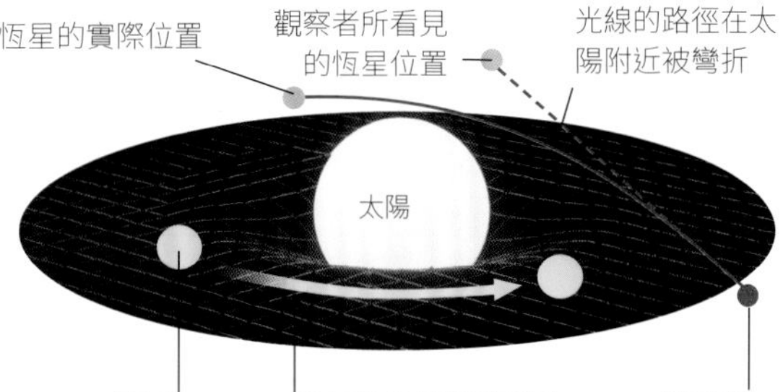
恆星的實際位置
觀察者所看見的恆星位置
光線的路徑在太陽附近被彎折
太陽
彗星
彗星的公轉軌道受到太陽的引力而彎折
觀察者

扭曲時空
太陽巨大的質量會扭曲時空，造成鄰近事物朝向太陽彎折，例如繞行太陽公轉的彗星會被太陽所拉近，連遙遠星星的光線也無法逃脫其影響。

摩擦力

摩擦力是一種拖曳力，形成於交互錯動的物體表面。我們或許不太瞭解摩擦力，但只要是走在街道上，我們都是在應用這種力量——摩擦力幫助鞋子「抓住」地面，如此一來我們才不會滑倒。

接觸面的粗糙度

當兩個物體彼此錯動，物體之間的接觸面就會產生黏著性，讓錯動變得更困難，也就是形成了摩擦力。一般來說，接觸面愈粗糙，摩擦力就愈大，但就算是看起來相當平滑的表面，其實也都具有肉眼看不見的隆起或稜脊，同樣會產生一些摩擦力；想要降低錯動物體之間的摩擦力，就要設法讓接觸面變得愈平滑愈好，另一種方法則是使用潤滑劑。

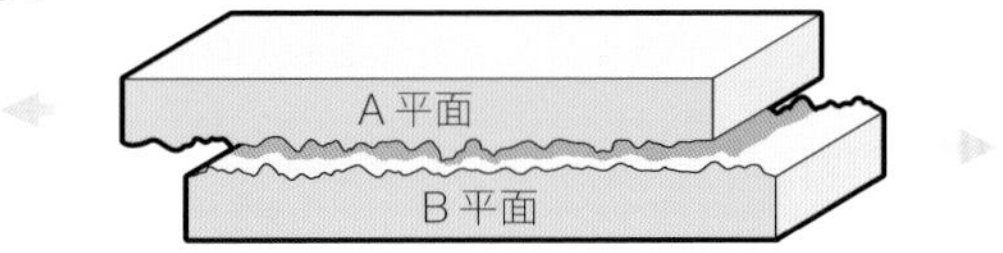
A 平面
B 平面

摩擦力如何運作？
當兩個粗糙平面彼此錯動，兩個接觸面就會互相「抓住」，將動能轉變成熱能，並減緩錯動的速度。

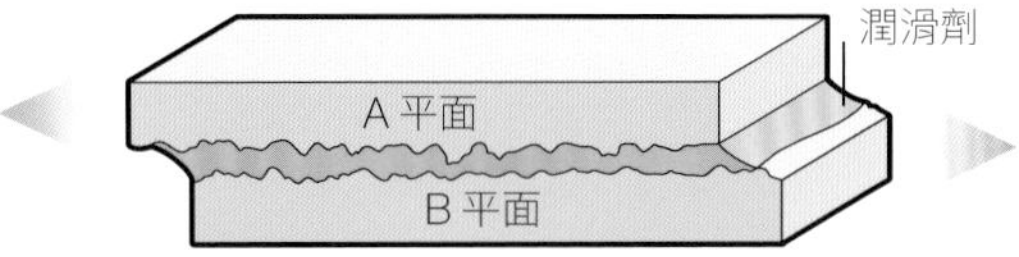
潤滑劑
A 平面
B 平面

潤滑——克服摩擦力
在接觸面塗上潤滑物質—例如油—錯動就會變得更順利；油是一種潤滑劑——稀薄、易於流動的液體。

水阻力
穿越水體比穿越空氣更難，這是由於水是液體，會在魚的頭部形成阻礙，減緩行進速度，這種阻礙稱為阻力；魚的身體成梭形，且身體帶有黏液，可以幫助減少在水中的阻力。

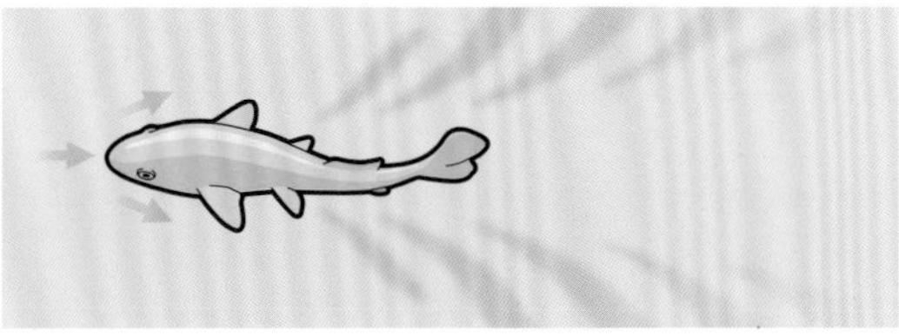

壓力

相同的力量可能會產生截然不同的效果，比如穿著普通鞋子站在積雪中，我們的體重可能導致身體下沉，但若是換上雪橇，同樣的體重分散於更大的面積之上，身體就不會下沉了，箇中原因是由於壓力變小了。壓力的大小，同時取決於力量與作用面積的大小，力量愈大或面積愈小，都會形成更大的壓力。

$$\text{壓力} = \frac{\text{力}}{\text{面積}}$$

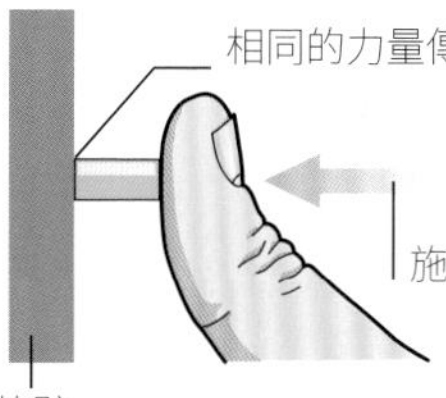
相同的力量傳遞到牆面
施力
牆壁

面積大，壓力小
你無法讓厚木條刺穿牆面——當你在木條的一端施予力量，相同的力量會傳遞到另一端，但不足以刺穿牆面。

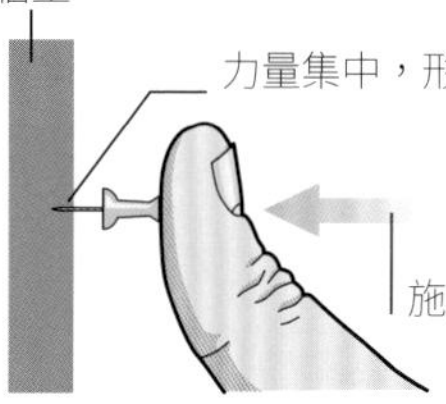
力量集中，形成更大的壓力
施力

面積小，壓力大
讓力量集中於更小的面積之上，如此一來壓力就會變大，導致鐵釘刺穿牆面——這就是為何鐵釘的一端必須做成尖的。

水壓

當物體沒入水中，水體會在水中物體的表面施予壓力；沉入水中愈深，水壓就愈大。

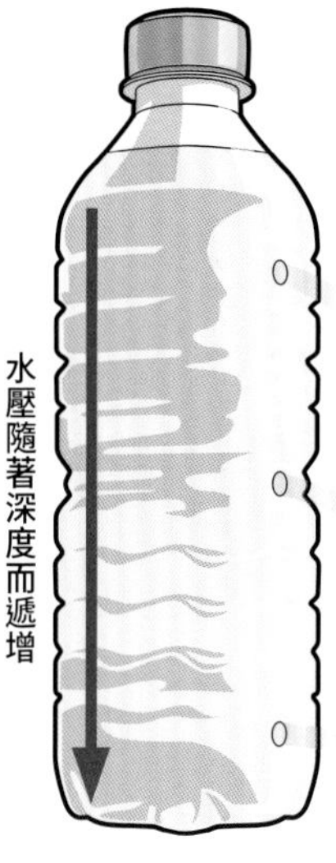
水壓隨著深度而遞增
靠近水面之處，水流噴出的力道比較弱——這是由於洞口上方的水體較少，因此水壓較小
中間部分的水壓較大，因此水流噴出的力道比較強
在底部，大量水體下壓，導致強大的水流噴出

噴射流的壓力
將瓶子裝滿水，在不同高度打洞，然後觀察水壓有何不同。

磁力

磁鐵的周圍被看不見的磁力場所包圍，磁鐵北極和南極的磁力最大。磁鐵能以磁力吸引或排斥其他物體，而地球的鐵質核心本身就是一塊超大型磁鐵，會產生「地球磁場」，造成羅盤的指針受到地球磁極所吸引。

NW
NE
W
E
SW
SE

羅盤

40—蜻蜓每1秒鐘拍翅次數，用以產生巨大的力量，讓蜻蜓加速飛向天空。

運動定律

不論外表看起來如何平靜，世界上沒有任何事物是真正靜止的，所有物體的內部—即使是包圍在我們周遭的空氣—其原子和分子都在永不停歇地運動。

所有運動—甚至是原子雜亂無序地飛舞—都是由「力」的推擠或拉扯所引起的。力的運作具有邏輯性，因此大部事物的運動模式，都是我們能夠瞭解並預測的——人類運用「牛頓運動定律」來分析物體的運動，已有 300 年以上的歷史。

牛頓

西元 1687 年，英國物理學家伊薩克．牛頓 (1642-1727) 首度提出「牛頓三大運動定律」，收錄在他的著作《自然哲學的數學原理》一書之中，這是史上最偉大的科學巨著之一。雖然牛頓是獨立發展出運動定律的，但這些理論，其是建構在更早期科學家的研究基礎之上——例如伽利略；牛頓曾說：「如果說我看得比別人更遠，那是因為我站在巨人的肩膀上。」

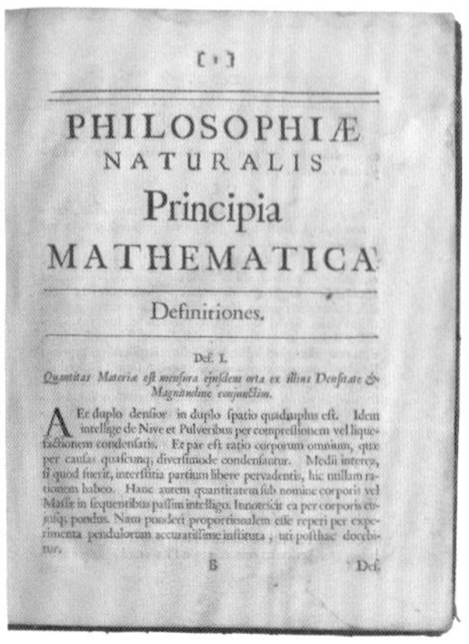
PHILOSOPHIÆ
NATURALIS
Principia
MATHEMATICA
Definitiones.

牛頓著作——《自然哲學的數學原理》

牛頓第一運動定律

當物體不受外力作用、或合力為零時，原本靜止者恆靜止、運動者維持等速度運動。此一定律又稱為「慣性定律」，物體的質量愈大，「慣性」就愈大——亦即改變物體的靜止狀態、或是改變其等速度運動的難度就愈高。

足球不動
力
腳部對足球施予力量
運動
足球承受跟原本運動方向相反的力量，因而減速
腳部讓足球停止運動
力

靜止狀態
足球在地面上靜止不動，是因為足球所承受的合力等於零——足球的重量被地面的反作用力所平衡，而且沒有任何側向的力量。

施予力量
當你抬腳踢球，就是從側向對足球施予力量，而且並無其他力量來平衡這個側向力，因此足球開始運動。

運動停止
足球以相當穩定的速率飛向空中，或是滾過地面，直到碰觸到其他物體—例如你的腳部—你的腳部施力，讓足球停止運動。

牛頓第二運動定律

物體一旦承受作用力 (合力不等於零)，就會產生加速度 (速度變快、速度變慢、或是改變運動方向)，加速度的大小取決於力的大小和物體本身的質量——力量愈大或質量愈輕，加速度就愈大。

力 = 質量 × 加速度

質量與加速度的乘積：力的公制單位 = 牛頓 (N)

物體所含的物質量：質量的公制單位 = 公斤 (kg)

速度的公制單位 = 公尺 / 秒 (m/s)，而加速度的意思是速度在 1 秒鐘之內的變化量，因此公制單位 = m/s^2。

小質量，小力量
輕輕踢球，足球會獲得平緩的加速度——加速度等於作用力除以足球的質量。

小質量，中等力量
運用 2 倍的力量踢同一顆足球，足球就會得到 2 倍的加速度——足球若是直線飛行，那麼在相同時間之內，足球的速度也會達到 2 倍。

雙倍質量，大力量
更重的足球需要更大的力量才能讓它運動——如果施予 8 倍的力量來踢 2 倍重的足球，加速度會是原本的4倍。

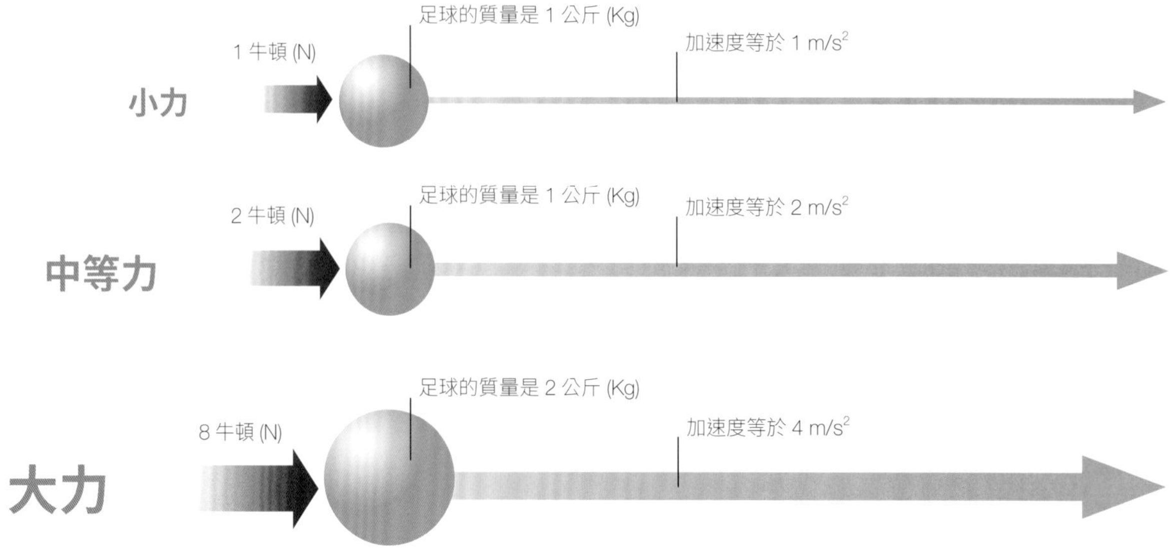
小力
1 牛頓 (N)
足球的質量是 1 公斤 (Kg)
加速度等於 1 m/s²
中等力
2 牛頓 (N)
足球的質量是 1 公斤 (Kg)
加速度等於 2 m/s²
大力
8 牛頓 (N)
足球的質量是 2 公斤 (Kg)
加速度等於 4 m/s²

2.3秒—全世界加速最快的道路版汽車—Ariel Atom—從靜止加速到100公里/小時所需時間。

子彈的加速度最快可達100萬m/s^2。

牛頓第三運動定律

對物體施予作用力，必定會產生另一個大小相同、但方向相反的「反作用力」，因此第三運動定律又稱為「反作用定律」。

當你對某一物體施力，就會獲得大小相等、但方向相反的反作用力。

作用力

想像你站在滑板上用力推牆，牆壁就會給予你一個反作用力，把你推離牆面。

你的朋友以相同的速度滑開

輪子有利於克服摩擦力

反作用力

你施力推擠同樣站在滑板上的朋友，你的力量會讓你的朋友滑動、遠離自己，但反作用力也同樣讓你朝著相反方向滑動。

太空梭的**主引擎**
能產生高達
200 萬牛頓的推力

點火發射

遠在人類造出火箭之前，牛頓運動定律早已證明發射火箭的可能性。羅伯特．戈達爾(1882-1945)被喻為現代火箭之父，他是史上最早提議建造太空船的人，在西元1916年的當時，幾乎所有人都認為戈達爾瘋了——他們認為太空中沒有空氣，因此無法產生推進力；然而，牛頓運動定律卻證明戈達爾是對的！

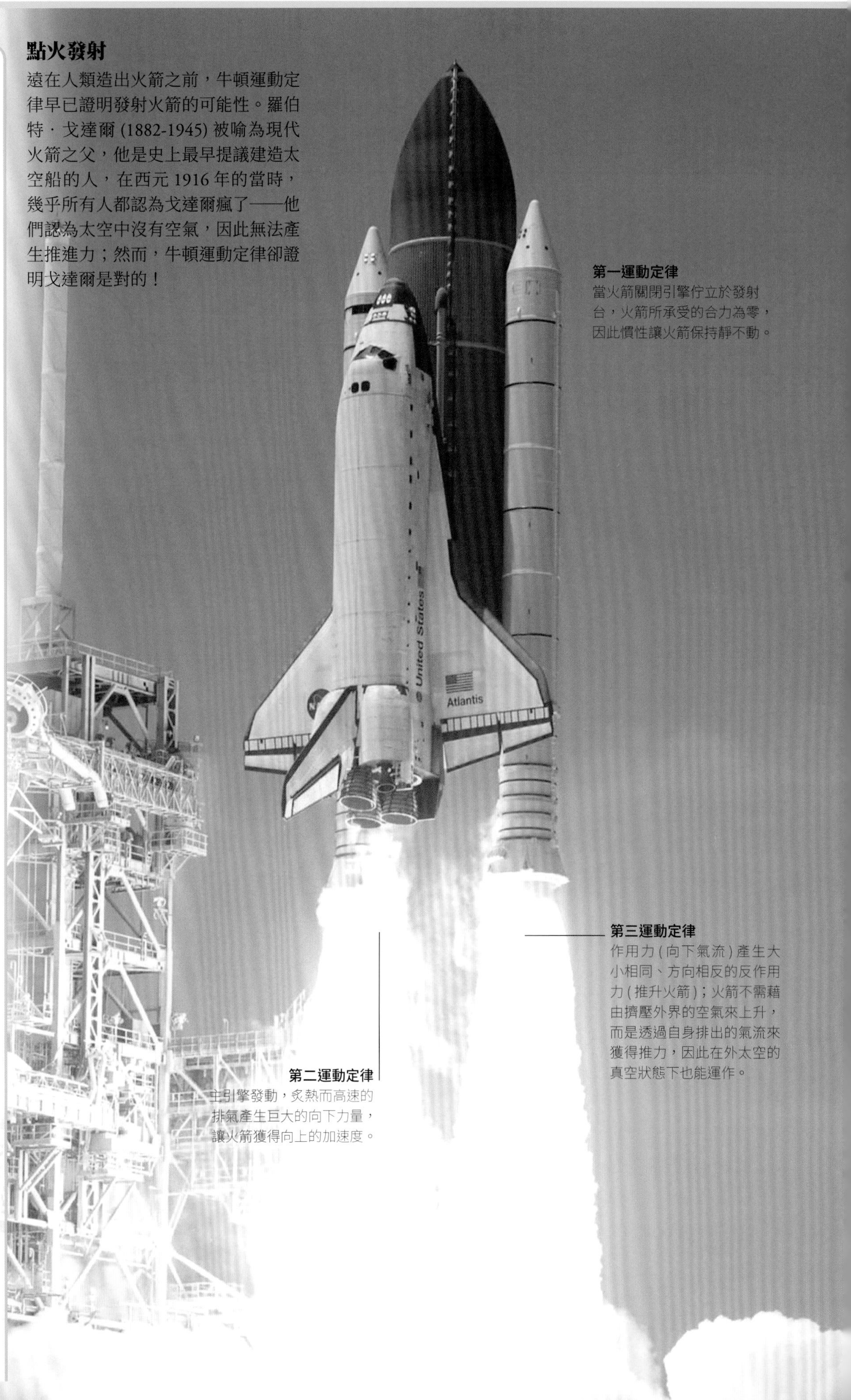

第一運動定律

當火箭關閉引擎佇立於發射台，火箭所承受的合力為零，因此慣性讓火箭保持靜不動。

第三運動定律

作用力(向下氣流)產生大小相同、方向相反的反作用力(推升火箭)；火箭不需藉由擠壓外界的空氣來上升，而是透過自身排出的氣流來獲得推力，因此在外太空的真空狀態下也能運作。

第二運動定律

主引擎發動，炙熱而高速的排氣產生巨大的向下力量，讓火箭獲得向上的加速度。

全世界的汽車總數超過10億輛，這意味著每7人至少能分配到1具引擎。

引擎

不論你搭乘汽車、飛機、船舶、甚至太空火箭旅行，幾乎都必須透過「火」來獲得動力——引擎中精心控制的燃燒或爆炸。

化石燃料包括石油、煤和天然氣，至今仍然供應全球大約 80% 的能量來源。少少的汽油 (從石油提煉) 之中就塞滿了巨大的能量，特別適合作為交通工具的燃料，而引擎 (發動機) 就是利用燃燒這種化學反應，來釋放燃料能量的機器，當燃料混合空氣中的氧氣一起燃燒，其分子就會裂解，並以熱的形式釋放蘊含的能量，引擎捕捉這些熱能，將之轉換成動力，讓我們開車上路、乘船渡海，或是搭乘飛機飛向天空。

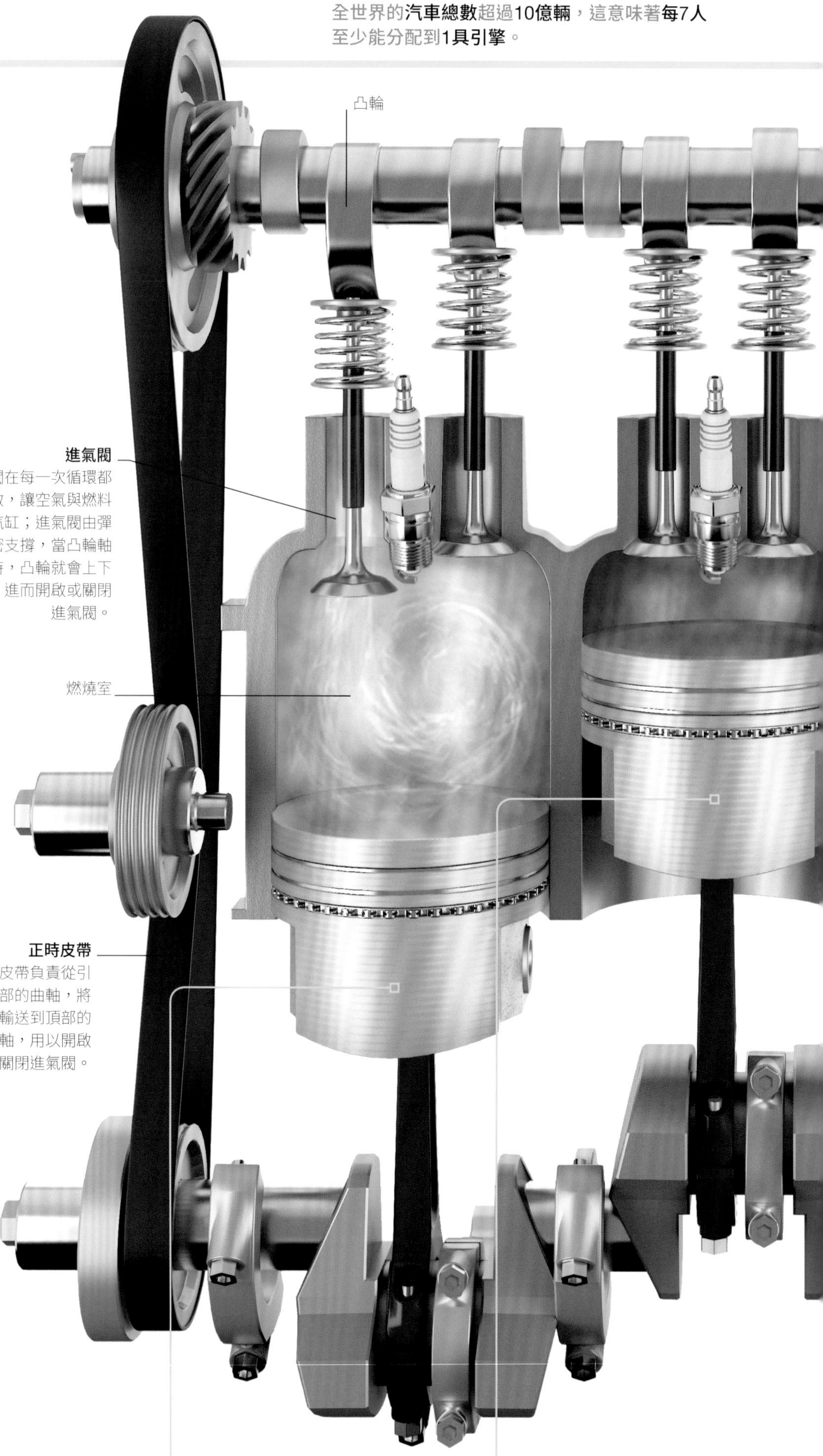
凸輪
進氣閥
進氣閥在每一次循環都會開啟，讓空氣與燃料進入汽缸；進氣閥由彈簧緊密支撐，當凸輪軸轉動時，凸輪就會上下運動，進而開啟或關閉進氣閥。
燃燒室
正時皮帶
正時皮帶負責從引擎底部的曲軸，將動力輸送到頂部的凸輪軸，用以開啟或關閉進氣閥。

內燃機

在汽車引擎 (內燃機) 中，燃料 (汽油或柴油) 在堅固的金屬汽缸之內爆炸，上下往復地推擠活塞，產生動力來驅動車輪；這類「往復活塞式引擎」的運作分為 4 個循環步驟—稱為「四衝程引擎」—用來推動汽車前進。

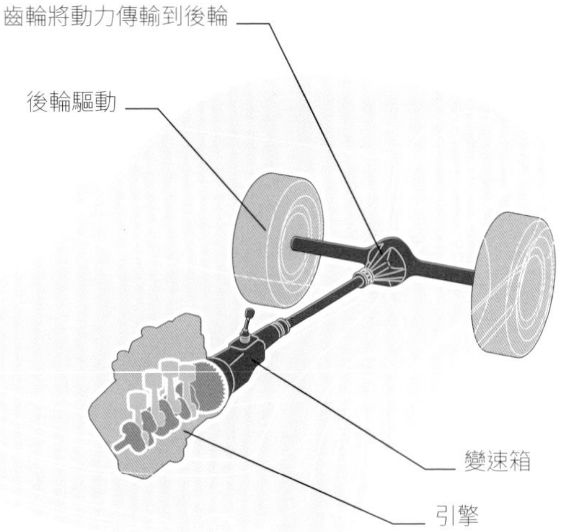
齒輪將動力傳輸到後輪
後輪驅動
變速箱
引擎

汽車的驅動系統

活塞快速往復運動時，引擎可達到最佳的運作效率，但汽車在街道行駛忽快忽慢，因此必須在引擎與車輪之間加上變速箱，來轉換行駛速度——爬坡時推力大而速度慢，在平路則是推力小而速度快。

1 進氣衝程

「四衝程循環」一開始先打開汽缸頂部的進氣閥，活塞向下移動，讓燃料和空氣經由進氣閥吸入，接著兩者打旋，成為具有高度爆炸性的混合油氣。

2 壓縮衝程

關閉進氣閥，活塞向上移動，將混合油氣壓縮到原本體積的 1/10 左右，並對油氣加熱；混合油氣的壓縮程度愈高 (壓縮比愈高)，燃燒而膨脹時所釋放的能量就愈多。

50次—**跑車引擎**高速運轉時，**每1秒鐘**之內的**點火次數**。

全世界**最小的內燃機引擎**，其尺寸如同一枚硬幣。

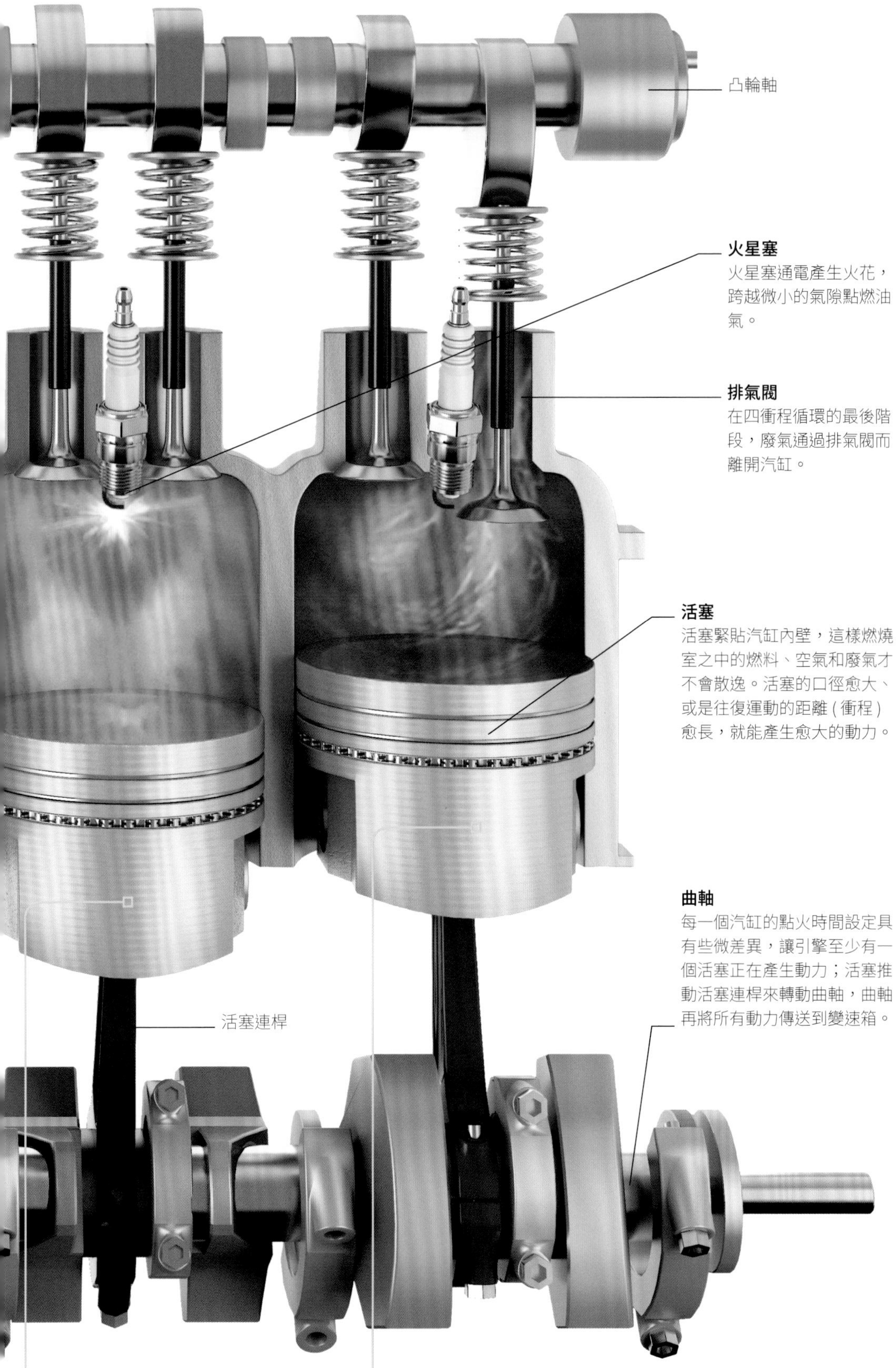

凸輪軸
火星塞
火星塞通電產生火花，跨越微小的氣隙點燃油氣。
排氣閥
在四衝程循環的最後階段，廢氣通過排氣閥而離開汽缸。
活塞
活塞緊貼汽缸內壁，這樣燃燒室之中的燃料、空氣和廢氣才不會散逸。活塞的口徑愈大、或是往復運動的距離（衝程）愈長，就能產生愈大的動力。
曲軸
每一個汽缸的點火時間設定具有些微差異，讓引擎至少有一個活塞正在產生動力；活塞推動活塞連桿來轉動曲軸，曲軸再將所有動力傳送到變速箱。
活塞連桿

3 燃燒衝程

精細控制的延時通電，讓火星塞輪流點燃混合油氣，產生爆炸，爆炸的力量向下推動活塞，透過連桿轉動曲軸，再經由正時皮帶帶動凸輪軸作動。

4 排氣衝程

燃料混合氧氣一起燃燒，轉變為二氧化碳、水蒸氣和污染物，這些廢氣必須排出汽缸——開啟排氣閥，活塞向上推擠將廢氣排出，準備進行下一輪的循環。

不同類型的引擎

要達到更快的速度，就需要更多能量，燃料也就消耗得更多；這就是為什麼跑車總是需要比一般汽車更大的引擎、更多的汽缸，而飛機更是需要大型噴射引擎（飛機或火箭的噴射引擎亦稱為發動機）來驅動。

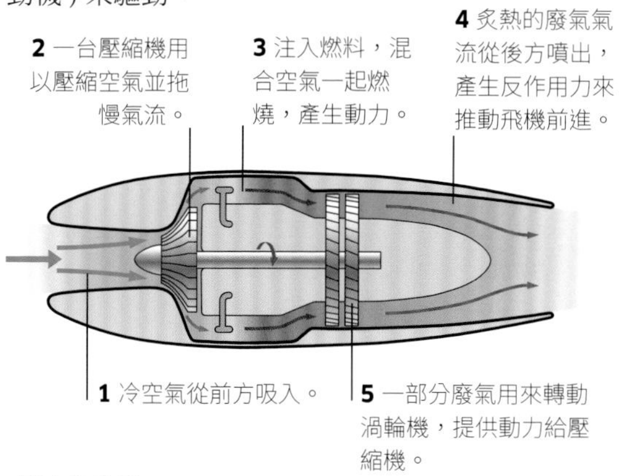

2 一台壓縮機用以壓縮空氣並拖慢氣流。
3 注入燃料，混合空氣一起燃燒，產生動力。
4 炙熱的廢氣氣流從後方噴出，產生反作用力來推動飛機前進。
1 冷空氣從前方吸入。
5 一部分廢氣用來轉動渦輪機，提供動力給壓縮機。

噴射發動機

噴射飛機需要比汽車更快的速度才能起飛，需求更多的燃料，因此不使用四衝程循環的活塞引擎，取代而之的是燃燒油料來製造連續性氣流，用以產生動力。

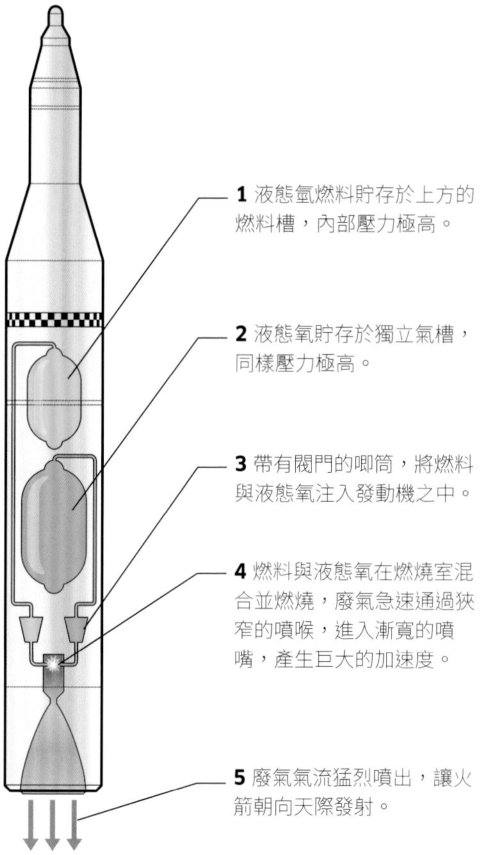

1 液態氫燃料貯存於上方的燃料槽，內部壓力極高。
2 液態氧貯存於獨立氣槽，同樣壓力極高。
3 帶有閥門的唧筒，將燃料與液態氧注入發動機之中。
4 燃料與液態氧在燃燒室混合並燃燒，廢氣急速通過狹窄的噴喉，進入漸寬的噴嘴，產生巨大的加速度。
5 廢氣氣流猛烈噴出，讓火箭朝向天際發射。

火箭引擎

火箭引擎跟噴射引擎相當類似，兩者之間只有一處明顯不同——在太空中沒有氧氣，因此前者必須自行攜帶大型貯氧槽。

火箭引擎在**發射階段**的推力大約是普通內燃機引擎的 **50,000倍**。

感謝**齒輪與車輪**的發明——騎自行車所消耗的能量，**比走路節省了3-5倍**。

新加坡摩天觀景輪是全世界最大的輪子，其直徑大約是一般**自行車車輪的250倍**。

簡單機械

不論你有多麼強壯，都無法徒手抬起汽車、打開核果、或是劈開木頭；但只要運用能夠倍增力道的機械或工具，事情就會變得容易多了！

在科學領域，任何可以放大力量的裝置通稱為「簡單機械」，我們居家使用的工具，大多屬於這類裝置，例如槌子、鑽孔機、螺絲起子，甚至連人類自己的身體，都運用了最簡單的機械原理—槓桿—來建構我們的手臂和腿部。一般來說，我們之所以使用工具，是由於工具可以放大人體的施力，但有一些簡單機械除了放大力量，同時還能加快速度，例如車輪與齒輪，它們幫助自行車或汽車達到驚人的速度——而這是單靠人力永遠無法達成的。

輪子與輪軸

地上的重物難以推動，是由於地面與重物之間會產生摩擦力，但只要把重物放在帶有輪子的推車上面，每一個輪子與輪軸之間的摩擦力就變得非常小，推動重物也就變得輕鬆多了。

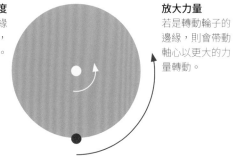

加快速度
轉動軸心，輪子邊緣所行進的距離更遠，速度更快。

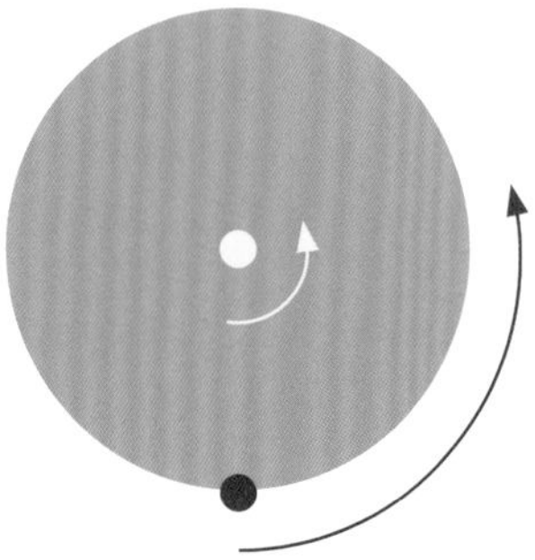

放大力量
若是轉動輪子的邊緣，則會帶動軸心以更大的力量轉動。

輪子如何運作
輪子同槓桿一樣都能放大力量，而前者還能加快速度，例如競速自行車的車輪通常很大，就是為了加快來自腳踏板的速度。

斜面、楔子和螺旋

斜面這種機械原理可用來幫助我們抬起重物——與其直接抬起重物，不如把重物放在斜坡上推動，如此一來雖然距離增加，但所需的力道會大大減少。另一方面，楔子—例如斧刃薄而斧背厚的斧頭—也是運用類似的原理，當我們拿起斧頭砍木材時，就是運用了斧身的斜面。

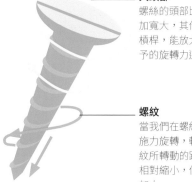

大頭部
螺絲的頭部比軸身更加寬大，其作用如同槓桿，能放大我們施予的旋轉力道。

螺紋
當我們在螺絲的頂部施力旋轉，軸身的螺紋所轉動的距離雖然相對縮小，但力道會加大。

螺絲如何運作
螺絲所運用的原理，其實就是呈現螺旋狀的「長斜面」；比較大的螺絲頭、以及螺紋構造，都是為了更容易將螺絲釘入牆壁之中。

槓桿

槓桿就是運用支點來放大施力的桿狀體，槓桿愈長，力量就放大愈多。槓桿分為 3 種類型，主要差異在於施力點、抗力點與支點的相對位置。

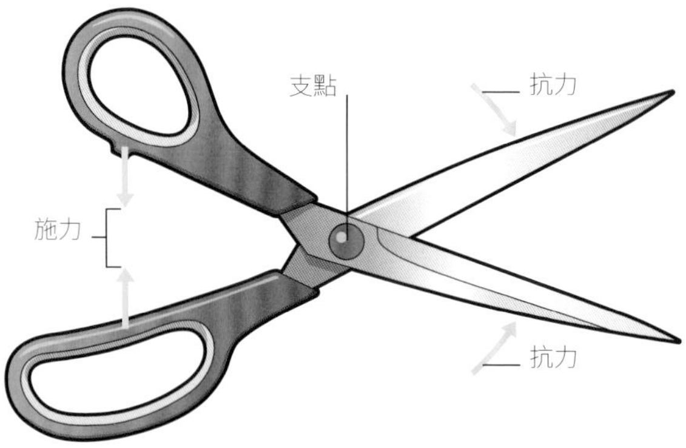
支點
抗力
施力
抗力

第一類槓桿
剪刀具有長手柄，當你擠壓兩支手柄時，你所施予的力量就會被放大。

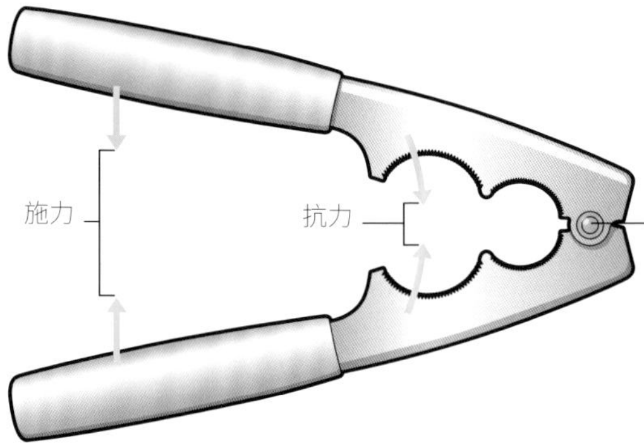
施力
抗力
支點

第二類槓桿
以這支胡桃鉗為例，支點位於鉗頭的末端，也能夠放大施力，產生更大的擠壓力道。

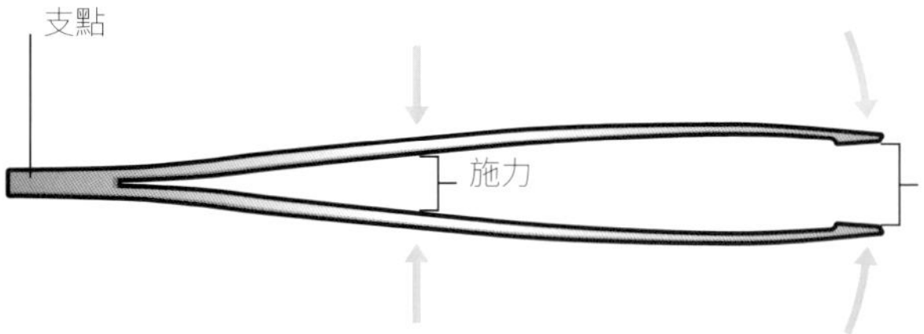
支點
施力
抗力

第三類槓桿
以這根夾筷為例，由於施力點更靠近支點，如此一來雖然減弱施力的力道，但優點是更容易控制。

滑輪

滑輪是輪子與繩索的組合，可以用來抬升重物，輪子和繩索的數量愈多，抬升重物所需的力量就愈小，但拉動繩索的距離必須更長；滑輪雖然有助於以較小的力量抬升重物，但所耗費的總能量，跟不使用滑輪卻是沒什麼兩樣的。

單滑輪
包含 1 個滑輪和 1 條繩索，抬升重物時雖然無法省力，但可以改變施力的方向。

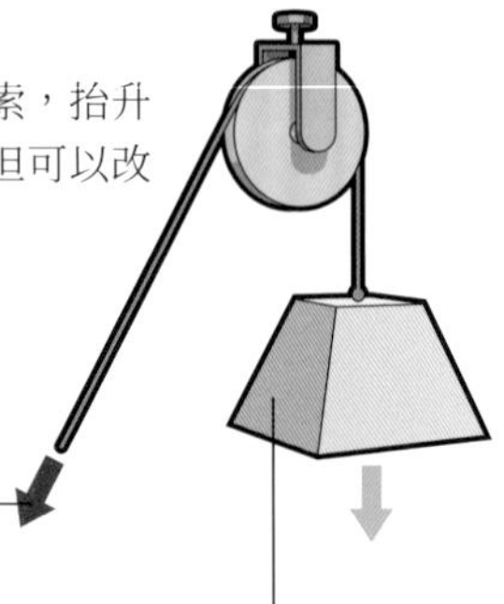

向下拉動繩索，就能以相同的力量抬升重物

重物抬升的距離，等同於繩索所拉動的距離

複滑輪
包含 2 個滑輪和 2 條繩索，如此一來只需單滑輪的一半力量，就能抬升重物，但拉動繩子的距離則是單滑輪的 2 倍長。

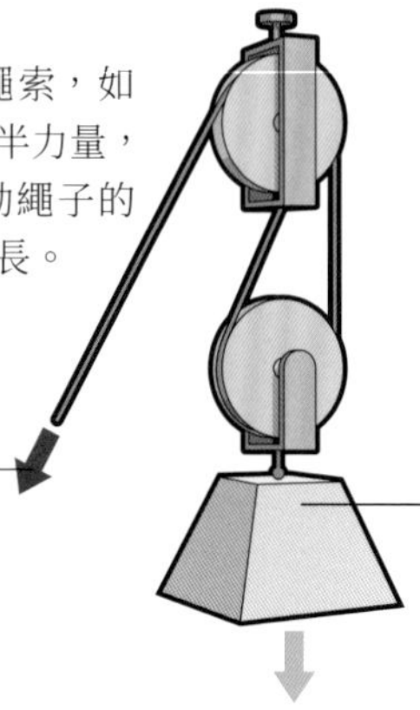

向下拉動繩索，就能抬升 2 倍重的物體

然而，物體抬升的高度，只有繩索拉動距離的一半

 公里—你真的可以用手抬起地球，只要找得到一根這麼長的槓桿。

全世界最大的螺絲起子超過1公尺長，其軸身厚度可達2.5公分。

齒輪

兩個彼此接觸的輪子，其功能如同相連的槓桿協同運作，這種簡單機械稱為齒輪。齒輪的邊緣狀似牙齒，目的是為了防止滑動（嚙合傳動），而兩個齒輪一起轉動，就能放大任何一個齒輪的速度或力量。

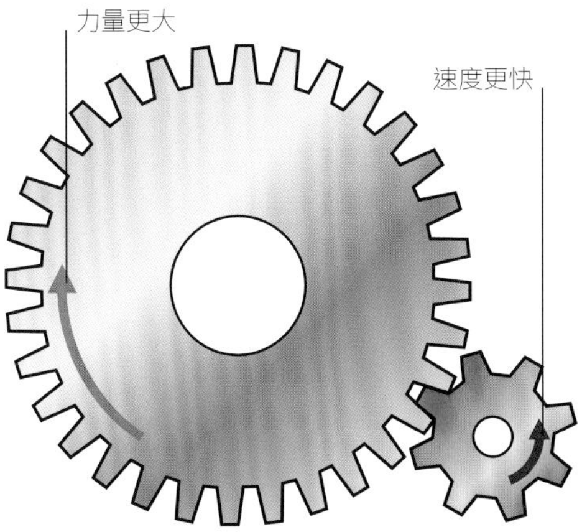
力量更大
速度更快

齒輪比

當大齒輪驅動小齒輪，小齒輪的轉動速度加快、但力量變小；反之，若是由小齒輪來驅動大齒輪，則大齒輪的轉動速度變慢、但力量會增大。

水力學

液體的體積幾乎無法壓縮，因此把液體注入管線之中，就可以用來傳遞力量。如果管線的施壓端較窄而另一端較寬，後者的力量就會增大，但窄端壓迫液體的距離必須更長——這種觀念稱為水力學，可用來驅動液壓撞槌、起重機、或挖掘機。

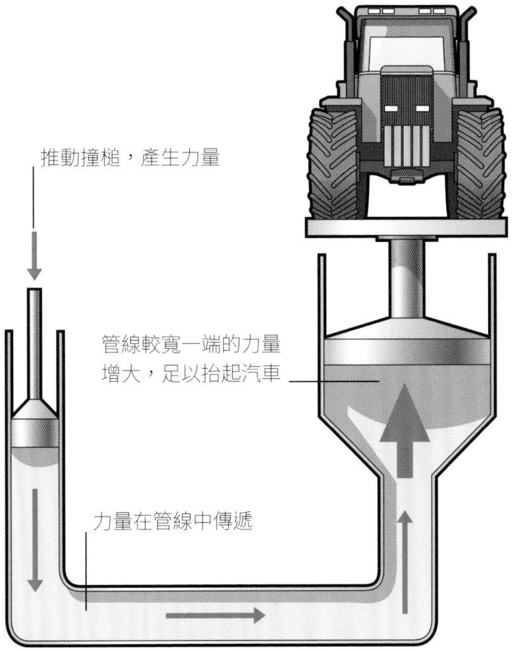
推動撞槌，產生力量
管線較寬一端的力量增大，足以抬起汽車
力量在管線中傳遞

液壓式千斤頂的運作原理

當你擠壓撞槌時，液體就會流過管線，在另一端上升；由於頂桿端的管線比撞槌端寬大，因此力量也會放大，足以抬升汽車，然而汽車被抬升的高度，則是小於撞槌下壓的深度。

簡單機械的實際應用

我們常見的大型機具，其原理都是結合數種「簡單機械」來共同運作的，例如圖中巨大的起重機，就是由引擎驅動液壓千斤頂，來控制起重吊臂的升降，而起重吊臂本身是一支很長的槓桿，因此吊臂基部只須小距離移動，就能導致吊掛物進行大範圍的移動；此外，起重機吊臂的末端是一組滑輪裝置，用以放大抬升力。

在中國山東省有一台全世界最大的起重機，總計使用了**96**組滑輪，能吊起重達 20,000 公噸的物體——相當於 10,000 輛大型房車。

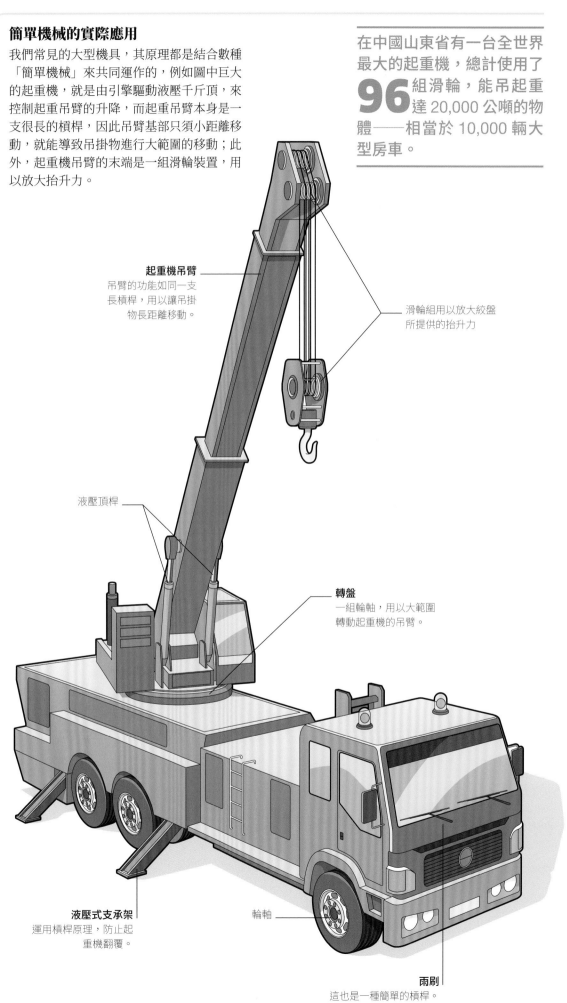

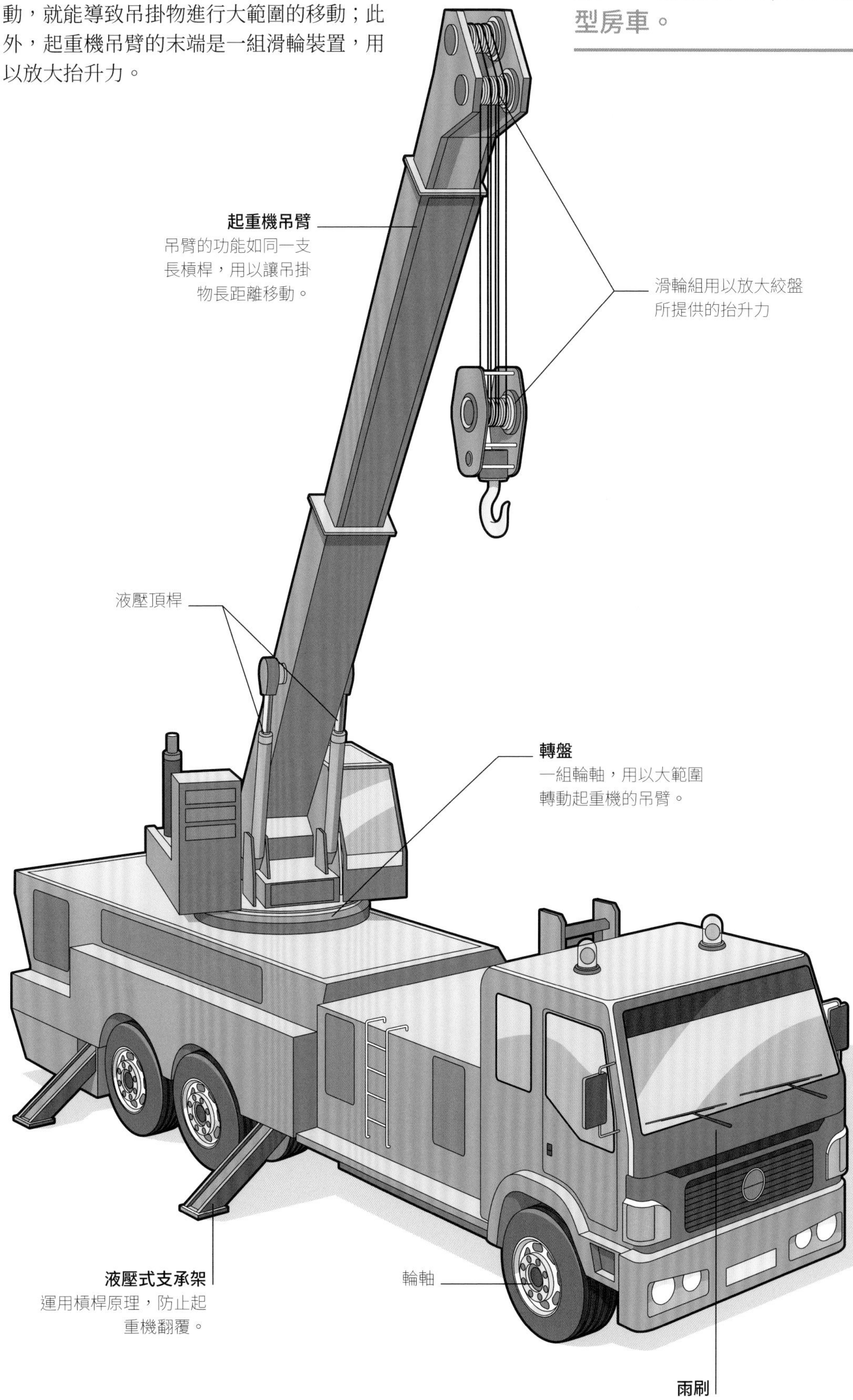
起重機吊臂
吊臂的功能如同一支長槓桿，用以讓吊掛物長距離移動。
滑輪組用以放大絞盤所提供的抬升力
液壓頂桿
轉盤
一組輪軸，用以大範圍轉動起重機的吊臂。
液壓式支承架
運用槓桿原理，防止起重機翻覆。
輪軸
雨刷
這也是一種簡單的槓桿。

潛水艇在海底航行的速度比海面上快了2.5倍。

每一艘維吉尼亞級攻擊潛艦的造價高達25億美元。

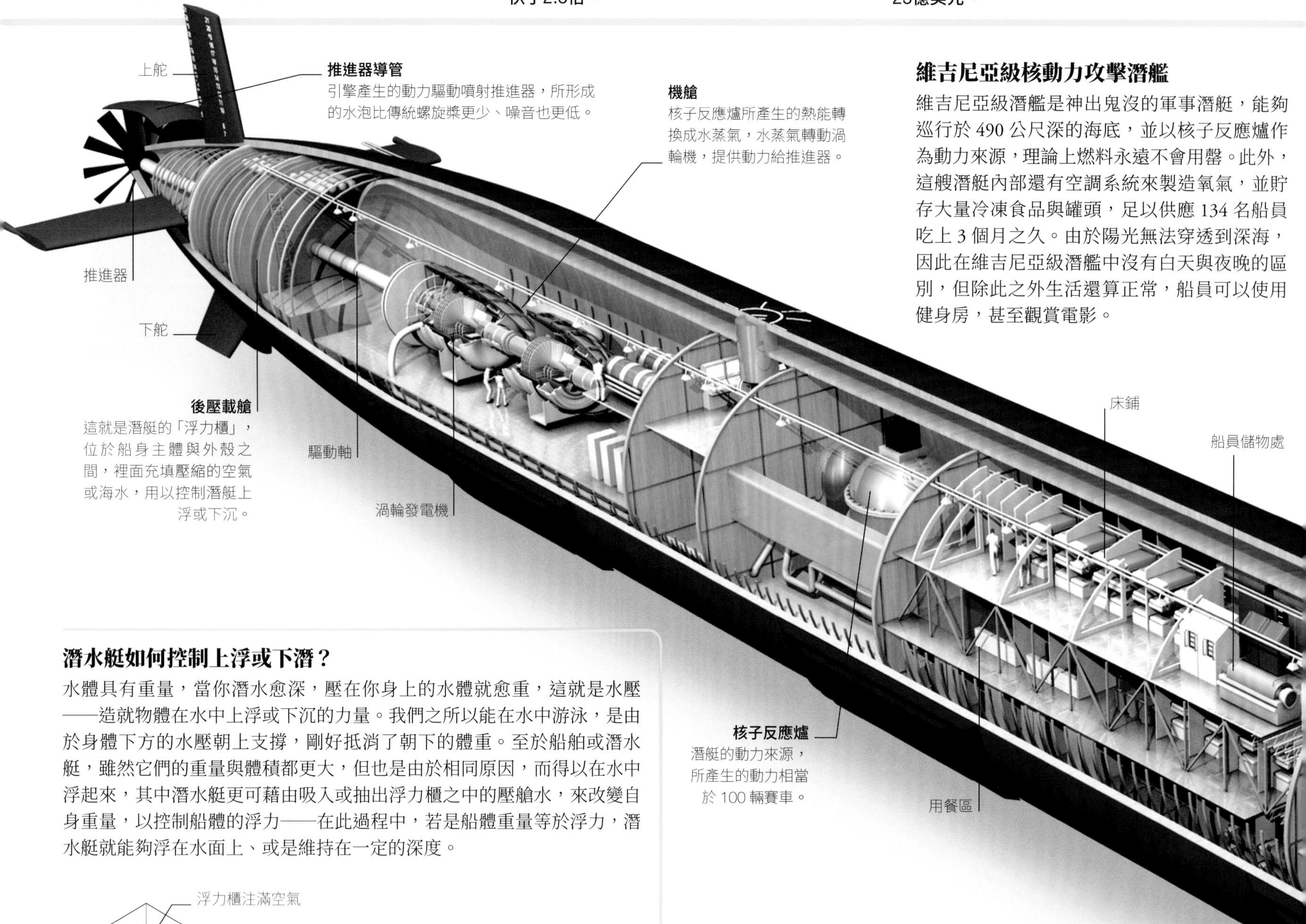
上舵
推進器導管
引擎產生的動力驅動噴射推進器，所形成的水泡比傳統螺旋槳更少、噪音也更低。
機艙
核子反應爐所產生的熱能轉換成水蒸氣，水蒸氣轉動渦輪機，提供動力給推進器。
推進器
下舵
後壓載艙
這就是潛艇的「浮力櫃」，位於船身主體與外殼之間，裡面充填壓縮的空氣或海水，用以控制潛艇上浮或下沉。
驅動軸
渦輪發電機
床鋪
船員儲物處
核子反應爐
潛艇的動力來源，所產生的動力相當於 100 輛賽車。
用餐區

維吉尼亞級核動力攻擊潛艦

維吉尼亞級潛艦是神出鬼沒的軍事潛艇，能夠巡行於 490 公尺深的海底，並以核子反應爐作為動力來源，理論上燃料永遠不會用罄。此外，這艘潛艇內部還有空調系統來製造氧氣，並貯存大量冷凍食品與罐頭，足以供應 134 名船員吃上 3 個月之久。由於陽光無法穿透到深海，因此在維吉尼亞級潛艦中沒有白天與夜晚的區別，但除此之外生活還算正常，船員可以使用健身房，甚至觀賞電影。

潛水艇如何控制上浮或下潛？

水體具有重量，當你潛水愈深，壓在你身上的水體就愈重，這就是水壓──造就物體在水中上浮或下沉的力量。我們之所以能在水中游泳，是由於身體下方的水壓朝上支撐，剛好抵消了朝下的體重。至於船舶或潛水艇，雖然它們的重量與體積都更大，但也是由於相同原因，而得以在水中浮起來，其中潛水艇更可藉由吸入或抽出浮力櫃之中的壓艙水，來改變自身重量，以控制船體的浮力──在此過程中，若是船體重量等於浮力，潛水艇就能夠浮在水面上、或是維持在一定的深度。

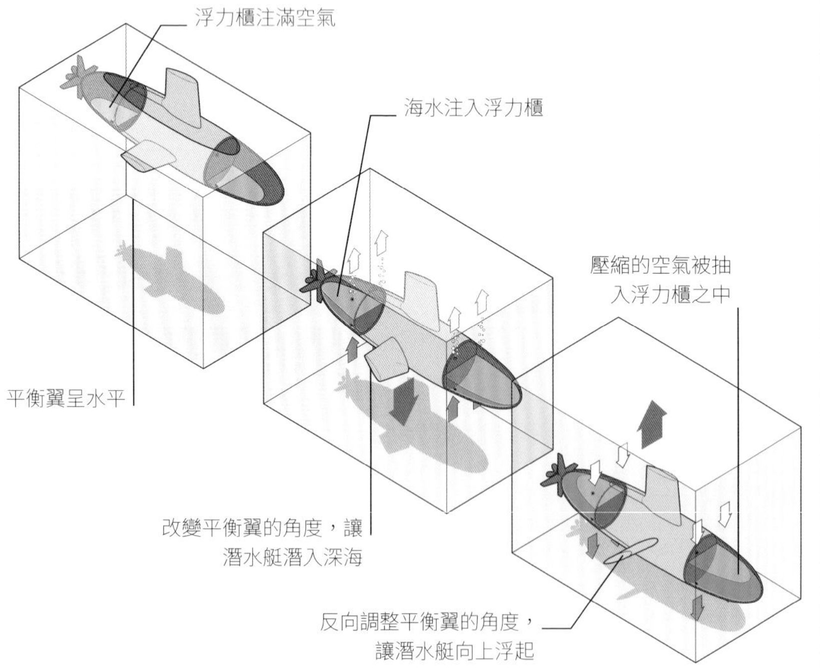
浮力櫃注滿空氣
海水注入浮力櫃
壓縮的空氣被抽入浮力櫃之中
平衡翼呈水平
改變平衡翼的角度，讓潛水艇潛入深海
反向調整平衡翼的角度，讓潛水艇向上浮起

1 浮在海面上 浮力櫃之中充滿空氣，潛水艇的重量相對較輕，因此船身下方的水壓足以支撐船體的重量。

2 下潛 浮力櫃注入海水，船體的重量增加，超過了支撐船體的浮力，因此潛水艇向下深潛。

3 上浮 排出壓艙海水，船體的重量減輕，船體的浮力就會將潛水艇推向海面。

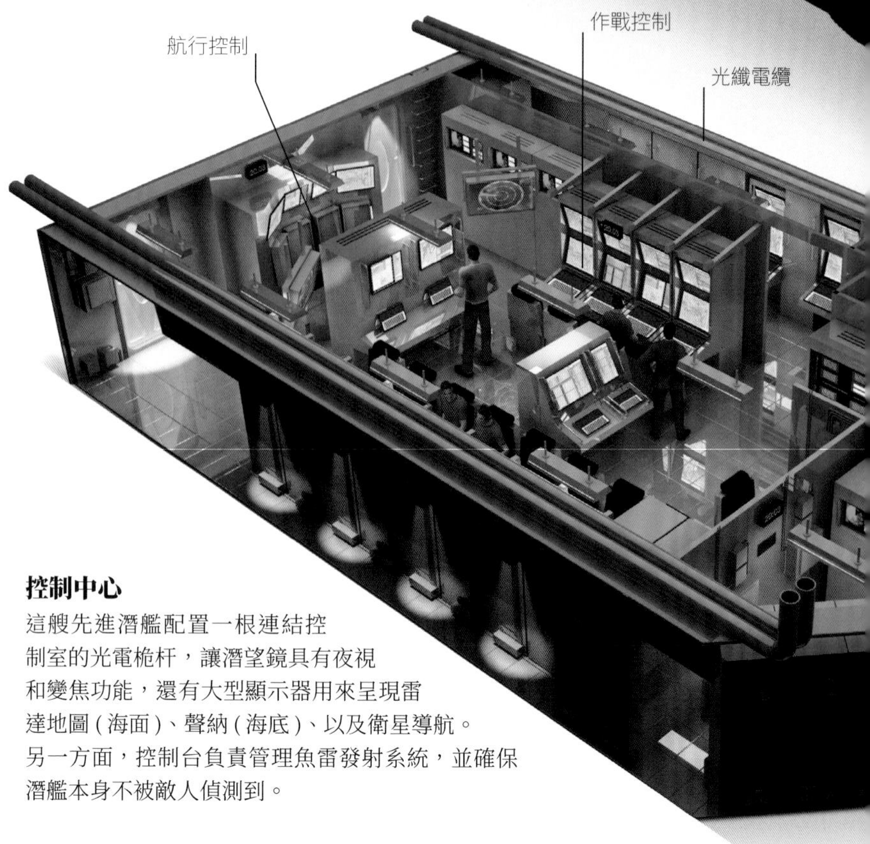
航行控制
作戰控制
光纖電纜

控制中心

這艘先進潛艦配置一根連結控制室的光電桅杆，讓潛望鏡具有夜視和變焦功能，還有大型顯示器用來呈現雷達地圖（海面）、聲納（海底）、以及衛星導航。另一方面，控制台負責管理魚雷發射系統，並確保潛艦本身不被敵人偵測到。

浮力

海面上航行的船舶必須抵抗強風刮起的大浪，而在海底悄悄巡航的潛水艇，其操控重點在於調整浮力——讓潛水艇下潛或浮出水面。

放入水中的物體可能下沉，也可能上浮，關鍵因素不在於物體本身有多大、或是有多重，而是取決於物體重量與物體排水量的比值。大型船舶之所以能夠浮在水面，是由於本身的排水量夠大，至於潛水艇—例如美國海軍的維吉尼亞級潛艦—則是利用船體中的「浮力櫃」來改變重量，因此能夠隨心所欲地下潛或上浮。

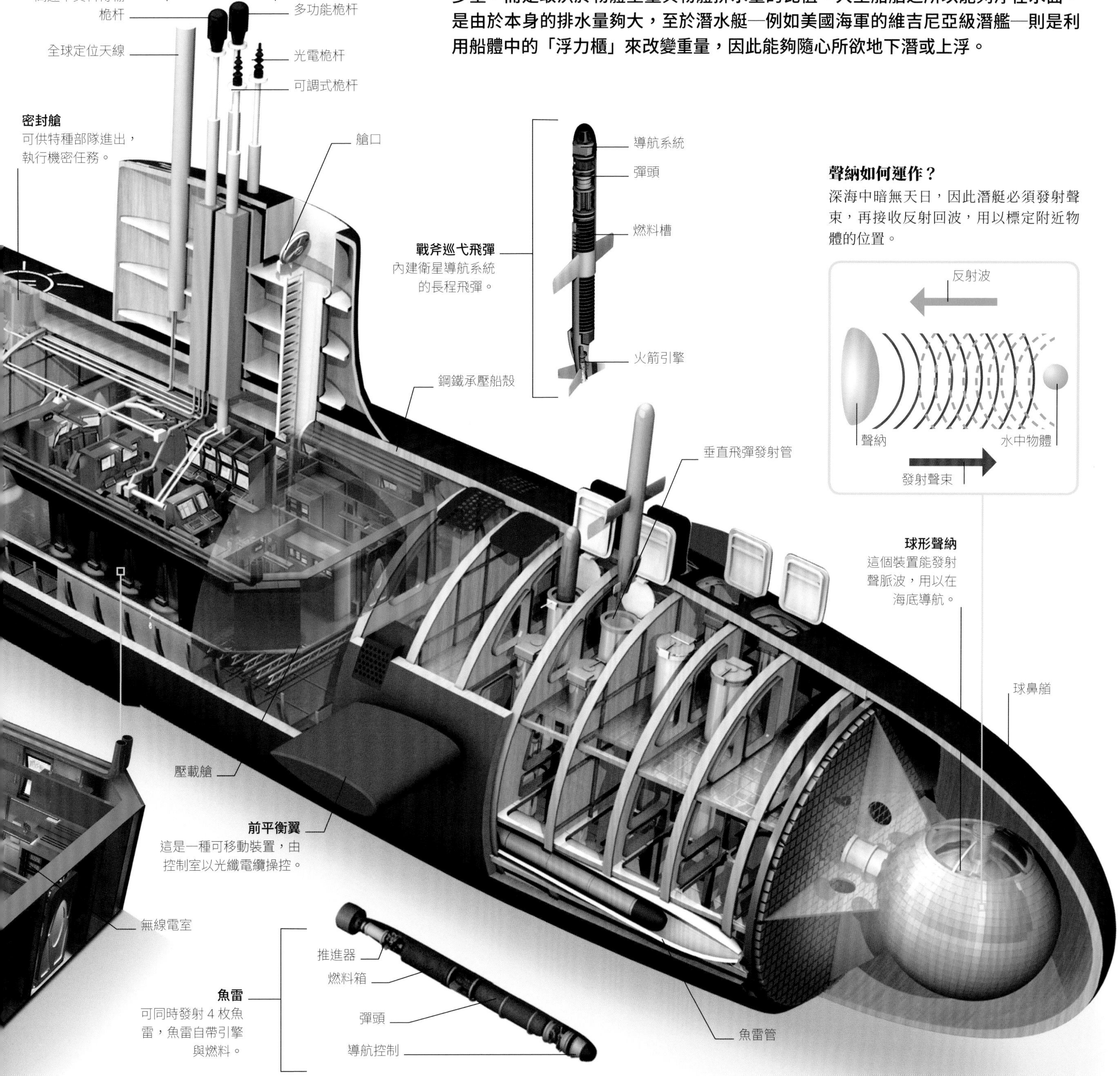
桅杆
纖細而功能強大的天線，用以收集來自衛星導航系統、無線電、以及雷達的訊號。
高速率資料傳輸桅杆
多功能桅杆
全球定位天線
光電桅杆
可調式桅杆
密封艙
可供特種部隊進出，執行機密任務。
艙口
導航系統
彈頭
燃料槽
戰斧巡弋飛彈
內建衛星導航系統的長程飛彈。
火箭引擎
鋼鐵承壓船殼
垂直飛彈發射管
球形聲納
這個裝置能發射聲脈波，用以在海底導航。
球鼻艏
壓載艙
前平衡翼
這是一種可移動裝置，由控制室以光纖電纜操控。
無線電室
推進器
燃料箱
魚雷
可同時發射 4 枚魚雷，魚雷自帶引擎與燃料。
彈頭
導航控制
魚雷管
反射波
聲納
水中物體
發射聲束

聲納如何運作？

深海中暗無天日，因此潛艇必須發射聲束，再接收反射回波，用以標定附近物體的位置。

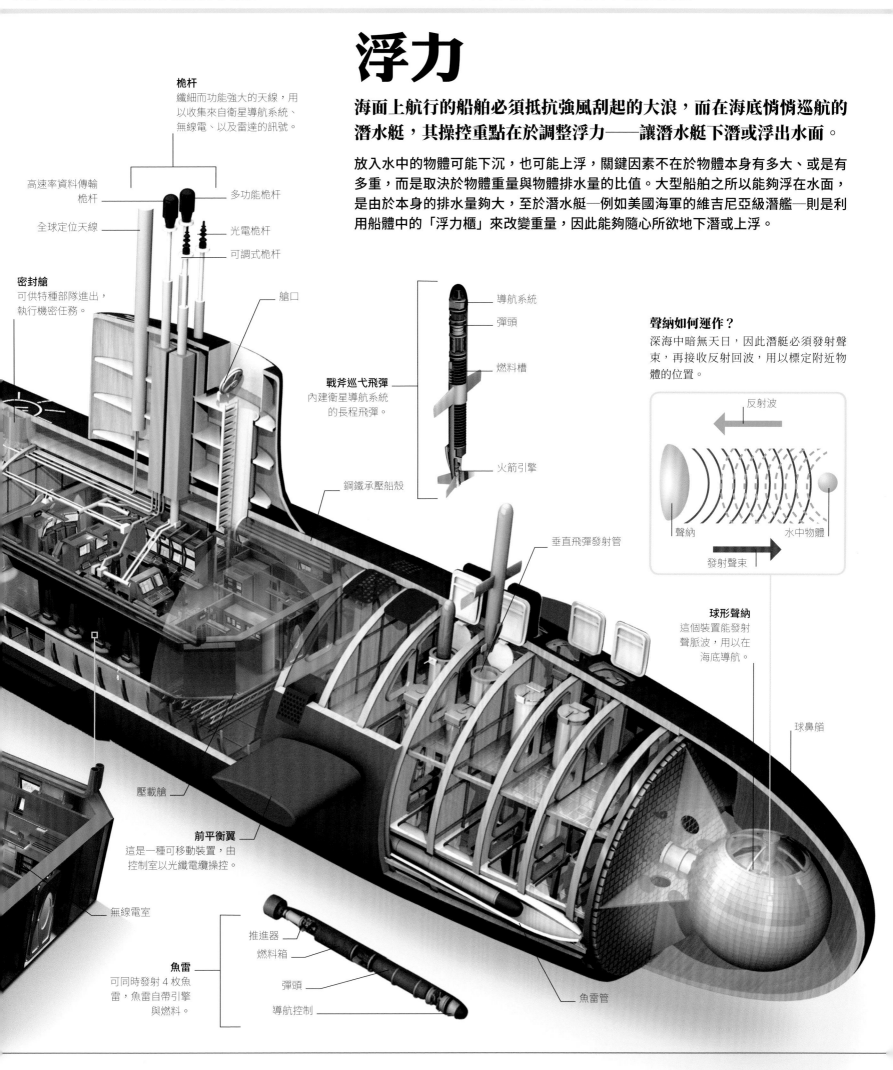

30,000個以上—美國拉斯維加斯的路易·格林法柏是全世界收集最多冰箱磁鐵的人，數量有這麼多！

磁性

磁鐵曾經幫助人類發現了我們現在所熟知的世界——地球本身就像一大塊磁鐵，其磁力持續轉動羅盤，為哥倫布之類的探險家在茫茫大海中找出方向，「發現」了許多古代人未知的新大陸。

就像重力，磁力在我們所處的世界同樣無處不在，我們看得見重力正在作用，但通常難以察覺磁力的存在。然而，磁力對一些動物來說很有用處，例如，包覆地球的磁場線可以幫助鴿子或海龜找到回家的路線。

磁鐵排斥或吸附其他物體的現象，看起似乎來有點神奇，但事實上這是原子內部的電子旋轉所產生的力量，因此磁力總是出現於有電流之處，而電流也是源自於電子的運動。電力與磁力協同運作啟動發電機和馬達，產生現代世界所需的大部分動力——從電動列車到真空吸塵器都是。

發現磁性

透過地底岩石吸附其他物體的現象，人類發現了磁性的存在；因此，古希臘人、古羅馬人和古代中國人從而瞭解到，只要利用磁石讓金屬指針磁化，再懸空置於劃上刻度的圓盤之上，就能用來指引方向。

船舶中的天然磁石
在過去，水手會把天然磁石搬上船隻，用以將羅盤重覆磁化。

天然磁石

天然磁石(磁鐵礦)是天然的磁性材料，其成分為氧化鐵；英文中的磁鐵 magnet 源自於 Magnesia(現今土耳其境內)這個古代地名，人類在這裡首度發現了磁鐵礦。

磁力

磁鐵的兩端稱為磁極，能夠吸引或排斥其他物體，雖然我們無法看見磁力，但可以觀察到磁力作用的結果——將兩塊磁鐵趨近擺放，若是相同磁極互相靠近，兩塊磁鐵就會彼此排斥，反之若是相反磁極互相靠近，兩塊磁鐵就會彼此吸引。

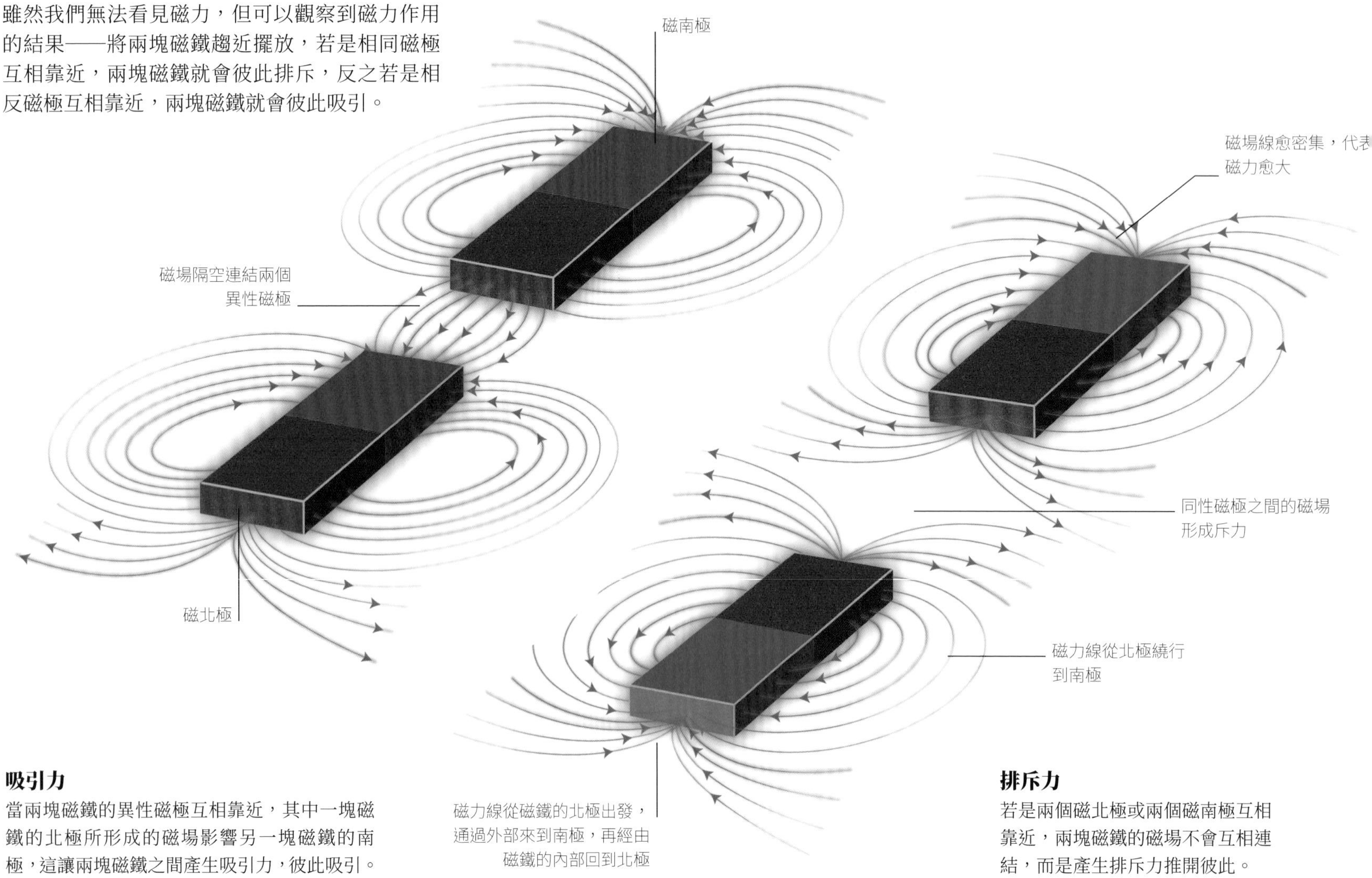
磁南極
磁場線愈密集，代表磁力愈大
磁場隔空連結兩個異性磁極
同性磁極之間的磁場形成斥力
磁北極
磁力線從北極繞行到南極
磁力線從磁鐵的北極出發，通過外部來到南極，再經由磁鐵的內部回到北極

吸引力

當兩塊磁鐵的異性磁極互相靠近，其中一塊磁鐵的北極所形成的磁場影響另一塊磁鐵的南極，這讓兩塊磁鐵之間產生吸引力，彼此吸引。

排斥力

若是兩個磁北極或兩個磁南極互相靠近，兩塊磁鐵的磁場不會互相連結，而是產生排斥力推開彼此。

磁性材料

具有磁性的物質大多是由鐵元素及其化合物、或是鐵合金（鐵元素和其他元素的混合物）所組成的，而磁鐵本身通常是以鐵、鎳、鈷、或是元素週期表中的稀土金屬—尤其釹和釤—製造而成的。

磁性物體

鋼是一種鐵合金，可用來製造湯匙或別針；有些硬幣則是含有鎳元素。

湯匙

別針

硬幣

非磁性物體

右側這些物體都不會跟磁場產生反應；塑膠、鋁製飲料罐、以及銅管樂器都不具磁性。

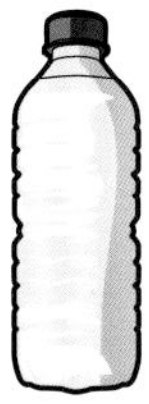
塑膠瓶

鋁罐

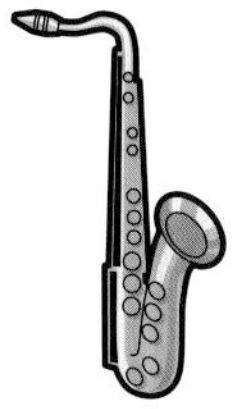
銅管樂器

返家飛行
喙嘴上方具有小型磁鐵礦晶體，作用類似羅盤。

動物磁性說

動物不會使用羅盤或衛星導航，牠們要如何找到回家的路線呢？長久以來，科學家相信某些動物—例如鴿鴿類、水螈類和海龜類—都是利用地球磁場來導航，鳩鴿類頭部的喙嘴上方長著一些小型磁鐵礦晶體，其功能如同迷你羅盤，可以幫助牠們定位，精準找出飛行路線。

電磁

電流與磁性通常相伴相生，電流會產生磁場，而磁場也會引發電流。英國科學家麥可·法拉第 (1791-1867) 首先發現這種「電磁互生」的用處，西元 1821 年，法拉第在一條導線上通電，轉動環繞導線的磁鐵，從而發明了電動馬達，10 年之後，他進一步展示讓導電體通過磁場，就能產生電流，並據此發明了發電機；法拉第的發現，引領人類走向電力的時代。

電磁鐵的應用

電磁鐵可以用來吸附金屬——打開電流，產生強烈的磁場，就能吸引周遭的金屬廢棄物；關掉電流，磁場消失，所吸附的金屬廢棄物就會掉落下來。

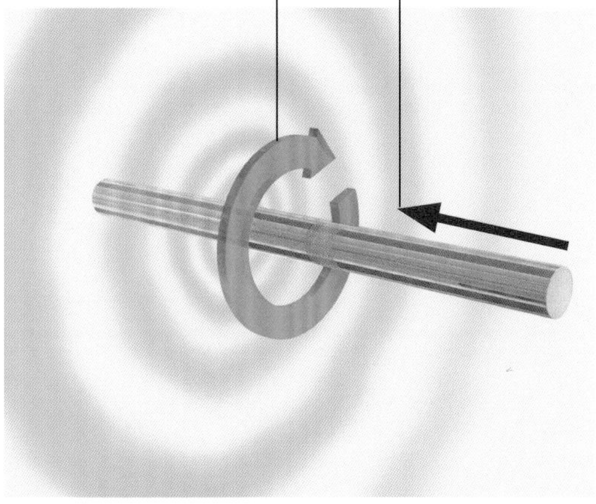
磁場
電流

環繞導線的磁場

當電流通過導線，就會在導線周圍產生一圈又一圈的磁力線（在導線附近放置一個羅盤，就可以觀察這種現象）；電流愈大，磁性就愈強。

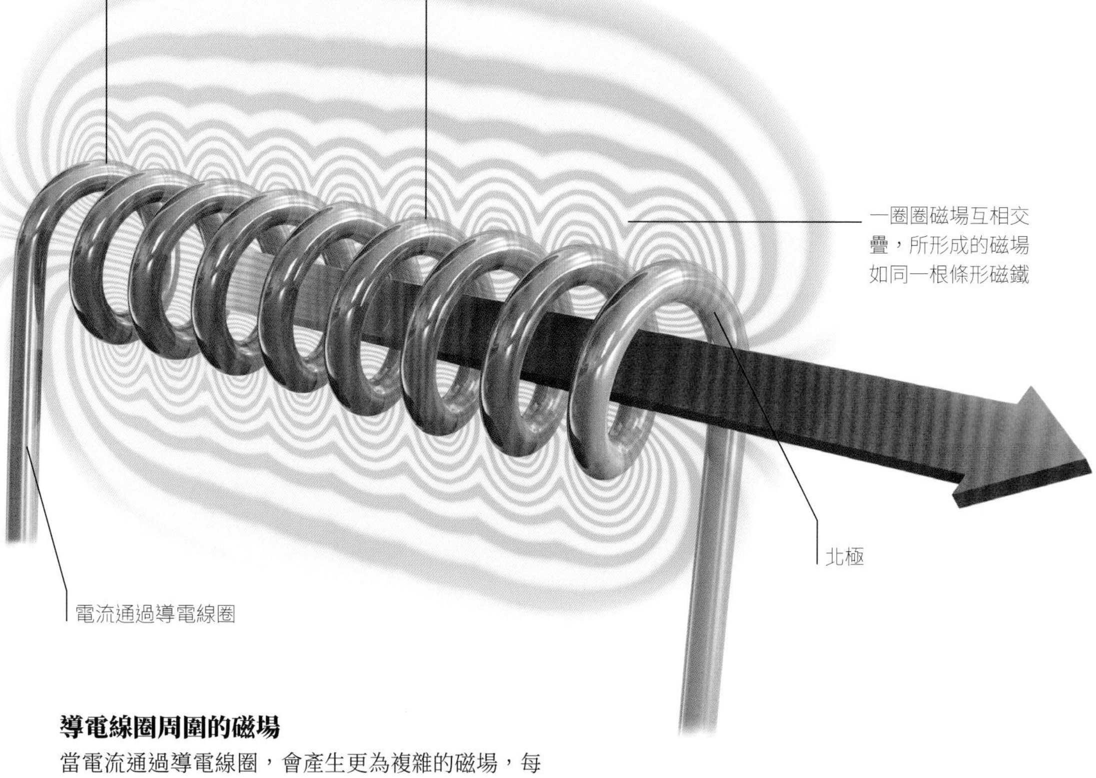
導線環產生一圈一圈的磁場
南極
一圈圈磁場互相交疊，所形成的磁場如同一根條形磁鐵
北極
電流通過導電線圈

地球磁場在地表上的強度非常弱，**典型冰箱磁鐵都比前者強大 200 倍。**

導電線圈周圍的磁場

當電流通過導電線圈，會產生更為複雜的磁場，每一個環圈都各自形成磁場，結合成為全面性的磁場型態——類似一根條形磁鐵所產生的磁場。

一名體重75公斤的人若是能夠**抵達太陽表面**，其體重將會超過2,000公斤——等同於**一輛大型轎車**。

來到**月球表面**，人類的**跳遠冠軍**可以跳出將近50公尺遠的成績——相當於**3輛巴士**頭尾相連。

重力

地球環繞自轉軸自轉，因此位於赤道的人，大約具有1,600公里/小時的速度，那麼，我們為何不致於被拋向空中呢？原因在於地球的重力[註1]將我們牢牢定在地表上，而這種力量(萬有引力[註1])也讓宇宙中的天體保持在永無止境的運行之中。重力(萬有引力)讓所有物體拉住其他物體，將整個宇宙聚攏在一起——就像一張巨大的隱形蜘蛛網。

離地球的地心愈遠，重力就愈小，因此當我們登上高山時，體重會比待在礦坑中稍微輕一點，但不論你離開地球多遠—就算是搭乘火箭來到太空—也無法逃離地球重力的影響，因為重力的作用範圍是無限的。抵抗地球重力的唯一方法，是運用其他力量來抵消其作用，例如飛機或直升機，就是使用引擎產生的動力來抵消重力，才能飛在空中。

註1：重力(gravity)和萬有引力(gravitational force)都是指物體與其他物體之間的吸引力。當不同物體之間的質量差距太大時(例如地球與人類)，通常以重力代表其絕對關係，此時具有「場」(field)的概念；另一方面，當物體之間的質量差距沒那麼絕對(例如地球與月球)，則以萬有引力來指涉其相互作用。

質量與重量

我們經常混用質量與重量這兩個單位，但兩者是不同的，質量意指物體所包含的物質量，而重量是指重力對該物體產生的吸引力。舉例來說，你的質量到哪裡都不會變，但重量會隨著身處不同地點而有所改變。

一名質量75公斤的男性，在地球的重量剛好也是75公斤。
地球

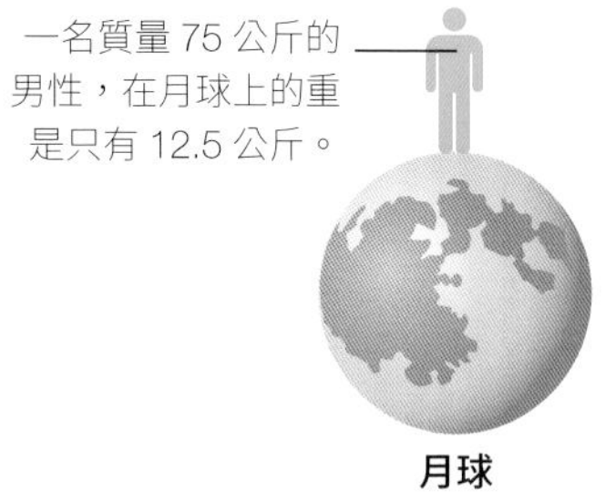
一名質量75公斤的男性，在月球上的重是只有12.5公斤。
月球

地球VS月球

一旦我們來到月球，體重將會變成地球上的⅙；太空人在月球表面可以跳得更遠，因為月球的重力遠比地球的重力更小。

引力

重力永遠是引力，這跟磁力或其他力量不同，後者可能是引力、也可能是斥力。兩個物體之間的引力大小，取決兩者之間的質量與距離而定，質量愈大或距離愈小，物體之間形成的引力就愈大。

墜落的梨子

梨子與地球之間互相施予相同的引力，但結果卻是梨子墜落到地面上，原因在於地球的質量遠遠大於梨子，因此引力所造成的加速度遠遠小於梨子。

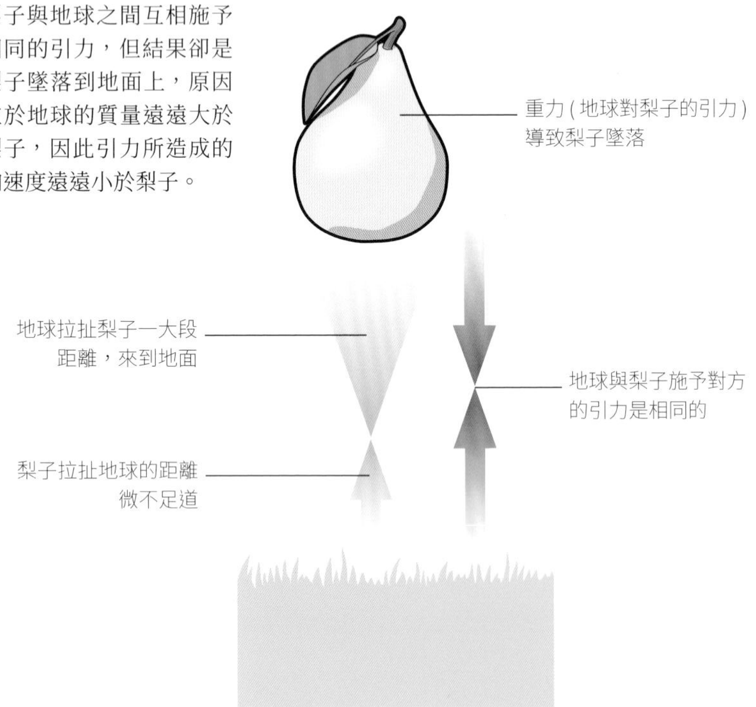
重力(地球對梨子的引力)導致梨子墜落
地球拉扯梨子一大段距離，來到地面
地球與梨子施予對方的引力是相同的
梨子拉扯地球的距離微不足道

這聽起來不可思議，但實際上，重力卻是宇宙中**最微弱的力量**。

引發潮汐的力量

月球的體積比地球小得多、質量也輕得多，而且距離地球大約384,000公里，但即使如此，月球環繞地球運行時，還是足以拉動地表上的海水，這種現象稱為潮汐。另一方面，距離地球更遠的太陽同樣對潮汐造成影響；每月兩次，當太陽與月球連成一線時，由於拉力的結合，會導致潮汐比平日更強(高潮)或更弱(低潮)。

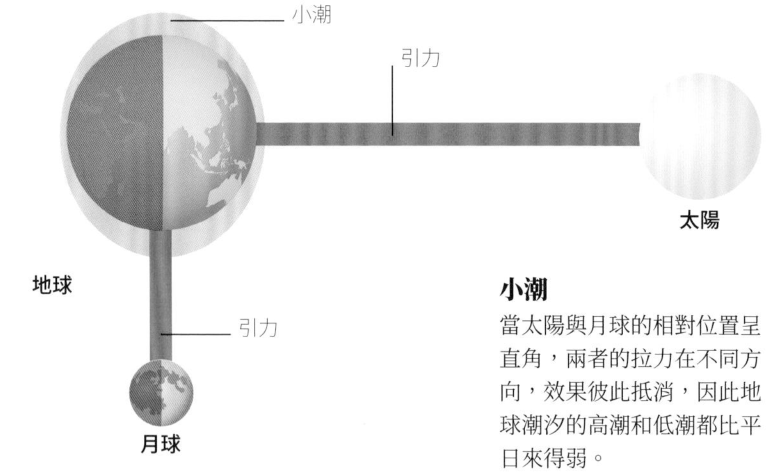
小潮
引力
太陽
地球
引力
月球

小潮

當太陽與月球的相對位置呈直角，兩者的拉力在不同方向，效果彼此抵消，因此地球潮汐的高潮和低潮都比平日來得弱。

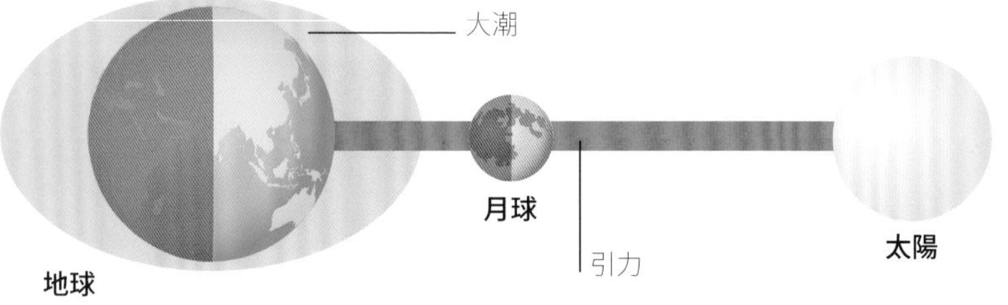
大潮
月球
太陽
引力
地球

大潮

當太陽與月球連成一直線，兩者的引力就會合併在一起，造成高潮比平日更高、而低潮比平日更低。

高空跳傘紀錄

「自由下落」是抵抗重力的一種方式；一旦你跳出飛機，雖然會加速墜落，但空氣阻力很快就會增加，抵消重力的效果，讓下落速度趨於穩定。西元 2012 年 10 月，奧地利跳傘專家—菲利克斯．保加拿—從高空一躍而下，成為史上第一位以超音速自由下落的人類，此外還打破高空跳傘的最高紀錄。

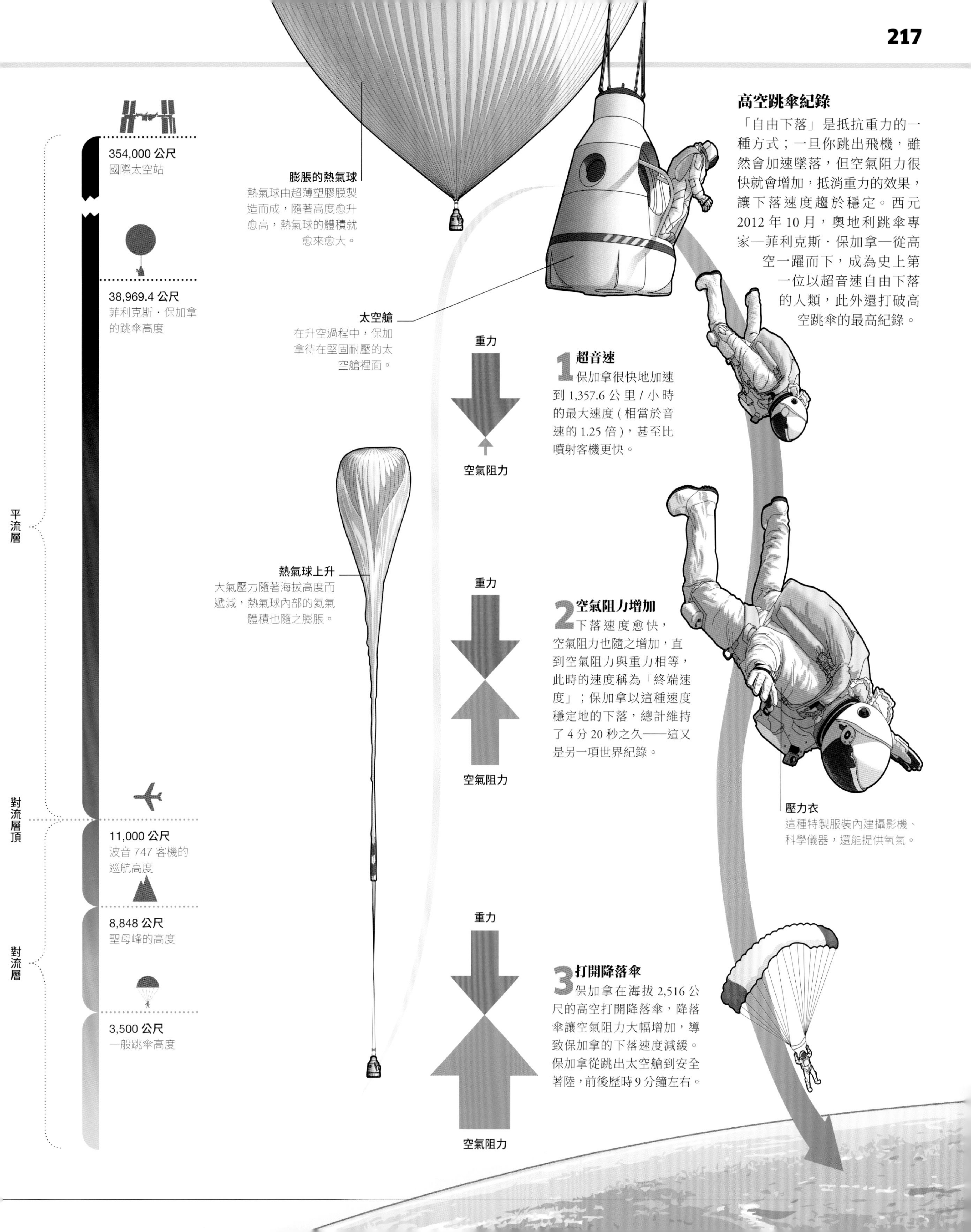

354,000 公尺
國際太空站
38,969.4 公尺
菲利克斯．保加拿的跳傘高度
11,000 公尺
波音 747 客機的巡航高度
8,848 公尺
聖母峰的高度
3,500 公尺
一般跳傘高度
平流層
對流層頂
對流層
膨脹的熱氣球
熱氣球由超薄塑膠膜製造而成，隨著高度愈升愈高，熱氣球的體積就愈來愈大。
太空艙
在升空過程中，保加拿待在堅固耐壓的太空艙裡面。
熱氣球上升
大氣壓力隨著海拔高度而遞減，熱氣球內部的氦氣體積也隨之膨脹。
重力
空氣阻力
重力
空氣阻力
重力
空氣阻力
壓力衣
這種特製服裝內建攝影機、科學儀器，還能提供氧氣。

1 超音速

保加拿很快地加速到 1,357.6 公里 / 小時的最大速度（相當於音速的 1.25 倍），甚至比噴射客機更快。

2 空氣阻力增加

下落速度愈快，空氣阻力也隨之增加，直到空氣阻力與重力相等，此時的速度稱為「終端速度」；保加拿以這種速度穩定地的下落，總計維持了 4 分 20 秒之久——這又是另一項世界紀錄。

3 打開降落傘

保加拿在海拔 2,516 公尺的高空打開降落傘，降落傘讓空氣阻力大幅增加，導致保加拿的下落速度減緩。保加拿從跳出太空艙到安全著陸，前後歷時 9 分鐘左右。

塞考斯基X2是全世界飛行速度最快的直升機，極速可達480公里/小時。

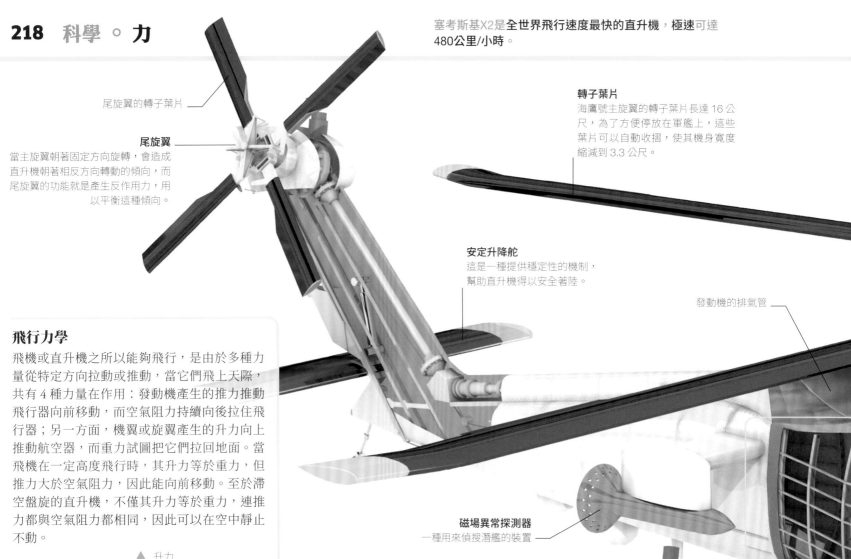

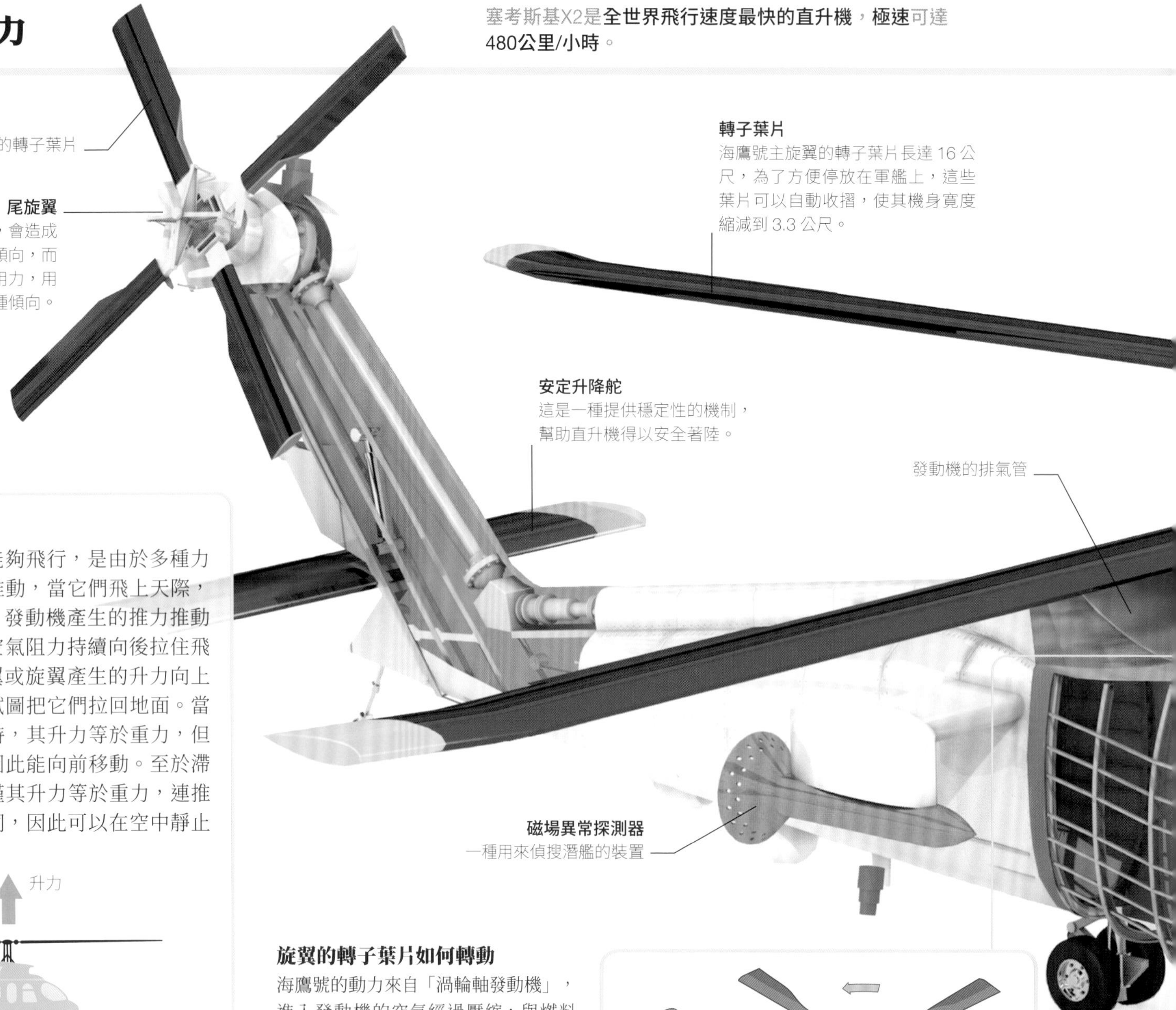
尾旋翼的轉子葉片
尾旋翼
當主旋翼朝著固定方向旋轉，會造成直升機朝著相反方向轉動的傾向，而尾旋翼的功能就是產生反作用力，用以平衡這種傾向。
轉子葉片
海鷹號主旋翼的轉子葉片長達16公尺，為了方便停放在軍艦上，這些葉片可以自動收摺，使其機身寬度縮減到3.3公尺。
安定升降舵
這是一種提供穩定性的機制，幫助直升機得以安全著陸。
發動機的排氣管
磁場異常探測器
一種用來偵搜潛艦的裝置
置物箱

飛行力學

飛機或直升機之所以能夠飛行，是由於多種力量從特定方向拉動或推動，當它們飛上天際，共有4種力量在作用：發動機產生的推力推動飛行器向前移動，而空氣阻力持續向後拉住飛行器；另一方面，機翼或旋翼產生的升力向上推動航空器，而重力試圖把它們拉回地面。當飛機在一定高度飛行時，其升力等於重力，但推力大於空氣阻力，因此能向前移動。至於滯空盤旋的直升機，不僅其升力等於重力，連推力都與空氣阻力都相同，因此可以在空中靜止不動。

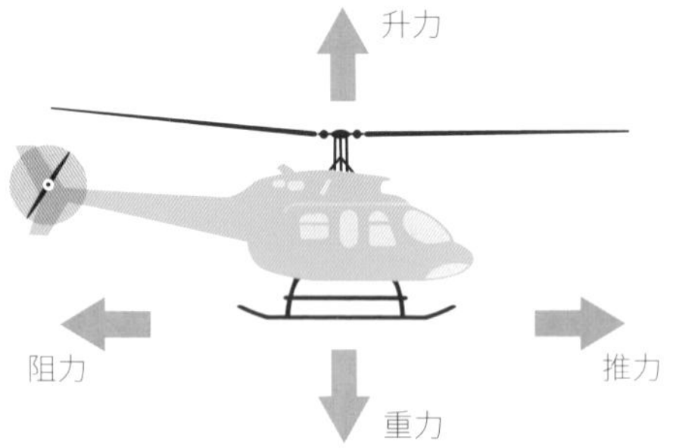
升力
阻力
推力
重力

產生升力

機翼或旋翼葉片的彎曲形狀稱為「翼剖面」，翼剖面以兩種方式產生升力，首先當氣流分開通過時，機翼的上側彎曲而下側相對平坦，上側氣流就會加速，而高速氣流所形成的氣壓比低速氣流更小，機翼因而獲得升力；另一方面，翼剖面的形狀做成稍微向後傾，也會產生升力，此時氣流在機翼前朝向上方攀升，接著在後方向下竄，因而讓機翼獲得升力。

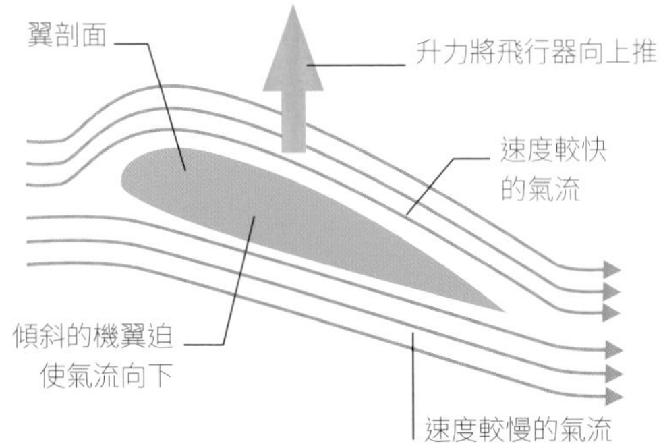
翼剖面
升力將飛行器向上推
速度較快的氣流
傾斜的機翼迫使氣流向下
速度較慢的氣流

旋翼的轉子葉片如何轉動

海鷹號的動力來自「渦輪軸發動機」，進入發動機的空氣經過壓縮，與燃料混合之後燃燒，驅動渦輪軸轉動，再透過齒輪將這具臥式發動機的動力傳遞到垂直的轉子。

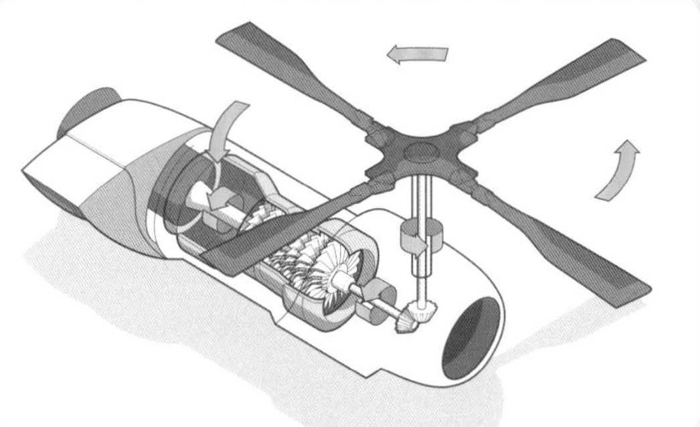

飛行

「力」總是將我們牢牢釘在地面上，但只要運用得當，「力」也能把我們拋入高空之中。如果想要飛上天空，你需要比你的體重更大的升力；至於飛機和直升機，它們藉由機翼和旋翼鼓動大量空氣，來產生升力。

飛機的大型固定式機翼劃過大量空氣，用以產生升力。飛機引擎的動力只用來向前推進，迫使空氣通過機翼，機翼才是將飛機推向空中的關鍵。飛機的機翼愈大、或移動速度愈快，氣流的速度也就愈快，而氣流的速差就是形成升力的原因。另一方面，直升機不像飛機—例如圖中這架美國海軍的塞考斯基海鷹直升機—它們不須向前飛行就能產生升力，直升機的旋翼，其尺寸比飛機的固定機翼來得小，但前者每分鐘旋轉好幾千轉，產生足夠的升力將直升機推向空中。

飛機即使關掉發動機，也能夠滑翔一段時間——只要還具有向前移動的速度，其機翼就能持續產生升力。至於直升機，萬一發動機發生故障，其主旋翼也會「空轉」，來幫助直升機安全著陸。

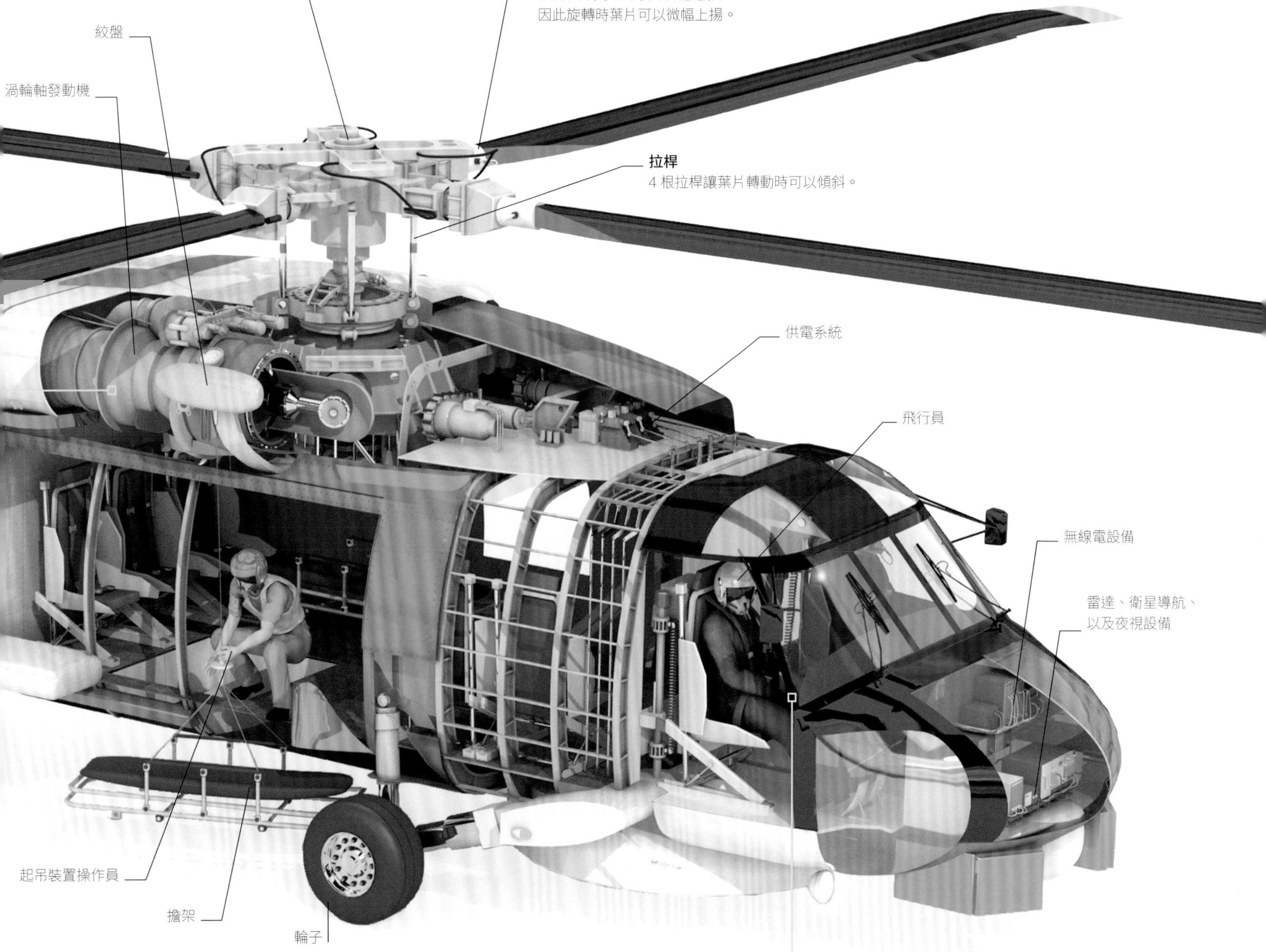
主旋翼
滿油滿載的海鷹號直升機重達 10 公噸，因此主旋翼必須產生超過這個重量的升力，才能讓海鷹號起飛。
鉸鏈
葉片與轉子之間以鉸鏈連接，因此旋轉時葉片可以微幅上揚。
絞盤
渦輪軸發動機
拉桿
4 根拉桿讓葉片轉動時可以傾斜。
供電系統
飛行員
無線電設備
雷達、衛星導航、以及夜視設備
起吊裝置操作員
擔架
輪子

海鷹直升機

海鷹直升機的主要任務之一，就是在海面上搜尋並救援，因此其機鼻配置了電子雷達、無線電設備和夜視攝影機，而側邊配置了聲納設備，用以偵測海面下的目標，此外還有寬大的裝貨艙門、以及足以容納好幾具擔架的機艙，這些都是為了執行海上救援任務所作的特殊設計。

主飛行顯示器
導航顯示器
迴旋桿
偏航踏板用以控制尾旋翼
導航電腦
總距操縱桿
迴旋桿

駕駛艙

海鷹號直升機的駕駛艙配置 4 面電腦螢幕，用以提供飛行員重要的飛行資訊。複式控制系統讓主駕駛或副駕駛都能操控直升機。「總距操縱桿」用來操控直升機飛上天空，而「迴旋桿」用來增加某一側的升力，讓直升機轉往相反方向飛行。

能量

每一天、每一秒，太陽朝著地球源源不斷地傳送能量，讓我們的行星充滿光亮與生命。我們不一定看得見能量，但事實上能量無所不在——能量鎖在組成萬物的原子內部，也幫助我們的心臟將血液穩定輸送到全身血管；能量讓彗星劃過太空，也讓樹木向上生長。在我們所生存的世界之中，能量就是隱藏於萬事萬物背後的神秘力量。

能量是什麼？

所有事物的運作都來自「力」的推拉作用，但不論是哪一種力正在運作，其背後都是源自於能量的驅動。質量也是一種能量，微小的質量也可能轉化成為巨大的能量。

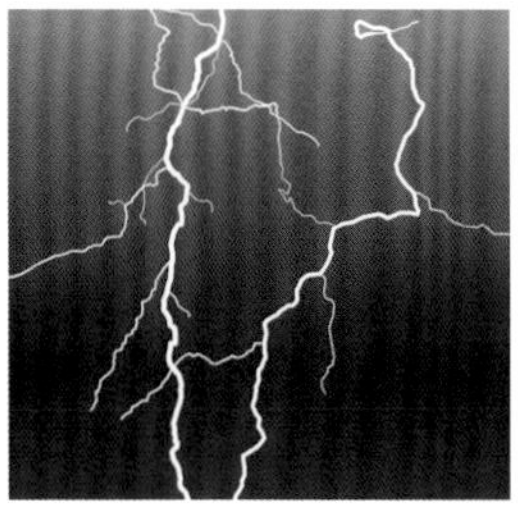

雷擊

能量會以各種形式呈現，但少有其他例子像雷擊這麼驚天動地，典型的單一雷擊可以傳送大約 10 億焦耳的能量——相當於一座普通發電廠每 1 秒鐘的發電量。

能量的單位

我們使用「焦耳」(J) 作為單位來測量能量的大小——這個單位是以英國物理學家詹姆士．焦耳 (1818-89) 的名字來命名的，他一生致力於研究能量的各種形式。

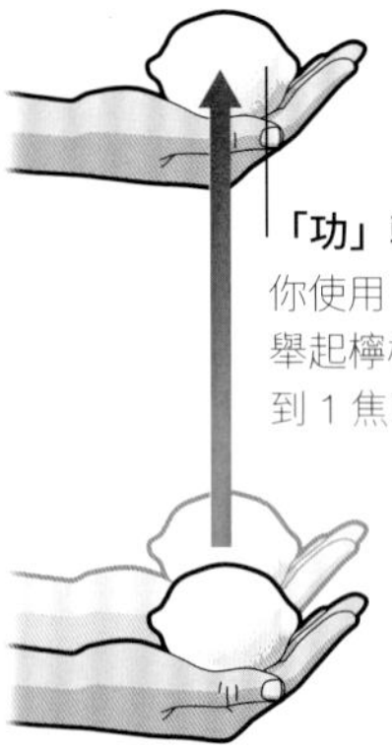

「功」轉換為能量

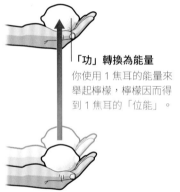

你使用 1 焦耳的能量來舉起檸檬，檸檬因而得到 1 焦耳的「位能」。

1 焦耳

把一顆 102 公克 (所承受的重力 =1 牛頓) 的檸檬抬升到 1 公尺高的空中，這代表你使用了 1 焦耳的能量來做「功」，以對抗檸檬所承受的重力。

能量轉換

宇宙之中的總能量是恆定不變的，一般所謂我們「使用」了能量，其實只是將能量「轉換」為不同的形式；某個事件發生之前與發生之後，總能量並無任何變化。

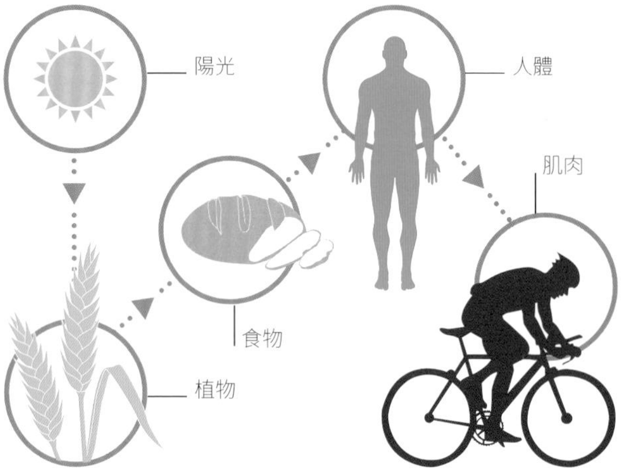

陽光
人體
肌肉
食物
植物

神秘的太陽能

地球上的所有活動，幾乎最終都是由陽光所驅動的，甚至連我們騎自行車這件事也不例外，當你踩動自行車踏板，你的肌肉運用來自食物的能量，這些「燃料」都是來自我們食用的動物或植物，動物以其他動物或植物為食，而植物就是從太陽吸收能量來成長的。

能量的形式

能量以多種不同的形式存在，而且大多可以互相轉換。當我們點燃一大塊煤炭，就是將鎖在煤炭中的「化學能」轉換為「熱能」，若是在發電廠大量燃燒煤礦，就是進一步把熱能轉換為電能；一旦能量以電流的形式存在，很容易就能轉化為運動、光、熱、聲音……等等各種能量形式。

光能
光以高速直線行進；就跟無線電波或 X 射線一樣，光也是一種電磁能。

位能
位能是一種「儲存起來的能量」，譬如當你爬上高處，你就是儲存了位能，後續可以用來向下翻滾或跳水。

核能
原子是由能量鍵結在一起的，一旦原子在核子反應中分裂，這些能量就會釋放。

動能
移動中的物體具有動能，物體愈重、或是移動速度愈快，其動能就愈大。

電能
電力就是由帶電粒子所攜帶的能量，這些帶電粒子稱為電子，穿梭於導線之間。

熱能
高溫物體所具有的能量比低溫物體更多，這是由於前者內部的原子抖動得更快。

化學能
食物、燃料以及電池，都是由化合物所組成的，這些化合物之中儲存著能量。

聲能
物體振動時，會透過空氣傳遞能量波 (聲波)——這就是我們所聽到的聲音。

暗能量
宇宙中的能量大多以神秘的暗能量形式存在，但至今沒人真的瞭解暗能量到底是什麼？

能量波

當能量在物質之間傳遞—例如水或空氣—就會形成波；我們可以看見水中的水波，但無法目睹光波或地底的地震波。

中等體型的單一人體質量**所蘊含的能量，相當於**一座核能發電廠**運轉 90 年**所產生的能量。

不同類型的波

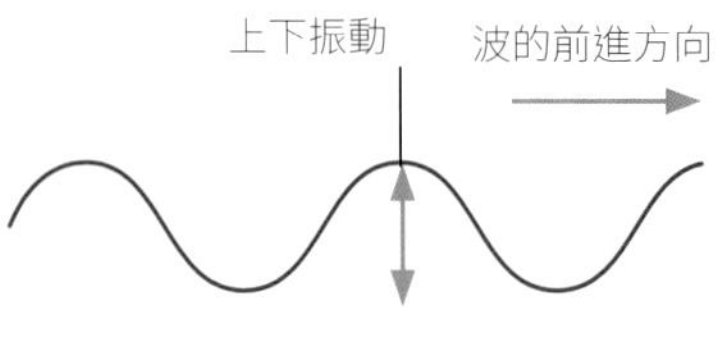

上下振動
波的前進方向

橫波

海浪就是一種橫波——當能量通過海面的同時，海水 (介質) 呈現上下起伏 (振動) 的現象。

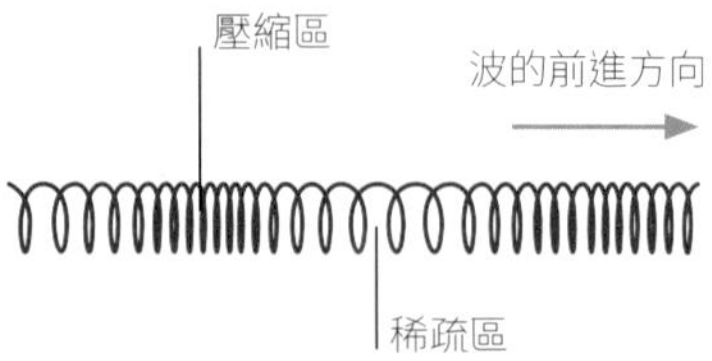

壓縮區
波的前進方向
稀疏區

縱波

當你擊鼓時，聲波透過空氣傳遞到你的耳朵，在此過程中，空氣會形成壓縮區或稀疏區，因此縱波又稱為疏密波。

如何測量波？

能量波具有上下起伏的波峰與波谷。我們可運用 3 種方式來測量波：振幅、波長和頻率，振幅代表波峰 (或波谷) 與平衡位置之間的最大位移，波長代表相鄰波峰 (或相鄰波谷) 之間的距離，而頻率代表 1 秒鐘之內波通過波峰 (或波谷) 的次數。

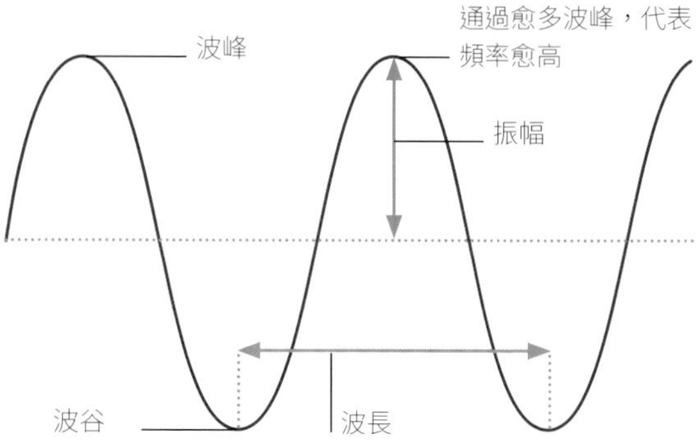

通過愈多波峰，代表頻率愈高
波峰
振幅
波谷
波長

能源

不論烹煮食物、取暖、旅行、或是製造物品，全都需要能量。史前人類運用火來取得所需能量，而現在，我們已能使用各式各樣的能源，但其中某些能源—例如汽油—的蘊藏量是有限的，因此我們必須學習利用來自大自然的再生能源，包括陽光、風和海浪。

人類運用能源的簡史

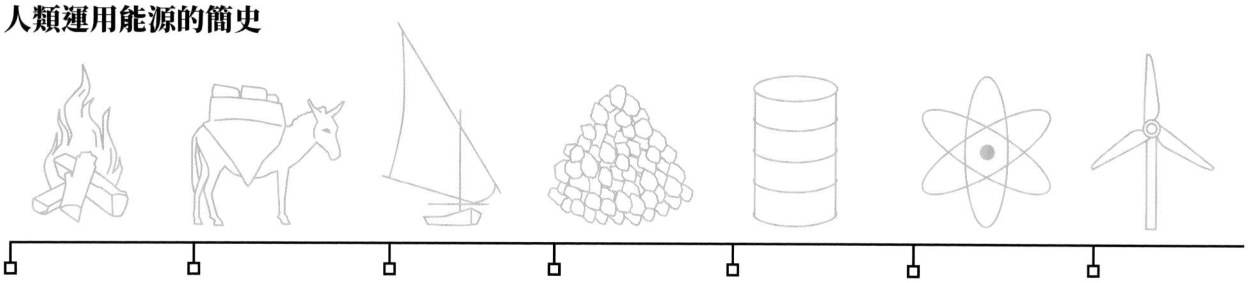

火
史前人類懂得燃料木材、泥炭、以及動物的糞便來釋放熱能。

獸力
古代人騎乘動物，並利用牠們來長距離馱運貨物。

風力
在中古時期，人類已能駕馭風力，例如帆船和風車。

煤
在 18-19 世紀，人類燒煤來驅動引擎和機械。

石油
到了 20 世紀，人類使用石油來作為汽車、船舶和飛機的燃料。

核能
20 世紀中葉，科學家瞭解如何裂解原子來釋放能量。

再生能源
未來，我們可能必須依賴各種再生能源，例如風、太陽和海浪。

汙染

目前人類所使用的能量，超過 80% 以上來自化石燃料（煤、天然氣、石油），問題是燃燒化石燃料會產生汙染——釋放有害環境的毒性廢棄物；至於其他形式的能源—例如核能—也可能對全球氣候造成衝擊。

空氣汙染
汽車引擎排放的廢氣、發電廠和工廠排放的氣體，都會造成空氣汙染，導致我們產生氣喘等健康問題。

酸雨
二氧化硫氣體從發電廠散逸到大氣中，跟雨水混合成為酸雨，其結果可能危害樹木、毒害湖泊中的魚類。

放射性廢棄物
核能發電廠所產生的放射性廢棄物難以安全存放，萬一洩流到河川或大海中，就會引發大規模的水質汙染。

珊瑚礁白化
燃燒化石燃料所釋放的氣體，讓地球變得愈來愈熱，其影響之一是造成珊瑚礁受損——海水溫度一旦升高，珊瑚礁就會死亡並轉變成白色。

噪音汙染
汽車、飛機和機械都會發出噪音，噪音汙染會驚擾人類與其他動物，導致壓力和焦慮。

原油外洩
油輪、鑽油平台或煉油廠都可能意外洩露大量原油進入海洋，這對海鳥、魚類或其他海洋動物具有致命性。

全球能源使用狀況

隨著全球人口急速增長，我們又發明了耗費大量汽油的汽車，再加上現代住家消耗大量燃料，因此人類對能源的需求愈來愈大——從 20 世紀初期至今，全世界的能源消耗已經增加了 14 倍。

能源類型
- 核能
- 水力發電
- 天然氣
- 石油
- 煤
- 生質燃料

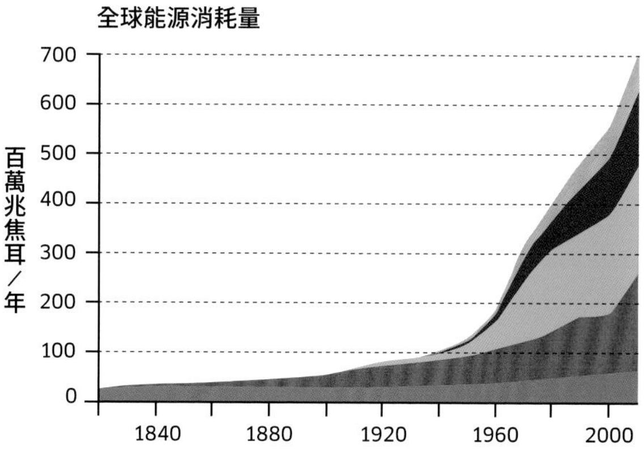
全球能源消耗量
百萬兆焦耳／年
700
600
500
400
300
200
100
0
1840
1880
1920
1960
2000

能量當量

汽車之所以如此普及的原因之一，是石油蘊含豐富的能量，能夠長距離行駛。核能發電廠用來發電的鈾元素，其能量甚至更高。煤炭同樣含有巨大的能量，但運送困難，而且燃燒時會製造汙染。至於天然氣，雖然易於透過管線輸送，但燃燒大量天然氣所產生的能量，只要幾桶石油或一堆煤炭也同樣能做到。

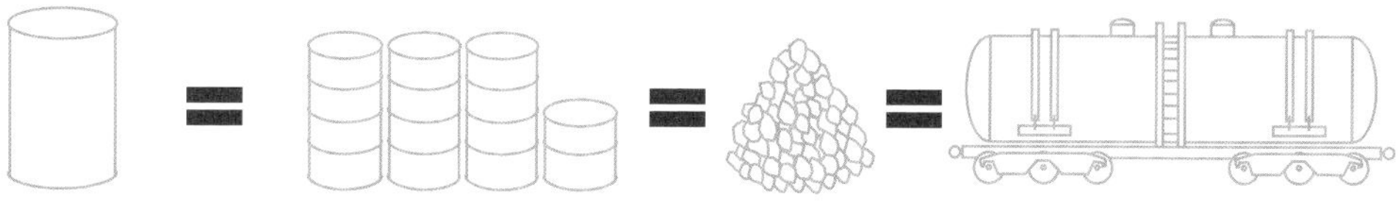

1 塊鈾燃料芯（真實尺寸）　**3.5 桶石油**（556 公升）　**807 公斤煤**　**481 立方公尺天然氣**

熱能流失與熱絕緣

如果能將你的房子完美密封，初冬時只須加熱一次，就能一直保持溫暖直到春季來臨。但實際上，所有房屋都會流失熱能，而熱能是相當昂貴的，因此必須運用各種建材來保有熱能、隔絕冷空氣。

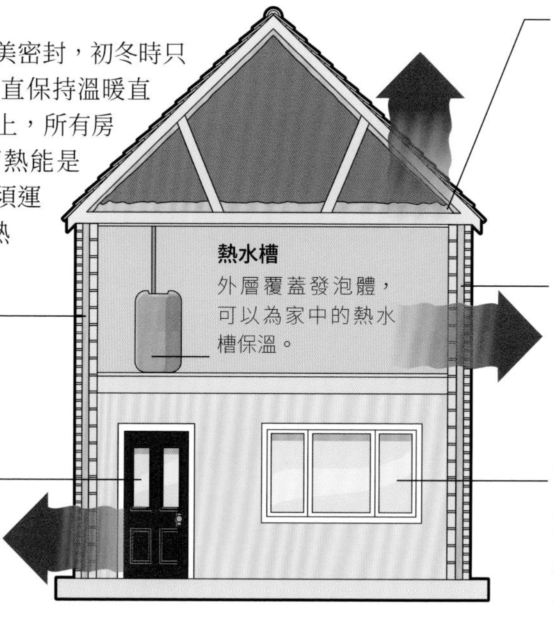
熱水槽
外層覆蓋發泡體，可以為家中的熱水槽保溫。

空心牆
空心牆之中可以充填發泡體、礦物纖維或其他材料，防止熱能流失。

門窗
當你開門外出時，門廊可以防止屋中熱能流失，此外厚重的窗簾也可以隔絕窗外的冷空氣。

屋頂絕緣
根據研究，我們提供給建築物的熱能，大約有 1/4 是透過屋頂散逸的，因此閣樓的絕緣設施是相當重要的。

易於流失熱能的牆壁
房屋之中大約 30-40% 的熱能經由外牆流失。

雙層玻璃
雙層玻璃之間的空氣是良好的絕緣體，也可以防止熱能流失。

紫外線已經超出人類的可見光譜之外，但昆蟲和鳥類都看得到紫外線。

電磁波譜

太陽將它的輻射線傳送到地球，照亮我們的世界，然而來到地球上的，不只是我們看得見的光線而已。

當陽光奔馳於太空中，在通過的路徑上形成電磁波，就像大海中的海浪一樣。然而光線並非唯一具有這種特性的能量形式，電磁光譜之中的所有成員都是如此，光譜中有的波長很長，亦即相鄰波峰之間相隔很遠，另有一些波的波長極短，波峰緊密靠在一起。不同的波對人類具有不同的用處，端視其波長而定。

雖然大部分的電磁波並非我們肉眼可見，但仍然非常有用，可以在很多方面幫助人類，從檢視人體骨折的影像、到觀賞即時轉播的電視節目…等等。

電磁輻射從何而來

當原子如同螢火蟲一樣地閃爍時，就成為我們所見的光線。如果你將一根鐵條加熱，鐵條會發出灼熱的紅光，這是由於其內部原子吸收了熱能，變得較不穩定，之後鐵條為了回復到常溫，其內部原子必須釋放獲得的能量，因此會發出閃光；其他電磁波也是由這種方式所形成的。

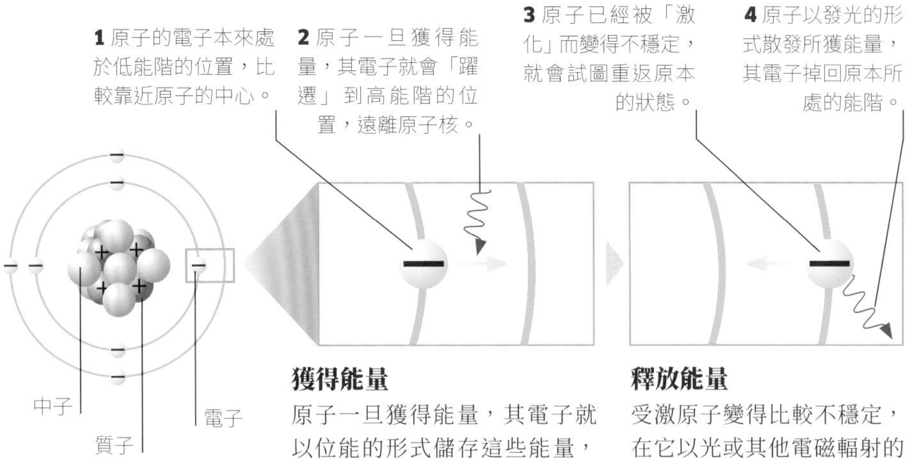
1 原子的電子本來處於低能階的位置，比較靠近原子的中心。
2 原子一旦獲得能量，其電子就會「躍遷」到高能階的位置，遠離原子核。
3 原子已經被「激化」而變得不穩定，就會試圖重返原本的狀態。
4 原子以發光的形式散發所獲能量，其電子掉回原本所處的能階。
中子
質子
電子

原子

獲得能量
原子一旦獲得能量，其電子就以位能的形式儲存這些能量，因而移動到遠離原子核之處；此時原子的狀態稱為「激化」。

釋放能量
受激原子變得比較不穩定，在它以光或其他電磁輻射的形式散發所獲的能量之後，就會回復到原本的狀態。

波長

電磁光譜之中，波長最長的一類波通稱為無線電波，其相鄰波峰之間的距離可能長達好幾千公里。在光譜的另一端則是伽瑪射線，其波長甚至小於一個原子，但這種射線充滿能量——波長最短的波具有最大的能量和最高的頻率（振動最快），而波長最長的波振動速度最慢，而且能量最少。下圖顯示電磁光譜中不同波長的波、以及它們各有什麼用途。

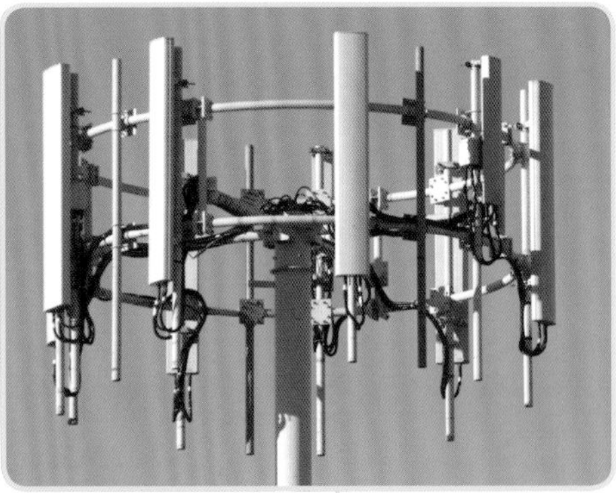

微波
典型微波的波長跟鉛筆差不多長；就像其他電磁波，微波也是以光速前進，因此非常適合用來傳送電話或網路訊息。

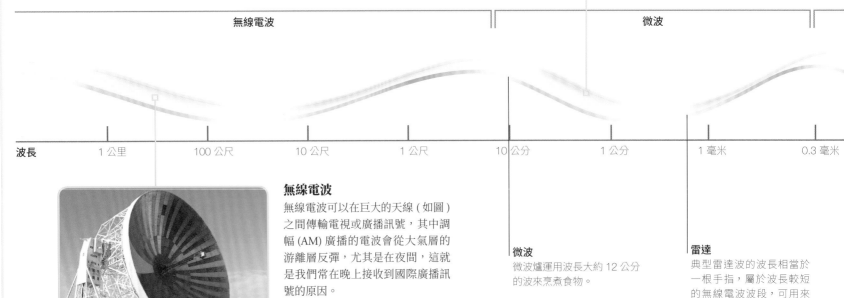

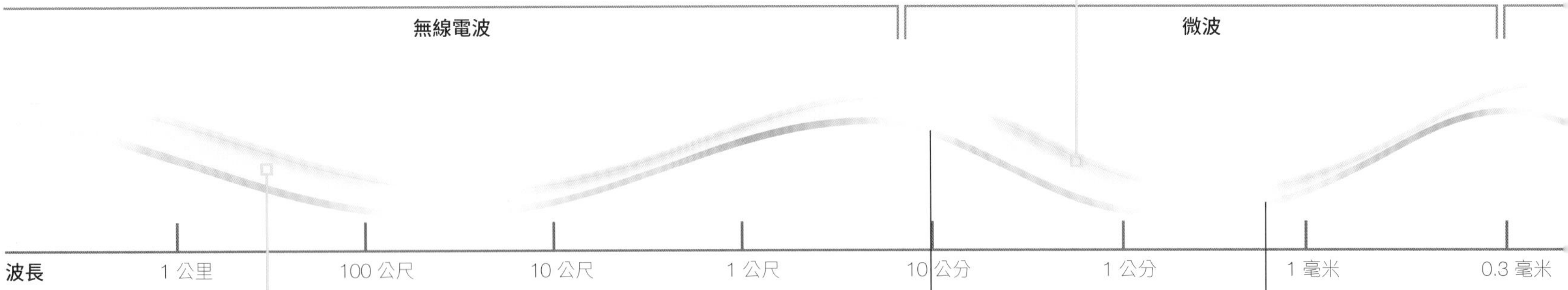
無線電波
微波
波長
1 公里
100 公尺
10 公尺
1 公尺
10 公分
1 公分
1 毫米
0.3 毫米

無線電波
無線電波可以在巨大的天線（如圖）之間傳輸電視或廣播訊號，其中調幅 (AM) 廣播的電波會從大氣層的游離層反彈，尤其是在夜間，這就是我們常在晚上接收到國際廣播訊號的原因。

微波
微波爐運用波長大約 12 公分的波來烹煮食物。

雷達
典型雷達波的波長相當於一根手指，屬於波長較短的無線電波波段，可用來為船舶或飛機導航。

可見光譜

肉眼所見的白光，其實是各種不同顏色的光線混合的結果，當我們發射光束通過一個楔形稜鏡，稜鏡就會散射成為各色光譜。彩虹的成因也是基於相同原理，當陽光穿越空中的雨滴，雨滴就如同一個微型稜鏡。

光的行進速度非常驚人，大約是 300,000 公里 / 秒，意即每 1 秒繞行地球赤道 **7.5** 圈左右。

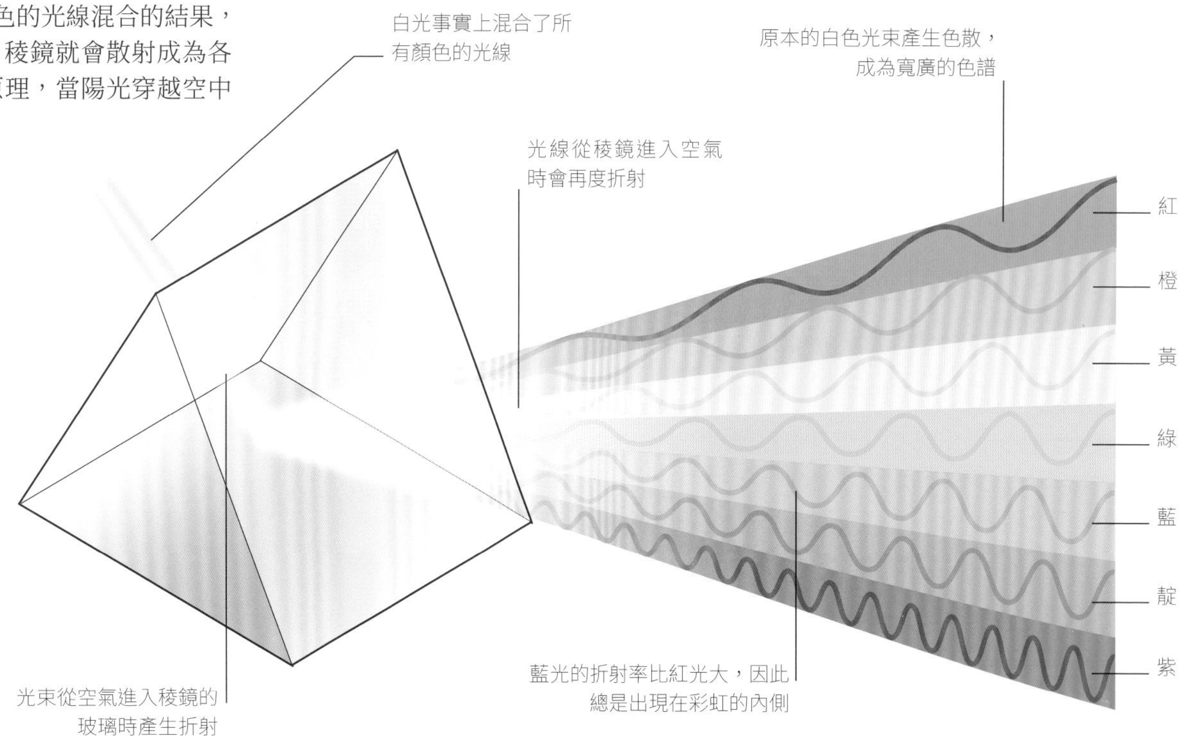
白光事實上混合了所有顏色的光線
原本的白色光束產生色散，成為寬廣的色譜
光線從稜鏡進入空氣時會再度折射
紅
橙
黃
綠
藍
靛
紫
藍光的折射率比紅光大，因此總是出現在彩虹的內側
光束從空氣進入稜鏡的玻璃時產生折射

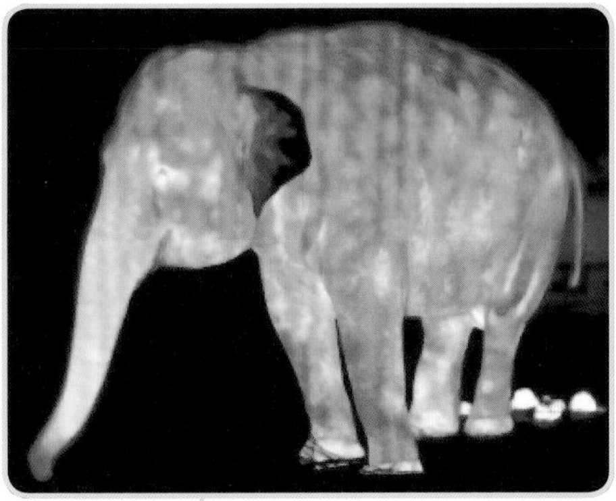

紅外線

我們之所以能感受其他物體所散發的熱氣，是由於組成人體的原子吸收了它的"熱光"，也就是紅外線。人類的肉眼無法看見紅外線，但可以利用感熱紅外線攝影機來顯示其影像——如圖中這頭大象。

伽瑪射線

這種波長最短的電磁波就像是帶有更多能量的X射線，但伽瑪射線對人體所造成的傷害遠遠大於X射線。當原子在核爆中分裂時，就會產生伽瑪射線。

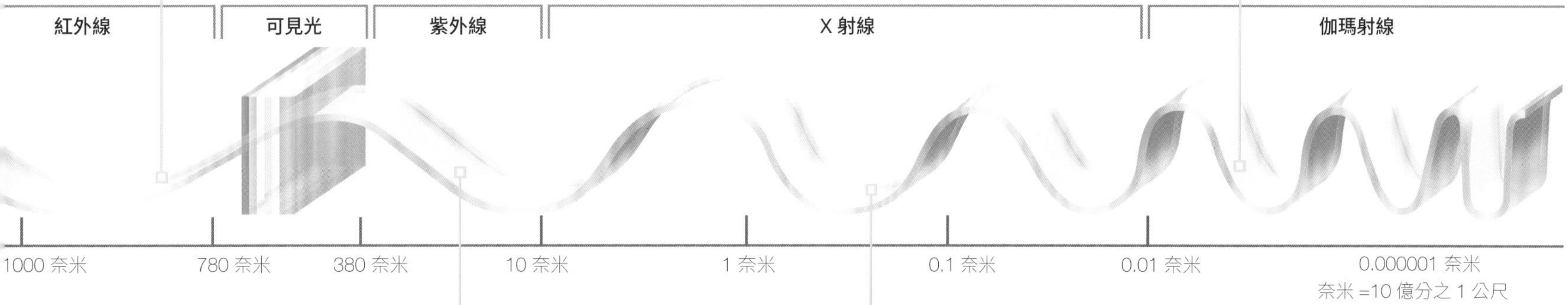
紅外線
可見光
紫外線
X 射線
伽瑪射線
1000 奈米
780 奈米
380 奈米
10 奈米
1 奈米
0.1 奈米
0.01 奈米
0.000001 奈米
奈米 =10 億分之 1 公尺

紫外線

波長比藍光更短的紫外線充滿能量，陽光之中包含兩種紫外線：紫外線A和紫外線B，後者對人體的危害較大——過量的紫外線可能造成皮膚老化，甚至會致癌。

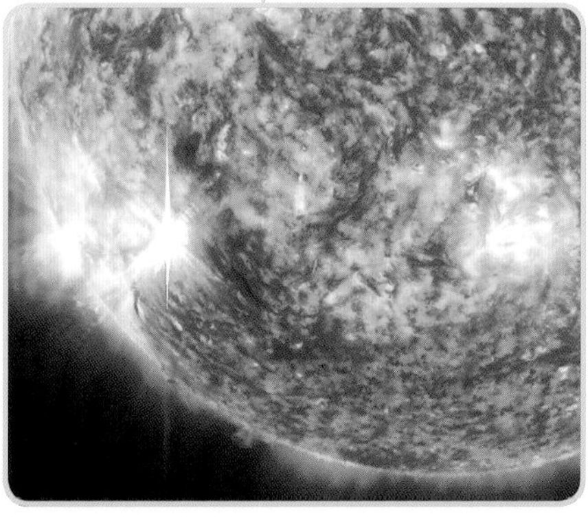

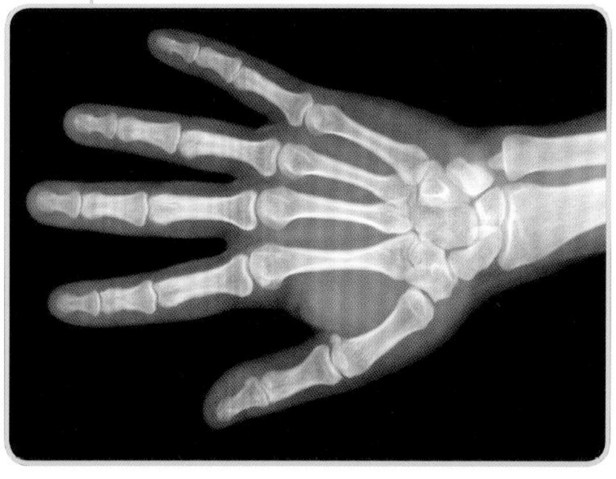

X射線

這種短波輻射的能量很大，能夠穿透人體組織（皮膚與肌肉），但無法穿透骨頭，因此在X光照片中，人體骨骼的部分呈現陰影；但要注意，高劑量的X射線會對人體造成嚴重的傷害。

4億美金—這是Intelsat27號衛星的造價，但這顆人造衛星在2013年2月發射途中因意外而毀壞。

來自太空的訊號

不論你正在攀爬高聳的聖母峰，或是跋涉於撒哈拉沙漠，都只需短短幾秒鐘就能連絡到朋友，這得感謝手機和網際網路，這些通訊設備透過人造衛星來連結，能夠以光速在地球任意地點傳送訊息。

地球看起來似乎很巨大，但任何兩地之間相距都不會超過地球圓周 (約 20,000 公里) 的一半，而光速在不到 0.1 秒之內就能通過這段距離。當你透過手機或網路跟千里之外的朋友聊天，你的聲音、網絡攝影機捕捉的臉部影像、或是鍵入的文字，都會在 1 秒之內，經由太空中的人造衛星傳送過大半個地球。此外，人造衛星也幫助我們精確瞭解自己身在何處，這得歸功於「全球定位系統」(GPS) 之類的衛星科技；現在，迷路幾乎是不可能發生的事了！

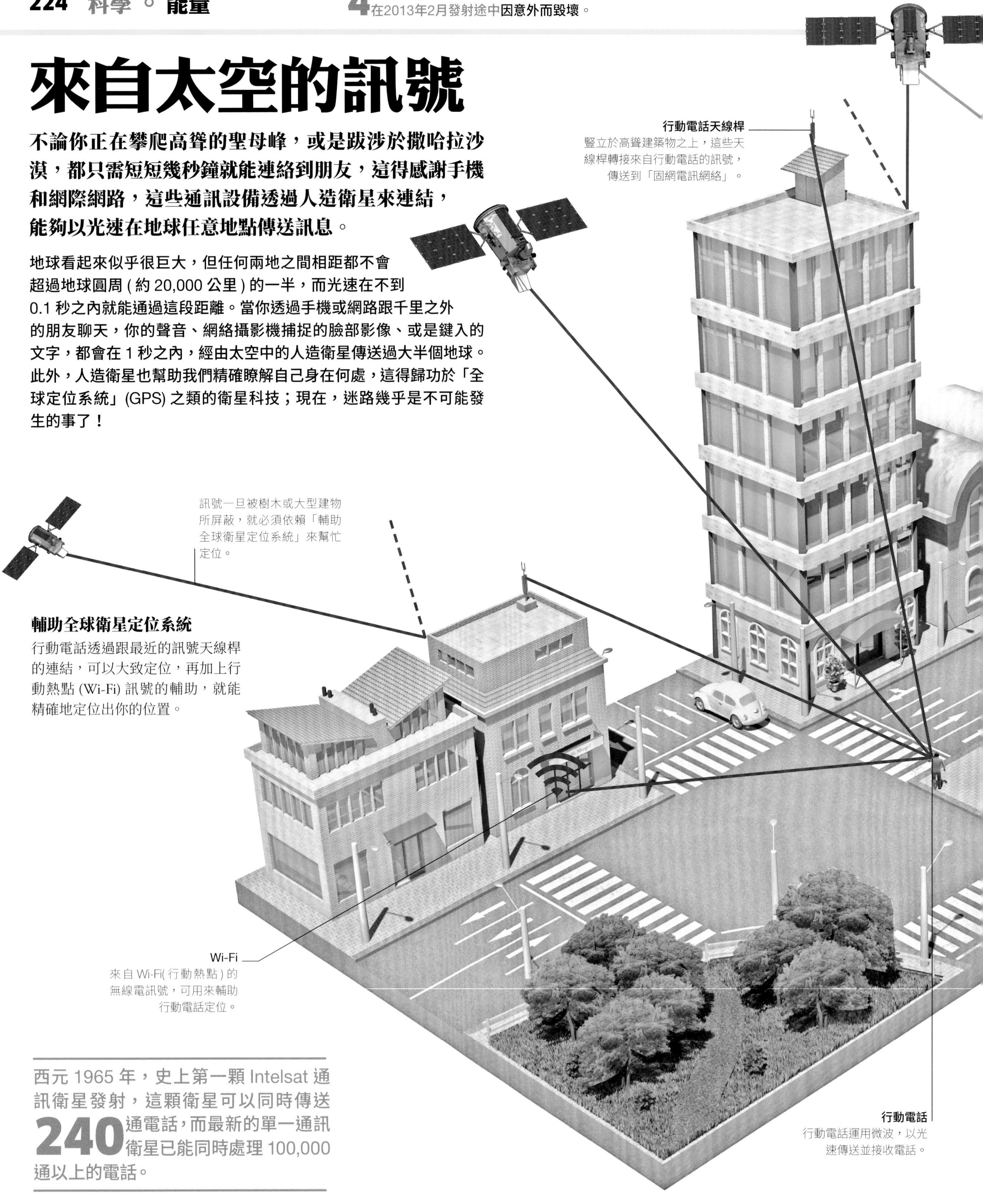

行動電話天線桿
豎立於高聳建築物之上，這些天線桿轉接來自行動電話的訊號，傳送到「固網電訊網絡」。

訊號一旦被樹木或大型建物所屏蔽，就必須依賴「輔助全球衛星定位系統」來幫忙定位。

輔助全球衛星定位系統
行動電話透過跟最近的訊號天線桿的連結，可以大致定位，再加上行動熱點 (Wi-Fi) 訊號的輔助，就能精確地定位出你的位置。

Wi-Fi
來自 Wi-Fi(行動熱點) 的無線電訊號，可用來輔助行動電話定位。

行動電話
行動電話運用微波，以光速傳送並接收電話。

西元 1965 年，史上第一顆 Intelsat 通訊衛星發射，這顆衛星可以同時傳送**240**通電話，而最新的單一通訊衛星已能同時處理 100,000 通以上的電話。

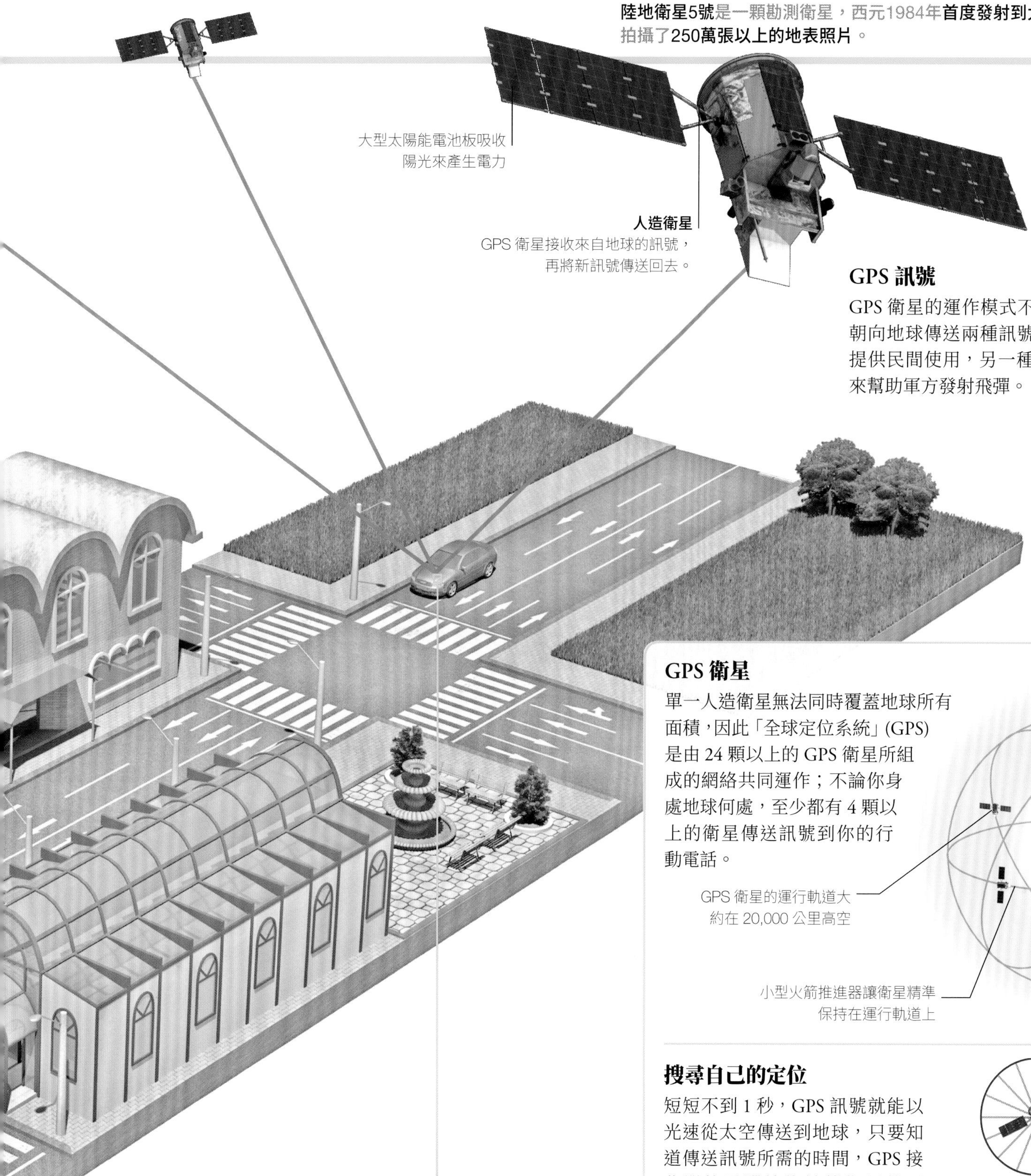
大型太陽能電池板吸收
陽光來產生電力
人造衛星
GPS 衛星接收來自地球的訊號，
再將新訊號傳送回去。

GPS 訊號

GPS 衛星的運作模式不同於一般通訊衛星，前者朝向地球傳送兩種訊號，一種速度較快的短訊號提供民間使用，另一種精度較高的訊號，則是用來幫助軍方發射飛彈。

GPS 衛星

單一人造衛星無法同時覆蓋地球所有面積，因此「全球定位系統」(GPS) 是由 24 顆以上的 GPS 衛星所組成的網絡共同運作；不論你身處地球何處，至少都有 4 顆以上的衛星傳送訊號到你的行動電話。

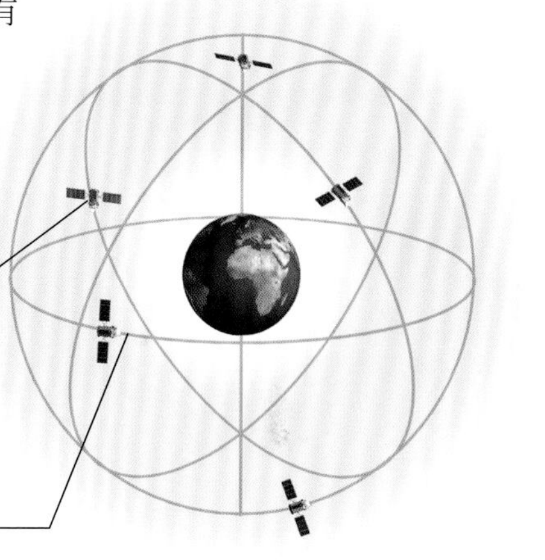
GPS 衛星的運行軌道大
約在 20,000 公里高空
小型火箭推進器讓衛星精準
保持在運行軌道上

搜尋自己的定位

短短不到 1 秒，GPS 訊號就能以光速從太空傳送到地球，只要知道傳送訊號所需的時間，GPS 接收器的電腦就能計算衛星的距離，而同時接收來自 3 顆以上（最好 4 顆）衛星的訊號，就可以精確標定出自己的位置。

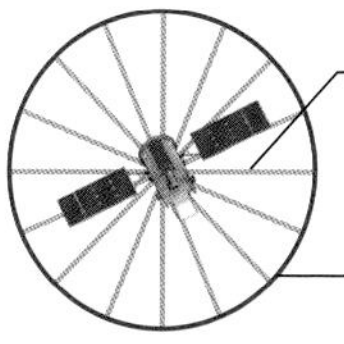
球面的半徑就是
你跟衛星之間的
距離
你位於球面上的
某一處

1 單一衛星
你跟衛星之間隔著一段距離，以這段距離作為半徑在衛星周圍建構一個虛擬球面，你的位置就在球面上的某一處。

Northwest on US 301 N
Arrival
12:46
Turn in
2.1

衛星導航

汽車的衛星導航系統利用內建的地圖資料庫來連結 GPS 衛星定位系統，當你開車上路時，GPS 衛星的接收器會偵測你的位置變化，再透過導航系統的電腦來計算你的行進速度，並持續重繪地圖，顯示你應該走的路徑。

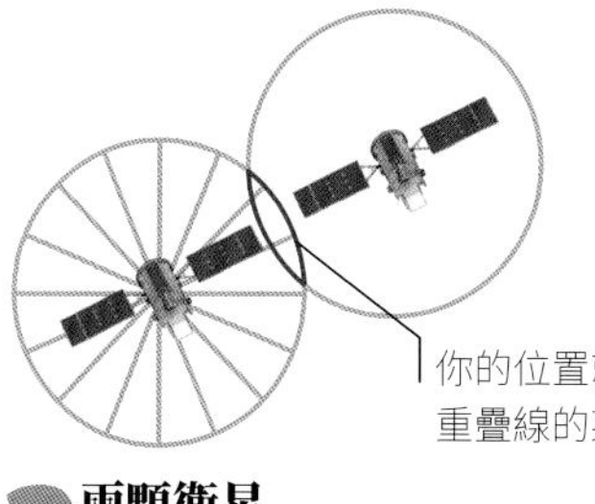
你的位置就在紅色
重疊線的某一處

2 兩顆衛星
如果是兩顆衛星共同合作來定位，你的位置必定是在兩顆衛星訊號交疊的區域。

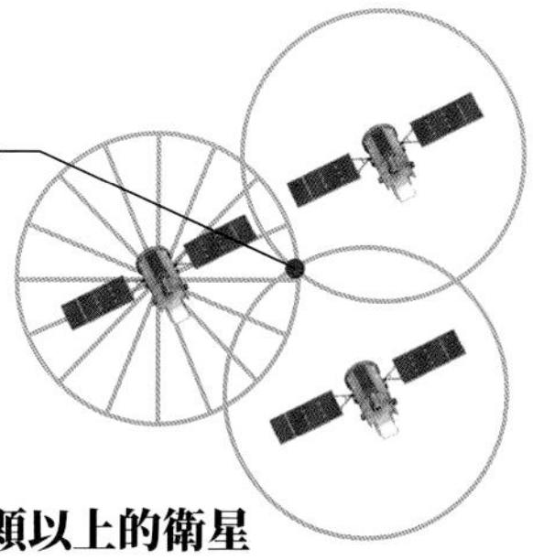
你的位置必定在
這裡

3 三顆以上的衛星
3 顆衛星的訊號交會於地表的某一點，精確標定出你的位置。

99.9999%—最精準的科學鏡片對於光線的反射量，而普通鏡片的反射量不到90%。

光

光是一類電磁波，可以在真空中傳播。動物—包括人類—的眼睛可以感受光，進而看見並理解環繞四周的世界。

「光」看起來似乎很特別，但實際上只是一類電磁波，就像微波或無線電波一樣。光通常以直線行進，並以非常精準的方式反射或折射，人類肉眼可見的光通常相當微弱，因為那些可見光大多已經由物體反射，但並非所有的光都是如此微弱，例如雷射光束不僅非常集中，而且強大到足以切割金屬。

折射

光線在密度高的介質中傳播時—例如水或玻璃—其速度比在空氣中稍慢，這種速度變化導致光線從空氣進入玻璃、以及從玻璃出來到空氣時，都會產生折射。透鏡就是運用這種折射現象來放大物體——當透鏡折射光線時，光線看起來好像距離我們更近，因此物體的尺寸看起來更大了。

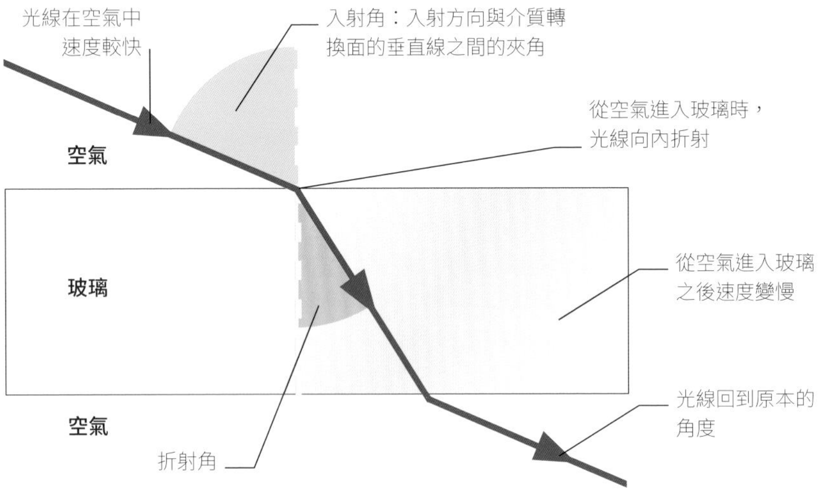
光線在空氣中
速度較快
入射角：入射方向與介質轉換面的垂直線之間的夾角
從空氣進入玻璃時，光線向內折射
空氣
玻璃
從空氣進入玻璃之後速度變慢
空氣
光線回到原本的角度
折射角

改變行進方向

光線從空氣進入玻璃之後，其行進速度變慢，而且會向內彎折；反之從玻璃再度回到空氣中，則是速度變快，而且向外彎折。

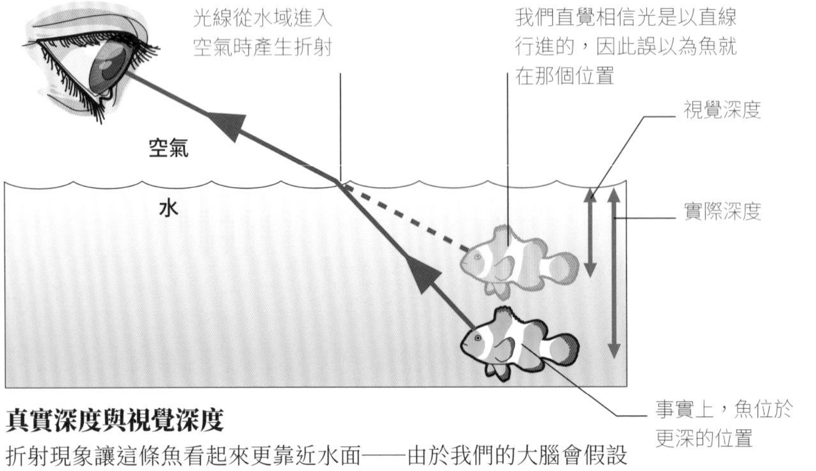
光線從水域進入
空氣時產生折射
我們直覺相信光是以直線行進的，因此誤以為魚就在那個位置
視覺深度
空氣
水
實際深度
事實上，魚位於
更深的位置

真實深度與視覺深度

折射現象讓這條魚看起來更靠近水面——由於我們的大腦會假設光線是直進的—而不是轉彎的—因此，視覺上產生魚的位置比實際位置更高的錯覺。

反射

我們之所以能視物，是由於物體所反射的光線進入了我們的眼睛。如果物體的表面像鏡子一樣平滑，所有光線就會以相同的角度反射，形成單一光束，稱之為「鏡面反射」；反之，如果物體的表面粗糙，所反射的光線就會隨機來自不同角度，稱之為「漫反射」。

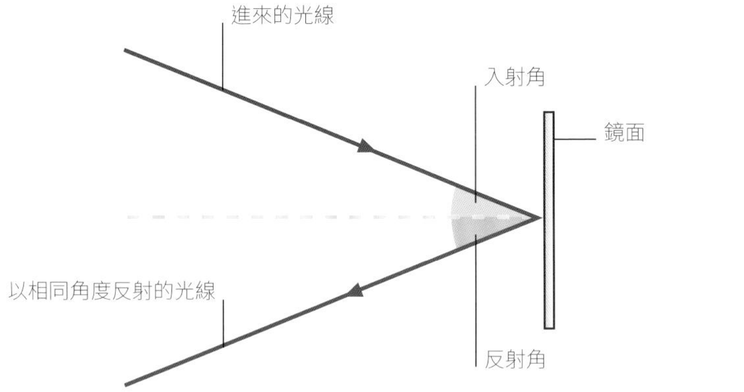
進來的光線
入射角
鏡面
以相同角度反射的光線
反射角

反射定律

入射鏡面的光線，都會以同樣的角度反射回來；用科學上的專業說法，那就是——入射角等於反射角。

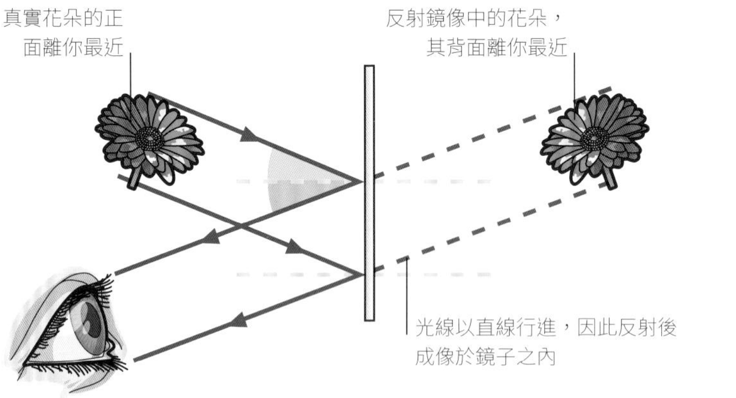
真實花朵的正
面離你最近
反射鏡像中的花朵，
其背面離你最近
光線以直線行進，因此反射後
成像於鏡子之內

鏡面如何反轉物體？

鏡面本身並不會左右反轉物體——鏡中的文字之所以看起來左右反轉，那是由於我們將文字轉動到面對鏡子的方向；但實際上，鏡面會反轉物體的前後位置。

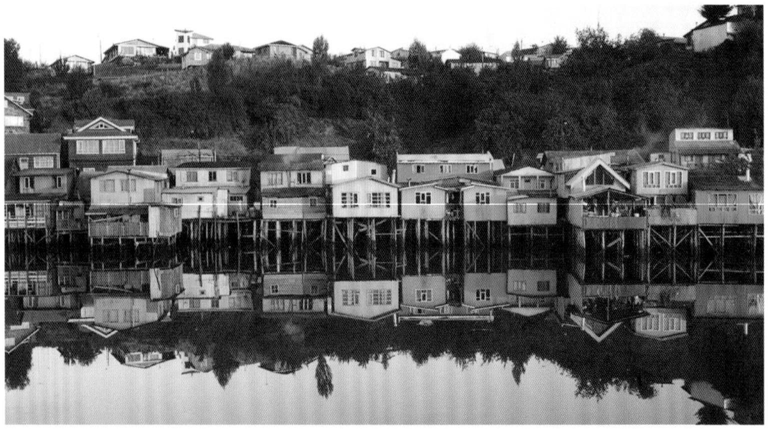

湖面倒影

靜止無波的水面就像是平面鏡，讓湖畔物體產生「鏡面反射」；另一方面，若是湖面出現漣漪，光線就會以隨機的角度反射回來，所形成的反射影像就會變得模糊。

光波的波長，大約只有調頻(FM)無線電波的550萬分之一。

英法海底隧道連通英國與法國，當初建造時就是運用了雷射光束，來確保中途接合點的位置偏差小於2公分之內。

干涉

當不同的光線、水波或聲波彼此相遇，就會產生干涉，其合成波有時呈現疊加(建設性干涉)，有時則是互相抵消(破壞性干涉)——這就是為何打向海岸的一波波海浪，時而較大、時而較小的原因。

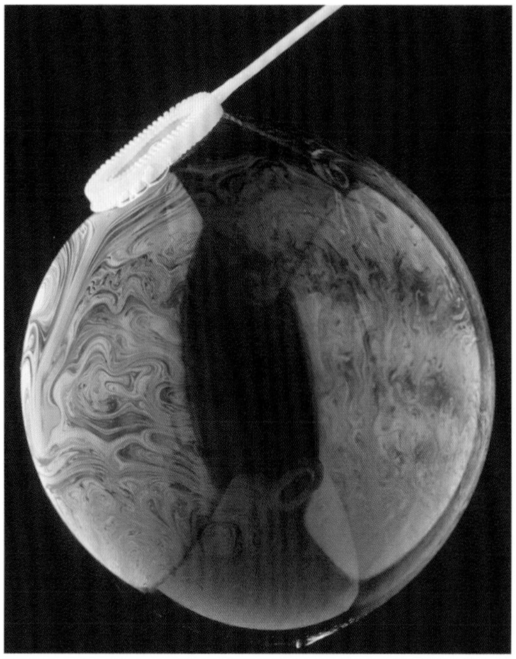

彩色肥皂泡

干涉現象導致圖中的肥皂泡呈現多種色彩；由於肥皂泡的外膜厚薄不一，當光線從外部進入或反射出來時，就會產生不同的疊加干涉或抵消干涉，形成不同顏色的光波。

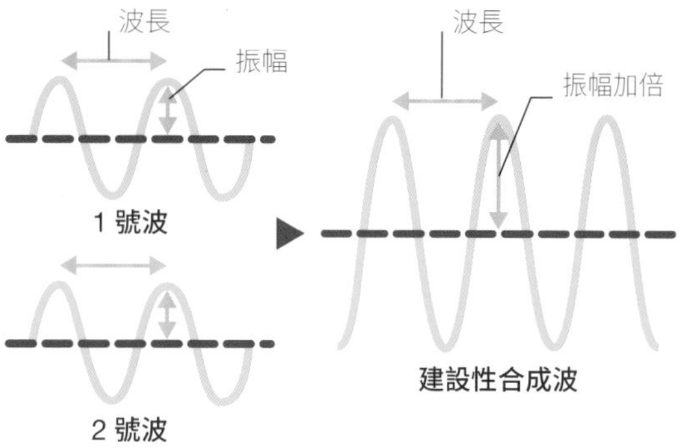

波長
振幅
1 號波
2 號波
波長
振幅加倍
建設性合成波

建設性干涉

當波長與振幅相同的兩道波，以「同相」彼此重疊時，就會產生疊加效果，其合成波具有相同的波長，但振幅加倍；這兩道波若是光波，其結果就是亮度加倍。

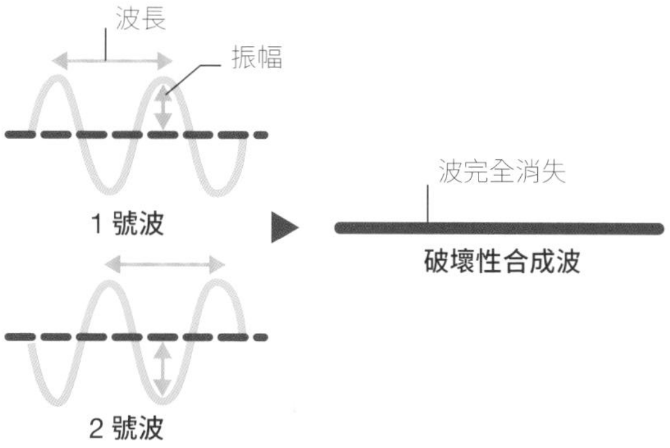

波長
振幅
1 號波
2 號波
波完全消失
破壞性合成波

破壞性干涉

反之，這兩道具有相同波長與振幅的波，若是以「異相」彼此干涉，兩者就會抵消，其合成波的振幅等於零；若是兩道光波之間形成這種破壞性干涉，結果將是一片黑暗。

繞射

光波通過狹縫之後會呈現展開現象，此稱為繞射；狹縫愈小，繞射程度就愈大。試著瞇起眼睛盯著街燈看，此時你的眼睫毛閉合—就像狹縫—此時，街道的燈光就會呈現展開的繞射現象。

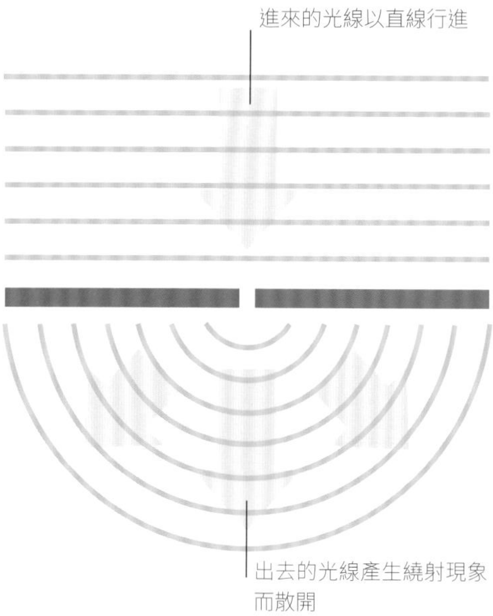

進來的光線以直線行進
出去的光線產生繞射現象而散開

通過狹縫所形成的繞射

要產生繞射現象，狹縫的寬度必須跟光波的長度差不多。此外，聲波也會產生繞射，這就是為何我們能夠透過打開的門口，聽見其他房間角落發出來的聲音。

雷射

雷射光是能量非常強的光束，跟普通燈泡不同，雷射產生的光波會「同相疊加」(建設性干涉)，因此雷射光的照射距離相當驚人，而最強的雷射光—二氧化碳雷射—甚至可以用來熔接或切割金屬。

「國家點燃實驗設施」(NIF)所發射的**192**道雷射光束，是全世界最強大的雷射光，它在不到幾分之一秒內所產生的能量，相當於同時段內整個美國所消耗的能量。

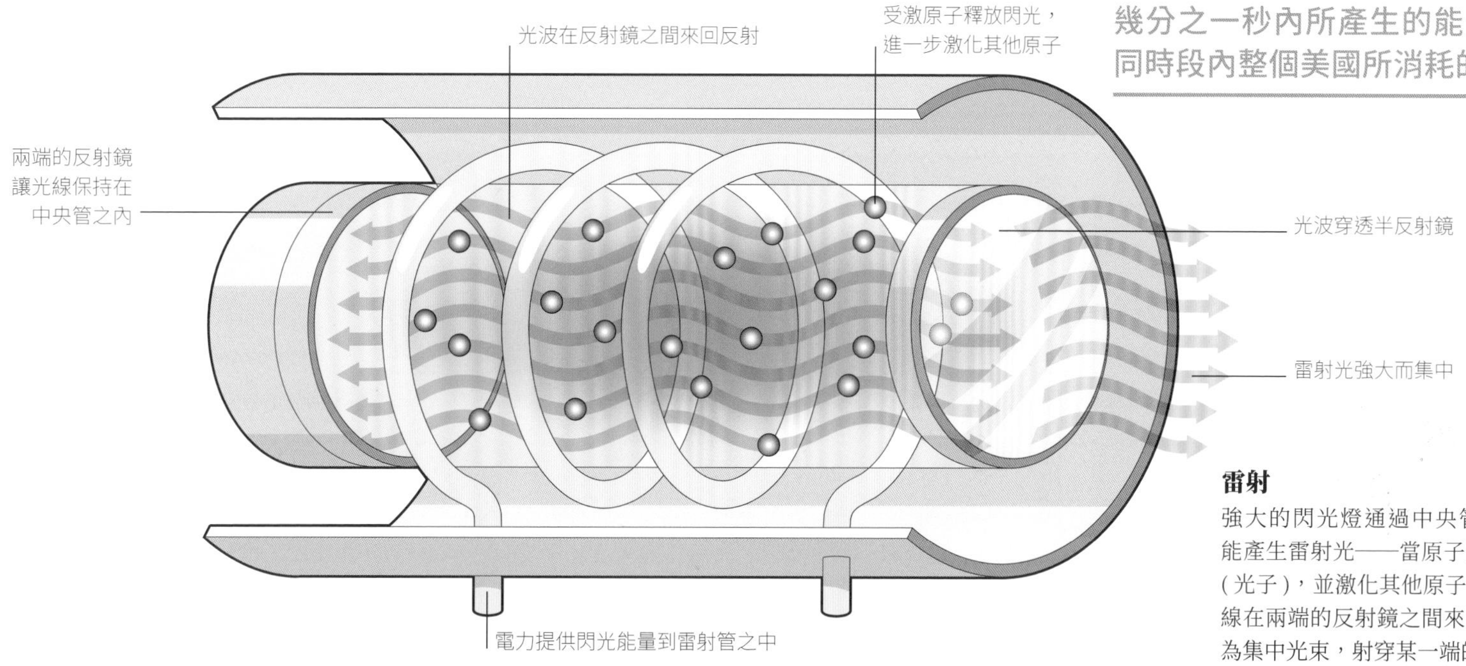

光波在反射鏡之間來回反射
受激原子釋放閃光，進一步激化其他原子
兩端的反射鏡讓光線保持在中央管之內
光波穿透半反射鏡
雷射光強大而集中
電力提供閃光能量到雷射管之中

雷射

強大的閃光燈通過中央管傳送能量，就能產生雷射光——當原子受激而釋出閃光(光子)，並激化其他原子一起閃爍，而光線在兩端的反射鏡之間來回反射，直到成為集中光束，射穿某一端的反射鏡。

帕瑞納天文台建造於一座山頂，當地平均每年只有30天會出現烏雲屏障視線。

甚大望遠鏡的功能非常強大，甚至能夠辨識出月球上的一對車頭燈。

望遠鏡

人類對於宇宙的瞭解，大多來自專業的大型望遠鏡，有些望遠鏡的規模之大，簡直像是一棟辦公大樓。望遠鏡運用透鏡和反射鏡來捕捉、折射光線，將遙遠的星星拉近到我們眼前。

巨型反射鏡打造起來既笨重又昂貴，但幾具望遠鏡串連起來共同運作，其功能就如同一具更大型的望遠鏡。全世界最龐大的光學望遠鏡位於智利，名為「甚大望遠鏡」(VLT)，這具望遠鏡由 2-3 具望遠鏡串連而成，每一具都配置寬達 8.2 公尺的反射鏡，它們組合起來共同運作，就能顯現單一望遠鏡所無法企及的清晰影像。

雷射指引

星星會閃爍，是由於地球大氣層扭曲了星光，因而造成模糊的影像，天文台解決此一問題的方法，是發射一道雷射光到大氣層，創造一顆人造星星，用以監測大氣層產生的影響，並據此由電腦進行修正，以抵消模糊效果。

帕瑞納天文台

「甚大望遠鏡」包含 4 具固定式大型望遠鏡、4 具在軌道上穿梭的小型輔助望遠鏡、以及大約 20 台科學儀器——用來分析這些望遠鏡所捕捉到的影像；這 4 具大型望遠鏡都以智利原住民語言來命名，分別是 Antu(太陽)、Kueyen(月球)、Melipal(南十字座)和 Yepun(金星)。

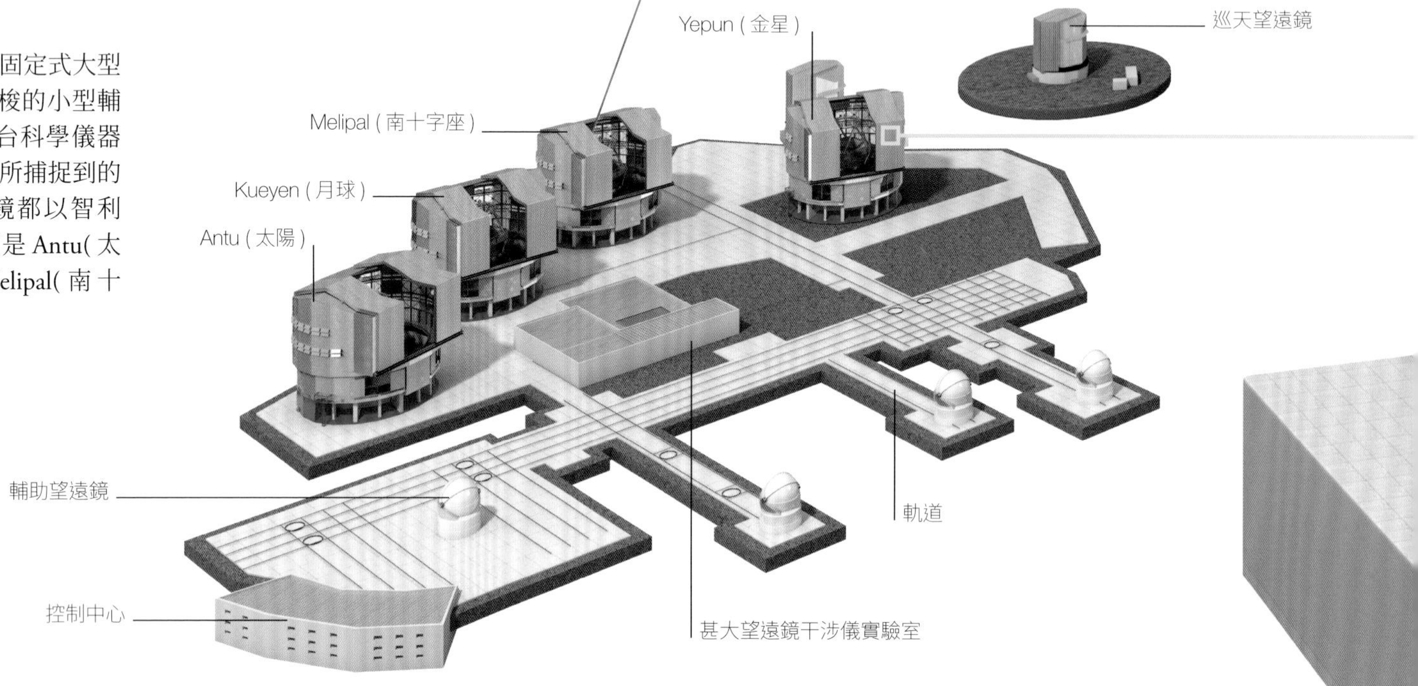
Yepun (金星)
巡天望遠鏡
Melipal (南十字座)
Kueyen (月球)
Antu (太陽)
輔助望遠鏡
軌道
控制中心
甚大望遠鏡干涉儀實驗室

來自外太空的影像

當 2-3 具甚大望遠鏡共同運作，就能得到的地球上任何其他望遠鏡難以企及的精細影像。甚大望遠鏡從西元 2000 年開始運作，至今已捕捉到許多恆星、星系和星雲的驚人影像，幫助人類進一步瞭解宇宙；近年來，甚大望遠鏡甚至還拍下一些系外行星的影像。

闊邊帽星系

甚大望遠鏡與「闊邊帽星系」之間的距離大約是 3,000 萬光年，這個星系狀如一頂墨西哥闊邊帽，總重量等同於 8,000 顆太陽，其帽邊(外圍)是一些恆星、氣體和星塵，較為厚實的中央區域則是聚集著許多成熟的恆星。

蟹狀星雲

蟹狀星雲是一顆巨大恆星爆炸成為超新星的殘留物，甚大望遠鏡所捕捉到影像包含一片藍色區域、以及高能電子環繞一處磁場旋轉的中心。蟹狀星雲出現於 1,000 年前左右，其直徑是 5 光年。

大麥哲倫星系之中的 N70 星雲

大麥哲倫星系距離地球 160,000 光年左右，可算是我們銀河系的鄰居，古代天文學家認為這個星系看起來像一團迷霧或山嵐，事實上，N70 星雲就是大麥哲倫星系之中一團巨大的氣泡。

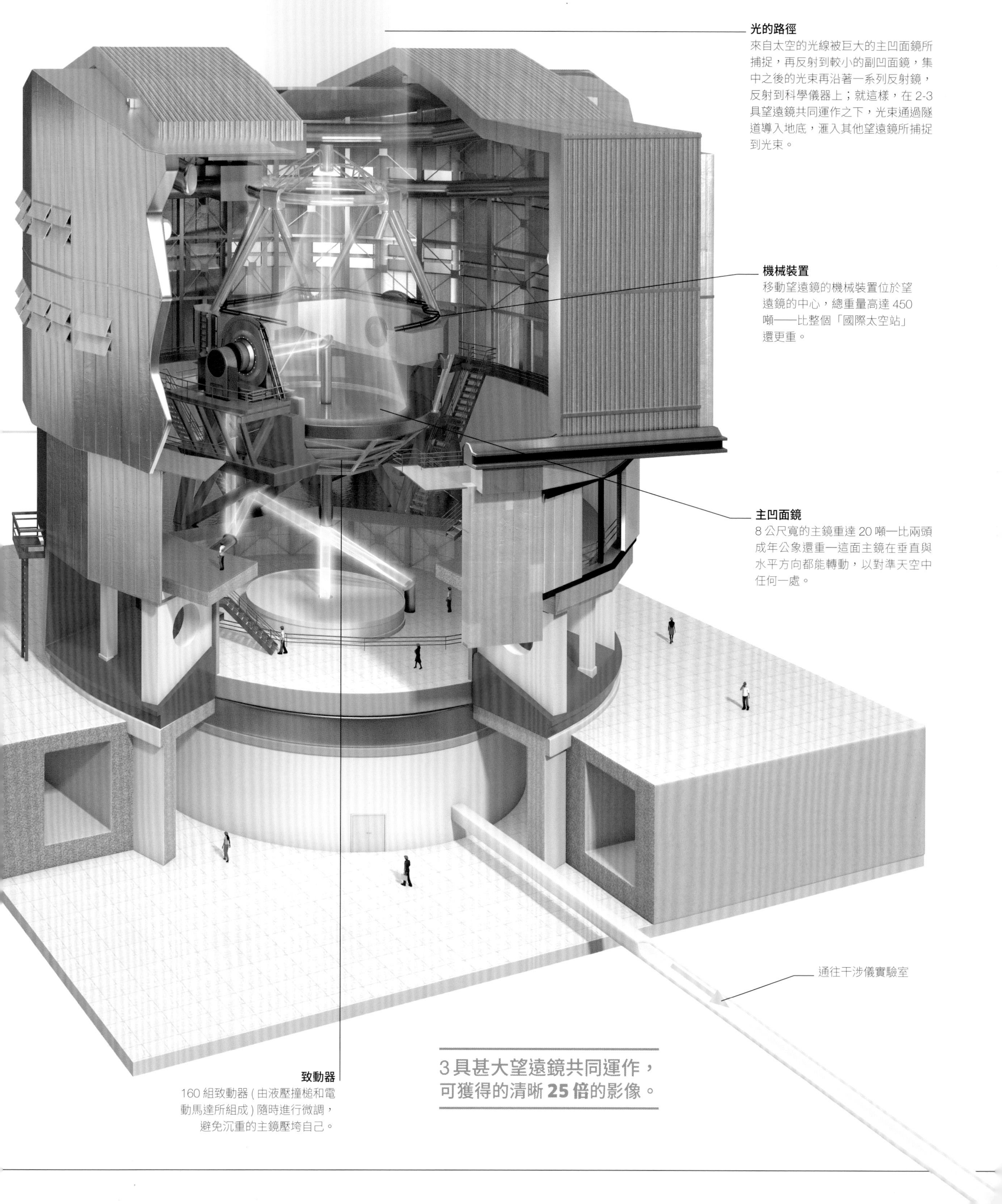
光的路徑
來自太空的光線被巨大的主凹面鏡所捕捉，再反射到較小的副凹面鏡，集中之後的光束再沿著一系列反射鏡，反射到科學儀器上；就這樣，在2-3具望遠鏡共同運作之下，光束通過隧道導入地底，滙入其他望遠鏡所捕捉到光束。
機械裝置
移動望遠鏡的機械裝置位於望遠鏡的中心，總重量高達450噸——比整個「國際太空站」還更重。
主凹面鏡
8公尺寬的主鏡重達20噸一比兩頭成年公象還重一這面主鏡在垂直與水平方向都能轉動，以對準天空中任何一處。
通往干涉儀實驗室
致動器
160組致動器（由液壓撞槌和電動馬達所組成）隨時進行微調，避免沉重的主鏡壓垮自己。

3具甚大望遠鏡共同運作，可獲得的清晰**25倍**的影像。

印尼喀拉喀托火山在1883年爆發的聲響，普遍被認為是史上最大的聲音，連相距4,800公里遠的澳大利亞愛麗絲泉都聽得到。

聲音

當某人對著你喊聲「早安」，就是在你們之間造成數十億個空氣分子開始碰撞推擠，藉此將聲音傳送到你的耳朵——若是我們能看見這個過程，就會發現聲音其實是一種能量波，聲波行進時會擠壓或伸拉空氣分子。

所有聲音都以「波」的形式傳播，而各種聲音聽起來之所以不一樣，是因為波形不同。不像水波上下蜿蜒前進，聲波行進時朝著同一方向推擠與伸拉。

聲音在本質上也是能量的一種形式，就像光或熱一樣，但聲音特殊之處，在它們以高速承載著語言與音樂，若是沒有聲音，我們就無法聽見樹林間的鳥叫聲、或收音機傳來的流行音樂；聲音能夠影響我們的情緒，並挑起我們對於周遭事物的興趣！

聲音如何行進

打鼓時鼓皮產生振動，擾動跟鼓皮相鄰的空氣分子，這些分子進一步推擠周遭分子，聲音就藉此快速前進，朝向四面八方傳送能量，當鼓聲最後傳送到我們耳朵，同樣會造成耳內的空氣振動，讓我們聽到聲音。

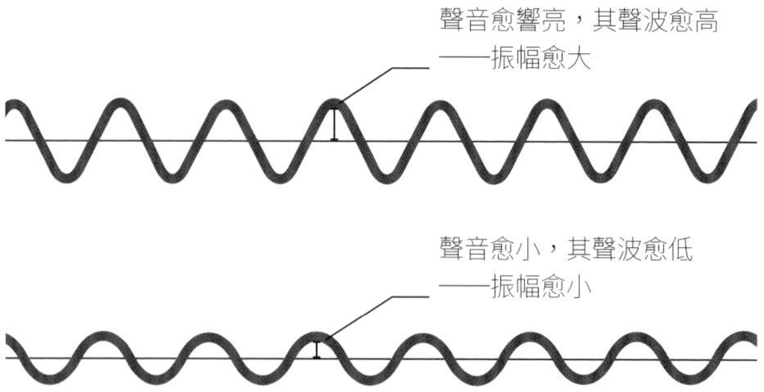

聲音愈響亮，其聲波愈高——振幅愈大
聲音愈小，其聲波愈低——振幅愈小

響度

較大的聲音具有更大的能量。當我們更用力擊鼓，鼓皮的振動就愈大，因此空氣分子也就擠壓得更劇烈，產生更大的聲音傳送到我們的耳朵。

音調

聲音的音調 (頻率) 來自振動速度，拉緊的鼓皮比鬆弛的鼓皮振動得更快，製造出音調更高的鼓聲。

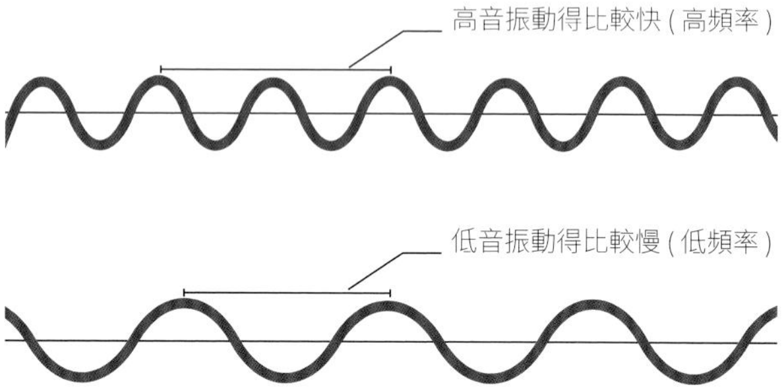

高音振動得比較快 (高頻率)
低音振動得比較慢 (低頻率)

音速

我們先看到天空中的閃電，數秒之後才會聽到打雷聲，原因是由於光速比音速快得多。在地面附近，當氣溫來到攝氏 20 度左右，聲音會以每秒 343 公尺的速度行進—換算時速為 1,235 公里 / 小時—然而，聲音在不同介質中的傳播速度是不同的，聲音的行進是透過介質中原子或分子的振動，因此音速的快慢，端視介質的特性而定——介質內部原子排列的緊密度、此外氣溫也對音速產生影響。

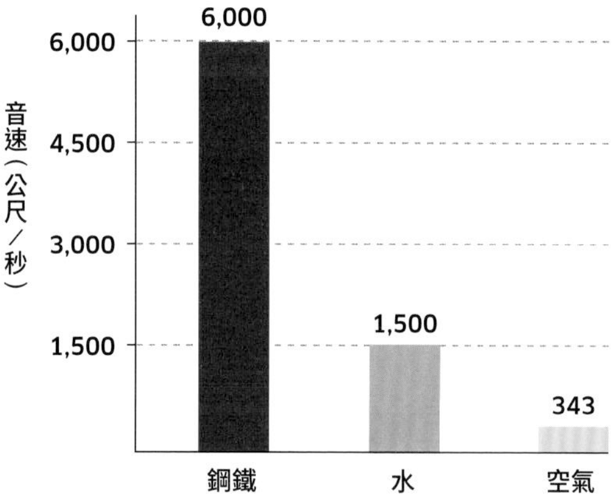

音速（公尺／秒）
6,000
4,500
3,000
1,500
6,000
1,500
343
鋼鐵
水
空氣

不同介質中的音速

我們在空氣中走路比在水中走路更快，你可能以為聲音也是如此，但事實上卻相反，聲波在固體介質 (原子緊密聚攏) 中的行進速度最快，在液體介質中稍慢，在氣體介質中則是最慢的——聲音在鋼鐵中的傳播速度，比空氣中快了 17 倍以上。

超音速運動

就在你耳朵聽到的同時，噴射機早已從你頭頂呼嘯而過，這是由於噴射機的飛行速度比音速更快，快到將飛機的噪音拋在後面。此外，超音速飛行之所以會製造這麼大的噪音，是由於噴射機的機鼻猛裂撞擊前方的空氣，因而在飛機的後方拖曳出巨大的震波。

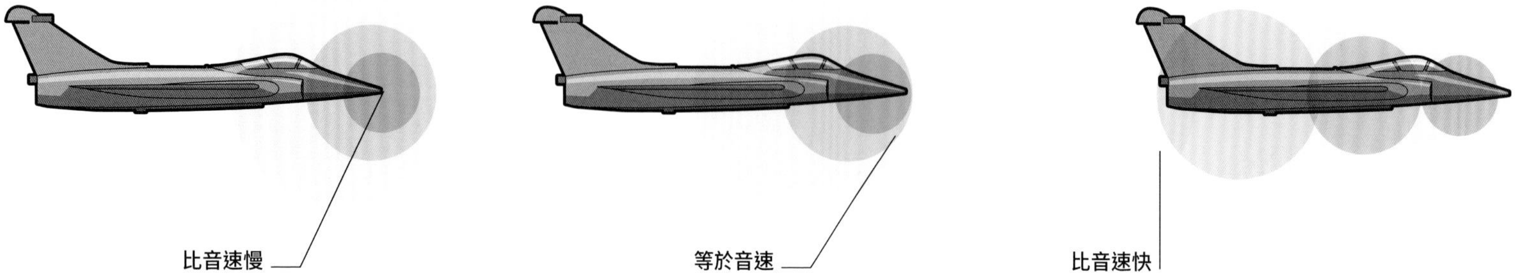

比音速慢
一般速度的飛機，其飛行速度比它們所產生的噪音更慢，因此你可以聽到飛機就要飛過來了。

等於音速
聲波聚攏，形成震波。

比音速快
震波拖曳在飛機後方，形成「音爆」——我們在地面就可聽見。

都卜勒效應

當一輛救護車朝向你疾馳而來，其警笛聲的音調聽起來比正常更高，這是由於救護車的前進方向與警笛送出聲波的方向一致，因此聲波擠壓在一起，以較高的頻率傳送到你的耳朵。反之，一旦救護車離你遠去，你所聽到的警笛聲音調就會突然變低，這當然是由於你跟救護車（波源）之間的距離愈來愈遠，因此聲波愈來愈延展。上述這種現象稱為「都卜勒效應」——以發現這項理論的物理學家名字來命名的。

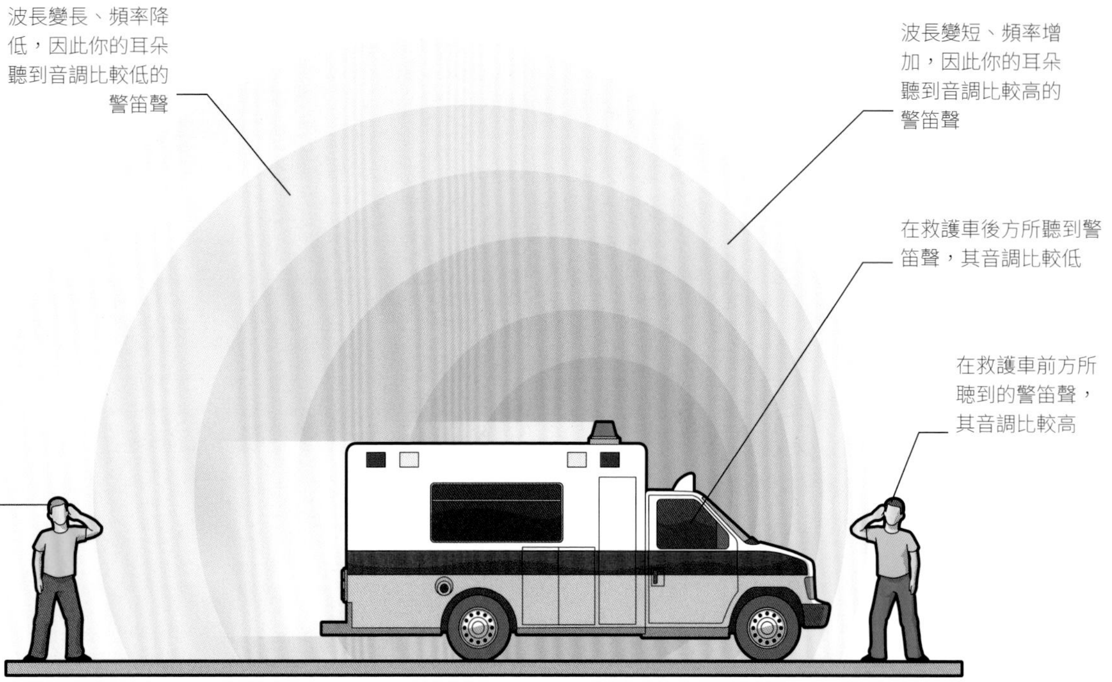
波長變長、頻率降低，因此你的耳朵聽到音調比較低的警笛聲
波長變短、頻率增加，因此你的耳朵聽到音調比較高的警笛聲
在救護車後方所聽到警笛聲，其音調比較低
在救護車前方所聽到的警笛聲，其音調比較高
駕駛者所聽到警笛聲，其音調維持不變

移動中的警笛

分辨警笛聲的音調高低，就能判斷救護車是愈來愈靠近你、還是離你愈來愈遠，當救護車經過你的這一瞬間，你所聽到的警笛聲，其音調跟救護車駕駛者所聽到的完全一致。

樂音

人類的大腦能夠迅速辨識噪音與樂音的不同。音律是由精準產生的音頻串連而成的，當你彈奏出連續 8 個音階，最高音階的聲音頻率剛好是最低音階頻率的 2 倍；此外，若是使用不同樂器同時彈奏出相同的音階，那麼就會產生頻率相同、但波形不同的複合波。

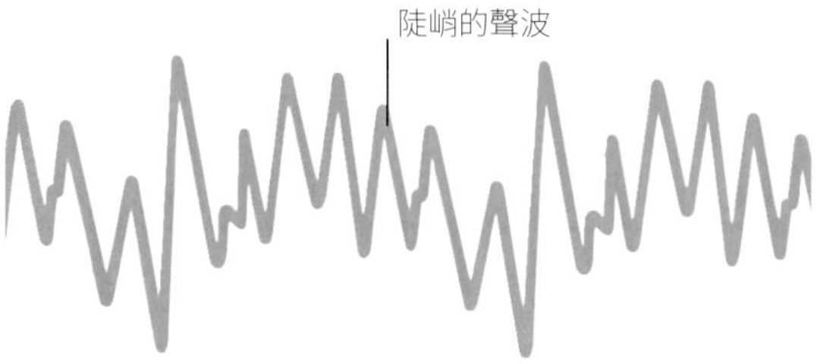
陡峭的聲波

小提琴

拉奏小提琴時，琴弦的振動導致空氣在木製音箱之內流動。小提琴的聲波波形尖銳而陡峭。

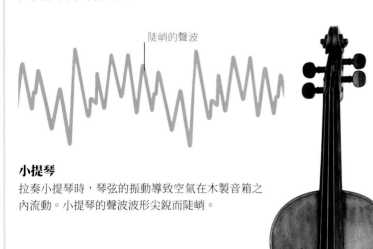

木製音箱內的空氣放大琴弦的聲音

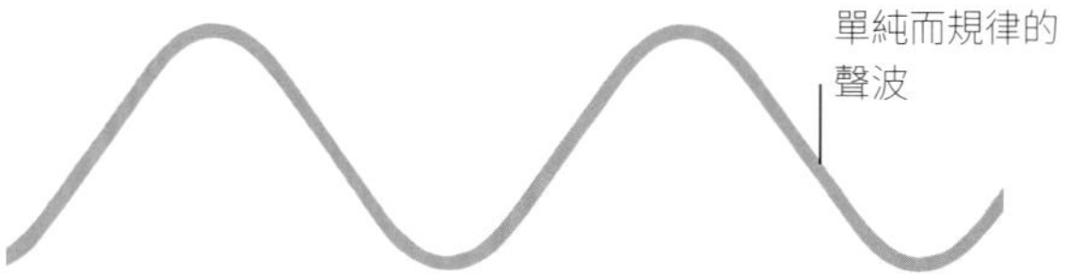
單純而規律的聲波

440
A

音叉

敲擊音叉，就會產生單純而規律的聲波型態，稱為「正弦波」。每個音叉只能發出單一音階（頻率），因此需要不同的音叉，才能發出不同的音階。

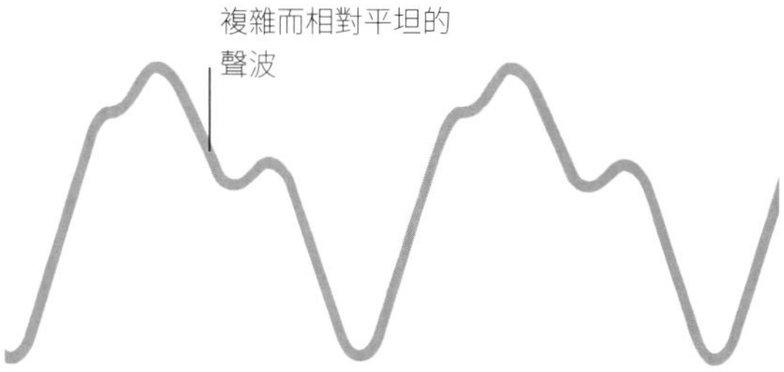
複雜而相對平坦的聲波

長笛

當你朝著長笛吹氣，就會在管身內的空氣中產生振動，形成聲波；長笛的聲波類似音叉的正弦波，但前者稍微複雜一點。

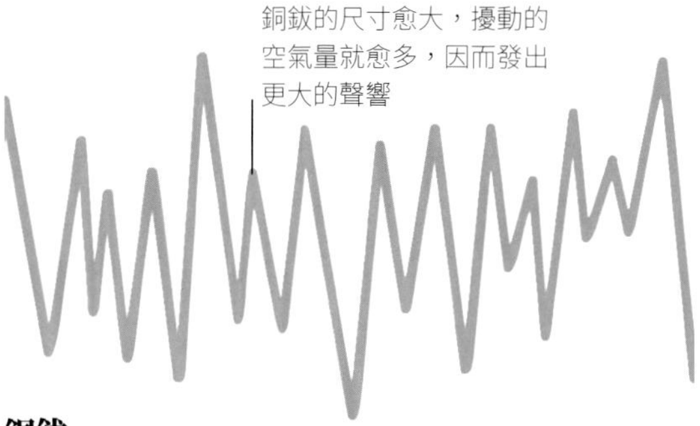
銅鈸的尺寸愈大，擾動的空氣量就愈多，因而發出更大的聲響

銅鈸

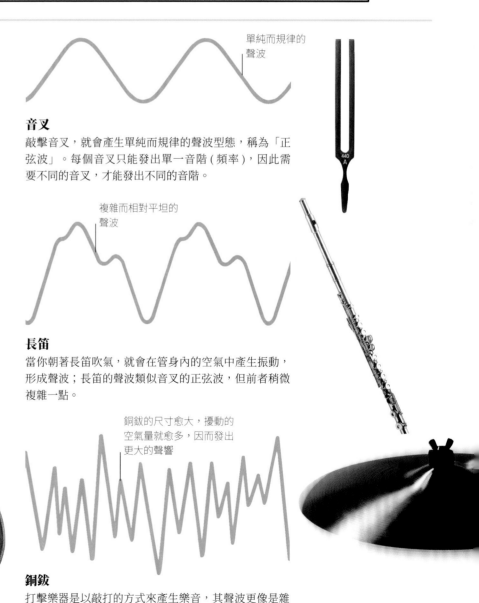

打擊樂器是以敲打的方式來產生樂音，其聲波更像是雜亂爆發的短捷噪音，而不像音叉所發出的精準波形。

聲音宏亮的歌手若是朝向水晶玻璃杯發出特定頻率的歌聲，的確有可能震碎水晶玻璃杯。

15公分—由於熱膨脹，艾菲爾鐵塔在夏天會增加這麼多的高度。

熱

當溶化的冰淇淋滴下你的手，你不能怪任何人，那只是科學原理——「熱」就是隱藏在物體之中的動能，「熱能」以非常嚴格的方式流竄於我們的世界，嚴謹無比。

當原子與分子在物體內部到處運動，代表物體儲存著一種能量——熱能。高溫物體所蘊含的熱能比低溫物體更多，這是由於前者的原子與分子，其移動速度更快。熱能不會永遠滯留於固定一處，每當高溫物體靠近低溫物體，前者就會將自身熱能傳遞給後者，直到兩者的溫度相等——過程中高溫物體流失的熱能，就等於低溫物體所獲得的熱能。

分子運動論

氣體的溫度愈高，其原子與分子的運動速度就愈快，若是處於封閉的容器之中，原子或分子就會彼此碰撞得更厲害，導致壓力增加。氣體一旦受到加熱或擠壓，其粒子運動就會變快，彼此碰撞的機率增加，因而導致氣體本身的壓力或溫度也隨之增加——這種理論稱為「分子運動論」。

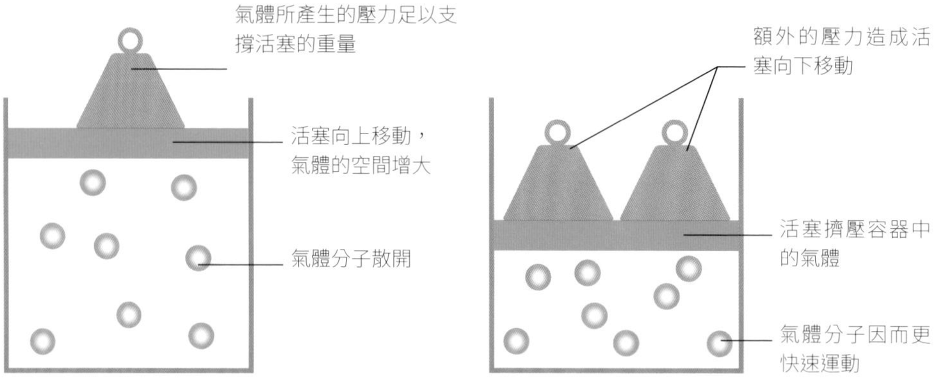
氣體所產生的壓力足以支撐活塞的重量
活塞向上移動，氣體的空間增大
氣體分子散開
額外的壓力造成活塞向下移動
活塞擠壓容器中的氣體
氣體分子因而更快速運動

氣體因膨脹而冷卻
氣體中的分子擁有更多的運動空間，所有熱能分散到更大的空間，氣體因而冷卻。

氣體因壓縮而增溫
當活塞向下移動，擠壓所有分子靠得更近、碰撞得愈頻繁，溫度因而升高。

絕對溫度

人類在地球所經歷的溫度，大體上不出絕對溫度 150 度的變化範圍，但事實上，絕對溫度的最大可能性，從絕對零度 (最低可能性)，到「大型強子對撞機」內部的 2 兆度高溫。

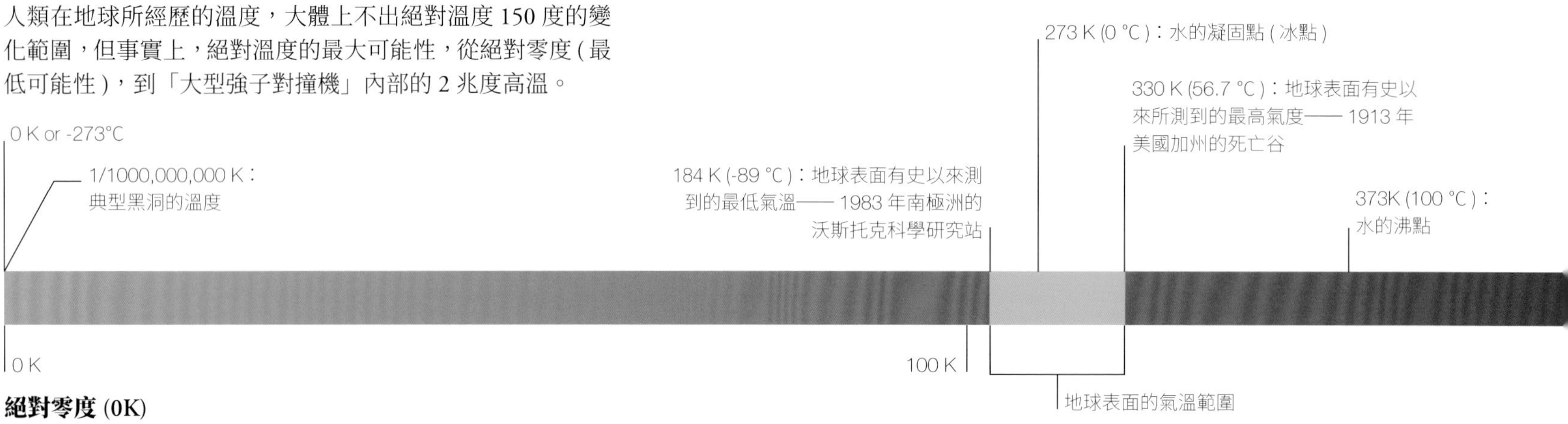
0 K or -273°C
1/1000,000,000 K：
典型黑洞的溫度
184 K (-89 °C)：地球表面有史以來測到的最低氣溫—— 1983 年南極洲的沃斯托克科學研究站
273 K (0 °C)：水的凝固點 (冰點)
330 K (56.7 °C)：地球表面有史以來所測到的最高氣度—— 1913 年美國加州的死亡谷
373K (100 °C)：
水的沸點
0 K
100 K
地球表面的氣溫範圍

絕對零度 (0K)
這是可能達到的最冷溫度，此時物體內內部的原子或分都停止運動、完全鎖住，這種溫度稱為絕對零對。然而，至今沒有任何物體能夠達到絕對零度，但科學家曾經達成幾分之一度的低溫。

熱能如何傳遞

就像其他形式的能量，熱能也具有向外均勻散發的傾向，高溫物體透過 3 種方式向鄰近的低溫物體傳送熱能——傳導、對流、輻射；一般來說，物體會以 1 種以上的方式來散發熱能，以溫帶國家的掛壁暖器爐為例，除了透過熱傳導 (直接接觸) 將熱能傳送到牆壁和地板，也同時透過熱對流 (熱空氣) 和熱輻射 (電磁輻射) 來傳送熱能。

熱傳導
當高溫物體碰觸到低溫物體，高溫物體內部的原子快速運動，並連串激化溫度較低的相鄰原子，很快將熱能一路傳送到低溫物體。

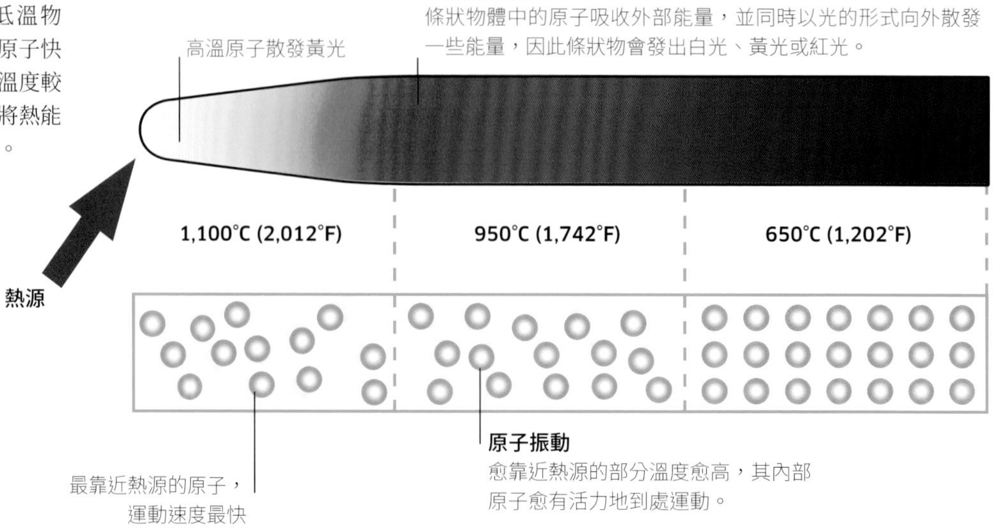
高溫原子散發黃光
金屬改變顏色
條狀物體中的原子吸收外部能量，並同時以光的形式向外散發一些能量，因此條狀物會發出白光、黃光或紅光。
1,100°C (2,012°F)
950°C (1,742°F)
650°C (1,202°F)
熱源
最靠近熱源的原子，運動速度最快
原子振動
愈靠近熱源的部分溫度愈高，其內部原子愈有活力地到處運動。

測量溫度

溫度代表物體有多熱、或有多冷，但並非代表物體具有多少熱能——以冰山為例，其體積是如此龐大，而且看起來似乎很冷，但實事上其內部原子和分子還是含有大量熱能；再以一杯熱咖啡來比較，雖然看似熱騰騰，但由於量體太小，因此這杯咖啡所蘊含的熱能遠遠比不上冰山。

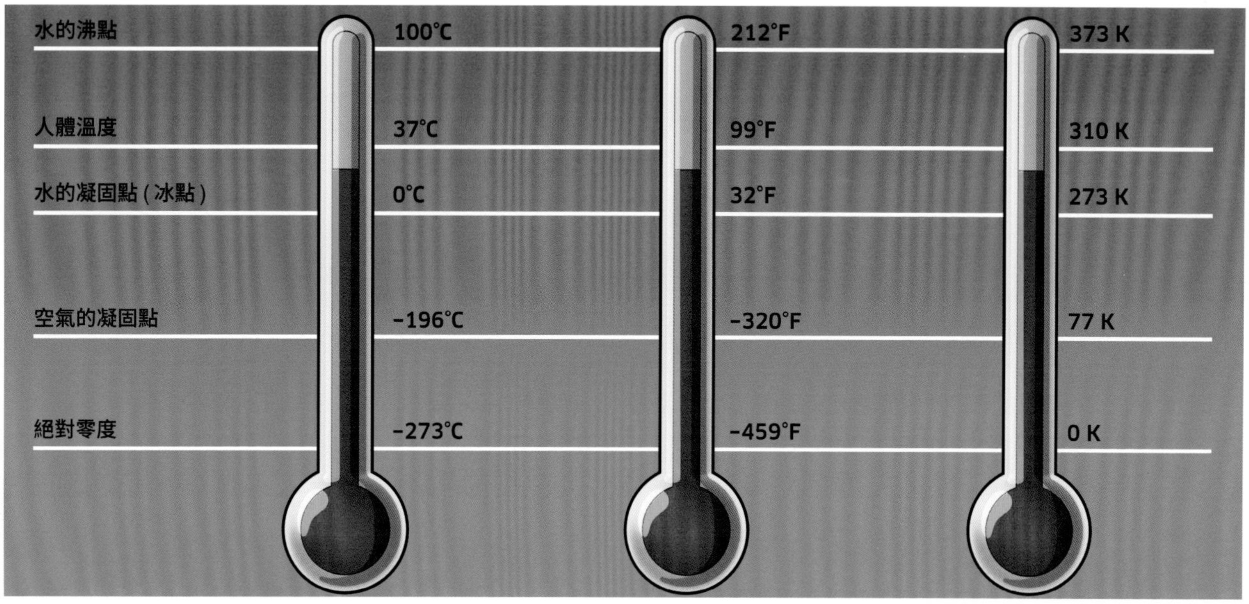
水的沸點
人體溫度
水的凝固點 (冰點)
空氣的凝固點
絕對零度
100℃
37℃
0℃
-196℃
-273℃
212°F
99°F
32°F
-320°F
-459°F
373 K
310 K
273 K
77 K
0 K

攝氏溫度 (°C)
攝氏溫標是以水的沸點與冰點為基準點，在其間均分為 100 度。

華氏溫度 (°F)
華氏溫標也是基於水的沸點與冰點，在期間均分為 180 度。

克氏溫度 (絕對溫度 K)
克氏溫標從絕對零度起算，其度數等分跟攝氏溫標相同。

各種測溫方法

測量溫度的常用溫標有 3 種——華氏溫度通用於美國和少數國家；攝氏溫標被大部分國家所採用；克氏溫度 (絕對溫度) 大多應用於科學領域。

最高絕對溫度

科學家所能想像的最高溫度是 $(140\ x10^6x10^9x10^9)$K，此稱為「普朗克溫度」——科學家認為在宇宙大爆炸之後的瞬間，宇宙一度達到這樣的極高溫，此後再也沒有任何事物能夠達到這種溫度。

1,673 K(1,400 °C)：
鋼鐵的熔點
14,000,000 K ：太陽中心點
的溫度
1,000,000,000 K ：宇宙
大爆炸之後 100 秒的溫度
1.6 兆 K：「大型強子對撞機」
之中所達到的最高溫度。
1,000 K
10,000,000 K
1,000,000,000 K
1,000,000,000,000 K

熱對流

對流是熱量經由液體或氣體 (兩者合稱流體) 進行循環，當你將鍋子中的水體加熱，底部的熱水上升、而上面的冷水下沉，逐漸讓整個水體升溫。

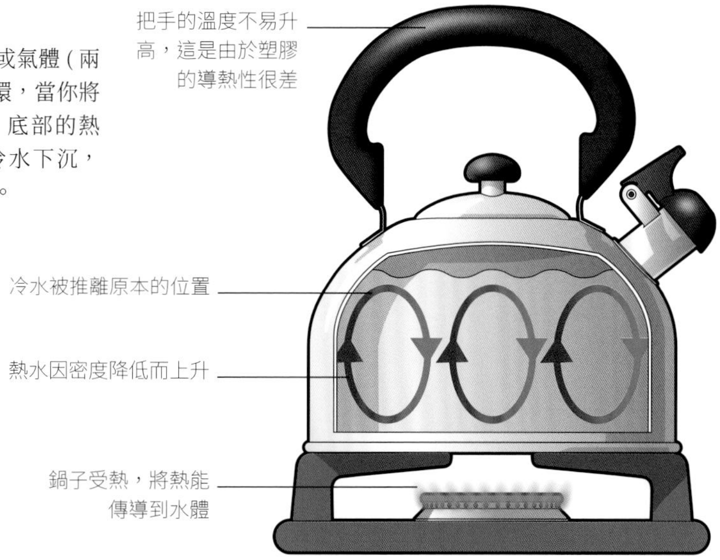
把手的溫度不易升
高，這是由於塑膠
的導熱性很差
冷水被推離原本的位置
熱水因密度降低而上升
鍋子受熱，將熱能
傳導到水體

熱輻射

就像光一樣，熱能從高溫物體散發出來，甚至可以在真空中傳播；物體的表面積愈大，其熱輻射的速率就愈快——意即冷卻得愈快。

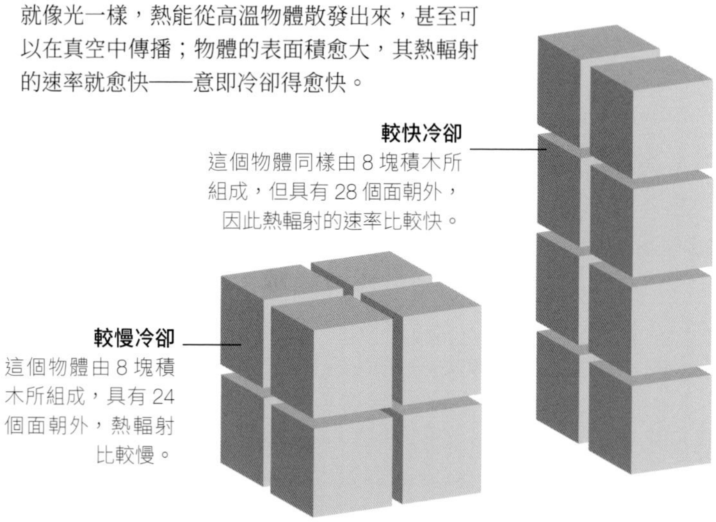
較快冷卻
這個物體同樣由 8 塊積木所
組成，但具有 28 個面朝外，
因此熱輻射的速率比較快。
較慢冷卻
這個物體由 8 塊積
木所組成，具有 24
個面朝外，熱輻射
比較慢。

3毫米長—全世界最小的電池，2010年由美國的一家實驗室所製造。

電

打雷時突如其來的閃電，事實就是由電子所激發的；這些在原子內部快速移動的帶電粒子，幾乎是我們所能想像的最小物體了，然而，所有跟電有關的一切事物，最終都是由電子所驅使的。

從住家供暖、住家照明，到提供火車（列車）動力，「電」所能做的一切，範圍極其廣大。當電子通過導線時，其作用就是將能量從一處傳遞到另一處，形成所謂的電流；只要連接家中牆壁上的插座，所有電器就能獲得能量，而透過電池，我們移動時也可以使用手機或筆記型電腦。另一方面，當電子在某處逐漸累積，也會產生靜電——例如我們脫掉身上的針織衫有時會劈啪作響、或是打雷時擊中地面的閃電，其實都是靜電所形成的。

電流如何運作

打開電燈的開關，電能就會通過電線，此時電線中的原子保持在原處，但所有電子都會在一旁流動，每一個電子帶有微量的電—稱為 1 個基本電荷—電子的移動速度雖然不快，但由於電線中充滿大量的電子，因此電力瞬間就從電源傳遞到電燈，開始發光。

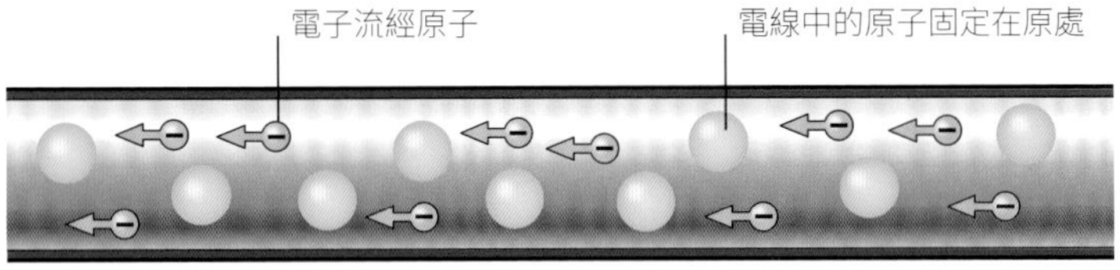
電子流經原子
電線中的原子固定在原處

打開電流

打開電源，電線中的電子開始運動；電壓愈大，因擠壓而流過電線的電子就愈多，形成愈大的電流。

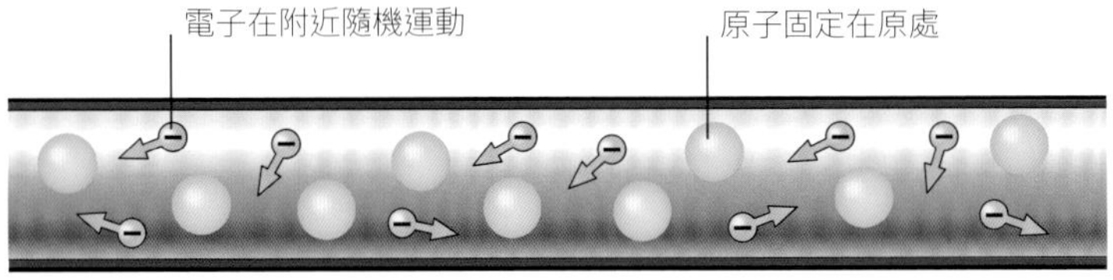
電子在附近隨機運動
原子固定在原處

關閉電流

關掉電源，擠壓電子朝著同一方向流動的能量消失，電子就會停止流動，只是在附近隨機亂跳。

電池如何運作

電池運用化學反應來供應電力，是一種可攜式電能供應裝置。電池有一端是負極端子（底部的金屬平板），另一端是正極端子（頂部的突出金屬圓頭），而兩者之間則是充滿電解質（化學混合物），當你把電池接上電路，就會在電池之中啟動化學反應，產生電子和正離子（失去電子的原子），正離子在電池之中漂移，而電子在外部電路中流動，驅動電池所連結的電器。

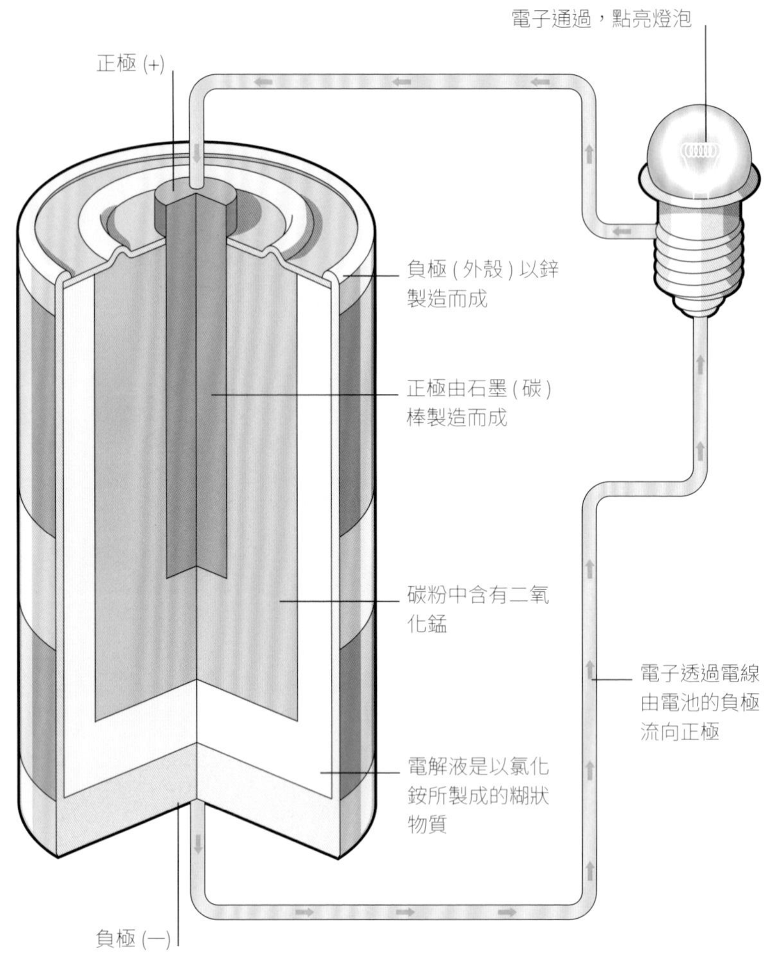
電子通過，點亮燈泡
正極 (+)
負極（外殼）以鋅製造而成
正極由石墨（碳）棒製造而成
碳粉中含有二氧化錳
電子透過電線由電池的負極流向正極
電解液是以氯化銨所製成的糊狀物質
負極 (—)

電池

構造最簡單的電池，其負極端子以鋅製造而成，而正極端子由碳（石墨）製成，只能作為一次性使用。另一種可充電電池所使用的材料，可進行反向化學反應，因此可反覆使用好幾百次。

電路

電子流動的路徑稱為電路。電路從電源（例如電池）輸送能量到用電裝置（例如燈泡），再回到電源，但電流只能在「閉合迴路」之中流動，只要切斷迴路中的某一處，讓電子無法跨越，電流就會停止——電器開關就是應用這種切斷迴路的方式來運作的。

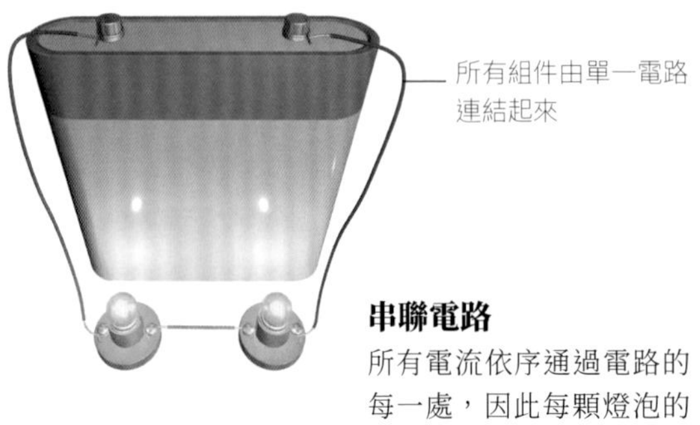
所有組件由單一電路連結起來

串聯電路

所有電流依序通過電路的每一處，因此每顆燈泡的通電量相等。

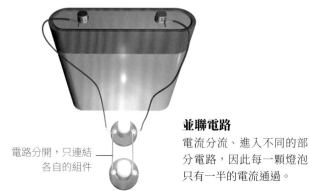

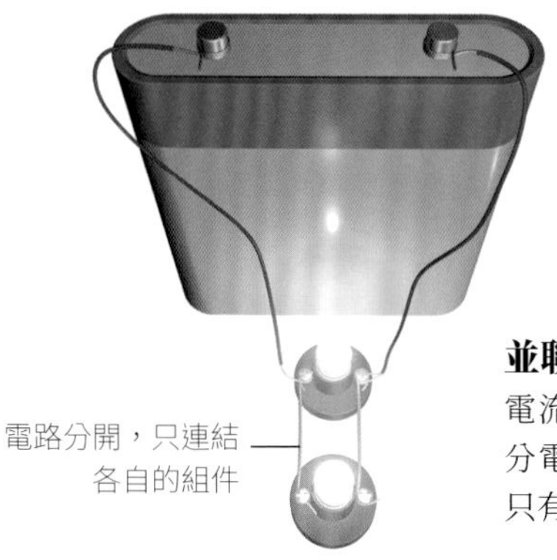
電路分開，只連結各自的組件

並聯電路

電流分流、進入不同的部分電路，因此每一顆燈泡只有一半的電流通過。

相較於人類，鯊魚對於電的敏銳度高出100萬倍，牠們能夠在水中偵測到微弱的電流。

電動烤麵包機運作時，每秒大約流入$(65 \times 10^{6} \times 10^{12})$個電子。

靜電

我們通常認為電總是流過某一物體的，但事實上，在沒有電路的狀況下，電子也可以聚積，形成靜電。靜電會造成你的毛髮末端豎立，若是拿氣球跟你的針織衫摩擦，再接觸牆壁，氣球的表面就會從其他物體的表面「偷走」電子，而這些額外的電子就會讓氣球帶有負電荷。

閃電會加熱周遭空氣，讓溫度升高到太陽表面溫度的5倍以上。

負電荷

如果拿針織衫摩擦氣球，氣球變成帶有負電荷，接著讓氣球接觸牆壁，氣球就會推開牆面帶有負電的電子，進而讓牆壁的接觸面帶有正電荷，讓氣球黏附在牆壁上。

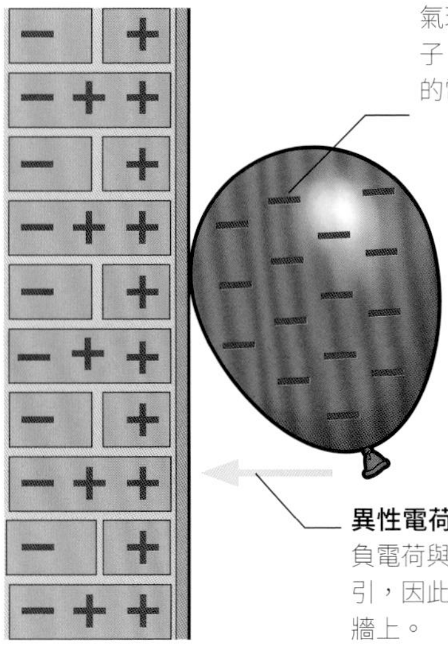

氣球上帶有負電荷的電子，把牆面帶有負電荷的電子推進更深的牆內

異性電荷相吸
負電荷與正電荷彼此吸引，因此氣球會黏附在牆上。

互斥

拿出你的針織衫依序摩擦兩顆氣球，讓兩顆氣球都帶有負電荷，接著讓兩顆氣球互相靠近，結果導致兩者互斥。

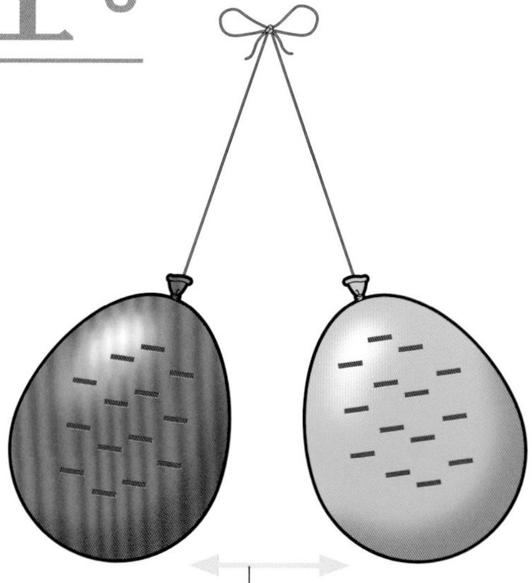

同性電荷互斥
同性電荷互相排斥，因此兩顆氣球遠離彼此。

電漿球

透明玻璃球體之內的混合氣體形成渦旋氣流，這種現象也是因靜電而產生的。當球體中央的棒狀物通上高電壓，球體內部玻璃的原子會被拉開，形成電漿（一堆原子分裂成離子與電子），靜電在中央積累，接著離子和電子快速移動到周圍，形成如同迷你閃電般的渦旋氣流。

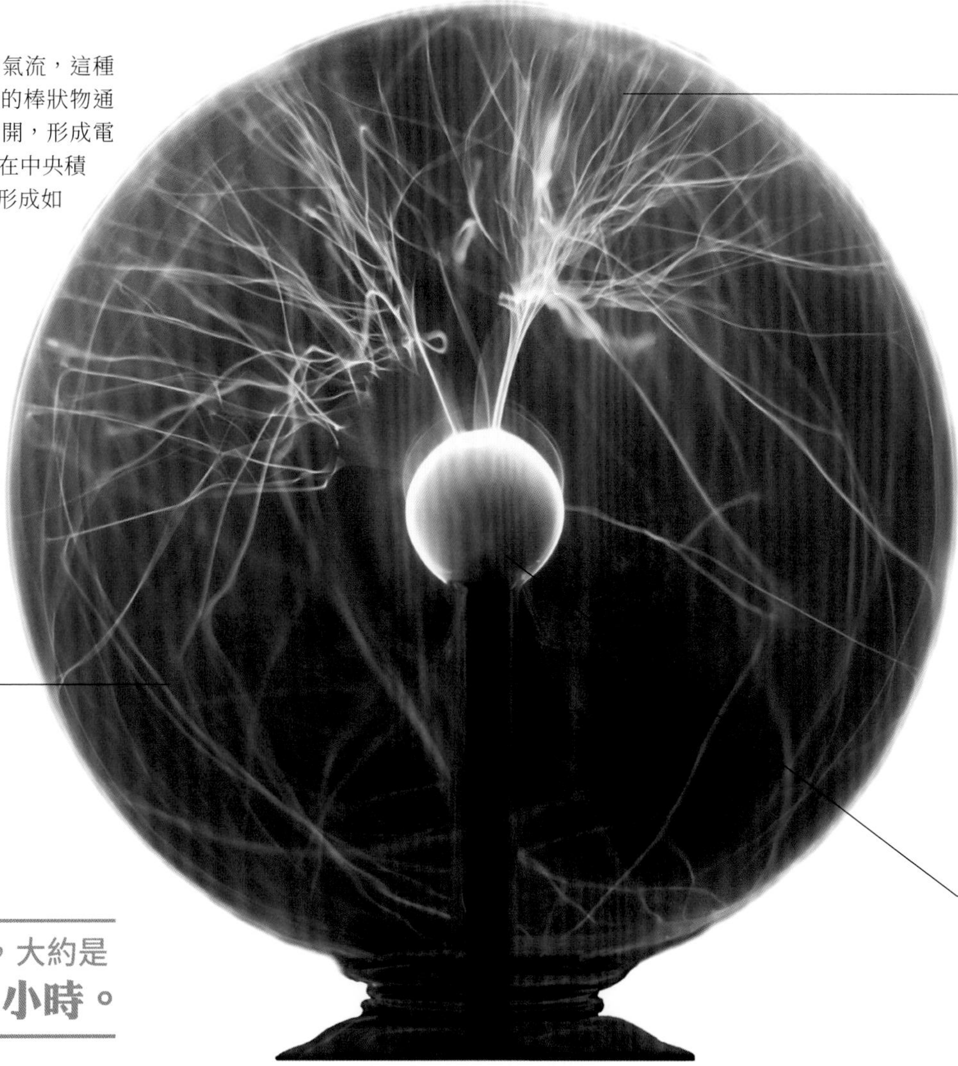

電漿球
玻璃球之中充滿低壓氣體，例如氖氣或氬氣。

電流
閃閃發光的渦旋氣流，其實就是從球體中央流動到周圍的電流。

高電壓中心
內部的棒狀物及小球體發出高壓電到電漿球的中央。

閃電掃過天空的速度非常快，大約是332,000,000公里／小時。

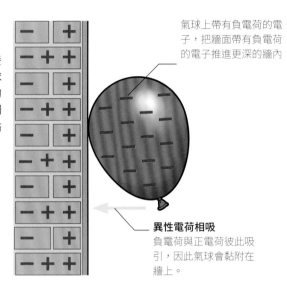

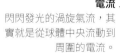

風速必須超過23公里/小時，才能轉動風力渦輪機來產生電力。

總計來說，居家照明所使用的能量，比街燈加上交通號誌燈還多出16倍以上。

從發電廠到住家

透過複雜的格狀網路來連結發電廠、發電機、以及所有用電單位，就能快速輸送電力。電網中的用電量在一日之內有高有低，但只要運用各種不同的發電機組，就能平衡用電需求的多寡，讓我們沒有電力匱乏之虞。

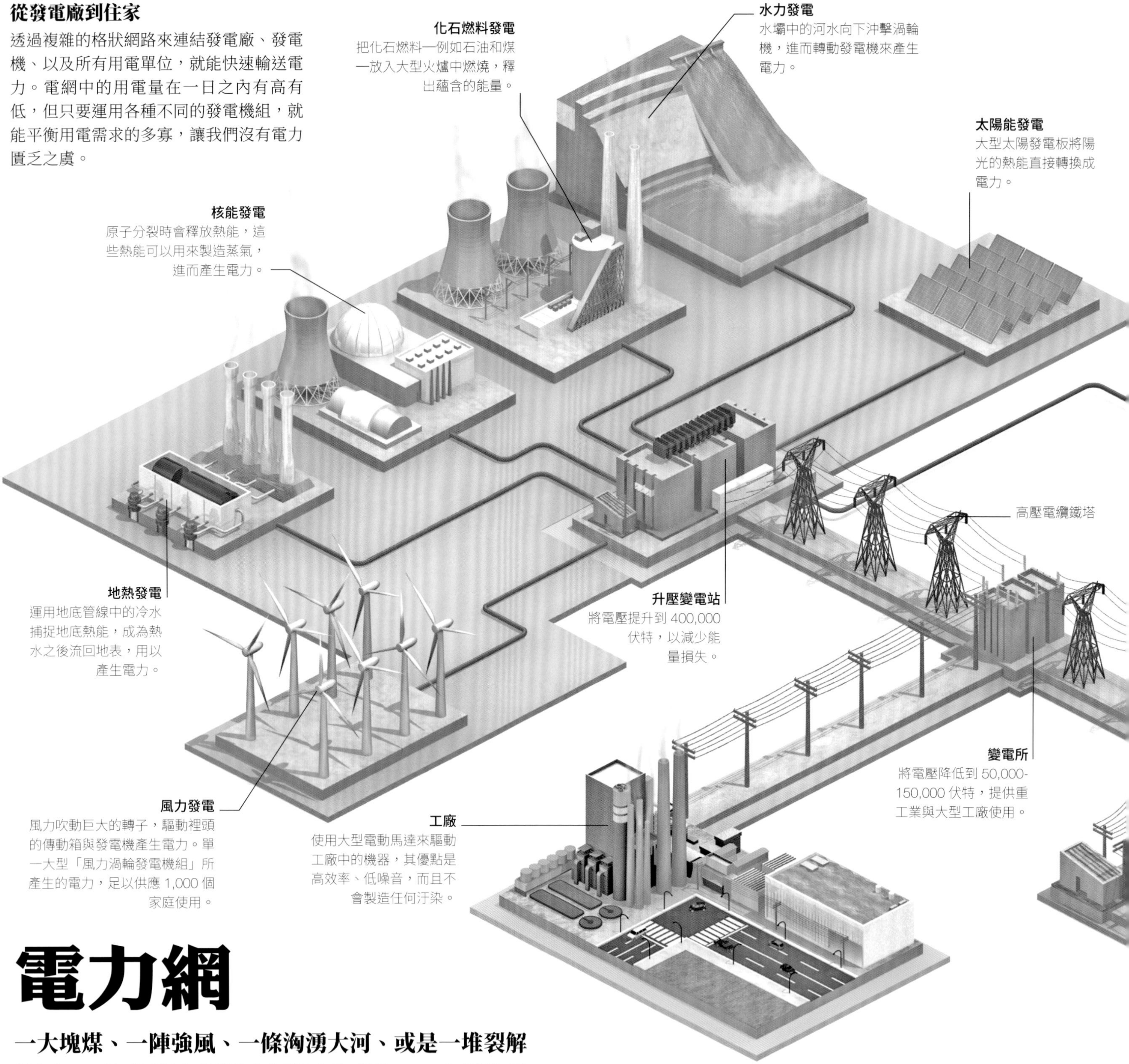
化石燃料發電
把化石燃料—例如石油和煤—放入大型火爐中燃燒，釋出蘊含的能量。
水力發電
水壩中的河水向下沖擊渦輪機，進而轉動發電機來產生電力。
太陽能發電
大型太陽發電板將陽光的熱能直接轉換成電力。
核能發電
原子分裂時會釋放熱能，這些熱能可以用來製造蒸氣，進而產生電力。
高壓電纜鐵塔
地熱發電
運用地底管線中的冷水捕捉地底熱能，成為熱水之後流回地表，用以產生電力。
升壓變電站
將電壓提升到 400,000 伏特，以減少能量損失。
變電所
將電壓降低到 50,000-150,000 伏特，提供重工業與大型工廠使用。
風力發電
風力吹動巨大的轉子，驅動裡頭的傳動箱與發電機產生電力。單一大型「風力渦輪發電機組」所產生的電力，足以供應 1,000 個家庭使用。
工廠
使用大型電動馬達來驅動工廠中的機器，其優點是高效率、低噪音，而且不會製造任何汙染。

電力網

一大塊煤、一陣強風、一條洶湧大河、或是一堆裂解的原子，這些都是我們用來發電的事物——取得能量的形式非常多樣性！

史上第一座發電廠建造於西元 1882 年。過去人類燃燒木材或煤炭來獲得能量，但這不僅造成汙染，且過於耗費時間，後來大規模發電解決了前述問題，這麼一來電力只在同一地點生產，再經由數百公里、數千公里長的電線送到需要用電的地方。煤和木材只能用來提供熱能，汽油只能用來驅動汽車，而電力的用途可就廣大多了，舉凡加熱、照明，或是提供馬達動力來驅動小至電動牙刷、大至電力火車……等等裝置。

1 發電

傳統發電廠的發電方式，主要是燃燒化石燃料來產生熱能，也就是煮一大鍋熱水來製造噴射水蒸氣，藉此轉動渦輪機，進而驅動發電機來產生電力——這個過程將「機械能」轉變成「電能」，就像是電動馬達的反向運作。

2 配送電力

燃料中的能量，最終只有 1/3 左右成為有效電力，其餘能量都在發電與送電過程中損耗。將電能轉換成高電壓的形式，有助於減少電力損耗，而變電所的功能，就是在電力配送的半途中降低電壓，以配合一般的用電需求。

442座—目前全世界正在運作的核能發電廠與核子反應爐的數量。

西元1903年，發明家湯瑪斯．愛迪生為了證明競爭對手的發電系統不夠安全，因而通電處死了一頭大象。

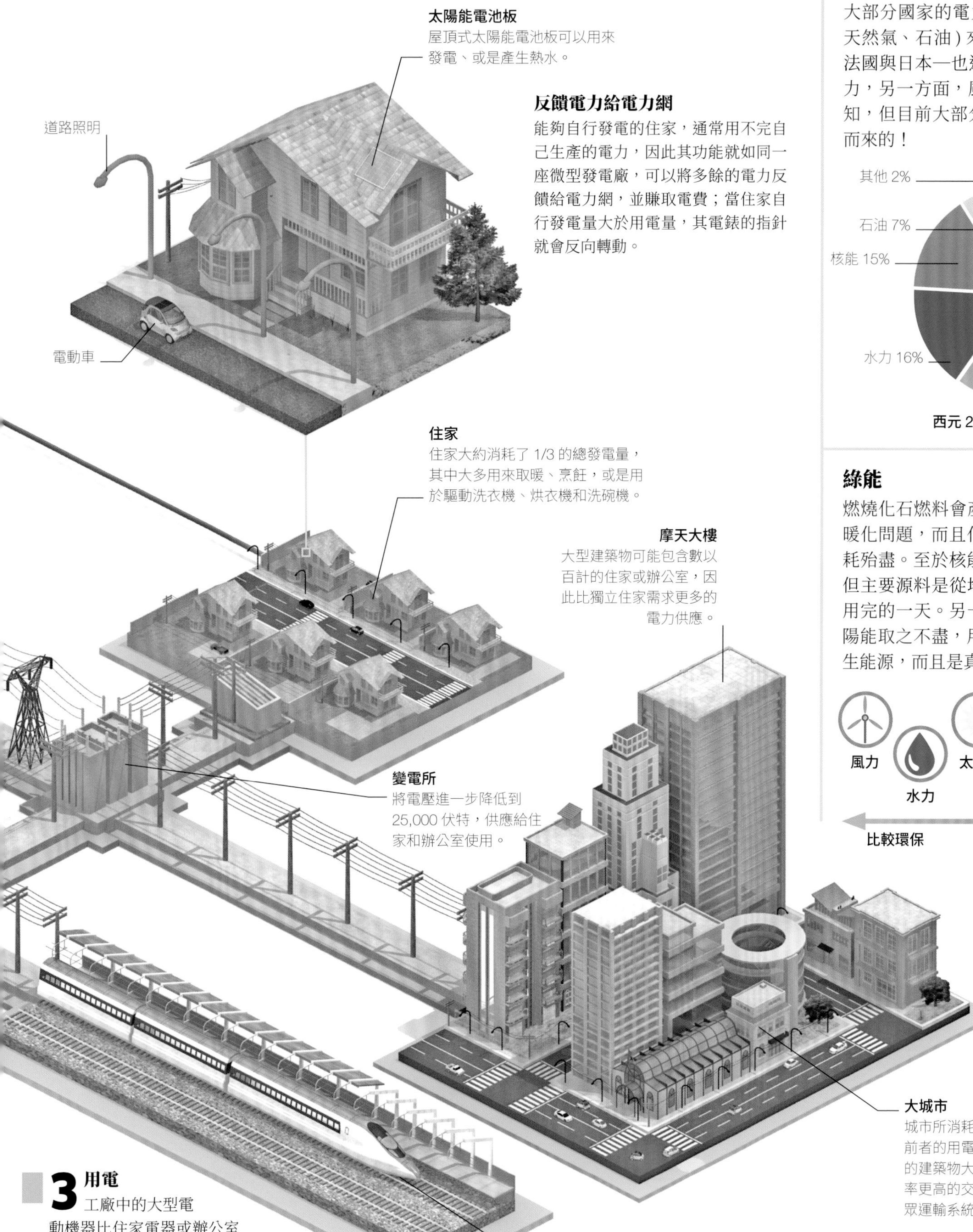
太陽能電池板
屋頂式太陽能電池板可以用來發電、或是產生熱水。
道路照明
電動車
住家
住家大約消耗了 1/3 的總發電量，其中大多用來取暖、烹飪，或是用於驅動洗衣機、烘衣機和洗碗機。
摩天大樓
大型建築物可能包含數以百計的住家或辦公室，因此比獨立住家需求更多的電力供應。
變電所
將電壓進一步降低到 25,000 伏特，供應給住家和辦公室使用。
大城市
城市所消耗的能量比鄉鎮或村落更多，但前者的用電效率卻更高，這是由於城市中的建築物大多靠得很近，而市民也利用效率更高的交通工具——例如電動列車或大眾運輸系統。
鐵路線
電動列車使用架設於上方的電線來提供動力，而且當列車剎車時，會把制動所產生的能量反饋到電力線、而不是以散發熱能的形式浪費掉。

反饋電力給電力網

能夠自行發電的住家，通常用不完自己生產的電力，因此其功能就如同一座微型發電廠，可以將多餘的電力反饋給電力網，並賺取電費；當住家自行發電量大於用電量，其電錶的指針就會反向轉動。

3 用電

工廠中的大型電動機器比住家電器或辦公室設備用電量更多，而且工廠所使用的電力其電壓較高，然而住家的數量卻遠比工廠更多，因此全面而言，住家、辦公室和工廠，都各自使用了 1/3 左右的總電力。

電力來源

大部分國家的電力主要由燃燒化石燃料(煤、天然氣、石油)來取得，另有一些國家—例如法國與日本—也運用核能發電廠來產生大量電力，另一方面，風力與太陽能發電雖然廣為人知，但目前大部分的再生能源都是從水力發電而來的！

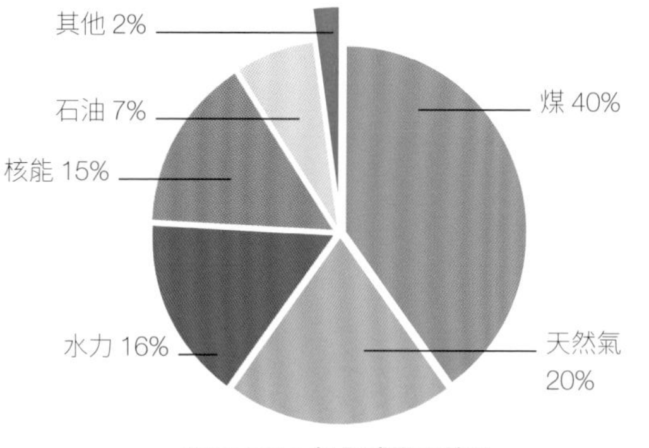
其他 2%
石油 7%
核能 15%
水力 16%
煤 40%
天然氣 20%

西元 2012 年全球發電總量

綠能

燃燒化石燃料會產生汙染，導致更嚴重的全球暖化問題，而且化石燃料終有一天將被人類消耗殆盡。至於核能發電雖然不使用化石燃料，但主要源料是從地底開採的鈾礦，而鈾礦也有用完的一天。另一方面，風力、水力、以及太陽能取之不盡，用之不竭，它們才是真正的再生能源，而且是真正沒有汙染的「綠能」。

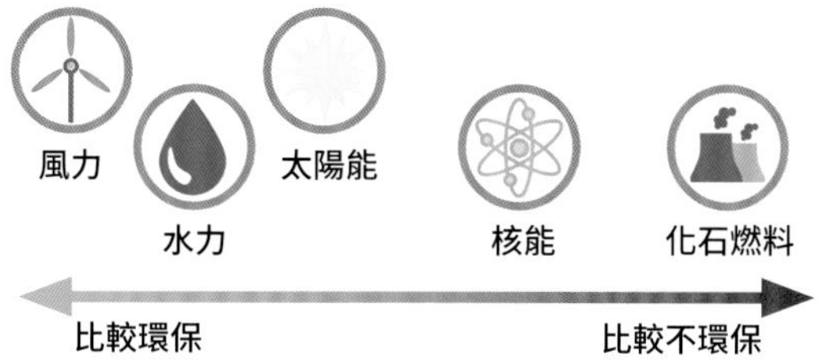
風力
水力
太陽能
核能
化石燃料
比較環保
比較不環保

每年全世界所消耗的總電力，足以在 1 小時之內烤好 **10 兆片土司麵包。**

假如可以從核能發電廠直接拉電線到一個電熱壺，那麼在百萬分之50秒之內，你就能煮沸1杯熱水來泡茶。

放射性

核能發電廠利用原子裂解來產生電力——原子結構由巨大的力量鍵結在一起，一旦原子進行「蛻變」，就會釋放巨大的能量。

某些元素的原子具有稍微不同的形式，此稱為「同位素」，其中有的極不穩定(具有放射性)，會自行分裂，轉變成為更穩定的原子形式，並於分裂過程中釋放能量。另一方面，原子也可以經由人為方法強行分裂，將之應用於核能發電，或用以製造原子彈。放射性原子的威力足以殺害人類，也可以用來拯救人命——放射性粒子可以應用於煙霧警報器、殺死有害細菌、或是保存食物，也可以用來治療或探測危害生命的疾病(例如癌症)。

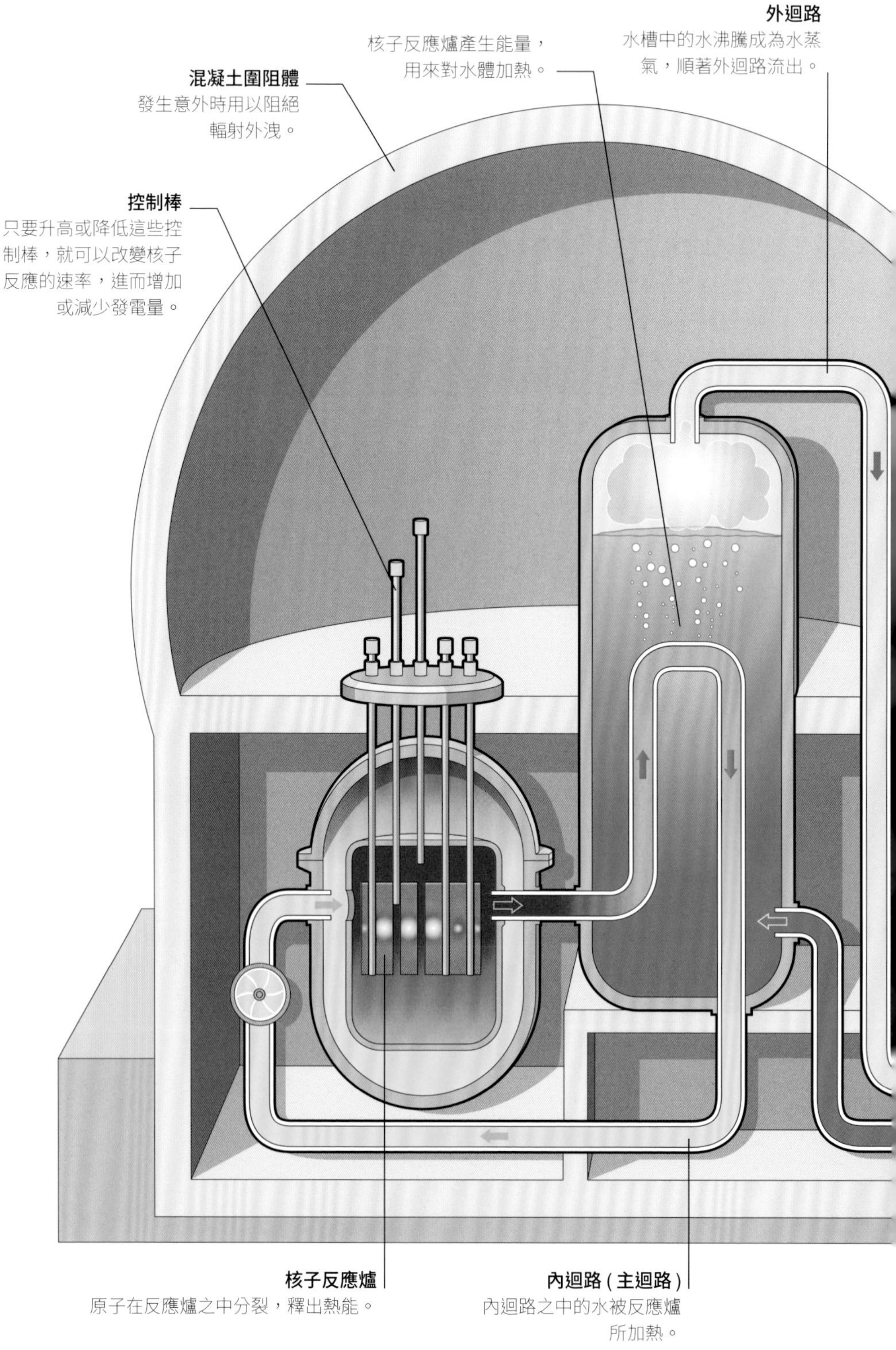
外迴路
水槽中的水沸騰成為水蒸氣，順著外迴路流出。
核子反應爐產生能量，用來對水體加熱。
混凝土圍阻體
發生意外時用以阻絕輻射外洩。
控制棒
只要升高或降低這些控制棒，就可以改變核子反應的速率，進而增加或減少發電量。
核子反應爐
原子在反應爐之中分裂，釋出熱能。
內迴路(主迴路)
內迴路之中的水被反應爐所加熱。

輻射的類型

不穩定的原子分裂時會釋放3種輻射線：阿爾發(α)射線、貝他射線(β)和伽瑪(γ)射線，前二者來自分裂原子的碎片，而伽瑪射線是一種電磁輻射——性質類似光線，但具有更強的能量，危險性更高。

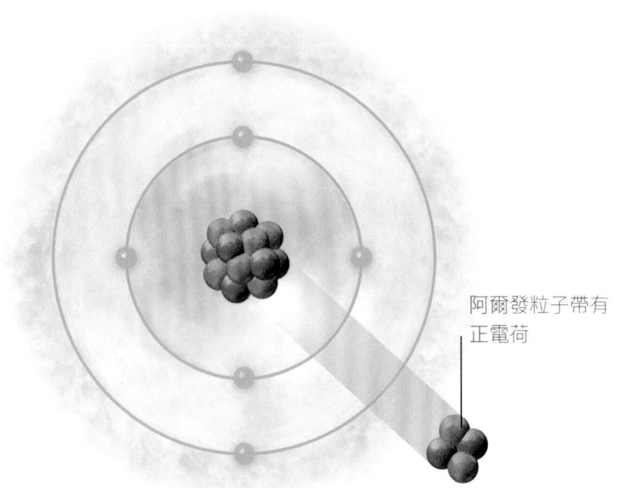
阿爾發粒子帶有正電荷

阿爾發(α)射線

最慢、最重的輻射類型就是阿爾發射線，每一個阿爾發粒子包含2個質子和2個中子(與氦原子的原子核相同)。

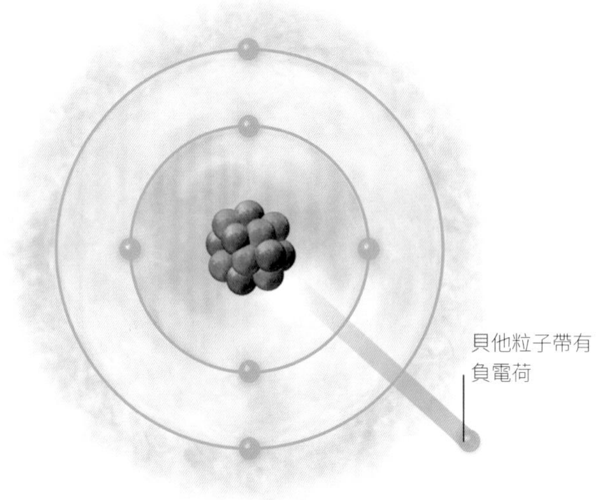
貝他粒子帶有負電荷

貝他(β)射線

貝他粒子是尺寸更小、速度更快的輻射類型，事實上，貝他粒子只是不穩定原子所射出的電子流，其速度大約是光速的一半。

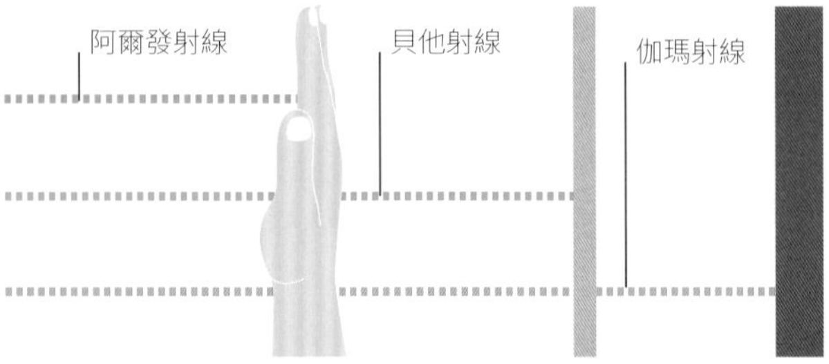
阿爾發射線
貝他射線
伽瑪射線

穿透力

阿爾發(α)射線、貝他(β)射線和伽瑪(γ)射線，都具有不同程度的穿透性，這是由於它們各具不同的速度與能量。阿爾發粒子甚至無法穿透紙張；貝他粒子可以穿透人類的皮膚，但無法穿透金屬；而伽瑪粒子的穿透性極強，只有厚實的鉛金屬片或混凝土才能阻擋。

17,000 枚—**全球核武大國**所儲備的**核子彈頭**數量。

人體具有**天然放射性**，每分鐘可以製造出120,000個**貝他粒子**(β粒子)。

原子所蘊含的能量

原子以兩種方式釋放能量。第一種稱為「核分裂」，意即不穩定的大型原子(例如鈾)分裂成為較小的原子，並於過程中釋放熱能，而分裂之後的小原子，其總能量小於分裂前的單一大原子；第二種方式稱為「核融合」，此為較小原子(氫的同位素)互相撞擊而結合，並於過程中釋出能量。就目前來說，全世界運作中的核能發電廠都採行核分裂的方式，但科學家希望未來能發展出核融合方式的核能電廠，因為後者更乾淨、更環保。

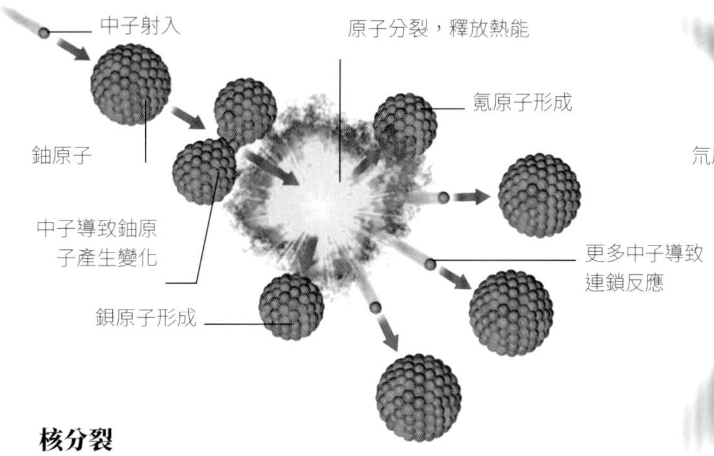
中子射入
原子分裂，釋放熱能
氪原子形成
鈾原子
中子導致鈾原子產生變化
更多中子導致連鎖反應
鋇原子形成

核分裂

發射一個中子來撞擊一個鈾原子，原子就會分裂成為兩個較小的原子，此一過程會釋出更多中子，進一步產生連鎖反應。

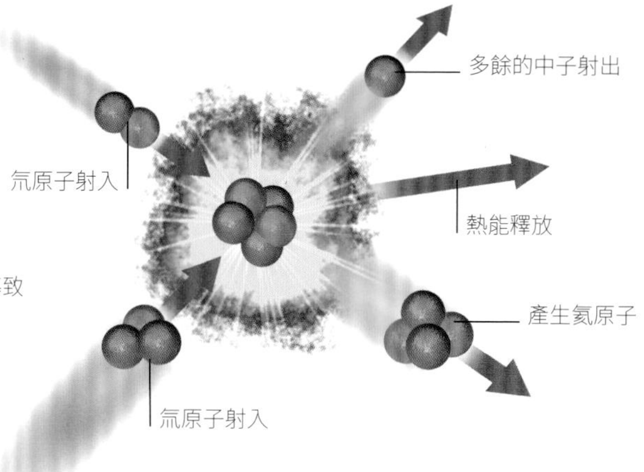
多餘的中子射出
氘原子射入
熱能釋放
產生氦原子
氚原子射入

核融合

氫元素的兩個較重同位素—氘和氚—互相撞擊而形成氦，產生一個多餘的中子並釋放能量。

核能發電如何運作？

在核能發電廠，用來發電的水蒸氣其熱能並非來自燃燒煤或天然氣，而是來自巨大的核子反應爐內部分裂原子所釋放的能量，只要調整反應爐之中鈾燃料棒的升降，就可以控制核子反應的進行速率。

目前全球總發電總量的 **13% 來自核能發電，** 而且比率還在持續增加之中。

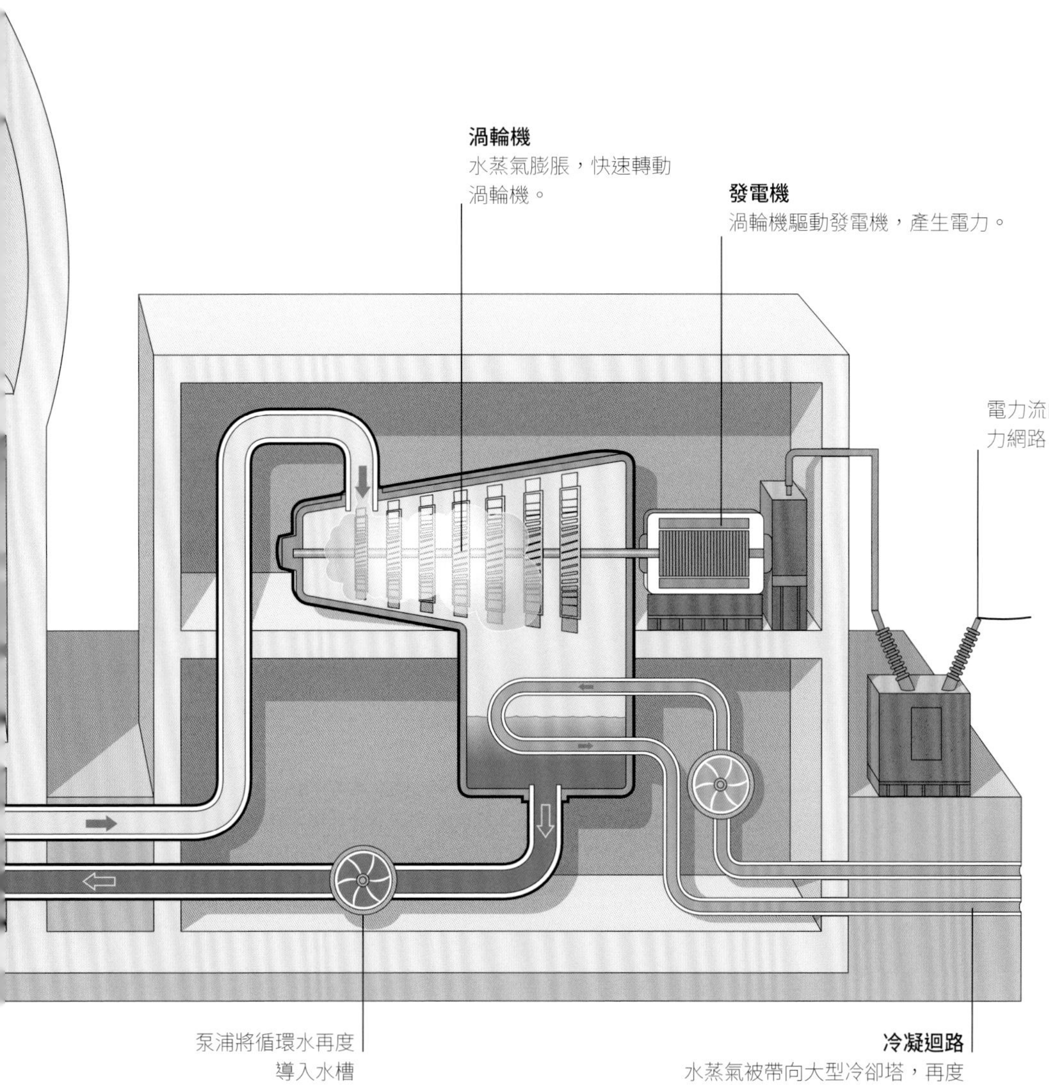
渦輪機
水蒸氣膨脹，快速轉動渦輪機。
發電機
渦輪機驅動發電機，產生電力。
電力流向格狀電力網路
泵浦將循環水再度導入水槽
冷凝迴路
水蒸氣被帶向大型冷卻塔，再度凝結成液態水。

放射性的其他應用

從考古挖掘到製造炸彈，放射性具有許多用途，尤其是在醫學領域。「核動力心臟律器」使用微小的核能作為動力，因為核能不同於電池，前者可以用上數十年之久。醫療性掃描的運作，通常是讓病人吞下或注射安全劑量之內的放射性物質，再以外部掃描設備偵測放射性物質在致病處所創造的詳細影像。另一方面，放射性也可以用來治療癌症——放射性治療運用伽瑪射線來攻擊腫瘤，殺死癌細胞並阻止其擴散。

核子武器

大部分的核子武器都運用了核分裂反應，因此需要純鈾或純鈽來進行連鎖反應。另一種氫彈的威力甚至更強大，氫彈則是應用了核融合反應。

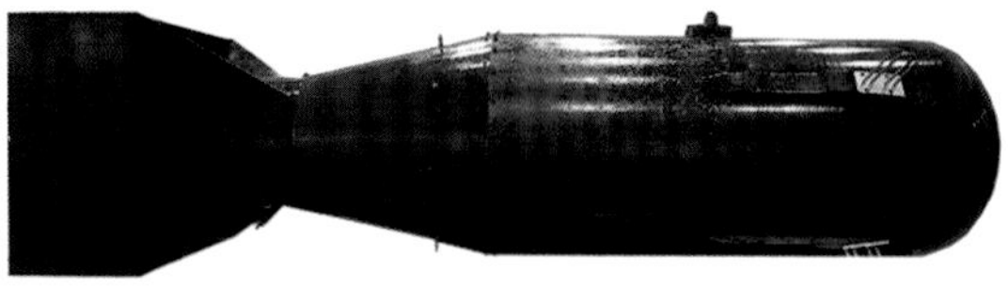

原子彈(複製品)

放射性定年法

地球上的岩石都包含不穩定的放射性原子(例如鈾)，這些原子以特定速率持續衰變，成為較為穩定的原子(例如鉛)，因此我們只要比對某一塊岩石中鈾原子與鉛原子的含量比例，就能判斷這塊岩石的生成年代。

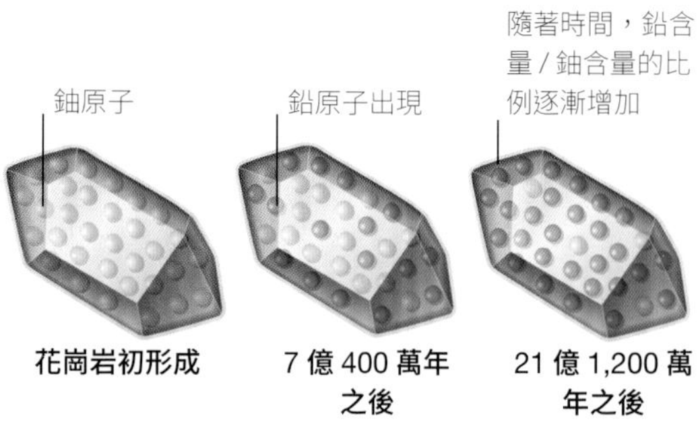
隨著時間，鉛含量/鈾含量的比例逐漸增加
鈾原子
鉛原子出現
花崗岩初形成
7 億 400 萬年之後
21 億 1,200 萬年之後

電子

穿梭於電路之中的電子，可用來播放你最喜愛的歌曲、打開或關掉電視、捕捉你朋友的數位影像；任何以這種方式運用電子的裝置，都可稱為「電子式」——比起那種只是給家電設備提供動力，電子式裝置運用電的方式是更加精細控制的。現今，電子是許多科技領域背後的神祕力量，包括計算機、電腦、機器人、以及網際網路……等等。

電子學是什麼？

居家供暖、燒開電熱壺之中的水，這些都得耗費不少電力，但電子學所精細控制的電流，其電量只有前者的幾百萬分之一——有時甚至只運用幾個電子，來做出有用的事情。

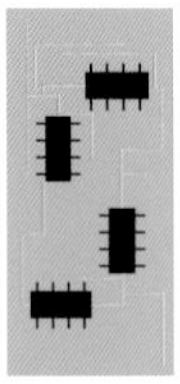

電路
電子電路更為複雜，卻只使用了極小量的電流，這是由於電子裝置不會消耗太多能量，大部分可以使用電池作為動力來源。

控制

電子電路可以用來控制機器的開關，例如電視機，只須按下一個控制鍵，電子電路就會偵測到你的指令，並發送看不見的訊號給電視機，電視機再運用另一個電路來執行指令。

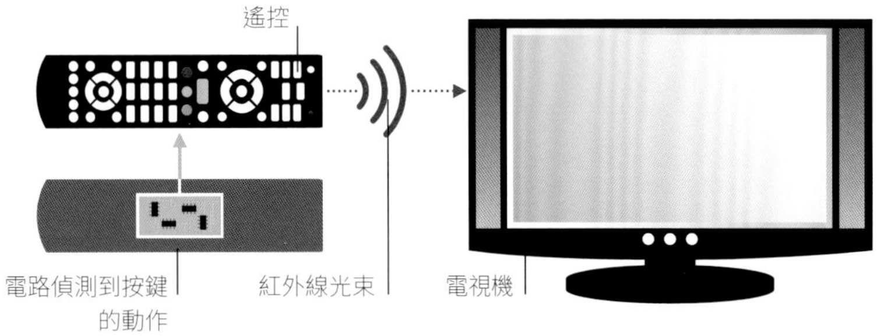

遙控
電路偵測到按鍵的動作
紅外線光束
電視機

放大

電子電路能夠把微小的電流放大，例如電吉他運用電磁鐵將吉他弦的振動轉化為電流，再透過電子放大器（擴大機）放大訊號，進而驅動揚聲器發出樂音。

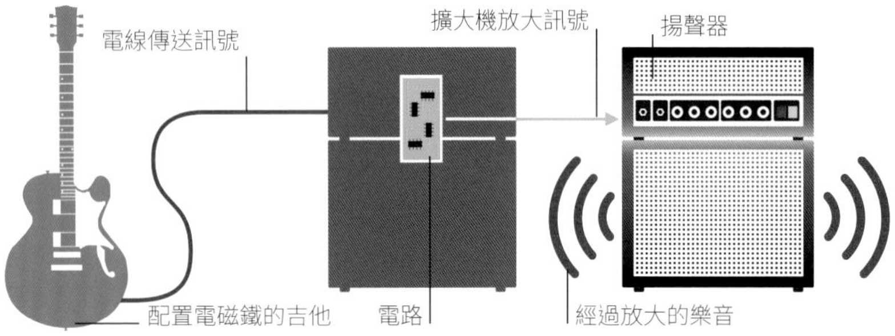

電線傳送訊號
擴大機放大訊號
揚聲器
配置電磁鐵的吉他
電路
經過放大的樂音

處理資訊

電腦中的電子電路負責「消化」資訊；當你在鍵盤上鍵入文字，電子電路就會進行解碼——理解你鍵入哪些文字，並顯示在螢幕上。

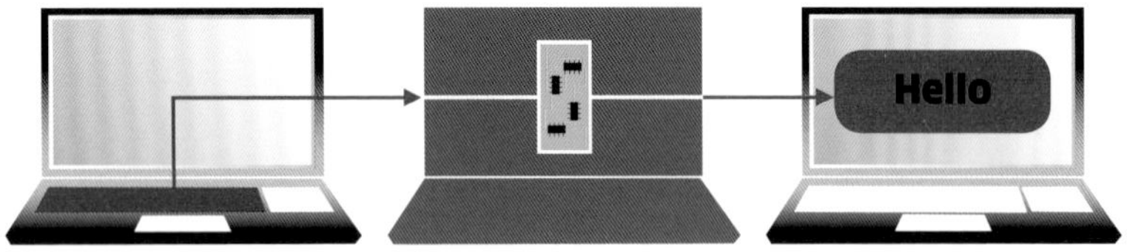

Hello

1 偵測鍵盤 鍵盤上的電子開關偵測你所按壓的按鍵。

2 電腦作出反應 電腦中的電子電路對你輸入的文字進行解碼。

3 螢幕顯示 電路將文字轉換成光所組成圖案，顯示在螢幕上。

通訊

行動電話中的電子電路將說話聲或文字轉換成電訊，再透過看不見的無線電波傳送出去，接收到這些電波的另一支行動電話，再將之轉換回說話聲文字訊息。

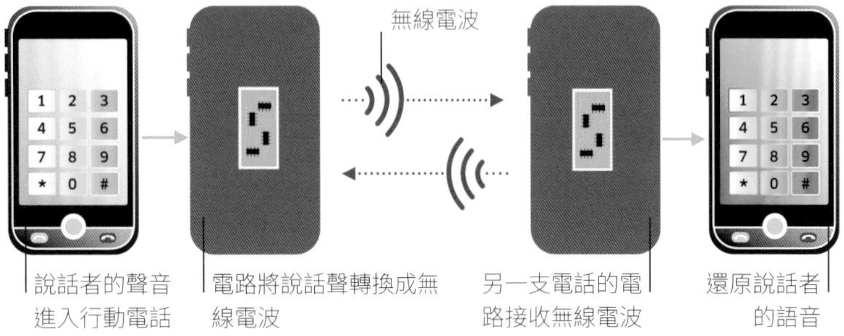

無線電波
說話者的聲音進入行動電話
電路將說話聲轉換成無線電波
另一支電話的電路接收無線電波
還原說話者的語音

電子元件

電子電路是由積木般的電子元件組合而成的，一台電晶體收音機可能需要數十個電子元件，而電腦中的處理器和記憶體晶片，則是需要數幾十億個電子元件。有 4 種電子元件特別重要，幾乎是每一個電子電路中不可或缺的，分別是電阻器、電容器、二極體和電晶體。

電阻器

電阻器的功能是用來降低電流，有些電阻器的電阻是固定的，另一些則是可變的，例如電視機所配置的即是「可變電阻器」——你可以自行調整電阻升高或降低，進而改變電流量，讓電視機的音量增大或減小。

電阻器

電容器

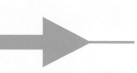

電容器放在兩片金屬箔之間儲存電能，中間的絕緣體通常是空氣或塑膠；由於充電時間精準，因此電容器在電子電路中大多用來作為定時器，也可以用來偵測行動電話上的按鍵、或是觸控式螢幕的動作。

電容器

二極體

二極體可說是電子世界的「單行道」——電流在二極體中只能朝著單一方向流動，因此，二極體通常用來將交流電轉換成直流電。

二極體

電晶體

電晶體能打開電流、或關掉電流，也能將小電流轉化成大電流。電晶體大多應用於電腦，單一強大的電腦晶片之中，就包含了數十億個以上的電晶體。

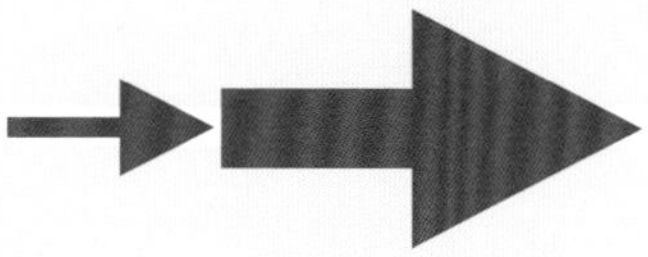

電晶體

積體電路

電子元件─例如電晶體─的尺寸大約是豌豆般大小，一台電腦若是得要裝進十億個電子元件，其體積將會非常龐大，如此一來不但難以製造、可靠性降低，還需要驚人的用電量。西元 1958 年，兩位美國工程師─傑克 · 基爾比和羅伯特 · 諾伊斯─共同發現縮小電子元件並將它們連結於微小空間的方法，這個想法後來催生出現在眾所皆知的「積體電路」──或是「晶片」。

印刷電路板

行動電話或電視機之中通常包含數百萬個電子電路，為了降低成本並減少錯誤，製造廠會使用機器，將電子元件配置於預先做好的「印刷電路板」(PCB) 上，每一個電路板專用於某一種裝置，而電路由電路板上頭縱橫交錯的金屬軌道所形成，用來連結所有元件──由於每一部分都無法移動，因此印刷電路板更為可靠。

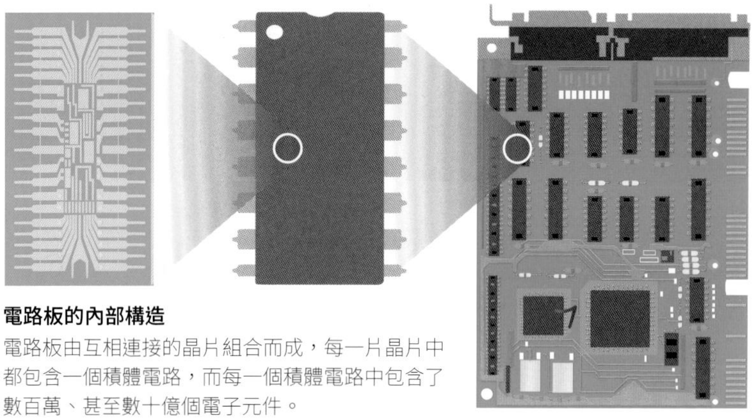

電路板的內部構造
電路板由互相連接的晶片組合而成，每一片晶片中都包含一個積體電路，而每一個積體電路中包含了數百萬、甚至數十億個電子元件。

製造晶片

晶片非常精細、非常複雜，必須在超級乾淨的無塵室中製造──運用光刻、蝕刻等等數千道工藝，在矽晶體薄片 (晶圓) 表面上形成電子電路，同時製造出大量晶片。

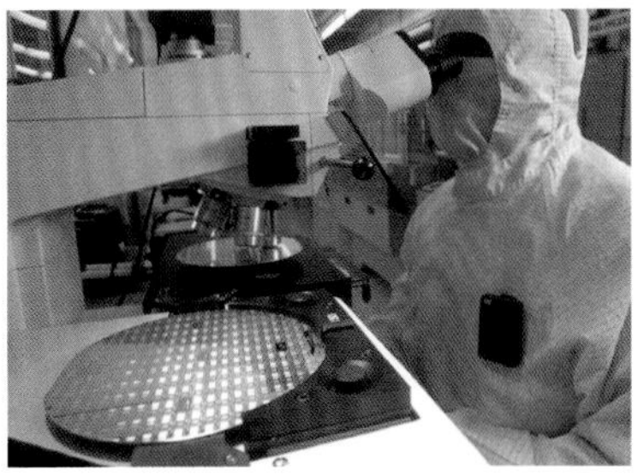

測試、封裝
新造出來的晶片必須經過測試，以確保配線正常，能夠正常運作，接下來從整個晶圓中切割出一片一片的晶片出來，再接合、密封於外殼之內，準備安置在電路板上面。

摩爾定律

電子工程師總能找出新方法，在晶片上加入更多的電子元件。右圖顯示，從單一晶片電腦首次出現的 1971 年開始，電腦的效能 (晶片上的電晶體數量) 大約每隔兩年就會增加 1 倍，此稱為「摩爾定律」──這項理論是由「英特爾公司」的創辦人高登 · 摩爾 (1929-) 所提出的。

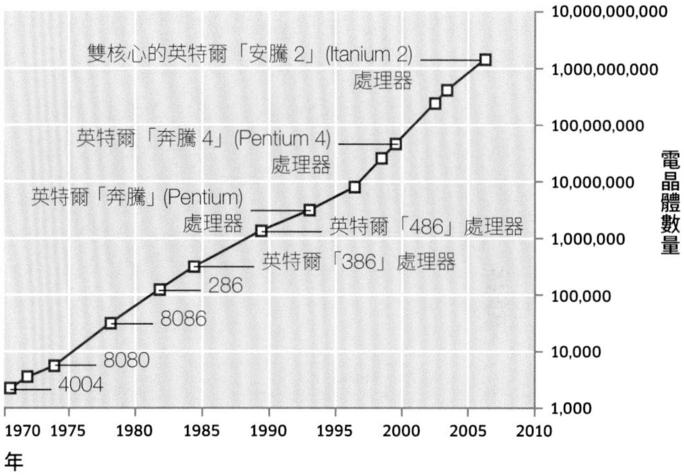

數位電子學

我們每天所使用的設備大多會應用數位科技──先將資訊數位化再進行處理，而不是直接處理原始資訊。例如數位照相機把圖像轉換成數位型態，而行動電話所傳送或接收的並非原本的聲音、而是一連串的數字；這些設備都運用了積體電路來轉換、儲存並處理數位型態的資訊──這樣的科技通稱為「數位電子學」。

類比式與數位式

普通資訊─例如吉他所發出的聲波─稱為「類比式」資訊，如果你使用「示波器」來描繪出這些聲波，它們看起來就像你耳中所聽見的──波形隨著樂音而高底起伏。另一方面，數位科技的應用，就是將類比式資訊轉換成數位式資訊，這個過程稱為「取樣」。

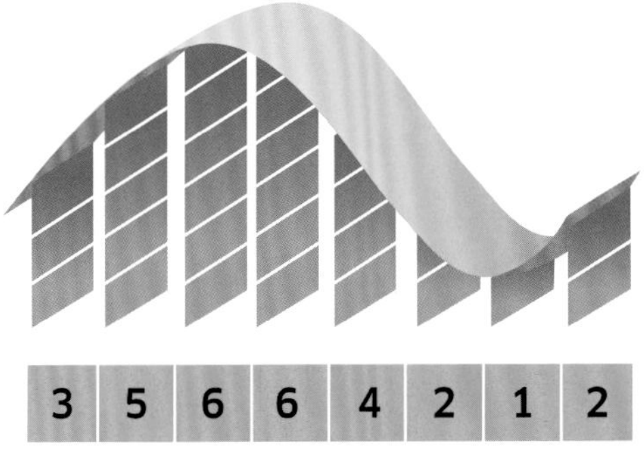

聲音的數位訊號

取樣
要把一段音樂轉換成數位式的 MP3 檔案，聲波就得轉換成數字。聲波以不同的時間間隔取樣，並記錄其量化數值，就能形成一連串的數字；取樣頻率愈大，所得到的數位訊號就愈好。

邏輯閘

電腦中用來處理數位資訊的電路稱為「邏輯閘」，其運作方式是比較兩個數字 (0 或 1)，並按照比較結果產生第 3 個數字。邏輯閘的主要類型包括「及閘」、「或閘」、「反閘」。

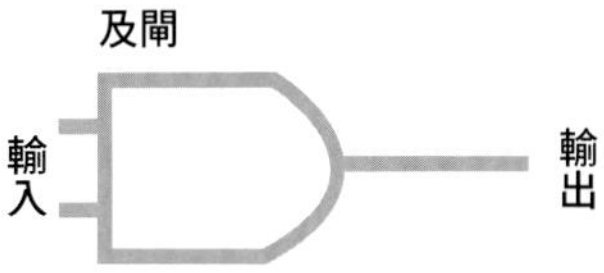

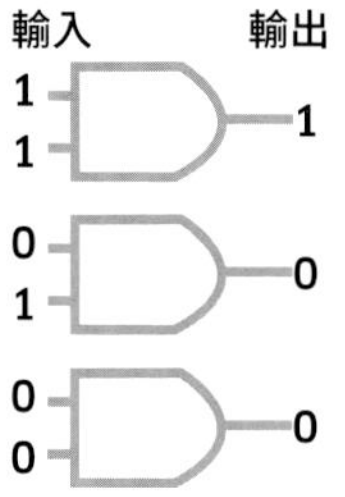

及閘 (AND gate)
比較兩個數字，若數值都是 1 才會開啟。

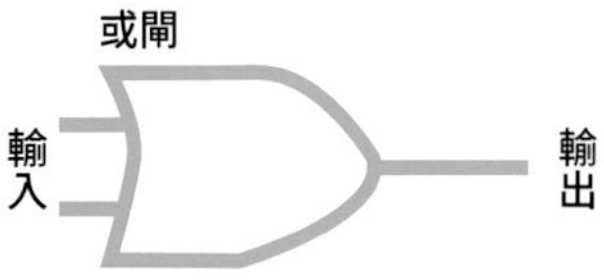

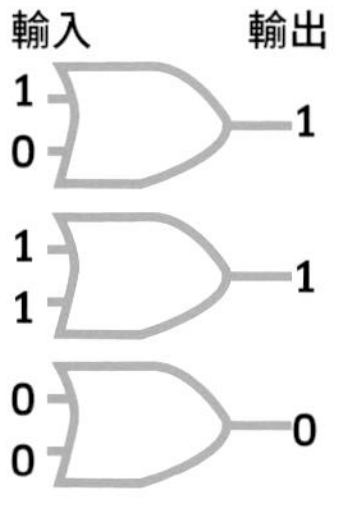

或閘 (OR gate)
兩個數字只要有一個是 1，就會開啟；若是兩個數字都是 0，則是關閉。

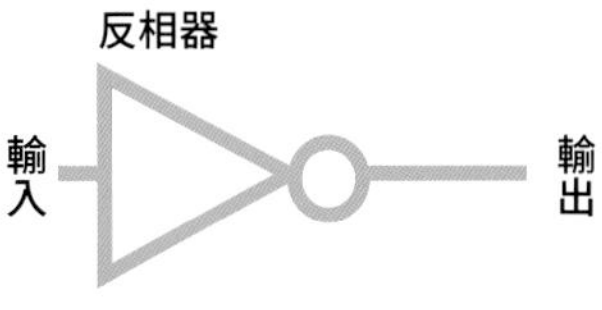

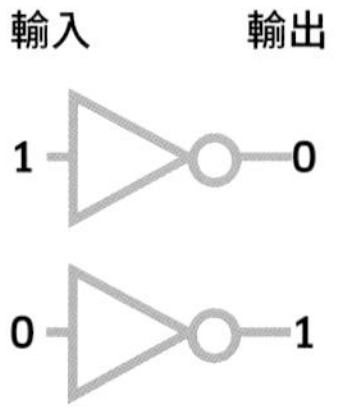

反閘 (NOT gate)
輸出值跟輸入值相反，0 變成 1，反之亦然。

計算機

電子計算機運用邏輯閘電路來進行加減運算，至於除法是透過連續減法來達成，而乘法是透過連續加法來達成。

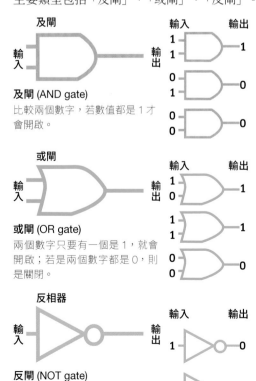

運作原理
隱藏於按鍵之下的開關將你的按壓動作轉換成數字，儲存於記憶體之中，經由邏輯閘進行比較或處理，再把計算結果顯示於螢幕。

記憶體

電腦能儲存資訊、也能處理資訊，這些過程都在以電晶體組成的記憶體之中進行。要儲存一個字，電腦必須將這個字先轉換成 0 與 1 的「二進位碼」，每一個 0 或 1 再由相對應的電晶體打開或關閉來儲存。

10101010101010000101
00010101010100001000
01010101010011100100
10101010101010011111

二進位碼

臉書(Facebook)擁有10億以上的使用者——除了中國與印度，這個數字比全世界任何一個國家的總人口都還多！

數位世界

電腦或人腦，到底哪一個比較厲害？電腦每秒可以處理數以十億計的計算，或是告訴你歷史上每一位國王或女王是誰！但事實上，就算全世界速度最快的超級電腦，其效能也比不上老鼠的腦袋，而且前者所占用的空間，比後者大了 100 萬倍以上。

電腦是一種電子裝置，只要改變電腦內部的指令 (程式)，就可以執行許多不同的工作。史上最早出現的電腦，只不過像是一台大型計算機，後來人們才發現電腦擁有無與倫比的記憶功能——相對於人腦，電腦能夠儲存更多資訊，而且更加可靠。現在，許多人都使用電腦作為通訊工具，用來交友、發送電子郵件、分享喜愛的事物……等等；電腦之所以具備這樣的功能，是由於全世界所有電腦幾乎都已透過一個巨大的全球網絡—網際網路—而連結在一起。一半電腦、一半人腦，網際網路的線上世界，帶領我們充分運用這兩者各自的優點！

早期的電腦

電腦是以電子計算機作為基礎發展而來的，而計算只具備單純的計算功能。史上第一台機械式計算機出現於 17 世紀，當時人們發現了讓計算機自動進行計算的方法，電腦於焉誕生，至於史上最早出現的電子式電腦—能植入程式來執行不同工作—要算是 1946 年「埃尼亞克」(ENIAC)，這台電腦的尺寸比一輛普通貨車還大，由 100,000 個以上的零件所組成。

差分機

數學家查爾斯．巴貝奇(1791-1871)著手設計了史上第一台能自行運作的電腦，但終其一生，這台「差分機」都沒實際打造出來，直到他死後，按照其設計的復刻版機器才被建造出來。

電腦如何運作？

電腦是一種電子機械，可用來輸入資訊、記錄資訊，並運用各種方法處理資訊，再將結果顯示出來，上述 4 個階段分別稱作「輸入」、「儲存」、「處理」和「輸出」，每一個階段的功能都由電腦的不同部分來執行——我們可以使用鍵盤、滑鼠、觸控式螢幕或麥克風來輸入資訊，輸入的資訊通常儲存在硬碟或記憶體晶片中，再由主要的處理器晶片進行資訊處理，最後結果透過電腦螢幕或揚聲器負責輸出。

處理器晶片

又稱為「微處理器」，也就是執行電腦所有主要操作的複雜積體電路；微處理器的效能愈強，電腦解決問題的速度就愈快。

鍵盤

大部分電腦都透過打字鍵盤來輸入資訊，而平板電腦的螢幕上也會跳出虛擬鍵盤。

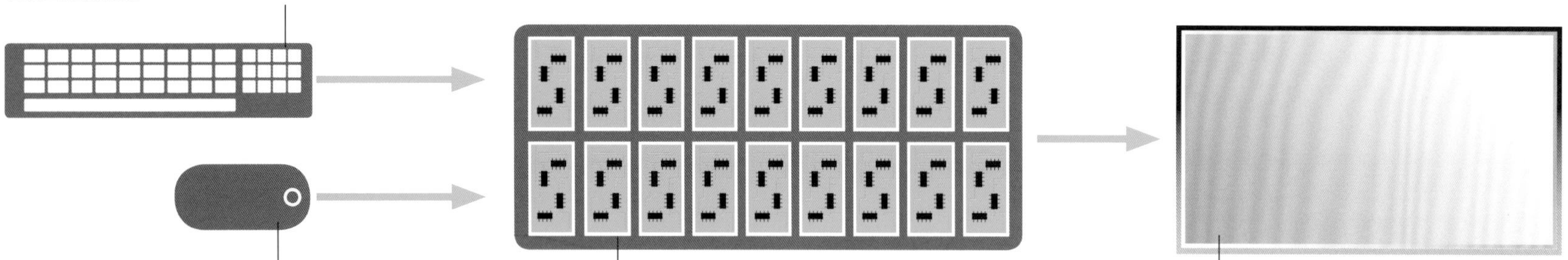

滑鼠

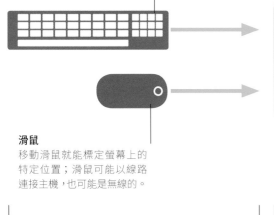

移動滑鼠就能標定螢幕上的特定位置；滑鼠可能以線路連接主機，也可能是無線的。

記憶體晶片

現代電腦大多使用「快閃記憶體晶片」來代替「硬式磁碟」，因為前者更可靠、耗電量更少。

螢幕

普通電腦使用彩色「液晶顯示器」(LCD) 來顯示輸出結果，而平板電腦則是使用觸控式螢幕來作為輸入與輸出裝置。

輸入　　儲存與處理　　輸出

電腦的類型

桌上型電腦可區分為 4 個部分：鍵盤、滑鼠、處理器 (主機) 和螢幕。筆記型電腦則是將所有部分整合在一起，方便攜帶。至於平板電腦，其空間更為壓縮，只能將鍵盤與滑鼠內建於螢幕之中。

目前，全世界連結到網際網路的**所有行動裝置**，其數量已經超過**全球的人口總數**。

網際網路如何運作？

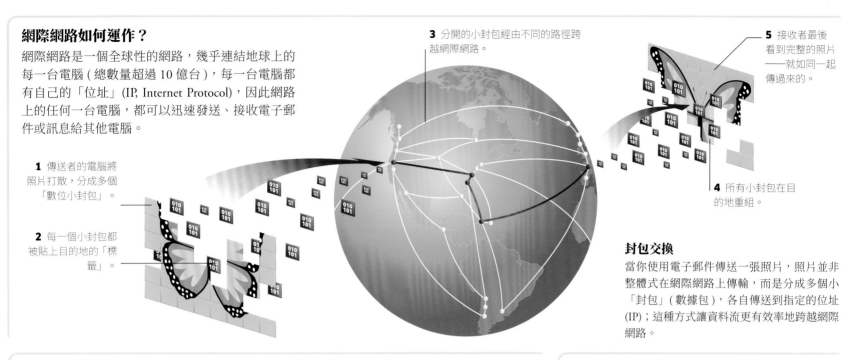

網際網路是一個全球性的網路，幾乎連結地球上的每一台電腦（總數量超過 10 億台），每一台電腦都有自己的「位址」(IP, Internet Protocol)，因此網路上的任何一台電腦，都可以迅速發送、接收電子郵件或訊息給其他電腦。

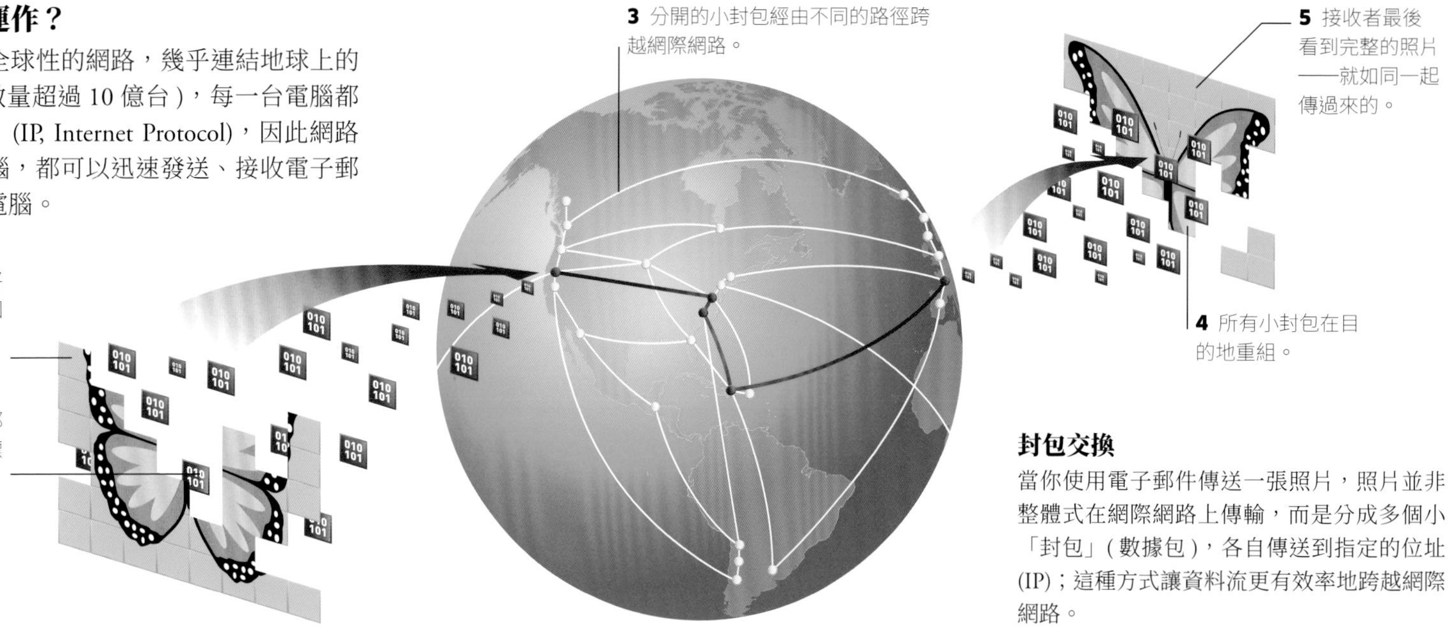
1 傳送者的電腦將照片打散，分成多個「數位小封包」。
2 每一個小封包都被貼上目的地的「標籤」。
3 分開的小封包經由不同的路徑跨越網際網路。
4 所有小封包在目的地重組。
5 接收者最後看到完整的照片——就如同一起傳過來的。

封包交換

當你使用電子郵件傳送一張照片，照片並非整體式在網際網路上傳輸，而是分成多個小「封包」(數據包)，各自傳送到指定的位址(IP)；這種方式讓資料流更有效率地跨越網際網路。

超級電腦

科學領域上的問題有的非常複雜而龐大，並非家用電腦所能分析、解決，例如天氣預測，就必須運用效能更強大的電腦，有些超級電腦配置了數萬個處理器，它們共同運作來解決單一問題。

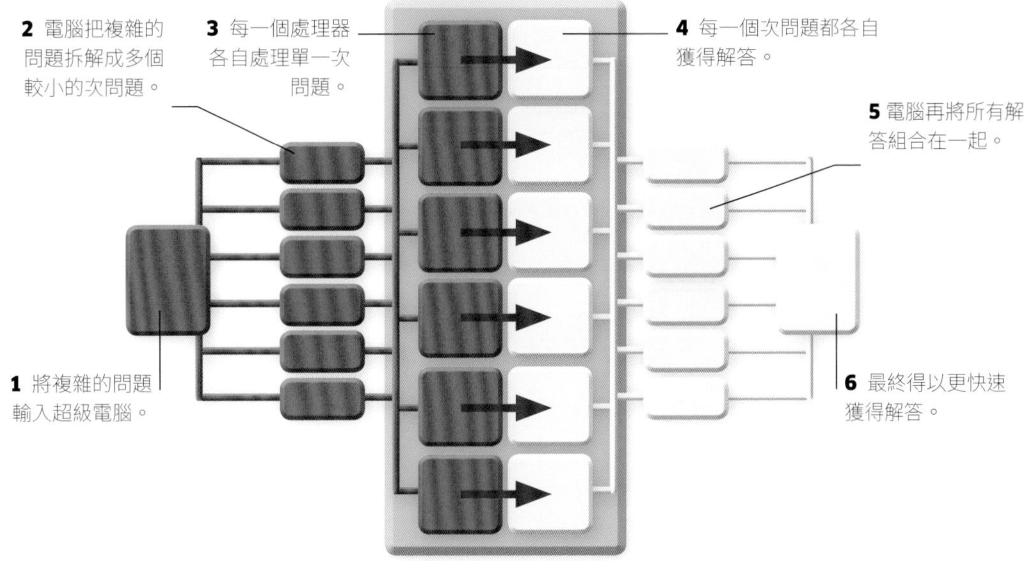
1 將複雜的問題輸入超級電腦。
2 電腦把複雜的問題拆解成多個較小的次問題。
3 每一個處理器各自處理單一次問題。
4 每一個次問題都各自獲得解答。
5 電腦再將所有解答組合在一起。
6 最終得以更快速獲得解答。

超級電腦如何運作？

大型電腦大多使用「平行處理」的方法，將問題分成幾個小部分，再丟給分開的處理器各自處理；雖然拆分問題或重組解答都得耗費時間，但整體而言速度還是快上許多！

1,500 億則—根據推估，全世界每天所傳送的電子郵件數量。

NASA 超級電腦

位於「美國國家航空暨太空總署」(NASA) 的這台超級電腦稱為「昴宿星團」(Pleiades)，它擁有 112,986 個獨立處理器，排列成 185 座分開的工作站。

連接網際網路

現在，全世界超過一半人口已經連接上網際網路，富裕國家的民眾—例如美國—在 1990 年代中期最早連上網路，但某些最貧窮國家的民眾，甚至到現在都還沒連上網路；對於貧窮國家的民眾而言，取得即時資訊，意味著更容易獲得良好的教育！

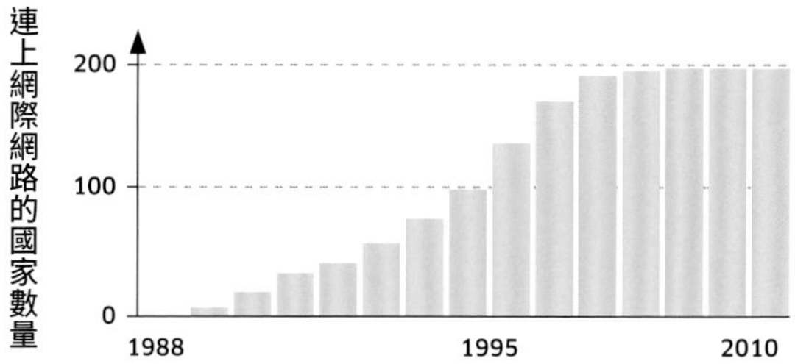
連上網際網路的國家數量
200
100
0
1988
1995
2010

上線國家總數

「全球資訊網」(World Wide Web) 在 1989 年創建之後，許多國家開始連上網際網路，到了 2000 年代初期，幾乎所有國家都已經連上了網路。

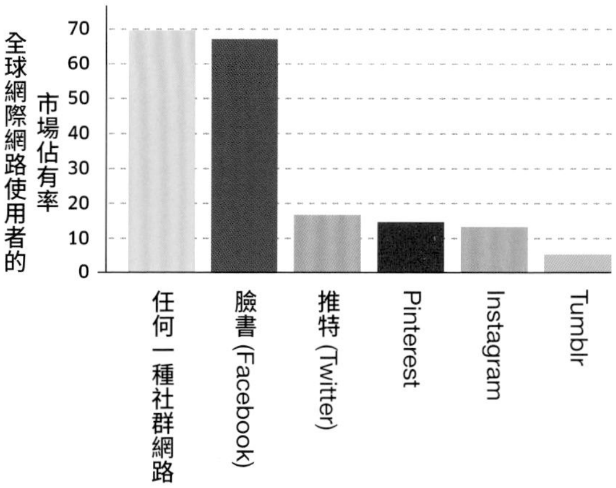
全球網際網路使用者的市場佔有率
70
60
50
40
30
20
10
0
任何一種社群網路
臉書 (Facebook)
推特 (Twitter)
Pinterest
Instagram
Tumblr

社群網路

許多人使用電腦或行動裝置來跟朋友聊天，或是分享照片和新聞，許多廣受歡迎的社群網站—例如「臉書」或「推特」—都擁有數以億計的固定使用者。

機器人科學

所有頂尖發明家的共同夢想，就是創造出萬能的機器——從下棋到探勘火星無所不能；但至今，仍然沒有任何單一機器人能夠完成所有工作！

部分機械式、部分電子式，機器人是自動化的機器，它們鏗鏘作響，幫忙人類執行骯髒或危險的工作，例如搜索炸彈、從地震廢墟中拖出倖存者、甚至是安全地進行核爆！

現今大多數機器人還無法自行思考，每次進行新任務之前，都必須重新植入程式，但未來，機器人可能會更有自主性——藉由內建的電腦式大腦，它們將可以自行思考、從犯錯中學習，有些工作可能還會做得比人類更好！

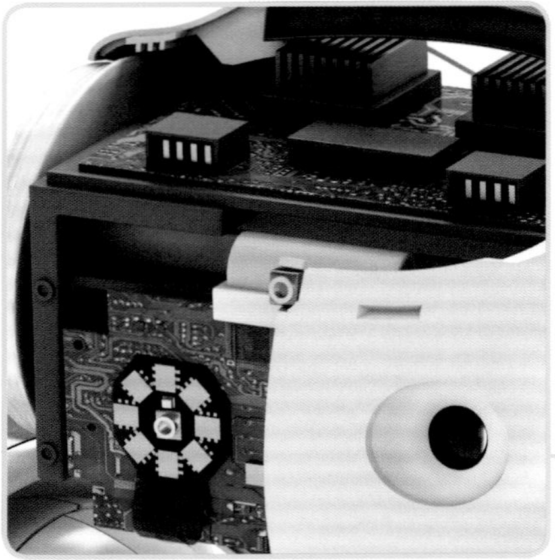

眼睛
在眼窩之後，兩顆偵測器發出紅外線光束、並接收反射波；NAO 機器人利用這些紅外線感測器來跟其他裝置通訊，例如電視機。此外，NAO 機器人的頭部還裝設 2 具數位照相機，所拍攝的照片用以幫助機器人辨識各種物體——例如人臉或球。

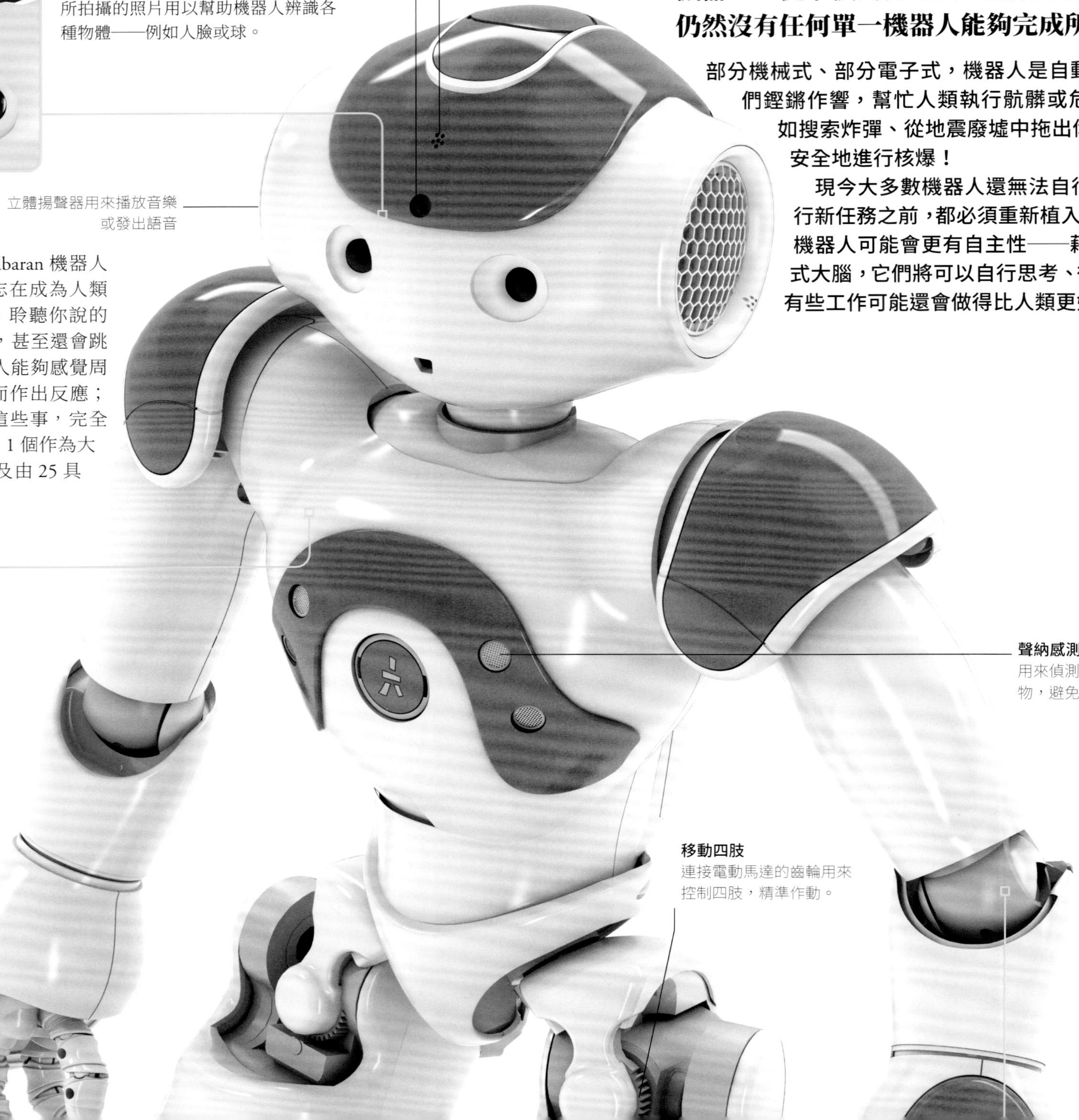
數位照相機
4 台麥克風
用來接收聲音指令，並對聲音來源進行定位。
立體揚聲器用來播放音樂或發出語音
聲納感測器
用來偵測周遭的障礙物，避免撞到。
移動四肢
連接電動馬達的齒輪用來控制四肢，精準作動。
適於抓握的手部
手指具有關節，可以輕柔而牢固地抓握物體。

NAO 機器人

「NAO 機器人」是由法國「Aldbaran 機器人公司」所製造的，這台機器人志在成為人類的朋友，它能夠辨識你的臉部、聆聽你說的話、以 19 種語言回答你的問題，甚至還會跳舞。就像人類一樣，NAO 機器人能夠感覺周遭事物，並對之進行思考，進而作出反應；但不同於人類，它之所以能做這些事，完全是依賴身上的 50 個電子感測器、1 個作為大腦的微處理器（電腦晶片）、以及由 25 具電動馬達所驅動的四肢。

胸部
胸部是忙碌的運轉中心，裝滿電子電路板，用來控制各處的關節和感測器。

目前全世界的機器人數量，大約是地球總人口數的
1/1,000。

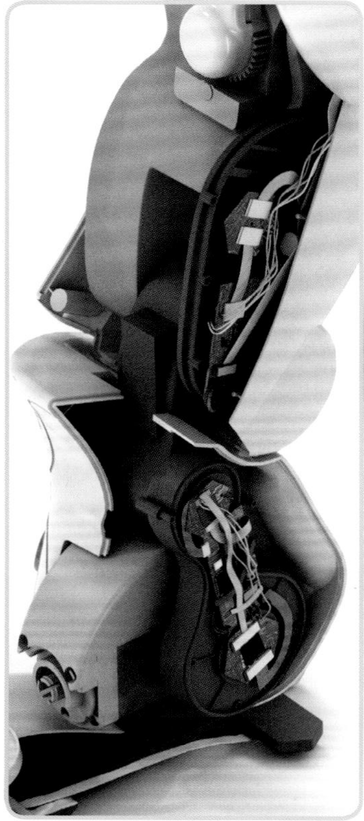

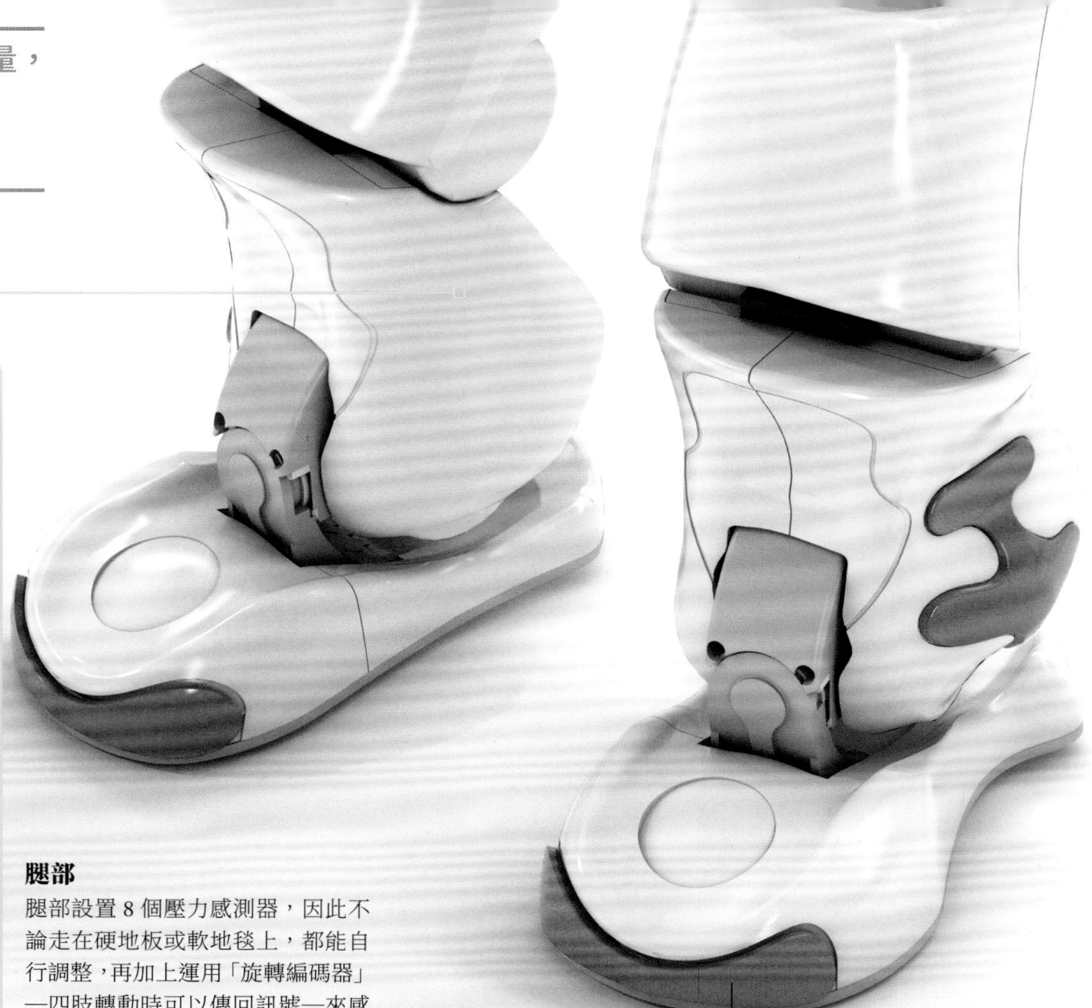

腿部
腿部設置 8 個壓力感測器，因此不論走在硬地板或軟地毯上，都能自行調整，再加上運用「旋轉編碼器」—四肢轉動時可以傳回訊號—來感測手部和腿部的位置，如此一來，機器人的四肢到處擺動時才不會互相撞擊。

腳趾緩衝器
一旦機器人踢到任何物體，敏銳的緩衝器都能立即偵測到。

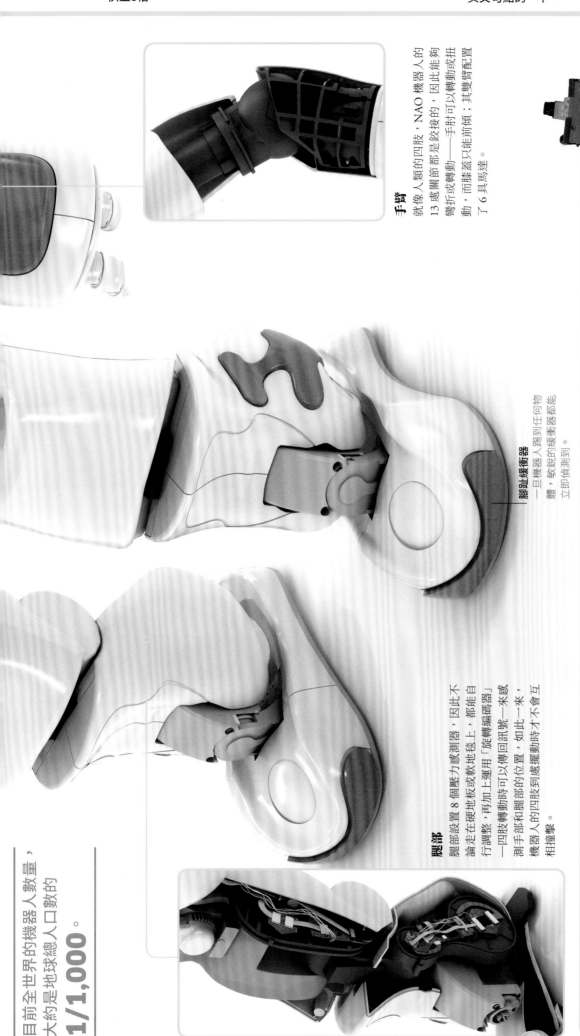

手臂
就像人類的四肢，NAO 機器人的 13 處關節都是鉸接的，因此能夠彎折或轉動——手肘可以轉動或扭動，而膝蓋只能前傾；其雙臂配置了 6 具馬達。

人工智慧 (AI)

電腦或機器人頂多只跟創造它們的人類一樣聰明，但如果我們植入程式，讓它們能夠從犯錯中學習呢？如此一來，它們就會愈來愈聰明——最終出現貨真價實的人工智慧！

圖靈測試
一人坐在室內向隱藏的另一人提出問題，如果隱藏的是機器人，卻回答得像個真人，就意味著這台機器人像人類一樣具有智慧。

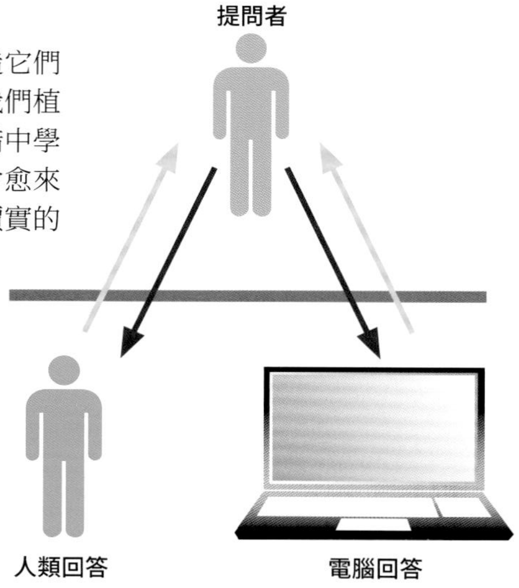
提問者
人類回答
電腦回答

具有移動能力的機器人

大部分的機器人都在工廠中，它們固定放在定點，植入程式來重覆相對簡單的工作，例如焊接或上漆。但在未來，具有自主性的機器將會大膽走向外界，不須依靠人類在背後操縱。

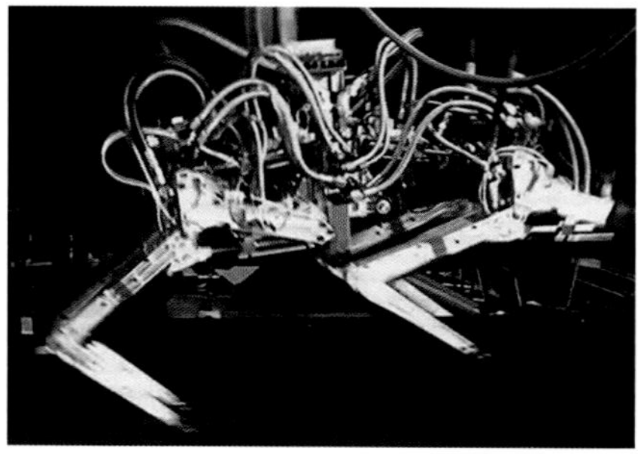

獵豹機器人
機器人很難造得跟人類一樣，能夠直立行走，因此未來機器人的設計，可能會模仿擁有 4 條腿的動物，例如圖中這台「獵豹機器人」，它能以 45 公里 / 小時的速度奔跑。

救援機器人
英國華威大學的學生設計出這款全地形機器人，用以搜尋埋在地震廢墟中的倖存者。這台機器人的頭部具有伸縮性，並配置了攝影機與二氧化碳偵測器，用以探測生命跡象。

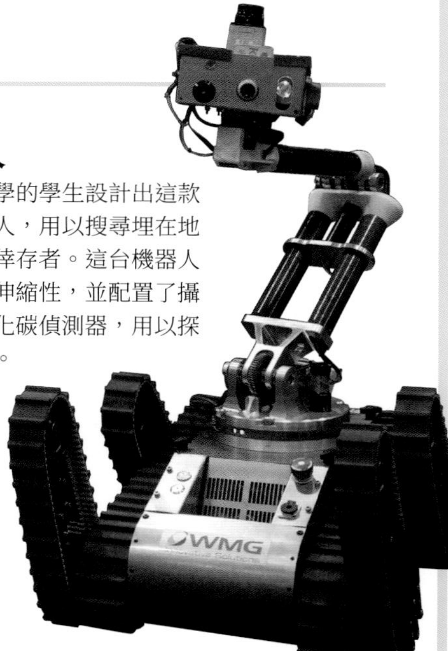
WMG

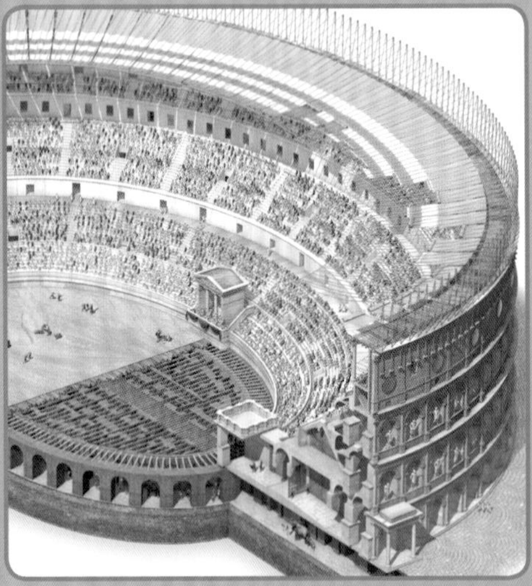
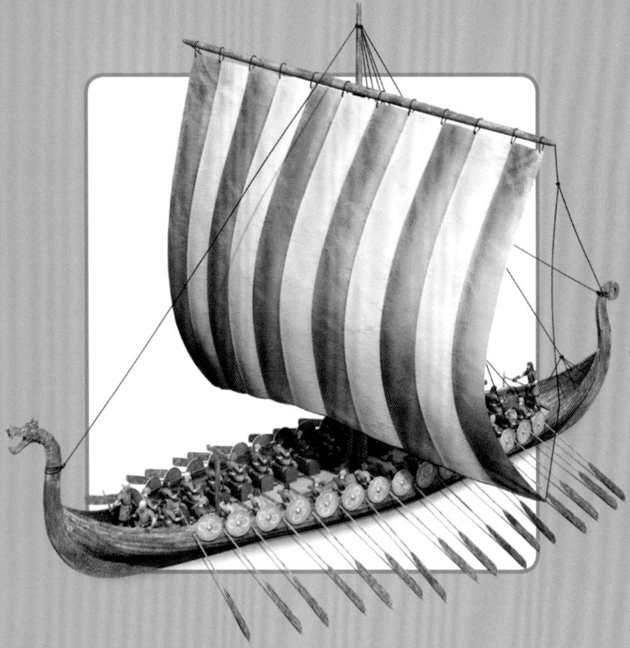

歷史

人類的歷史發生了許多可怕的戰爭和災難，但也有文化與科技上的驚人進展。從石器時代到太空時代，許多偉大的文明不斷興起，又不斷衰落，一步一步形塑了現今我們生活的這個世界。

古代世界

人類的故事開始於最早的人類始祖——要將他們跟猿猴區分，甚至有些困難！約莫 700 萬年前，人類的始祖在非洲出現，等到最早的「現代人種」出現時，已是 20 萬年前左右的事了。現代人種逐漸遷移到全球各地，起初只是一個個獵人群體，進而定居下來發展為農業村莊，稍後則有小型城鎮形成，後來石器被金屬器具所取代，到了 8,000 年前，村莊逐漸成長為城市。西元前 500 年左右，「古典時代」開始，此時全世界的先進文明紛紛建立大帝國，建造了許多宏偉的城市與建築，並於知識領域上大幅超越了上古時代。

帝國興起

最早的城市起源於西元前 4000 年的美索不達米亞（又稱兩河流域，現今伊拉克境內）與埃及，由於大河流過，使得當地的土壤非常肥沃，農業昌盛，可以提供充足糧食來支撐大量人群聚居，有些地區的統治者因而權力與財富大增，控制周遭地區而建立最早的王國，其中某些統治者進一步派遣軍隊征服鄰近國家，創立了史上最早的帝國。

最早的城市

美索不達米亞最早的一些城市都是蘇美人所建立的。歸功於新型農耕技術和產量較高的農作物品種，蘇美人變得富庶而能夠建立小型王國——城邦，並蓋起神廟與宮殿，著名的蘇美人城邦包括烏魯克、烏爾、尼普爾和拉格什。其他地區很快就效法蘇美人的做法建立城市，例如埃及。大約西元前 3100 年，文字首度出現，這使得保存政治記錄與進行商業貿易更為便利。

卡納克神廟群遺址，埃及
古埃及人能夠建造精緻的大型建築，龐大的卡納克遺址就是其中一個例子。

石器時代

約莫 260 萬年前，一個類似人類的物種—巧人—出現了，他們開始運用石頭作為工具。又經過了 250 萬年，人類開始組成小型群體，以石斧、石矛打獵，並採集果子、根莖類植物維生；他們居住於洞穴，或以樹枝搭建遮蔽所，並使用火來煮熟食物。

洞穴藝術
早期人類創造了最早的藝術——洞穴深處的遠古壁畫，描繪他們所獵捕的各種野生動物。

早期人類

現代人類—智人（Homo sapiens）—從非洲逐漸擴散至全球各地，他們最為成功的遷徙大約始於 6 萬年前的冰河時期。智人具有極高的智能和適應力，在西元前 15000 年左右，他們已經取代了歐洲的尼安德塔人（Neanderthals，另一個史前人類物種）。智人建造船隻航行到澳洲，還跨越了（冰河時期）結冰的海洋抵達北美洲。這些早期人類發展出精緻的石器，發明弓箭，還製作了最早的樂器。

最早的村落

大約 8,000 年前，人類開始形成較大的群體並定居一地，他們運用當地可取得的材料來蓋房子，多數村民在村落附近耕作。從此，人們用於狩獵的時間減少，能夠從事其他工作，專業化的職業開始出現，例如陶業、建築業、以及宗教祭司。

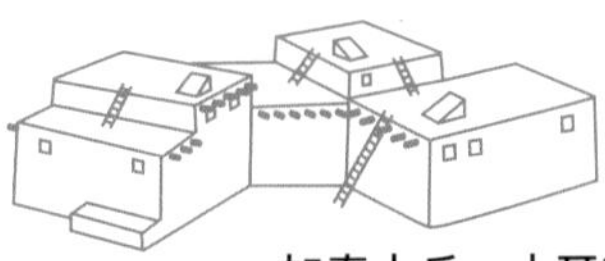

加泰土丘，土耳其
這些泥磚所建造的房子彼此緊鄰。

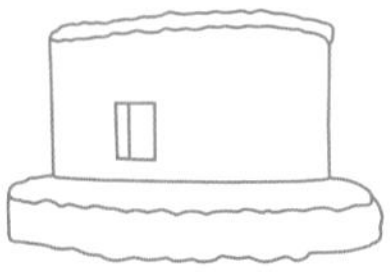

喬伊魯科蒂亞，賽普勒斯
由石頭建造的圓形房屋。

奧克尼，蘇格蘭
這些石屋裡甚至已有石床。

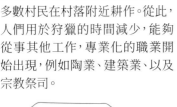

蘇格蘭
長形的家族大屋是由木頭和草皮蓋成的。

從石器到金屬器

人類製造簡易金屬器具的歷史，可追溯到西元前 7000 年左右，一開始是銅器，後來加入錫金屬製成青銅合金，青銅更為堅硬，適合製成甲冑和武器。西元前 1000 年左右，工匠們發現了煉鐵技術，而鐵器又比青銅器更加堅硬。

- **西元前 8000 年**
  「金屬冷加工法」是指金屬在結晶溫度以下，所進行的滾、壓、擠等打製技巧；這是最早的冶金技術，可用來打製黃金或銅礦。
- **西元前 5500 年**
  銅礦熔煉技術最早出現在中東地區，此法可將礦石加溫熔化，進而提煉出金屬。
- **西元前 3200 年**
  美索不達米亞首先發展出金屬鑄模法，也就是將熔化金屬液澆入模具的鑄造技巧。
- **西元前 3000 年**
  青銅的製法是將錫金屬加入煉銅的熔爐中，如此可造出更堅固的器具。
- **西元前 1300 年**
  在埃及，手風箱的發明，讓熔爐達到足以煉鐵的高溫。

遠在 **260 萬年**之前，**人類的遠祖**首度**使用石器**作為工具。

農耕

西元前 11000 年左右，最早的農耕技術出現於中東地區的「肥沃月彎」（包括美索不達米亞、以及西亞與北非的地中海沿岸），當地人最初種植野生裸麥，後來漸漸栽培出生產力更高的各種農作物，此外他們還馴化牛、羊等動物進行畜牧。食物供給變得穩定，於是孕育出更大的村落或小鎮。

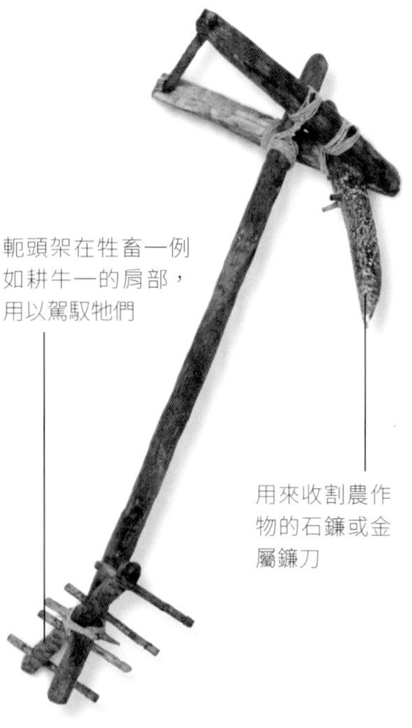
軛頭架在牲畜一例如耕牛一的肩部，用以駕馭牠們
用來收割農作物的石鐮或金屬鐮刀

早期的耕犁
耕犁的發明是為了在田地上劃出犁溝，如此便能有效播種；此作法比起拿鋤頭掘土更方便省力，耕種效率因此大幅提升。

西臺
邁錫尼
美索不達米亞
（兩河流域）
中國商朝
埃及
印度河流域
奧爾梅克
印加

帝國誕生
西元前1300年左右，全世界的先進文明都在擴張領土，最終創建了最早的一些大帝國。

早期王國

各地古文明的政治型態各有不同，有些是強大統治者所建立的統一帝國，有些則是由眾多城邦組成的聯盟。

- **古埃及** 西元前3100年左右，古埃及（上埃及與下埃及）統一成為帝國，從此創造了延續3,000年的先進文明。
- **印度河流域** 西元前2600年左右，印度河流域出現了許多大型城市，擁有彼此互通的貿易體系與文字系統，但並未形成統一的帝國。
- **美索不達米亞** 西元前2300年左右，阿卡德的薩爾恭一世統一所有敵對城邦，建立了中東地區的第一個大帝國。
- **西臺人** 西元前1800－前1200年，安納托利亞地區（現今土耳其境內）由西臺人所統治，他們是令古埃及人頭痛的勁敵。
- **中國商代** 商朝統治中國期間（西元前1766－前1122年），他們擊退北方入侵者，並打敗東方部落（東夷），進一步向東擴張。
- **奧爾梅克** 西元前1500年左右，奧爾梅克人在墨西哥海岸建造了許多大型金字塔神廟，標誌著奧爾梅克城邦的時代。

巨石文化

西元前5000年左右，古代人類開始豎立巨石群，巨石的確切功能已不可考，但可能跟天文曆法相關，用以測量季節與日月的運行。巨石群遺址的主要分布地區在西北歐。

著名巨石群

1 哥貝克力丘，土耳其
這是全世界年代最早的巨石群，大約豎立於西元前8000年，遺址是一座神廟的廢墟，巨大石灰岩柱原本應是用來支撐屋頂。

2 卡爾奈克，法國
這一系列總數超過3,000塊的「立石」，大約是在西元前4500-前3000年之間豎立的，其排列方式可能具有天文學上的功用。

3 巨石陣，英格蘭
巨石陣由兩圈不同材質的巨石所構成，而且建立的年代也不同，第一圈由青石所組成，大約是西元前2500年建造的，200年後再加上外圈的砂岩巨石，而直立巨石上面又疊加橫向的巨石。

4 紐格萊奇，愛爾蘭
這座墳墓興建於西元前3200年左右，內部有一個房間，天花板由巨大石塊所砌成，而墳墓的上方填土覆蓋，堆成丘狀。在每年冬至這一天，陽光射入墓室內的走廊，照亮了終年陰暗的墳墓內部。

古典時代的世界

從西元前500年開始，希臘、羅馬、波斯、印度、中國、以及中美洲的文明，進化到了一個深刻、精緻而強大的新階段，他們發展出科學新主張與各種文藝創作，佛教、基督教等新宗教也陸續出現。這些大帝國擁有更龐大的軍力，戰爭變得更激烈而耗時，例如羅馬與迦太基之間的鬥爭、或是希臘與波斯之戰。

征服全世界

富庶、組織性與雄心，驅使古典文明建立了前所未見的龐大帝國，有些帝國所統治的雖然是廣大的荒野之地，但卻是重要貿易路線的必經之地，例如波斯帝國；另一些帝國—例如羅馬帝國—則是擴張成為人口眾多而繁忙的區域，其文化也隨之遠傳，包括法律系統、建築形式、文藝和宗教。

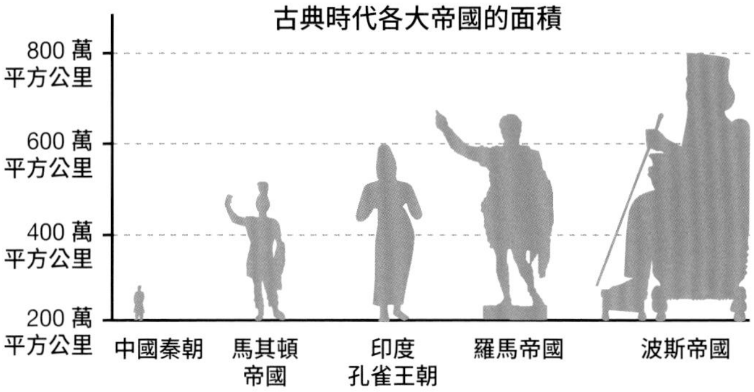
古典時代各大帝國的面積
800萬平方公里
600萬平方公里
400萬平方公里
200萬平方公里
中國秦朝
馬其頓帝國
印度孔雀王朝
羅馬帝國
波斯帝國

秦始皇是中國的第一個皇帝，他的**陵墓內**擁有超過**8,000個兵馬俑護衛**。

思想突破

古典時期誕生了最早的哲學家與科學家，數學、天文學、物理、醫學和建築學上的新觀念，也紛紛出現。

數學
希臘學者畢達哥拉斯與阿基米德等人發現了數學的重要定理，同時期的中國也發明了算數工具，例如算盤。

政治和法律
西元前第5世紀，黃金時代的雅典演化出史上第一個民主政體。大約同時，中國的孔子發展出禮法的倫理學思想。

醫學
《阿育吠陀經》（古印度醫書）是一部早期的醫學文獻，大約是西元前6世紀的產物。在西元前5世紀，希臘的希波克拉底則是讓醫學成為一門科學。

哲學
全世界的偉大思想家們發出了大哉問：「我們是誰？」、「我們應該怎麼活？」，而柏拉圖、亞里斯多德和蘇格拉底，則是其中最有名的哲學家，並稱為「希臘三哲人」。

50,000 年前現代人類抵達大洋洲的年代。

最早的人類

我們的祖先—最早的類人類動物—是在數百萬年前由猿類演化而來。在現代人種（智人）出現之前，地球上曾經存在過許多不同的人類物種。

800 萬 -500 萬年前，最早的類人類物種在演化之路上與黑猩猩分道揚鑣，經過數百萬年，這些「人族」(Hominini) 祖先演化出適合行走與站立的雙足、較小的下顎、以及更大的腦容量。

人類的演化進程

科學家發現了許多不同人族物種的殘骸，我們可從這些骸骨中獲得許多知識，例如他們如何行走（兩足或四足）、或是吃些什麼食物（從牙齒磨損狀況可以猜測）。

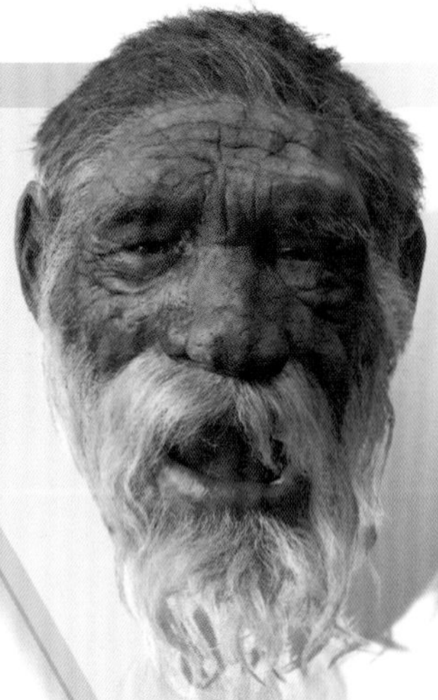

尼安德塔人

尼安德塔人是在約 20 萬年前的南歐演化出來的，他們的體態壯碩，可以捱過寒冷的冰河時期，而且腦容量相當大——證據顯示，他們會埋葬死者。

燧石利刃

早期人類學會如何製作更銳利的石刃，這支石刃是 30 萬年前的遺物，其製造工法是直接從一塊小燧石直接雕塑出所需要的刀刃形狀，而不是從大燧石中鑿出刀刃。

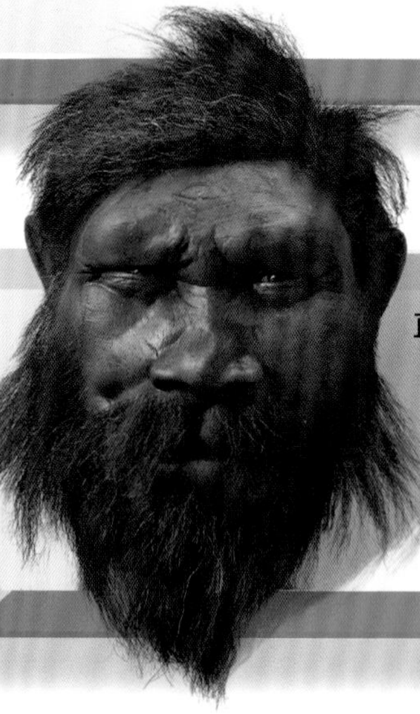

現代人興起

最近 100 萬年之內，人類的演化有了關鍵性的進展，我們現代人—智人—出現了，其餘所有人族物種逐一走向滅絕，而現代人生氣蓬勃地繁衍，從此，文明開始了！

100萬年前

直立人

直立人生存在 190 萬年前至 20 萬年前之間，學者普遍認為，他們是最早建立公共爐床來烹煮食物的人屬物種。

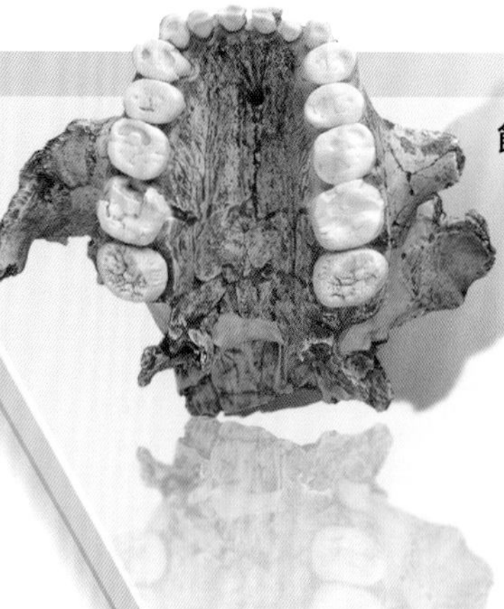

飲食的變化

這些牙齒屬於人族中的一支——鮑氏傍人，存活於 230 萬年前到 140 萬年前之間，牠們演化出大顆臼齒，用以咀嚼堅韌的植物，例如根莖類和堅果類。

奧杜威峽谷遺址

坦尚尼亞的奧杜威峽谷在更早之前原本是一座湖泊，數個不同的人族物種從 260 萬年前開始生活在此地，並持續了將近 200 萬年，一些最早的石器也是從這裡挖掘出來的。

700萬年前

從樹上到地面

人族物種是由棲息於非洲森林邊緣的猿猴演化而來的，牠們增加了在地面上生活的時間，最後學習用兩足行走。

查德沙赫人猿

查德沙赫人猿生活在大約 700 萬年前的西非地區，牠們棲息在草原與森林之中，可能已經用兩足行走。其犬齒比猿猴小，腦容量只比黑猩猩稍大一些。

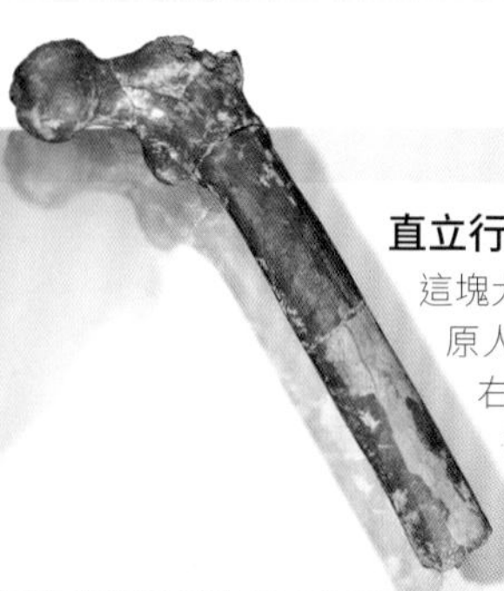

直立行走

這塊大腿骨的主人是一名「圖根原人」，存活於 620 萬年前左右，骨頭的形狀與厚度顯示，這種早期的人族祖先可能已經以兩足行走了。

1 公尺—「巧人」的**平均身高**。

17,000 年前—「佛羅勒斯人」是除了現代人以外的**最後一個人屬(Genus *Homo*)物種**—在此時滅絕了。

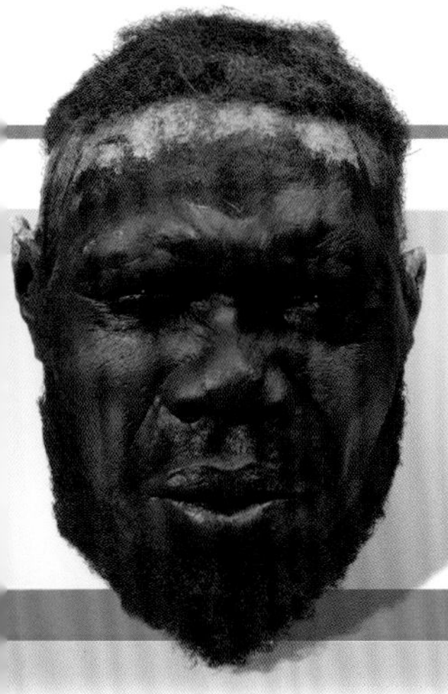

智人

我們現代人類大約 20 萬年前在非洲演化出來，10 萬年前左右開始向外擴散。智人的腦容量大，具備語言能力，而且更有能力製作精良的石器。

洞穴壁畫

40,000 年前起，早期人類開始在洞穴深處作畫，證明他們已經擁有藝術觀念，壁畫中經常描繪動物與獵人，學者認為這種創作可能跟魔法、巫術有關。

農耕、陶藝、文字

最後一次冰河時期在 11,000 年前終結，自此人類快速發展，發明了農耕技術與陶藝，並開始定居於農耕聚落之中。到了 8,000 年前，最早的城鎮與文字首度出現了。

舊石器時代手斧

石器主要是由燧石製作的，因為燧石易於被敲打出尖銳的邊緣。手斧是最常見的石器，如圖所示，這支手斧大約是 170 萬年前的產物，是用另一塊石頭敲打燧石的剝落碎片所做成的。

匠人

匠人的腦容量大過以前的人族物種，使用的石器也比巧人更為複雜。匠人在 190 萬年前到 140 萬年前之間生活於非洲，而且有可能擴散至中東地區。

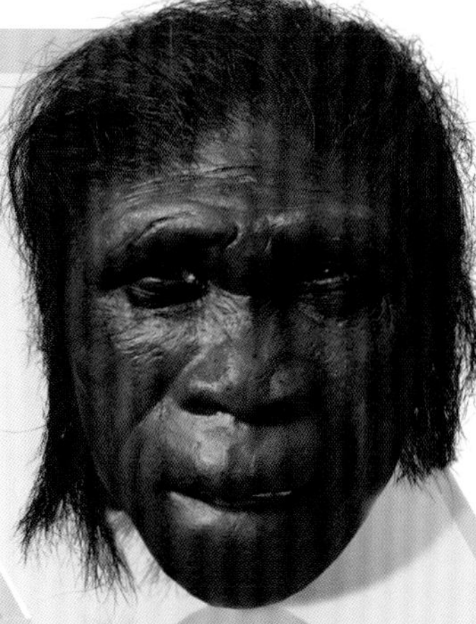

巧人

巧人生活在 240 萬年前－140 萬年前之間，他們是目前已知最早使用石器的物種——這是通往文明的漫長道路的第一步。

200萬年前

離開非洲

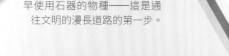

最初的人族物種全都生活在非洲，直到 200 萬年前，新的人屬物種開始遷移到其他地區，他們發展出新式石器，遷徙之處最遠到達東亞。

最早的人類

大約在此時，第一個「人屬」(Genus *Homo*) 物種在東非出現了。石器也從 260 萬年前左右開始使用，這是舊石器時代的開端。

300萬年前

非洲南方古猿

如同許多早期人族物種，非洲南方古猿也具有突顯的眉骨，牠們生活在草原上，可能以植物和水果為食。科學家從臀骨和腿骨的形狀推斷，牠們已用兩足行走。

400萬年前

體型變輕

在 400 萬年前－200 萬年前期間，「南方古猿」是發展得最成功的人族類群，跟先前的人族物種比起來，牠們擁有更大的腦容量，而且體型也更輕巧。

阿法南方古猿

這個物種生存於 390 萬年前－290 萬年前之間，牠們的手指修長有力，適合抓取物體，但不擅長輕巧地移動小東西；此外，牠們也是用兩足行走。

最早的城鎮

舊石器時代晚期，遊牧部落逐漸轉為定居一地，從採集野外植物改為種植農作物，從四處遷徙的生活型態變成定居耕作。

相較於「採集 - 狩獵」，農耕生活更能提供穩定的食物來源；農夫選擇收成較多的農作物種植，並飼養生長較快且性格溫順的家畜，如此一來，每年食物產量都會高於以往，剩餘糧食可儲藏起來以防備飢荒，此外，由磚塊或石頭建造的房屋更加堅固，可用以儲藏食物與工具。

固定生活在同一地點，讓定居者較易受到外來侵略，入侵者會竊取牲口和儲糧，因此村鎮居民必須自我防禦，例如在家園四周築牆。另一方面，村鎮居民也會跟其他部落交換多餘的糧食和貨物，有時貿易路線非常遙遠——這就是全球貿易的起始點。

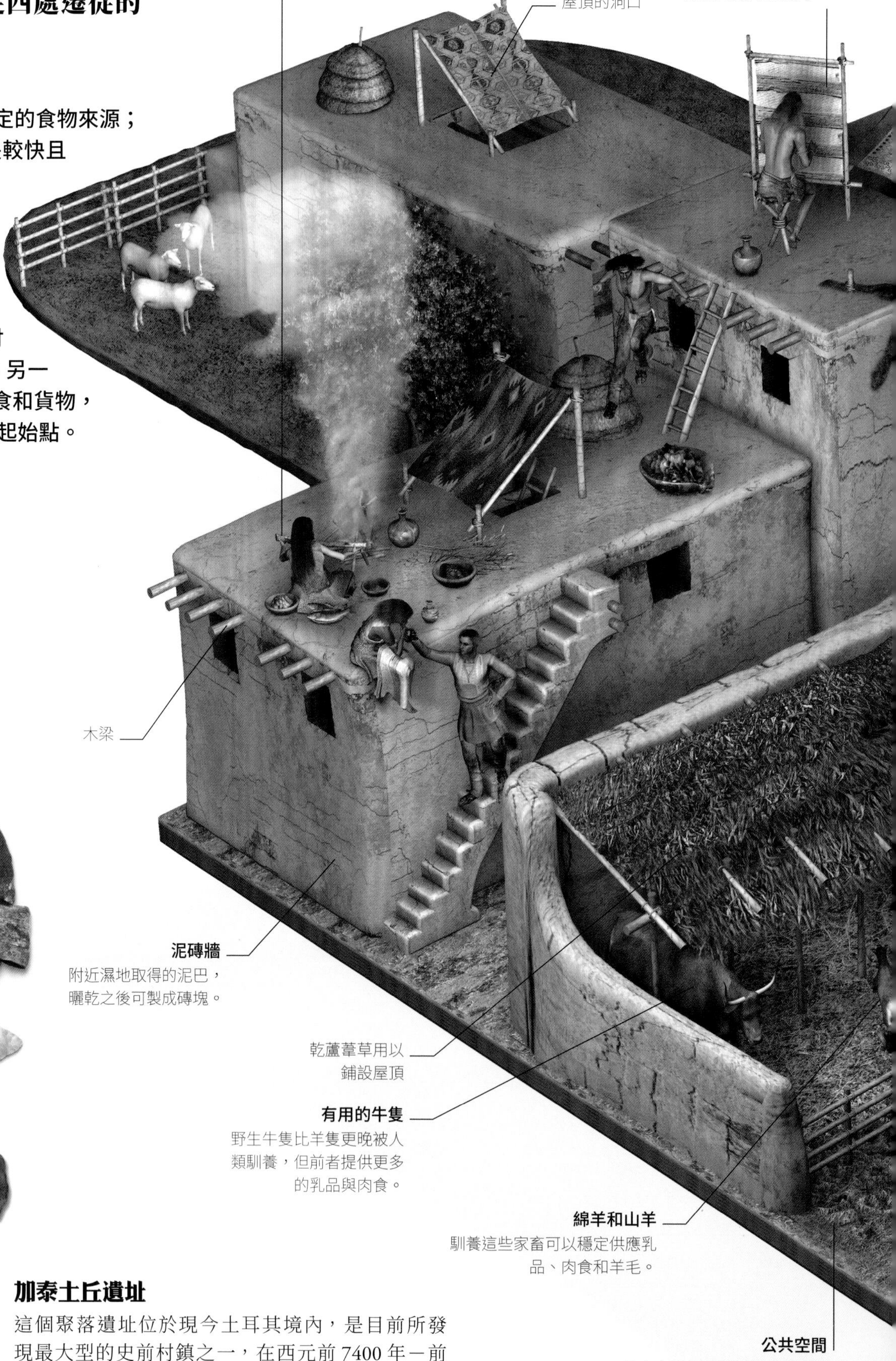
屋頂文化
屋頂本身就是村鎮的交通要道，許多日常活動都在這處室外空間進行。
以布料遮蔽屋頂的洞口
獸皮
狩獵仍然是獲取食物的重要來源，同時也提供製作衣物所需的皮革、以及製造工具所需的獸骨和犄角。
木梁
泥磚牆
附近濕地取得的泥巴，曬乾之後可製成磚塊。
乾蘆葦草用以鋪設屋頂
有用的牛隻
野生牛隻比羊隻更晚被人類馴養，但前者提供更多的乳品與肉食。
綿羊和山羊
馴養這些家畜可以穩定供應乳品、肉食和羊毛。
公共空間
房舍之間的區域經常用來圈養牲畜、堆放垃圾，也可以開闢成花園。

石器時代的工具

石器時代出現了最早的聚落，此時人類還無法掌握金屬，聚落居民利用其他資源製造工具，最好的材料是易於雕刻切割的堅硬材質，例如木頭用來製造弓、矛和斧柄，燧石與黑曜岩（火山玻璃岩）可以鑿出銳利的邊緣，用來製造箭頭、刀刃和錘子，而獸骨經過切削，可以製成梳子或縫針。

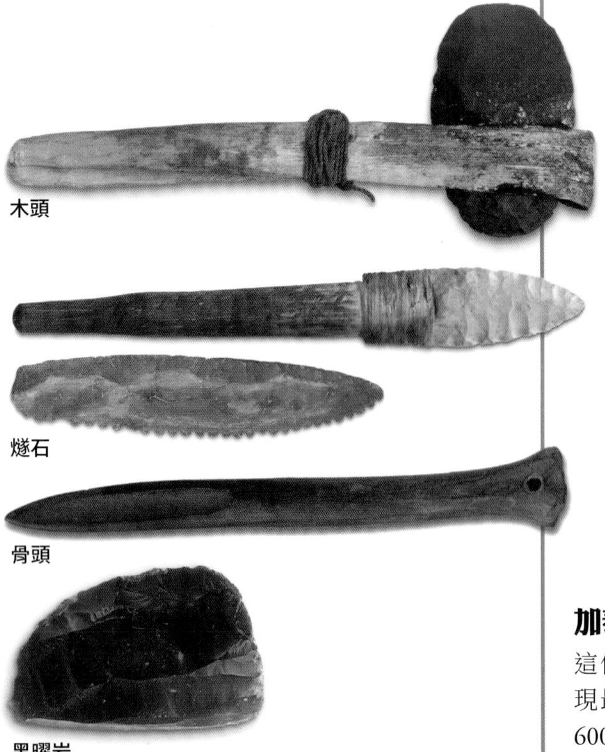
木頭

燧石

骨頭

黑曜岩

加泰土丘遺址

這個聚落遺址位於現今土耳其境內，是目前所發現最大型的史前村鎮之一，在西元前 7400 年－前 6000 年之間，此地居住人口高達 8,000 人，其房舍彼此緊鄰建造，如此一來侵略者難以找到入侵缺口。

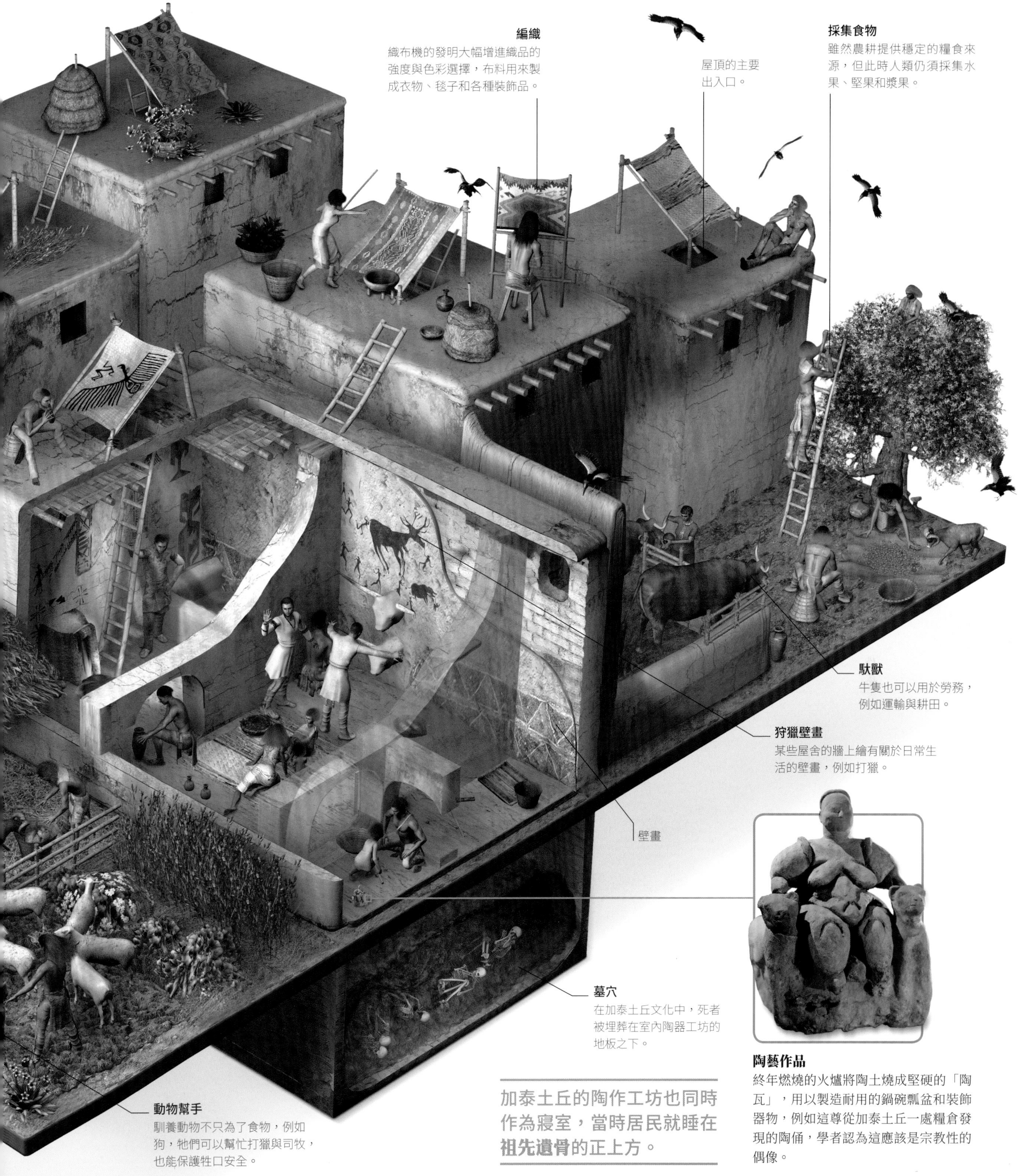
編織
織布機的發明大幅增進織品的強度與色彩選擇，布料用來製成衣物、毯子和各種裝飾品。
屋頂的主要出入口。
採集食物
雖然農耕提供穩定的糧食來源，但此時人類仍須採集水果、堅果和漿果。
馱獸
牛隻也可以用於勞務，例如運輸與耕田。
狩獵壁畫
某些屋舍的牆上繪有關於日常生活的壁畫，例如打獵。
壁畫
墓穴
在加泰土丘文化中，死者被埋葬在室內陶器工坊的地板之下。
動物幫手
馴養動物不只為了食物，例如狗，牠們可以幫忙打獵與司牧，也能保護牲口安全。

陶藝作品
終年燃燒的火爐將陶土燒成堅硬的「陶瓦」，用以製造耐用的鍋碗瓢盆和裝飾器物，例如這尊從加泰土丘一處糧倉發現的陶俑，學者認為這應該是宗教性的偶像。

加泰土丘的陶作工坊也同時作為寢室，當時居民就睡在**祖先遺骨**的正上方。

10座足球場——尼布甲尼撒皇宮的占地面積。

早期帝國

隨著早期村鎮的成長，統治者發展出新式治理體系、儲存與分配糧食的新方法、以及自我防禦的新技術。許多最強大的聚落開始擴張領土，征服鄰近區域，創立了最早的帝國。

巴比倫王國是早期最強大的王國之一，他們在西元前 18 世紀征服了中東的大片土地，但稍後被西臺人擊敗，後來又在西元前 6 世紀重振旗鼓(新巴比倫王國[註1]，或稱加爾底亞)，而他們的首都巴比倫城，也成為古代世界最富庶的城市之一。

註 1：此處所描繪的巴比倫城，其實是新巴比倫。

公共空間
遊行大道穿越城市的中央，藍色磚塊襯列於道路兩旁。遊行大道主要作為公共集會或宗教儀式進行的場地。

神廟由高牆環繞

金字塔型神廟
「七曜塔」是奉獻給馬杜克—巴比倫城守護神—的神廟塔。

私人住宅
一般房舍以泥磚建造而成，屋子中間設置天井，但沒有窗戶——這樣才能隔絕沙漠中的高溫。

磁磚牆面裝飾

紀念性建築
伊絮塔城門是巴比倫城最具象徵性的大門，除了作為交通出入口，也用來進行宗教遊行。

巴比倫城

這座大城位於新巴比倫王國的心臟地帶，城中的大型建築主要是由尼布甲尼撒二世在西元前 580 年左右所興建的，他希望帝國的首都成為當世最雄偉的城市。

世界奇觀
新巴比倫的空中花園名列古代世界的七大奇觀之一，但無人確知究竟位於何處，直到 20 世紀初期，有人發現了這座台階式花園的地基。
城防工事
巴比倫城的防禦工事完善，城牆上的士兵可以朝向攻城敵人投擲石塊、長矛，或是射箭。
皇宮
奢華的皇家宮殿象徵國王的權勢，用以使臣民和敵人感到敬畏。
宮殿內部設置廣大的中庭
幼發拉底河
早期城市依賴河流帶來飲用水與肥沃的耕種土壤(河水氾濫平原)，幼發拉底河也是如此，此外還提供巴比倫城作為船隻往來的重要貿易路徑。
城牆
富庶的城邦乃是遊牧民族或敵人掠奪的目標，因此巴比倫城周遭以泥磚築起堅固的城牆。

文明的搖籃

美索不達米亞—底格里斯河與幼發拉底河之間的區域(兩河流域)—擁有非常肥沃的土壤，是進行農耕的良好環境，因而成為眾多城邦聚集之處，其中尤以尼尼微、烏爾和巴比倫最為富庶。此地第一個帝國是薩爾恭大帝所建立的阿卡德帝國(約西元前 2330 年)，他興建阿卡德城作為首都，世人如今已經不知道阿卡德城的具體地點，但學者認為應該很接近巴比倫城。

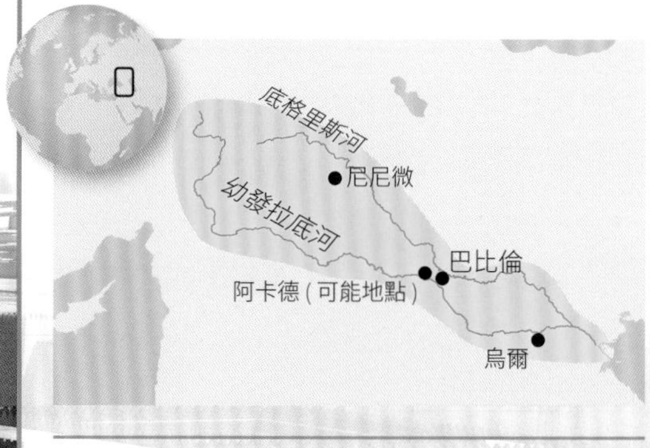
底格里斯河
尼尼微
幼發拉底河
巴比倫
阿卡德(可能地點)
烏爾

大型紀念性建築物

新帝國的統治者經常下令建造巨大的紀念性建築物，這是展現權威與財富的有效做法，足以讓敵人與對手產生深刻的印象。學者普遍認為巨大的七曜塔神廟應該有 90 公尺高，這可是美國紐約自由女神像的兩倍高，但跟古埃及的古夫金字塔一比，卻又相形見絀了——古夫金字塔高達 146 公尺，這個世界最高建築物的紀錄整整維持了 3,700 年，直到西元 1889 年才被巴黎鐵塔所超越。

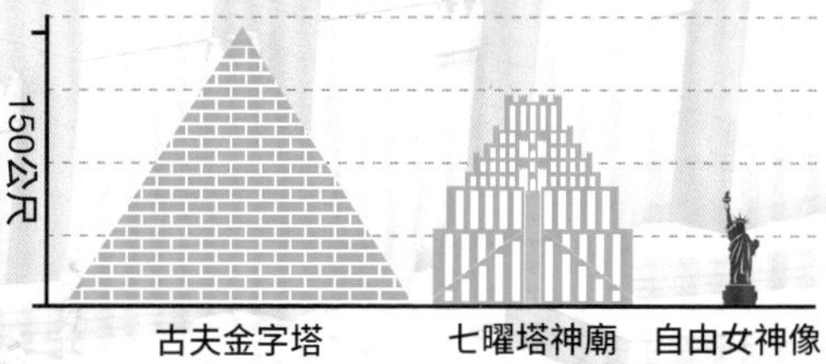
150公尺
古夫金字塔
七曜塔神廟
自由女神像

漢摩拉比法典

隨著帝國不斷成長，民眾需要詳細的成文法來解決爭端、保護私有財產。西元前 1750 年，巴比倫國王漢摩拉比頒布著名的《漢摩拉比法典》，對犯法者施予嚴厲的懲處。

> “**讓正義的原則**落實人間，**打擊壞蛋**與惡棍。**強者不應當欺凌弱者**。”
>
> —漢摩拉比法典

現代考古學家不曾在金字塔之中發現任何木乃伊，它們早就全部被盜墓者偷走了。

古埃及

古埃及是古代世界中最先進的文明之一，持續長達3,000年以上，他們留下關於當時生活方式的許多線索，包括各種宗教文獻、以及龐大而神秘的金字塔。

古埃及的國王稱為「法老王」，據說他們是神明的子嗣；其社會階層相當複雜，從祭司、上下層官員、到士兵和農民；古埃及人發展出一套精細的書寫系統，用以保存資產與所有權的各種記錄。

古埃及人的生活中充滿宗教儀式，他們崇拜數以千計的神祇，法老王與祭司執行各種複雜的儀式，用來祈求豐收、消弭疾病、庇佑勝戰。貴族階層為死者建造大型陵墓，其中許多墓室中藏滿了金銀珠寶。

象形文字

古埃及文字由圖像所構成，稱為象形文字 (hieroglyphics)，每個符號各代表一個音、一個字或者一個動作。另一方面，古埃及人利用紙莎草來製造莎草紙，也在彩繪陶器上印字，或是在石頭上銘刻，文字被他們視為智慧之神一托特一的贈禮，只有祭司和書吏可以學習讀寫文字。

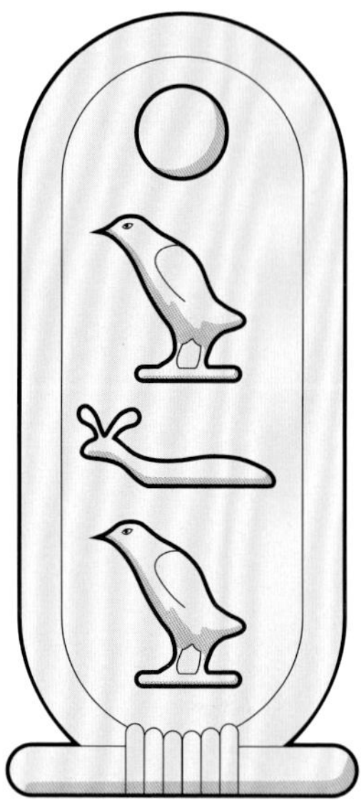

重要的名字

重要人物一例如國王與皇后一的名字會被寫在稱為「象形繭」的橢圓形之中，作為永恆生命的象徵。

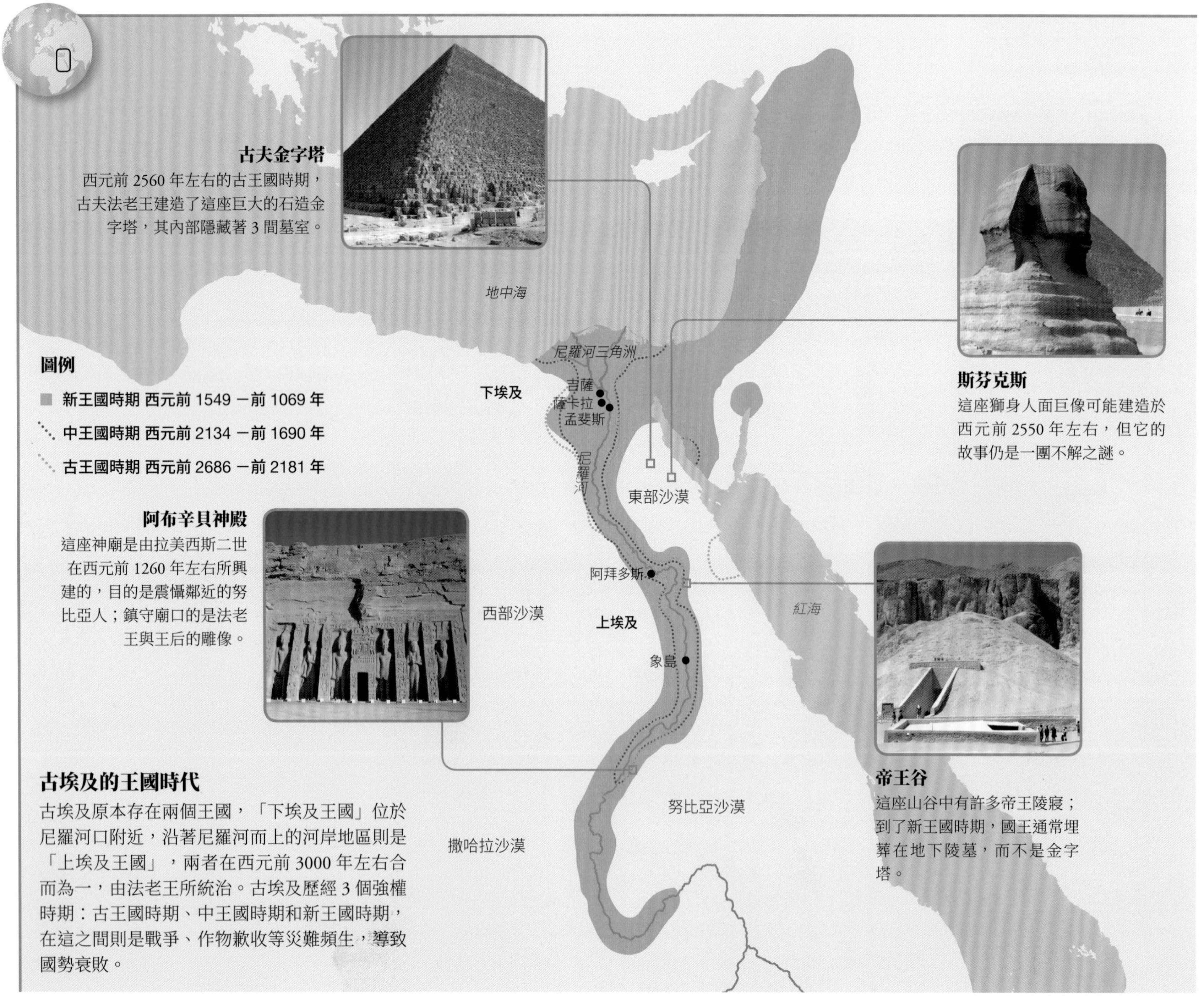
地中海
尼羅河三角洲
下埃及
吉薩
薩卡拉
孟斐斯
尼羅河
東部沙漠
阿拜多斯
西部沙漠
上埃及
紅海
象島
努比亞沙漠
撒哈拉沙漠

古夫金字塔

西元前 2560 年左右的古王國時期，古夫法老王建造了這座巨大的石造金字塔，其內部隱藏著 3 間墓室。

斯芬克斯

這座獅身人面巨像可能建造於西元前 2550 年左右，但它的故事仍是一團不解之謎。

圖例

■ 新王國時期 西元前 1549 –前 1069 年

⋰ 中王國時期 西元前 2134 –前 1690 年

⋰ 古王國時期 西元前 2686 –前 2181 年

阿布辛貝神殿

這座神廟是由拉美西斯二世在西元前 1260 年左右所興建的，目的是震懾鄰近的努比亞人；鎮守廟口的是法老王與王后的雕像。

帝王谷

這座山谷中有許多帝王陵寢；到了新王國時期，國王通常埋葬在地下陵墓，而不是金字塔。

古埃及的王國時代

古埃及原本存在兩個王國，「下埃及王國」位於尼羅河口附近，沿著尼羅河而上的河岸地區則是「上埃及王國」，兩者在西元前 3000 年左右合而為一，由法老王所統治。古埃及歷經 3 個強權時期：古王國時期、中王國時期和新王國時期，在這之間則是戰爭、作物歉收等災難頻生，導致國勢衰敗。

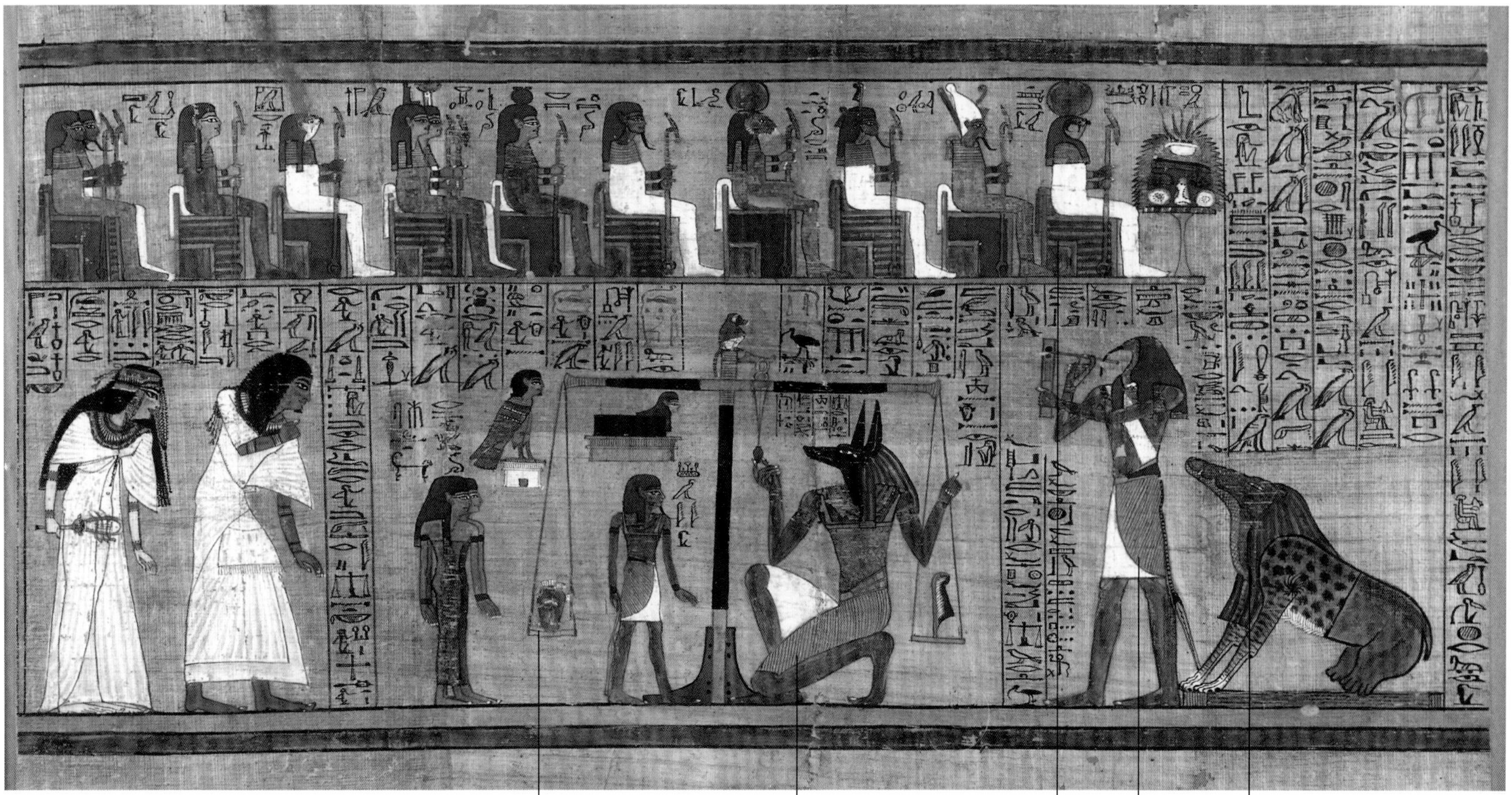

死亡之旅

古埃及人相信，死者的靈魂會經過一段驚險旅程，才能進入另一個世界；人死後，靈魂在陰間遊蕩，直到被諸神審判，阿努比斯神會秤量死者的心臟來進行審判，好人可以在美好的來世享樂，壞人的靈魂則被怪獸阿米特所吞噬——阿米特是一頭四不像的怪獸，擁有鱷魚的頭、獅子的上半身、以及河馬的下半身。

審判天秤
死者的心臟放在天秤左側，右側放上真理之神的羽毛，惡人的心臟會比羽毛更重！

眾神見證
死者的靈魂必須在眾神面前發誓，表明自己無罪。

恐怖厄運
阿米特虎視眈眈，等著吞噬惡人的靈魂。

死亡之神
胡狼頭神—阿努比斯—負責秤量心臟。

智慧之神
䴉首的智慧之神—托特—負責記錄審判結果。

尼羅河畔的生活

埃及周遭都是沙漠，所以古埃及王國完全依賴尼羅河生存。尼羅河每年氾濫，洪水將南方高地的肥沃土壤沖刷至下游，淹沒河邊耕地。在尼羅河兩岸，古埃及人建造溝渠與矮牆來保留淤泥與河水，這些肥沃的土壤可供種植小麥、大麥、葡萄和蔬菜；整個古埃及王國都仰賴氾濫的河水為生，一旦遇到河旱，人民就得挨餓了！

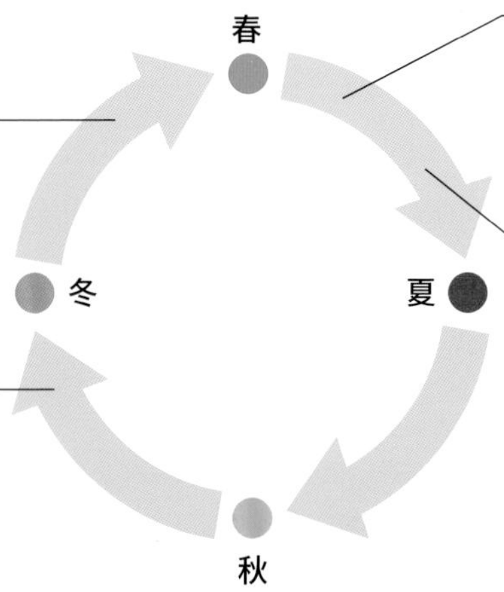

4 月：「收畝」，收割季
農人用鐮刀收割穀物，再讓牛隻踩踏農作物的莖稈，以取得可食用的部分。

6 月：「艾克伊」，氾濫季
尼羅河洪水淹沒河畔農地，農人利用溝渠與矮牆留住河水。

11 月：「裴瑞」，播種季
洪水退去之後，農人在遺留的肥沃河泥上播種插秧。

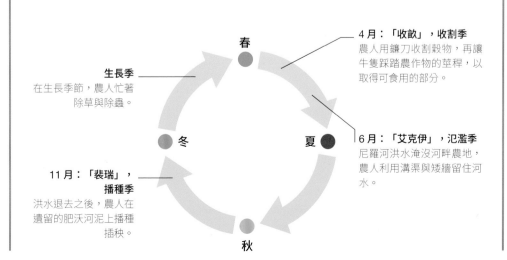

生長季
在生長季節，農人忙著除草與除蟲。

古埃及神祇

古埃及人崇拜的眾多神祇，眾神通常以動物或自然力量的面貌展現。地位最崇高的神明是太陽神「拉」，他是宇宙的創造者；母性之神哈索爾的形象為牛頭人身；智慧之神托特為䴉首人身；尼羅河神索貝克是鱷頭人身；而女神娜特拱起身體橫跨大地，化作天穹。

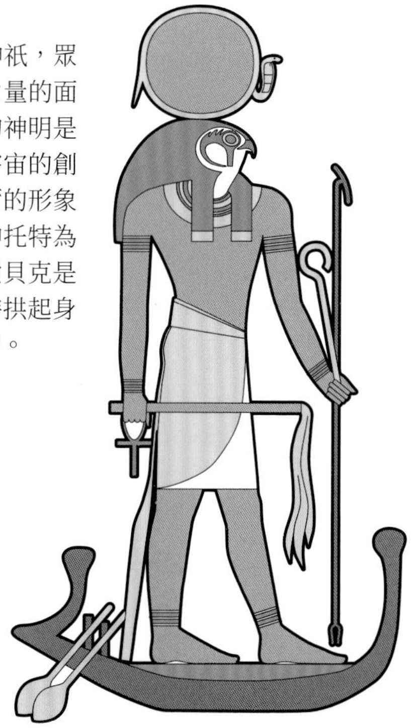

太陽神「拉」
太陽神「拉」化身太陽，站在一艘船上日夜在天際旅行，他頭上的「日盤」散發陽光，普照世人。

10年──記錄**圖坦卡門陵墓**全部**寶藏**所花費的時間。

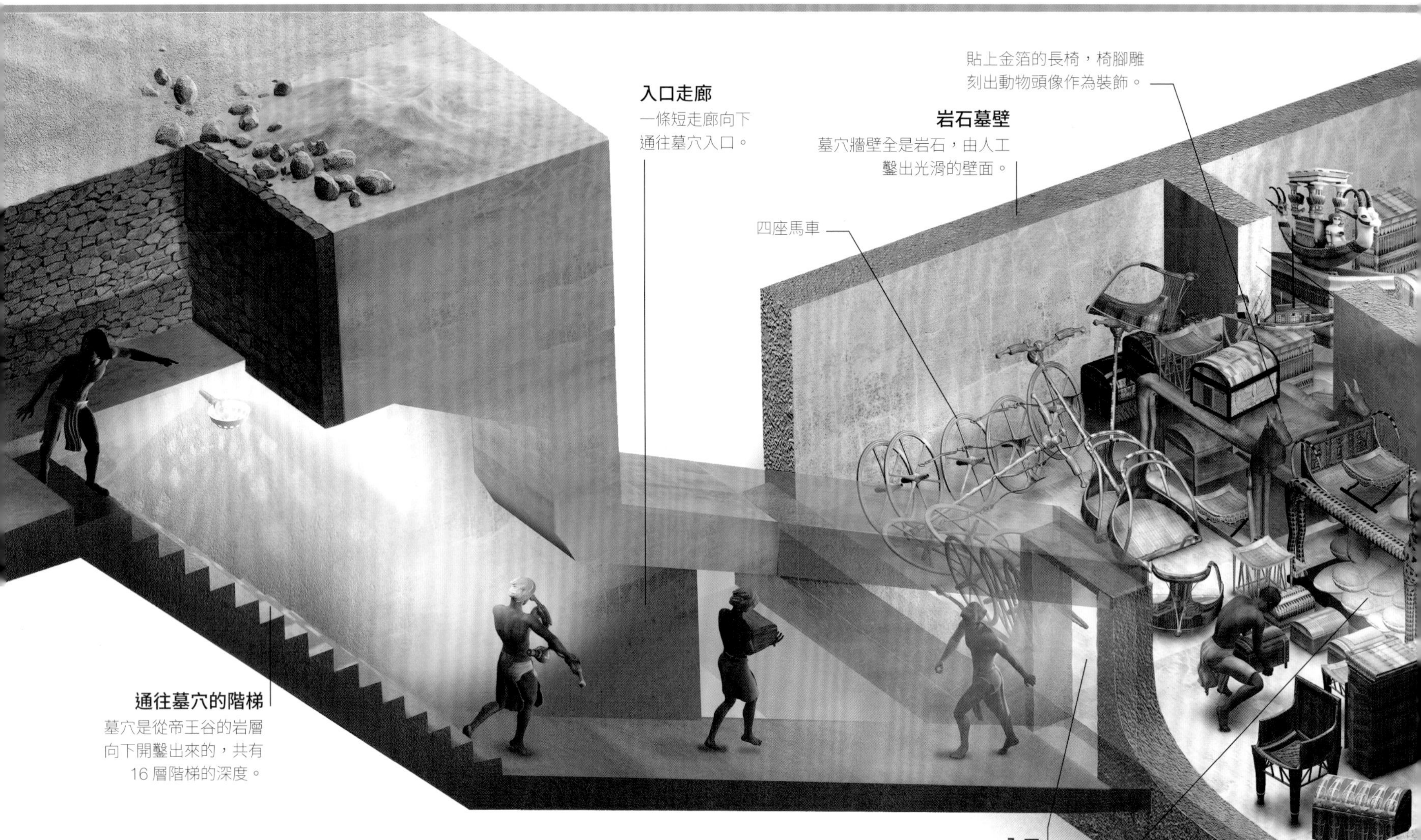
入口走廊
一條短走廊向下通往墓穴入口。
貼上金箔的長椅，椅腳雕刻出動物頭像作為裝飾。
岩石墓壁
墓穴牆壁全是岩石，由人工鑿出光滑的壁面。
四座馬車
通往墓穴的階梯
墓穴是從帝王谷的岩層向下開鑿出來的，共有16層階梯的深度。
入口
葬禮結束後，這些入口會用石膏密封，防止盜墓者入侵。

陪葬衣物
華麗的陪葬衣物給死去的法老王在來世穿用。
模型船
古埃及人相信，這些模型船在來世會轉化為真船的實際尺寸。
陪葬木乃伊
墓穴中發現兩具小木乃伊，學者認為應該是早夭的法老王之子。
藏寶室
這個房間藏有法老王的陪葬珍寶。
安置內臟的神龕
卡諾匹罐裝著法老王的內臟，放進貼覆金箔的木製神龕之中。

法老王

古埃及法老王既是國家統治者，也被視作神明一般地崇拜。在現今，歷代法老王陵墓中的無價寶藏，如同古埃及金字塔與神廟一樣，舉世聞名！

古埃及法老王的權勢極大，他可以制定法律、設定稅制、發動戰爭、審判案件，但同時也必須善盡許多義務，他有責任控管尼羅河的氾濫情形，因為洪水左右了人民的生計，一旦有災難或饑荒發生，法老王必須祈求諸神幫助，若是情況繼續惡化，他可能因此而受到人民責難。

法老王或其他重要人物死後，他們的遺體會被製成木乃伊加以保存；早期的法老王埋葬在巨大的金字塔之中，晚期的法老王則是埋入地下墓穴。

圖坦卡門陵墓

圖坦卡門在9歲時登基成為法老王，在位9年之後(西元前1327年)猝逝駕崩，埋葬在帝王谷位於尼羅河西岸的地下墓穴之中；雖然盜墓者從中竊取了一些財物，但圖坦卡門陵墓的多數珍寶在地底埋藏了3,000多年，直到現代考古學家於西元1922年挖掘出土。

保存內臟
製作木乃伊過程中，遺體的內臟會被取出，放到稱為「卡諾匹罐」的禮器之內，再安置於墓室的祭壇上。

110公斤—圖坦卡門的**內棺**所使用的**黃金**重量。

5,000件—**圖坦卡門陵墓**中的**工藝品**數量。

附屬房間
這個房間裝滿了各類美食、美酒與名貴的食用油。
彩繪木棺
壁畫
墓室牆壁上繪有描述來世生活景象的壁畫。
守墓衛士雕像
純金內棺
木乃伊神龕
法老王棺柩安置於 4 層帶有黃金塗層的木製神龕之中。
阿努比斯神像
這尊胡狼雕像代表防腐術之神阿努比斯，他將會引導法老王走向來世。

製作木乃伊

古埃及人相信，如果死者的遺體在這個世界腐壞了，其靈魂就會在來生受苦，因此富人會事先安排好好保存自己的遺體；古埃及人製作木乃伊的技術極佳，至今許多出土木乃伊仍然保持完好無缺。

1 清除內臟
祭司先用酒清洗遺體，然後將內臟取出；腦部以特製鉤子從鼻孔取出，至於心臟則會被特別保存——古埃及人相信心臟是靈魂的住所。

2 脫水
內部清空的遺體會用碳酸鈉包覆，碳酸鈉是一種天然鹽，可以讓遺體脫水，整個過程大約耗時 40 天。

3 清洗遺體
等到遺體完全乾燥，以飲用酒清洗鹽類，然後用木屑和泡過樹脂的亞麻布包覆，表層擦上油和香水，再塗抹樹脂提供額外的保護。

4 繃帶包裹
下一步驟是用繃帶將木乃伊層層包裹，裡面放上護身符，保佑死者靈魂通往來生之路一切平安，最後再覆蓋精製的面具。

5 入殮
木乃伊會放入木棺或石棺，棺柩外部雕刻或描繪死者的全身像；有錢人家的木乃伊會裝進數個層疊的棺柩之中，最後再放入大型木製神龕之內。

6 葬禮
亡者死去 70 天後，木乃伊終於安葬，葬禮儀隊將棺柩與陪葬品抬進墓穴，最後把墓口封死以防止盜墓者侵入。

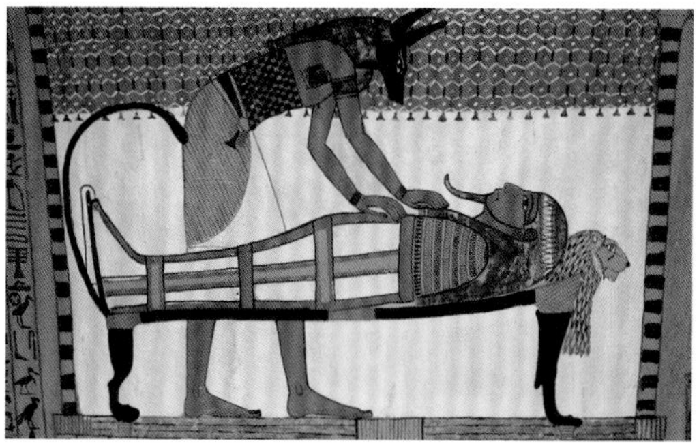

葬儀祭司
製作木乃伊是一種宗教儀式，全程由祭司監督，其中一位祭司頭帶阿努比斯的面具，因為他是引導死者靈魂的神祇。

帝王谷的多數法老王陵寢，其內部都有彩繪壁畫，但**圖坦卡門的陵墓之中只有一間彩繪墓室，**這顯示其建造過程頗為倉促。

0 —亞歷山大大帝一生之中打過的敗仗數目；他百戰百勝！

古希臘

從大哲學家、數學家、劇作家，到軍事名將，古希臘時期出現許多西方文明史上最重要、最著名的人物。

西元前 2000 年左右，希臘文化起源於東地中海的數座島嶼，古希臘人在此建立貿易帝國，例如克里特島上的邁諾亞文明，之後古希臘強權轉移至內陸，出現了許多尚武好戰的城邦，邁錫尼是其中之一。城邦文明越見先進，孕育出偉大的思想家、建築師、文學家、以及人類史上的第一個民主政體 (雅典)，古希臘人後來甚至打敗了東方強大的波斯帝國，其權勢在亞歷山大大帝時期達到最高峰——亞歷山大是一名軍事天才，他四處征伐，帝國疆土竟然擴張到了印度！

古希臘眾神

古希臘人信奉許多神祇，透過偉大的文學、藝術創作，古希臘神話一直流傳至今，歷久不衰。古希臘眾神擁有人形與人性，相傳主神都生活在奧林帕斯山，由眾神之王宙斯與他的妻子希拉統領。此外，古希臘傳說的另一部分是英雄事蹟，由海克力斯、奧德賽、以及特洛伊戰爭名將—阿基里斯與赫克特—等人間豪傑擔綱主角。

波賽頓—海洋之神

普里埃內遺址

「城邦」是古希臘聚落的主要形式，由強大城市作為中心控制周遭鄉村地區所組成，其中的雅典、哥林多、斯巴達這些最重要的城邦都控制了廣大的領土，經濟相當富庶。普里埃內 (現今土耳其西南部) 就是典型的古希臘城邦遺址，最初建於西元前 1000 年左右，並在西元前約 350 年重建。

劇場

希臘戲劇包括喜劇與悲劇，每逢宗教節日或競技比賽期間，劇場便有戲碼上演。

神廟

古希臘人建造美麗的神廟來榮耀希臘眾神。

柱廊

有遮蔭的走廊非常適合用來擺攤或散步。

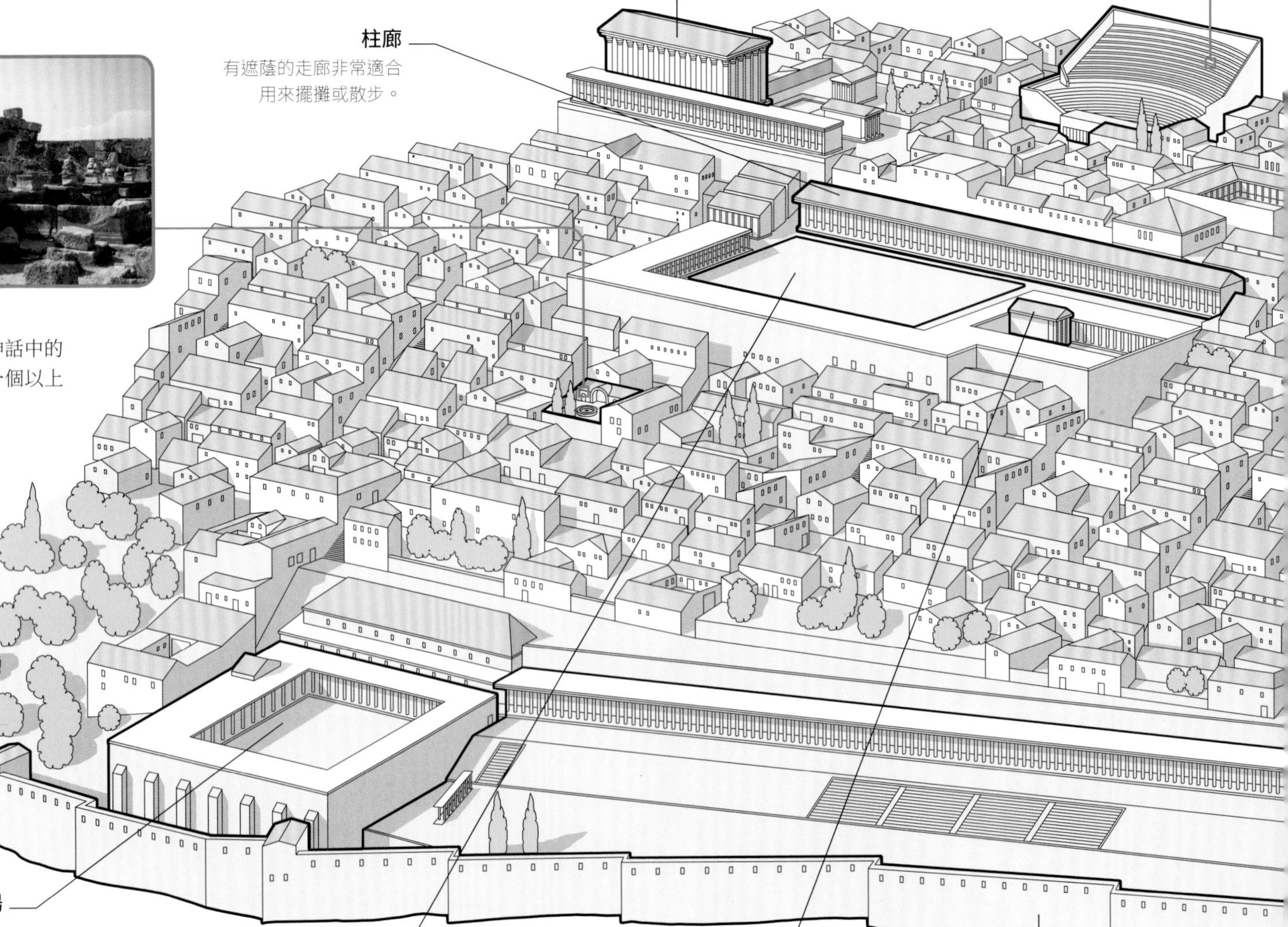

仙女廟

這種小神廟供奉希臘神話中的水仙女，通常會設置一個以上的噴泉。

體育場

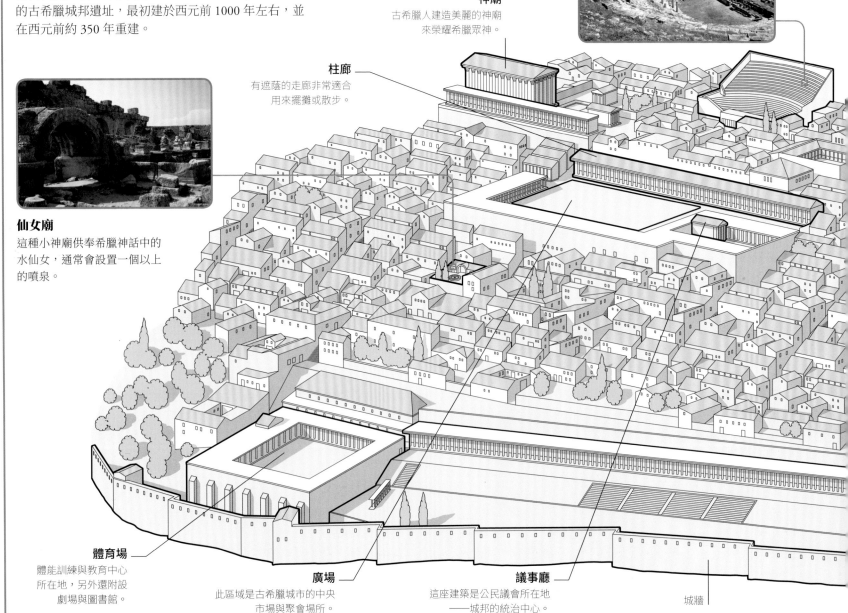

體能訓練與教育中心所在地，另外還附設劇場與圖書館。

廣場

此區域是古希臘城市的中央市場與聚會場所。

議事廳

這座建築是公民議會所在地——城邦的統治中心。

城牆

13 公尺—位於奧林匹亞的宙斯雕像高度；這是古代世界七大奇觀之一。

500 —雅典議會的人數；史稱「五百人會議」。

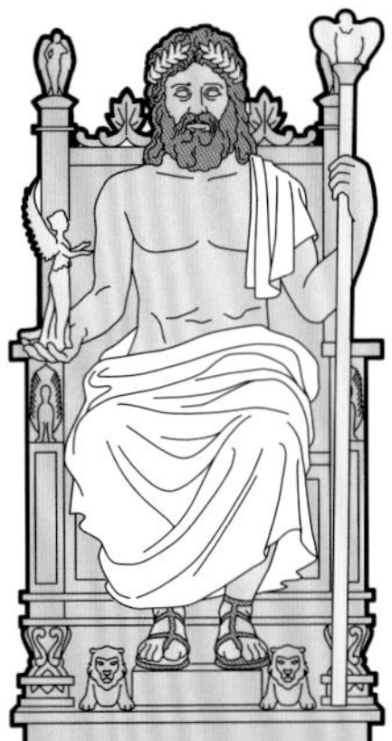

宙斯—眾神之王

黛安娜—狩獵之神

雅典娜—智慧之神

半神英雄—海克力斯—擊殺巨蛇

只有男人可以**成為城邦公民**並參與政治，**女人、奴隸與兒童都被排除在外。**

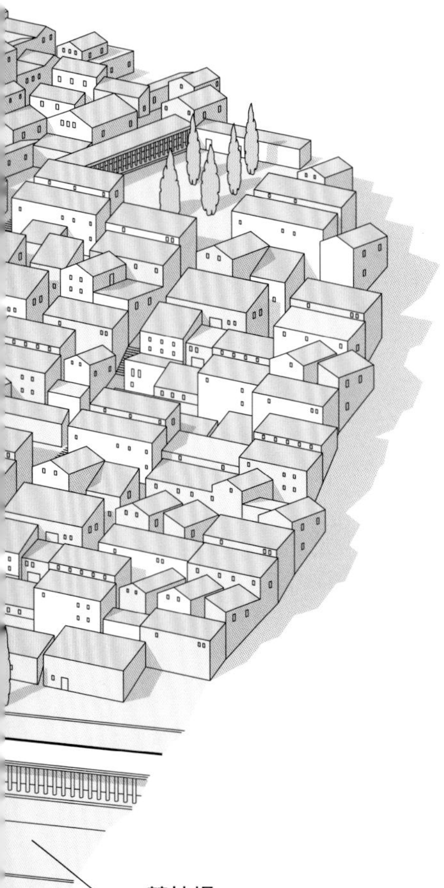

競技場
競技場用以舉辦體育競賽，其內部設有跑道。

古代奧林匹克運動會

古希臘人定期舉行運動賽事以榮耀諸神，其中最重要的便是奧林匹克運動會。第一次古代奧運舉辦於西元前 776 年，此後每 4 年舉辦一次——跟現代奧運一樣。當時參賽運動員必須是希臘公民，但是他們是以個人身分而非國家名義參賽，勝利者的獎賞不是獎金或獎牌，而是橄欖枝葉編成的桂冠；古代奧運賽事原本只用 1 天舉行，後來延長至 5 天。

古代奧運的 5 天賽程

第一天
第一天是宗教性活動，運動員要向神明發誓會誠實參賽，裁判則會宣誓公正評審。

第二天
五項全能比賽，項目包括跳遠、鐵餅、標槍、賽跑、摔角，後來，馬車競速賽也在第二天舉行。

第三天
青年組運動員比賽跑步、摔角和拳擊，此外這天會獻祭 100 頭公牛給宙斯，其中最好的肉品要在宙斯神廟前燔燒。

第四天
成人選手的摔角、拳擊、以及格鬥——希臘格鬥是一門結合摔角與拳擊的武術運動，另外還有一項身著盔甲、全副武裝的跑步競賽。

第五天
賽會的最後一天是頒獎儀式，將橄欖桂冠頒贈給獲勝的選手。古代奧運最終以盛大的宴會作結，宴會中的餐點是用第三日的牲肉烹煮而成。

“我們發誓：為了國家榮譽與運動員的榮耀，我們會以**君子精神**參與**奧林匹克運動會**。”

—受古希臘精神啟發的
1920 年奧林匹克運動會誓詞

從島國到帝國

數百年之間，古希臘是由許多小型城邦所組成，它們雖然彼此競爭，但這些城邦擁有共同的傳統、語言，有時也會團結起來抵禦外侮——例如波斯帝國。最終，希臘由亞歷山大大帝和他的父親菲力普所統一，但等到亞歷山大一死，他的帝國馬上分崩離析，最後希臘地區被羅馬人所征服。

西元前 2000 年—前 1500 年

邁諾亞文明
從西元前 2000 年開始，克里特島的邁諾亞人建立一個貿易帝國，因而變得十分富裕，建造了許多雄偉的宮殿——例如克諾索斯；到了西元前 1500 年左右，由於地震、叛亂、外患頻生，造成邁諾亞文明走向衰敗。

晚期的邁諾亞花瓶帶有烏賊圖案

西元前 1600 年—前 100 年

邁錫尼文明
西元前 1600 年左右，新興部族開始移居到邁錫尼和提林斯，邁錫尼人黷武好戰，他們征服了克里特島，從事貿易與海盜掠奪，到了西元前 1200 年，外來侵略者摧毀了大半的邁錫尼諸城邦。

邁錫尼國王墓葬的黃金面具

西元前 1100 年—前 750 年

荷馬時期 (黑暗時代)
從西元前 1100 年起，希臘進入了「黑暗時代」，後世對於這段時期的認識非常有限。到了西元前 800 年，希臘開始復興，許多小型城邦出現了，城邦之間擁有共通的語言文字。大詩人荷馬在他著名的史詩《伊里亞德》中描述了這個黑暗時代，因此又稱為「荷馬時期」。

青銅頭盔

西元前 750 年—前 336 年

古樸時期註 1 **與古典時期**
在這段期間，希臘城邦大規模成長並開始在海外建立殖民地，雖然兩度遭到波斯帝國大軍的入侵，但都能以寡克眾。另一方面，此時各城邦之間的衝突爆發，尤以雅典與斯巴達兩強的戰爭最為激烈。

註 1：專指黑暗時期與古典時期中間的那一段時間。

陶瓶上所畫的是大力士海克力斯

西元前 336—西元 146 年

希臘化時期
經過數十年的戰爭，馬其頓國王菲力普在西元前 338 年征服全希臘，建立統一王國。西元前 335 年，菲力普之子亞歷山大進一步打敗波斯帝國，並劃為版圖，希臘文化自此傳播至帝國全境的廣大區域，創造了全新的「希臘化文化」。

刻有亞歷山大頭像的錢幣

6 公里長的防禦城牆保護雅典通往**大海**的出入通道。

100 公斤—菲迪亞斯使用這麼多的黃金，來製作**雅典娜女神**的**雕像**。

古雅典

在西元前第 5 世紀，希臘城邦—雅典—孕育出許多史上最傑出的哲學家、藝術家和政治家，另一方面，雅典公民也發展出人類最早的民主政治，他們的諸多文學作品與觀念，至今仍有不朽的價值。

22,000 噸
建造帕德嫩神廟與衛城通道所使用的大理石總噸數。

西元前第 5 世紀初，希臘兩次遭受波斯大軍入侵，雅典在兩次戰役中都扮演了重要的退敵角色，第一次是西元前 490 年的馬拉松之役，第二次為前 480 年的薩拉米斯海戰。戰勝之姿為雅典城帶來強大的財富與權勢，市民為此建造了美麗的神殿、劇院與公共建築。但在西元前第 5 世紀末，各以雅典與斯巴達為首的兩大城邦聯盟互相開戰，雅典最終在這場消耗而冗長的戰役中落敗，在連串的敗戰與一場嚴重的瘟疫之後，雅典於西元前 404 年為斯巴達所征服。

木梁
雅典娜神像
這尊由雕刻家菲迪亞斯所製作的神像，表面包覆著黃金與象牙。
山形牆
這一側的山形牆雕塑雅典城誕生的故事，另一側則是描述雅典娜與波賽頓競爭雅典控制權的神話。
勝利女神耐吉
勝利女神耐吉座落於雅典娜神像的掌上。
帶狀雕飾
帶狀雕飾所描繪的內容，是雅典公民列隊禮拜雅典娜的遊行。

帕德嫩神廟

帕德嫩神廟是雅典的宗教信仰中心，這座雄偉的神殿供奉雅典娜—智慧之神與勇氣女神—她是雅典城邦的保護神。此外，帕德嫩神廟也是城邦的藏寶庫，四方貢品都儲藏在此。

100 每年「泛雅典娜節」所**獻祭**的**牛隻數量**。

6,000 雅典公民**投票生效**所需要的**最低投票人數**。

伯利克里斯劇院的牆面，是用戰敗**波斯船艦**的木材所建造的。

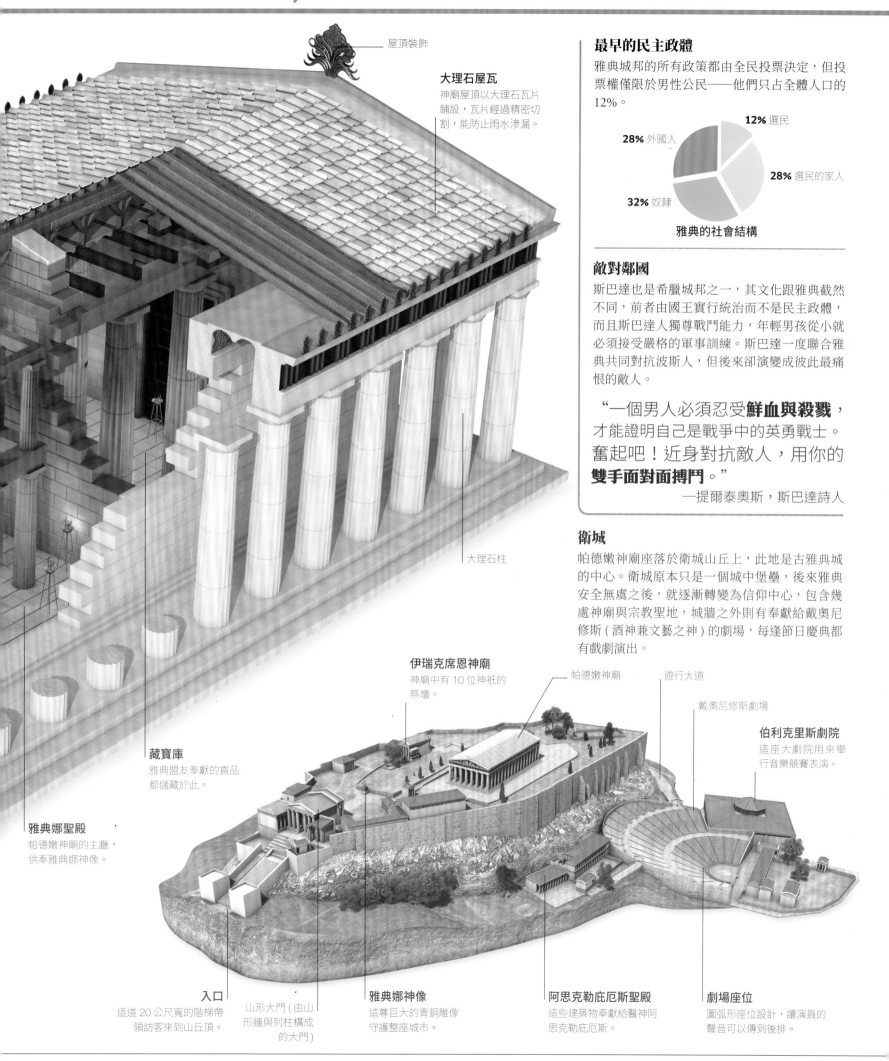

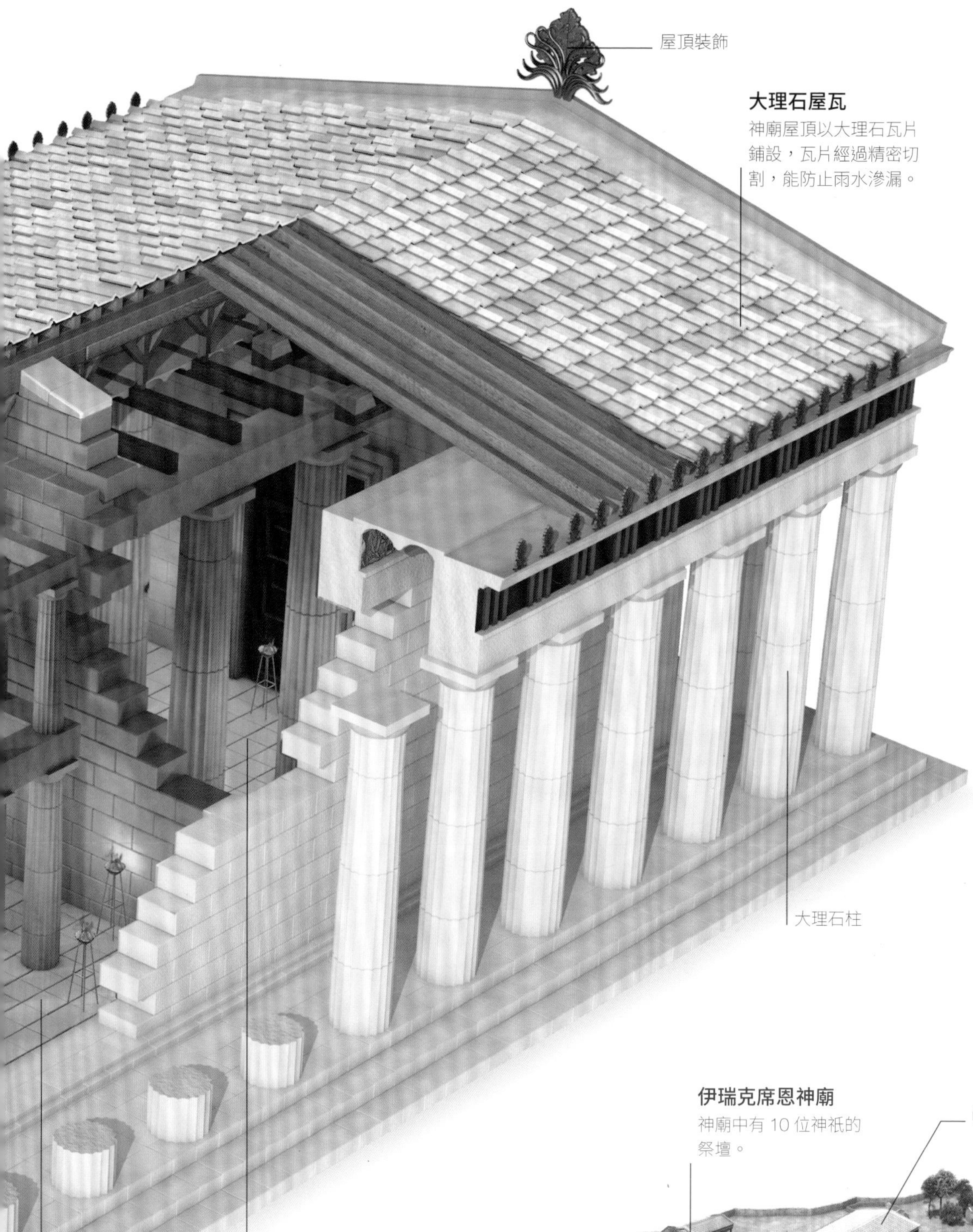
屋頂裝飾
大理石屋瓦
神廟屋頂以大理石瓦片鋪設，瓦片經過精密切割，能防止雨水滲漏。
大理石柱
藏寶庫
雅典盟友奉獻的貢品都儲藏於此。
雅典娜聖殿
帕德嫩神廟的主廳，供奉雅典娜神像。

最早的民主政體

雅典城邦的所有政策都由全民投票決定，但投票權僅限於男性公民——他們只占全體人口的12%。

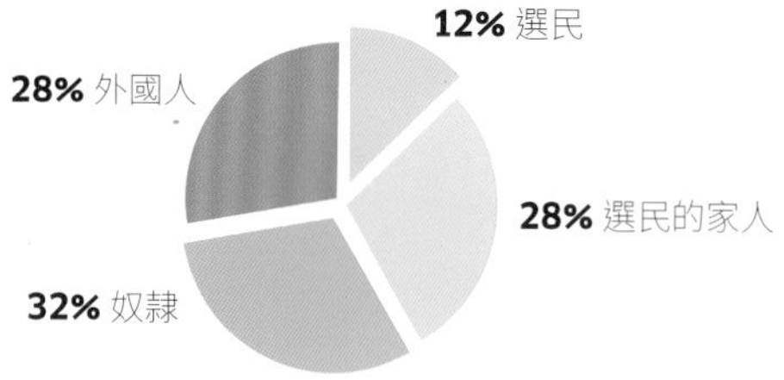
12% 選民
28% 外國人
28% 選民的家人
32% 奴隸

雅典的社會結構

敵對鄰國

斯巴達也是希臘城邦之一，其文化跟雅典截然不同，前者由國王實行統治而不是民主政體，而且斯巴達人獨尊戰鬥能力，年輕男孩從小就必須接受嚴格的軍事訓練。斯巴達一度聯合雅典共同對抗波斯人，但後來卻演變成彼此最痛恨的敵人。

> “一個男人必須忍受**鮮血與殺戮**，才能證明自己是戰爭中的英勇戰士。奮起吧！近身對抗敵人，用你的**雙手面對面搏鬥**。”
>
> —提爾泰奧斯，斯巴達詩人

衛城

帕德嫩神廟座落於衛城山丘上，此地是古雅典城的中心。衛城原本只是一個城中堡壘，後來雅典安全無虞之後，就逐漸轉變為信仰中心，包含幾處神廟與宗教聖地，城牆之外則有奉獻給戴奧尼修斯（酒神兼文藝之神）的劇場，每逢節日慶典都有戲劇演出。

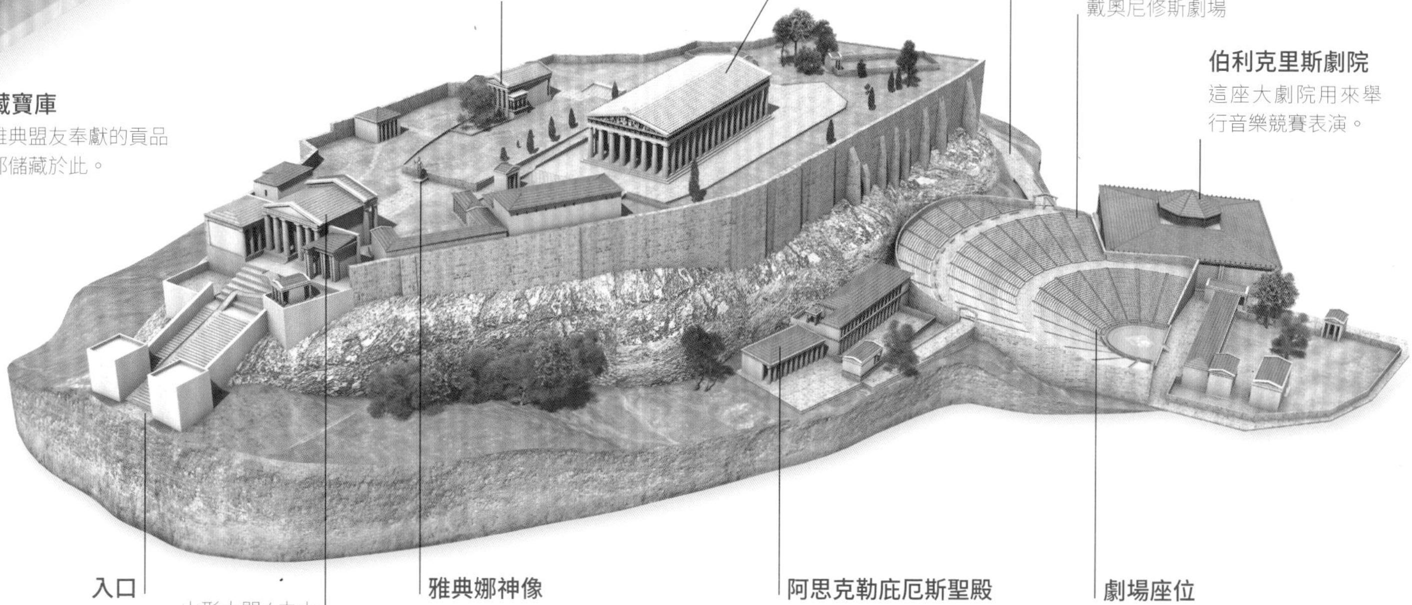
伊瑞克席恩神廟
神廟中有 10 位神祇的祭壇。
帕德嫩神廟
遊行大道
戴奧尼修斯劇場
伯利克里斯劇院
這座大劇院用來舉行音樂競賽表演。
入口
這道 20 公尺寬的階梯帶領訪客來到山丘頂。
山形大門（由山形牆與列柱構成的大門）
雅典娜神像
這尊巨大的青銅雕像守護整座城市。
阿思克勒庇厄斯聖殿
這些建築物奉獻給醫神阿思克勒庇厄斯。
劇場座位
圓弧形座位設計，讓演員的聲音可以傳到後排。

奧古斯都在位期間，羅馬人創建了史上第一支消防隊。

25 年——羅馬士兵的服役年限。

羅馬帝國

從義大利中部的小城開始，羅馬城最終成為大帝國的統治中心。羅馬帝國是人類史上最大、最繁榮的帝國之一，它的軍隊幾乎所向無敵，征服了歐洲、北非以及中東地區。

羅馬建城於西元前 753 年，原本是王政體制。西元前 509 年，王政被共和制度所取代，城市的統治權轉移到元老院、以及由元老院選出的執政官手上。元老院和後來帝國時期的皇帝，都會授與軍事將領在戰爭時期的統帥權。羅馬將征服地區劃為省份，派遣總督與軍隊統治，在當地建造新城市與道路，並實施羅馬律法。雖然羅馬人有殘酷的一面，尤其是面對叛亂者時，但是羅馬確實將富裕、安定與新理念傳播到了帝國各處。

古羅馬遺緒

古羅馬對後世的影響歷久不衰，他們的哲學與政治啟發了千百年間的歐洲思想家，而高明工程技術打造的雄偉建築，至今屹立不搖，拉丁語文則塑造了歐洲現代語言，甚至現代法律也是遵循羅馬法典而成形的。

法律與學術

古羅馬學者在歷史學、詩學、政治學與哲學上都有了不起的成就，這些著作傳播至帝國全境；以弗所 (現今土耳其境內) 的賽爾蘇斯圖書館 (如上圖)，其藏書量高達 12,000 卷。

建築與工程

古羅馬人是傑出的工程師，他們運用水泥建造堅固的防水建築，還發明了石拱結構。位於法國彭杜加爾的輸水道，只是屹立至今的眾多古羅馬遺跡之一。

條條大路通羅馬！

古羅馬人打造了龐大的道路網絡，讓軍隊、郵驛、商旅在帝國境內暢行無阻。古羅馬人藉由道路網絡與政治記錄系統，得以控制一個繁榮的大帝國。

"創造勝於學習；創造是生命的本質！"

——尤利烏斯．凱撒，羅馬獨裁官[註 1]，統治期間：西元前 49 —前 44 年。

註 1：獨裁者 (dictator) 在古羅馬是一個官職，意指在危難時期全權負責的獨裁官，並非後代批評意義的獨裁。

圖例
● 主要城市
羅馬帝國，西元前 133 年
羅馬帝國，西元 44 年
羅馬帝國，西元 180 年
主要戰役
阿萊西亞之戰，西元前 52 年
凱撒擊敗高盧部落領袖維欽托利，征服了高盧地區 (現今法國)。
坎尼會戰，西元前 216 年
古羅馬史上最慘的敗仗——50,000 名羅馬人遭到迦太基將軍漢尼拔屠殺。
蒙達戰役，西元前 45 年
凱撒在此役戰勝元老院屬軍，然後「前進羅馬[註 2]」，結束了共和體制。
註 2：「前進羅馬」(march on Rome) 後來成為歷史典故。
羅馬 ●
● 迦太基
札馬戰役，西元前 202 年
羅馬人擊敗漢尼拔將軍，征服了迦太基。

征服 " 世界 "

到了西元前 200 年，羅馬已經征服義大利半島，並擊敗難纏勁敵——北非的迦太基城。西元前 262 至前 146 年之間，羅馬又取得西西里、薩丁尼亞、西班牙和北非；西元前 50 年，羅馬征服高盧、以及部分土耳其和中東地區；西元前 43 年，羅馬入侵不列顛；西元 117 年左右，羅馬獲得達西亞 (現今羅馬尼亞) 與部分的敘利亞和伊拉克，帝國的版圖至此達到顛峰。

羅馬的興起與衰落

當羅馬愈加擴張，羅馬軍人的勢力也愈加高漲，甚至超過元老院。在一連串內戰之後，共和體制崩潰，而凱撒成為最高統治者，後來他的養子屋大維成為了第一任皇帝(奧古斯都)。西元 394 年，羅馬帝國分裂，西羅馬的政權中心在羅馬城[註5]，但東羅馬才是新皇帝的勢力重心，以君士坦丁堡(或稱拜占庭)為中心。在野蠻部落入侵之下，帝國西部領土一步步喪失，西元 476 年，最後一位皇帝遭到廢黜，西羅馬就此滅亡。

註 5：事實上，西羅馬帝國的首都已經不是羅馬，而是米蘭古城 (Mediolanum)，後來是拉溫納 (Ravenna)。

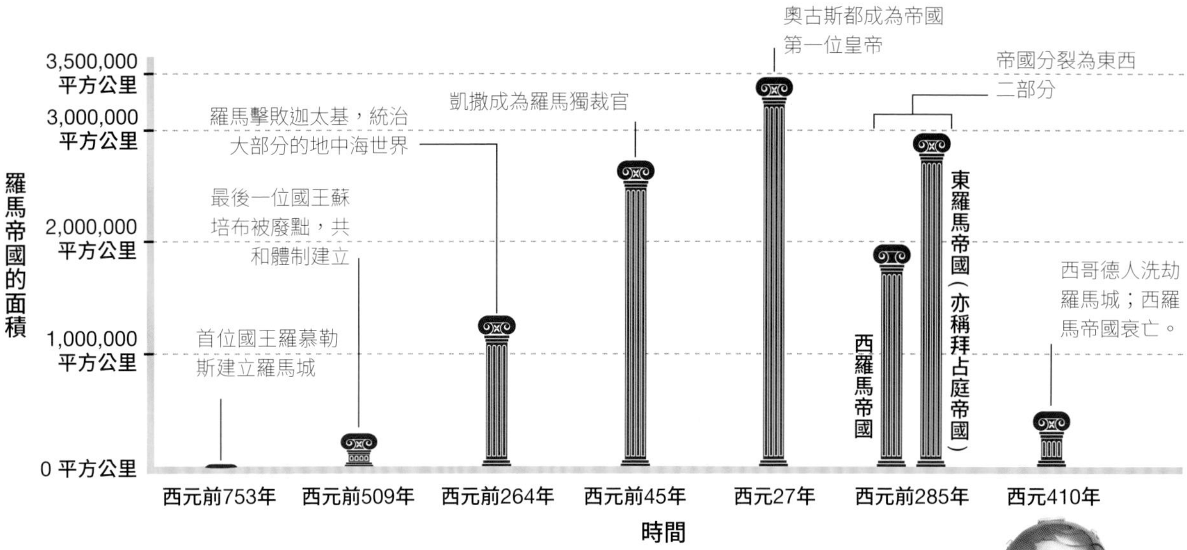
羅馬帝國的面積
3,500,000 平方公里
3,000,000 平方公里
2,000,000 平方公里
1,000,000 平方公里
0 平方公里
首位國王羅慕勒斯建立羅馬城
最後一位國王蘇培布被廢黜，共和體制建立
羅馬擊敗迦太基，統治大部分的地中海世界
凱撒成為羅馬獨裁官
奧古斯都成為帝國第一位皇帝
帝國分裂為東西二部分
西羅馬帝國
東羅馬帝國(亦稱拜占庭帝國)
西哥德人洗劫羅馬城；西羅馬帝國衰亡。
西元前753年
西元前509年
西元前264年
西元前45年
西元27年
西元前285年
西元410年
時間

53,000 名高盧人被販賣

為奴隸，這是凱撒征服高盧的戰果。

菲立比戰役，西元前 42 年
馬克．安東尼與奧古斯都聯軍，在此役擊敗了暗殺凱撒的政治勢力，並為後來的皇帝統治奠下基礎。
卡萊戰役，西元前 53 年
波斯安息帝國[註3]殺死羅馬將軍克拉蘇[註4]，羅馬的擴張力量因此重挫。
註 3：並非古波斯帝國；古中國稱之為安息。
註 4：與凱撒、龐培並稱「前三雄」。
君士坦丁堡
耶路撒冷
亞克興角海戰，西元前 31 年
奧古斯都在此役擊敗對手馬克．安東尼，成為羅馬帝國的至高統治者。
亞歷山大城

羅馬軍隊

羅馬軍隊訓練有素、裝備精良。「羅馬軍團」是最大的軍事單位，一個軍團又分為 10 隊，每隊大約有 480 人，此外還有騎兵支援。此外，羅馬從被征服地區揀選士兵編成輔助軍隊，軍種包括騎兵、投石兵、弓兵甚至駱駝兵隊。羅馬士兵以紀律著稱，他們運用嚴密隊形與聰明戰術擊垮敵軍。

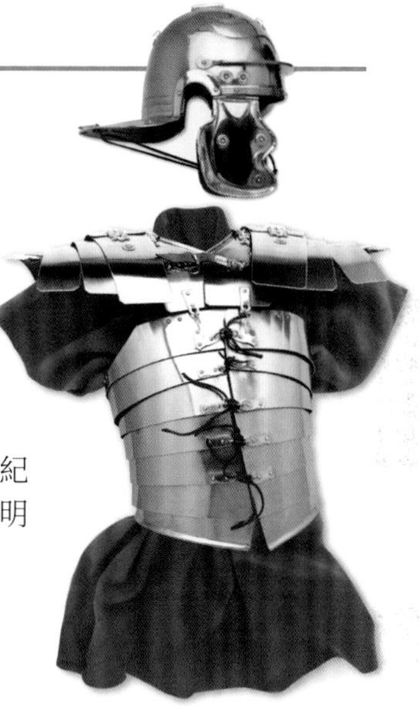

羅馬盔甲的複製品

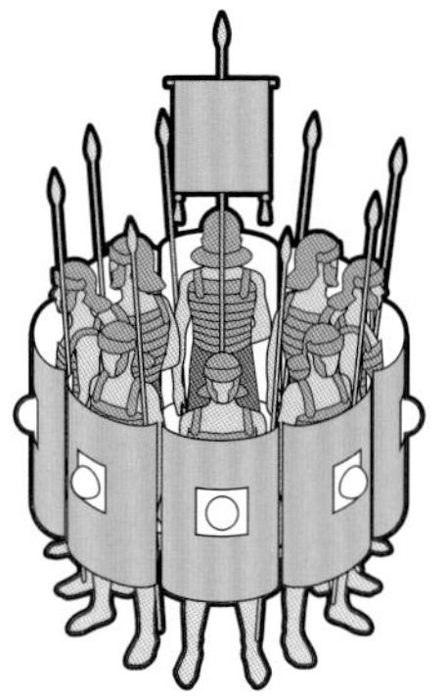

圓形陣
士兵被敵人包圍時使用此陣，圓形陣是軍團精神與榮譽的象徵。

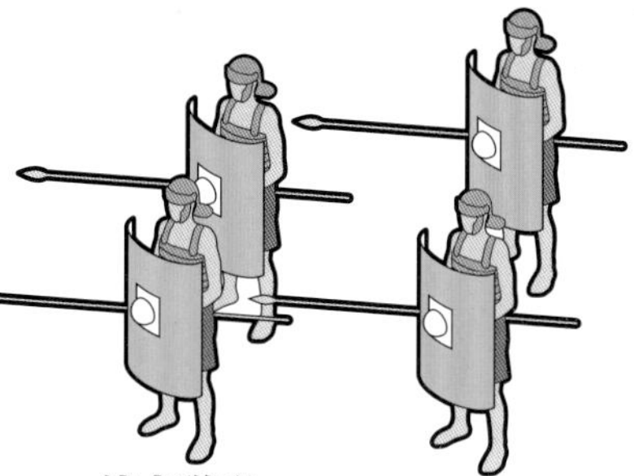

偵查隊形
這個鬆散隊形有效地讓士兵朝向迫近的敵人投擲標槍。

防禦騎兵陣形
如果遭受騎兵衝鋒攻擊，軍隊會組成方形陣，士兵從盾牆縫隙伸出標槍，殺死敵方的座騎。

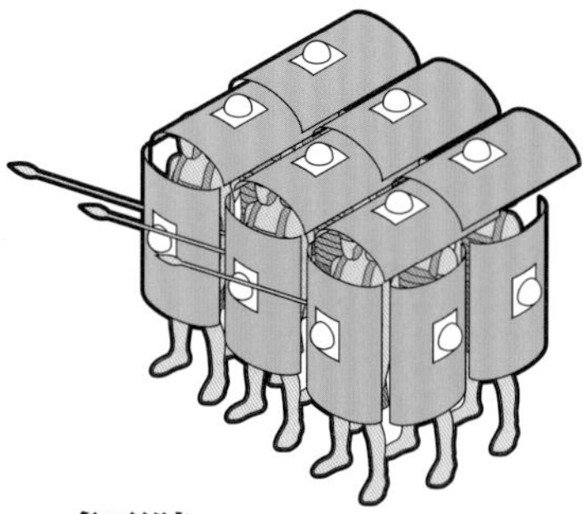

龜形陣
面對弓箭攻擊，士兵會組成龜形陣，重疊的盾牌能夠抵禦箭雨。

古羅馬社會

羅馬城是帝國的心臟，在超過 500 年的一段期間，羅馬城是西方世界最強大的城市。

古羅馬城與現代城市在許多方面有類似之處，城市中舖設道路、下水道，甚至建造多層公寓的住宅區，食物來源由帝國境內提供，輸水道從鄉間送來清水，羅馬皇帝、政要在城內到處樹立紀念碑來誇耀功績。城市中心是「羅馬廣場」，這是舉行公共集會與慶典的開放場所，環繞廣場建有競技場、神廟、浴場、劇院、市場與宮殿，許多建築至今仍保存良好。隨著羅馬的擴張，羅馬城更加富裕而人口急速增長，在西元 100 年的帝國全盛期，羅馬城大約有 120 萬人口，與今日的布拉格旗鼓相當。

格鬥士

格鬥士分為 20 類以上，各有不同的武器與裝束。羅馬人愛看不同類型的格鬥士互鬥，觀察哪一種武裝最能殺敵。格鬥士的身分是奴隸，他們若有傑出戰果，有時可贏回自由身，最成功的格鬥士甚至還能成為明星一般的人物。

格鬥士頭盔
莫米憂格鬥士的青銅頭盔；莫米憂是一種重裝格鬥士，配備矩形大盾和短劍。

觀眾席的社會階層

羅馬競技場的坐席區配置，反應了古羅馬的社會階級，前排是富人名流的保留席，沒錢的就坐後排，皇帝還擁有一個專用私人包廂；奴隸如果可以出席，那只是為了在場服侍主人。

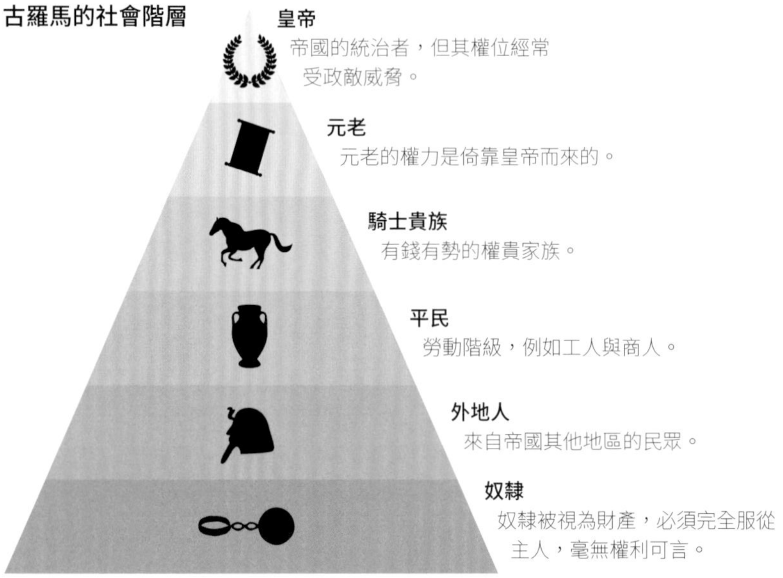
古羅馬的社會階層
皇帝
帝國的統治者，但其權位經常受政敵威脅。
元老
元老的權力是倚靠皇帝而來的。
騎士貴族
有錢有勢的權貴家族。
平民
勞動階級，例如工人與商人。
外地人
來自帝國其他地區的民眾。
奴隸
奴隸被視為財產，必須完全服從主人，毫無權利可言。

競技場地
競技場地由木板鋪設而成，表面再以沙子覆蓋。
利用絞繩打開獸籠的門，放出獅子。

地下升降梯
競技場地會進行野獸互鬥或人獸互搏，獅子、野狼、甚至大象等野獸被關在地下的籠子裡，然後用升降梯載至地面的隱藏出入口。

羅馬競技場

羅馬競技場是公共表演的場所，內容包括特技、獸鬥、甚至處決示眾，當然，還有專業的格鬥士格鬥。

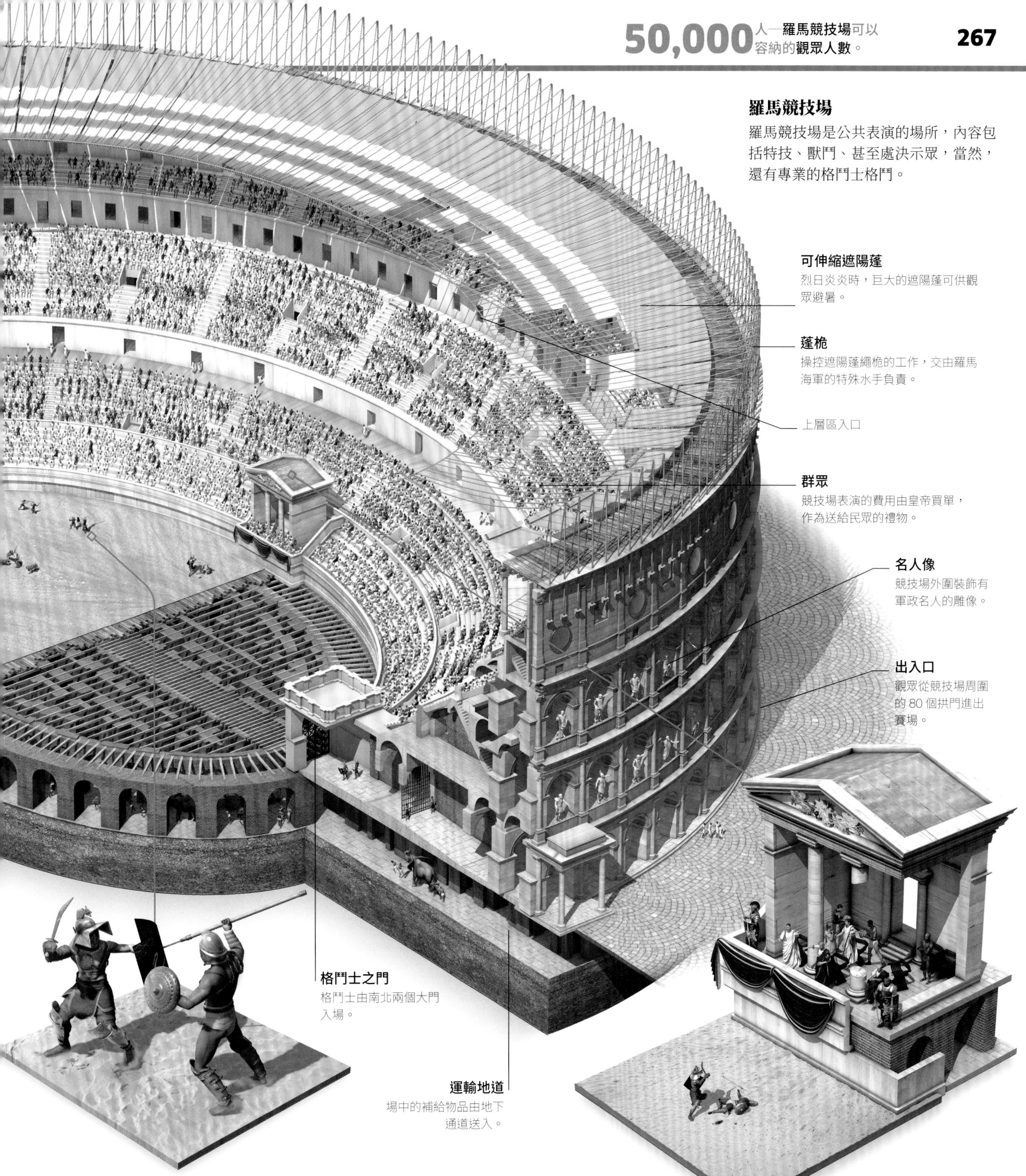
可伸縮遮陽蓬
烈日炎炎時，巨大的遮陽蓬可供觀眾避暑。
蓬桅
操控遮陽蓬繩桅的工作，交由羅馬海軍的特殊水手負責。
上層區入口
群眾
競技場表演的費用由皇帝買單，作為送給民眾的禮物。
名人像
競技場外圍裝飾有軍政名人的雕像。
出入口
觀眾從競技場周圍的 80 個拱門進出賽場。
格鬥士之門
格鬥士由南北兩個大門入場。
運輸地道
場中的補給物品由地下通道送入。

格鬥士

一旦獸鬥結束，格鬥士便會入場，這是表演的高潮階段。格鬥士大多是奴隸身分，他們在場中互相搏鬥，如果戰績響亮，就有機會贏得自由之身。

皇帝包廂

皇帝與貴賓坐在特設包廂。當格鬥士負傷而失去戰鬥能力時，皇帝會尋求輿論傾向，並決定格鬥士的最後生死。

中古時期

西元第 5 世紀，羅馬帝國的歐洲部分（西羅馬帝國）瓦解，眾多小王國割據，但比先前更為貧窮落後。之後，阿拉伯帝國在中東地區崛起，他們吸收並保存希臘羅馬的知識文化。在中國與印度，新興帝國的科學有了長足進步，數百年之間歐洲只能瞠乎其後。

羅馬帝國的衰亡

西元第 4 世紀，羅馬帝國分裂為東西二部，由羅馬城統治的西羅馬帝國，其軍力無法對抗日耳曼蠻族的入侵，在 4 世紀末已經喪失大半領土。西元 476 年，西羅馬帝國的末代皇帝終於被廢。

拜占庭帝國

東羅馬帝國（又稱拜占庭帝國）的國祚遠比西馬羅帝國更長，查士丁尼大帝在第 6 世紀奪回了義大利和北非的失土，但稍後帝國又持續受到穆斯林（伊斯蘭教徒）攻擊。最後在西元 1453 年，鄂圖曼土耳其人攻陷了君士坦丁堡，東羅馬滅亡。

基督徒之城

這幅馬賽克拼圖描繪兩位東羅馬皇帝將君士坦丁堡奉獻給耶穌與聖母瑪利亞[註1]。

註 1：右邊的皇帝是君士坦丁，手捧君士坦丁堡；左邊是查士丁尼，手捧聖智堂 (Santa Sophia)。

"野蠻人[註2]" 入侵

第 5 世紀中葉，蠻族部落在羅馬帝國故土建立王國，這些新國王的統治採用一部分羅馬傳統，例如羅馬法。

註 2：野蠻人（或稱蠻族，barbarians）是當時羅馬人對日耳曼人的稱呼，但日耳曼人並非原始的野蠻部落，他們頗有組織且信奉了基督教（後來被判為異端的亞利安教派）。

薩克遜頭盔

這副精緻的頭盔是在一艘古船內、連同一名第 7 世紀日耳曼國王的遺體一起被發現的。

- **匈人**
  這個從日耳曼方向來襲的部落，在第 5 世紀對羅馬帝國造成嚴重的破壞。
- **哥德人**
  哥德人在西元 410 年掠奪羅馬城，之後分裂為西哥德（西班牙）與東哥德（義大利）。
- **盎格魯人與薩克遜人**
  這兩個來自日耳曼北方的部落入侵羅馬位於英格蘭的領土，並建立了新王國。
- **馬扎兒人**
  來自中亞地區的馬扎兒人在西元 850 年入侵東歐，後來於 900 年建立了匈牙利王國。
- **維京人**
  西元 793 年之後的 200 年間，剽悍的維京人襲擊歐洲海岸，並奪得部分法國、愛爾蘭與不列顛地區的土地。

神聖羅馬帝國

西羅馬帝國滅亡 400 年之後，這些信仰基督教的日耳曼統治者重新獲得當年羅馬帝國的力量與版圖。西元 800 年，法蘭克國王查理曼加冕成為皇帝，意圖在歐洲重建一個基督徒的帝國，到了西元 900 年時，查理曼帝國卻已經分崩離析；然而，在接下來的數百年間，具有雄心的日耳曼王侯相繼採用「神聖羅馬帝國皇帝」的頭銜。

神聖羅馬帝國

查理曼死前（西元 814 年）已經征服了大半個歐洲，但是到了西元 843 年，帝國又分裂為 3 個王國：東法蘭克王國、中法蘭克王國、西法蘭克王國。

歐洲的變化

在中古時期，歐洲人的生活由教會與國王共同主宰。屬於日耳曼部落的法蘭克人征服了現今的法國地區，並在中古後期成為歐洲強權，與英格蘭爆發「百年戰爭」（西元 1337—1453 年）。北非伊斯蘭教徒「摩爾人」在西元 8 世紀攻入西班牙，經歷一系列戰爭，歐洲人直到 1492 年才將伊斯蘭教王國逐出西班牙。中古時期最可怕的不是戰爭，而是「黑死病」，這種瘟疫數度橫掃歐洲，數百萬人因此喪生。

根據估計，約有 **45% 歐洲人口**因

黑死病而喪命。

封建制度

中古歐洲興起了封建制度，貴族向國王宣誓效忠並成為國王的「附庸」，在戰爭時期有從征義務。作為回報，領主則會給予附庸跟其身分地位相當的「封地」。

國王
國王是封建社會的頂點，「大貴族」是直屬國王的附庸，而國王也要授與封地作為回報。

附庸
有些貴族同樣擁有自己的附庸，例如騎士，騎士也可以獲得封地，但必須效勞領主，例如提供武力。

農奴
作為封建社會的底層，農奴必須向領主宣誓效忠，但其封建義務乃是提供勞務而非武力。

教會與國家（教權與政權）

中古時期的基督教會力量日漸茁壯，人們必須繳納「什一稅」（十分之一的收入）給教會，而歐洲各地紛紛建立雄偉的大教堂（主座教堂）。教會的最高領導者是教皇，教皇的基地在羅馬，其權勢之大，經常讓世俗統治者感到芒刺在背。

沙特爾主教座堂，法國

為信仰而戰

第 7 世紀早期，阿拉伯半島的鬆散部落被一個新興宗教所統一；先知穆罕默德領導的伊斯蘭教（華人地區通稱回教）統一了阿拉伯世界，阿拉伯穆斯林（伊斯蘭教徒）奪得拜占庭帝國（信奉基督教）在北非、巴勒斯坦和敘利亞的領土，並佔據耶路撒冷——此地同時是猶太教、基督教和伊斯蘭教的三教聖地。第 11 世紀到 13 世紀，基督徒發動一系列的「十字軍運動」，試圖奪回耶路撒冷，他們一度奪回聖地並短暫在當地建立基督教王國，但後來終究失守。

阿拉伯文化

在中古時期，伊斯蘭世界的文化水準常態性地優於西歐，他們的軍隊佔據了波斯與拜占庭的領土，從當地獲得古代希臘羅馬的經典文獻，而阿拉伯學者在數學和醫學領域發展出極佳的造詣。

星象盤

阿拉伯學者藉由希臘羅馬文獻習得知識所打造的天文儀器。

伊斯蘭教興起

先知穆罕默德從西元 610 年開始傳教，在他過世之前（632 年），伊斯蘭教徒—穆斯林—已經收服了阿拉伯半島。穆罕默德死後，伊斯蘭教由領袖「哈里發」（政教合一君主的稱謂）繼續領導，從阿拉伯半島向外擴張，征服埃及（641 年）、波斯（現今伊朗，640 年），以及大半的敘利亞與巴勒斯坦。在倭馬亞王朝期間（自 661 年），穆斯林開始攻擊剩餘北非地區，並於西元 771 年征服了大部分西班牙地區。另一方面，伊斯蘭教政權也同時往東方擴張，遠至阿富汗與印度北部。

圖例

- 西元 634 年的穆斯林領土
- 西元 656 年的穆斯林領土
- 西元 756 年的穆斯林領土

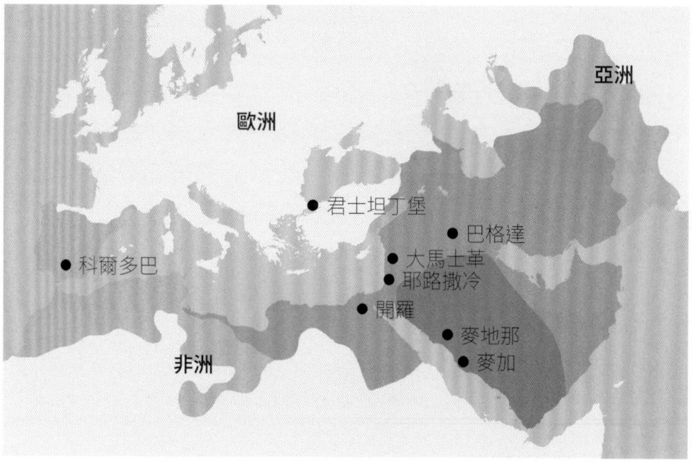

伊斯蘭帝國

中古時期的伊斯蘭教哈里發帝國在第 8 世紀達到顛峰，之後，伊斯蘭教在土耳其和巴爾幹地區進一步擴張，只是此時帝國的政權實際上已經分裂了。

伊斯蘭世界

隨著伊斯蘭帝國的擴張，其境內城市也隨之成長，蓋起了宮殿、大清真寺、醫院、圖書館，城市於是成為貿易與文化的重心。

麥地那

穆罕默德帶領最初的信徒在西元 622 年來到麥地那，這是第一座歸依伊斯蘭教的大城。

大馬士革

大馬士革位於敘利亞，在西元 661 年成為倭馬亞王朝的首都，這是史上最古老的千年名城之一。

耶路撒冷

西元 637 年，穆斯林取得耶路撒冷，這裡也是伊斯蘭教聖城，建有古老的大清真寺。

巴格達

西元 750 年，阿拔斯家族擊敗倭馬亞王朝。762 年，阿拔斯王朝將巴格達建為首都，此地亦是伊斯蘭教的文化中心。

開羅

開羅於西元 969 年建城，其地理位置接近古埃及首都孟斐斯。到了西元 1325 年，開羅已經成為當時世界最大的城市。

伊斯坦堡

鄂圖曼土耳其人在西元 1453 年攻克拜占庭帝國首都君士坦丁堡，將其改名為伊斯坦堡，作為往後 450 年的鄂圖曼土耳其帝國首都。

中古時期的亞洲帝國

在歐洲中古時期，最強大的帝國其實位於亞洲，當時印度、中國與日本都比西歐更為先進，但在西元 12 到 15 世紀之間，中國被中亞遊牧民族—蒙古人—所征服，日本則陷入內戰時期，印度也被北方部落所入侵。

中國唐朝

經過幾個世紀的分裂割據，中國再度統一。西元 618 年，唐朝建立了，首都長安是絲路的東方起點，絲路貿易連接亞洲與地中海世界，帶給中國巨大的財富。唐朝向西征服了西域，擴張到波斯邊界，武功顯赫。西元 775 年，「安史之亂」爆發，這場大動亂嚴重削弱唐室，到了 907 年，中國再度陷入地方割據之局。

大雁塔

中國西安的大雁塔建於唐代（西元 652 年）。

印度

西元 320 年，笈多王朝統一大部分的印度，帝國以經濟富裕與高級的文藝、科學著稱。經過將近 150 年的和平，笈多帝國在西元 570 年崩解，後來北印度曾短暫由戒日王朝統治，但在 647 年其國王駕崩，印度從此分裂成眾多小王國，直到 13 世紀才重新統一。

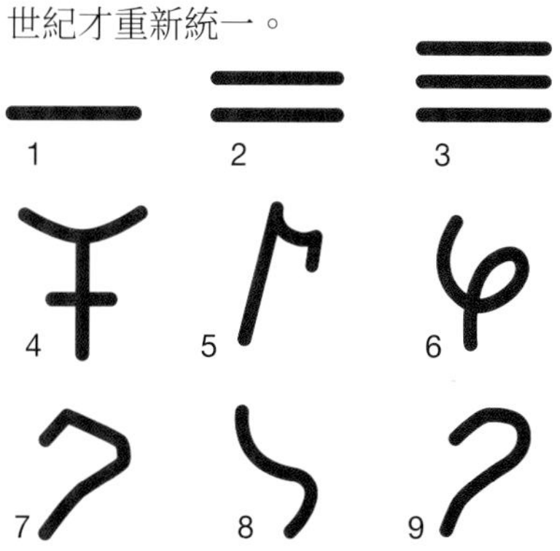

印度婆羅米數字

這套古老的數字系統在第 5、6 世紀由印度數學家發展改良，最終成為現代數字系統[註3]的基礎。

註 3：現今全球通用的阿拉伯數字，其實原本是印度人發明的，後來由阿拉伯人傳播到其他地區。

蒙古帝國

西元 1206 年，成吉思汗統一蒙古的遊牧民族。蒙古人向外擴張，建立龐大的帝國，版圖包含中亞、波斯與中國。蒙古士兵以驍勇善戰知名，精良的騎兵、弓兵與戰士造就蒙古人疾如旋風般的軍力。

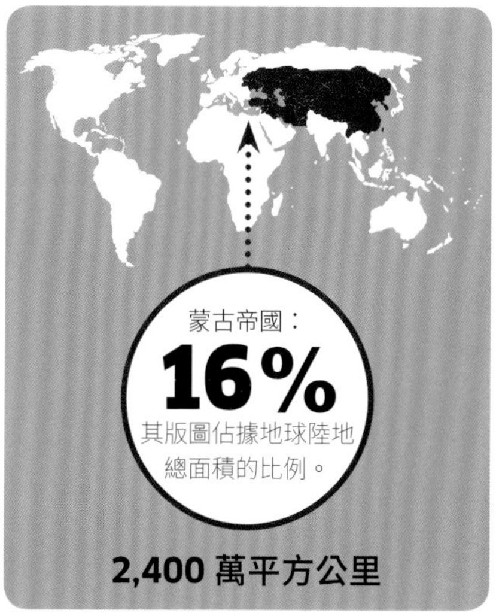

蒙古的擴張

到了西元 1279 年，蒙古帝國已經控制全世界 1/6 的陸地，他們最後征服的主要國家乃是中國。

維京人來襲

西元第 8 世紀末開始，來自北歐斯堪地那維亞半島的剽悍戰士，佔據了歐洲西北部的沿海地區。維京人的侵襲總是毫無預警、殘酷無情，到處搶奪財物又捕捉俘虜為奴。

維京人聲名狼藉，但其實他們不只是殘酷野蠻的強盜而已。維京巧匠打造堅固而快速的船隻，能在洶湧的海洋航行，大膽的維京探險家，更是比其他歐洲人提早幾個世紀就抵達美洲。維京人在北歐、冰島、格陵蘭等地建立殖民聚落，其文化對當地生活產生了長期影響。

維京海盜

維京海盜操駕「長船」航行，這種靈巧迅速的船隻可以航向各種水域—無論是沿海或河流—船上裝有方形大帆，還配置船槳供逆風航行時使用。

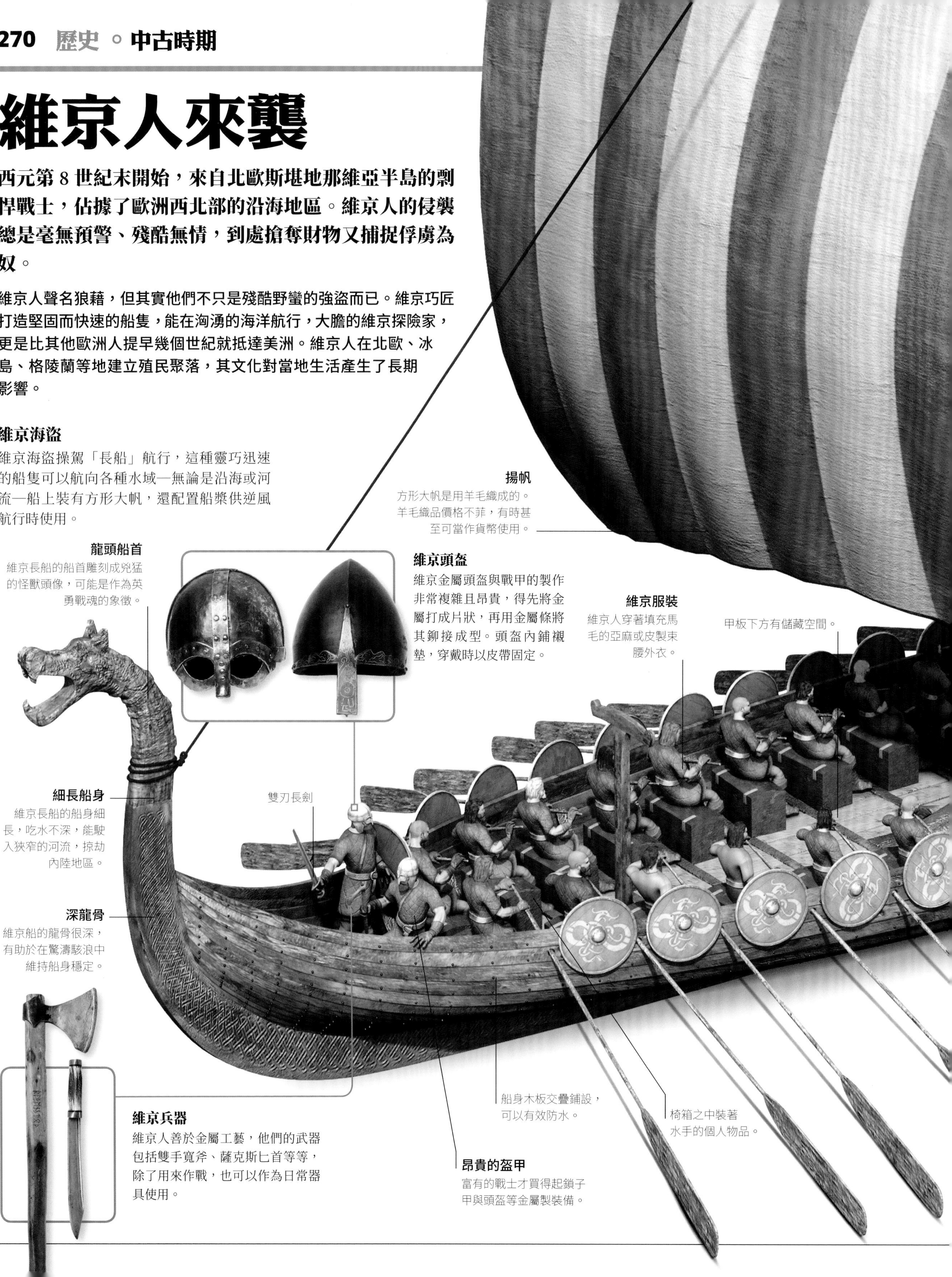

揚帆
方形大帆是用羊毛織成的。羊毛織品價格不菲，有時甚至可當作貨幣使用。

龍頭船首
維京長船的船首雕刻成兇猛的怪獸頭像，可能是作為英勇戰魂的象徵。

維京頭盔
維京金屬頭盔與戰甲的製作非常複雜且昂貴，得先將金屬打成片狀，再用金屬條將其鉚接成型。頭盔內鋪襯墊，穿戴時以皮帶固定。

維京服裝
維京人穿著填充馬毛的亞麻或皮製束腰外衣。

甲板下方有儲藏空間。

細長船身
維京長船的船身細長，吃水不深，能駛入狹窄的河流，掠劫內陸地區。

雙刃長劍

深龍骨
維京船的龍骨很深，有助於在驚濤駭浪中維持船身穩定。

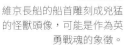

船身木板交疊鋪設，可以有效防水。

椅箱之中裝著水手的個人物品。

維京兵器
維京人善於金屬工藝，他們的武器包括雙手寬斧、薩克斯匕首等等，除了用來作戰，也可以作為日常器具使用。

昂貴的盔甲
富有的戰士才買得起鎖子甲與頭盔等金屬製裝備。

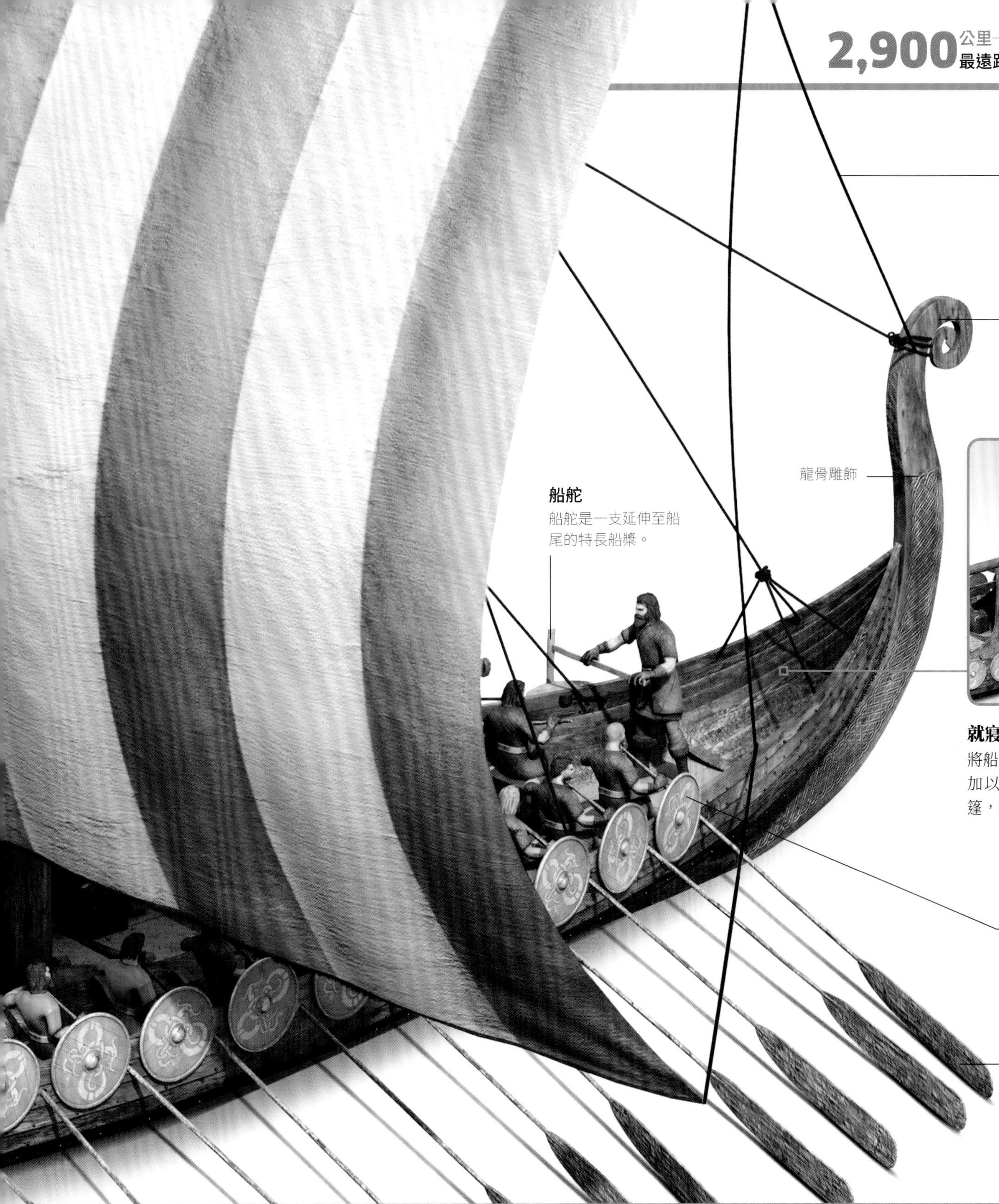

堅韌的繩索
繩索是由耐潮的纖維製成的，例如馬毛、海象皮或麻類纖維。

船尾有裝飾性雕刻。

龍骨雕飾

船舵
船舵是一支延伸至船尾的特長船槳。

就寢區
將船帆架在橫梁上，並繫住船身兩側加以固定，維京船帆就可以變成帳篷，在暴風雨時提供掩蔽。

盾牆
戰士將盾牌排列在船側，用以保護划槳水手並威嚇敵人。

長達 4.5 公尺的船槳。

航海探險家

維京人既是戰士又是探險者。從斯堪地那維亞的故鄉出發，維京人向四方航行了數千公里，他們是最先發現美洲的歐洲人，比哥倫布還早了 500 年，在紐芬蘭、加拿大等地，都曾發現維京聚落的遺跡。另一方面，維京人也沿著海岸與河流朝向歐洲內陸航行，在沒有水路時，他們甚至可以扛著船隻前進。

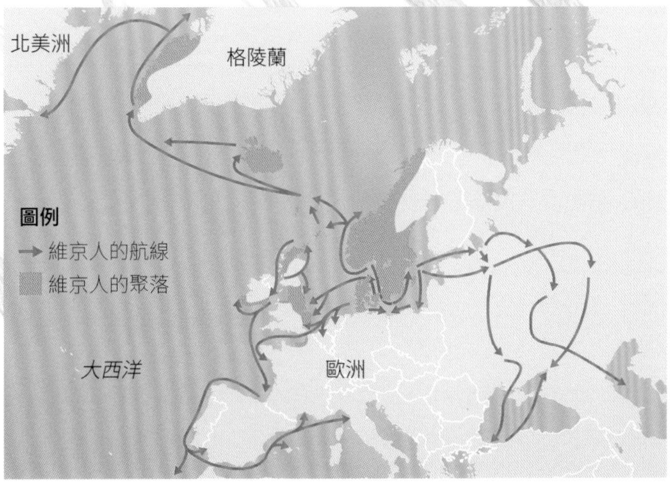
北美洲
格陵蘭
圖例
維京人的航線
維京人的聚落
大西洋
歐洲

維京工藝

維京工匠能製作出精緻的皮件與珠寶。早期的工藝裝飾，經常以古老維京傳說中的怪獸或巨人作為主題，但到了 11 世紀時，許多維京人歸依基督教，十字架於是取代了先前的異教圖飾。

十字架

龍形胸針

攻城者有時會將死亡士兵的**遺體拋射**到**城堡**之中，藉此**散播疾病**。

堡壘

在中古時期，攻下一座城堡對侵略者而言幾乎是不可能的任務；城堡的箭垛、「殺人孔」、以及其他防禦設施，處處都讓人心驚膽戰、毛骨悚然！

世界各地都有堡壘建築，從簡陋的木頭要塞，到巨大的石造城堡都有。中古歐洲的封建諸侯建造了許多城堡，領主必須保護自己的領地、家族與財產，尤其是外出征戰時，用以防止外敵偷襲自己的大本營。十字軍在聖地建造城堡，保衛攻克的領土，因為此處隨時都可能遭受攻擊。

城堡的中央是「主樓」，這座高塔是領主的家族居所，就算城堡其他地方陷落，仍可憑恃主樓繼續抗敵。主樓周圍是「內庭」，這是城堡中其他人生活、工作的開放區域，全區皆以石造城牆加以保護。

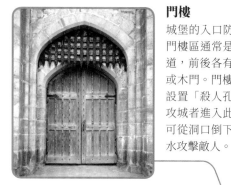

塔樓
圓形塔樓的設計，讓守軍可以朝向四方發射箭矢。
城垛
提供守軍作為掩護，同時還能攻擊敵人。
城牆
厚重的石牆可保護城堡居民的安全。
吊橋
木造吊橋可以升起，截斷入口通道。
門塔
大門兩側的塔樓，守軍可在此朝向攻城者射箭、投石、傾倒沸水。
入口通道
狹窄的入口通道僅容少數人並行通過，不利於敵人進攻。
門樓
城堡的入口防衛嚴密，門樓區通常是狹窄的通道，前後各有一道鐵門或木門。門樓的天花板設置「殺人孔」，萬一攻城者進入此區，守衛可從洞口倒下熱油或沸水攻擊敵人。
領主房
領主及其家人住在城堡中最堅固的私人房間，其採光也最好，又稱為「採光房」。
護城河
挖開土石再引入附近河水，護城河可以加大敵人跟城牆之間的距離。

城堡裡的生活

以這座13世紀的「同心圓式城堡」為例，城堡在和平時期是領主家族、僕人、守軍的住家，城堡內部像是一座小村莊，裡頭有廚房、打鐵鋪、花園、馬廄與教堂，如果敵人來襲，城堡就有足夠的資源來維持，等待援軍到來。

索恩堡位於現今的敘利亞境內，這座城堡長26公尺、寬18公尺，面積足以容納一座網球場。

長期圍城之下，當資源消耗殆盡，**守城者**可能被迫以**馬**、**狗**、甚至**老鼠為食**。

3,500 名**羅德島**的城堡守軍，在西元1480年成功抵禦了**鄂圖曼土耳其**的**70,000名圍城大軍**。

打鐵鋪
鐵匠製作盔甲、武器與其他裝備。
園圃種植蔬菜，遭到圍城時可提供食物。
大堂
這裡可作為宴會廳，領主在此宴請附庸、騎士與賓客。
旗幟是領主與其國王的象徵。
便門
一個作為緊急出口的側門，在敵人攻陷城池時可以逃生。
地牢
囚犯被關在地下，脫逃的希望渺茫。
箭垛
守軍能由此小孔射箭，而敵人卻難以回擊。

城堡的種類

隨著時代的推進，城堡的攻守技術不斷出現新科技，而城堡的建築型態也跟著與時俱進。

土丘要塞

常見時期：10-11 世紀
構造：木造城堡蓋在土丘上，周圍有防禦工事環繞。
優點：建造快速而便宜。
弱點：在破城錘與火攻之下，顯得非常脆弱。

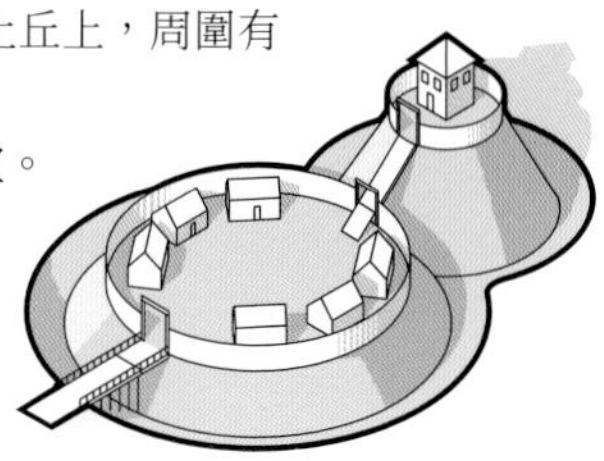

同心圓式城堡

常見時期：12-15 世紀
構造：主樓建於城堡中央，再以數層石造城牆重重保衛。
優點：建築耐久且難以攻破。
弱點：建造曠日廢時；守城者容易坐困愁城；不堪砲彈攻擊。

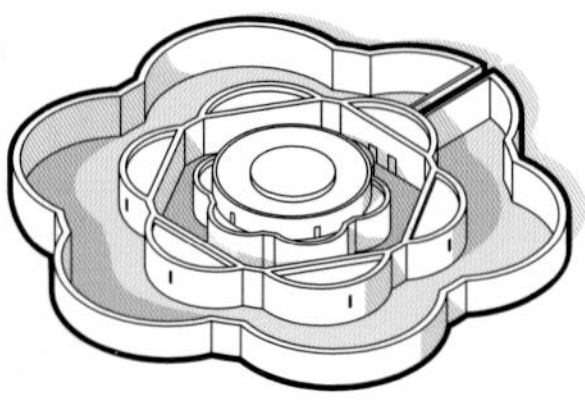

星形堡壘

常見時期：16-20 世紀
構造：石造或混凝土建造。
優點：城牆的角度可以削弱砲彈的威力；守軍可從各種方向攻擊敵人。
弱點：現代炸藥可炸毀。

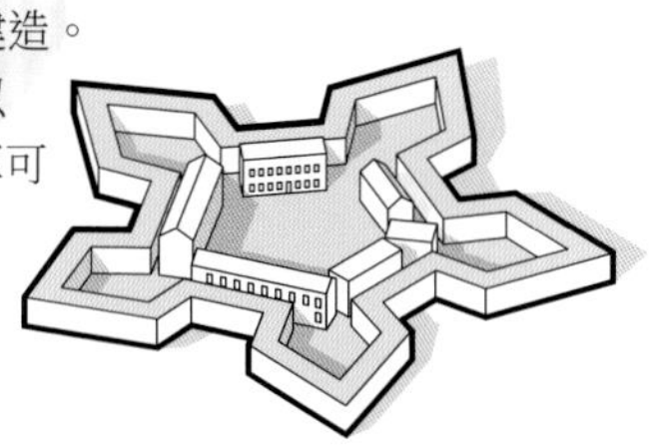

攻城

在火藥發明之前，攻陷一座城堡簡直是不可能的任務，當時攻城的軍隊只有兩種選擇，其一是運用攻城機械衝撞，其二是長期圍城、耗盡對方資源使其開門投降。

火攻

攻城者將弓箭頭點火射進城堡中，試圖焚毀建築物；或者在城牆下挖洞放火，使城牆塌毀。

攻城塔

搭載士兵登上城牆的移動高塔。

破城錘

一種設有搖擺重錘的機裝置，用來衝撞、敲破城門。

投石機

用以拋擲大石塊來破壞城牆的防禦工事，或者砸傷城內守軍。

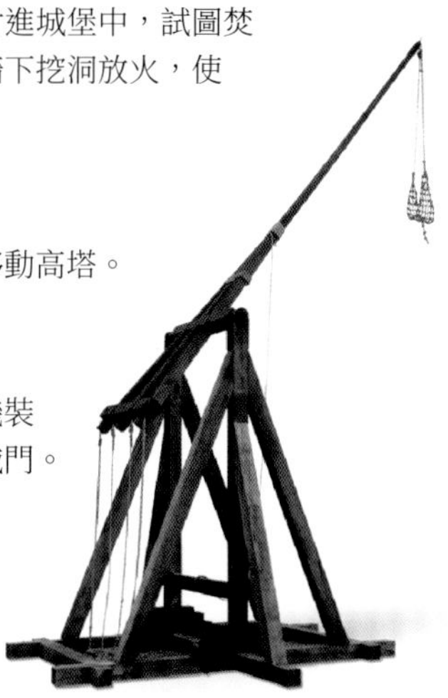

投石機

70,000 在西元1099年十字軍攻打耶路撒冷之役中喪生的人數。

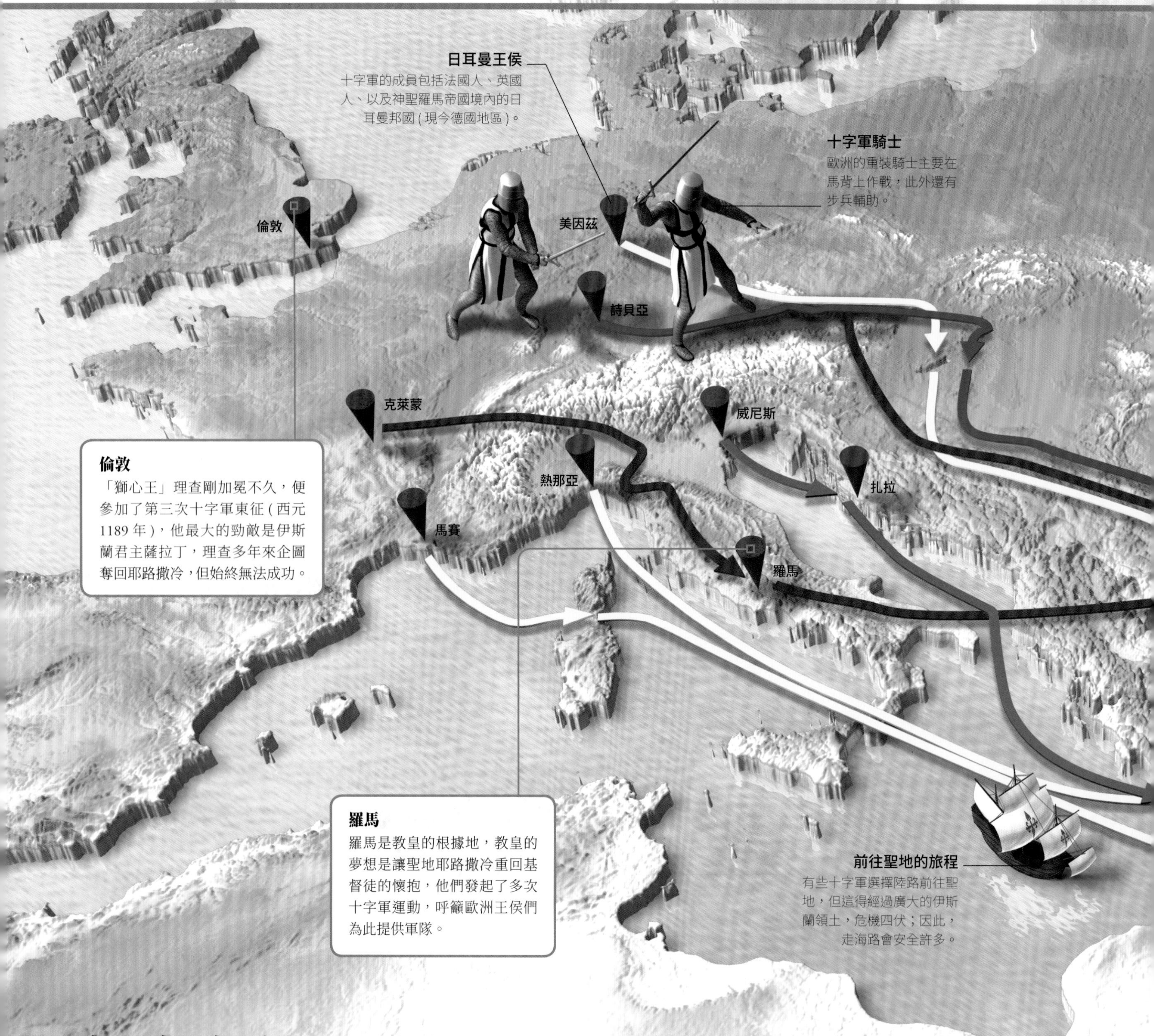
日耳曼王侯
十字軍的成員包括法國人、英國人、以及神聖羅馬帝國境內的日耳曼邦國(現今德國地區)。
十字軍騎士
歐洲的重裝騎士主要在馬背上作戰，此外還有步兵輔助。
倫敦
美因茲
詩貝亞
克萊蒙
威尼斯
熱那亞
扎拉
馬賽
羅馬
倫敦
「獅心王」理查剛加冕不久，便參加了第三次十字軍東征(西元1189年)，他最大的勁敵是伊斯蘭君主薩拉丁，理查多年來企圖奪回耶路撒冷，但始終無法成功。
羅馬
羅馬是教皇的根據地，教皇的夢想是讓聖地耶路撒冷重回基督徒的懷抱，他們發起了多次十字軍運動，呼籲歐洲王侯們為此提供軍隊。
前往聖地的旅程
有些十字軍選擇陸路前往聖地，但這得經過廣大的伊斯蘭領土，危機四伏；因此，走海路會安全許多。

十字軍

西元1095至1271年間，歐洲發動了一連串的十字軍運動，發起十字軍的目的，是要奪回自第7世紀以後就落入穆斯林控制的基督教聖地。

第一次十字軍東征始於西元1095年，教皇烏爾班二世呼籲基督教戰士「擔起十字架」，立誓奪回耶路撒冷。歐洲各地紛紛響應，十字軍趁著伊斯蘭教政權分裂，成功奪取聖城。十字軍在當地設立小王國並建造城堡，通常由所謂的「聖殿騎士團」協助防衛，但稍後伊斯蘭教君主—包括薩拉丁、拜巴爾一世—重振旗鼓，統一伊斯蘭教勢力，十字軍從此節節敗退。西元1187年，穆斯林攻佔耶路撒冷，而最後一個十字軍堡壘在1291年陷落。

前4次十字軍東征

一般所稱「十字軍運動」，指的是西元1095至1204年間的前4次行動，因為這4次的軍容與戰爭規模最大，有時被稱為「大十字軍」；在此之後還有5次「小十字軍」、以及許多小型軍事行動。

圖例

- ➡ 第一次十字軍東征
- ➡ 第二次十字軍東征
- ➡ 第三次十字軍東征
- ➡ 第四次十字軍東征

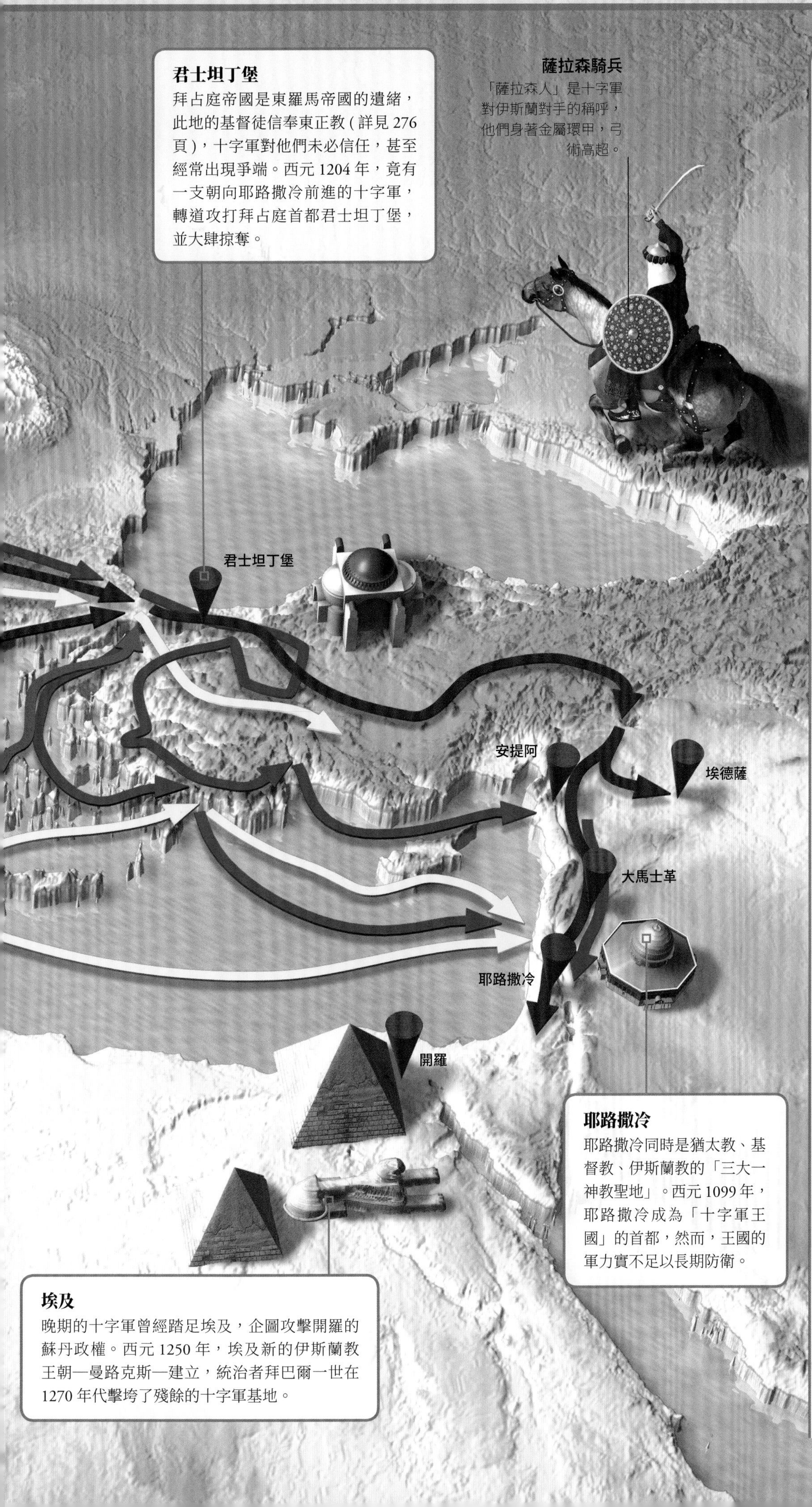
君士坦丁堡
安提阿
埃德薩
大馬士革
耶路撒冷
開羅

君士坦丁堡

拜占庭帝國是東羅馬帝國的遺緒，此地的基督徒信奉東正教（詳見276頁），十字軍對他們未必信任，甚至經常出現爭端。西元1204年，竟有一支朝向耶路撒冷前進的十字軍，轉道攻打拜占庭首都君士坦丁堡，並大肆掠奪。

薩拉森騎兵

「薩拉森人」是十字軍對伊斯蘭對手的稱呼，他們身著金屬環甲，弓術高超。

耶路撒冷

耶路撒冷同時是猶太教、基督教、伊斯蘭教的「三大一神教聖地」。西元1099年，耶路撒冷成為「十字軍王國」的首都，然而，王國的軍力實不足以長期防衛。

埃及

晚期的十字軍曾經踏足埃及，企圖攻擊開羅的蘇丹政權。西元1250年，埃及新的伊斯蘭教王朝—曼路克斯—建立，統治者拜巴爾一世在1270年代擊垮了殘餘的十字軍基地。

數百年的衝突

第一次十字軍東征在中東地區建立了數個基督教王國，但隨著情勢演變，穆斯林進行反攻，十字軍最後仍遭驅逐。

西元1095年11月
教皇烏爾班二世在法國克萊蒙發佈教諭，呼籲基督徒組織十字軍東征，「收回」巴勒斯坦地區的宗教聖地。

1097年6月
第一次十字軍在大戰中擊敗土耳其人，打開通往東方之路。

1099年7月
十字軍包圍耶路撒冷，許多居民被屠殺，包括穆斯林、猶太教徒、甚至當地的基督徒。

1144年12月
敘利亞地區的十字軍王國—埃德薩—被伊斯蘭領袖詹吉所擊垮，第二次十字軍以奪回此地為由而發動。

1147年11月
日耳曼的鄂圖二世領導一支十字軍東征，最後被塞爾柱土耳其人擊敗。

1148年7月
第二次十字軍的殘餘兵力包圍伊斯蘭教城市大馬士革，但最終以失敗收場。

1187年7月
在伊斯蘭領袖薩拉丁的攻擊之下，聖地十字軍幾乎喪失所有領土；第三次十字軍因此而發起，誓言奪回失地。

1191年5-6月
法國國王腓力二世與英國國王理查一世（「獅心王」理查），率領十字軍抵達耶路撒冷附近的亞柯城。

1191年9月
「獅心王」理查在聖殿騎士團及醫院騎士團的幫助下，擊敗了薩拉丁的軍隊。

1202年10月
第四次十字軍在威尼斯集結，威尼斯總督恩里科丹多洛提供船隻，協助軍隊渡過亞得里亞海。

1202年10-11月
作為使用威尼斯船隻渡海的交換條件，十字軍竟然轉而攻擊威尼斯的敵人——扎拉地區的基督教城鎮。

1204年4月
因為與拜占庭皇帝發生財務爭執，十字軍竟然洗劫了基督教大城君士坦丁堡。

1217年
第五次十字軍攻擊耶路撒冷失敗，轉而進攻埃及，但在1221年於開羅城外被擊垮。

1228-1229年
神聖羅馬帝國皇帝腓特烈二世領導第六次十字軍，幾乎重新奪回了耶路撒冷。

1248-1254年
第七次十字軍入侵埃及，但最後埃及蘇丹俘虜了十字軍領袖——法國國王路易九世，遠征再度失敗。

1291年
蘇丹拜巴爾一世攻下亞柯城——此乃最後一座十字軍基地。

4,200—全世界宗教派別的大致數量。

宗教

世界上有數十億人相信，賦予人類生命意義的「超越性力量」真實存在；對許多人而言，宗教是人類生命本質的呈現。

「宗教」是「一整套信仰」，用以處理各種生命課題，包括生死、善惡、喜樂…等等。有些人崇拜神明，有些人選擇跟隨宗教導師，宗教所涵蓋的不只信仰本身，還有表現信仰精神的宗教儀式；宗教力量讓人們緊密連結為小團體，甚至成為全球性的群體——也就是普世宗教的信徒。現今世界上共有六大主要宗教：基督教、猶太教、伊斯蘭教、印度教、佛教與錫克教，這 6 種宗教的信徒佔了世界宗教人口的 85%。此外還數億人信仰其他宗教，這使得宗教成為人類歷史上的重大課題，多元而豐富。

各種宗教

除了六大宗教，還有 12% 的全球人口信仰其他各種宗教，例如崇拜自然的「異教」(就西方觀點而言，基督教以外的宗教都是異教，尤其是多神信仰)，包括巫術、德魯伊……等等。所有宗教所追求的共同目標，就是為了瞭解宇宙的真相、以及生命的意義。

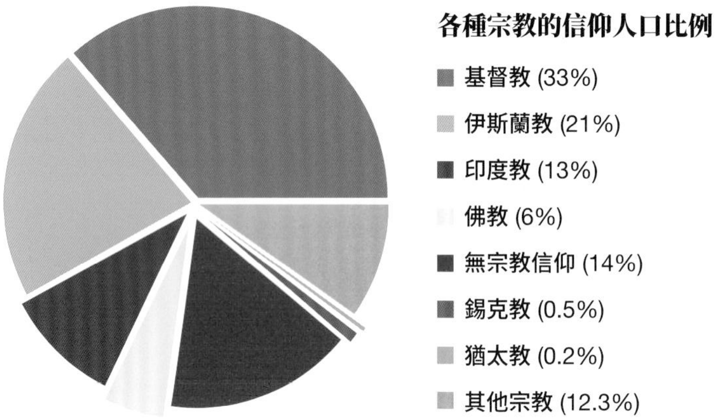
各種宗教的信仰人口比例
基督教 (33%)
伊斯蘭教 (21%)
印度教 (13%)
佛教 (6%)
無宗教信仰 (14%)
錫克教 (0.5%)
猶太教 (0.2%)
其他宗教 (12.3%)

猶太教

作為猶太人的宗教，猶太教極為重視第一個「猶太人」—亞伯拉罕—他教導猶太人崇拜唯一的上帝。現今全球的猶太教徒約有 1,400 萬人，分屬不同教派——包括正統派與自由派。猶太教徒在人生的不同階段進行數種「通過儀式」，遵循每週一次的安息日，其信仰中心稱為「猶太會堂」。第二次世界大戰期間，約有 600 萬猶太人遭到屠殺。現今，猶太人大多居住在美國和以色列。

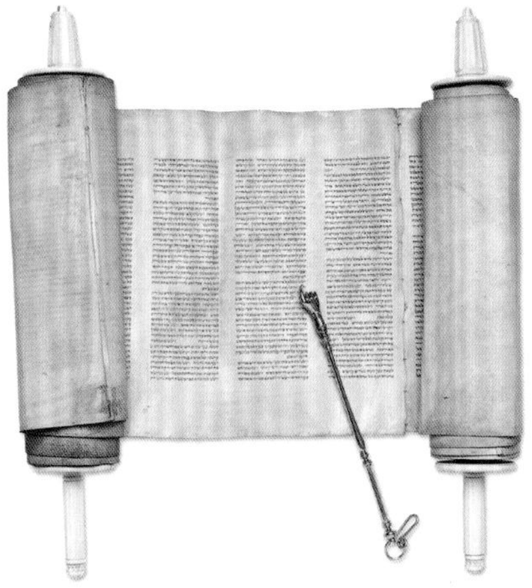

妥拉

猶太教最神聖的經典是《妥拉》(猶太教將《摩西五經》稱為《妥拉》)，其內容涵蓋各種生活準則，教徒會聚集於「猶太會堂」中朗讀《妥拉》的珍貴經卷。

伊斯蘭教

伊斯蘭教信徒稱為「穆斯林」，全球約有 15 億穆斯林，分屬遜尼派和什葉派兩大教派。伊斯蘭教的信仰基礎稱為「五功」：唸、禮、齋、課、朝，也就是證信、禮拜、齋戒、天課、朝聖。伊斯蘭教的聖經稱為《古蘭經》——這是上帝對先知穆罕默德的啟示。

清真寺

眾多穆斯林每日參拜清真寺祈禱，但在每週五，他們必須出席聆聽「伊瑪目」導師的教誨；大型清真寺通常設有圖書館和教室。

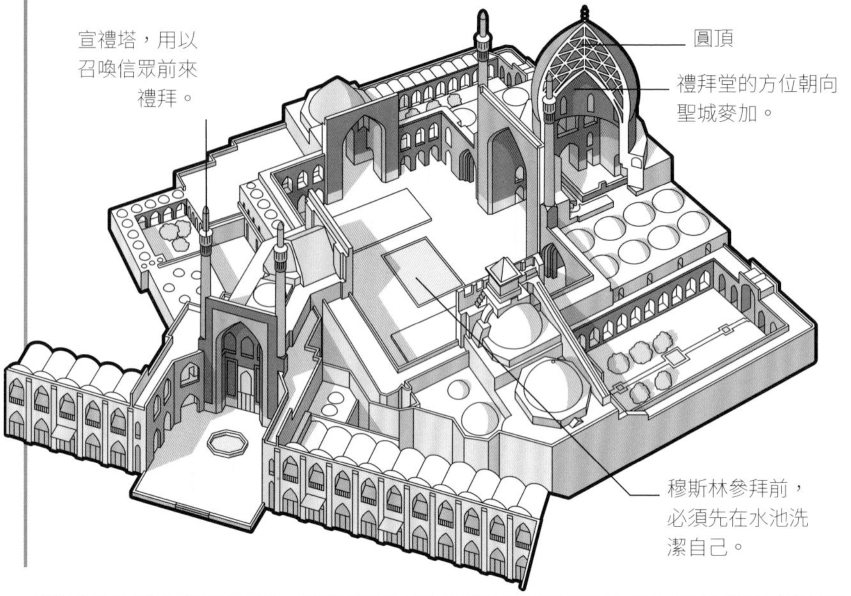
宣禮塔，用以召喚信眾前來禮拜。
圓頂
禮拜堂的方位朝向聖城麥加。
穆斯林參拜前，必須先在水池洗潔自己。

基督教

基督徒相信耶穌基督是「上帝之子[註1]」(上帝化身於人間)。全世界的基督徒共約 21 億人，上帝、聖經和祈禱是他們的信仰中心，但基督教發展出不同的教派：天主教(或稱舊教、羅馬公教)、東正教(或稱希臘正教)、新教(或稱抗議宗)，他們對於教義如何落實各有不同主張。

註 1：基督教主張三位一體(神、神之子、聖靈是同一個)，耶穌同時是神也是人，這是「上帝之子」的神學意涵。

新教	天主教	東正教
沒有權威領導中心	梵蒂岡的教皇(教宗)是最高權威	由幾位「牧首」作為領導人
始於 16 世紀神學家馬丁．路德抨擊天主教	相信教皇是聖彼得(第一任羅馬主教)的傳人；聖彼得是耶穌十二門徒之首	西元 451 年，君士坦丁堡與羅馬意見不和，在此爭端之後，東正教從天主教分離出來
信徒遍及世界各地，主要在西歐、北歐、北美、紐澳與非洲部分地區	信徒遍及世界各地，主要在法國、南歐、東歐與南美洲	信徒主要在希臘、巴爾幹半島、俄羅斯、中東與北非
強調人人能懂的簡明教義	宗教儀式繁複，經常使用拉丁文作為敬神頌詞	宗教儀式繁複，使用多種語言敬拜——包括希臘語和敘利亞語
不一定有修道院，但擁有教會與主座教堂	設有修道院制度	設有修道院制度
相信人人都能直接對上帝祈禱，不需透過教士階層	多數人必須透過教士或聖徒才能崇拜上帝	多數人必須透過教士或聖徒才能崇拜上帝

印度教

全世界約有 9 億印度教徒，印度教本身是一個多樣化的宗教信仰，信徒相信無所不在的宇宙靈魂—梵—化生出世界萬事萬物，因此印度教有眾多神明，但本質上皆是「梵」的化身，各自代「梵」的某一種力量。印度教的三大神明包括創造神婆羅摩 (生)、保護神毗濕奴 (住)、破壞神濕婆 (滅)，教義主張人皆有靈魂，死後靈魂會輪迴轉世，印度教徒追求的終極目標是超脫輪迴、與宇宙靈魂複合，也就是「涅槃」的境界。人會造業，業力造成因果報應，善業有助人們達到涅槃，惡業則相反。

婆羅摩 (又稱為梵天)
宇宙靈魂「梵」的人格化，代表創造的力量，婆羅摩的形象擁有 4 隻手、4 顆頭，代表印度教的 4 種神聖經典。

濕婆
代表破壞與轉生的力量，因此濕婆同時具有慈祥 (恩) 與威嚴 (威) 的形象；在宇宙之舞「塔羅闍」中，濕婆在一圈火焰環中間起舞。

毗濕奴
藍皮膚的毗濕奴負責維繫宇宙運行之法——「達瑪」。

拉克什米
拉克什米是財神與幸運之神，他是最廣受歡迎的印度神祇之一，其形象通常是端坐在蓮花之上。

哈努曼
猴神哈努曼曾經幫助著名的印度史詩英雄—羅摩—力抗惡魔。

甘尼許
象頭神甘尼許是智慧、文藝、學術的贊助者。

佛教

佛教起源於 2,500 年前的印度，一位名為喬達摩．悉達多的人頓悟證道之後，被尊稱為「佛陀」(覺悟者之意)，佛教後來逐漸從印度傳播至其他地區，現今全球約有 3 億 7,600 萬人追隨佛陀的教誨。「佛法」追求看破人生之「苦」(dukkha)，了解生命的真諦，佛教徒皈依佛、法、僧「三寶」，遵循「八正道」——正見、正思維、正語、正業、正命、正精進、正念、正定，其終極目標是達到平靜，此即「涅槃[註2]」。

註 2：印度教與佛教都主張「涅槃」，只是內容不同；佛教涅槃一說源自婆羅門教。

“一切惟心造，諸相由心生。”（白話：我們就是我們的心靈。我們從自已的思想中出現。我們的思想創造了世界。）

—釋迦摩尼佛

佛陀沉思像
佛教徒以「禪定」修行，淨化心靈、抗拒物慾，以體察更清晰的宇宙真相。

53,840—西元1670年，蘇丹穆罕默德四世麾下的「新軍」人數。

737—1670年鄂圖曼帝國的皇家裁縫人數。

鄂圖曼土耳其帝國

鄂圖曼土耳其人建立了一個地跨中東、中歐、南歐與非洲的大帝國，並延續超過600年。鄂圖曼土耳其帝國強大的統治者稱為「蘇丹」，他擁有一支稱作「新軍」的私人奴隸軍隊，因此能夠控制這片廣大的領土。

鄂圖曼土耳其人興起於現今的土耳其西部，起初只是一個小國，但鄂圖曼人精於戰鬥，領土擴張快速。西元 1453 年，鄂圖曼人攻陷東羅馬帝國(拜占庭帝國)的千年首都君士坦丁堡，將其改名為伊斯坦堡，繼續作為這個伊斯蘭帝國的首都；鄂圖曼土耳其帝國的統治者「蘇丹」(伊斯蘭君主的稱呼，相當於國王)，從此成為整個伊斯蘭世界的領導者。

15、16 世紀期間，鄂圖曼帝國強大而富庶，歷任蘇丹建造雄偉的清真寺與宮殿，許多至今依然佇立。鄂圖曼的工藝精湛，境內許多城市以其美麗的裝飾性藝術著稱，例如伊茲尼克的陶瓷、布爾薩的絲綢、開羅的地毯、以及巴格達的書法藝術。

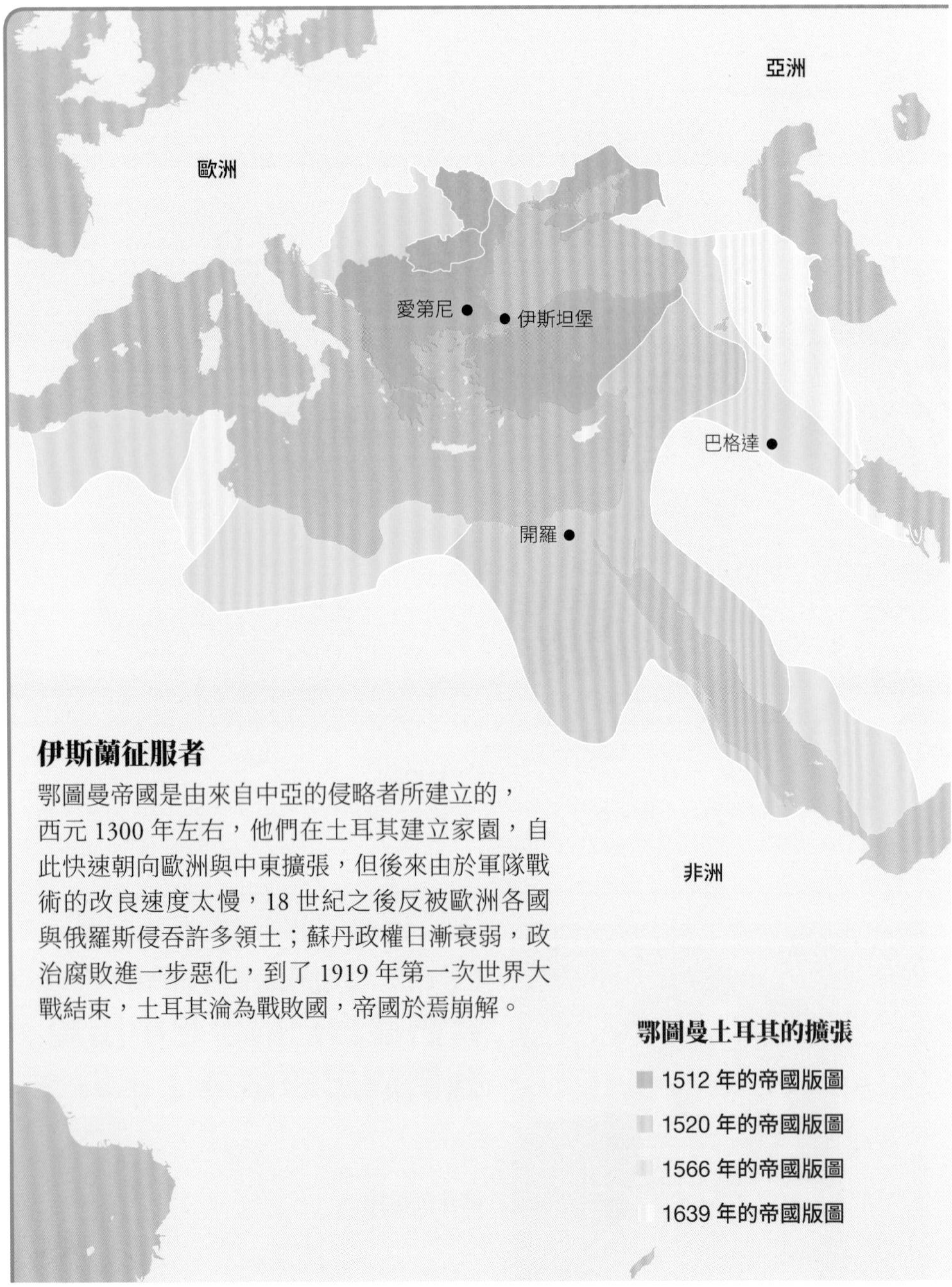

伊斯蘭征服者

鄂圖曼帝國是由來自中亞的侵略者所建立的，西元 1300 年左右，他們在土耳其建立家園，自此快速朝向歐洲與中東擴張，但後來由於軍隊戰術的改良速度太慢，18 世紀之後反被歐洲各國與俄羅斯侵吞許多領土；蘇丹政權日漸衰弱，政治腐敗進一步惡化，到了 1919 年第一次世界大戰結束，土耳其淪為戰敗國，帝國於焉崩解。

鄂圖曼土耳其的擴張

- 1512 年的帝國版圖
- 1520 年的帝國版圖
- 1566 年的帝國版圖
- 1639 年的帝國版圖

伊斯蘭城市

鄂圖曼人攻下君士坦丁堡之後，改名為伊斯坦堡，並將其整建成新首都；他們興建宏偉的清真寺和陵寢，街道上到處設置美麗的花園，而蘇丹的皇宮暨政治中心—托普卡匹皇宮—更是打造得無比豪華、無比雄偉！

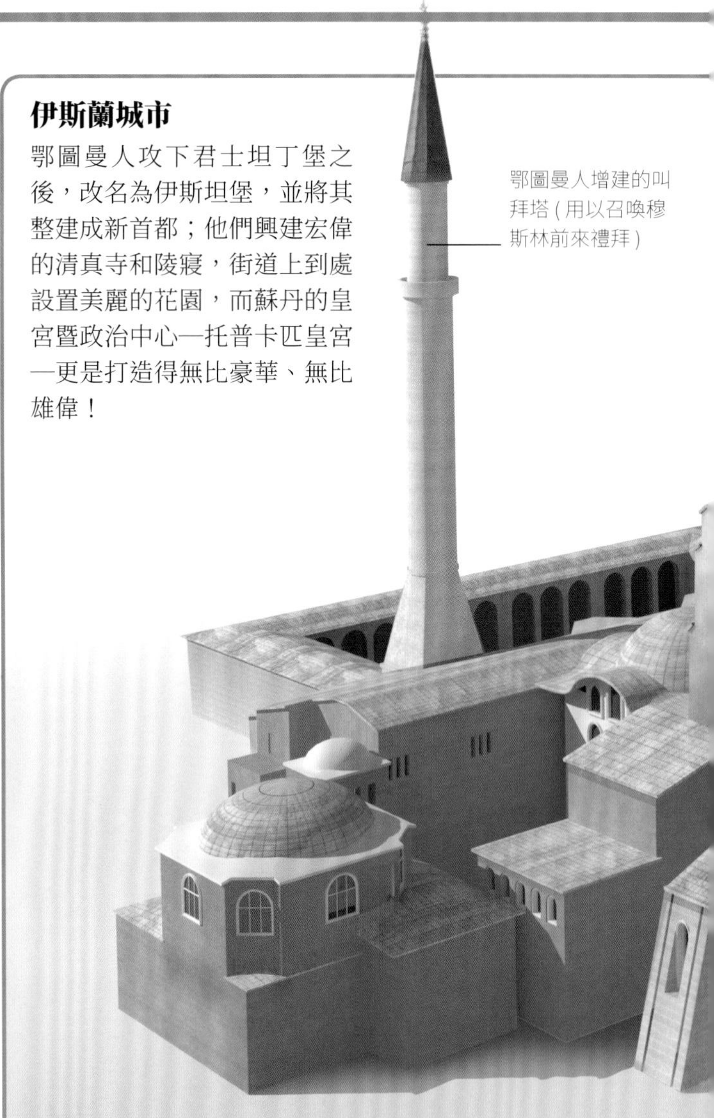

鄂圖曼人增建的叫拜塔(用以召喚穆斯林前來禮拜)

改宗

拜占庭(東羅馬)皇帝建造的「聖索菲亞大教堂」位於君士坦丁堡的中心，鄂圖曼人遮掩內部的基督教圖像，並於四周加蓋「叫拜塔」，將這座教堂改造成清真寺。

鄂圖曼藝術

伊斯蘭教不允許寫實主義的人物或動物肖像出現於公共場所，取而代之的是鄂圖曼人創作花草圖案、以及阿拉伯經文書法，來裝飾清真寺等建築；托普卡匹皇宮的工作坊，更是網羅了最出色的工匠、藝術家、設計師、書法家，負責製作供蘇丹使用的各種御用器物。

伊茲尼克磁磚

伊茲尼克位於土耳其西北部，以製造精美的磁磚聞名於世。

145—1453年鄂圖曼海軍的船艦數量。

1,700—蘇萊曼大帝的首相—魯斯坦·帕夏—所擁有的奴隸人數。

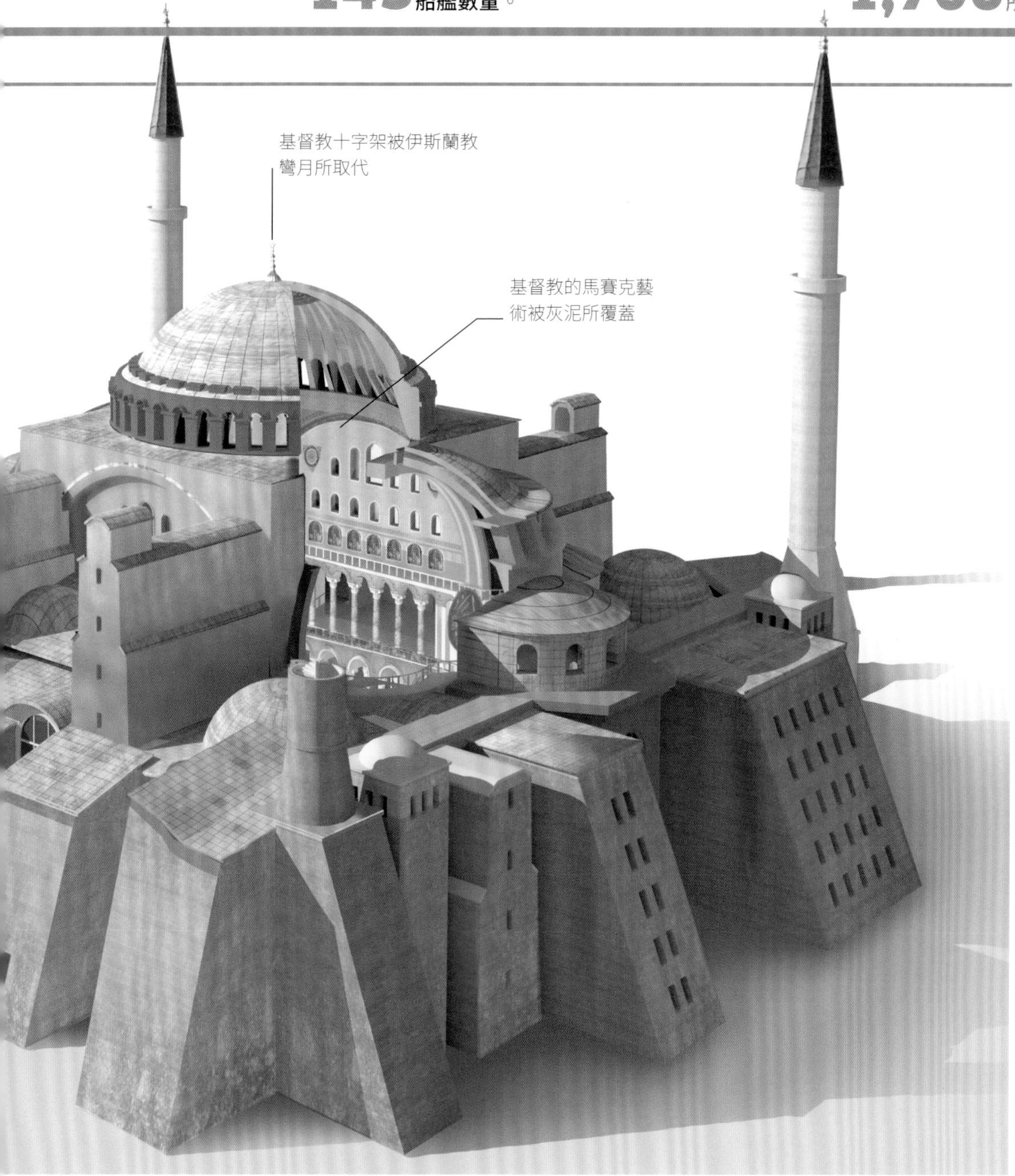

基督教十字架被伊斯蘭教彎月所取代
基督教的馬賽克藝術被灰泥所覆蓋

著名的鄂圖曼蘇丹

鄂圖曼帝國由單一家族統治600年以上，早期的蘇丹本身就是軍人，他們南征北討，四處併吞領土，但帝國境內一派和平安定；然而，後來的蘇丹缺乏雄心壯志，帝國逐漸受到歐洲人的挑戰。

奧爾汗

統治期 1300-1362 年

奧爾汗是鄂圖曼帝國的第二任蘇丹，他從父親奧斯曼一世繼承的僅是一個小王國，卻窮盡畢生之力，將它變成了一個大帝國；奧爾汗與拜占庭帝國作戰，奪得土耳其西北部的領土，定都於布爾薩——在奧爾汗治下，鄂圖曼軍隊首度入侵歐洲。

穆拉德一世

統治期 1362-1389 年

穆拉德統治期間，鄂圖曼帝國進一步朝向歐洲擴張，征服馬其頓、波士尼亞和保加利亞等地，將首都遷往愛第尼(古稱阿德里安堡，位於現今土耳其西北部)，並擊敗了當地的伊斯蘭對手。此外，穆拉德一世將新軍發展成為給薪制的職業軍隊系統，並設計「血稅」徵兵制。

穆罕默德二世

統治期 1444-1481 年

穆罕默德二世攻陷拜占庭首都君士坦丁堡，因此獲得「征服者」的稱號，當時他年僅21歲。穆罕默德二世是一位沙場英雄，同時也是文化贊助者，他大力支持文藝、科學與法律的研究；一些歐洲著名的學者、藝術家都曾經造訪過他的皇宮。此外，穆罕默德二世也鼓勵不同宗教、不同民族的人遷居至首都。

蘇萊曼一世

統治期 1520-1566 年

蘇萊曼一世是鄂圖曼最傑出的蘇丹之一，擁有「大帝」(the Magnificent) 的尊稱，在其統治之下，鄂圖曼帝國成為世界強權。蘇萊曼一世是英勇的軍事領袖，他御駕親征，在戰場上衝鋒陷陣，但同時，他也是一名文藝與詩文的愛好者。

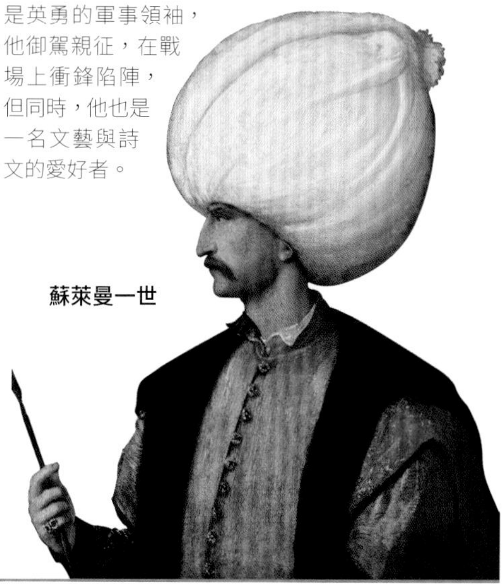

蘇萊曼一世

> “秀髮佳人兮，
> **蹙月眉之吾憐。**
> 眼神淘氣兮，
> **豈詠贊之能足。**”
>
> —蘇萊曼一世
> 寫給妻子的詩

帝國的結構

鄂圖曼帝國雖然由諸多種族與大城市所組成，但帝國政務仍由伊斯坦堡的蘇丹統籌治理；蘇丹同時是伊斯蘭世界的政治與宗教領袖，由「維齊爾」(首相之意)、以及各階文武官員輔佐政事。另一方面，自願從軍的士兵可獲賜土地作為回報，蘇丹的精英部隊稱為「新軍」，這些受過嚴格訓練的步兵隨時願意為君主犧牲性命。

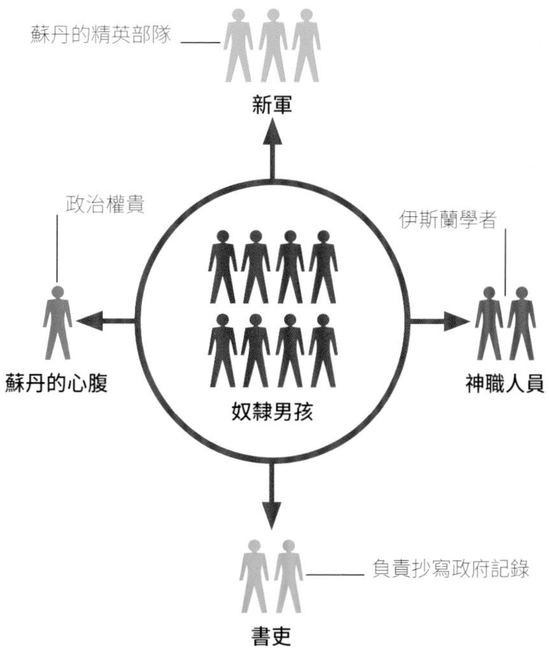

蘇丹的精英部隊
新軍
政治權貴
伊斯蘭學者
蘇丹的心腹
奴隸男孩
神職人員
負責抄寫政府記錄
書吏

奴隸軍隊

鄂圖曼帝國有一套稱為「血稅」的徵兵制度，政府從基督徒家庭徵調男丁作為奴隸，強迫這些男孩歸依伊斯蘭教，並灌輸他們效忠蘇丹的信念；這些男丁大多成為「新軍」，另有一些成為神職人員或書吏，但其中最有能力的人，可能會被提拔為蘇丹的左右心腹，成為新興權貴。

4,000 件絲綢外衣—西元408年，央求**西哥德人**不要洗劫**羅馬城**的**贖金**內容。

絲路

絲路連結中國與中東及歐洲地區，在一千多年之間，它都是東、西方之間最重要的貿易路線，許多珍貴的貨物透過這條陸路運送。

中國漢朝在西元前 200 年左右降服西域，自此開通了前往波斯 (現今伊朗)、以及更遠的地中海地區的安全商旅路線。商人沿著絲路運送絲綢和黃金等貨物，可換取巨大的利益，而他們沿途落腳的城市也因而變得相當富裕；絲路的全盛時期在中國唐代 (西元 618 — 907 年)、以及 13 至 14 世紀的蒙古帝國時期。

歐洲

早在西元第 1 世紀，中國的絲綢便已透過絲路傳至歐洲，但極少有歐洲人到過中國；直到 13 世紀，威尼斯商人馬可波羅抵達中國，甚至拜訪過蒙古帝國統治者忽必烈。

威尼斯
君士坦丁堡
伊斯法罕
撒馬爾罕

阿拉伯世界

西元第 7 世紀，從地中海沿岸到波斯東界，全是阿拉伯人的領土，伊斯蘭政權的首都—大馬士革與巴格達—都透過絲路貿易而大發利市。

阿拉伯銀製花瓶

商業利益

絲路上的商品不只是絲綢，西方人眼中的各種奇珍異寶，包括中國的玉、漆器、陶瓷、青銅器……等等，都被商人帶到阿拉伯世界及歐洲交易，商旅同時也將中國稀少之物—例如黃金 (購買絲綢的通貨)、象牙、玻璃等物—運至東亞。

貿易珍品

中國在第 5 世紀之前並不瞭解如何製造玻璃，而拜占庭帝國與阿拉伯世界在第 6、7 世紀之前，也缺乏製作絲綢的技術，因此，這兩項貿易珍品都極具交易價值。

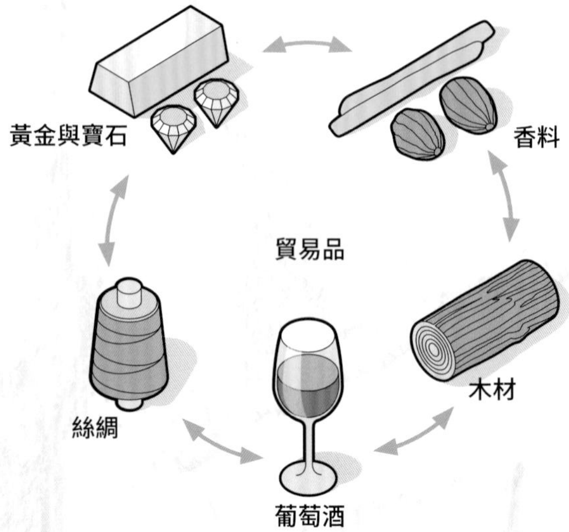
黃金與寶石
香料
貿易品
木材
葡萄酒
絲綢

驚險旅程

隨著絲路貿易的興盛，遊牧民族—例如匈奴人—開始搶劫往來的商旅，中國因而設法控制西域的綠洲區域，並駐軍保衛貿易路線。絲路中的某些必經之處，其地形非常險惡—例如羅布泊沙漠—商旅如果準備的飲水不足，很可能會半途渴死；另一方面，商旅中途停留之地快速發展為城鎮，而文藝與宗教觀念也透過絲路傳播，造就許多重要思想的互相交流——例如在西元第 2 世紀，佛教從印度傳至中國。

蒙古人
數個世紀以來，蒙古騎兵經常搶劫絲路商旅。西元 1206 年，成吉思汗征服中亞與中國北部，控制了東半部的絲路。
喀什
這座古代的綠洲城鎮位於絲路南北線的交接點。
哈拉和林
敦煌
喀什
長安（現稱西安）
北京
德里

中國

在西元第 6 世紀之前，中國是全世界唯一會製造絲綢的民族。中國控制西域的綠洲城市之後，絲路貿易大為興盛，東西方之間的貿易路線也變得更為安全了。

明代佛像

中亞

中亞地區的地貌主要是沙漠與高山，西元第 8 世紀，阿拉伯人將伊斯蘭教傳播至此，並建立許多穆斯林帝國，對於絲路貿易的貢獻卓著。西元 14 至 15 世紀，帖木兒帝國[註1]興起，其廣大幅員呈東西向長條形，他們為世人留下了美麗的撒馬爾罕城；到了 16 世紀，帖木兒王朝的後裔進一步朝向南亞擴張，在印度建立了蒙兀兒帝國。

註 1：帖木兒是蒙古察合台汗國人，此地本來屬於中亞遊牧民族（概稱突厥），汗國人民後來多數改持突厥語；帖木兒就是這種「突厥化蒙古人」，他娶了成吉思汗的七世孫女，在血緣上認同蒙古，但在語言與生活方式上已經「中亞化」。

蒙兀兒飾品

君士坦丁堡

拜占庭帝國首都—君士坦丁堡—是歐洲與亞洲的貿易交會點，這座強大而富庶的城市控制了博斯普魯斯海峽——分隔歐洲與亞洲的狹長海域。

伊斯法罕

絲路從中亞西進波斯地區（現今伊朗）必須經過伊斯法罕，此城以財富聞名於世；西元 1598 年，伊斯法罕成為波斯薩菲王朝的首都，其重要性愈增。

撒馬爾罕

這是絲路中段的重要城市之一，它幾度易主，中國人、阿拉伯人、匈奴人都曾掌握此地，後來在西元 1220 年被蒙古人所征服。

敦煌

敦煌位於中國的西緣邊疆，這是商旅耗費數個月跨越羅布泊沙漠之前的重要休息站。西元 1900 年，此處出土了非常重要的佛經寶藏。

長安

長安（現稱西安）為中國漢代、唐代的首都，也是絲路的東方起點。長安的富庶舉世聞名，西元 8 世紀時，唐朝長安是全世界最大的都市，人口約有 100 萬。

北京

在西元 13 世紀前期的蒙古統治期間，北京是其冬季陪都。西元 1267 年，元朝遷都北京，改名為「大都」，馬可波羅就是在此覲見忽必烈（1275 年）；馬可波羅從威尼斯前往中國，前後共耗費了 3 年的時間。

新造武士刀的鋒利程度，是以切割屍體或罪犯來測試的！

日本武士

在中古時期的日本，天皇雖然是名義上的統治者，但實際權力掌握在稱為「大名」的諸侯手中；大名之間經常彼此交戰，他們的軍隊主力乃是史上最凶悍的戰士：日本武士（侍）。

當時的日本是個階級嚴明的社會，天皇是階級社會的頂點，而武士們掌握了政治與經濟力量——有權勢的大名贈予土地給支持自己的武士，武士則效忠大名、付出武力作為回報；至於在封地上耕種的農民，則必須繳納收成給領主。

武士固然以善戰聞名，但他們其實也重視詩文、藝術和音樂。許多武士信仰禪宗，禪宗的教導是「冥思」與「去我」，以求領略宇宙的真諦；要臻至此種境界，必須透過藝術修養，也必須透過武士道精神的修煉。

220 年—日本鎖國閉關的時間（1633-1853 年），沒有外國人可以入境（除了荷蘭人與中國人可與日本人在長崎貿易），違者處死。

武器與盔甲

日本武士崇尚以利刃近身決鬥，這種作戰方式必須動作靈巧，因此他們偏愛輕質盔甲，以免減緩速度；此外武士沒有盾牌，他們運用武士刀格檔敵人的攻擊。

頭盔（兜）
頭盔通常帶有冠飾，保護臉頰和脖子的部位，也都具有繁複的裝飾。
背甲
背甲上有個特製的縫隙，用以插上代表武士個人的旗幟。
面具（面頰）
凶悍的臉譜設計用來威嚇敵人。
肩甲（袖）
繫附於胸甲的肩膀部位。
護臂（籠手）
由上漆的金屬所製成，有時在肘部等關節處以鎖鏈連結，這樣手臂才能任意伸展。
胸甲（胴）
早期的胸甲以木材與皮革製成，晚期則改用鋼板。
手甲
用以保護手部，甚至會延伸到拇指。

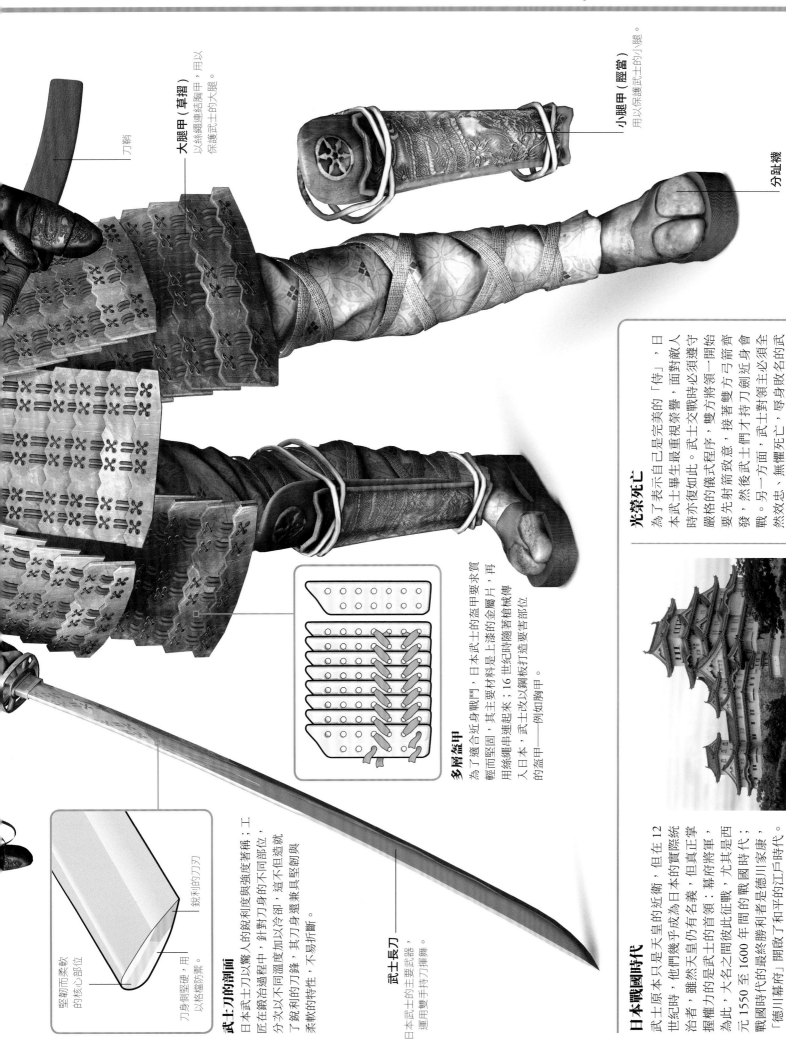

刀鞘
大腿甲（草摺）
以絲繩連結胸甲，用以保護武士的大腿。
小腿甲（脛當）
用以保護武士的小腿。
分趾襪
套上分趾襪，才能穿上日式夾腳鞋。

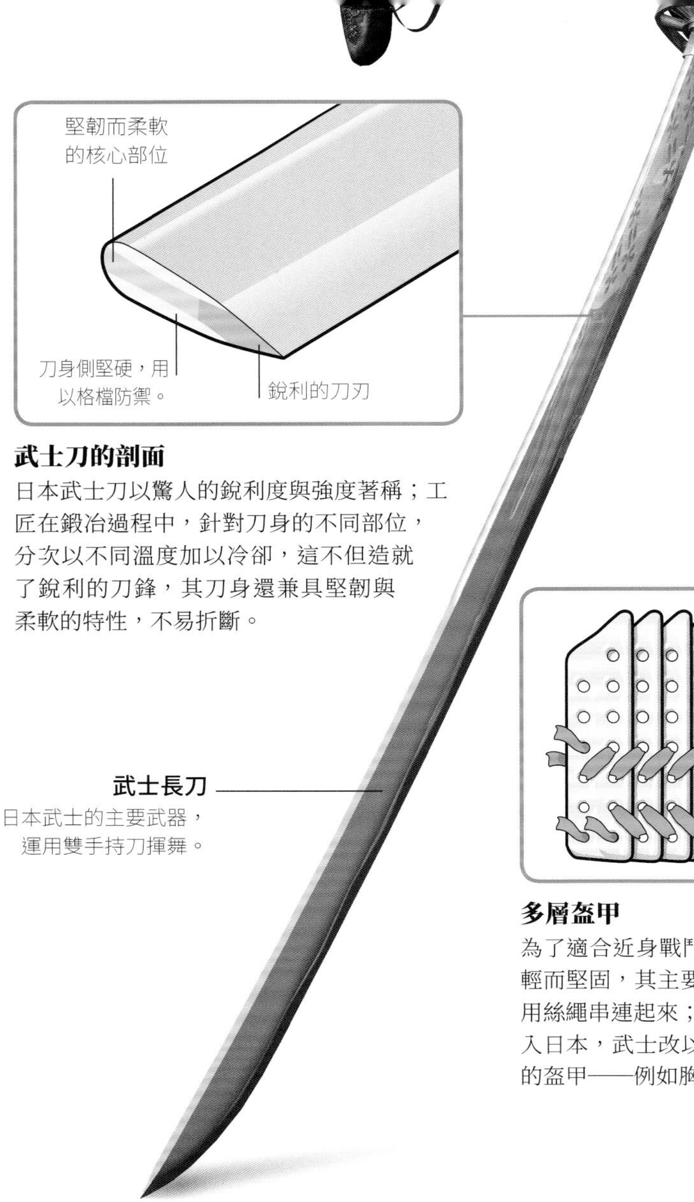
武士長刀
日本武士的主要武器，運用雙手持刀揮舞。
堅韌而柔軟的核心部位
刀身側堅硬，用以格擋防禦。
銳利的刀刃

武士刀的剖面

日本武士刀以驚人的銳利度與強度著稱；工匠在鍛冶過程中，針對刀身的不同部位，分次以不同溫度加以冷卻，這不但造就了銳利的刀鋒，其刀身還兼具堅韌與柔軟的特性，不易折斷。

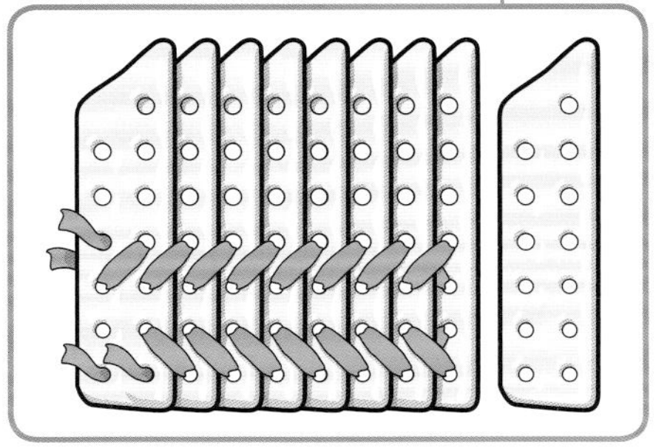

多層盔甲

為了適合近身戰鬥，日本武士的盔甲要求質輕而堅固，其主要材料是上漆的金屬片，再用絲繩串連起來；16 世紀時隨著槍械傳入日本，武士改以鋼板打造要害部位的盔甲——例如胸甲。

日本戰國時代

武士原本只是天皇的近衛，但在 12 世紀時，他們幾乎成為日本的實際統治者，雖然天皇仍有名義，但真正掌握權力的是武士的首領：幕府將軍，為此，大名之間彼此征戰，尤其是西元 1550 至 1600 年間的戰國時代；戰國時代的最終勝利者是德川家康，「德川幕府」開啟了和平的江戶時代。到了西元 1868 年，幕府將軍將政權奉還明治天皇，日本從此建立現代化的新政府，廢除了武士制度。

姬路城

強大的領主建造城堡作為住家、堡壘，並象徵其權力；圖中城堡建於 17 世紀，位於日本兵庫縣姬路市。

光榮死亡

為了表示自己是完美的「侍」，日本武士畢生最重視榮譽，面對敵人時亦復如此。武士交戰時必須遵守嚴格的儀式程序，雙方將領一開始要先射箭致意，接著雙方弓箭齊發，然後武士們才持刀劍近身會戰。另一方面，武士對領主必須全然效忠、無懼死亡，辱身敗名的武士必須「切腹」自盡，不可苟活偷生——武士先切開自己的腹部，再由一位朋友將自己斬首。

探索時代

在西元 1450 至 1750 年之間，這個世界發生了極大的轉變[註1]，一陣陣新思潮橫掃西方，同時歐洲探險家在世界各地進行貿易與殖民；另一方面，歐洲之外的地區陷入激烈衝突，而亞洲的強大帝國競相爭奪新領土。

註 1：有些中文書籍將 Age of Discovery 直接譯為「地理大發現」，但本節內容還涵蓋了「文藝復興」與「啟蒙運動」，因此我們將標題定為「探索時代」。

新思潮

在中古時期的西方世界，基督教會是學術與文藝的掌控者，這個狀況在西元 1450 年左右開始轉變，當時古希臘、古羅馬時代的重要文獻，紛紛被重新發掘且大受歡迎，而許多學者—包括伊拉斯莫斯—發起「人文主義」運動，教導世人將藝術與科學植基於批判、推理、觀察、實證之上，而不是過度依賴教會舊權威。

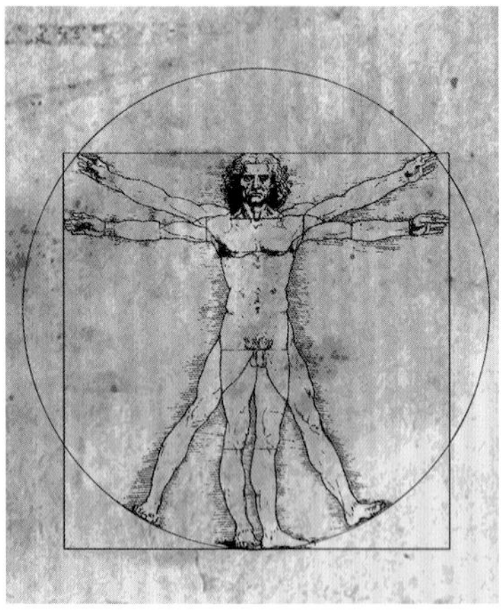

文藝復興

長久以來，古羅馬時代的文藝與建築大量保存在義大利，這些文化遺產從 15 世紀開始啟發了許多藝術家，米開朗基羅、達文西、拉斐爾、以及建築師布魯內萊斯基等人，紛紛進行大膽的創新；這個文藝運動很快地傳遍歐洲各地，史稱「文藝復興」。

維特魯威人

為了讓藝術上的「寫實主義」成為可能，許多文藝復興藝術家仔細研究人體的解剖構造，這其中包括李奧納多．達文西——左圖是他的素描畫作〈維特魯威人〉。

宗教改革

西元 1517 年，日耳曼教士馬丁．路德發難譴責天主教會斂財，並主張羅馬教皇並無決定教義的最高權威；這場運動造成基督教傳統派（天主教，或稱羅馬公教）與基本教義派[註1]（新教，或稱抗議宗）的分裂，史稱「宗教改革」。

> **“為什麼教皇不用**他自己的錢去蓋聖彼得教堂，**而是**使用**貧窮信徒**的錢呢？”
>
> ——馬丁．路德

註 1：基本教義派主張原始經典—聖經—才是最高權威，而非教皇。

新科學觀

約翰尼斯．谷騰堡發明歐洲史上第一台印刷機，從此書籍得以大量印行，知識的傳播速度數倍於以往，各種新觀念因此陸續出現。西元 1543 年，波蘭天文學家哥白尼提出「日心說」，他主張地球並非宇宙中心，而是繞著太陽公轉；1687 年，牛頓出版他著名的萬有引力理論著作。

科學儀器

牛頓在 1678 年發展出新型望遠鏡，透過一系列鏡片獲得品質更好的影像。

志在全球

胡椒、肉荳蔻等各種香料，在 15 世紀的歐洲可是非常昂貴的奢侈品，原因在於當時全世界只有東亞生產香料，而絲路又被伊斯蘭帝國所控制，因此，這引發歐洲人尋找貿易航海路線的企圖，並進一步在印度、東南亞、以及美洲建立據點和殖民地。

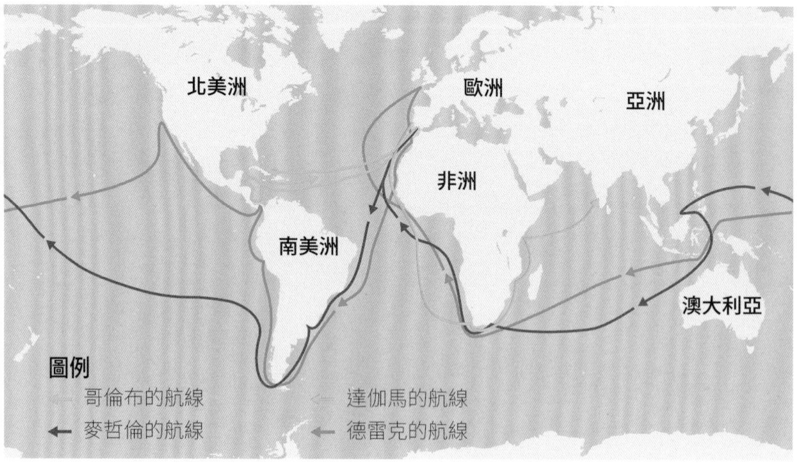
北美洲
歐洲
亞洲
非洲
南美洲
澳大利亞
圖例
哥倫布的航線
達伽馬的航線
麥哲倫的航線
德雷克的航線

地理大發現

西元 1492 年，克里斯多福．哥倫布的船隊抵達美洲。葡萄牙人瓦斯科．達伽馬繞過南非好望角，於 1498 年抵達印度。1519 至 1521 年，西班牙人斐迪南．麥哲倫進行了史上首次環繞地球的航行，稍後，英國人法蘭西斯．德雷克也在 1577 至 1580 年環繞地球航行一圈。

航海探險家

許多勇敢的探險家出發尋找新的航海路線，並佔領新疆土；有人因此聞名於世，但也有不少人命喪大海！

麥哲倫的船隊**共有 237 名船員，**在環繞世界一周之後，**只剩 18 人倖存歸來。**

貿易帝國

藉由亞洲貿易、美洲殖民，有些歐洲國家因而獲得大量財富—例如西班牙與葡萄牙—他們從美洲運回大量黃金和白銀，但在航程中常須面對海盜或私掠船的攻擊，而海盜行為通常有敵對國家—如英國—在背後支持。

暴利

西班牙在美洲的礦場每年可產出 100 公噸的白銀——相當於整整 10 輛巴士的重量。

歐洲列強

新財富的湧入，讓一些歐洲國家日漸強盛，戰爭與衝突因此變得常見；然而，這些新興帝國也在科學領域有所進展，並在文學、藝術方面出現各種革新。

伊莉莎白一世治下的英格蘭

即使存在新、舊教衝突的內憂、以及跟西班牙作戰的外患，伊莉莎白一世治下（1558-1603）的英格蘭仍然日漸強盛。

斐迪南與伊莎貝拉聯姻的西班牙

亞拉岡王國的斐迪南與卡斯提爾王國的伊莎貝拉聯姻，造就了西班牙王國的誕生；此外，歸功於 1494 年跟葡萄牙締結的條約，西班牙因此確立他們在美洲的新領土。

路易十四治下的法國

路易十四統治期間（1643-1715），法國成為歐洲最強的國家，尤以強大的軍隊與宮廷文化特別著名。

哈布斯堡家族的興起

這個貴族家庭取得中歐地區的控制權，家族成員繼而成為西班牙國王、以及神聖羅馬帝國皇帝。

新世界

在歐洲探險家來到之前，美洲人早已建立了許多文明與帝國，但由於缺乏火藥武器，即使軍隊規模更大，也無法跟擁有槍砲的西班牙士兵對抗。

根據估計，西班牙人所帶來的**戰爭與傳染病**，總計消滅了中美洲**90% 的原住民人口。**

印加、阿茲特克、馬雅

西班牙所面對的美洲文明是秘魯的印加人、以及墨西哥的阿茲特克人，此二者都控制著規模龐大的帝國，然而，西班牙人還是在 1519 年與 1531 年，分別攻陷了阿茲特克與印加的首都。

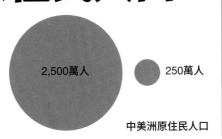
2,500萬人
250萬人
中美洲原住民人口

美洲殖民地

西班牙獲取大片的美洲土地，其他歐洲強權隨即加入競爭，葡萄牙在 1500 年左右取得巴西，法國與英國各自獲取加勒比海的許多島嶼，但兩者的重心都放在北美洲——西元 1607 年，英國人在北美洲建立了第一個海外殖民地——詹姆斯鎮 (現今維吉尼亞州境內)。

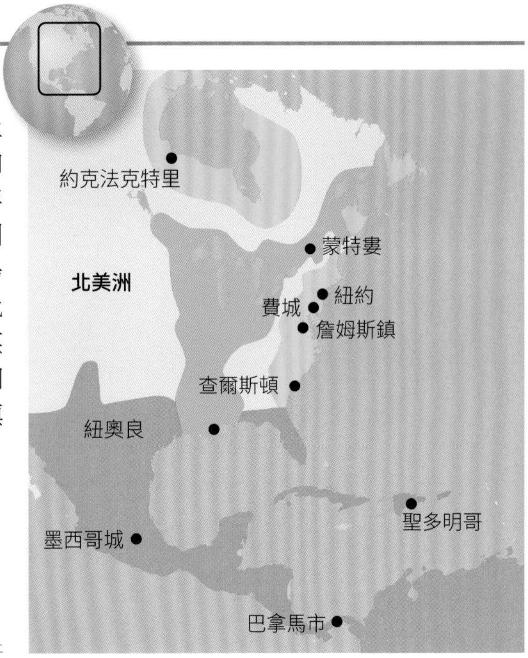
約克法克特里
北美洲
蒙特婁
費城
紐約
詹姆斯鎮
查爾斯頓
紐奧良
聖多明哥
墨西哥城
巴拿馬市

殖民地擴張

到了西元 1700 年左右，西班牙控制的區域已經擴張到現今的美國加州、德州、以及佛羅里達州。

圖例
西班牙殖民地
英國殖民地
法國殖民地

東方強權

亞洲地區的帝國繼續對抗從歐洲而來的競爭，但自身經常深陷於內部紛亂。中國明朝於 1644 年滅亡，清朝取而代之並進入盛世。日本鎖國自閉，超過 200 年不與外國人接觸。印度的蒙兀兒、以及鄂圖曼土耳其這兩大伊斯蘭帝國國力強大，但後來逐漸衰弱、崩解。

鄂圖曼人的擴張

鄂圖曼土耳其帝國取代拜占庭帝國，迅速擴張，控制後者所留下的中東地區，統治大部分的阿拉伯世界；後來他們進一步朝向歐洲擴張，但在陸地上被波蘭人與哈布斯堡政權阻擋，在地中海則是受制於許多富裕的義大利城邦——例如威尼斯。

君士坦丁堡圍城戰

西元 1453 年，鄂圖曼蘇丹穆罕默德二世使用大砲轟垮君士坦丁堡堅固的城牆，攻陷拜占庭首都，並將其定為新首都。

摩哈赤戰役

西元 1526 年，鄂圖曼蘇萊曼大帝在摩哈赤戰役殺死匈牙利國王路易二世，佔領匈牙利；此外，蘇萊曼的軍隊還征服巴爾幹半島、中東與北非的廣大土地。

勒潘陀海戰

鄂圖曼人在 1570 年攻陷賽普勒斯，隔年，西班牙與義大利城邦的聯合艦隊進行反攻，在希臘沿岸的勒潘陀打敗土耳其人，終結了鄂圖曼土耳其帝國在地中海的勢力。

維也納圍城戰

西元 1683 年，鄂圖曼大軍兵臨哈布斯堡家族的首都維也納，但被波蘭國王揚三世．索別斯基所擊退；自此，鄂圖曼人再也無法西進。

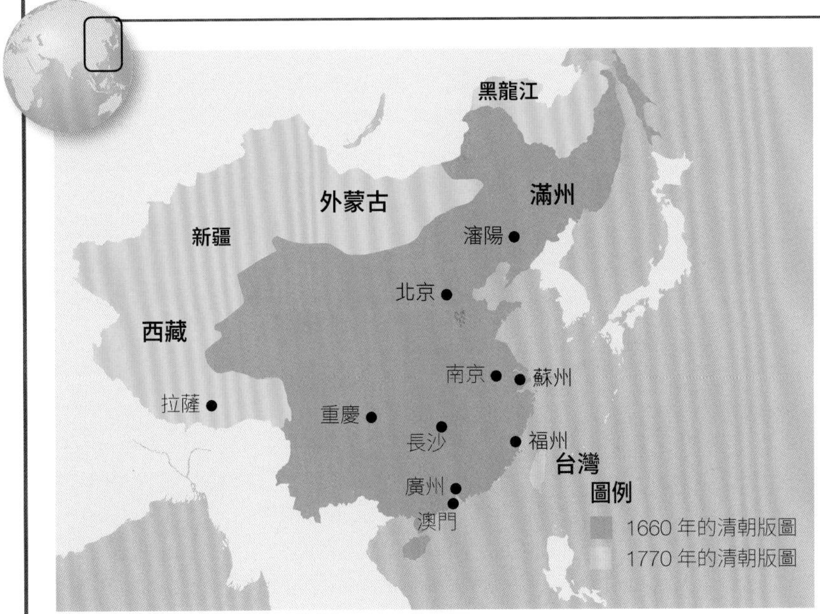
黑龍江
外蒙古
滿州
新疆
瀋陽
北京
西藏
南京
蘇州
拉薩
重慶
長沙
福州
台灣
廣州
澳門
圖例
1660 年的清朝版圖
1770 年的清朝版圖

中國清朝

西元 1644 年，在一連串農民叛亂 (流寇) 之後，明朝衰亡，來自東北的滿州人成為中國的新統治者。滿清政權要求漢人遵循各種滿州習俗—例如「薙髮留辮」—因而引起嚴重的反彈，但透過強力鎮壓，滿州人仍然鞏固了統治，並且進一步擴張版圖。

帝國擴張

清朝時代的中國疆域是歷代最大的，版圖甚至包括台灣與蒙古。

印度蒙兀兒王朝

西元 1526 年，中亞的伊斯蘭王侯巴布爾攻陷德里，建立蒙兀兒帝國；蒙兀兒從北印度向外擴張，在蘇丹阿克巴大帝統治期間 (1556-1605) 版圖達到顛峰。蒙兀兒皇室十分富有，以華麗的藝術品與建築聞名於世。

文化融合

蒙兀兒建築—例如蘇丹胡馬雍 (1556 過世) 的陵墓—融合了伊斯蘭教與印度教的藝術傳統，創造出一種全新風格。

日本江戶時代

德川家康終結日本的內戰時期，成為幕府將軍 (名為軍事統帥，但掌握實質政權)，他將首都遷往江戶 (現今東京)，並削弱大名 (領主) 的勢力。德川家族統治日本直到 1868 年，這段期間舉國實施海禁鎖國令，少與外國接觸。

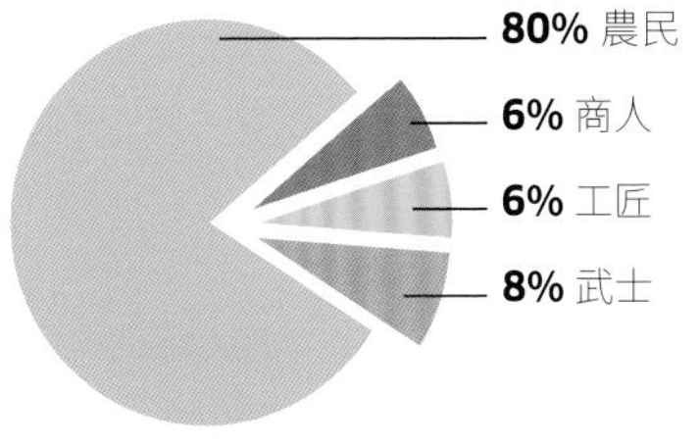
80% 農民
6% 商人
6% 工匠
8% 武士
日本江戶時代的社會階級

武士社會

武士屬於軍事貴族，是日本社會最崇高的階級；工商業者可能很富裕，但以社會地位而言，他們可能還不如貧窮的農民。

航向美洲

長久以來，歐洲人和亞洲人都不知道美洲的存在，直到西元 1492 年，克里斯多福．哥倫布率領船隊橫渡大西洋為止。

哥倫布並不知道美洲的存在，他的原本目的是為了開創一條從西歐通往東亞的新航路，但卻意外發現這片新大陸。哥倫布的贊助者－西班牙的斐迪南國王與伊莎貝拉王后－立即開發這片新領地，許多探險家從美洲帶回黃金、白銀、以及各種新植物(例如煙草)，並於新大陸建立殖民地，利用當地的氣候、土壤來種植甘蔗、棉花等作物；然而，對當地原住民而言，歐洲人帶來的卻是一場大浩劫——疾病、戰爭、奴役與死亡！

前桅
艏艛
起錨機
瞭望塔
主桅
火爐和廚區
山羊
船錨
划艇

西班牙卡拉維爾帆船
哥倫布的首次航行動用 3 艘船隻，其中最大的旗艦是「聖瑪利亞號」；船隻的實際大小與形狀已不可考，但其中兩艘可能類似本圖中的「卡拉維爾帆船」——一種小型貿易船。

提拉
艏艛下方的船艙稱為「提拉」，這裡是休憩區域，船員在此就寢、玩骰子遊戲等；備用的活家畜、家禽也是養在此處。

主甲板
船上最大的開放空間，是各種日常活動的主要場所，每天早晨船員會在此做彌撒；此處還設置鐵製火爐，提供烹飪之用。

儲藏室
主要的貯藏空間位於甲板下方，最底部鋪設鵝卵石作為壓艙物，用以維持船身穩定；食物(麵包與豆類)、飲料(酒桶、水桶)、備用物料(木料、帆布、繩索)都儲存在此。

升降絞盤
這個大型絞盤需要 8 名水手才能轉動，用來吊掛沉重的貨物。

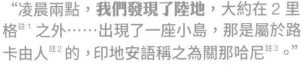

> “凌晨兩點，**我們發現了陸地**，大約在 2 里格[註1] 之外……出現了一座小島，那是屬於路卡由人[註2]的，印地安語稱之為關那哈尼[註3]。”
>
> —哥倫布的航海日誌，1492 年 10 月 12 日

註 1：「里格」是古代長度單位，1 里格相當於 3 海里。
註 2：「路卡由人」是當時的巴哈馬原住民，現已滅絕。
註 3：「關那哈尼島」就是現今巴哈馬群島中的聖薩爾瓦多島。

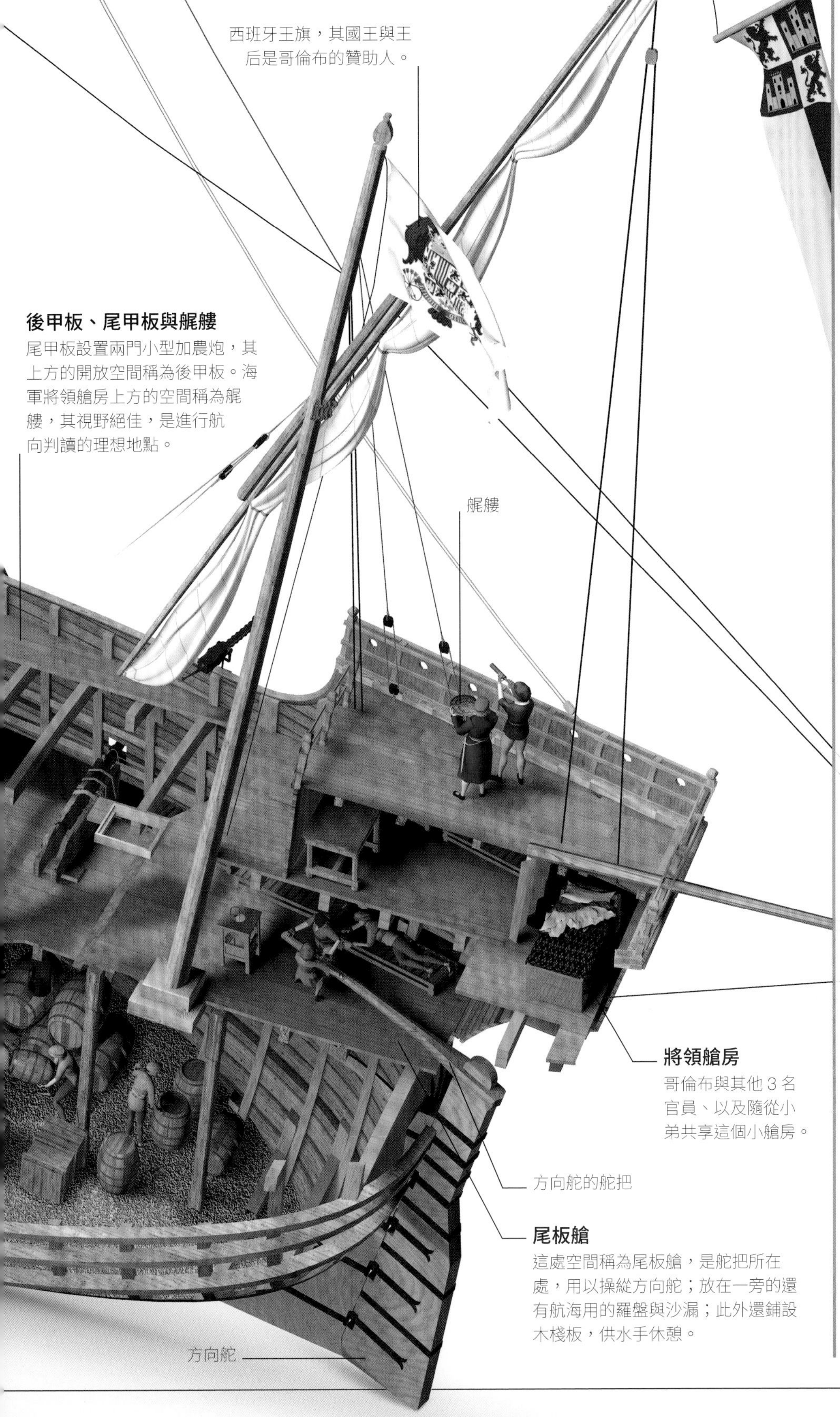
西班牙王旗，其國王與王后是哥倫布的贊助人。
艉艛
方向舵的舵把
方向舵

後甲板、尾甲板與艉艛
尾甲板設置兩門小型加農炮，其上方的開放空間稱為後甲板。海軍將領艙房上方的空間稱為艉艛，其視野絕佳，是進行航向判讀的理想地點。

將領艙房
哥倫布與其他 3 名官員、以及隨從小弟共享這個小艙房。

尾板艙
這處空間稱為尾板艙，是舵把所在處，用以操縱方向舵；放在一旁的還有航海用的羅盤與沙漏；此外還鋪設木棧板，供水手休憩。

哥倫布的航海路線

哥倫布總共航行到美洲 4 次，第一次航行抵達加勒比海地區，並於 1 年之後的第二次航行在此建立殖民地。事實上，哥倫布直到 1498 年的第三次航行，才真正踏上美洲大陸——在現今委內瑞拉境內登陸。他的最後一次航行出發於 1502 年，哥倫布的船隊沿著中美洲海岸巡航，試圖尋找通往太平洋的航道。

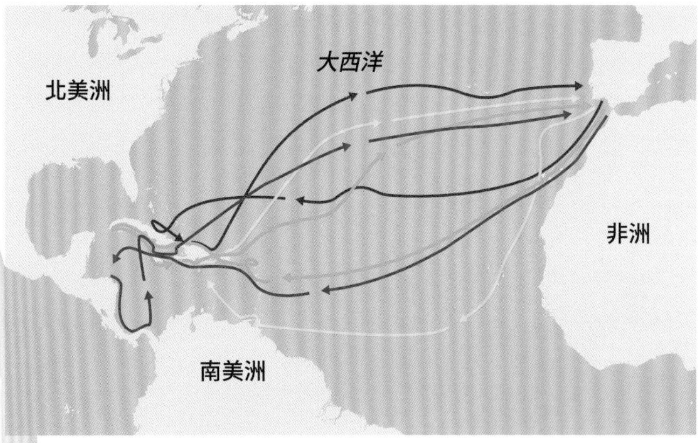
北美洲
大西洋
非洲
南美洲

圖例
- 第一次航行，1492 年
- 第二次航行，1493 年
- 第三次航行，1498 年
- 第四次航行，1502 年

導航儀器

哥倫布時代的先鋒探險家當然沒有地圖可看，必須依賴其他方式導航——他們運用羅盤來確定航行方向，以沙漏記錄時間，還使用象限儀測量太陽與星辰的角度，來計算自身所在的緯度。

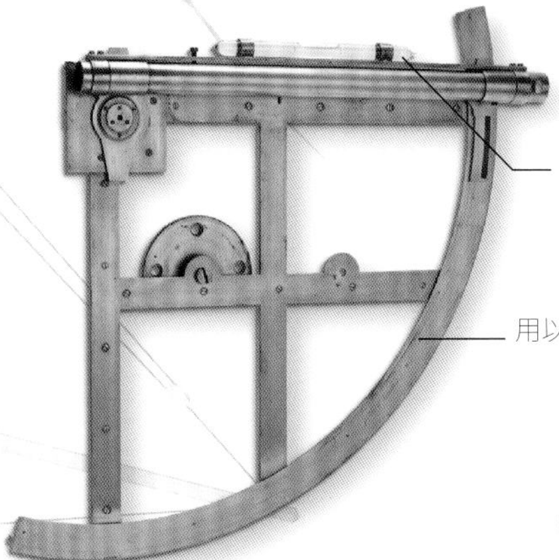
觀測管用以描瞄準象限
用以測量星辰角度的刻度盤

象限儀

羅盤

沙漏

150 一擊垮印加帝國的西班牙士兵人數。

活人獻祭

阿茲特克人相信祭祀太陽神需要活人獻祭的鮮血，太陽運行才不會異常——祭司拿出尖刀插入受害者的胸膛，取出心臟獻祭；犧牲者通常是被抓的戰俘。

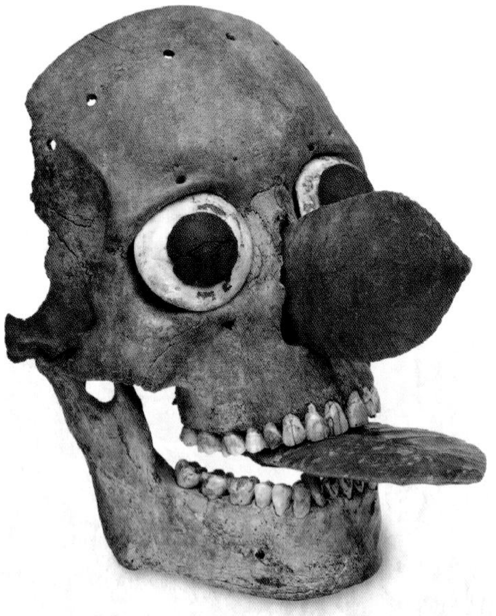

死亡面具

這副面具是以獻祭犧牲者的顱骨做成的，可能由阿茲特克祭司在獻祭活人時穿戴。

印加帝國

西元 1438 至 1500 年間，印加人創建了一個大帝國（主要位於現今秘魯），首都設立於高山城市庫斯科，並於帝國境內建造四通八達的道路網，國勢興隆；然而在 1530 年代，印加帝國還是遭到西班牙侵略者所摧毀。

庫斯科
圖例
印加帝國
馬雅帝國
阿茲特克帝國

特諾奇提特蘭

特諾奇提特蘭是阿茲特克大城，座落於特斯科科湖中的島嶼上，城中的大神廟祭拜雨神特拉洛克，阿茲特克人將獻祭犧牲者的頭顱陳列在神廟的階梯上。

托爾特克戰士像

托爾特克

在阿茲特克帝國之前，好戰民族—托爾特克—在西元 950 至 1150 年間統治墨西哥，其歷史多不可考，但可能是阿茲特克文化的先驅。

特奧蒂瓦坎

這座古代城邦是當時的區域霸權，也是一個宗教聖地，不過在西元 700 年，這座城市卻出於不明原因而遭到毀棄。

美洲古文明

從西元前 3000 年到西元 1500，中、南美洲由一連串的先進文明所主宰，他們以強大的城邦作為中心，經常彼此征戰。

美洲最早的城市大約出現於西元前 1000 年，由南美洲的查文人、以及中美洲的奧爾梅克人所建立，這兩個文明都建造大型金字塔神廟，成為往後 2,000 年的城市特徵；在數百年之間，許多文明在此起起落落，直到印加帝國（現今秘魯）與阿茲特克帝國（現今墨西哥）併吞了大多數城邦，但在 16 世紀，他們又雙雙被歐洲侵略者所征服。

60,000—馬雅城市提卡爾全盛時期的人口。

500—馬雅文字系統的字符的大致數量。

1697年—西班牙人在這一年攻克最後一個馬雅城市。

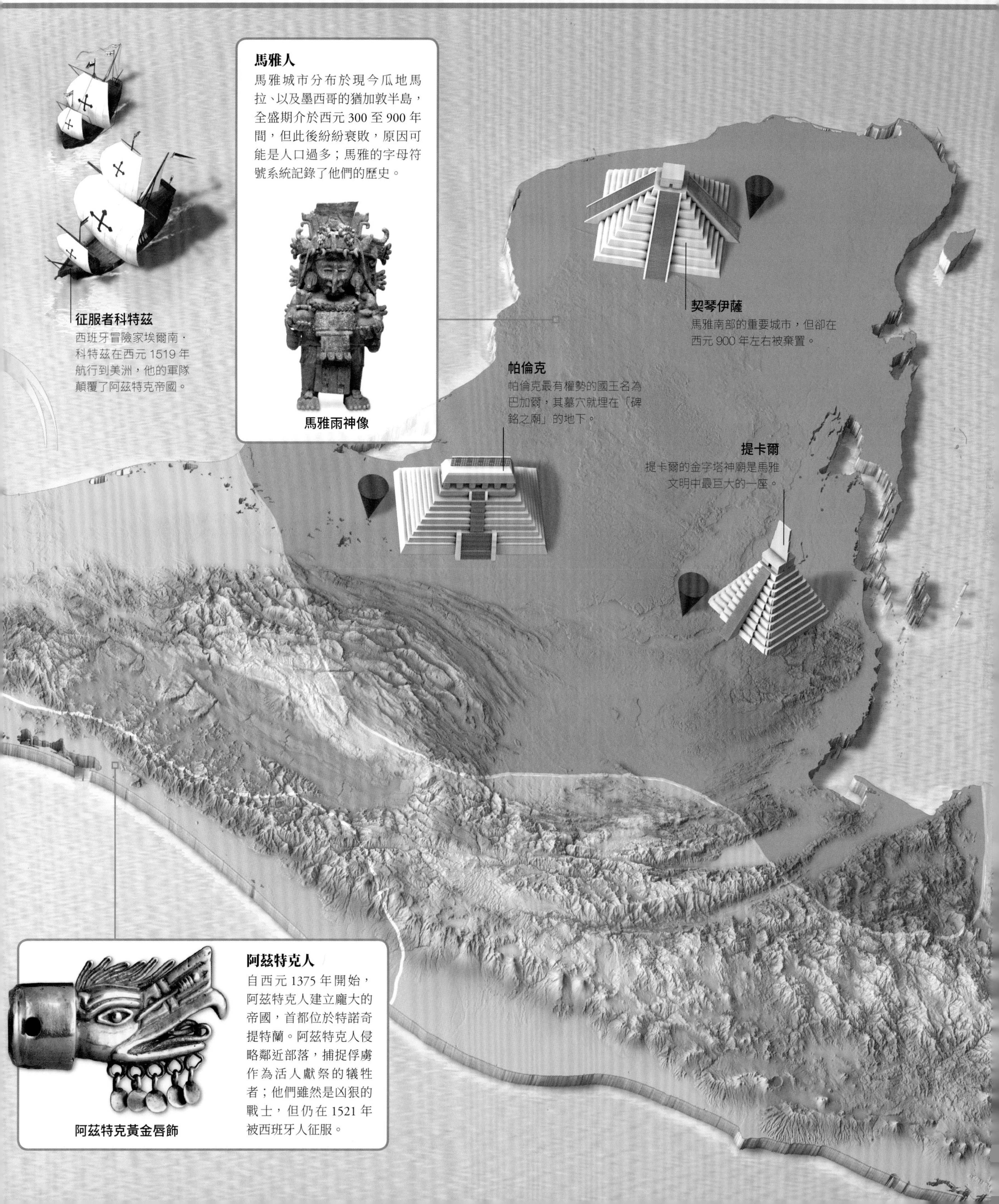

征服者科特茲

西班牙冒險家埃爾南．科特茲在西元 1519 年航行到美洲，他的軍隊顛覆了阿茲特克帝國。

馬雅人

馬雅城市分布於現今瓜地馬拉、以及墨西哥的猶加敦半島，全盛期介於西元 300 至 900 年間，但此後紛紛衰敗，原因可能是人口過多；馬雅的字母符號系統記錄了他們的歷史。

馬雅雨神像

契琴伊薩

馬雅南部的重要城市，但卻在西元 900 年左右被棄置。

帕倫克

帕倫克最有權勢的國王名為巴加爾，其墓穴就埋在「碑銘之廟」的地下。

提卡爾

提卡爾的金字塔神廟是馬雅文明中最巨大的一座。

阿茲特克黃金唇飾

阿茲特克人

自西元 1375 年開始，阿茲特克人建立龐大的帝國，首都位於特諾奇提特蘭。阿茲特克人侵略鄰近部落，捕捉俘虜作為活人獻祭的犧牲者；他們雖然是凶狠的戰士，但仍在 1521 年被西班牙人征服。

13,000 李奧納多・達文西所留下的筆記大致頁數。

文藝復興

自西元 15 世紀開始，陣陣新思潮衝擊歐洲，帶來文藝、科學等領域的革命性變化，這段時期在歷史上稱為「文藝復興」、或是「重生」的年代（意指希臘羅馬古典文化的重生）。

文藝復興起源於西元 1400 年左右的義大利，當時的學者重新肯定古希臘、古羅馬時期的文化價值——包括哲學、數學和文藝…等等領域；相較於中古時期的宗教傳統或迷信態度，這些古典文獻及其呈現的理念，在當時造就了「人文主義」，頌揚勇於探索的求知精神，這種新思維後來傳遍整個歐洲，啟發了數個世代的哲學家、藝術家與建築師，其中最有名的當屬達文西，他既是科學、藝術天才，還是一位發明家，符合「文藝復興人」的「全才」理想境界。

新式藝術技法

文藝復興時代重新發掘的藝術技法之一為「透視法」，用以呈現繪畫的空間景深，意即位置愈遠的物體，在畫作中看起來愈小。事實上，古羅馬人早就懂得運用數學公式來製造透視效果，文藝復興藝術家模仿這種技巧，讓畫作變得栩栩如生。

畫出「深度」

藝術家運用「透視法」，讓遠距離的物體在畫作中以較小的尺寸呈現，並設定一個或多個「消失點」——也就是空間延伸的盡頭。

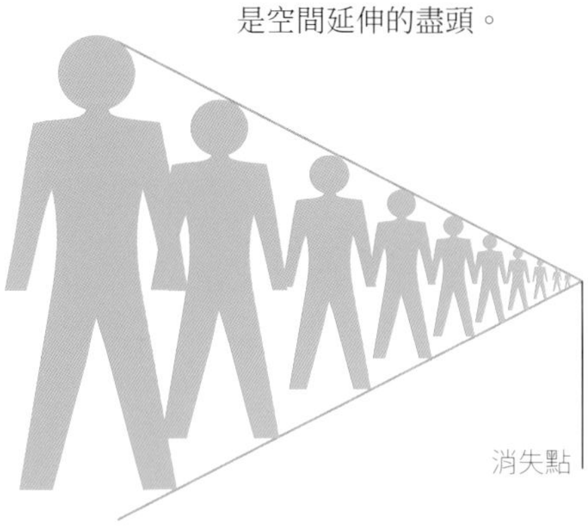

繪畫

文藝復興藝術家以「接近真實」作為目標，希望畫作具有立體真實感，而非如平面拼貼一般。他們運用寫實主義技巧刻畫人物，又以透視法製造景深；相較而言，中古時期的藝術大多以宗教場景與肖像為主，而文藝復興藝術所著墨的層面更廣，包括歷史、希臘羅馬神話、以及日常生活。

〈雅典學堂〉（1510 年）

這幅畫作是文藝復興大師拉斐爾為教皇所作，畫中描繪眾多古希臘哲學家，其中許多人物的長相是以當代文藝復興學者作為範本——例如達文西、米開朗基羅、以及拉斐爾本人。

140 年—建造佛羅倫斯大教堂所耗費的時間——從奠基到完成穹頂為止。

4,780 萬美元—文藝復興時代藝術作品的最高拍賣價格——拉斐爾的〈青年使徒頭像〉。

建築

當時，許多義大利城市還存留著古羅馬時期的建築遺跡，而文藝復興建築師決心要跟古人並駕齊驅，他們研究古羅馬的建築學、幾何學，學習如何讓建築結構更為和諧，同時也模仿古希臘羅馬的列柱、拱門造型，作為裝飾元素。

佛羅倫斯大教堂 (1436 年)

佛羅倫斯的城市統治者希望新建的大教堂，可以成為廣受各方稱羨的建築。西元 1413 年，大教堂已接近完工，但當時沒人能夠建造巨大的圓頂，直到建築師布魯內萊斯基使用輕質磚材的雙殼設計來支撐圓頂，終於順利解決問題。

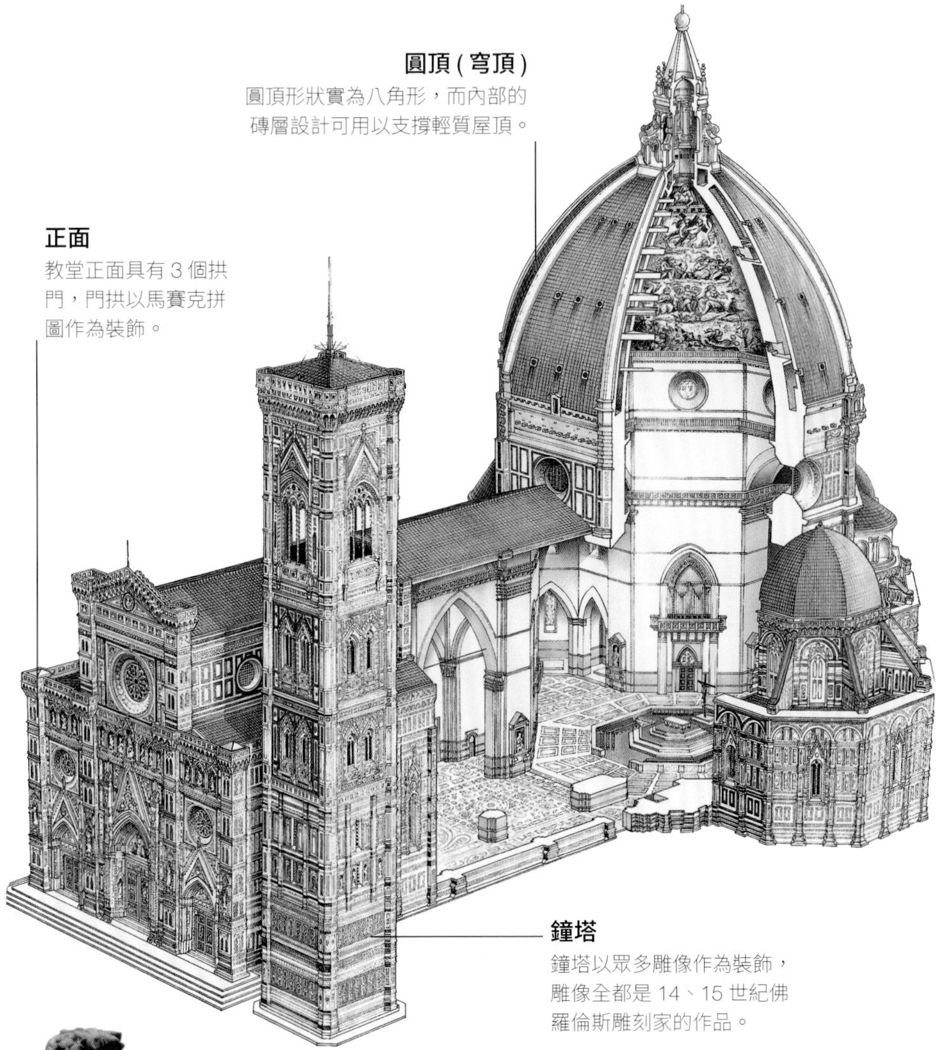

圓頂 (穹頂)
圓頂形狀實為八角形，而內部的磚層設計可用以支撐輕質屋頂。

正面
教堂正面具有 3 個拱門，門拱以馬賽克拼圖作為裝飾。

鐘塔
鐘塔以眾多雕像作為裝飾，雕像全都是 14、15 世紀佛羅倫斯雕刻家的作品。

雕刻

跟畫家一樣，文藝復興雕刻家希望作品能夠維妙維肖，他們受到古希臘、羅馬雕刻的啟發，其人物雕像姿態自然，頭髮或衣服摺痕等細節都如實刻畫；此外，當時許多藝術家藉由研究解剖學來幫助創作——如此一來，才能瞭解人體的四肢、肌肉、血管…等等構造。

文藝復興時期的醫生和藝術家對於人體構造的知識，主要來自於**解剖死囚的遺體。**

米開朗基羅的〈大衛像〉(1504 年)

米開朗基羅是文藝復興時期最偉大的雕刻家暨畫家之一，他所創作的〈大衛像〉(聖經中的以色列國王)，被公認為史上最傑出的大理石雕像。

文藝復興時代的統治者

15 世紀的義大利地區城邦林立，統治者通常是富有的商人家族，這些王侯爵爺成為文藝贊助者，彼此爭奇鬥艷，鼓勵各種藝術、建築與發明的創作。與此同時，全新的政治觀念紛紛興起，這其中又以尼可洛．馬基維利的總結最具代表性——這名外交官認為，貴族可以採用不正當、甚至殘酷的手段，來達成高尚的終極目標。

麥第奇族徽

麥第奇家族從西元 1434 年開始統治佛羅倫斯，其家族徽章上的球體代表錢幣，顯示他們是以銀行與貿易起家的。

> “人性受到兩種力量所驅使：**愛與恐懼**…為人所**懼怕**，比被人**愛戴**更加安全！
>
> —尼可洛．馬基維利的《君王論》，1513 年

北方文藝復興

文藝復興的理念很快從義大利傳到歐洲北部，富有的王公—例如法國國王法蘭索瓦一世—以及尼德蘭 (現今比利時、荷蘭) 商人都渴望從新思潮獲益，他們的藝術家學習、仿效義大利文藝復興的技巧，同時也發展出自己的新風格，而許多學者—以荷蘭的德希德里烏斯．伊拉斯謨斯為代表—紛紛翻譯古希臘、古羅馬文獻，成為更加廣為流傳的方言或民族語文版本。

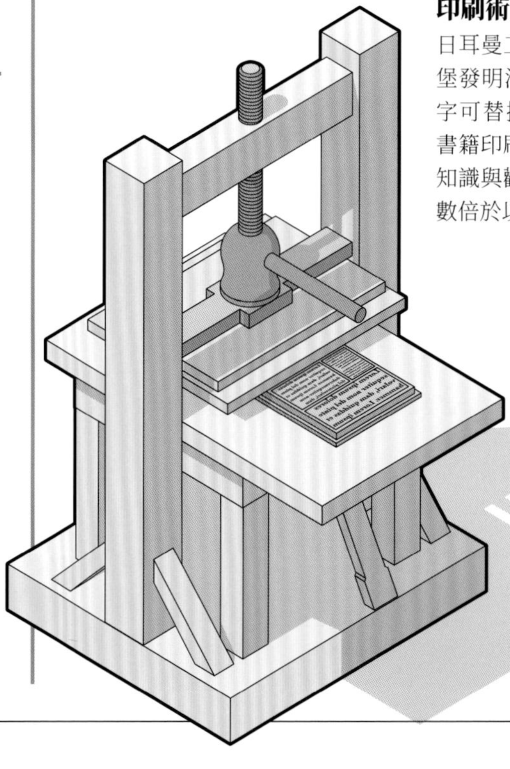

印刷術

日耳曼工匠約翰尼斯．谷騰堡發明活字印刷術 (金屬活字可替換並重複使用)，讓書籍印刷變得容易許多，而知識與觀念的傳播速度因此數倍於以往。

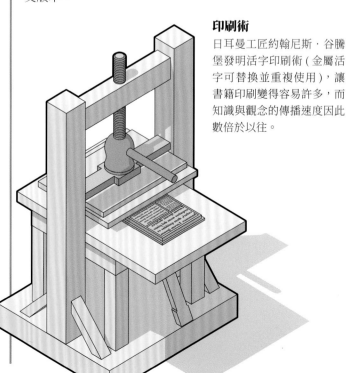

莎士比亞有時會安排血淋淋的劇情，《泰特斯·安特洛尼克斯》一劇就出現好幾次謀殺、死刑、甚至食人的場景。

閣樓
舞台上方的隱密空間，用來製造特殊效果——例如從天而降的聖樂。
貴族包廂
貴族賓客的座位區，與大眾保持距離。
茅草屋頂
化妝間
演員化妝、換裝的空間，也可用於儲物。
後臺
所有演員在此等待上臺；演員在一齣戲劇中可能扮演數個角色，一人分飾多角。
戲臺門
演員可從這 3 道門進出戲臺。
戲臺之下為中空，演員也可以從下方出場。
廉價站席
如果你不介意站著，看一場戲的票價只要 1 便士。
泥地鋪上稻草

戲臺

3 道戲臺門連結化妝間與戲臺，此外，演員可以穿過觀眾上臺，也可從舞臺下的暗門登場；舞臺頂部彩繪成星空圖，代表天空。

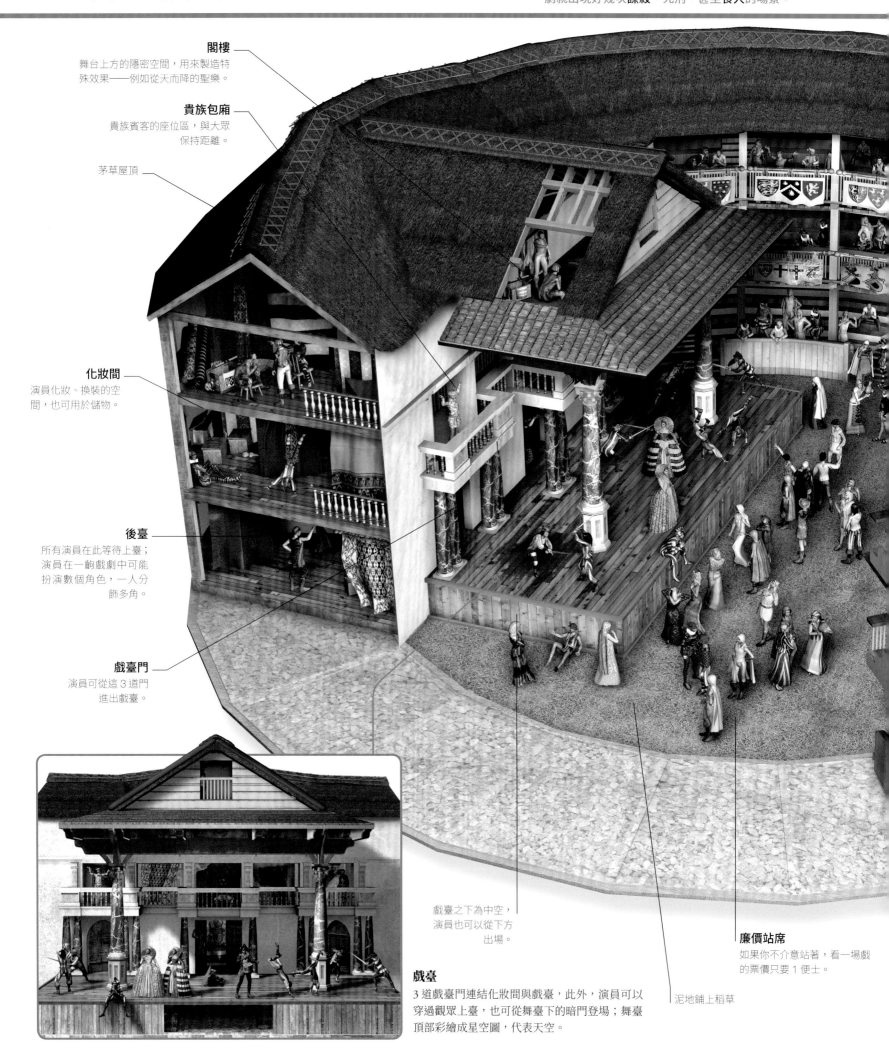

1,700 —莎士比亞所創造、而且至今仍然普遍使用的新字彙大致數量。

1613 年—這一年環球劇院慘遭祝融肆虐，一門火炮道具不慎點燃茅草屋頂，進而延燒整座劇場！

莎士比亞

文藝復興的革命性改變不只發生於繪畫與雕刻領域，連戲劇也產生變革，尤以威廉·莎士比亞—當代最著名的劇作家—的出現最具代表性。

中古時期的歐洲戲劇主要是聖經故事和道德劇，其劇情具有固定的模式，到了 16 世紀中葉，新派戲劇開始出現以羅曼史(愛情故事)、悲劇、古典神話、歷史、甚至時事為主題的劇作，這些新式戲劇非常熱門，不論貧富貴賤，所有民眾皆熱衷此道，王公、富商、窮人紛紛湧入新劇院觀賞，而當時的知名演員甚至會被邀至皇宮演出。

出入口
共有 3 個出入口跟外面的街道相通。
觀眾席
有錢的觀眾可以買張舒適的看臺坐票。
外牆的塗料混合了石灰、沙子、山羊毛。
通往上層座席區的樓梯

“全世界是一個舞臺，所有人只是演員。”
—莎士比亞劇作《皆大歡喜》

莎士比亞環球劇場
許多偉大的劇作在 16 世紀末、17 世紀初問世，其中最有名的是英國作家威廉·莎士比亞，莎翁推出的劇作非常轟動，大筆收入讓他的戲劇公司得以在倫敦興建「環球劇院」(1599 年)；後世於 1990 年代在遺址附近重建了一棟復刻版劇場。

戲劇
數千年來，人們透過戲劇呈現故事與觀念。古希臘人建造了最早的劇場，並將戲劇分成兩大類。

悲劇
悲劇的結局經常是英雄蒙難，其故事情節探討人生的嚴肅課題，例如榮譽、正義和命運，而這些價值或力量可驅使我們克服、超越個人感受。

喜劇
喜劇利用幽默的手法安排故事情節，但結局並非總是皆大歡喜；另有一些稱為諷刺劇，運用喜劇手法來突顯人性的弱點或敗行——尤其是那些權貴人士。

劇場設計
戲劇可在各種場所演出，無論是開放的街道或小房間，而劇場的設計要旨是讓觀眾能看得見、聽得到演出者的表演，佈景則以寫實為佳。

古希臘劇場
曲線型的座席設計是為了反射聲音，舞臺上的微小聲音都能讓全場觀眾聽見。

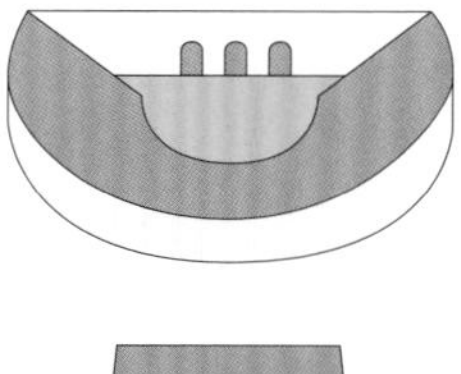

環型舞臺
中古歐洲的巡迴演員經常搭建臨時舞臺演出，從舞臺的三側、甚至四周皆可觀賞。

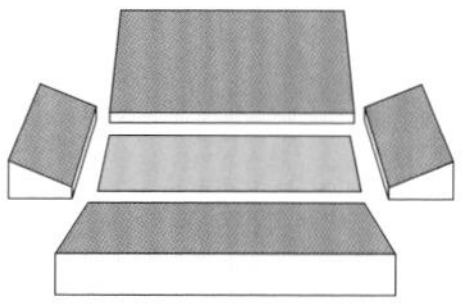

鏡框型舞臺
現代劇場的舞台通常呈拱型，讓演出能夠聚焦、並與觀眾隔開。

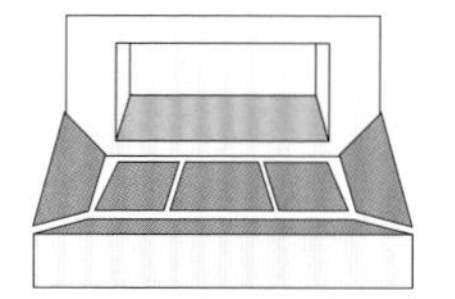

40,000 漢字的大致總數量。

長城

數百年之間，中國的外患主要來自北方遊牧民族，他們疾行如風、神出鬼沒地襲擊邊疆聚落；為此，中國歷代皇帝修建一系列城牆來抵禦外敵，綿延長達數萬公里。

信號塔
長城沿線設置高塔，用以接力傳送信號，通常建於易於看見的地形制高點。
信號炮
夜晚視線不佳，無法看見狼煙，此時改用火炮的聲響來傳遞訊息。
施放狼煙的火盆
守軍
長城沿線布建輪流駐守的小型部隊，負責警戒入侵者。
竹製模板
粗石填充
牆內填充碎石與泥沙。
石磚層
外牆以石材或磚塊砌成。

中華帝國

顛峰期的中國是全世界最強盛的帝國，中國皇帝的權勢與財富之龐大，足以讓歐洲君王瞠目結舌！

中國是世界上最古老的文明之一，中文的起源可以追溯至 3,500 年前，中國歷史雖有多次內戰或對外戰爭，但社會其實十分穩定而井然有序。從西元前第 1 世紀開始，中國政府便由公務員 (官僚) 系統運作，到後來，要成為官員必須先通過嚴格的考試 (如科舉制度)。中國探險者開拓貿易路線，最遠可達非洲、阿拉伯半島，而中國工匠創造了人類史上的許多重大發明，例如紙張、火藥和瓷器。

城牆頂部還可作為道路使用。

圖例
明朝版圖
長城路線
北京

長城的路線

長城最古老的部分是西元前 7 世紀所建造的，目的是為了防止農場遭受北方遊牧民族襲擊。從西元前第 3 世紀以降，秦始皇與後世皇帝繼續擴建長城，並於明朝 (16 世紀) 達到顛峰。

中國歷代王朝

幾千年來，中國王朝起落更迭，遇亂世則民不聊生，遇盛世則思想進步、文藝精緻、科技先進。中國最早的王朝始於西元前 16 世紀的商朝 (更早的夏朝因尚未發現文字，故無法確定其真實存在)，不過其版圖遠遠小於後來的龐大帝國。

西元前 1051- 前 256 年

周朝

周朝征服鄰近政權並建立封建帝國，此時聖人降世—例如孔子 (儒家創始者) 與老子 (道家創始者)—他們對往後的中國文化產生巨大的影響。

馬車裝飾品

前 475- 前 221 年

戰國時代

周天子衰微，諸侯並起、戰國爭雄。戰國時代發展出嚴格的軍事制度，各國以擴張領土、統一天下為目標。

皮革甲冑

前 221 年

中國大一統

秦國終結戰國時代，秦始皇一統中國，成為史上第一位皇帝，他統一全國度量衡系統，修築馳道，廣建運河。

前 210 年

秦始皇之死

秦始皇即位皇帝之後 11 年駕崩，葬在數千尊兵馬俑守護的巨大陵寢中。

西元前 206- 西元 220 年

漢朝

秦二世只統治 4 年，百姓就揭竿起義，天下又復大亂。平民出身的劉邦最終收服群雄，建立漢朝。

漢代酒碗

581-1279 年

隋朝、唐朝、宋朝

經過數個世紀的衰亂與分裂，中國在隋、唐、宋朝重歸統一與和平，這段期間文藝與發明皆有新進展，中國因此變得十分富庶。

唐代駿馬

1368-1644 年

明朝

宋朝滅亡後，中國淪為元朝蒙古人統治。朱元璋最終推翻元朝，建立明朝。明朝皇帝興建北京的紫禁城，這裡從此成為中國的權力中心。

明代花瓶

西元 1912 年

末代皇帝

19 世紀的中國受到西方列強相繼侵略，皇權愈見低落。西元 1911 年 (1911 年 10 月 10 日—1912 年 2 月 12 日)，一場兵變 (辛亥革命) 最終導致清帝遭到廢黜，中華民國建立。

13歲——阿克巴即位時的年紀。

印度蒙兀兒帝國

蒙兀兒人是來自中亞的騎馬民族，他們在 16 世紀橫掃北印度地區，建立蒙兀兒帝國，帝國境內印度教徒與穆斯林（伊斯蘭教徒）毗鄰而居，大致上相安無事。

西元 1526 年，蒙兀兒人在巴布爾領導之下入侵印度，攻陷北印度大城德里，巴布爾即位成為第一任皇帝；在往後 150 年之間，巴布爾的子孫繼續擴張，版圖幾乎囊括整個印度半島。

蒙兀兒帝國的總人口超過 1 億 5,000 萬人。蒙兀兒人信奉伊斯蘭教，但他們對於多數信仰印度教的百姓採取寬容態度；此外，蒙兀兒皇帝大力贊助文藝，打造華美建築；然而，後來帝國盛極而衰，在全盛期過後的百年之間，其版圖竟喪失大半。

版圖擴張

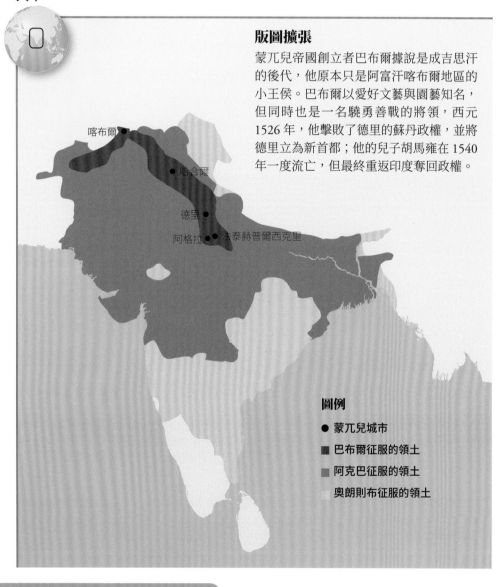

蒙兀兒帝國創立者巴布爾據說是成吉思汗的後代，他原本只是阿富汗喀布爾地區的小王侯。巴布爾以愛好文藝與園藝知名，但同時也是一名驍勇善戰的將領，西元 1526 年，他擊敗了德里的蘇丹政權，並將德里立為新首都；他的兒子胡馬雍在 1540 年一度流亡，但最終重返印度奪回政權。

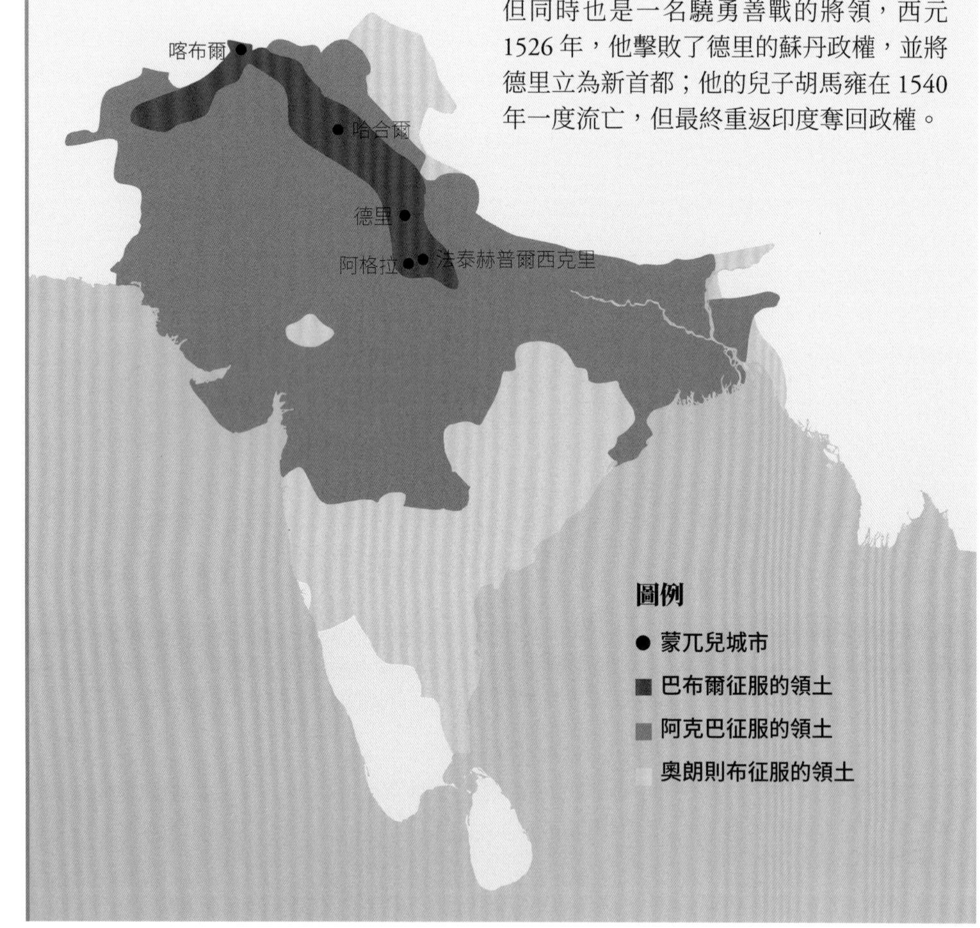

喀布爾
哈合爾
德里
阿格拉
法泰赫普爾西克里
圖例
● 蒙兀兒城市
■ 巴布爾征服的領土
■ 阿克巴征服的領土
■ 奧朗則布征服的領土

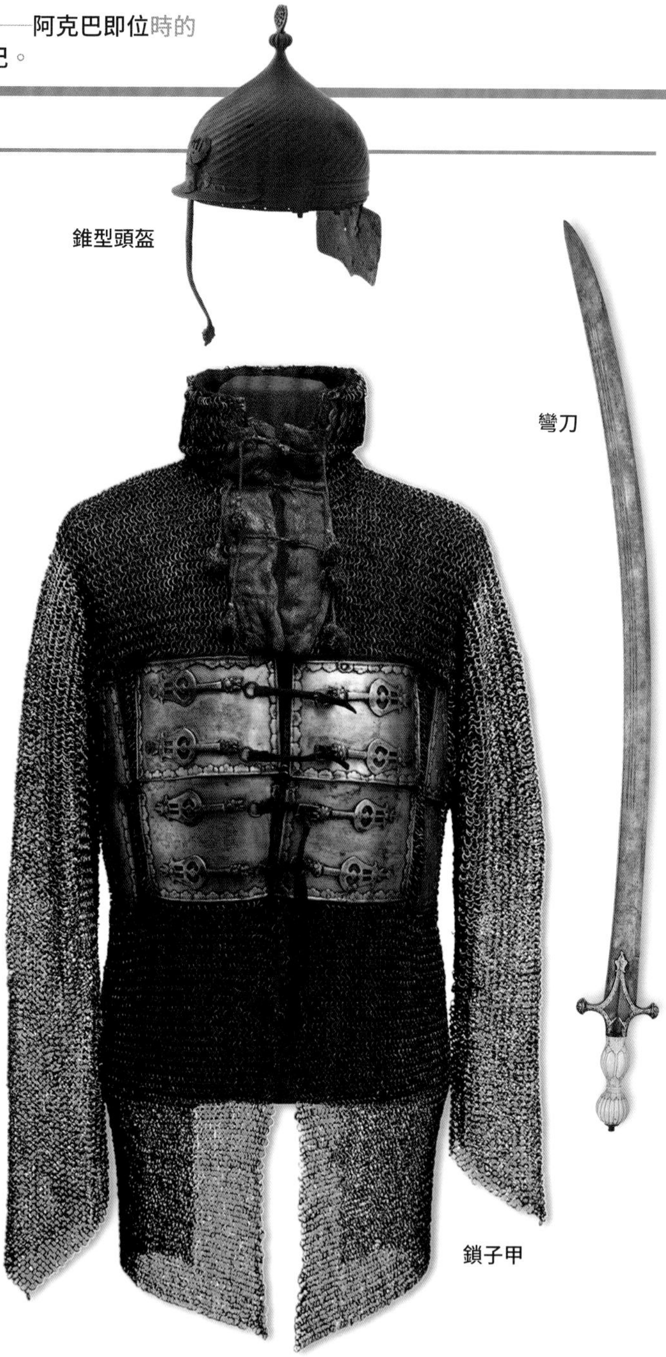

錐型頭盔
彎刀
鎖子甲

武器與盔甲

蒙兀兒人主要在馬背上作戰，他們穿著包覆脖子、手臂、身體及大腿的鎖子甲，再加上鐵製胸甲提供額外保護；至於武器方面，除了彎刀，他們的軍隊甚至配備了槍枝與火炮。

征戰之路

帝國建立的關鍵戰役，是西元 1526 年發生在德里附近的帕尼帕特戰役，當時巴布爾的軍隊僅有 12,000 人，竟然擊潰 100,000 名敵軍與 1,000 頭戰象——巴布爾的優勢在於擁有敵人缺乏的槍械、大砲等先進武器。蒙兀兒大軍後來陸續征服印度諸王國，將當地兵源納入自身軍隊體系，因此增編精良的重騎兵部隊，軍力總數達到 10 萬人。

蒙兀兒皇帝

蒙兀兒帝國在 16 世紀中葉進入黃金時期，政府強大穩健、領土繼續擴張，此時他們樹立眾多紀念性建築物，其中有許多保存至今。

阿克巴大帝 (1556-1605 年)

阿克巴是帝國第三任皇帝，後人尊奉他為蒙兀兒最偉大的君主之一。阿巴克面對敵人毫不留情，擊敗阿富汗人、烏茲別克人，征服古吉拉特、孟加拉地區；但同時，他對待百姓卻充滿睿智與愛心，努力維繫和平，推展宗教寬容，並與加盟帝國的印度拉傑普特邦諸王保持友好的關係。

賈漢吉爾 (1605-1627 年)

阿克巴之子，賈漢吉爾將心力放在管理帝國內部而非擴張，但他擊敗拒絕同盟的最後一位拉傑普特邦國王。賈漢吉爾熱心贊助文藝，此時藝術家發展出一種精巧的新藝術風格，可以細緻地刻劃現實世界。

沙賈汗 (1627-1658 年)

沙賈汗曾經起兵叛亂，反抗父親賈漢吉爾的統治，他即位後繼續擴張帝國，並在沙賈漢納巴德建立新首都。沙賈汗積極贊助宗教與文藝，他下令為夭亡的愛妻打造陵寢：泰姬瑪哈陵，蒙兀兒建築在他任內蓬勃發展。

帝國的終結

沙賈汗之子奧朗則布征服南印度，並納為帝國的新省份。但此時，帝國開始遭到新強權馬拉莎邦聯的攻擊，長年戰事拖垮蒙兀兒的經濟，帝國逐漸崩解，奧朗則布也不得印度教徒與非穆斯林的民心，帝國在他死後(西元 1707 年)分裂。1739 年，波斯(伊朗)統治者納迪爾沙入侵印度並掠奪德里城，劫走許多蒙兀兒財寶。到了 1857 年，蒙兀兒皇家僅剩下德里中部的根據地，末代皇帝巴哈杜爾沙參與當年反英國的印度兵變而遭廢黜，帝國至此已日薄西山。

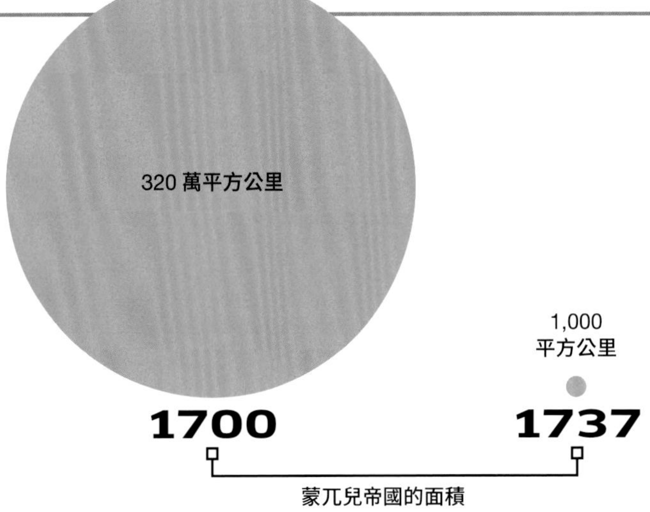
320 萬平方公里
1,000
平方公里
1700
1737
蒙兀兒帝國的面積

27年——馬拉莎邦聯與蒙兀兒帝國持續交戰的時間。

蒙兀兒藝術

藝術與建築在蒙兀兒人治下興盛發展，尤以具有精緻插圖的手抄本最為珍貴，這些文獻記載蒙兀兒宮廷的眾多資訊。歷任皇帝在新建城市大興土木，例如法泰赫普爾西克里、沙賈漢納巴德等地，其中一些建築—例如阿格拉的泰姬瑪哈陵—後來成為聞名全球的文化遺產。

泰姬瑪哈陵

沙賈汗下令為過世的愛妻—皇后慕塔芝．瑪哈—興建泰姬瑪哈陵，這棟白色大理石建築前後耗費 17 年建造——其白色設計代表著天堂。

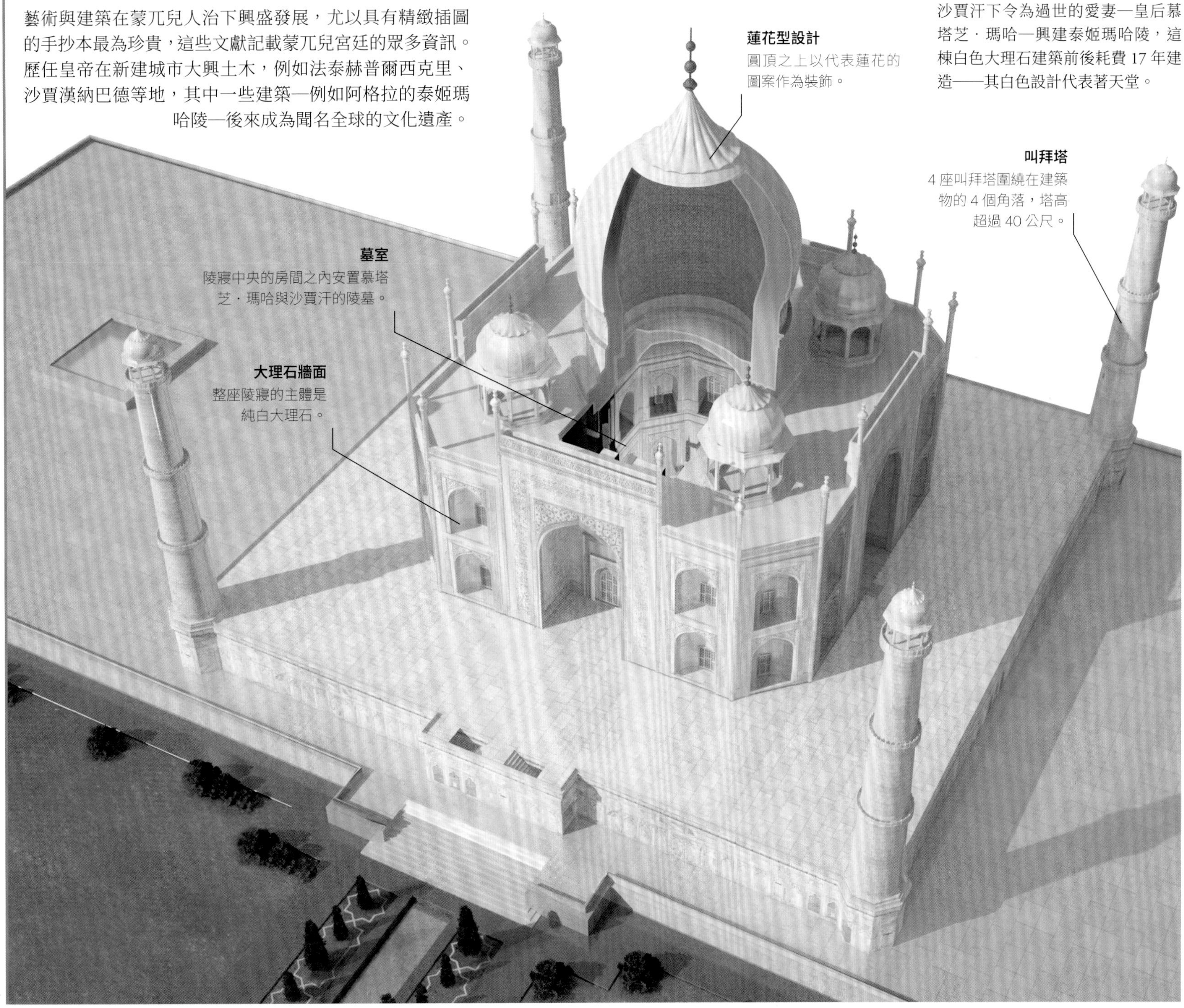
蓮花型設計
圓頂之上以代表蓮花的圖案作為裝飾。
叫拜塔
4 座叫拜塔圍繞在建築物的 4 個角落，塔高超過 40 公尺。
墓室
陵寢中央的房間之內安置慕塔芝．瑪哈與沙賈汗的陵墓。
大理石牆面
整座陵寢的主體是純白大理石。

現代世界

西元 1750 年之後，人類生活的各種層面都出現巨大變化，到了 19 世紀，全球性的帝國崛起，但隨著政治權力逐漸從皇帝、貴族轉移到平民大眾手中，帝國最終又以土崩瓦解收場。另一方面，新科技造成農業、工業、交通、戰爭的轉型，而後來的數位革命，更是永久改變了人類的溝通和娛樂方式。

革命的年代

大約自 1750 年代開始，新的政治運動風起雲湧，要求王公貴族給予平民百姓更多自由，在同樣的脈絡下，殖民地開始尋求獨立、脫離殖民母國的控制；若是統治者或殖民強權抗拒這些要求，民眾就發動叛變，其中有些透過武力贏得自由，並建立全新的國家——例如美利堅合眾國。

法國大革命

西元 1789 年，法國人民暴動，國王路易十六最終遭到處決，革命演變成腥風血雨，而新興政治領袖彼此鬥爭，淪為一場充滿暴力的「恐怖統治」。

拿破崙．波拿巴

在法國大革命之後，拿破崙這位受到眾人擁戴的將軍成為法國皇帝，他發動一連串的殘酷戰爭，以征服全歐洲為目標。

美國
新西班牙
古巴
新格拉那達
巴西
圖例
西班牙殖民地，1810 年
葡萄牙殖民地，1810 年

拉丁美洲獨立運動

在西元 1813 至 1822 年間，西蒙．波利瓦與荷西．德．聖馬丁領導革命運動，解放西班牙所控制的大部分南美洲區域；另一方面，米格爾．達爾戈則是引領了墨西哥的獨立運動。

共產主義崛起

19 世紀期間，德國思想家卡爾．馬克思提出一套新的政治理論——共產主義，主張國家的財富應該平均分配給人民。1917 年，俄國革命推翻沙皇的統治，建立史上第一個共產國家，並進而擴張為「蘇聯」(蘇維埃社會主義共和國聯盟)，成為 20 世紀的世界強權。

弗拉迪米爾．列寧

推翻沙皇之後，列寧以人民領袖自居，從此成為共產政權的首腦，直到他在 1924 年過世為止。

帝國主義時代

19 世紀期間，歐洲國家紛紛擴張海外殖民地，建立龐大的帝國。歐洲軍隊訓練有素、武器精良，要壓制反抗力量輕而易舉，這種積極擴張、獲取新殖民地的政策，被稱為「帝國主義」；在 1900 年之前，歐洲國家已經統治了大半的非洲、大洋洲和亞洲。

瓜分世界

在 1914 年之際，少數強權國家幾乎掌控了全世界，其中尤以英國為最，它以強大的海軍牢牢控制殖民地，勢力深入全球海洋。

帝國與領地

- 英國
- 鄂圖曼土耳其
- 法國
- 丹麥
- 西班牙
- 葡萄牙
- 瑞典
- 荷蘭
- 德國
- 奧地利
- 義大利
- 俄國
- 日本
- 中國
- 美國

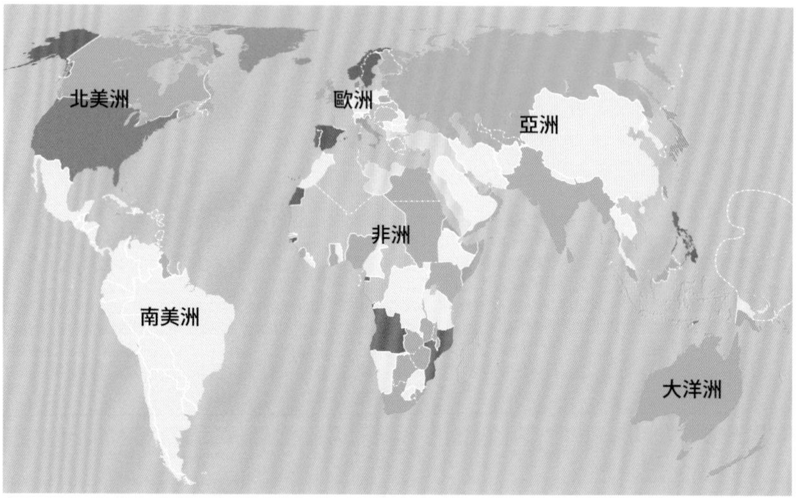
北美洲
歐洲
亞洲
非洲
南美洲
大洋洲

強權競爭

這段時期競爭激烈，列強全力以赴，導致規模更大、更血腥的戰爭。

七年戰爭 (1756-1763 年)
英國與法國為了爭奪北美與印度殖民地而爆發衝突，堪稱史上第一場「全球性戰爭」。

拿破崙戰爭 (1803-1815 年)
拿破崙即位成為法國皇帝，發動擴張戰爭，最終被歐洲聯軍在滑鐵盧所擊敗。

克里米亞戰爭 (1853-1856 年)
俄國屢次企圖掠奪鄂圖曼帝國的領土，而英國與法國聯合遏止，遂爆發此戰。

鴉片戰爭 (1839-1860 年)
中國政府企圖阻止英國商人進口鴉片，由此爆發了兩次中英戰爭 (第一次為鴉片戰爭，以及後來因亞羅號事件而引發的英法聯軍)，結果中國戰敗，被迫開港通商——開放 14 個通商口岸跟西方進行貿易。

日俄戰爭 (1904-1905 年)
在爭奪中國與朝鮮 (韓國) 勢力範圍的衝突中，日本的現代化軍隊出乎意料地擊潰俄國。

後殖民時代的世界

亞非地區殖民地企圖獨立的難度，更高於中南美洲，但兩次世界大戰的爆發，嚴重削弱了歐洲國家的國力。西元 1947 年，印度與巴基斯坦在一位律師—甘地—的領導下，脫離英國統治而獨立；在非洲，迦納則是第一個贏得獨立地位的殖民地 (1957)，其他地區隨即陸續跟進。

> “你可以**鎖禁我**，你可以折磨我，你甚至可以**摧毀我的肉體**。但你絕對無法**禁錮我的靈魂**。”
>
> —甘地，印度獨立運動領導者

衝突的世紀

20 世紀前期，人類歷史上最殘酷的兩場戰爭爆發，兩場大戰的起源皆是歐洲國家之間的衝突，後來延燒至全球各地。第一次世界大戰期間 (1914-1918 年)，數百萬士兵在壕溝戰之中喪生；第二次世界大戰 (1939-1945 年) 更為慘烈，加入了坦克、飛機、甚至原子彈的使用。兩次世界大戰塵埃落定之後，美國與蘇聯成為全球兩大霸權，伴隨著核子武器的威脅，這個世界進入冷戰時期。

第一次世界大戰

1914 年，奧匈帝國皇儲法蘭茲·斐迪南大公在塞拉耶佛遭到暗殺，這導致兩大集團—德國為首的同盟國與英、法為首的協約國—開戰，大部分戰事發生於法國與比利時邊境的西部戰線，對陣雙方都構築龐大的壕溝工事，但最終導致極為慘烈的巨大傷亡；直到 1918 年，協約國才突破戰線，擊敗德國。

第一次世界大戰墓園
右圖是一戰將士的墓園；將近 1,000 萬名士兵在第一次世界大戰中陣亡。

第二次世界大戰

西元 1933 年，阿道夫·希特勒成為德國領導人，他企圖征服鄰國的計畫於 1939 年釀成全球性的衝突；德國起初無往不利、所向披靡，但最後在 1945 年被盟軍擊敗。另一方面，日本在 1941 年加入戰爭，最終於 1945 年遭美國投放原子彈攻擊而被迫投降。

4%

可怕的傷亡人數
第二次世界大戰的死亡人數介於 6,000 萬至 8,000 萬人——這是當時全世界人口的 4%。

冷戰

雖然美國與蘇聯在二次大戰期間是盟友，但戰爭結束後隨即反目成仇，雙方並非直接開戰，而是透過其他方式進行「冷戰」，例如推翻親近敵方的他國政府。冷戰的潛在威脅極大，因為雙方都握有核子武器，可以在彈指之間殺死數百萬人。

到了西元 1982 年，美國與蘇聯所擁有的**核子彈頭**，總計超過 20,000 枚，相當於 **120 億噸**以上黃色炸藥的威力——這是**炸毀廣島**的原子彈威力的 **100 萬倍**。

世界劇烈轉型

戰爭與革命帶來政治變革，科學與科技的進展改造社會，醫藥進步得以治療過去的絕症，工業革命帶來各種新式機器，足以取代大量人力；社會舊秩序被大幅扭轉，新社會成型，女性與非白人族群最終獲得平等的政治權利。

美國的農業人口

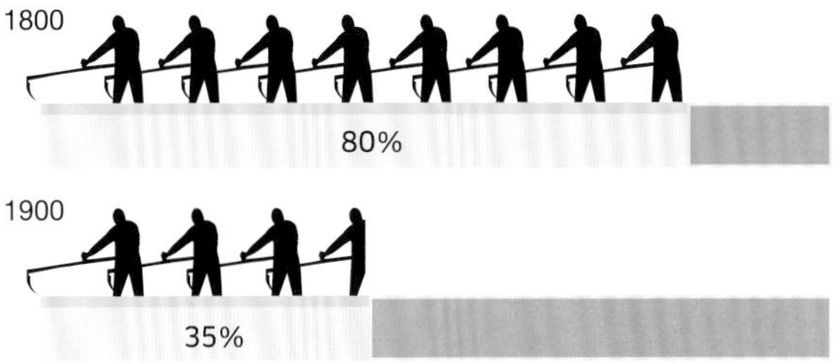
1800
80%
1900
35%

工業興起

工業革命帶來重大進步，同時也衍生新問題。大量製造的工廠產品取代手工，生活用品與各種商品因此價格變得低廉，與此同時，許多工人的薪資低賤、生活貧困——尤其在都市化地區。

平權運動

20 世紀之前，女性、非裔美國人、以及歐洲殖民地的非白人族群經常缺少基本權利；有賴許多勇敢人士發起運動，鞏固人權，為所有人爭取投票與受教育的權利。

1893 年
紐西蘭成為第一個賦予女性 (全國性選舉) 投票權的國家。

1920 年
美國《第十九號憲法修正案》給予女性投票權。

1948 年
南非通過立法歧視非白人族群，史稱「種族隔離」政策。

1964 年
美國《民權法案》禁止在教育、工作、住宅、公共空間等領域的隔離歧視態度。

1965 年
美國《選舉法案》取消針對非裔美國人的投票權限制。

1994 年
南非舉行首次不分種族的普選，結束種族隔離政策。

科學與醫學

20 世紀的科學進步超越人類史上的任一個時代，抗生素的發明治癒過去的絕症，汽車與飛機讓交通運輸時間驟減，人類對於宇宙、歷史與人類本身的了解更進一步。

“一個永不犯錯的人，必定從來沒有嘗試過**任何新事物**。”
—亞伯特·愛因斯坦

環境變遷的挑戰

19、20 世紀的世界總人口急速增加，所消耗的資源也隨之增長，煤礦、石油甚至水資源逐漸稀少，自然環境受到人類活動與污染的破壞，而全球暖化更是危及全球人類的居住地與農業區。

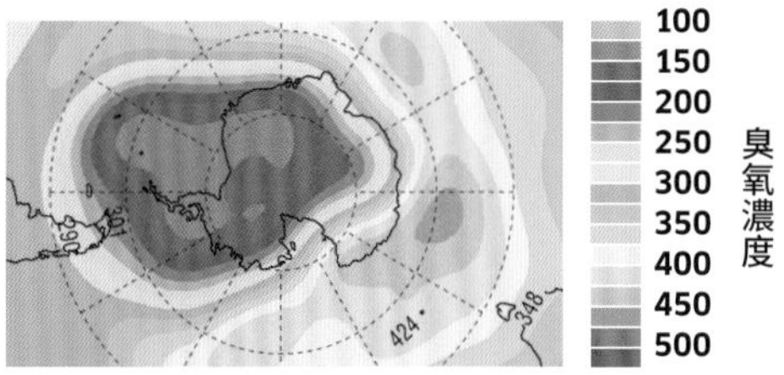
100
150
200
250
300
350
400
450
500
臭氧濃度

臭氧層破洞
臭氧層是大氣層的一部分，保護人類免於遭受有害輻射的威脅。1990 年代，空氣污染導致臭氧層破洞，此破洞位於南極洲上方，範圍最大時幾乎是歐洲面積的兩倍。

115 加侖—在西元1756年，這麼多的**蘭姆酒**可用來**換取一名男性奴隸**。

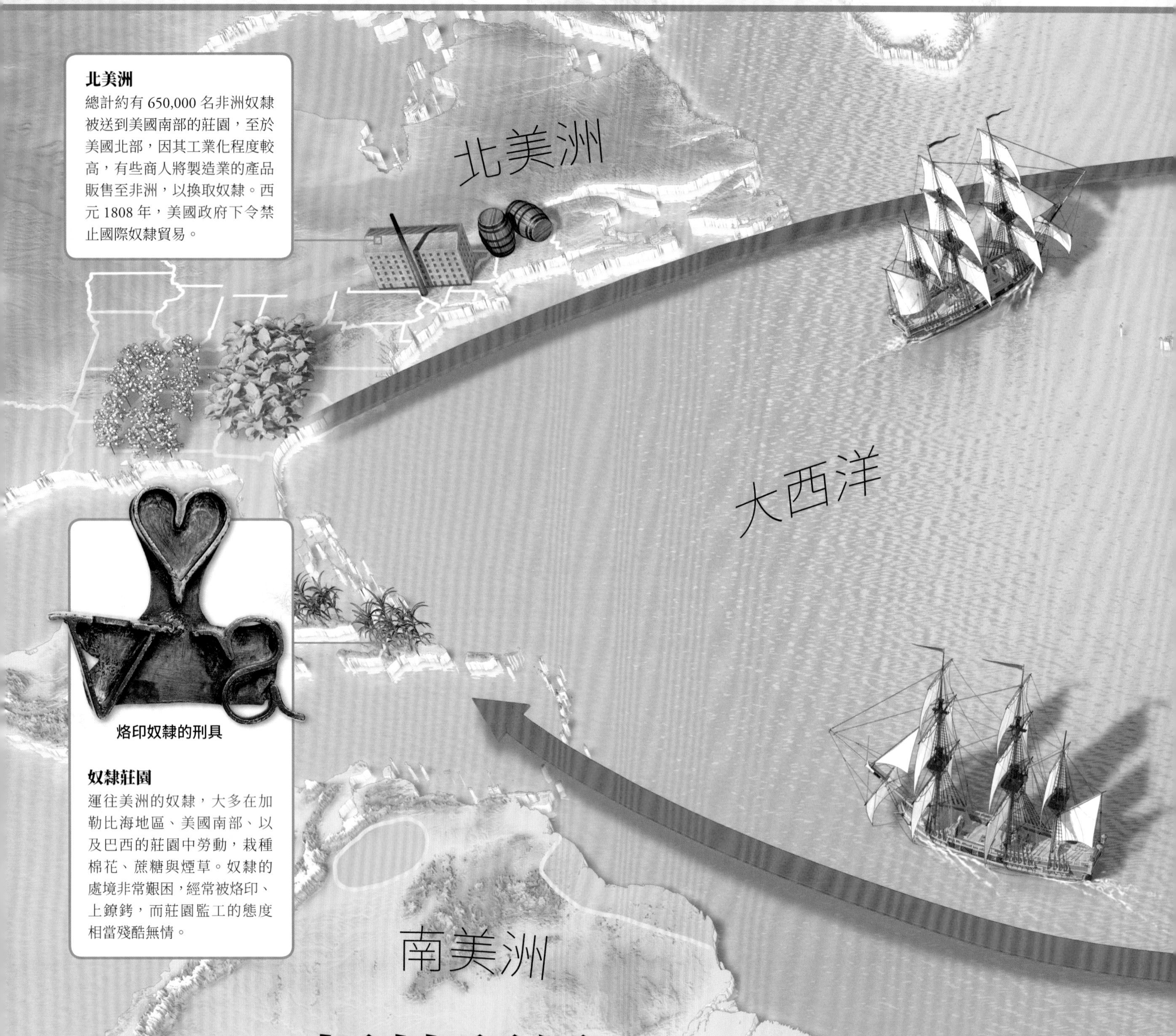

北美洲

總計約有 650,000 名非洲奴隸被送到美國南部的莊園，至於美國北部，因其工業化程度較高，有些商人將製造業的產品販售至非洲，以換取奴隸。西元 1808 年，美國政府下令禁止國際奴隸貿易。

烙印奴隸的刑具

奴隸莊園

運往美洲的奴隸，大多在加勒比海地區、美國南部、以及巴西的莊園中勞動，栽種棉花、蔗糖與煙草。奴隸的處境非常艱困，經常被烙印、上鐐銬，而莊園監工的態度相當殘酷無情。

奴隸貿易

前往美洲開拓的歐洲人需求大量的莊園勞力，為此，在西元 1500 至 1900 年間，共有 1,200 萬名非洲奴隸被運送至美洲。

奴隸貿易常被稱作「三角貿易」，其過程分為 3 個階段，首先將歐洲商品運輸至非洲換取奴隸，再運送奴隸跨越大西洋 (此段稱為「中央航線」)，最後以奴隸換取美洲貨物、運回歐洲銷售。許多奴隸死於途中，倖存者也必須面對莊園裡嚴酷的工作環境。19 世紀時，國際廢奴運動興起，大西洋奴隸貿易遂遭禁止。

歐洲貿易商

在1640年之前，葡萄牙原本是唯一從事美洲奴隸貿易的歐洲國家，後來英國、法國、荷蘭、西班牙、瑞典與丹麥陸續加入行列；歐洲商人將織品、玻璃珠、槍枝彈藥等貨物運至非洲，在非洲殖民地沿岸港口賣給當地商人，用以交換奴隸。

奴隸船的枷鎖

非洲奴隸

大量奴隸來自西非沿海，大致上在現今塞內加爾與安哥拉地區；奴隸的來源可能是戰俘、或遭人口販子綁架的人，用以交換來自歐洲的商品。

可怕的處境

跨越大西洋的航程短則費時6週，長則半年，船艙中擠滿奴隸，飲食供給困乏；男性奴隸都被上鏈鎖在一起，以防他們攻擊船員。

奴隸船

為了達到最高利益，奴隸販子將奴隸塞入狹小的空間內，有時高度甚至不及30公分；有一艘惡名昭彰的奴隸船—「布克號」—運送了大約600名奴隸，將他們成雙鎖在一起。

"奴隸船上**非常擁擠，**甚至無法翻身，我們幾乎因此**窒息而死。**"

—奧拉達・艾奎亞諾（前奴隸）

致命的航程

從非洲前往美洲的「中央航線」，擁擠的空間與困乏的飲食，總共造成180萬名奴隸喪失生命，其屍體全都棄置於海中。

死亡人數

在惡劣的大西洋航程中，奴隸的死亡率高達¼。

終結奴隸貿易的呼聲

人道主義的呼聲導致英國政府在1807年禁止奴隸貿易，其他國家很快跟進，最後一個廢除奴隸貿易的國家是巴西(1831年)。

"我們**絕對、絕對**不會放棄，直到掃除這個**基督教世界的毒瘤，**讓我們離開深重的罪孽。如今**我們全力以赴，**只求徹底殲滅這場惡毒的貿易。"

—威廉・威伯福斯（廢奴運動者）

72,000—狄德羅《百科全書》所收錄條目的大致數量。

啟蒙運動

18 世紀堪稱是革命的年代，不論傳統的政府結構、宗教信仰、科學觀念，全都遭到新思想的強烈衝擊。

文藝復興帶來哲學與科學領域的全新思考方法，但這些方法仍舊根基於傳統，亦即古希臘、羅馬和早期基督教的文獻。啟蒙運動的思想家完全不同，他們主張不盲從傳統，提倡知識應該源自於理性法則—邏輯、個人觀察、實驗—而這些主張造就現代科學的誕生，其中的激進觀點甚至導致戰爭與革命。

牛頓

啟蒙運動時期代表人物之一是英國科學家艾薩克．牛頓 (1642-1727)，他提出「萬有引力定律」和「運動定律」，說明宇宙天體的運行法則、以及地球物體的運動法則；此外他在光學與熱力學領域都有重要發現，也是首先發明微積分的數學家之一。牛頓對這個世界充滿好奇心與求知欲，因而導致一些怪異的舉措，例如他曾經使用鈍針插進自己的眼窩，來觀察眼球形狀的變化如何影響視力——這是他研究光線行進的一部分！

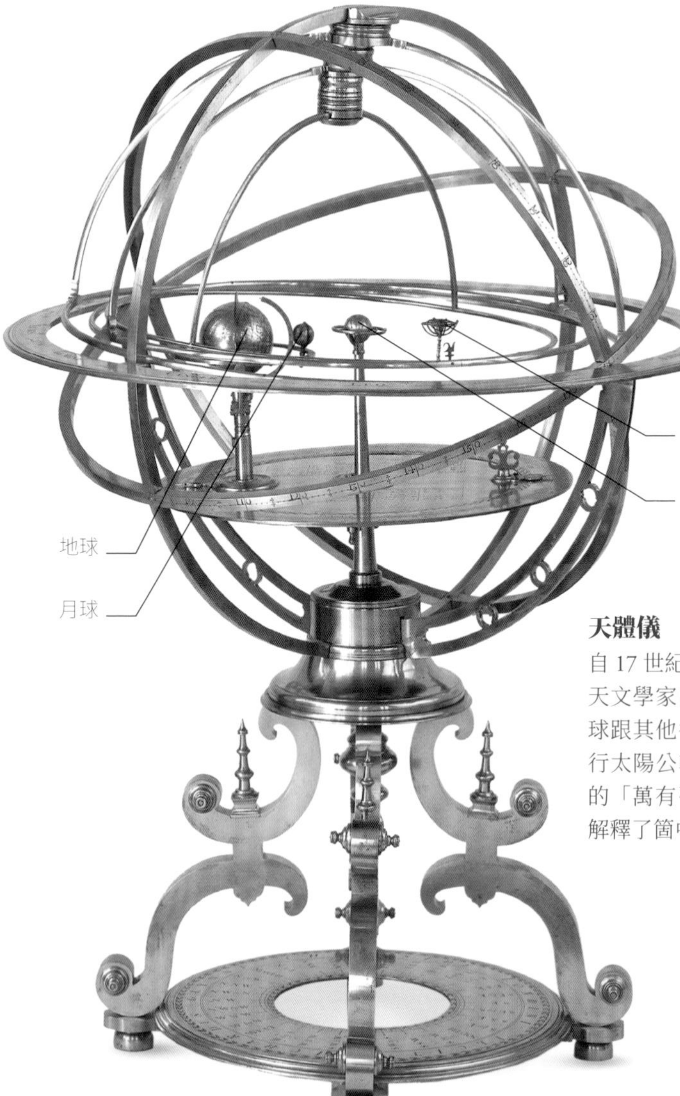

天體儀
自 17 世紀早期開始，天文學家已經瞭解地球跟其他行星都是繞行太陽公轉；而牛頓的「萬有引力定律」解釋了箇中原理。

思想革命

18 世紀期間，想要瞭解世界的人所研讀的是「自然哲學」，內容包括科學與數學。在當時，由於海外探險家在亞洲、非洲和美洲的新發現、以及印刷術的流行，造成大量新資訊在歐洲廣為流傳。由德尼．狄德羅和讓．達朗貝爾所領導的一群巴黎學者，編輯了包含 28 冊巨著的《百科全書》，堪稱當時所有學術知識的匯集，內容涵蓋文藝、科學、工藝…等等；他們所秉持的信念是，理性和科學的精神可以應用到所有學門，而此一想法逐漸傳播至歐洲與美洲——德意志哲學家伊曼努爾．康德總結此新思路為「勇於求知！勇於使用你的理性！」

《百科全書》
狄德羅這套巨著所涵蓋的領域不只藝術與科學，而是所有學門——諸如音樂、廚藝、甚至農業都包含於其中。

人權

除了科學領域的進步之外，啟蒙運動的另一項成果是新式的社會思想。18 世紀中期，法國有一群激進的哲士開始質疑傳統、宣揚新說，他們認為王公貴族與教士不應享有特權；另有一些文人—例如尚 - 雅克．盧梭和瑪莉．沃斯通克拉夫特—提出強而有力的見解，認為所有人應當被平等對待，此外還有學者—包括伏爾泰與孟德斯鳩—撰文譏諷腐敗的體制與陳見。

1748 年

法國思想家夏爾．德．塞孔達—也就是孟德斯鳩男爵—出版《法意》一書，主張「三權分立」，也就是將政治權力分割為王權 (行政)、國會 (立法) 與法院 (司法)，三權互相制衡。

1759 年

法國哲士伏爾泰所寫的諷刺性小說《憨第德》，內容彰顯人們在這個世界上生活的艱苦、以及遭受的不義；伏爾泰寫道，「若人們想要真正自由，就必須使用理性的力量，而且需要了解與捍衛人類的基本權利。」

1762 年

瑞士哲人盧梭主張政府的統治必須奠基於人民共識之上，他在《社會契約論》一書中寫道，「人是生而自由的，但卻無往不在枷鎖之中。」

87% —1720年投機風潮**泡沫化**之後，**「南海公司」股票崩盤**的跌幅。

9 —浪漫樂派音樂家**路德維希·范·貝多芬**所譜的**交響曲**數量。

財富革命

經濟學是專門研究財富與金錢的學問，此時發展成為眾多新穎觀念之一；當時的大帝國利用全球性貿易致富，銀行為富人提供安全的存款所在，並借貸資金給創業者，一般人也開始積極投資。然而，致富計畫卻經常變成災難，例如 1720 年的英國「南海公司」泡沫化破產事件，讓投資者高達數百萬英鎊的資金化為烏有。

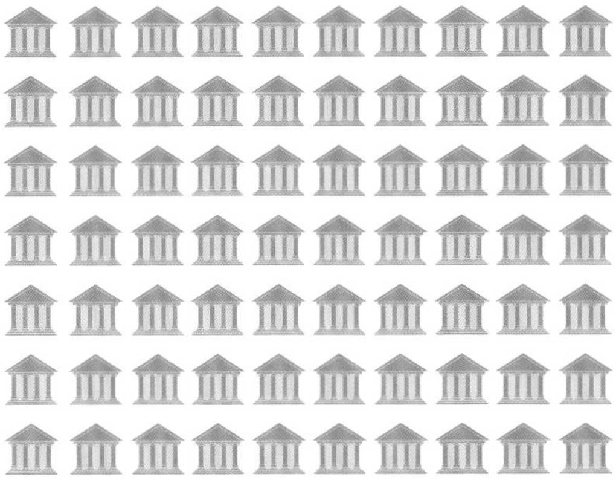

西元 1800 年，倫敦的銀行數量已成長到 70 家。

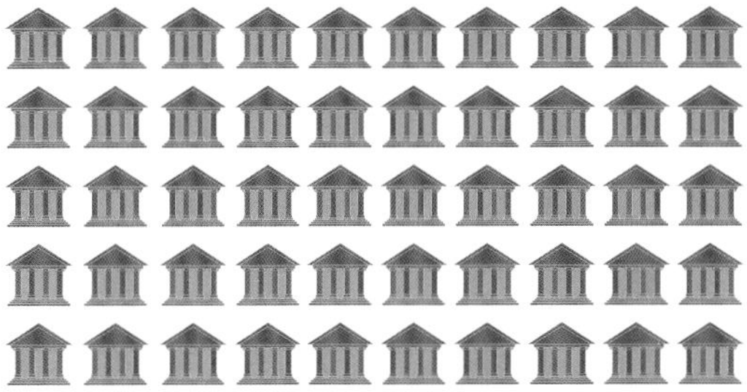

西元 1770 年，倫敦有 50 家銀行。

西元 1750 年的倫敦只有 20 家銀行。

金融中心
隨著資本主義的興起，倫敦、阿姆斯特丹等大城成為金融重鎮，坐擁龐大的資本。

"勞力才是最初的價值，是用來購買各種物品的**原始通貨**；是勞力——**而不是黃金或白銀**——最初購買了全世界的財富。"

—亞當·斯密，蘇格蘭經濟學家，1776 年

1776 年

英裔美國思想家湯瑪斯·潘恩出版一本小冊子，名為《常識》，該書支持美洲脫離英國而獨立；而他稍晚的作品—《論人的權利》—主張政府若是濫用權利，則人民有權推翻之。

1792 年

英國女性思想家瑪莉·沃斯通克拉夫特在其著作《為女權辯護》之中，呼籲女性應該擁有跟男性相同的教育與機會，她眼中的理想社會，乃是依據理性法則運作、並能尊重全體人類。

浪漫主義的反動

啟蒙運動的理念廣泛傳播，但在 18 世紀末開始出現反作用力——「浪漫主義」，尤其是在藝術、音樂與詩學領域，這個新運動批判啟蒙運動者僅重視理性，忽略了感性與自然之美；著名的浪漫主義健將包括音樂家貝多芬、作家約翰·濟慈與埃德加·愛倫·坡、以及畫家尤金·德拉克拉瓦。

〈英國國會大火〉
浪漫主義藝術家喜愛描繪大自然的威力，例如這幅英國畫家約瑟夫·透納的作品，就描繪了 1834 年的英國國會火災。

浪漫主義價值觀

自然界
自然界的力量是強烈而真實的，而邏輯與理性乃是人為且不足的。

歌德
浪漫主義喜愛中古時期的神話傳說，其中有些充滿奇幻元素，另一些則是令人毛骨悚然。

超自然
這個世界是充滿靈性的，而啟蒙運動的世界觀太過偏向科學，沉悶無趣。

感性
直覺與感性才是人類認識真理與真相的憑藉，邏輯反而可能造成偏差。

浪漫英雄
真正的「英雄」是熱情而孤獨的天才，他們的素質遠遠超越常人之上。

個人主義
浪漫主義者認為獨處、孤獨可以使人更貼近自然與真實的自我。

想像力
想像的創造性力量，可以企及邏輯不可能達成的驚奇成果。

象徵與神祕性
從自然界和古代文獻的象徵與符號中，可以發掘神祕的意涵。

愛國戰士必須自費購買武器與裝備。

美國獨立戰爭

18 世紀期間，英國統治北美洲東岸 13 個殖民地；到了西元 1770 年，殖民地開始反抗英國統治，並於 13 年之後贏得獨立。

英國在北美洲的殖民地由倫敦政府直接管轄，殖民地居民雖然名為英國公民，卻無法享有全部的公民權利——他們沒有投票權，而且在國會中缺乏議員代表。北美殖民地對此不公平待遇頗感不滿，但英國政府不予重視，還通過許多令人反感的法案，對於糖、茶與紙張等日用品課徵重稅。

西元 1775 年，原本緊張的局勢最終爆發為戰爭。1777 年，訓練精良的英國軍隊抵達加拿大，支援原先駐紮殖民地的軍隊，卻遭到一位名為喬治．華盛頓的美軍良將以謀略擊垮。最終英人兵敗，戰爭結束的結果是一個全新國家的誕生——美利堅合眾國。

大陸軍

1775 年開始，殖民地開始組織志願者成為正規軍。喬治．華盛頓決心訓練出一支可與英軍匹敵的軍隊——「大陸軍」，在戰爭過程中，「大陸軍」的薪水微薄、裝備簡陋，但是他們卻能克敵致勝，拿下令人吃驚的勝仗。

紀律性集體開火

當時交戰的關鍵技巧之一就是集體同時開火，此事需要紀律與訓練，如此士兵才不會在敵人迫近時太早開槍。

步向戰爭

英國在跟法國爭奪北美領土的「七年戰爭」(1756-1763 年) 期間耗費龐大，極度需要資金，英國政府遂擬議向北美殖民地增稅。另一方面，北美 13 個殖民地的代表成立「大陸會議」，譴責英國這些稅法是「不可忍受的暴行」，並向英國國王提出陳情、抗議。

新罕布夏州
麻薩諸塞州
紐約州
羅德島州
康乃狄克州
賓夕法尼亞州
紐澤西州
德拉瓦州
馬里蘭州
維吉尼亞州
西部領土
北卡羅萊納州
南卡羅萊納州
喬治亞州
圖例
西部領土
北美十三州

北美**殖民地人士**所組成的「波士頓茶黨」，**搗毀了 342 箱茶葉，**總價值大約 **10,000 英鎊。**

建立新國家

戰爭結束後，「北美十三州」贏得獨立地位，成為最早的美利堅合眾國成員；西元 1783 年，英、美雙方簽定和平條約，英國又讓渡北美洲西部領土給美國。

美國獨立宣言

北美 13 個殖民地建立自己的政府，稱為「大陸會議」，他們很快就決定要完全脫離英國；草擬獨立宣言、自我明志的任務，交給一位來自維吉尼亞的律師—湯瑪斯．傑佛遜—來進行。

西元 1776 年 7 月 4 日，13 個殖民地的代表簽署《美國獨立宣言》，並宣告建立「美利堅合眾國」。《美國獨立宣言》的 4 大重點如下：

1 革命權
只要有正當、良好的理由，殖民地有權選擇脫離殖民母國的統治。

2 合法政府
能夠盡力增進人民福祉、尊重人民權利的政府，才是人民唯一可以接受的政府。

3 英王罪狀
英國國王忽視殖民地人民的權利與福祉。

4 宣布獨立
因此，殖民地有權推翻英國政府的統治、建立自己的政府，而且不再是大英帝國的一部分。

“我們認為下述真理是**不言而喻的：**人人生而平等，**造物主賦予我們的某些權利**是不可剝奪的，包括**生命、自由**、以及**追求幸福的權利。**”
—《美國獨立宣言》

美軍總司令

喬治．華盛頓原本是一名煙草農夫暨測量員，「七年戰爭」期間，他在北美洲戰場對抗法軍，因而獲得許多軍事經驗，後來因不滿英國政府對待北美殖民地的作法，轉而成為殖民地的軍隊司令。華盛頓將美軍訓練成職業軍隊，他跟士兵一同出生入死，並贏得最終勝利。西元 1789 年，華盛頓獲選為美國第一任總統。

華盛頓雕像
華盛頓普遍被視為美國國父，這歸因於他在美國建國過程中的領導能力與影響力。

交戰雙方

美軍的來源主要是民兵——由當地居民所組成的戰鬥團體，而正規的「大陸軍」也接受法國、西班牙的援助，此外還有某些原住民的幫忙。另一方面，被稱為「紅衣軍」的英軍則由「忠英派」(想要留在大英帝國內部的殖民地人士)、日耳曼傭兵支援，並受到想要維繫跟英國所簽貿易、領土協定的原住民的支持；此外，英國海軍還控制了沿岸地區，但影響力不及內陸戰事。

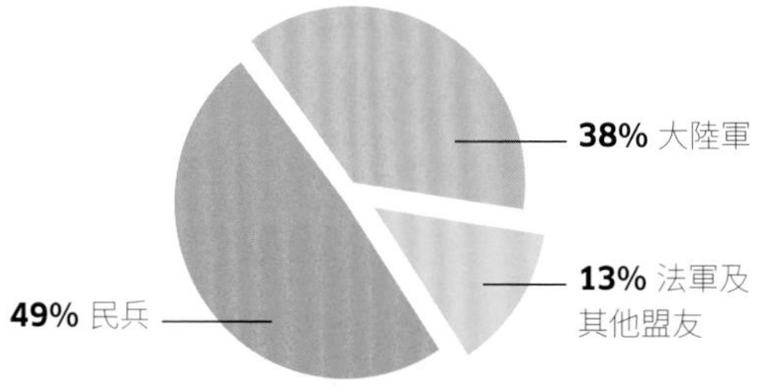
38% 大陸軍
13% 法軍及其他盟友
49% 民兵

美國(北美殖民地)及其盟友

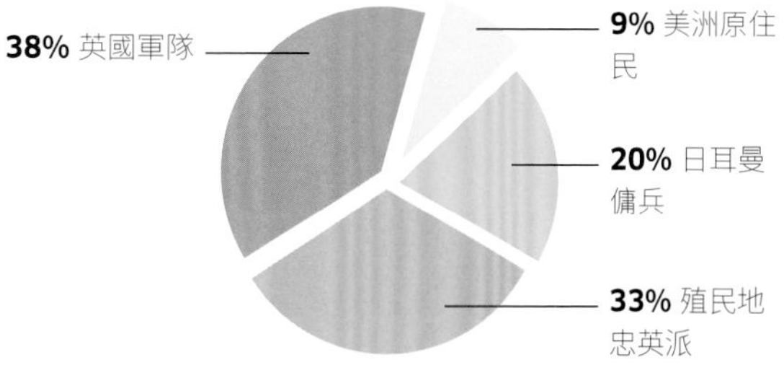
38% 英國軍隊
9% 美洲原住民
20% 日耳曼傭兵
33% 殖民地忠英派

英國及其盟友

獨立之路

在美國獨立戰爭初期，幾乎所有戰役的結果都是平手，美軍雖然很難擊垮強大的英軍，但美軍具有熟悉當地環境的優勢、以及居民的幫助，因此可以躲過英軍的追擊。然而隨著戰事延長，美方的領導力越見精進，再加上外國援助，戰爭天平開始倒向美軍，而英軍的挫敗越見嚴重。

1773年

反叛之路
殖民地人士在波士頓港口銷毀英國船上的茶葉之後，英國政府勒緊對殖民地的控制、立法縮減其自由，但此事反而成為壓倒駱駝的最後一根稻草，兩年之後，革命戰爭的槍聲響起。

忠英派士兵的腰帶，繡有皇家勳章

1775年4月

康考德戰役
英軍前往麻薩諸塞州的康考德征剿殖民地的軍火庫，美軍派遣援兵相救，交戰後美軍雖被迫撤退，但成功阻止了英軍截斷補給路線的企圖。

1777年秋天

薩拉托佳之役
「大陸軍」在薩拉托佳包圍 6,000 名英軍，迫使其投降；這場勝仗鼓勵法國參戰支持美方，而西班牙、荷蘭稍後跟進。

1777年冬天

佛吉谷
在外國協助下，美軍在費城附近的佛吉谷紮營駐軍；雖然挺過英軍的攻擊，但嚴寒的冬季卻造成美軍補給困乏、損失慘重，約有 2,000 人死於饑餓與疾病。

1781年10月

殖民地的勝利
吃了好幾場敗仗之後，英軍朝向北美洲東岸撤退，而美軍與法國海軍緊迫逼近，將英軍困在維吉尼亞的約克鎮；英軍最終舉白旗投降，戰爭結束，美方勝利。

1783年

停戰和約
經過漫長的談判交涉，雙方於 1783 年 9 月在巴黎簽訂合約；英國將廣大的北美洲領土讓渡給美國，並另外跟美國的歐洲盟友—法國、西班牙、荷蘭—簽訂和約。

史上第一枚美國銀幣的設計模型，1777 年

法國叛亂人士有時會男扮女裝，因為女性作亂的罪責比較低。

法國大革命

西元 1789 年，法國王室被一場腥風血雨的革命所推翻，這場革命造就一個由公民—而非貴族—所組成的政府，但後來政府成員之間彼此爭鬥，導致更多流血與混亂。

18 世紀末，法國經歷一連串耗費龐大的戰爭，經濟瀕臨破產，1788 年的農作物歉收更是雪上加霜。饑荒肆虐之下，法王路易十六與貴族卻依然生活奢侈，權貴囤積糧食的謠言甚囂塵上，窮人怨懟不已。法國人受到 1776 年北美殖民地推翻英國統治的影響，要求法國政府改革，到了 1789 年，麵包價格飆漲導致巴黎街頭暴動，稍後國王竟在同年加稅，法國大革命於焉一發不可收拾！

不公平的社會

當時的法國社會分為 3 個階級，第一階級為教士，第二階級為貴族，這兩個階級相當富有，雖然人數只佔總人口的 3%，卻擁有 40% 的土地，並享有免稅特權；剩餘的 97% 人口組成第三階級，也就是平民，包括商人、工匠、以及貧窮的農民，平民繳稅卻供富人享受；這三大階級在政府召開的「三級會議」中都有代表參與，但在 1789 年 6 月 17 日，第三階級代表決定建立自己的政府——「國民會議」。

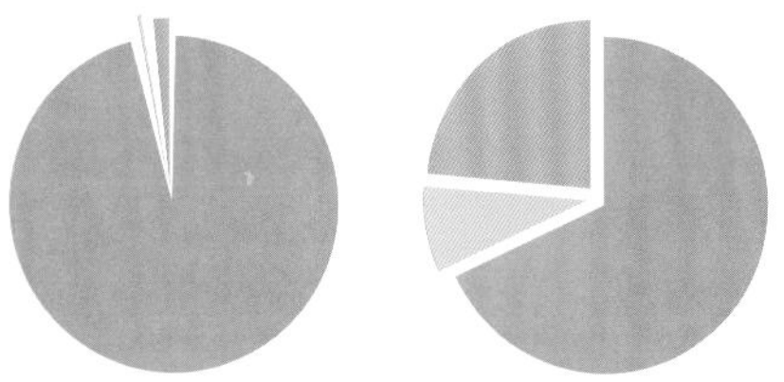
圖例
第一階級：教士
第二階級：貴族
第三階級：平民
人口比例
擁有土地的比例

處死國王

新成立的「國民會議」保證給予人民權力，讓國王成為虛位元首。然而，當謠言流傳國王即將下令軍隊關閉議會，巴黎市民立即組成國民衛隊對抗，他們的首要攻擊目標乃是巴士底城堡（監獄），巴士底是舊政府監禁罪犯之處，1789 年 7 月 14 日，暴民攻陷巴士底監獄；後來，許多保皇派轉而支持革命黨，法王路易十六被軟禁在巴黎的杜樂麗宮。路易十六為了重獲民眾支持，因而同意改革的政策要求，但仍然淪為怨恨發洩的對象。1792 年，暴民攻入皇宮，國王被送進監牢；1793 年，路易十六被判處「密謀陷害法國人民」的罪名，遭到斬首處決。

〈攻擊杜樂麗宮〉，1792 年
1792 年 8 月 10 日，暴民攻擊國王與王后居住的杜樂麗宮，並將其逮捕，法國王政中斷；這幅畫作呈現攻擊杜樂麗宮的革命份子人數，遠多於駐守的瑞士衛隊。

巴士底監獄
被攻陷時其實幾乎沒有囚犯，最終只有 7 名囚犯被「拯救」，而 98 名革命份子死於戰鬥過程。

時間軸

大革命將法國從王政轉變成共和國，共和政體的主權在民，但實際上，共和時期的猜忌與殘酷，卻讓法國人民生活在恐怖之中；最終法國大革命結束，換來的竟是另一個新皇帝崛起。

1789 年 6 月 14 日
法國國王路易十六召開「三級會議」，要求通過加稅的政令，而第三階級的代表早已因缺糧與不公的稅制感到憤怒，於是他們跟第一、第二階級決裂，自組「國民會議」並宣佈自身的治國理念。

1789 年 7 月 14 日
謠傳國王即將召來軍隊關閉「國民會議」，巴黎開始出現暴動，民眾攻入巴士底監獄，「解放」了 7 名囚犯——7 月 14 日這一天被視為法國大革命的起點，後來還成為法國國慶日。

1789 年 10 月 5 日
大約 7,000 名婦女遊行前進到巴黎郊區的凡爾賽皇宮，抗議麵包短缺；據說法國王后瑪麗．安東妮對此事的回應竟然是「沒有麵包，何不食用蛋糕！」——從而被視為王室藐視人民痛苦的鐵證。

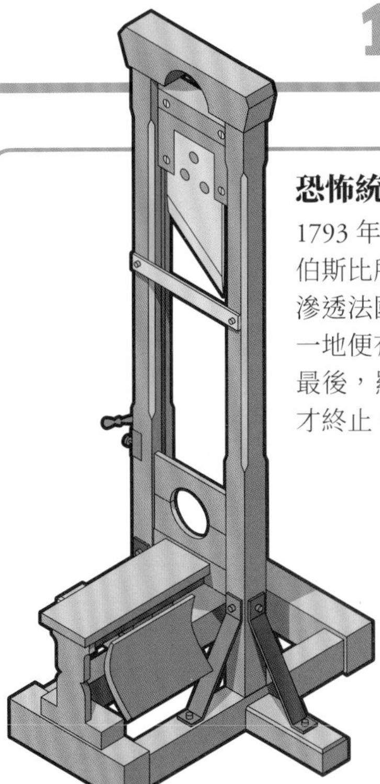

恐怖統治

1793 年法王路易十六死後，「國民會議」被麥克西米連．羅伯斯比所領導的「雅各賓」黨人控制，他們相信外國派遣間諜滲透法國，企圖復辟王政，於是開始處決涉嫌人士，光是巴黎一地便有 40,000 人遭到處決，這段血腥時期稱為「恐怖統治」；最後，羅伯斯比自己也在 1794 年被送上斷頭台，恐怖統治方才終止。

斷頭台

這台恐怖機械運用於法國大革命期間，目的是快速而有效率地處決人犯。

「吉羅丁」斷頭台（改良者為吉羅丁醫生）竟被暱稱為**“民族剃刀”**，每天可以處決 20 人。

拿破崙戰爭

革命過後，法國缺乏強而有力的領導者，落入強敵環伺的險境。西元 1800 年，一位名為拿破崙．波拿巴 (1769-1821) 的年輕將軍贏得一連串軍事勝利，成為法國的全民英雄。1804 年，拿破崙加冕自己成為法國皇帝，並發動征服歐洲的戰事，在 1805 至 1807 年間，法軍擊敗奧地利、俄國、普魯士，拿破崙帝國統治大部分的歐洲。西元 1815 年，拿破崙最終在滑鐵盧之役被歐洲聯軍擊潰。

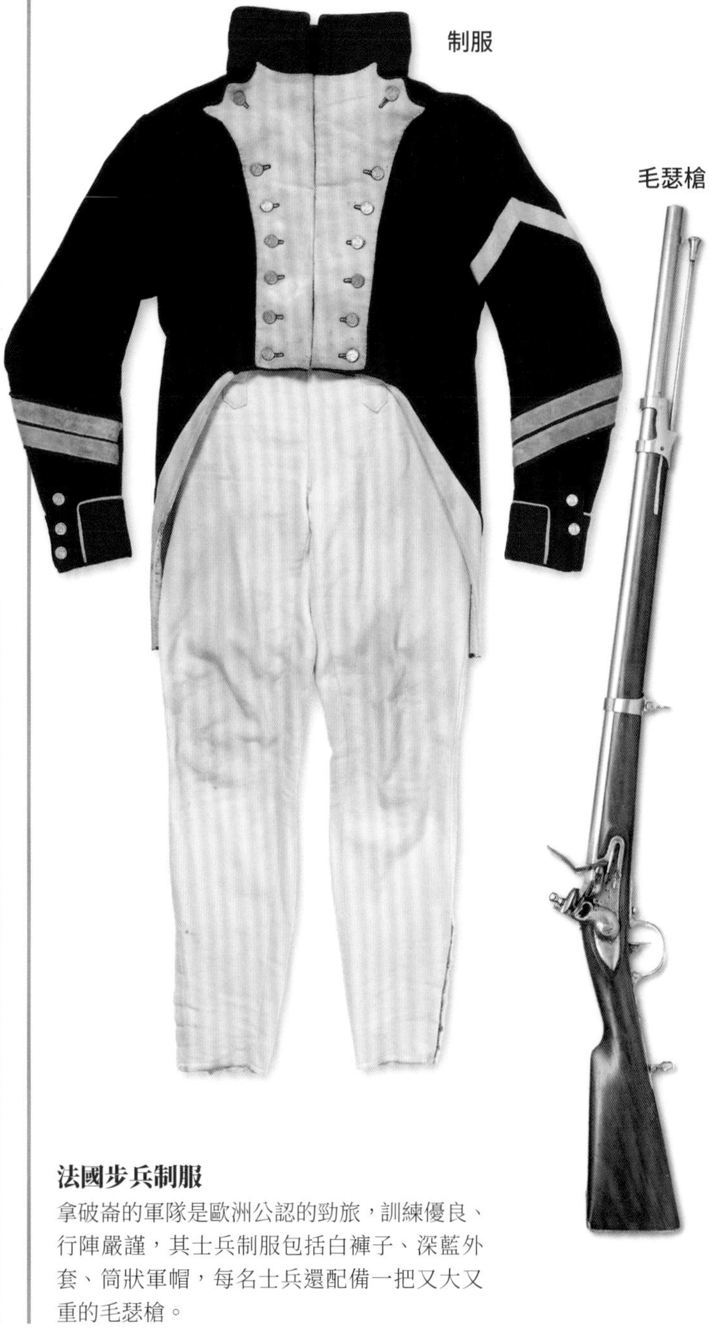

法國步兵制服

拿破崙的軍隊是歐洲公認的勁旅，訓練優良、行陣嚴謹，其士兵制服包括白褲子、深藍外套、筒狀軍帽，每名士兵還配備一把又大又重的毛瑟槍。

革命理念

新的法蘭西共和國（「共和」意指沒有國王，未必是全民民主）受到美國建國的影響，法國革命份子也撰寫了一份文件——《人民與公民的權利宣言》（簡稱《人權宣言》），其主張成為新政府的基石，文中宣稱所有人皆生而平等，貴族不應擁有特權，而人民應該透過民主投票來治理國家——這些理念對於後世民主與人權理論的發展，至關重大！

馬克西米連．羅伯斯比

法國律師羅伯斯比深切投入革命運動，他篤信平等權利與民主政府的價值，但後來卻違反自己的信念，認為革命成功的唯一方法，就是必須除掉所有反對者；數千名所謂的「革命的敵人」或「人民公敵」，因此被羅伯斯比等人下令處死。

1791 年 6 月 25 日

國王與王后企圖變裝逃離法國，結果半途遭到攔截而被帶回巴黎，軟禁在仍有皇家衛隊守護的杜樂麗宮；1792 年，他們進一步被關入牢獄，隔年送上斷頭台處決，其罪名是幫助奧地利（王后的娘家）——而當時奧地利正跟法國革命政府作戰。

1792-1801 年

諸多鄰國震怒於法王路易十六之死，希望能夠控制法國的政局，以免革命之勢延燒到自己。為此，法國革命政府與其他歐洲國家一如奧地利、義大利、英國一開戰，甚至有法國海外領地起而反對革命政府（如海地）；最後戰爭結果多為法軍勝利。

1793 年春天

羅伯斯比成立「公共安全委員會」，用以打擊舊政府支持者、以及破壞革命者；但委員會卻變成脫韁野馬，許多無辜之人被羅織罪名，以叛國罪加以誣陷。

1804 年 12 月 2 日

拿破崙在巴黎加冕稱帝。稍早前的 1792 至 1801 年間，拿破崙的軍事天才與常勝戰績，使他成為大眾眼中的英雄；稱帝之後，拿破崙進一步發動歐洲征服戰，起初所向無敵。

7歲─19世紀兒童開始工作的平均年齡。

工業革命

西元 1760 至 1860 年，以傳統農業和手工業為基礎的古老生活方式快速改變，商品改由工廠的機器生產，而大量人口朝向都市遷移。

這場轉型始於英國，英國的投資者和工程師運用新的科學觀念，改變了農業、礦業與製造業的生產方式；同時，英國也擁有豐富的原料─例如煤礦和鐵礦─作為轉型的基礎與助力。另一方面，當時民眾大多希望加入工廠工作，並購買自家生產的新式工業產品。工業革命徹底改變了人類的生活方式，某些人因此獲得驚人的財富，但更多人也因而淪為赤貧。

快速的交通運輸

工廠的運作高度仰賴運輸系統──運進大量原料 (例如煤、棉花) 並運出大量產品，舊式運輸方式─如馬車或帆船─的效率不足以應付工業時代的要求，工業化國家為此建造了龐大的運河網絡，駁船可以載重 30 公噸，由馬匹在運河旁拖動；此外，鐵路網和蒸汽引擎的出現，讓長途交通與運輸更為便利而快速，蒸汽輪船則使得越洋旅行更加快捷、更加安全。

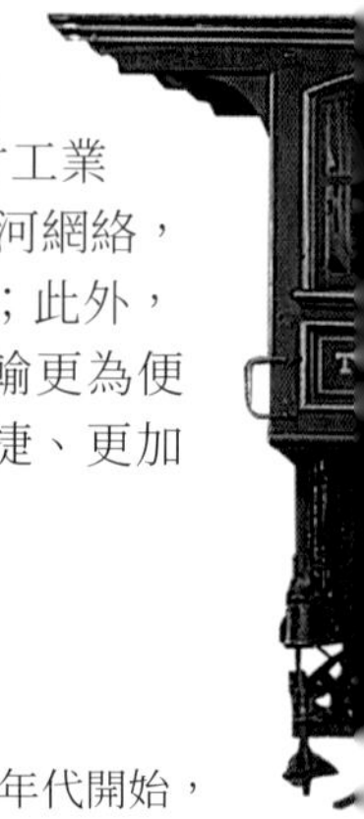

蒸汽火車頭

火車堪稱工業革命最重要的象徵之一，大約自 1840 年代開始，美國成為製造蒸汽火車頭的龍頭；圖中為巴爾的摩與俄亥俄鐵路公司在 1863 年製造的產品。

新機器

工業革命的骨幹是新型機器，舉例來說，傳統製棉是個漫長而費工的過程，而「珍妮紡紗機」(1764 年) 和「紡紗騾」(1779 年) 這兩台新式紡紗機的發明，讓棉紗的生產得以自動化，效率提高。起初這些重機械由水車所驅動，因此工廠必須毗鄰河流，史上第一座水力驅動的棉織廠是由企業家理查．阿克萊特在 1771 年所建造，位於英國的德比郡；然而隨著時間推進，水車逐漸被蒸汽機取代，工廠開始遷往都市地區。

水力棉織廠

棉花纖維經過疏棉過程才能紡成紗線，在工業革命之前，這個製程屬於家庭手工業，而棉織廠運用機器，可以大量而快速地生產紗線。

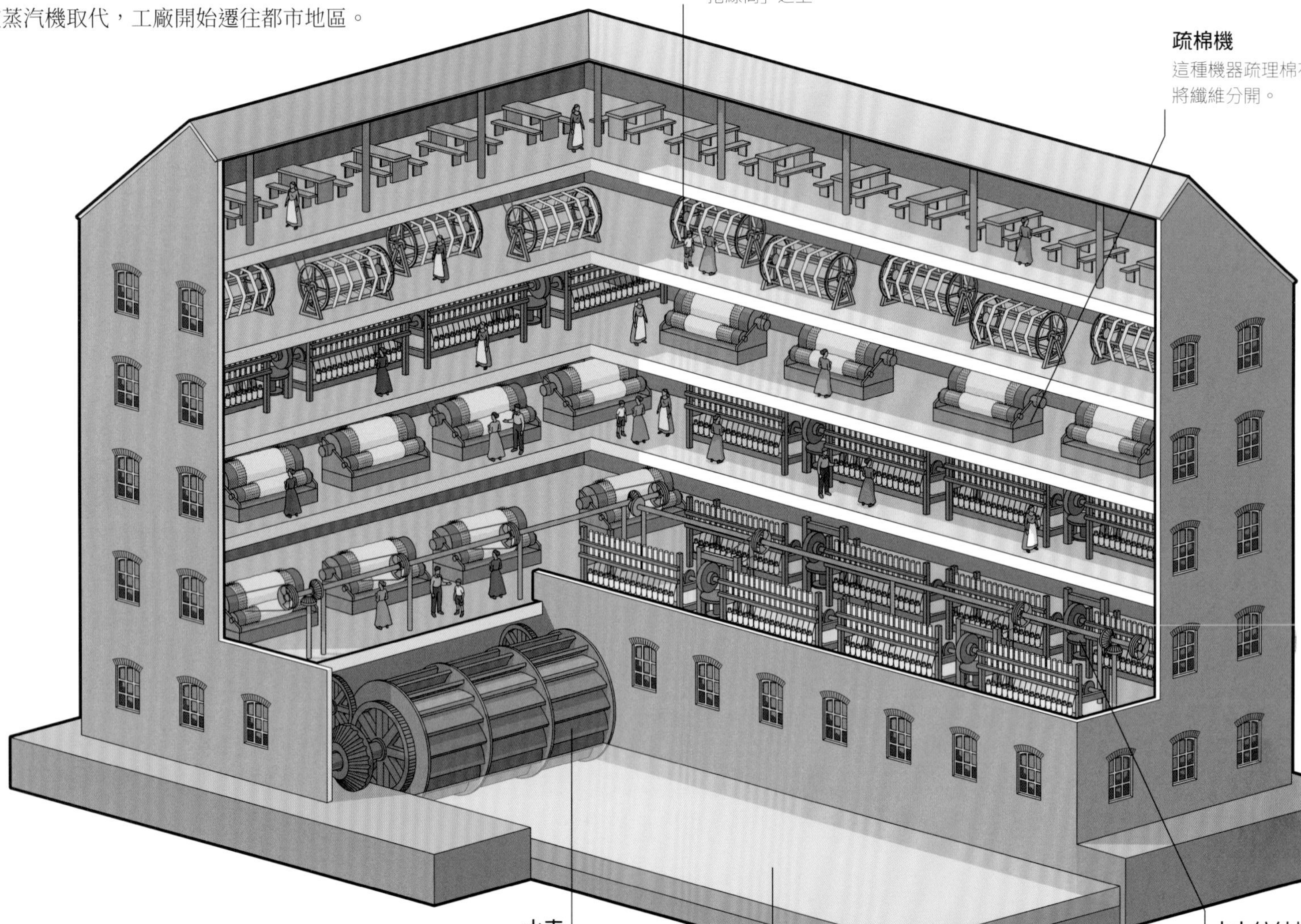

捲繞機
這種機器將棉花捲繞至「捲線筒」之上。
疏棉機
這種機器疏理棉花原料，將纖維分開。
水車
水流帶動巨大的水車葉片，以此驅動所有機器。
河流
水力紡紗機
這種機器用以將棉花紡成紗線。

5,000 萬公噸—英國在西元1850年的煤礦開採量。

新型紡紗機的生產效率比人力快了1,000倍。

6,400 公里—英國在1760至1840年之間新建的運河總長度。

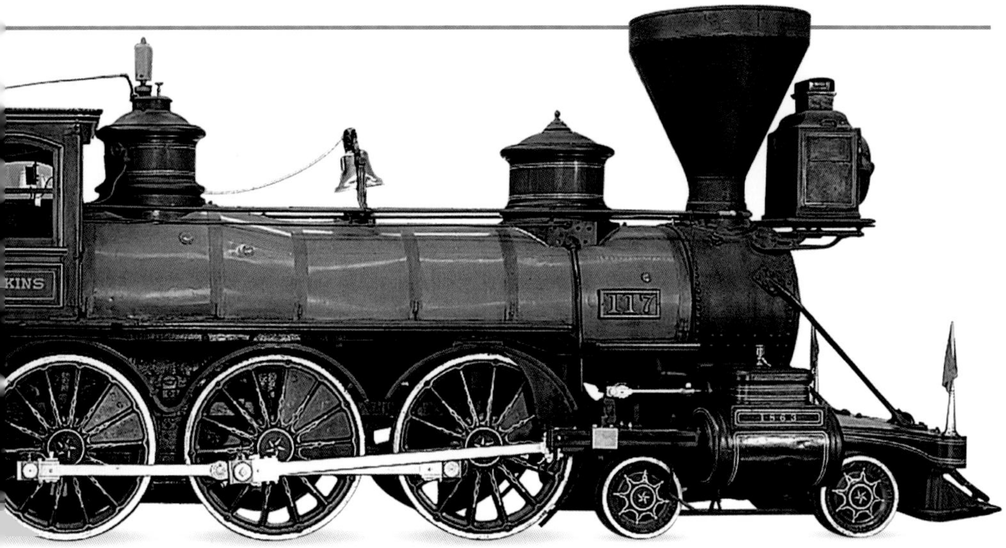

No. 117 撒切爾柏金斯號火車頭

城市的貧窮問題

工業的進步為工廠主人和企業家帶來巨大財富，而食物或衣物等基本商品變得比過去更便宜。然而，工業發展卻也衍生前所未見的貧窮問題——大量人口為了找工作而湧入城市，他們棲身於骯髒、擁擠的居住環境，許多人失業後因負債而入獄，或是被迫遷入稱為「工作坊」的濟貧單位，在此他們必須辛苦工作，但幾乎沒有支薪；至於那些謀得工作的人，他們不僅得在不安全的環境下工作，而且工資少得可憐，許多家庭幾乎無法獲得最基本的溫飽！

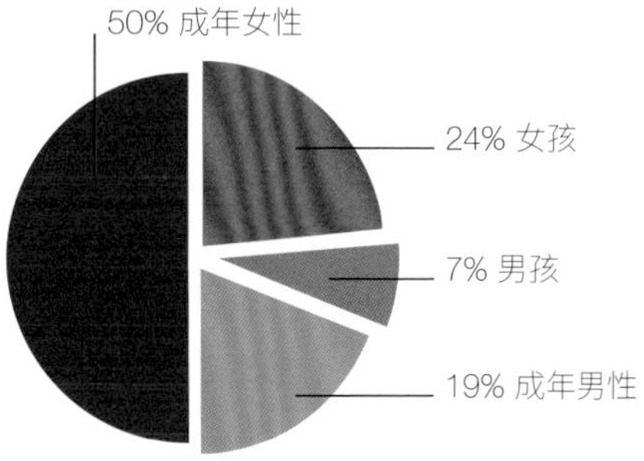
50% 成年女性
24% 女孩
7% 男孩
19% 成年男性

棉織廠工人，西元 1859 年

當時棉織廠工人約有 1/3 是兒童，年齡最小的只有 5 歲，他們一天工作 12 小時，工安意外經常發生。

機器時代來臨

工業革命的動能很快就橫掃歐洲和北美洲，新工廠製造便宜的商品，並為窮人提供新工作；與此同時，農業機械化導致鄉村失業嚴重，迫使鄉村人口前往都市謀生。由於勞力眾多，工廠主人只需提供微薄的工資，勞工又因此需要更便宜的產品，而科學家與企業家運用利潤建造新機器和新工廠，進一步壓低產品價格、並創造就業機會。

科學
新的科學發現促使發明家研發更好的生產方式，例如發展蒸汽動力、或是降低鋼鐵的製造成本。

→

發明
工程師與發明家利用新的科學觀念進行實驗，發明了新機器，讓農業與工業生產更有效率。

→

機械化
商人投注資金進行研發創新，農場與工廠使用機器來取代人力。

↓

都市化
機器取代農村勞力的同時，都市的新工廠不斷創造工作機會，人們因此紛紛從鄉村遷移到城市打工。

←

微薄的工資
在擁擠的都市中，許多人競爭有限的工作機會，而企業家只支付低廉的工資，因為勞工很難找到工廠以外的其他工作。

←

低價商品的需求
貧窮的勞工需求便宜的食物和商品，因而鼓勵商人建造更多工廠、尋求成本更低的製造方法。

↑（回到科學）

工業革命的發源地：英國

18 世紀時，科學家和工程師在企業家的資助之下，創造出眾多新發明，他們研發出新型機器（例如蒸汽機）、新的製造方式（如工廠制度的大量生產）、以及新的製程（例如貝塞麥煉鋼法）。

1701-1831 年

機械化農耕

膨脹的人口導致食物需求增加，因此必須要有效率更高的糧食生產方式。西元 1701 年，英國發明家傑梭．圖爾發明自動播種機；1820 年代，蒸汽動力取代獸力，用來拖動犁具；1831 年，美國工程師塞勒斯．麥考密克設計出收割機。

自動播種機

1771 年

最早的工廠

理查．阿克萊特在英國德比郡建造第一座水力棉織廠，此地擁有湍急的水流，可為棉織廠提供充足的動力，從此棉紗得以大量生產；阿克萊特因而成為現代工廠的先驅人物。

阿克萊特紡紗機

1776 年

瓦特蒸汽機

數百年來，人們不斷嘗試運用蒸汽動力來驅動機器，但進展有限，直到西元 1776 年，蘇格蘭發明家詹姆士．瓦特打造出高效率的蒸汽機，可提供幫浦上下運動的動力、或是進行圓周運動來驅動機器。

瓦特蒸汽機

1779 年

鐵橋

現代化橋梁的建造技術始於 1779 年的英國索普郡鐵橋，這是史上第一座完全由鑄鐵打造而成的橋梁；後來隨著鋼鐵品質日益精良，橋梁的長度愈蓋愈長，打通了許多新的鐵路及公路路線。

1790 年

煤氣燈

將來自煤礦礦坑的天然氣灌入煤氣燈之中燃燒，就可以為街道和居家提供照明，許多大都市因而開始建造天然氣的管線網絡，而煤氣燈在 1790 年代大規模導入，得歸功於蘇格蘭工程師威廉．莫達克；相較於蠟燭或油燈，煤氣燈更明亮、更穩定，這讓工廠得以在夜晚繼續運作。

煤氣街燈

1833 年

鐵路先驅：布魯內

伊桑巴德．金登．布魯內是一名鐵路與橋梁工程師，他在 27 歲成為英國「大西部鐵路」公司的工程師，建造了超過 1,600 公里長的鐵軌；布魯內以其對於橋梁、高架橋、以及隧道的革新設計聞名於世。

1855 年

鋼鐵革命

西元 1855 年，英國人亨利．貝塞麥發現成本更低的煉鋼方法，他運用後來被稱為「貝塞麥轉爐」的機器來去除鐵礦中的雜質。鋼鐵對於建造鐵路、機器、工廠、車輛至為重要，價格下降造成鋼鐵的應用範圍更為廣泛，因此貝塞麥的煉鋼新製程，堪稱為工業化的迅速發展作出巨大的貢獻。

1781 年—詹姆士・瓦特的第一台蒸汽機取得專利權的年份。

蒸汽時代

數千年來，人類仰賴獸力與人力來運送重物或驅動機械，但這一切在 18 世紀隨著蒸汽機的嶄新發明而完全改頭換面。

蒸汽機的原理並不複雜——燃燒燃料，將水加熱至沸騰，滾水所產生的水蒸汽在密閉空間中形成壓力，進而驅動機械。蒸汽機的機動性比風車或水車更好，前者不受地形、天氣等條件限制，而且動力遠高於人力或獸力。蒸汽機可以用來驅動工廠機器、農耕機械、以及火車，而大型蒸汽機還能大量抽水——例如從礦坑中抽出積水、或是將水流灌注到運河中。對於工業革命而言，蒸汽機可說是許多新發明背後最重要的驅動力！

蒸汽機如何運作？

蒸汽機的動力來自火爐中燃燒煤炭所產生的熱能，火爐的熱空氣經由銅管流過裝水的鍋爐，鍋爐水沸騰後形成水蒸汽，水蒸汽於加熱過程中膨脹，在鍋爐之中產生壓力。

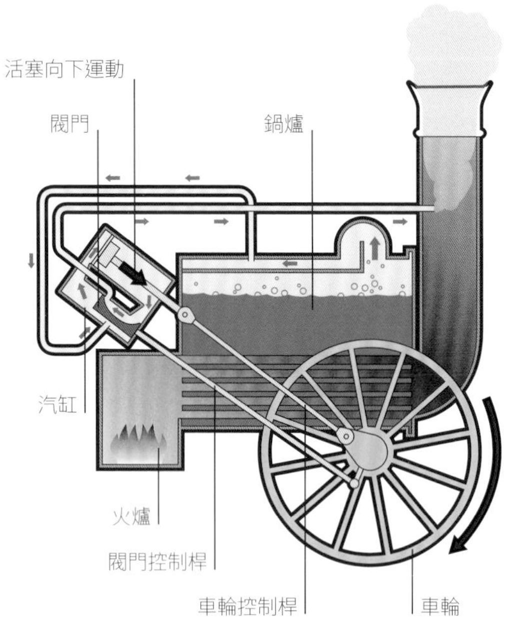

活塞向下運動
閥門
鍋爐
汽缸
火爐
閥門控制桿
車輪控制桿
車輪

1 活塞向下運動

鍋爐頂部的開口將水蒸汽導入密閉的汽缸—兩側車輪各有一個汽缸—水蒸汽的壓力將汽缸中的活塞向下推擠，帶動控制桿轉動車輪；車輪的轉動進而帶動汽缸中的閥門，用以控制蒸汽的流動。

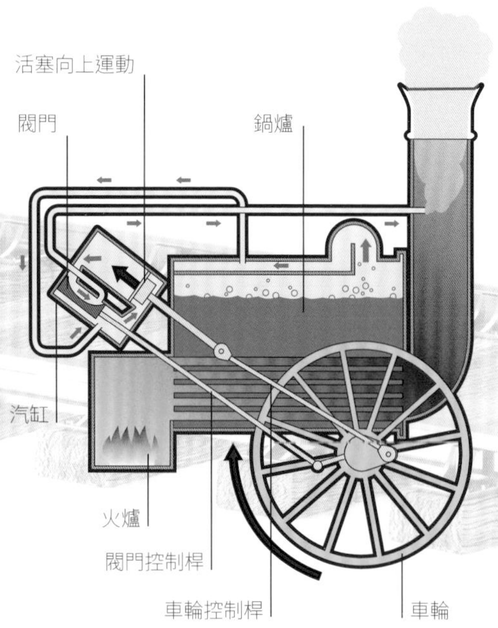

活塞向上運動
閥門
鍋爐
汽缸
火爐
閥門控制桿
車輪控制桿
車輪

2 活塞向上運動

當活塞下壓到底部，汽缸中的閥門就會切換，改變水蒸汽的流動方向，將活塞反相推動，帶動控制桿轉動車輪回到起始點；火爐中的廢氣和水蒸汽從煙囪排出。

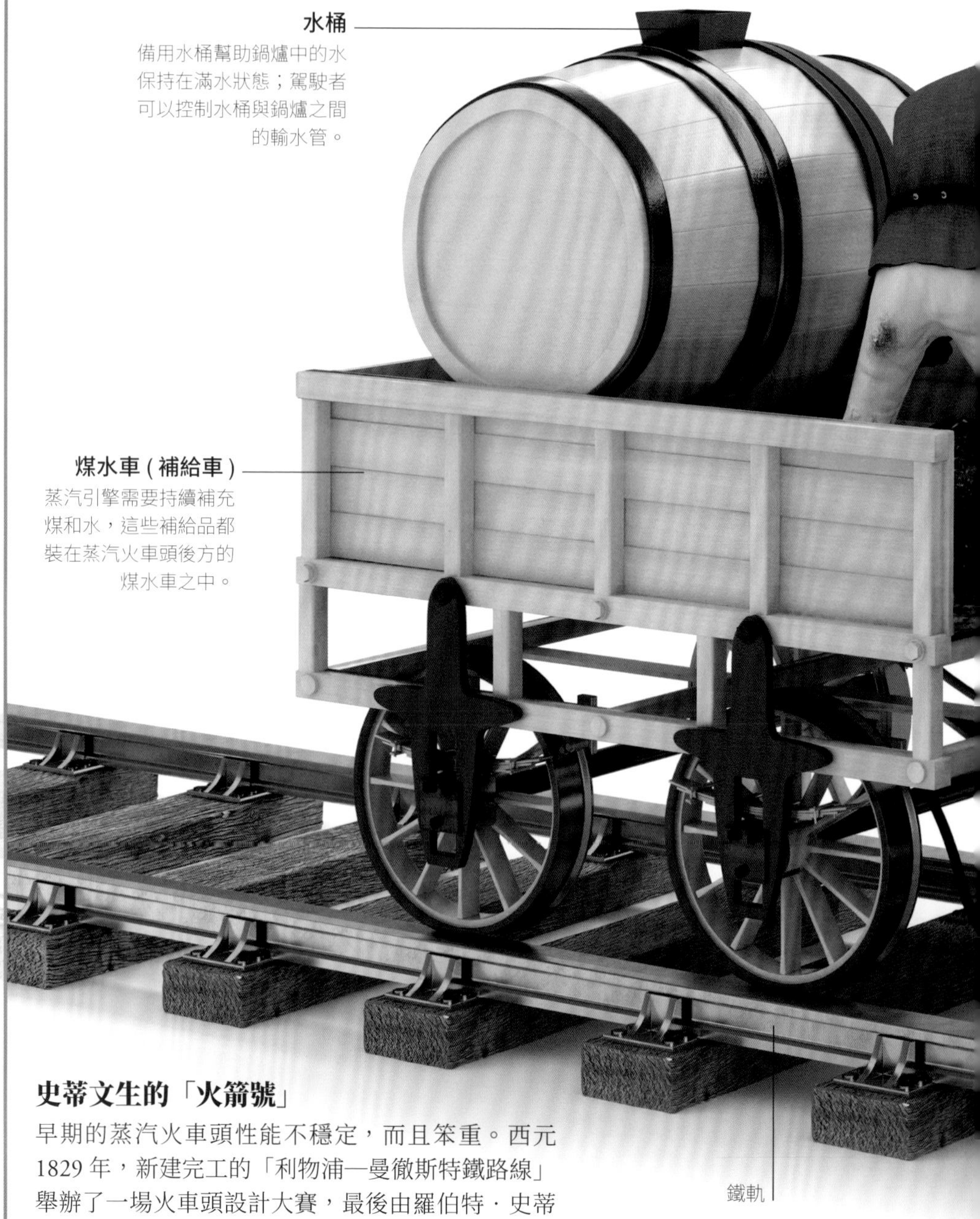

水桶
備用水桶幫助鍋爐中的水保持在滿水狀態；駕駛者可以控制水桶與鍋爐之間的輸水管。
煤水車（補給車）
蒸汽引擎需要持續補充煤和水，這些補給品都裝在蒸汽火車頭後方的煤水車之中。
鐵軌

史蒂文生的「火箭號」

早期的蒸汽火車頭性能不穩定，而且笨重。西元 1829 年，新建完工的「利物浦—曼徹斯特鐵路線」舉辦了一場火車頭設計大賽，最後由羅伯特・史蒂文生及其父親喬治所設計的「火箭號」拔得頭籌。

47 公里/小時—「火箭號」的最高時速。

120 公里—「火箭號」首度試車的總里程。

4.3 公噸—「火箭號」蒸汽火車頭的重量。

蒸汽管
活塞
鍋爐
火爐
控制桿

內部構造

早期的蒸汽引擎(蒸汽機)使用單一大型汽缸來驅動所有車輪，但「火箭號」採用斜向雙汽缸設計，各自以控制桿驅動兩側車輪，此外還有諸如風管、多管式鍋爐等新式設計，這使得「火箭號」成為當時速度最快、效率最高的蒸汽引擎。

廢氣與水蒸汽
煙囪
風管可從煙囪吸進空氣，灌入火爐之中，以增加燃燒效率。
喬治・史蒂文生
喬治・史蒂文生本人在「火箭號」的處女秀親自操駕。
安全閥
當壓力過高時，安全閥可以排除水蒸汽，以防止爆炸。
汽缸
這個密閉圓筒從鍋爐獲取水蒸汽，用來推動內部的活塞，進而驅動車輪。
控制閥
駕駛透過操縱桿，來控制通過引擎的水流和水蒸汽。
司爐手
煤
蒸帽
鍋爐產生的水蒸汽聚集在「蒸帽」之內，再經由管線導入汽缸。
鍋爐
火爐產生的熱空氣導入鍋爐下方的管線，用以加熱水體。
ROCKET.
控制桿
控制桿可用以轉換活塞的運動方向，進而控制車輪。
木製車輪帶有鋼鐵輪緣

南北戰爭歷程

這場美國內戰為 23 個北方聯邦州對抗 11 個南方邦聯州，北方聯邦在人口、財富和軍力都擁有優勢，反觀南方邦聯雖然打了幾場勝仗，最終仍不敵而臣服。

① **1861 年 4 月 12 日**
北方與南方的關係日漸緊張。開戰導火線爆發於南卡羅萊納州，南方邦聯軍隊攻擊駐紮在薩姆特堡的聯邦士兵，迫使守軍降下國旗投降。

② **1861 年 7 月 21 日**
南軍在維吉尼亞州贏得南北戰爭的第一場重要戰役，史稱「第一次奔牛河之役」；北軍則以封鎖南方州的邊界及港口來反制，藉此破壞南方經濟。

③ **1862 年 9 月 16-18 日**
「安提坦戰役」是南北戰爭期間最血腥的戰事之一，將士傷亡或失蹤人數共計 23,000 人；此役南軍被擊退，成為南北戰爭的轉捩點之一。

④ **1863 年 5 月 18 日 -7 月 4 日**
密西西比河畔的維克斯堡原本由南軍掌握，此時被北軍所攻克；控制密西西比河至關重大——因為這是南軍用來運送糧食和士兵的水路。

⑤ **1863 年 7 月 1-3 日**
經過 3 日激戰，北軍於賓夕法尼亞州的蓋茨堡贏得內戰中最大的一場戰役；南軍領導人李將軍在此役中傷亡了 20,000 名士兵。

⑥ **1865 年 4 月 9 日**
南軍遭到包圍，李將軍向北軍將領—尤利西斯．格蘭特—投降，地點在維吉尼亞州阿波麥托克斯村的法院內。

春田毛瑟槍，1861 年

亞伯拉罕．林肯

作為美國第 16 任總統，亞伯拉罕．林肯是一位聰明的演說家，他決心不計代價讓美國保持統一；內戰結束後，林肯希望能彌補南北雙方的裂痕，但 1865 年卻在一家戲院遭到同情南方的刺客所殺害。

> **“民有、民治、民享的政府，將永存於世。”**
>
> —亞伯拉罕．林肯，《蓋茲堡演說》，1863 年

美利堅邦聯（南方邦聯 / 邦聯）

11 個南方州脫離聯邦，組成美利堅邦聯——北卡羅萊納、南卡羅萊納、喬治亞、阿拉巴馬、密西西比、路易斯安那、佛羅里達、德克薩斯、田納西、阿肯色、維吉尼亞。南方邦聯為自己州政府的權利及蓄奴權利而抗戰，他們將首都定於維吉尼亞州的里奇蒙，擁有自己的貨幣，還推選出自己的總統——傑佛遜．戴維斯。

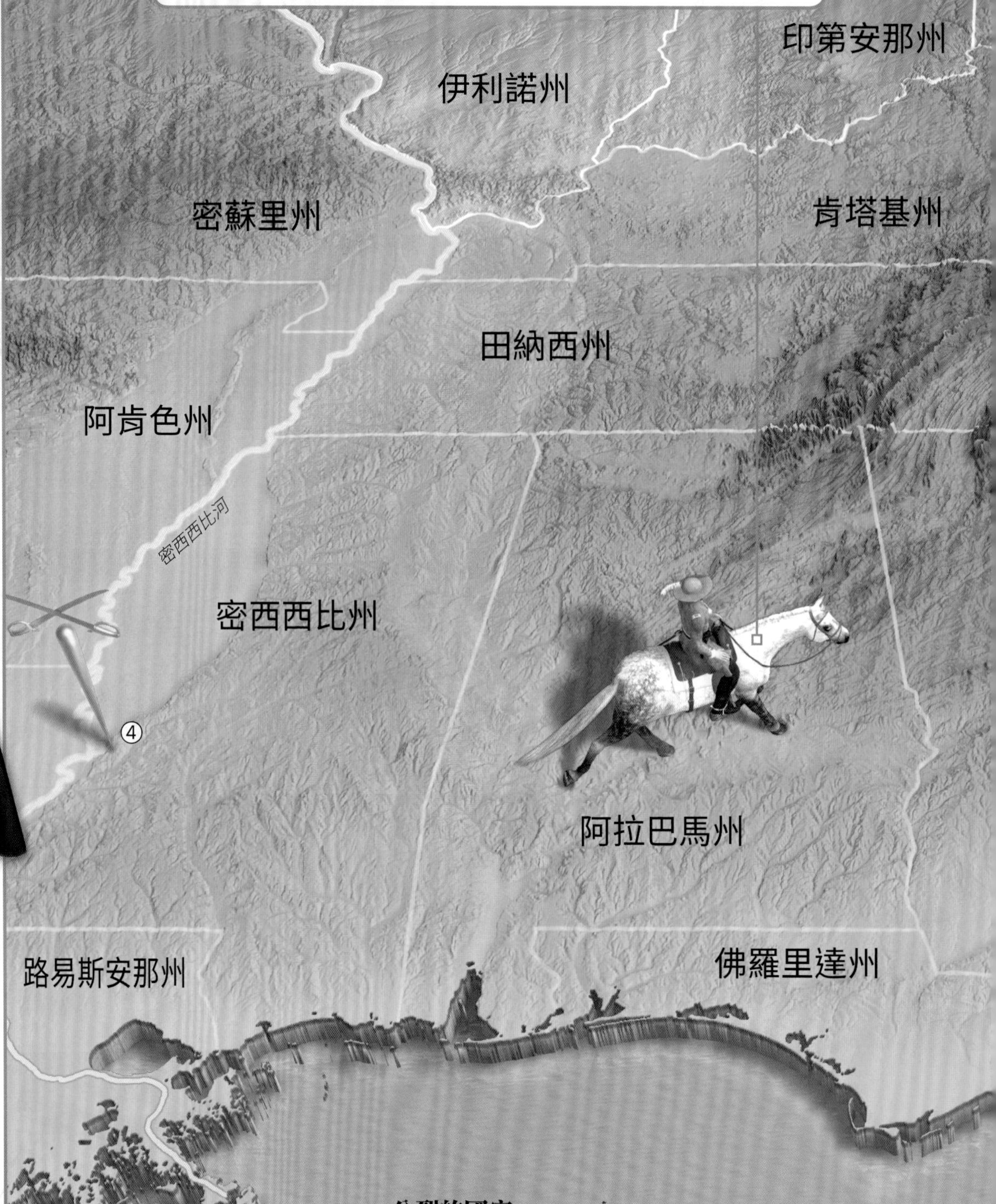

印第安那州
伊利諾州
密蘇里州
肯塔基州
田納西州
阿肯色州
密西西比河
密西西比州
④
阿拉巴馬州
路易斯安那州
佛羅里達州

分裂的國家

戰事遍及全美，但主要對戰區在維吉尼亞州和田納西州、以及「邊界四州」（未宣布脫離北方聯邦的 4 個奴隸州），而且多數軍事衝突發生於南方邦聯首都里奇蒙、以及北方聯邦首都華盛頓的附近。

2 倍—北方聯邦的士兵數量對比南方邦聯的士兵數量。

南北戰爭的死亡人數，幾乎等於美國史上所有對外戰爭的合計死亡人數。

俄亥俄州
③
⑤
華盛頓哥倫比亞特區(簡稱 D.C.)，北方聯邦首都
②
北方聯邦對南方的封鎖
北方聯邦以海軍封鎖大西洋與墨西哥灣，阻擋南方港口的貿易。
⑥
里奇蒙，南方邦聯首都
維吉尼亞州
北卡羅萊納州
南卡羅萊納州
①
喬治亞州
火炮
戰鬥雙方都使用火炮，造成嚴重的人員傷亡。

美利堅合眾國(北方聯邦/聯邦)
北方聯邦由林肯總統領導，其軍隊數量擁有優勢，此外尚有200,000名被解放的奴隸加入北方陣營助拳。北方聯邦的勝利，其意義不僅是奴隸制度的終結，還讓美國維持統一的國家與政府；但在另一方面，內戰之後的重建道路既漫長又辛苦……

南北戰爭

亞伯拉罕·林肯於1860年當選總統，此事造成美國一分為二，南北雙方為了州權與奴隸問題而爆發內戰。

美國是一個由許多州組成的聯邦國家，但 19 世紀中期各州已有各自為政之局；北方諸州的工業強盛、而且歐洲移民較多，對於南方傳統農業依賴奴隸制度的作法不表同情，南方則疑心北方人有意破壞他們的生活。林肯當選美國總統之後，南方擔心他即將廢除奴隸制，因此 11 個南方州群起脫離聯邦，導致內戰爆發，無數家庭或朋友遭到拆散，士兵傷亡總計高達 620,000 人，後來即便國家再度統一，這些苦痛仍然延續了數十年之久。

80 德國戰鬥機飛行員「紅男爵」擊落的敵機數量。

第一次世界大戰

歷經數十年的權力鬥爭，德國、奧匈帝國跟法國、俄國之間終於爆發衝突，為期 4 年的殘酷戰爭，幾乎將全世界的國家全都捲入。

第一次世界大戰 (一次大戰 / 一戰) 的主要戰場在歐洲，但戰事也擴及中東、非洲和亞洲，各國紛紛結合炸彈襲擊與化學戰，並實驗性地推出坦克車、軍用航空器、以及潛艦進入戰場，然而，大多數的戰鬥還是使用步槍、馬匹、機關槍和大砲。一次大戰跟史上其他戰爭最大的不同，在於一戰涉及驚人的大量人力，對戰士兵或死亡人數動輒以數百萬人計，而且各國幾乎動員所有人納入戰爭體系——製造武器或是後勤補給。

一次大戰的導火線

1914 年 6 月 28 日，奧匈帝國皇儲大公遭到塞爾維亞 (位於巴爾幹半島) 民族主義份子暗殺。奧匈帝國譴責塞國並宣戰，而俄國則為塞國提供援助；另一方面，德國 (奧國盟友) 向俄國宣戰，稍後向法國 (俄國盟友) 宣戰，就這樣一個接一個，各國紛紛力挺盟友或向敵國宣戰，軍事行動於焉遍及世界各地。當時，大多數人原本以為戰爭很快就會結束，後來方才驚覺此為悲劇性的誤判！

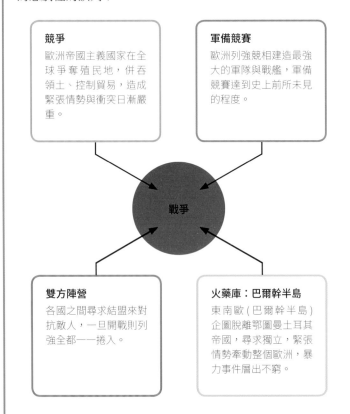

競爭
歐洲帝國主義國家在全球爭奪殖民地，併吞領土、控制貿易，造成緊張情勢與衝突日漸嚴重。

軍備競賽
歐洲列強競相建造最強大的軍隊與戰艦，軍備競賽達到史上前所未見的程度。

戰爭

雙方陣營
各國之間尋求結盟來對抗敵人，一旦開戰則列強全都一一捲入。

火藥庫：巴爾幹半島
東南歐 (巴爾幹半島) 企圖脫離鄂圖曼土耳其帝國，尋求獨立，緊張情勢牽動整個歐洲，暴力事件層出不窮。

步向戰爭

1900 年代初期，歐洲列強為了貿易與領土的競爭，致力建造大軍；另一方面，列強之間互相結盟，但盟約未必有效，最終，兩大陣營出現——同盟國與協約國。

戰線

一次大戰的戰場遍及歐洲各地，但兩大主要作戰區域是「西部戰線」與「東部戰線」。西部戰線從北海延伸至瑞士邊界，對戰雙方在沿線築起壕溝；東部戰線則是位於東歐地區，由德意志帝國及奧匈帝國對抗俄國。

南卡羅萊納州
海戰
德國 U 型潛艇攻擊英國船艦，英國則以封鎖德國港口反制。
英國
倫敦
荷蘭
布魯塞爾
比利時
盧森堡
索姆
巴黎
西部戰線
壕溝從瑞士向北綿延到比利時的海岸。
馬恩
凡爾登
瑞士
法國
葡萄牙
西班牙
圖例
主要戰役
同盟國
協約國

歐洲戰場

第一次世界大戰的主要戰場在歐洲，同盟國有德國、奧匈帝國、土耳其，協約國陣營有英國、法國、義大利 (本為同盟國後來倒戈)、俄國、日本，以及後來參戰的美國。

一次大戰歷程

整整 4 年的慘烈戰事，縱貫法國東部的西部戰線經歷了數場最慘重的戰鬥。到 1917 年時，德國的同盟陣營已近乎勝利，但是此勢在美國加入協約國後逆轉。

1914 年

坦能堡會戰
1914 年 8 月一次大戰初期，德國在坦能堡擊潰俄軍，俘虜約 125,000 人，取得重要勝利。同時，德國入侵中立國比利時，取道進攻法國，希望能速戰速決；另一方面，英國揮軍前往比利時、法國援助。

1914 年

第一次馬恩河戰役
德國入侵法國之路受阻於巴黎東邊的馬恩河；德國與奧匈聯軍必須同時面對東、西兩方的攻勢，交戰各國皆蒙受重大損失，於是開始構築防禦性的壕溝工事。

後方備戰

第一次世界大戰是史上第一場「全面戰爭」，意味參戰者不只是軍人，而是全國民眾都涉入其中——所有人在「家庭戰線」中幫助戰事進行，後方的糧食採行配給制，以確保前線軍隊供給無虞，而婦女接手男人出征所留下的工作職缺；另一方面，軍隊攻擊德國、法國、以及某些英國城市，也將戰爭帶進普通老百姓的家中。

人人皆須“扮演好自己的角色”

這張俄國海報上寫著：「人人為戰事付出」。戰爭期間，婦女接手男性在農場、工廠或辦公室的工作；所有男性都得作戰，例如右方的英國海報——克欽納將軍呼籲男性加入軍隊。

ВСЕ ДЛЯ ВОЙНЫ!
ПОДПИСЫВАЙТЕСЬ НА 5½%
ВОЕННЫЙ ЗАЕМЪ

俄國的宣傳海報

1914年的**聖誕節**，西線戰場的**英國與德國士兵停止交戰**，彼此交換禮物、唱頌歌、甚至一起**踢足球**。

660—第一次世界大戰中，**機關槍每分鐘**可以發射的**子彈數量**。

瑞典
俄國革命
1917 年俄國共產主義革命，推翻沙皇統治；俄國士兵繼續作戰，直到 1918 年 3 月才退出一戰。
東普魯士
坦能堡會戰
俄羅斯帝國
莫斯科
柏林
德意志帝國
波蘭
東部戰線
俄國在東歐地區對抗德國及奧匈帝國。
義大利戰線
義大利與奧匈帝國在山區展開激烈戰鬥。
奧匈帝國
巴爾幹戰線
塞爾維亞對抗德國、奧匈帝國及保加利亞。
羅馬尼亞
塞爾維亞
蒙特內哥羅
保加利亞
義大利
阿爾巴尼亞
君士坦丁堡 (伊斯坦堡)
加里波利
鄂圖曼土耳其帝國
阿拉伯起義
北非與中東的阿拉伯人起而反抗鄂圖曼土耳其的統治。
希臘

1915-16 年

加里波利戰役

大英帝國軍隊 (包含澳大利亞和紐西蘭的軍團) 進攻土耳其西岸的加里波利，他們在 1915 年 4 月登陸，卻蒙受大量傷亡而被迫撤退。

1916 年

凡爾登戰役

西部戰線的壕溝戰陷入僵持不下的停滯狀態，為了打破僵局，德國在凡爾登向法軍陣地發動攻勢；經歷數個月的激烈戰鬥，精疲力盡的法軍總算擊退德軍。

1916 年

索姆河戰役

英、法兩國的攻勢已有兩年幾無推進，他們於是決定發起「大突進」——向法國索姆河的德軍防線發動大規模攻擊；然而，德軍的機關槍造成進攻者倒在血泊之中，協約國總計超過 600,000 人傷亡，戰果則是微不足道。

1918 年

百日攻勢

受到德國潛艇攻擊美國船隻事件的刺激，美國在 1917 年選擇參戰。西元 1918 年，美、英、法聯軍發動一連串猛烈攻擊，迫使同盟國投降，史稱「百日攻勢」。

新型戰爭

戰爭甫爆發之際，雙方仍使用老式戰略，例如以騎兵或上刺刀衝鋒，但隨著殺傷力強大的武器 (如機關槍) 廣泛使用，老舊戰法遂造成人員傷亡慘重。在戰爭後期，對戰雙方都發展出新戰略與新武器，例如飛機、毒氣等；過去作為重要戰力的馬匹，證明已不符合現代戰爭所需，遂被坦克取代。

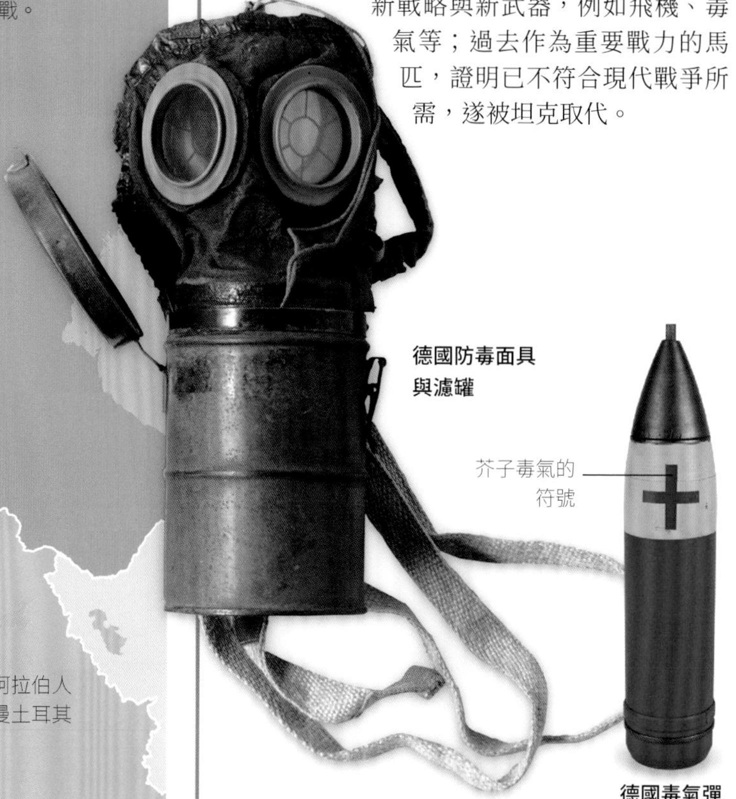
德國防毒面具與濾罐
芥子毒氣的符號
德國毒氣彈

毒氣

起初軍隊缺乏防禦毒氣的裝備，但後來雙方都發明並攜帶防毒面具；一次大戰期間所使用的毒氣高達 30 種，造成 120 萬以上的人員傷亡。

230——為期 4 年多的一次大戰期間，平均每小時的士兵死亡人數。

'YOU
ARE THE MAN
I WANT'

英國的宣傳海報

戰爭的代價

人類歷史上從來不曾出現規模如此之大的衝突，也沒有如此巨大的人命損傷；世界各國參戰的650萬名士兵，死傷超過一半，其中許多人死於疾病，此外另有 600 萬以上的平民死亡，他們或被殺、或病死、或餓死，整個歐洲淪為一片廢墟——歐洲各國政府，以及歐洲人的生活、工作方式，從此永遠改變了！

士兵死亡人數

估計超過 1,500 萬人在一次大戰中喪生，其中大多數是軍人，尤其是俄軍與德軍。

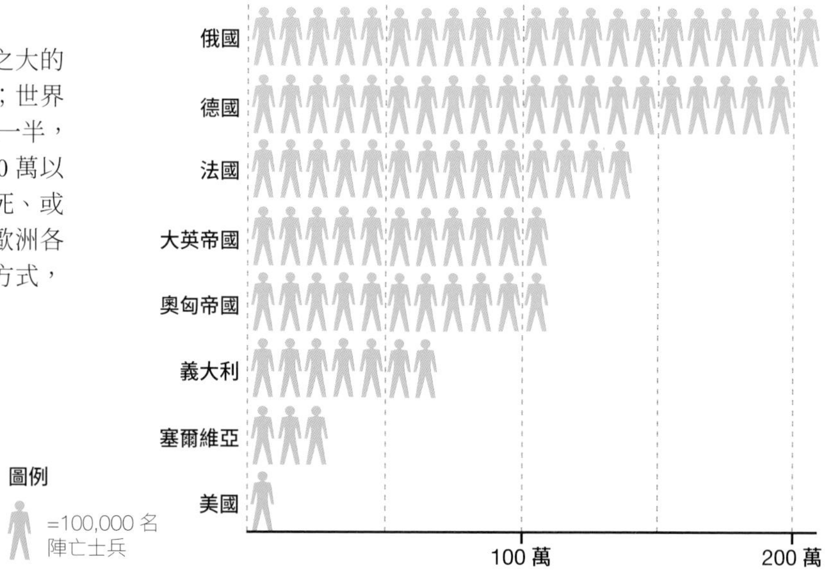
圖例
=100,000 名陣亡士兵
俄國
德國
法國
大英帝國
奧匈帝國
義大利
塞爾維亞
美國
100 萬
200 萬

10,000 公里—據估計，跨越**法國**與**比利時**的壕溝總長度。

壕溝戰

第一次世界大戰交戰雙方的士兵，都得面對子彈、砲彈、以及毒氣的致命攻擊，他們待在深入地底的壕溝中生活、戰鬥，壕溝的長度極長，綿延劃過整片戰場。

甫開戰的數月裡，交戰雙方的步兵不斷衝進敵人的機關槍火網送死，導致駭人的傷亡，而形勢愈見明顯膠著，雙方都無法真正突破對方的防線，於是各自開始挖掘壕溝作為防禦工事，壕溝路線綿延跨越整個歐洲。此後戰爭陷入僵局，延宕數年，雙方士兵就在壕溝中紮營駐防，兩軍的壕溝之間則是一片「無人地帶」。

砲彈炸裂
砲彈之中可能裝有炸藥、毒氣、或是大量金屬碎片。

毒氣戰
交戰雙方皆施放毒氣作為武器，因此防毒面具極為重要。

壕溝中的生活
壕溝中的生活非常艱困，冬季時壕溝充滿泥巴與積雪，而且終年有大老鼠出沒；士兵們常年飢寒交迫、精疲力盡，更糟的是敵軍隨時可能來襲。

無人地帶
雙方陣營的壕溝之間，是一片被砲彈轟炸得滿目瘡痍的爛泥地，稱為「無人地帶」，由於位置太過凶險，戰死士兵經常曝屍數日，無人收斂。

隧道支柱

隧道戰
除了地表攻勢之外，雙方都試圖挖掘隧道，通往敵方壕溝放置炸彈；一旦雙方工兵在隧道中碰頭，險惡的戰鬥更是在所難免！

新武器

一次大戰的前線士兵傷亡比率極高，為人類戰爭史上所罕見，部分原因是由於發展出許多強大的新式武器—例如機關槍、高爆炸榴彈等—其殺傷力驚人，足以在短時間內造成大量傷亡！

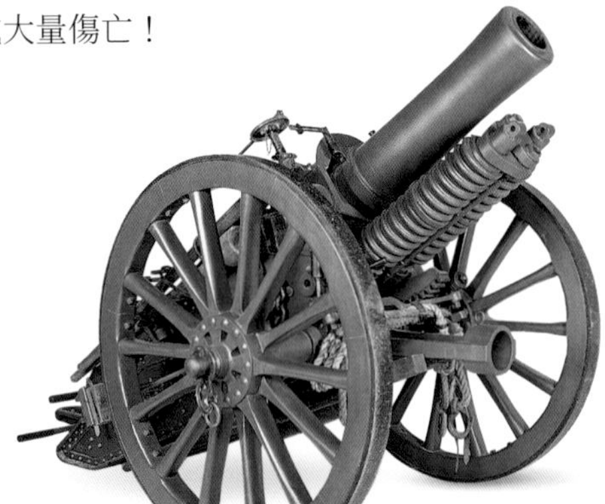

火砲
最大型的火砲可以轟炸數公里外的壕溝，被砲彈直接擊中之處會形成坑洞，爆炸威力瞬間殺死附近數十人。

致命戰爭

在壕溝中的生活有如命懸一線；根據統計，一次大戰期間約有 970 萬名士兵死於戰鬥，但更多人則是因無所不在的子彈、砲彈與毒氣的密集攻擊，而遭致可怕的重傷！

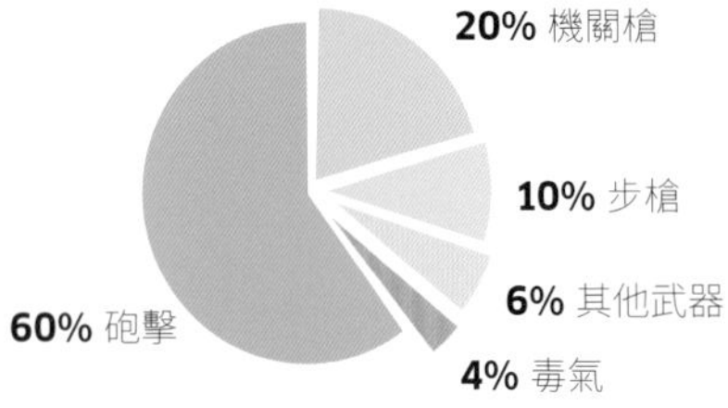
20% 機關槍
10% 步槍
6% 其他武器
4% 毒氣
60% 砲擊

一次大戰士兵死因

> "浴血、哀號、屠殺……
> **就算是地獄**
> **都不會如此恐怖！**"
> —阿爾伯・朱拜爾，
> 經歷 1916 年凡爾登戰役的法國士兵

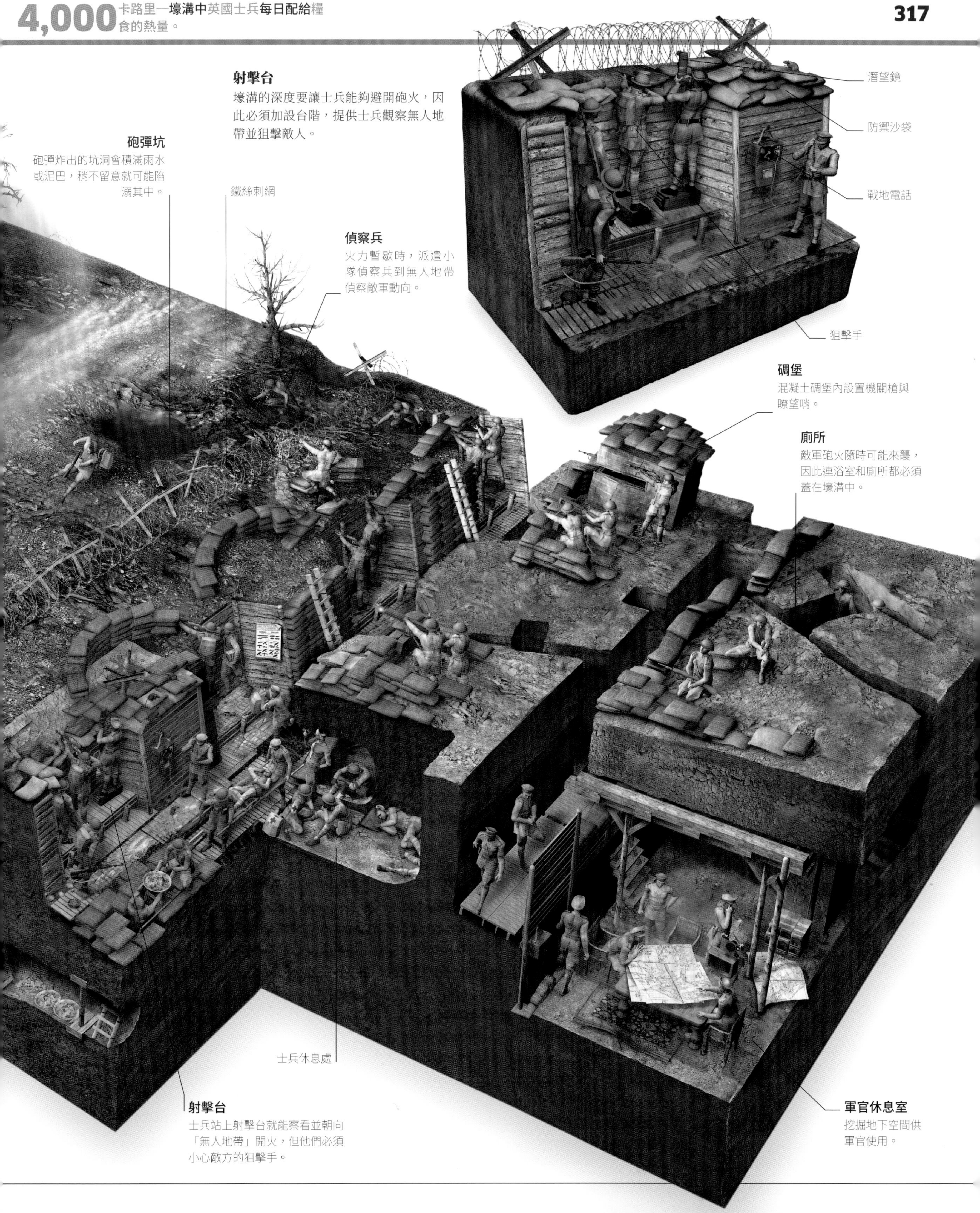
射擊台
壕溝的深度要讓士兵能夠避開砲火，因此必須加設台階，提供士兵觀察無人地帶並狙擊敵人。
砲彈坑
砲彈炸出的坑洞會積滿雨水或泥巴，稍不留意就可能陷溺其中。
鐵絲刺網
偵察兵
火力暫歇時，派遣小隊偵察兵到無人地帶偵察敵軍動向。
潛望鏡
防禦沙袋
戰地電話
狙擊手
碉堡
混凝土碉堡內設置機關槍與瞭望哨。
廁所
敵軍砲火隨時可能來襲，因此連浴室和廁所都必須蓋在壕溝中。
士兵休息處
射擊台
士兵站上射擊台就能察看並朝向「無人地帶」開火，但他們必須小心敵方的狙擊手。
軍官休息室
挖掘地下空間供軍官使用。

150萬—死於「猶太大屠殺」的兒童人數。

57—倫敦大轟炸期間的連續轟炸天數。

第二次世界大戰

1939 年 9 月，德國獨裁者阿道夫．希特勒入侵波蘭，第二次世界大戰 (二次大戰 / 二戰) 爆發；戰事延續 6 年，此為人類史上最巨大而致命的衝突。

第一次世界大戰原本應該是「以戰止戰的最後一戰」，但戰敗國認為自己遭到嚴苛的和約條件所傷害。1930 年代，全球爆發經濟大恐慌，許多人陷入貧困處境，在希望破滅之下，人們轉而期待出現一位「強人領袖」來解決問題。

在德國，納粹黨在阿道夫．希特勒的領導下崛起並掌權，他同時朝向西方 (歐洲) 與東方 (蘇聯) 侵略，以求得日耳曼民族的「生存空間」；與此同時，日本企圖侵略並控制亞洲與太平洋。為了擊敗德國、日本及其盟國，這場大戰最終擴及全球各地，造成數千萬人喪命！

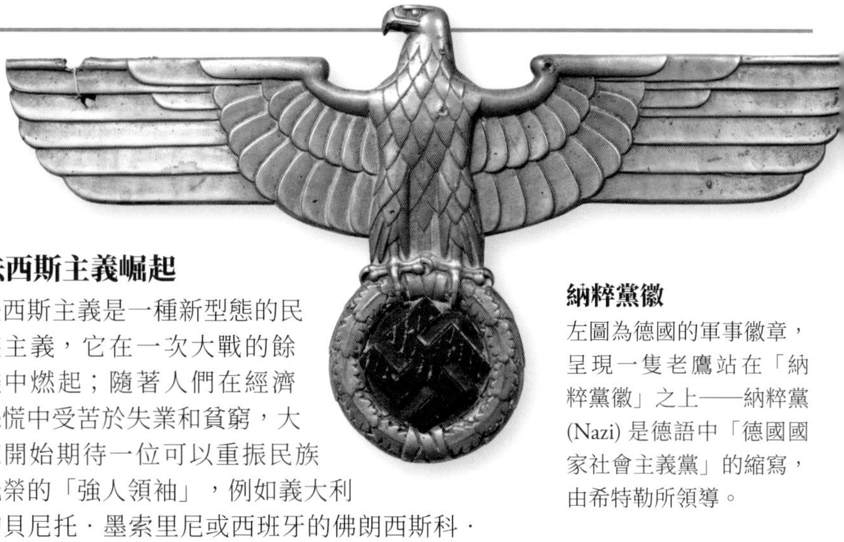

法西斯主義崛起

法西斯主義是一種新型態的民族主義，它在一次大戰的餘燼中燃起；隨著人們在經濟恐慌中受苦於失業和貧窮，大家開始期待一位可以重振民族光榮的「強人領袖」，例如義大利的貝尼托．墨索里尼或西班牙的佛朗西斯科．佛朗哥，至於在德國，希特勒宣稱自己為「元首」，並且引領國家走向戰爭。

納粹黨徽

左圖為德國的軍事徽章，呈現一隻老鷹站在「納粹黨徽」之上——納粹黨 (Nazi) 是德語中「德國國家社會主義黨」的縮寫，由希特勒所領導。

密碼戰、間諜戰、宣傳戰

二次大戰是史上首度運用現代科技與電子科技的戰爭，交戰雙方成為間諜戰能手，他們透過密碼密來傳遞機密情報，各國間諜與雙面諜使出渾身解數，希望能騙過敵人；至於國內，政府利用海報、影片、廣播等媒介來進行戰爭宣傳——以精心設計的訊息激發民眾的愛國心和民族尊嚴，並醜化敵人。

Klappe
schließen

恩尼格瑪密碼機

這是德國人發明的加密傳訊裝置，只有同樣的機型才能解碼；然而，英國人在 1941 年利用早期的電腦成功破解了密碼。

轉筒

字母由一組轉輪加以編碼，收訊後必須使用相同設定才能解碼。

鍵盤

鍵入字母時，機器會發送電子訊號給轉筒來編碼加密。

插接板

插接板的設計，大幅增加密碼組合的數量。

全球戰場

戰事爆發於陸地、海洋和空中，範圍遍及西歐、東部戰線、地中海地區、北非、大西洋、以及太平洋地區，全球大多數國家在兩大陣營之中選邊站—加入英、法、美、蘇的同盟國，或加入德、義、日的軸心國—罕有國家能在這場戰爭中保持中立。

大西洋海戰

同盟國必須保持航道的暢通，如此一來美國的補給才能送達英國與蘇聯；雖然德國的 U 型潛艇擊沉許多船艦，但最終同盟國還是擊敗了德國海軍。

北美洲
大西洋
太平洋
南美洲
圖例
同盟國
軸心國
軸心國佔領區

美國

美國在戰爭初期雖保持中立，但仍提供同盟國貸款與物資補給，然而，日本對美國發動一場奇襲，最終讓美國於 1941 年決定參戰。

北非

1940 至 1943 年間，同盟國跟軸心國在北非交戰，英國將軍伯納德．蒙哥馬利在北非沙漠的坦克戰役中，擊敗了德國元帥埃爾溫．隆美爾。

1,600 萬—二次大戰期間的美國士兵參戰人數。

2,700 萬—東方戰線中蘇聯軍民的死亡人數。

35,000—二次大戰期間，逃出德國與義大利戰俘營的同盟國士兵人數。

猶太大屠殺

希特勒堅信日耳曼民族是「優等民族」，而其他民族—例如猶太人—是「劣等人種」，因此在德國佔領區，所有猶太人都被驅趕到「猶太居住區」，導致許多人餓死。到了西元 1942 年，希特勒進一步發動「最終解決方案」—也就是屠殺所有猶太人—納粹為此設置許多「集中營」，以毒氣殺害猶太人、同性戀者、吉普賽人、以及蘇聯戰俘……等等「劣等人」——這是人類史上最可怕的慘劇之一！

Jude

猶太星

猶太人被強迫穿戴黃星標誌，以辨識其身分；這後來這成為納粹暴行的象徵。

> “即便發生**這些事情**，我仍然相信**人心是良善的**。”
>
> —安妮．法蘭克，猶太大屠殺受害者

歐洲

戰爭初期，德國的「閃電戰」策略相當成功，歐陸大部地區都被德國所佔領，直到 1942-43 年間，盟軍才開始反攻。

亞洲
歐洲
非洲
太平洋
印度洋
澳大利亞

蘇聯

西元 1941 年，希特勒入侵蘇聯，戰事擴大，德軍早期大獲全勝，但後來蘇聯軍、民頑強抵抗，戰局因而反轉——這是二戰期間最血腥的戰事之一。

太平洋戰場

太平洋戰場包括中國、日本、韓國、以及許多東南亞島嶼，日軍在初期連連告捷，但在 1942 年跟美國海軍交戰的中途島戰役之後，開始潰敗。

二次大戰歷程

德軍快速佔領大半個歐陸，接著希特勒決定攻擊原本的盟國蘇聯，卻遭到強烈抵抗。西元 1941 年，美國參戰，戰爭局勢開始扭轉——德軍節節敗退，而日本也在亞洲與太平洋的慘酷戰事中落敗。

1939 年 9 月 1 日

德軍侵略歐洲

希特勒的閃電式進攻迅速征服波蘭，隔年德軍攻克丹麥、挪威、比利時、荷蘭、以及大部分的法國。1940 年 5 月，英國被迫在法國的敦克爾克撤離 34 萬軍隊。

1940 年

不列顛戰役（英倫空戰）

不列顛戰役中，德、英空軍爭取制空權。德軍企圖登陸英國失敗，於是開始空襲轟炸英國城市。

英國城市發配給兒童的防毒面具

1941 年 6 月

巴巴羅薩行動

德國撕破與前盟國蘇聯的約定，進攻莫斯科和列寧格勒（聖彼得堡），但德軍最終被蘇聯的反攻及其嚴峻的冬天所逼退，雙方的損失都非常巨大，而德軍嚐到大戰期間的第一場敗仗。

1941 年 12 月 7 日

珍珠港事件

作為德國盟友，日本偷襲美屬夏威夷的珍珠港，導致美國參戰。1942 年 6 月，美國海軍艦隊在太平洋中途島戰役擊敗日軍，阻卻日本的擴張。

1942 年 10 月

第二次阿拉曼戰役

英軍在阿拉曼擊敗德軍，將德國勢力逐出埃及，這是盟軍的一場重要勝利。

北非英軍旗幟：「沙漠之鼠」

1942 年冬天

史達林格勒戰役

東部戰事的重點集中在史達林格勒爭奪戰，雙方進行慘烈戰鬥。最終，蘇聯紅軍擊敗原先具有優勢的德軍，並且開始朝向德國推進。

1944 年 6 月 6 日

D 日

經過兩年的計畫，盟軍發動「大君主行動」向歐陸反攻，以解放法國為目標，約有 4,000 艘登陸艇、600 艘戰艦、以及上千架飛機同時向諾曼第海岸的 5 處灘頭進攻；「諾曼第戰役」之後僅僅 11 個月，德國便宣布投降。

1945 年 8 月 6 日

廣島

二戰末期，美國決定使用新武器逼迫日本投降，在日本長崎、廣島兩座城市投擲原子彈，導致 300, 000 人不幸罹難。

48 公里/小時—蘇聯T-34型坦克的最高時速。

320 公里—V-2火箭的攻擊範圍。

現代戰爭

現代科技創造出許多新式的致命武器，包括導彈、坦克、噴射引擎、核子武器、轟炸機等，使得第二次世界大戰成為人類史上最具破壞性的軍事衝突。

希特勒運用奇襲轟炸與坦克快速推進的「閃電戰術」，希望能震懾同盟國、使其投降。但隨著戰事推進，雙方陣營都大量建造坦克、飛機和船艦，造成嚴重的破壞與傷亡。到了戰爭末期，共有超過 1,000 架轟炸機，日以繼夜地對城市地區進行轟炸。

轟炸機

二次大戰期間，交戰雙方都以轟炸機空襲敵方城市，摧毀工廠並打擊對方士氣。1940 至 41 年間，德軍持續轟炸英國城市，稱為「閃電轟炸」；到戰爭後期，換成盟軍戰機夷平德國城市，如德勒斯登在 1945 年淪為廢墟。

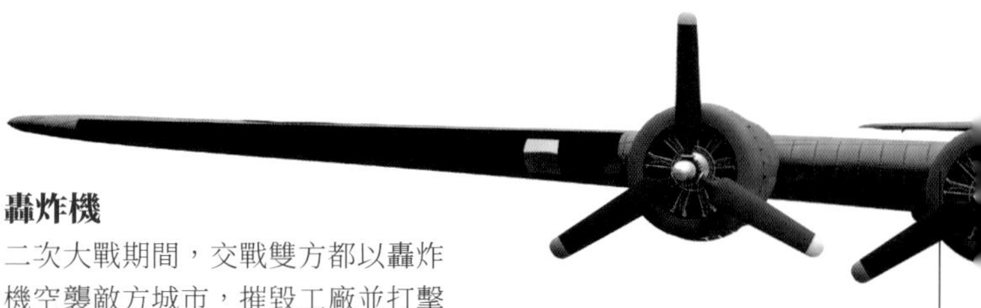
引擎
B-17 轟炸機擁有 4 具強力引擎來驅動，極速可達 460 公里 / 小時。

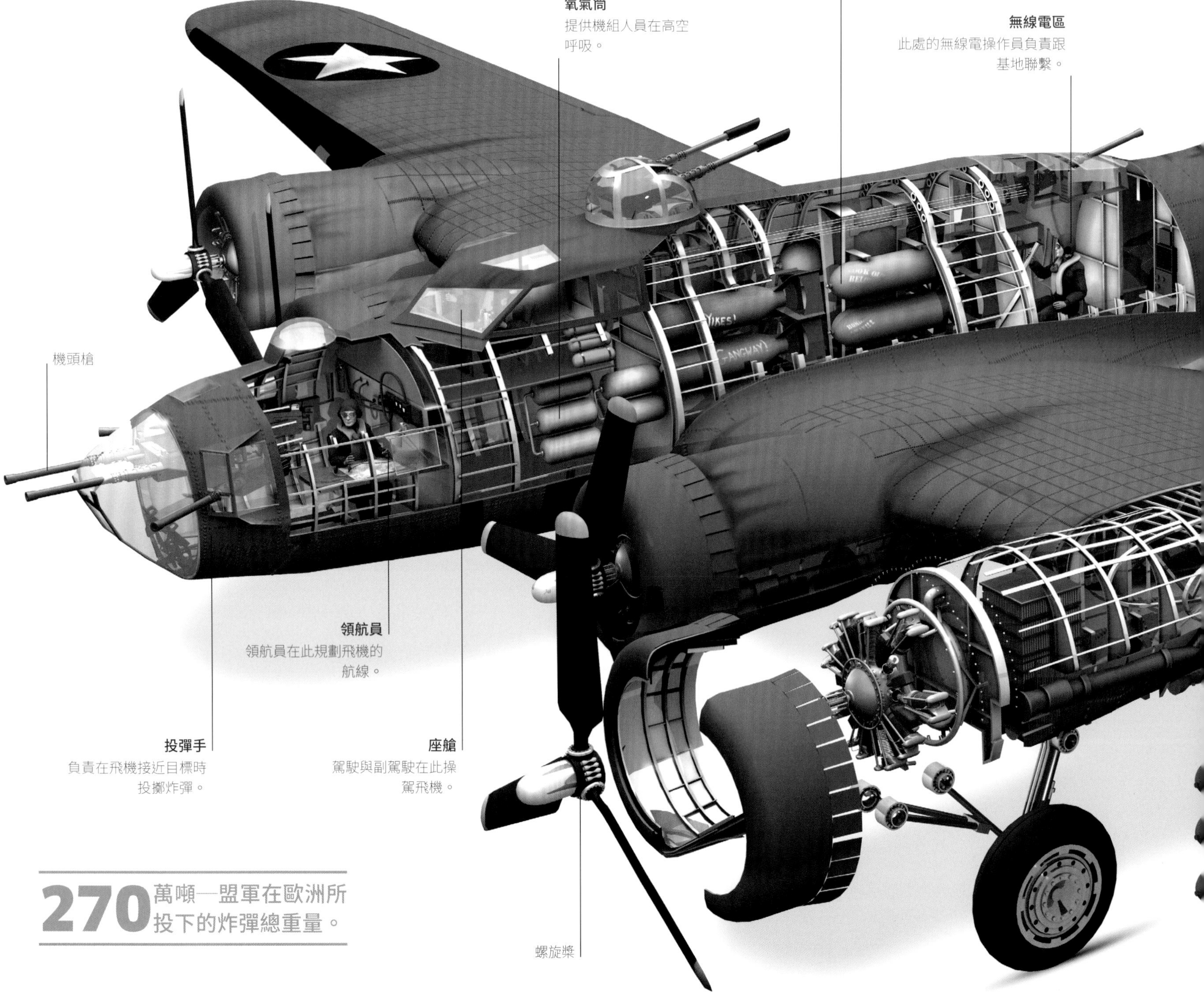
儲彈艙
B-17 可攜帶 3,600 公斤的炸彈。
氧氣筒
提供機組人員在高空呼吸。
無線電區
此處的無線電操作員負責跟基地聯繫。
機頭槍
領航員
領航員在此規劃飛機的航線。
投彈手
負責在飛機接近目標時投擲炸彈。
座艙
駕駛與副駕駛在此操駕飛機。
螺旋槳

270 萬噸—盟軍在歐洲所投下的炸彈總重量。

90 架—約克鎮級航空母艦搭載的飛機數量。

100 萬—德軍轟炸倫敦期間摧毀的房舍數量。

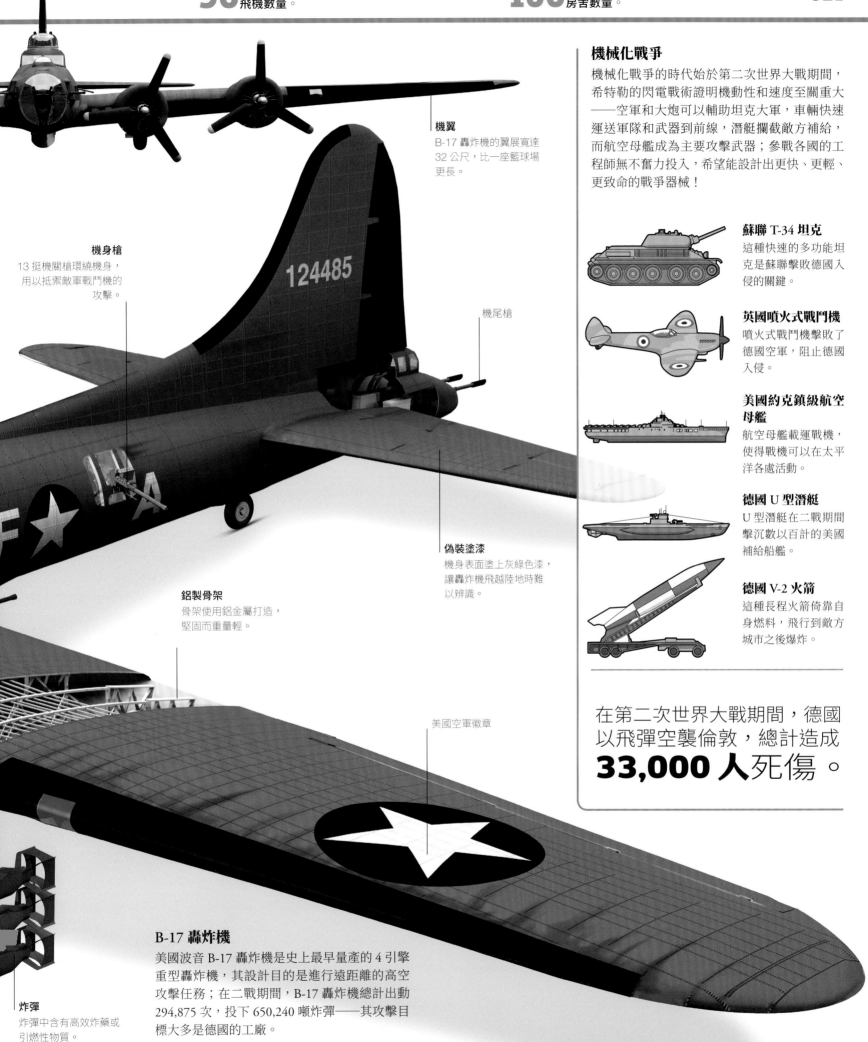

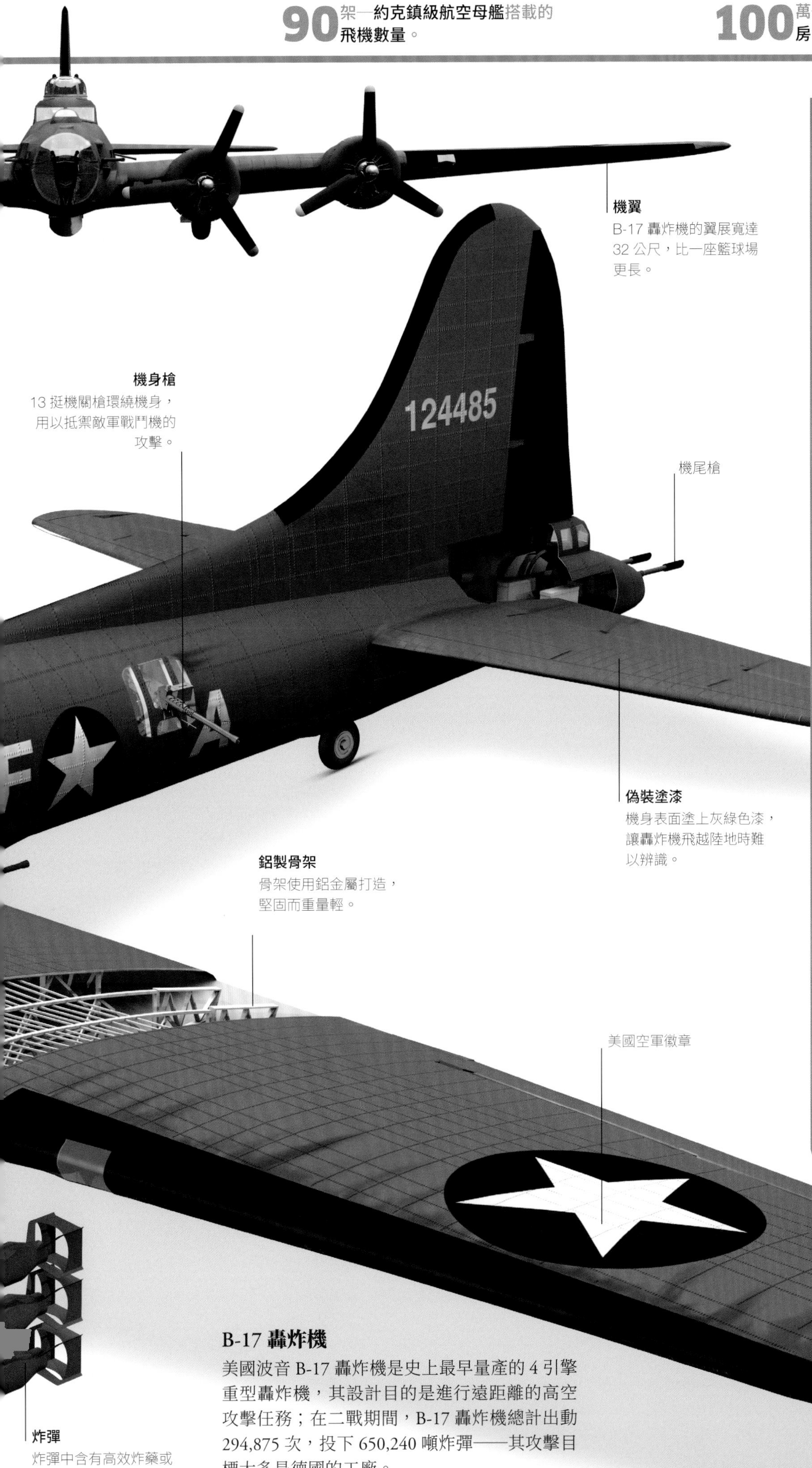
機翼
B-17 轟炸機的翼展寬達 32 公尺，比一座籃球場更長。
124485
機身槍
13 挺機關槍環繞機身，用以抵禦敵軍戰鬥機的攻擊。
機尾槍
偽裝塗漆
機身表面塗上灰綠色漆，讓轟炸機飛越陸地時難以辨識。
鋁製骨架
骨架使用鋁金屬打造，堅固而重量輕。
美國空軍徽章
炸彈
炸彈中含有高效炸藥或引燃性物質。

B-17 轟炸機

美國波音 B-17 轟炸機是史上最早量產的 4 引擎重型轟炸機，其設計目的是進行遠距離的高空攻擊任務；在二戰期間，B-17 轟炸機總計出動 294,875 次，投下 650,240 噸炸彈——其攻擊目標大多是德國的工廠。

機械化戰爭

機械化戰爭的時代始於第二次世界大戰期間，希特勒的閃電戰術證明機動性和速度至關重大——空軍和大炮可以輔助坦克大軍，車輛快速運送軍隊和武器到前線，潛艇攔截敵方補給，而航空母艦成為主要攻擊武器；參戰各國的工程師無不奮力投入，希望能設計出更快、更輕、更致命的戰爭器械！

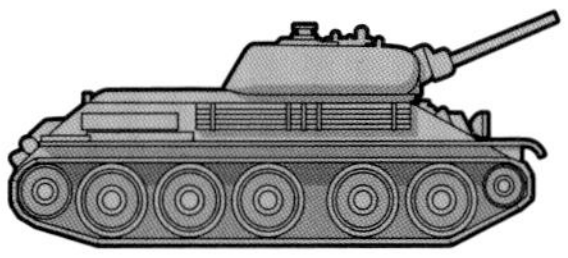

蘇聯 T-34 坦克
這種快速的多功能坦克是蘇聯擊敗德國入侵的關鍵。

英國噴火式戰鬥機
噴火式戰鬥機擊敗了德國空軍，阻止德國入侵。

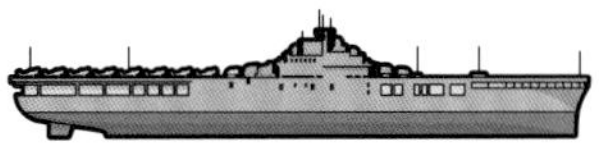

美國約克鎮級航空母艦
航空母艦載運戰機，使得戰機可以在太平洋各處活動。

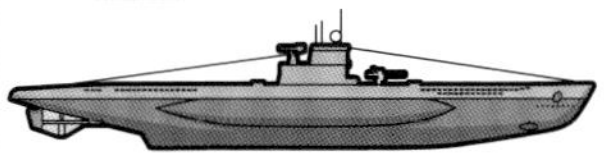

德國 U 型潛艇
U 型潛艇在二戰期間擊沉數以百計的美國補給船艦。

德國 V-2 火箭
這種長程火箭倚靠自身燃料，飛行到敵方城市之後爆炸。

在第二次世界大戰期間，德國以飛彈空襲倫敦，總計造成 **33,000 人**死傷。

北韓境內的22座重要城市，有18座在韓戰時遭到空襲夷平。

分裂的世界

兩大超級強權對峙，而雙方盟友的加入使冷戰擴及全球；共產世界（紅色）由蘇聯領導，美國領銜的「北大西洋公約組織」（藍色）則是民主國家的聯盟。

美國

美國是「北大西洋公約組織」中最強大的國家，其領導者試圖瓦解全世界的共產國家，但並非總能成功。

英國

與美國結盟，英國擁有廣大的間諜網並掌握核子武器。

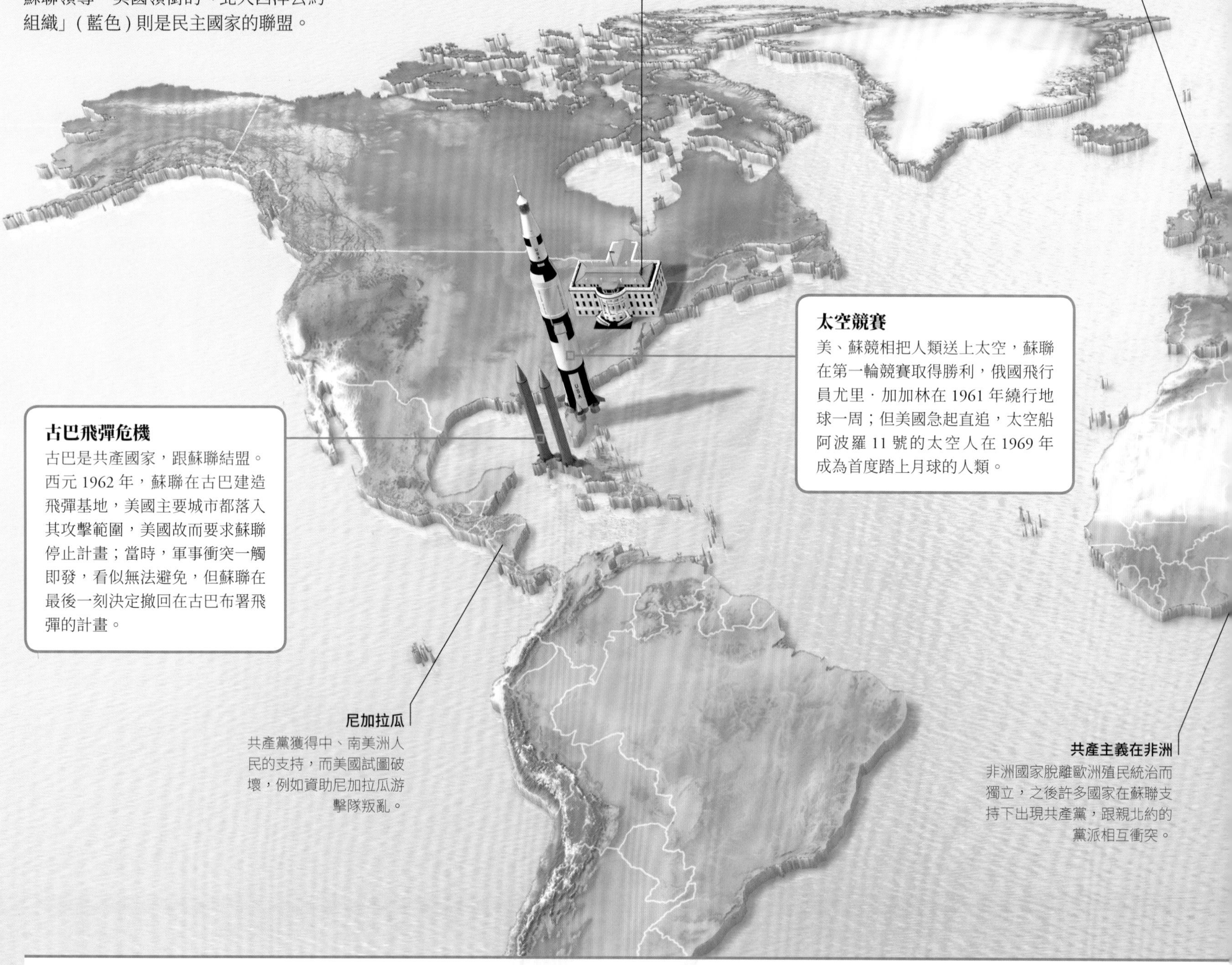

太空競賽

美、蘇競相把人類送上太空，蘇聯在第一輪競賽取得勝利，俄國飛行員尤里．加加林在 1961 年繞行地球一周；但美國急起直追，太空船阿波羅 11 號的太空人在 1969 年成為首度踏上月球的人類。

古巴飛彈危機

古巴是共產國家，跟蘇聯結盟。西元 1962 年，蘇聯在古巴建造飛彈基地，美國主要城市都落入其攻擊範圍，美國故而要求蘇聯停止計畫；當時，軍事衝突一觸即發，看似無法避免，但蘇聯在最後一刻決定撤回在古巴布署飛彈的計畫。

尼加拉瓜

共產黨獲得中、南美洲人民的支持，而美國試圖破壞，例如資助尼加拉瓜游擊隊叛亂。

共產主義在非洲

非洲國家脫離歐洲殖民統治而獨立，之後許多國家在蘇聯支持下出現共產黨，跟親北約的黨派相互衝突。

全球衝突

北大西洋公約組織（北約）與蘇聯的衝突擴及全球，一道「鐵幕」分隔共產東歐與民主西歐，此外在非洲、拉丁美洲及亞洲都出現軍事衝突，但最後結束冷戰的，主要是經濟力量——而非軍事武力！

1945
二次大戰結束，同盟國領導人決定分區佔領歐洲。蘇聯鼓動東歐國家如波蘭、匈牙利轉向共產主義，到了西元 1948 年，歐洲分裂成西歐的民主地區、以及東歐的共產世界。

1948
德國首都柏林位於蘇聯控制的東德境內，但柏林的一部分（西柏林）卻是由美國、英國、法國所控制。蘇聯封鎖西柏林的道路交通，企圖逼迫美、英、法退出西柏林，但英、美以空投方式突破封鎖，補給超過百萬噸的物資。

1950
美國政府擔心蘇聯間諜滲透到重要機關，例如軍隊或情報機構。一位美國參議員喬．麥卡錫發起揪出共諜的「白色恐怖」運動，導致許多無辜的美國民眾遭到迫害。

1956
共產匈牙利選出一位名為伊姆雷．納吉的新領袖，他承諾要改革共產政府。但蘇聯決心控制匈牙利，於是派遣坦克入侵，掃除納吉的勢力，許多人民在此亂事中死傷。

1979
親蘇聯的阿富汗政權遭到伊斯蘭反抗軍攻擊，美國向反抗軍提供武器與訓練，蘇聯則派遣軍隊支持共黨政權；這場戰爭前後打了 10 年，導致數百萬阿富汗平民被迫逃離家園。

1987
蘇聯面臨經濟崩潰的危機，新領導者米哈伊爾．戈巴契夫宣布開放政策，改革共產政府並與北約和解；西元 1989 年，戈巴契夫與美國總統喬治．H．W．布希（老布希）共同宣布冷戰終結。

“人人各盡其能，人人各取所需”

—共產主義格言

600萬—在1979-1988年的「蘇聯-阿富汗戰爭」期間，據估計約有這麼多阿富汗人被迫逃離家園。

1,000萬的波蘭人民參與1980年的「團結工聯」示威運動，自此削弱共產政權的統治。

「鐵幕」
二次大戰結束時，蘇聯已經以武力控制大半個東歐地區，蘇聯勢力的分界線後來被世界稱為「鐵幕」。
蘇聯
1917 年的俄國大革命，讓俄羅斯帝國轉變為「蘇維埃社會主義共和國聯盟」，簡稱蘇聯，這是世界上第一個共產政權。
越戰
1954 年，越南分裂為共產北越與親美的南越，隨著雙方緊張升高，美國派遣軍隊支持南越，自此涉入殘酷的游擊戰事，最終在 1973 年決定撤退；西元 1975 年，北越征服南越，統一越南。
中國
中國在抗日戰爭結束後陷入慘烈的內戰，戰後中國成為共產國家 (1949 年)；接下來數十年，中國歷經許多混亂，導致數千萬人死亡。
韓戰
1950-1953 年，共產北韓在中國幫助下企圖征服親美的南韓，韓戰爆發。
史普尼克號
西元 1957 年，蘇聯發射史上第一顆人造衛星—史普尼克 1 號—在太空競賽中躍居領先。
柏林圍牆
二次大戰後，德國國土與首都柏林，雙雙分裂為蘇聯、美國、法國、英國的佔領區。蘇聯在柏林建造一道圍牆，防止東德人民逃至西方；西元 1989 年柏林圍牆倒塌，冷戰結束。

偉大的改革者

米哈伊爾．戈巴契夫改革蘇聯，並跟北約進行和平協調；但他在西元 1991 年失勢，蘇聯隨後解體。

冷戰

第二次世界大戰之後，這個世界分裂成兩大勢力：共產蘇聯陣營與民主美國陣營；兩大超級強權對峙，各自以大量核子武器作為後盾！

蘇聯標榜共產主義理念，這是一套主張所有財富平等的政治意識型態，但蘇聯政權卻是高壓而腐敗；而美國是資本主義的民主體制，其人民相較共產國家享有更大的自由。美、蘇雙方都儲備大量核子武器，足以在開戰時殲滅對方，這種「彼此保證摧毀」的威脅，迫使雙方運用其他方式競爭，包括間諜戰、經濟戰等；因此，雙方的實際交戰都是在其他國家進行，例如越南或尼加拉瓜——蘇聯試圖在這些地方推行共產主義，而美國志在阻止共產主義擴散。

1968 年—學生與工人抗議政府的遊行運動席捲歐洲。

1960 年代

1960 年代是動盪的時代，全世界充滿政治革命、獨立鬥爭、以及年輕人的反叛，所有老舊的傳統與價值觀都受到新世代的挑戰。

在歐洲和美國，1960 年代是一段社會變革的時期，二戰後出生的新世代帶著樂觀精神，相信自己可以改變世界，他們拒絕父母的價值觀並挑戰各種權威，擁抱駭俗的新時尚、迷幻藝術、以及帶有政治訴求的音樂。與此同時，追求和平的抗議運動在全球各地出現，志在終止種族歧視與獲得女性平權。

然而，1960 年代的越南、奈及利亞、賽普勒斯、中東地區 (阿拉伯與以色列) 都發生軍事衝突，毛澤東的文化大革命將中國社會搞得一片混亂，非洲國家脫離舊殖民統治而獨立，其中一些建立民主體制，另一些則陷入內戰。另一方面，除了這些動盪之外，人類的科學與科技都有驚人進展，而踏上月球更是被視為人類勇氣的象徵。

愛與和平

許多人被電視螢幕呈現的暴力事件所震驚，尤其是關於越戰的新聞報導；再加上東方哲學如印度教、佛教的影響，人們起而譴責暴力，呼籲世界和平與大愛精神。「解除核武運動」組織呼籲冷戰雙方陣營放棄核子武器。「嬉皮」運動興起於美國舊金山，提倡閒散的生活方式，追求和平、愛與寬容。

戰爭與和平

即便和平運動此起彼落，1960 年代的世界卻是暴力充斥，冷戰中的美、蘇關係越見緊張，雙方都打造大規模的軍備與核子武器。然而，「平權問題」在 1960 年代獲得明顯的進步，歧視黑人在美國訂為違法，女性的自由與地位也大幅增進。

民權運動

1960 年代，許多美國南方州仍在白人與黑人之間施行種族隔離。1960 年 2 月，南卡羅萊納州的 4 位黑人學生堅決坐在「只限白人」的餐廳吧台座位上表達抗議，這個先驅典範在其他州引發類似的抗議行動。

第一位太空人

1961 年 4 月 12 日，俄國人尤里．加加林成為史上第一位太空旅行者，其太空船「東方一號」僅能容納一人；這趟太空旅程繞行了地球整整一圈，從發射到著陸總計耗時 108 分鐘。

甘迺迪之死

美國總統約翰．甘迺迪在德州達拉斯街頭遭到槍殺，他的死震驚全世界；在當時美、蘇關係緊張不明的狀況下，此事對美國人而言是一大噩耗！

CHICAGO DAILY NEWS

RED STREAK

PRESIDENT IS KILLED

Texas Sniper Escapes; Johnson Sworn In

Story Begins on Next Page

美國報紙對甘迺迪遭到暗殺的報導

1960 | 1961 | 1962 | 1963 | 1964

非洲國家獨立

直到二次大戰期間，大半非洲仍是歐洲帝國主義的領地，但戰爭嚴重削弱殖民母國的國力，共有 17 個非洲國家在 1960 年宣布獨立，包括奈及利亞、查德、索馬利亞、馬達加斯加等；這個「去殖民化」的過程後來持續延燒多年。

肯亞紙鈔上的喬莫．甘耶達，肯亞第一位黑人總統

馬丁．路德．金恩

金恩博士是美國民權運動的領袖，1963 年 8 月，他在華盛頓向集會民眾發表影響深遠的演說，呼籲消滅種族主義，但 5 年後他遭到暗殺；然而，1964、1965 年的國會新立法已明令禁止種族歧視。

金恩博士在華盛頓特區的演講吸引大量群眾聚集

“我有一個夢想，**有一天，我的 4 個小孩**可以在一個**以人格素質、而非膚色評價他人**的國家裡生活。”

「英倫入侵」

流行音樂成為強大的文化力量，「披頭四」、「滾石」、「何許人」等英國樂團成為全球巨星，在 1964 年席捲美國金曲排行榜。

「披頭四」樂團抵達美國

500,000—「布拉格之春」期間，進入捷克斯洛伐克的軍隊人數。

400,000—參與胡士托音樂節的人數。

「福斯」露營車

作為 1960 年代「反主流文化」的標誌之一，這種車型提供想要脫離主流社會、旅遊世間、嘗試新鮮事物的人們一個夢想。

新藝術、新時尚

1960 年代，美國和某些歐洲國家變得十分富裕，突然間年輕人擁有了購買能力，其購物習慣創造新的文化潮流。安迪．沃荷等藝術家擷取廣告、漫畫、電影的圖像，創造出「普普藝術」；年輕人的衣著品味跟父母輩大異其趣，而瑪麗官設計師改變了時尚風格；倫敦的卡納比街成為發展文化創意的中心；法國「新浪潮」導演拍攝各種實驗性電影，聚焦於人們的現實處境與重大社會議題。

“今天的年輕人比較不物質化，而且比從前的年輕人更聰明。”

—瑪麗官，迷你裙設計者，1967 年。

時尚革命

瑪麗官設計的迷你裙是 1960 年代的時尚象徵，老一輩的人覺得這既無體統又庸俗，但年輕人非常喜愛。這種新設計讓「崔姬」(萊絲麗．宏比) 等模特兒一夕成名。

越戰

美國支持南越，對抗由蘇聯與中共支持的共產北越，引爆這場冷戰期間最慘烈的戰事；越戰對美國而言淪為一場災難，美國在數年之後決定撤兵。

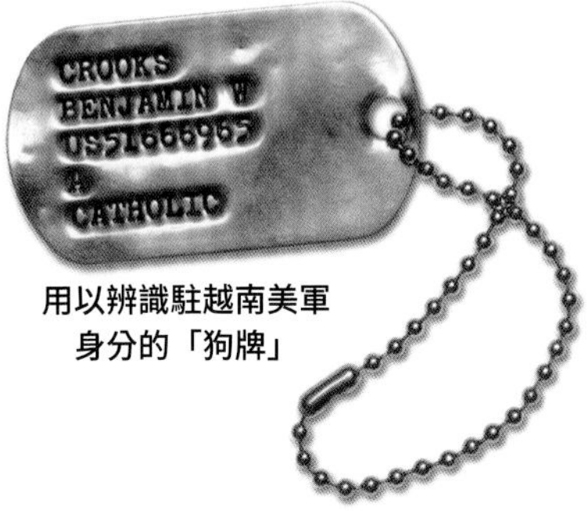
CROOKS
BENJAMIN W
US51666965
CATHOLIC

用以辨識駐越南美軍身分的「狗牌」

中共文化大革命

共產中國領導人毛澤東廣受農人與工人的支持，但他卻懷疑知識分子企圖顛覆自己。西元 1966 年，為了強化自身權勢，毛澤東發起「文化大革命」，導致學校關閉、教育中斷，數百萬年輕人失學而從事勞動，學者、科學家、教師、作家和商人遭到群眾羞辱、毆打；這場混亂一直持續到毛澤東於 1976 年過世為止。

原住民之旗

澳大利亞的平權運動

澳大利亞原住民在 1960 年代發起爭取平等權利的運動。過去，原住民的土地被白人移民奪走，而且缺乏教育和健康照護方面的權利，許多人也沒有投票權。西元 1967 年，澳大利亞政府終於賦予原住民公民權，但這場平權運動仍然持續多年。

胡士托音樂節

胡士托音樂節舉辦於 1969 年 8 月，地點在美國紐約州巴賽爾附近的農地；胡士托象徵 60 年代年輕一輩的樂觀精神，成千上萬人前來觀賞偶像現場演出，許多傑出音樂人都現身演唱，包括瓊．拜亞、珍妮絲．賈普林、以及吉他之神吉米．罕醉克斯。

1965	1966	1967	1968	1969

戈蘭高地
黎巴嫩
地中海
敘利亞
約旦河
西岸
耶路撒冷
死海
加薩走廊
以色列
約旦
蘇伊士運河
埃及
蘇伊士灣
沙烏地阿拉伯
紅海

圖例

六日戰爭之前的以色列領土

以色列在戰爭中佔領的土地

六日戰爭

以色列於二次大戰後建國，跟伊斯蘭諸鄰國時有齟齬。西元 1967 年，由於憂慮埃及發動攻擊，以色列先發制人，在 6 天之內佔領埃及和巴勒斯坦的大片土地。

布拉格之春

捷克斯洛伐克自 1948 年開始由共產政權統治，其政府長期受到蘇聯所左右。西元 1968 年，捷克領導人亞歷山大．杜布切克試圖給予人民更多自由，但蘇聯不允許此事發生，遂派遣坦克入侵捷克首都布拉格鎮壓；布拉格民眾雖然強烈抗議，但杜布切克仍遭蘇聯廢黜。

農神 5 號火箭

登陸月球

太空科技在 1960 年代末期出現極大的突破。西元 1969 年 7 月，美國太空人尼爾．阿姆斯壯與「巴茲」．艾德林登陸月球，約有 600 萬驚訝的民眾從電視螢幕上目睹此事！

50 億—2011年全球使用中的手機數量。

61 億—21世紀初的全球人口。

21 世紀

來到 20 世紀尾聲，全世界都準備大肆狂歡，西元 2000 年的大型慶祝活動橫跨全球，迎接另一個千禧年的到來；新世紀帶來新挑戰，也帶來新契機。

全球人口不斷擴張，對於地球資源的需求也極急速成長。隨著 21 世紀的開展，人類活動對自然環境造成破壞，科學家對資源耗盡的擔憂與日俱增，同時，許多國家都必須面對自然災害的威脅。恐怖主義攻擊帶來恐懼與衝突，而全球經濟危機導致千百萬人的生活日益艱苦。

另一方面，21 世紀的新科技進展驚人，智慧手機與平板電腦改變了人類的溝通模式，而網路的普及，讓全世界用戶都有發聲的機會。

數位革命

數位革命始於 1980 年代，當時電腦的價格下降，一般人也能購買使用。一開始的電腦像是一個大金屬箱，而現在體積已經小到可以裝在許多日常用品之中，例如智慧型手機、平板電腦、MP3 播放器、相機等。網際網路進步飛快，在社會運作中扮演愈來愈重要的角色，早已改變人類的文化、經濟、政治各方面；目前全世界有超過 20 億的網路用戶，可以即時交換訊息。

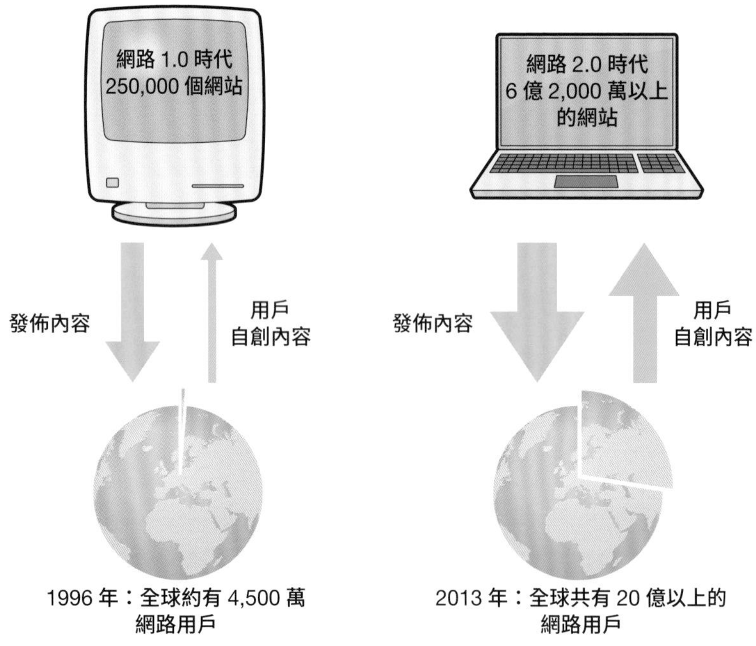
網路 1.0 時代
250,000 個網站
網路 2.0 時代
6 億 2,000 萬以上的網站
發佈內容
用戶自創內容
發佈內容
用戶自創內容
1996 年：全球約有 4,500 萬網路用戶
2013 年：全球共有 20 億以上的網路用戶

網際網路

在 1990 年代，多數人已經使用網際網路搜尋訊息，到了 21 世紀，網路上的「用戶自創內容」大量增加，而部落格與社交網站的出現，讓人們可以分享觀點和經驗。

西元2001 年，谷歌公司的索引目錄包含 **2 億 5,000 萬筆圖像資料，** 到了 2010 年，這個數量已經暴增到 **100 億筆以上。**

反恐戰爭

西元 2001 年，一群稱為「蓋達」的伊斯蘭教恐怖份子向美國發動一連串攻擊，開啟日後長達 10 年的衝突，美國及其友邦「向恐怖主義宣戰」，入侵阿富汗逮捕恐怖份子，以瓦解進一步的攻擊行動；同時，蓋達組織及其同夥繼續在世界各地策劃恐怖攻擊。

2001 年 9 月

「911」事件

2001 年 9 月 11 日，美國本土遭受恐怖攻擊，發動攻擊的全球性恐怖組織「蓋達」是由激進伊斯蘭教徒所組成的；恐怖分子劫持飛機，其中兩架撞進紐約的世界貿易中心大樓，另一架撞向五角大廈，第 4 架則是在賓州墜毀，這場恐怖攻擊造成 3,000 人死亡，全球震驚！

伊拉克戰爭

西元 1991 年，伊拉克領導人薩達姆．海珊揮兵入侵鄰國科威特，後來雖然被美國主導的國際聯軍所逐出，但緊張關係仍然持續。2001 年，國際社會懷疑海珊握有大規模毀滅性武器，隨著反恐戰爭聲勢高漲，美國與英國於 2003 年主導入侵伊拉克，推翻海珊政權。這場軍事行動為期僅有數週，但伊拉克境內的暴力衝突延續數年。

推倒海珊雕像

2003 年 4 月，美國坦克開進伊拉克首都巴格達，此事件代表海珊獨裁政權的終結；歡呼的群眾拉倒眾多前領導人的雕像，這是打倒過往政權的象徵。

自然災害

21 世紀一開始，全世界就飽受自然災害與極端氣候之苦。2003 年歐洲熱浪襲擊，導致 40,000 人死亡。2004 年，印度洋大海嘯波及 14 國，罹難人數高達 230,000 人。2005 年，超級颶風卡崔娜造成美國紐奧良市陷入癱瘓，其風速高達 200 公里 / 小時。2010 年，位於加勒比海的海地發生大地震，造成 300,000 人死亡與數百萬人無家可歸。2011 年，大地震所引發的海嘯侵襲日本，除了導致大量傷亡，還造成福島核能發電廠的輻射物外洩。

全球危機

世界各國經歷 21 世紀初期的重大自然災難，其中某些是異常的突發事件，另一些則跟全球氣候變遷有所關連。

2001 年 10 月

入侵阿富汗

美國及其北約盟友在「911」事件後發動「長存自由行動」，他們入侵阿富汗，企圖追捕恐怖主義頭子奧薩瑪．賓．拉登；美方勢力雖然推翻了跟蓋達組織合作的塔利班政權，但暴力衝突卻在阿富汗持續延宕。

2004 年 3 月

馬德里炸彈攻擊

西班牙大選日前夕，蓋達組織成員在馬德里 4 輛火車上放置炸彈，爆炸威力殺死 191 人，並造成 1,841 人受傷，這是為了報復西班牙政府在 2003 年支持美國主導的入侵伊拉克行動；大選結果是執政黨下台，新執政黨撤回駐伊拉克的西班牙軍隊。

2005 年 7 月

倫敦炸彈攻擊

2005 年 7 月 7 日，英國也遭受恐怖攻擊，恐怖分子攜帶自殺炸彈進入倫敦的大眾運輸系統，其中 3 顆在地下鐵引爆，另一顆在雙層巴士上爆炸。事後，蓋達組織的網站宣稱，他們發動攻擊的原因是為了報復英國涉入伊拉克與阿富汗的戰爭。

May 2011

賓拉登死亡

美國總統巴拉克．歐巴馬收到情報，指稱蓋達組織頭子賓拉登藏匿在巴基斯坦的阿伯塔巴德。美國策劃名為「海王星之矛」的夜襲行動，發動海豹特種部隊突襲，擊斃賓拉登與同黨 4 人；這是向恐怖主義宣戰以來的重要里程碑，但並非恐怖主義的終結。

阿拉伯之春

2010 年，一名突尼西亞人以自焚方式抗議突尼西亞警方的欺壓，點燃了阿拉伯世界的抗議浪潮，起而反對獨裁或貪汙高壓的政府。首先，突尼西亞領導人鋅．艾比丁．班．阿里被迫下台。再來是埃及，其總統霍斯尼．穆巴拉克在大型群眾抗議之下辭職。2011 年，葉門、巴林、利比亞、敘利亞都爆發群眾抗議事件，而利比亞反抗軍推翻穆安馬爾．格達費上校的政權。此外，一些阿拉伯國家開始舉辦大選，另一些國家—如敘利亞—則陷入內戰衝突。

敘利亞
黎巴嫩
約旦
伊拉克
科威特
巴林
摩洛哥
突尼西亞
西撒哈拉
阿爾及利亞
利比亞
埃及
阿曼
沙烏地阿拉伯
茅利塔尼亞
蘇丹
葉門

抗議浪潮

突尼西亞的示威運動擴及中東與北非的阿拍拉伯國家。

歐洲熱浪，2003 年
日本海嘯，2011 年
美國卡崔娜颶風，2005 年
海地地震，2010 年
印度洋海嘯，2004 年
巴西洪水，2009 年

全球金融危機

2007 年，美國銀行意識到，他們成千上萬的房屋貸款客戶其實無力還款，更糟的是，銀行已經借出數十億美元的房屋貸款，突然之間房地產的價值一落千丈，許多美國、歐洲的大銀行紛紛破產，這場危機造成許多國家發生破產、失業等問題。

損失與援助

這場危機造成全球企業的價值下滑 33%，政府被迫付出鉅額金援，以維持經濟穩定。

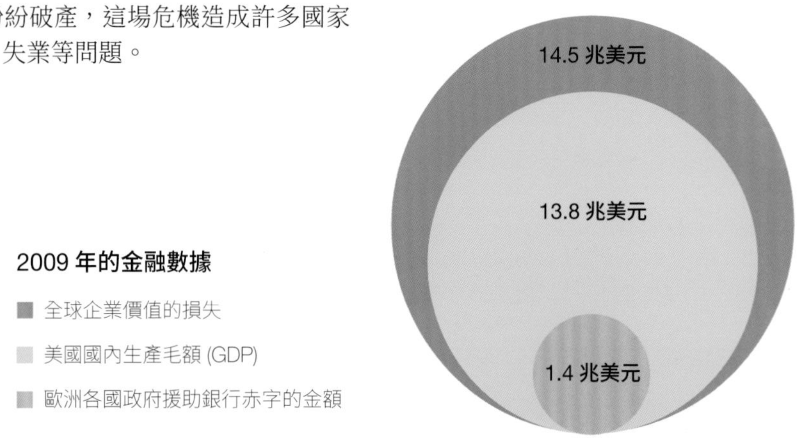
14.5 兆美元
13.8 兆美元
1.4 兆美元
2009 年的金融數據
全球企業價值的損失
美國國內生產毛額 (GDP)
歐洲各國政府援助銀行赤字的金額

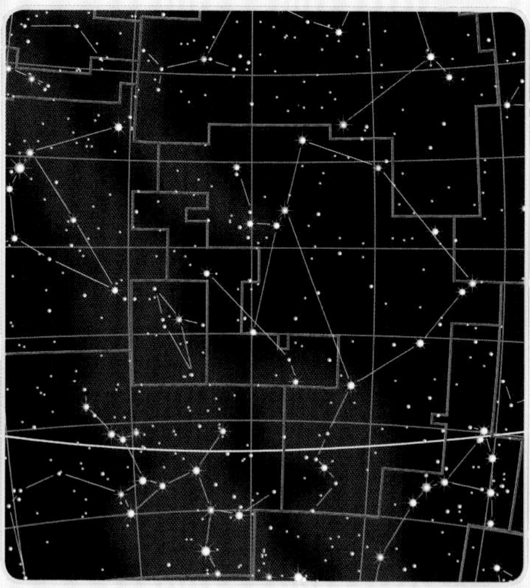

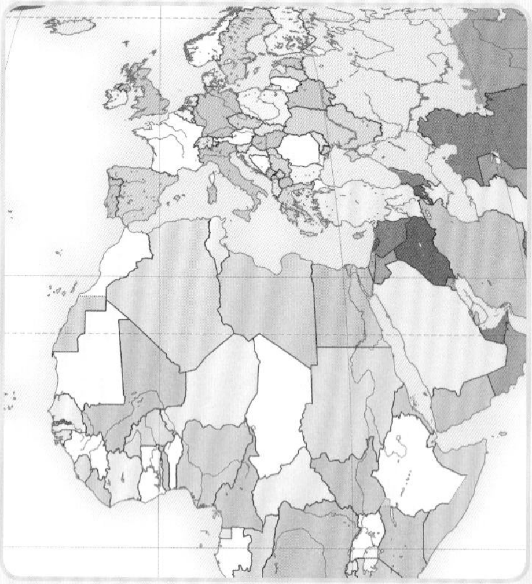

附錄

在附錄這一章，你可以找到關於恆星、戰爭、國旗、帝國、發明、世界奇蹟、破紀錄的各種動物、以及歷史上最瘋狂的領導人。

星圖

這 6 張星圖 (共 4 頁) 組合起來可以涵蓋整個夜空，其形狀稱為「天球」，天球上包含了我們從地球看得到的所有星星 (恆星)，而這些星星有的可以連結成為特定形狀，也就是所謂的「星座」。天球上的星座共有 88 個，有些星座還細分為更小的形狀，稱為「星群」。星圖中的橘線將之分隔為不同區域，每一個區域都有一個中心星座，而其中的小圓點代表星星 (恆星)，圓點愈大，代表的恆星的實際亮度愈高。

88 個星座 (按拉丁文名稱的字母次序)	
仙女座 Andromeda	獵犬座 Canes Venatici
唧筒座 Antlia	大犬座 Canis Major
天燕座 Apus	小犬座 Canis Minor
寶瓶座 Aquarius	摩羯座 Capricornus
天鷹座 Aquila	船底座 Carina
天壇座 Ara	仙后座 Cassiopeia
白羊座 Aries	半人馬座 Centaurus
御夫座 Auriga	仙王座 Cepheus
牧夫座 Boötes	鯨魚座 Cetus
雕具座 Caelum	蝘蜓座 Chamaeleon
鹿豹座 Camelopardalis	圓規座 Circinus
巨蟹座 Cancer	天鴿座 Columba

北極星空

「北極星空」這幅星圖的主要特徵就是「北極星」，北極星並非特別明亮，但非常重要，因為不管是陸地或海上的領航員，都必須依賴它來指出朝北的方向；此外，地軸在天球上的投影點，也是非常接近北極星的，這顆恆星簡直就像釘在天球的固定位置上，而整個天空環繞著它旋轉。

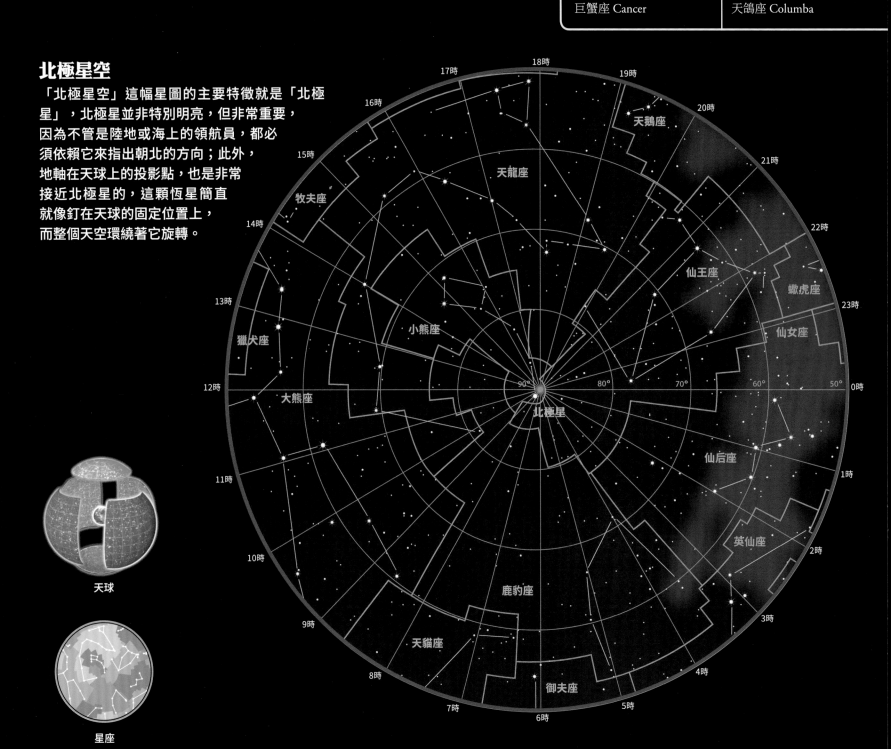

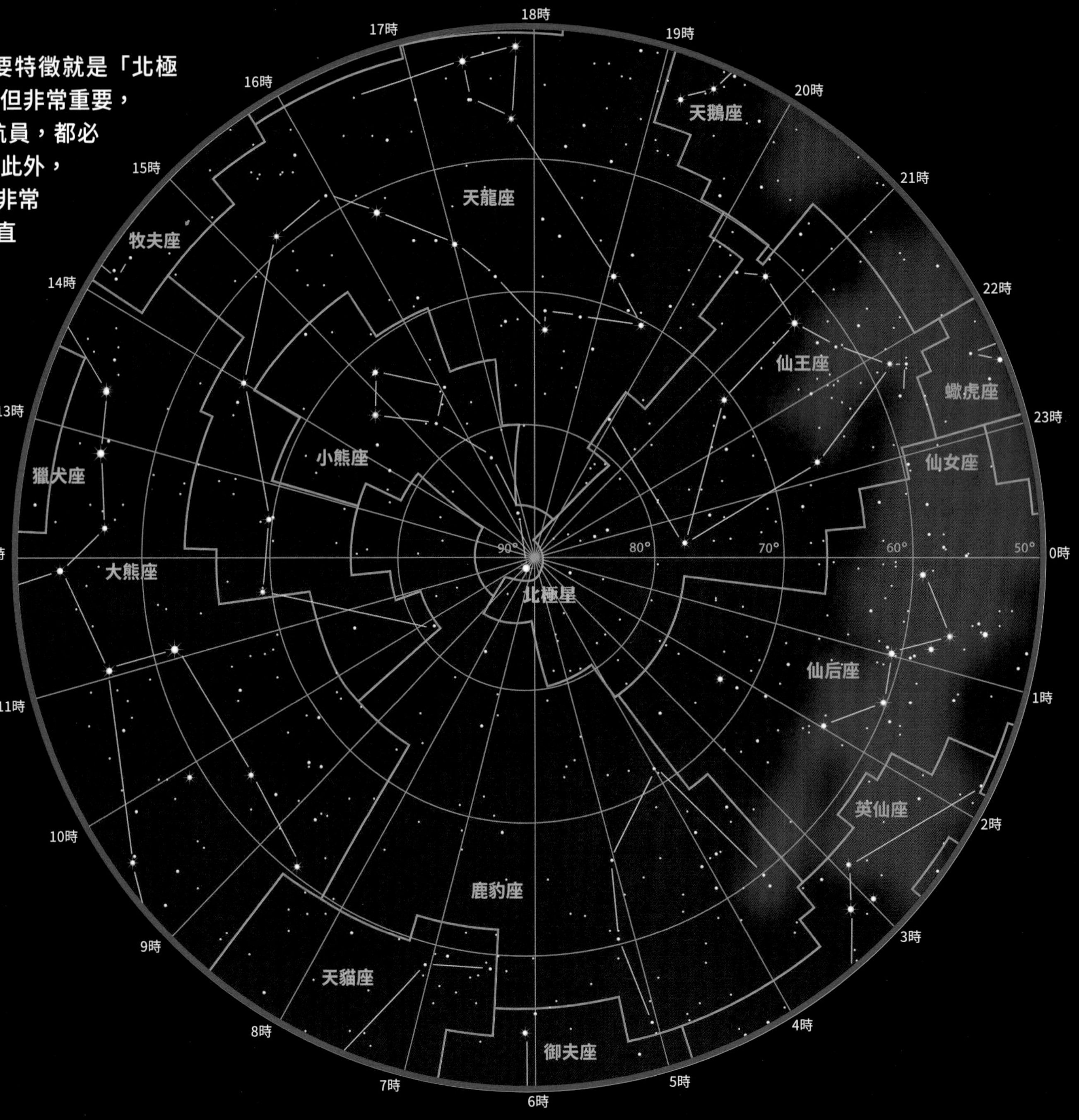

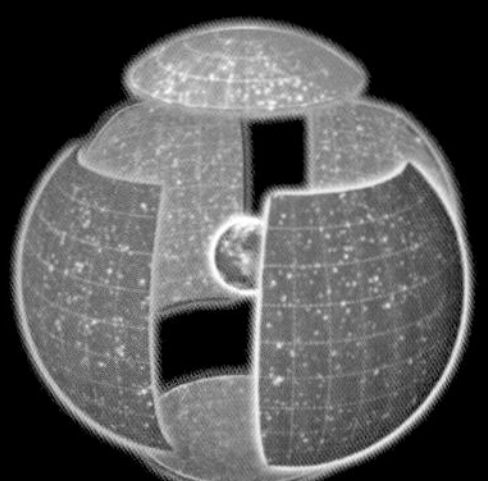
天球

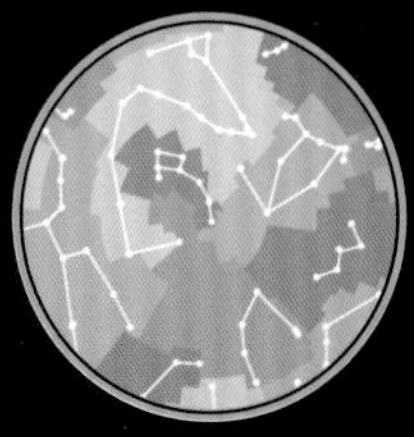
星座

后髮座 Coma Berenices	天爐座 Fornax	天秤座 Libra	孔雀座 Pavo	天蠍座 Scorpius	小熊座 Ursa Minor
南冕座 Corona Australis	雙子座 Gemini	豺狼座 Lupus	飛馬座 Pegasus	玉夫座 Sculptor	船帆座 Vela
北冕座 Corona Borealis	天鶴座 Grus	天貓座 Lynx	英仙座 Perseus	盾牌座 Scutum	室女座 Virgo
烏鴉座 Corvus	武仙座 Hercules	天琴座 Lyra	鳳凰座 Phoenix	巨蛇座 (蛇頭) Serpens (Caput)	飛魚座 Volans
巨爵座 Crater	時鐘座 Horologium	山案座 Mensa	繪架座 Pictor	巨蛇座 (蛇尾) Serpens (Cauda)	狐狸座 Vulpecula
南十字座 Crux	長蛇座 Hydra	顯微鏡座 Microscopium	雙魚座 Pisces	六分儀座 Sextans	
天鵝座 Cygnus	水蛇座 Hydrus	麒麟座 Monoceros	南魚座 Piscis Austrinus	金牛座 Taurus	
海豚座 Delphinus	印第安座 Indus	蒼蠅座 Musca	船尾座 Puppis	望遠鏡座 Telescopium	
劍魚座 Dorado	蠍虎座 Lacerta	矩尺座 Norma	羅盤座 Pyxis	三角座 Triangulum	
天龍座 Draco	獅子座 Leo	南極座 Octans	網罟座 Reticulum	南三角座 Triangulum Australe	
小馬座 Equuleus	小獅座 Leo Minor	蛇夫座 Ophiuchus	天箭座 Sagitta	杜鵑座 Tucana	
波江座 Eridanus	天兔座 Lepus	獵戶座 Orion	人馬座 Sagittarius	大熊座 Ursa Major	

南極星空

北半球有北極星來為旅者導航，但南半球並沒有相對應的南極星，在這裡，觀察者必須使用相當複雜的方法，才能找到「天球南極」——座落於南極天空上頗為昏暗荒蕪的部分。然而，南極天空的星座還是有一些令人讚嘆不已的星星 (恆星)，而且可以看見我們的星系—銀河系—的壯麗景象。

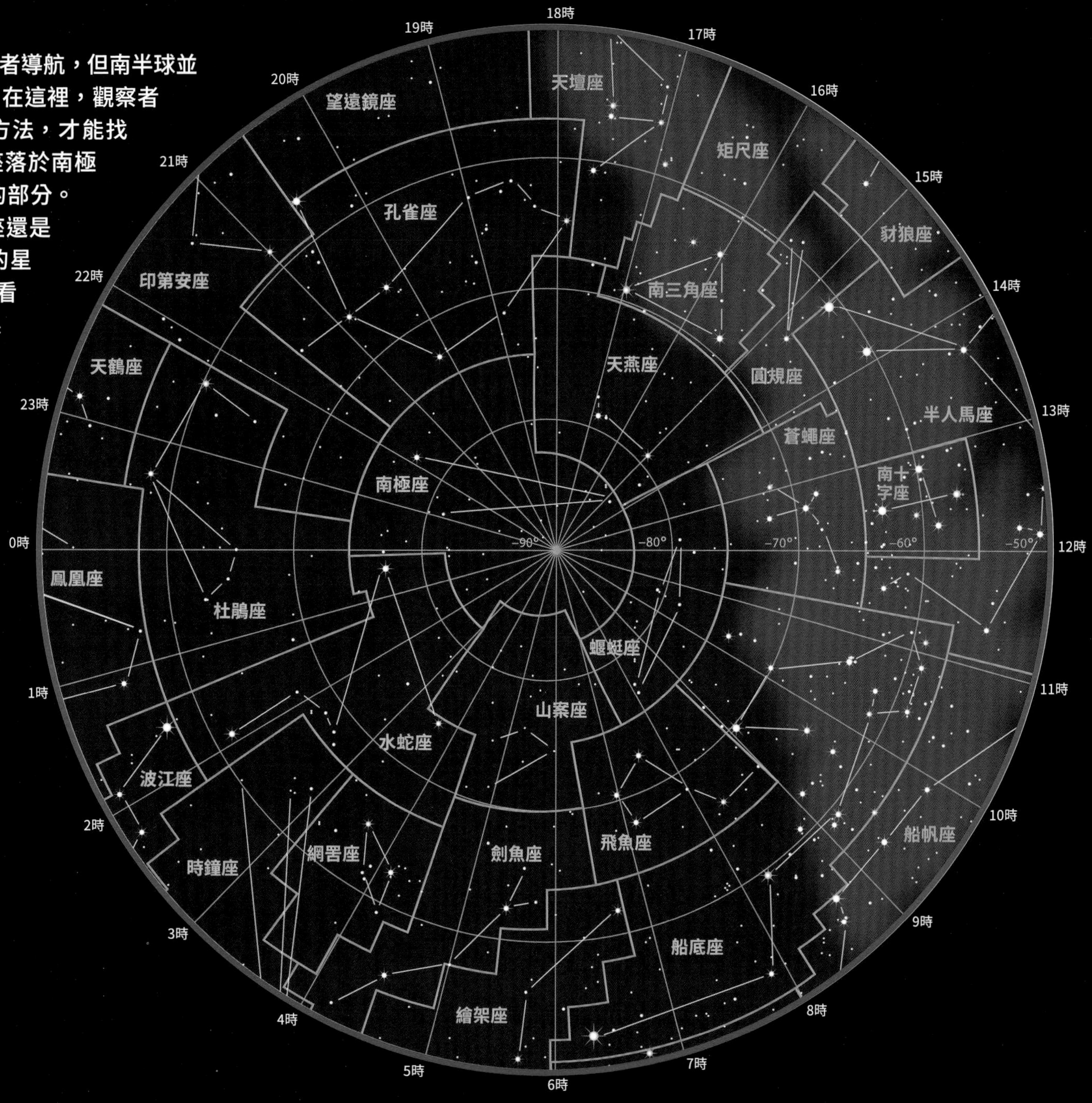

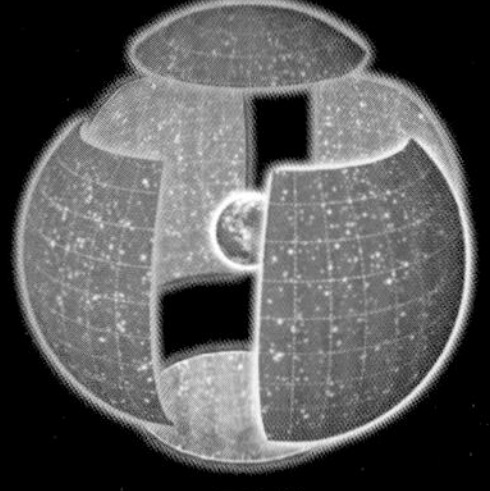

天球

星座

赤道星圖 1

觀察這部分星空的最好時機在 9 月、10 月或 11 月的夜晚，雖然大多是空無一物的太空和稀微的星星（恆星），但還是有一些值得尋覓：在仙女座中你可以看到仙女座星系——這是們銀河系附近的最大星系：在「天球赤道」的北邊是「飛馬座四邊形」（虛線部分），這是飛馬座之中的星群；至於南魚座之中的「北落師門」（南魚座 α 星），則是本區最明亮的星星。

天球

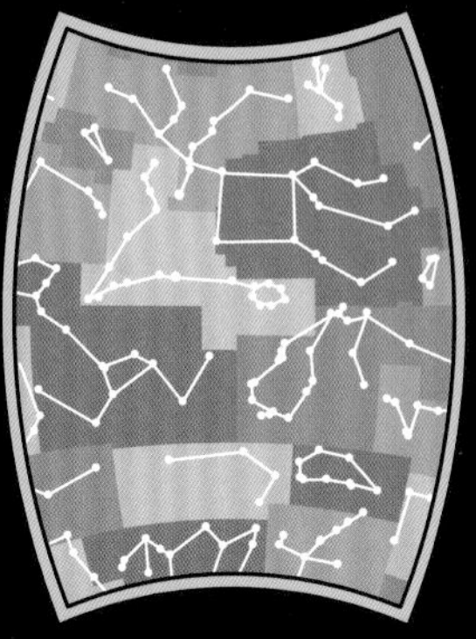

星座

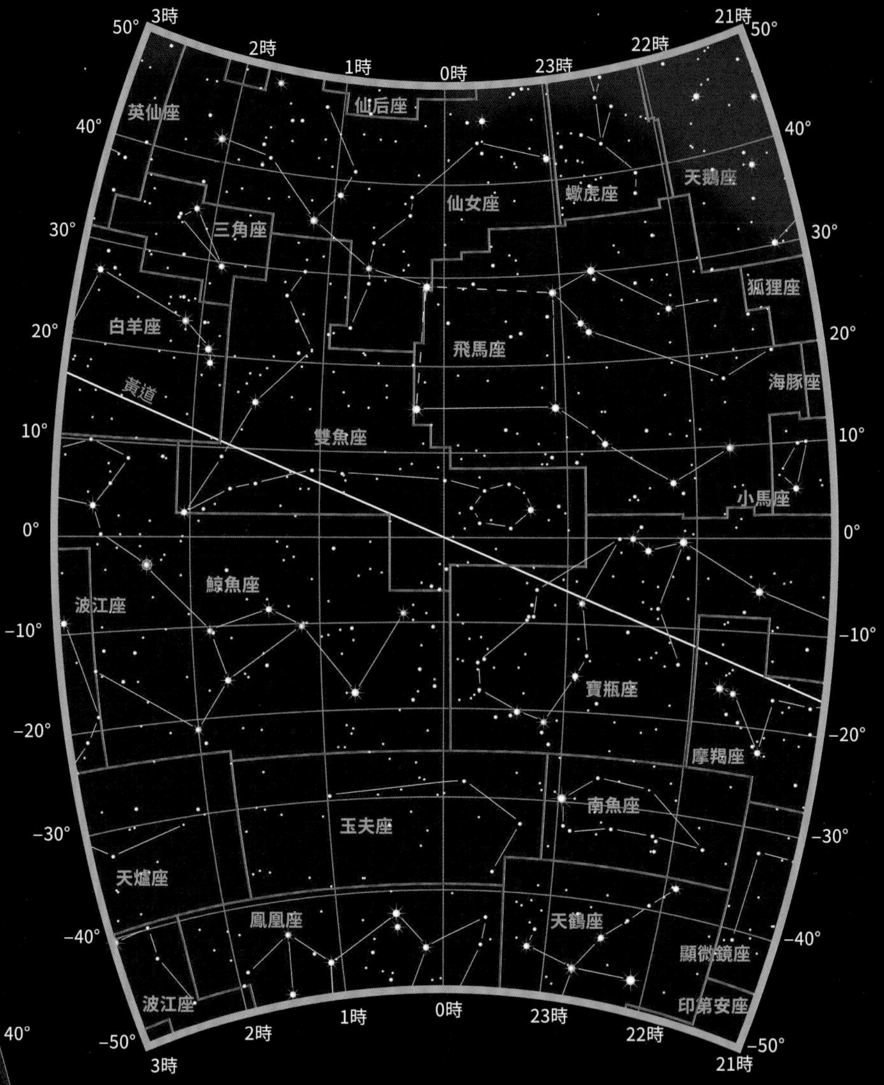

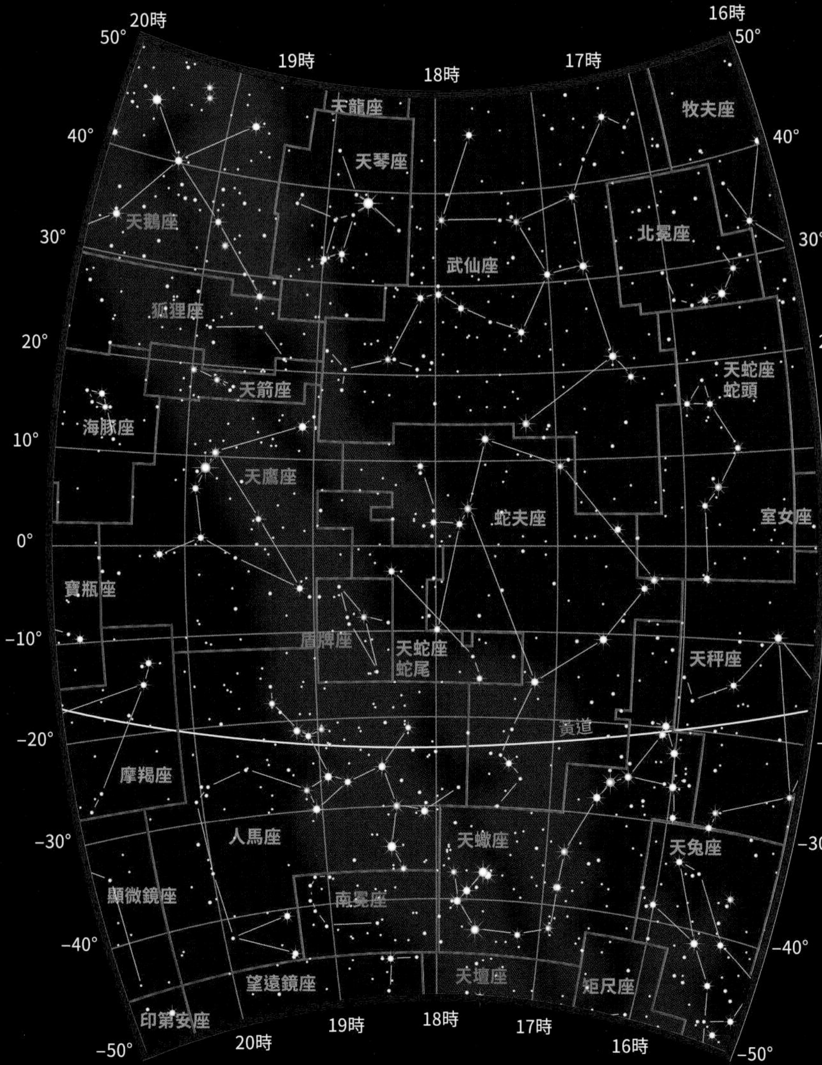

赤道星圖 2

這部分的星空布滿有趣的星星圖案，最佳觀測時機在 6 月、7 月、8 月或 9 月的夜晚。本區北邊主是「夏季大三角」，由 3 顆星星（恆星）—天鵝座的天津四（天鵝座 α 星）、天琴座的織女星（天琴座 α 星）、以及天鷹座的牛郎星（天鷹座 α 星）—所組成；南邊則是彎曲排列的星星所組成的天蠍座，而人馬座也在附近。

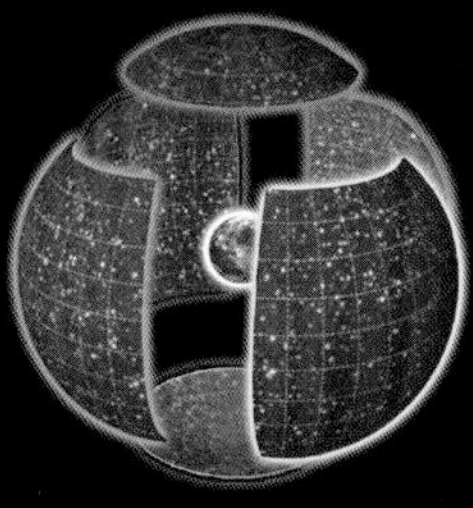

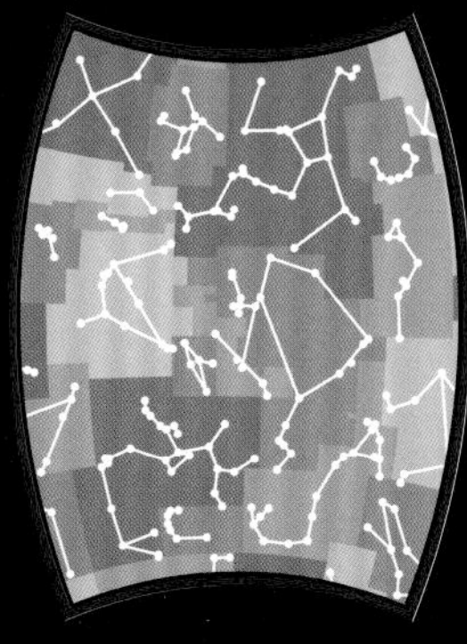

赤道星圖 3

這部分星空的最佳觀測時機在 3 月、4 月或 5 月的夜晚。本區包含天球中最明亮星星之中的 2 顆—牧夫座中淡紅色的大角星（牧夫座 α 星）、以及室女座中淡藍色的角宿一（室女座 α 星）—室女座是所有星座中第二大的，僅次於其南方的長蛇座，長蛇迂迴橫跨本區，甚至超出了邊界。本區中心點右上方的星星組成了獅子座，這是圖案最容易辨識的星座之一——「獅頭」由 6 顆星星形成一個反置的問號（？）。

天球

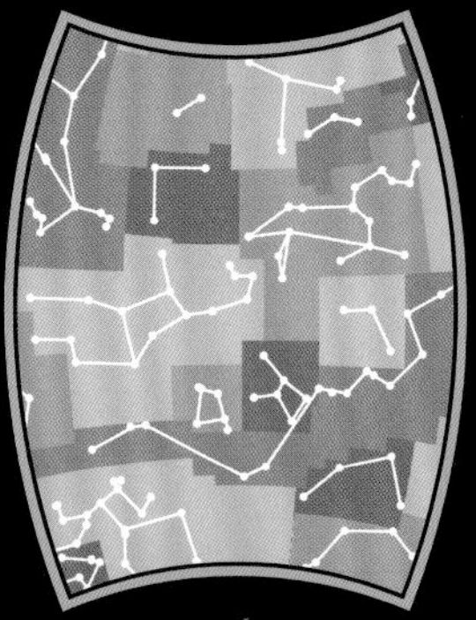

星座

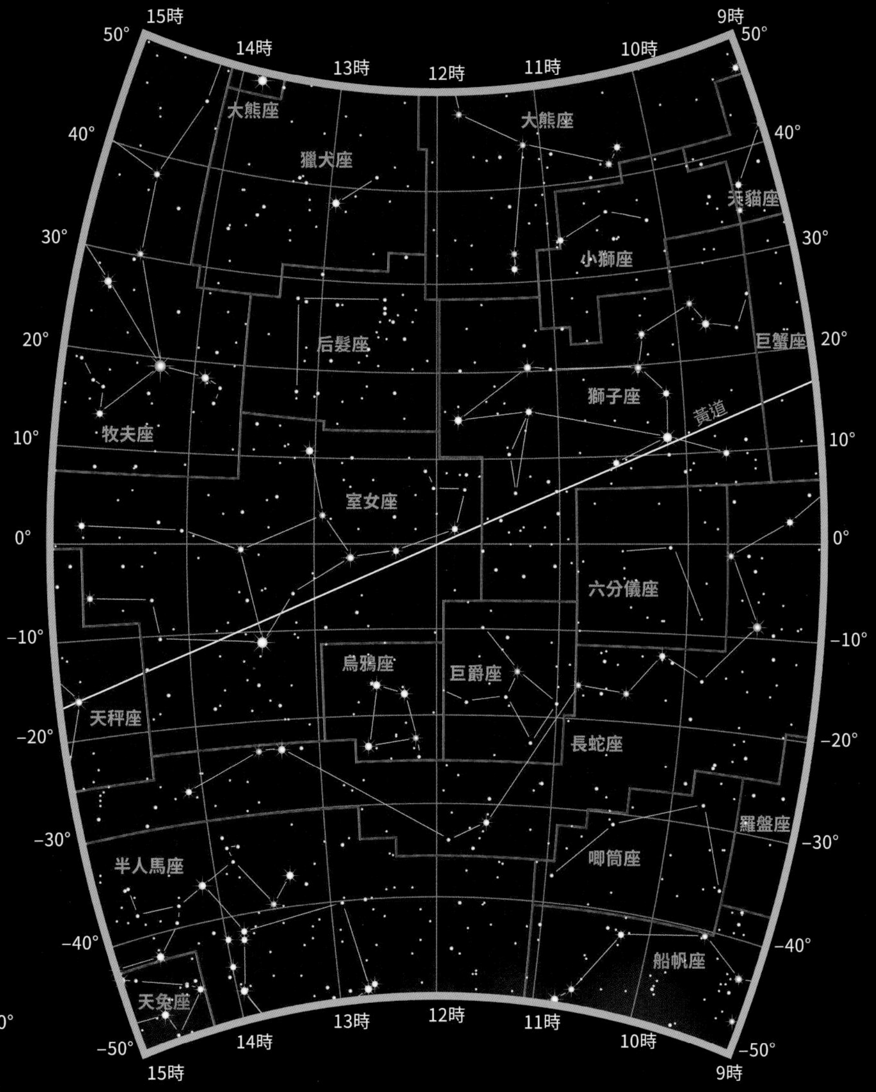

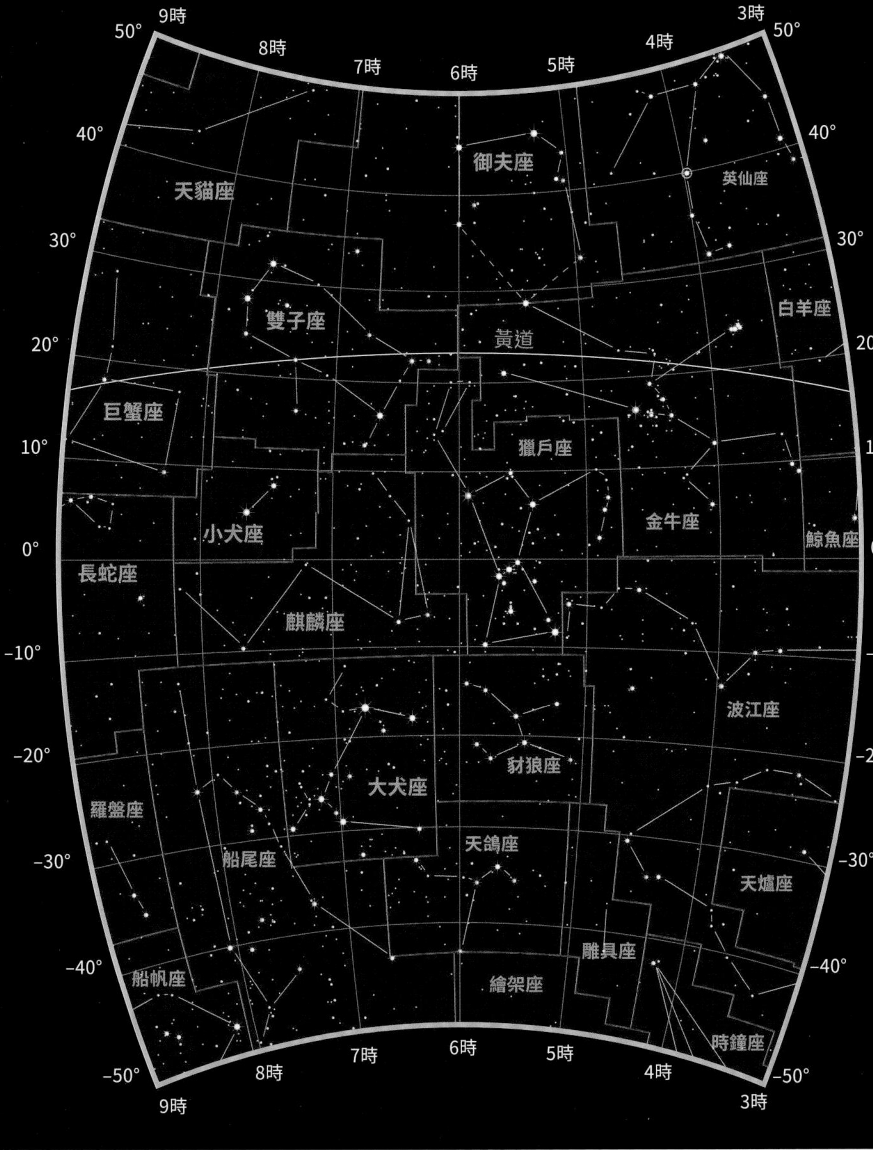

赤道星圖 4

這部分星空的最佳觀測時機是 12 月、1 月或 2 月的夜晚。本區是夜空中最眩目的區域，比其他星圖區擁有更多明亮的星星（恆星），其中的獵戶座相當容易辨識，它有 3 顆明亮星星組成的一條線，稱為「獵戶腰帶」；緊鄰獵戶座的是金牛座，這個星座包含畢宿五（金牛座 α 星），以及天球上最精緻的星團——昴宿星團（亦稱七姐妹星團）。

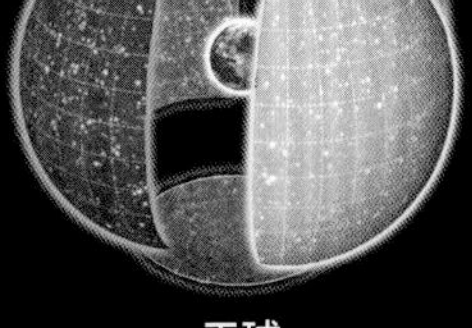

天球

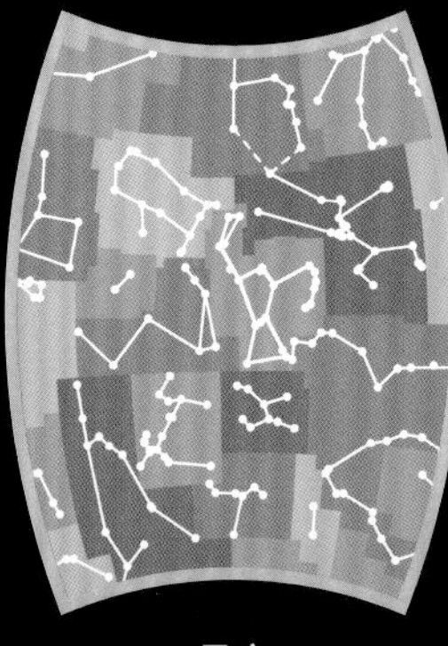

星座

世界政區地圖

地表的陸地可分為 7 大區域，稱之為「洲」：南極洲、北美洲、南美洲、歐洲、亞洲、非洲和大洋洲，這七大洲大多可以再細分為許多國家—全世界共有 195 個國家—唯一的例外是南極洲，南極洲不屬於任何國家，但許多國家聲稱對南極洲的部分土地擁有主權。

各大洲人口

全球人口總數目前已超過 70 億人。亞洲是人口最多的大洲，全球人口中的 60% 集中於亞洲，包括全世界人口最多的兩個國家——中國 (13 億 5,000 萬人) 和印度 (12 億人)。相反地，氣候最嚴寒的南極洲，不論任何季節都只有區區數千人居住——而這些人，大多是在當地進行研究的科學家。

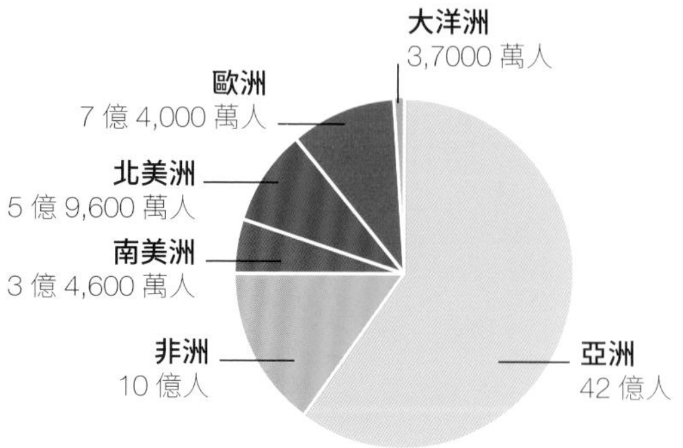

劃分世界

世界政區地圖呈現七大洲和所有國家。赤道是一條假想線，橫向跨越地表的中心位置，赤道南北兩側、跟北回歸線與南回歸線所構成的區域，稱為熱帶 (或熱帶與亞熱帶)，這是全世界氣候最炎熱的地區——也就是陽光可以直射的範圍。

時區

地表可被許多縱向假想線—經線—分隔成不同時間區域，朝東或朝西每跨越 15°，時間就必須減少或增加 1 小時；全世界總共劃分為 24 個「時區」。

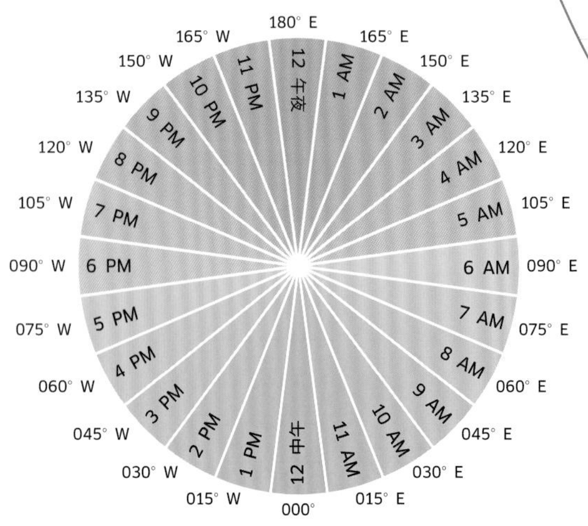

各大洲面積

亞洲是面積最大的大洲，大洋洲是面積最小的大洲，後者面積大約只有前者的 1/6。俄羅斯則是全世界最大的國家，其國土橫跨歐洲和亞洲，總面積 17,098,242 平方公里。面積第 2 大和第 3 大的國家分別是加拿大與美國，加拿大的面積是 9,984,670 平方公里，而美國的面積是 9,826,675 平方公里。

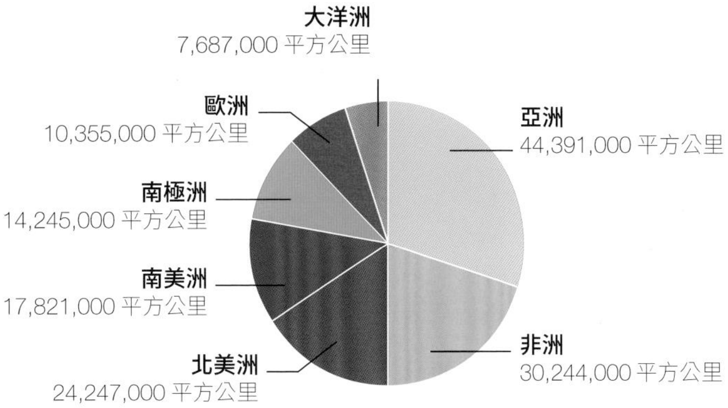

教廷（梵蒂岡）是全世界**最小的國家，**面積只有 0.5 平方公里。

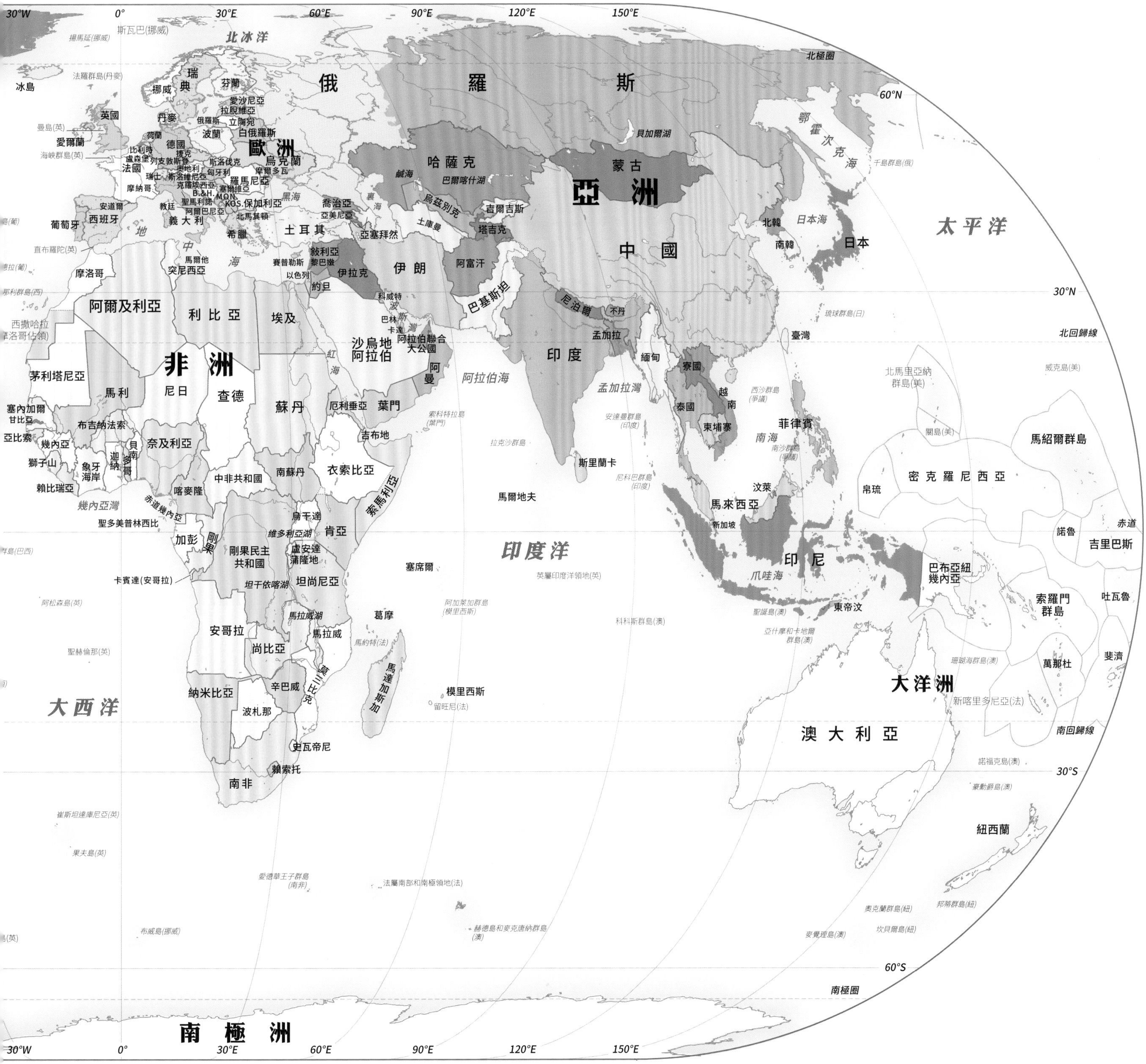

各國國旗

所有國家都有自己的國旗，各以獨特的設計來跟其他國家作出區別，然而，國旗如何設計並無任何國際規定，每一個國家可以選擇自己想要的圖案，而這些圖案大多以該國的歷史或文化作為基礎。大部分國家的國旗都是四邊形，但長寬比例並不一致，而尼泊爾的國旗是唯一的例外，其形狀像是部分交疊的兩面三角形。國旗到了 19 世紀才開始普及，而丹麥擁有全世界最古老的國旗——從 13 世紀沿用至今。

北美洲

加拿大、美國、墨西哥、貝里斯、哥斯大黎加、薩爾瓦多、瓜地馬拉、宏都拉斯、尼加拉瓜、巴拿馬、安地卡及巴布達、巴哈馬、巴貝多、古巴、多明尼克、多明尼加、格瑞那達、聖文森及格瑞那丁、千里達及托巴哥、聖克里斯多福及尼維斯、聖露西亞、海地、牙買加

非洲

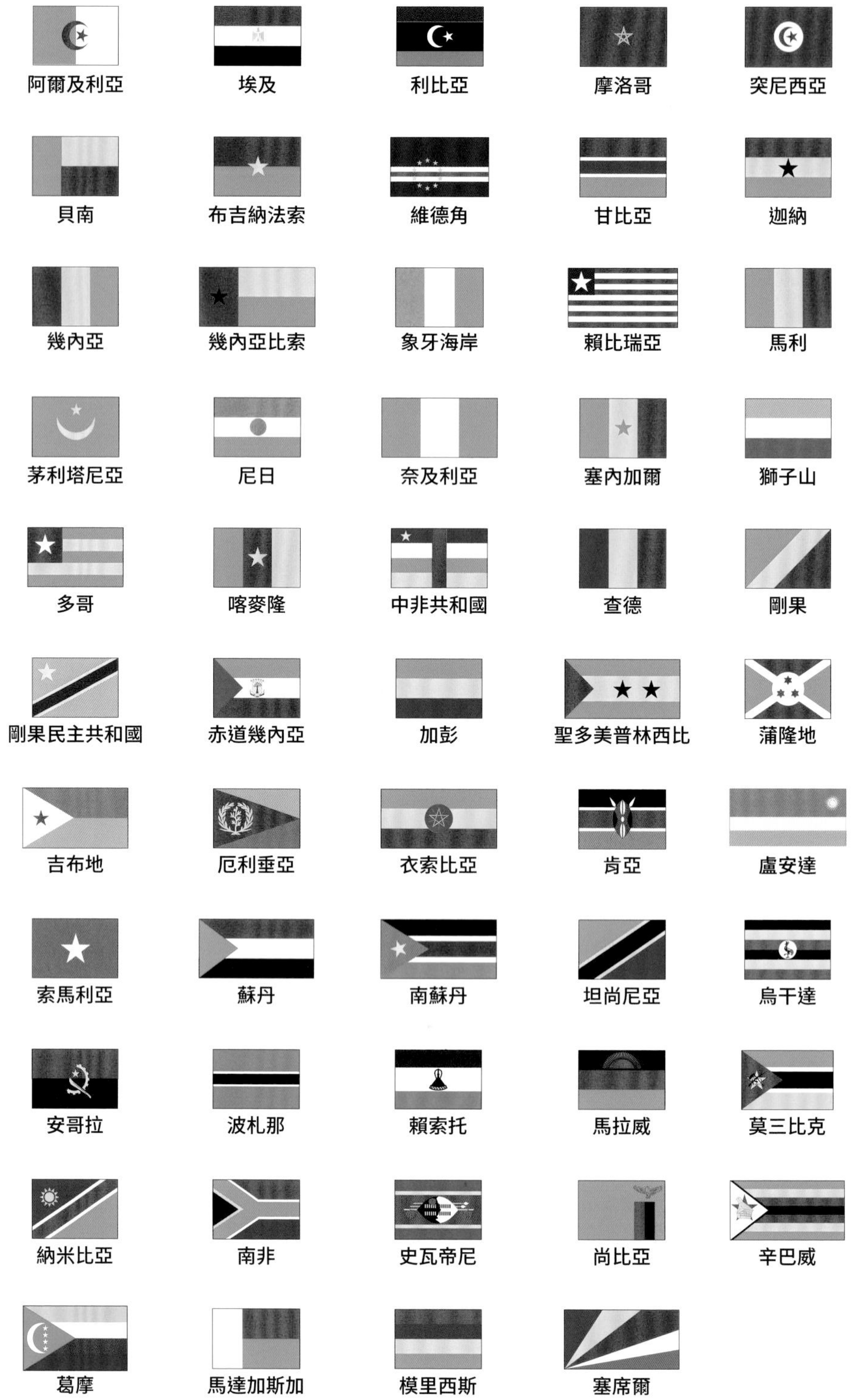

阿爾及利亞、埃及、利比亞、摩洛哥、突尼西亞、貝南、布吉納法索、維德角、甘比亞、迦納、幾內亞、幾內亞比索、象牙海岸、賴比瑞亞、馬利、茅利塔尼亞、尼日、奈及利亞、塞內加爾、獅子山、多哥、喀麥隆、中非共和國、查德、剛果、剛果民主共和國、赤道幾內亞、加彭、聖多美普林西比、蒲隆地、吉布地、厄利垂亞、衣索比亞、肯亞、盧安達、索馬利亞、蘇丹、南蘇丹、坦尚尼亞、烏干達、安哥拉、波札那、賴索托、馬拉威、莫三比克、納米比亞、南非、史瓦帝尼、尚比亞、辛巴威、葛摩、馬達加斯加、模里西斯、塞席爾

南美洲

哥倫比亞、蓋亞那、蘇利南、委瑞內拉、玻利維亞、厄瓜多、秘魯、巴西、阿根廷、烏拉圭、智利、巴拉圭

歐洲

丹麥	芬蘭	冰島	挪威
瑞典	愛爾蘭	英國	比利時
盧森堡	荷蘭（尼德蘭）	德國	法國
摩納哥	安道爾	葡萄牙	西班牙
義大利	聖馬利諾	教廷（梵蒂岡）	奧地利
列支敦斯登	斯洛維尼亞	瑞士	捷克
匈牙利	波蘭	斯洛伐克	阿爾巴尼亞
波士尼亞與赫塞哥維納	克羅埃西亞	科索沃（爭議）	北馬其頓
蒙特內哥羅	塞爾維亞	保加利亞	希臘
摩爾多瓦	羅馬尼亞	烏克蘭	白俄羅斯
愛沙尼亞	拉脫維亞	立陶宛	賽普勒斯
馬爾他	俄羅斯		

亞洲

亞美尼亞	亞塞拜然	喬治亞	土耳其
伊拉克	以色列	約旦	黎巴嫩
敘利亞	巴林	科威特	阿曼
卡達	沙烏地阿拉伯	阿拉伯聯合大公國	葉門
伊朗	哈薩克	吉爾吉斯	塔吉克
土庫曼	烏茲別克	阿富汗	巴基斯坦
孟加拉	不丹	印度	尼泊爾
斯里蘭卡	中國	蒙古	北韓
南韓	中華民國（臺灣）	日本	緬甸
柬埔寨	寮國	菲律賓	泰國
越南	汶萊	印尼	東帝汶
馬來西亞	新加坡	馬爾地夫	

大洋洲

澳大利亞	紐西蘭	巴布亞紐幾內亞	斐濟	索羅門群島	萬那杜	馬紹爾群島	密克羅尼西亞	諾魯
帛琉	吉里巴斯	吐瓦魯	東加	薩摩亞				

演化樹

生物的形式已經演化出令人驚訝的多樣性，但所有生物都源自於 38 億年前首度出現的最早生命體。這幅跨頁演化樹顯示，最簡單的單細胞生物—細菌之類的原核生物—逐漸演化成較為複雜的單細胞真核生物，以及多細胞的植物、真菌和動物。

生物多樣性的主要類群都呈現在這幅跨頁圖表中，包括所有脊椎動物類群。人類是哺乳動物靈長類的一份子，因此，我們也算是地球從最簡單生物歷經數十億年演化過程的一部分。

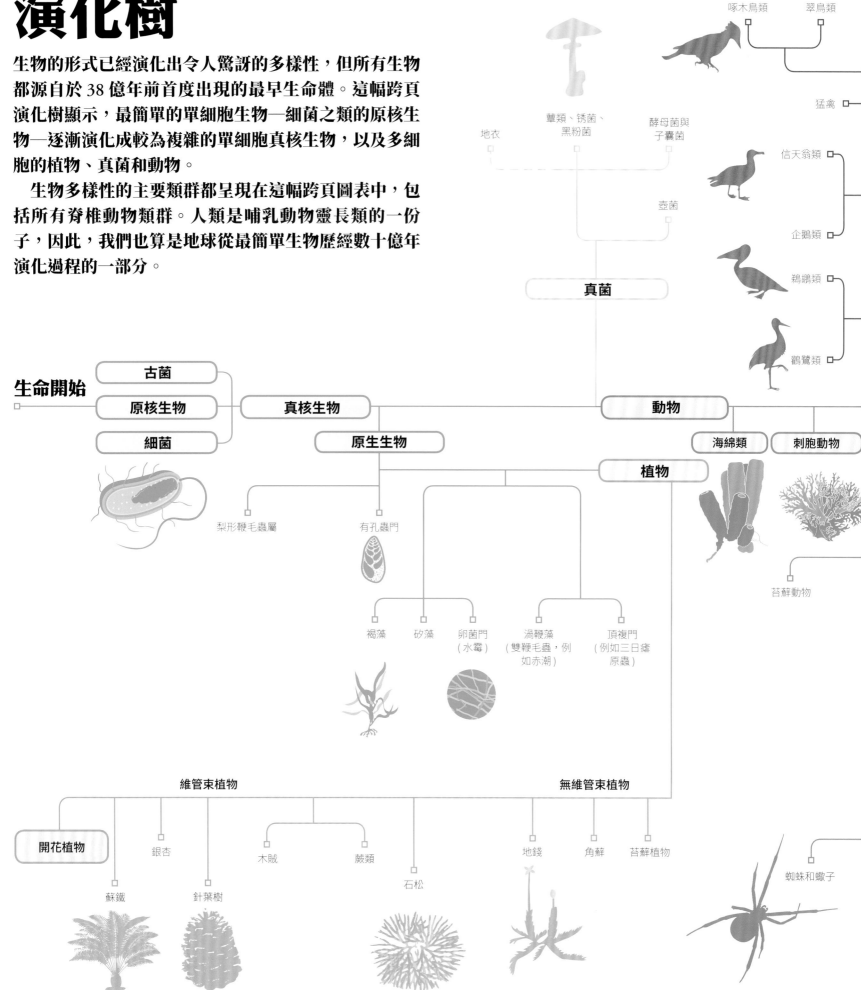

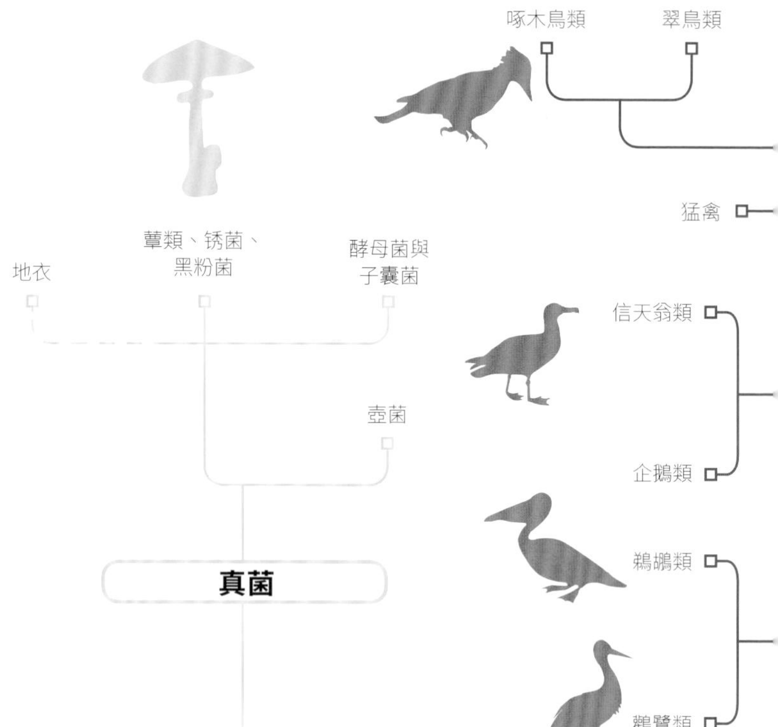

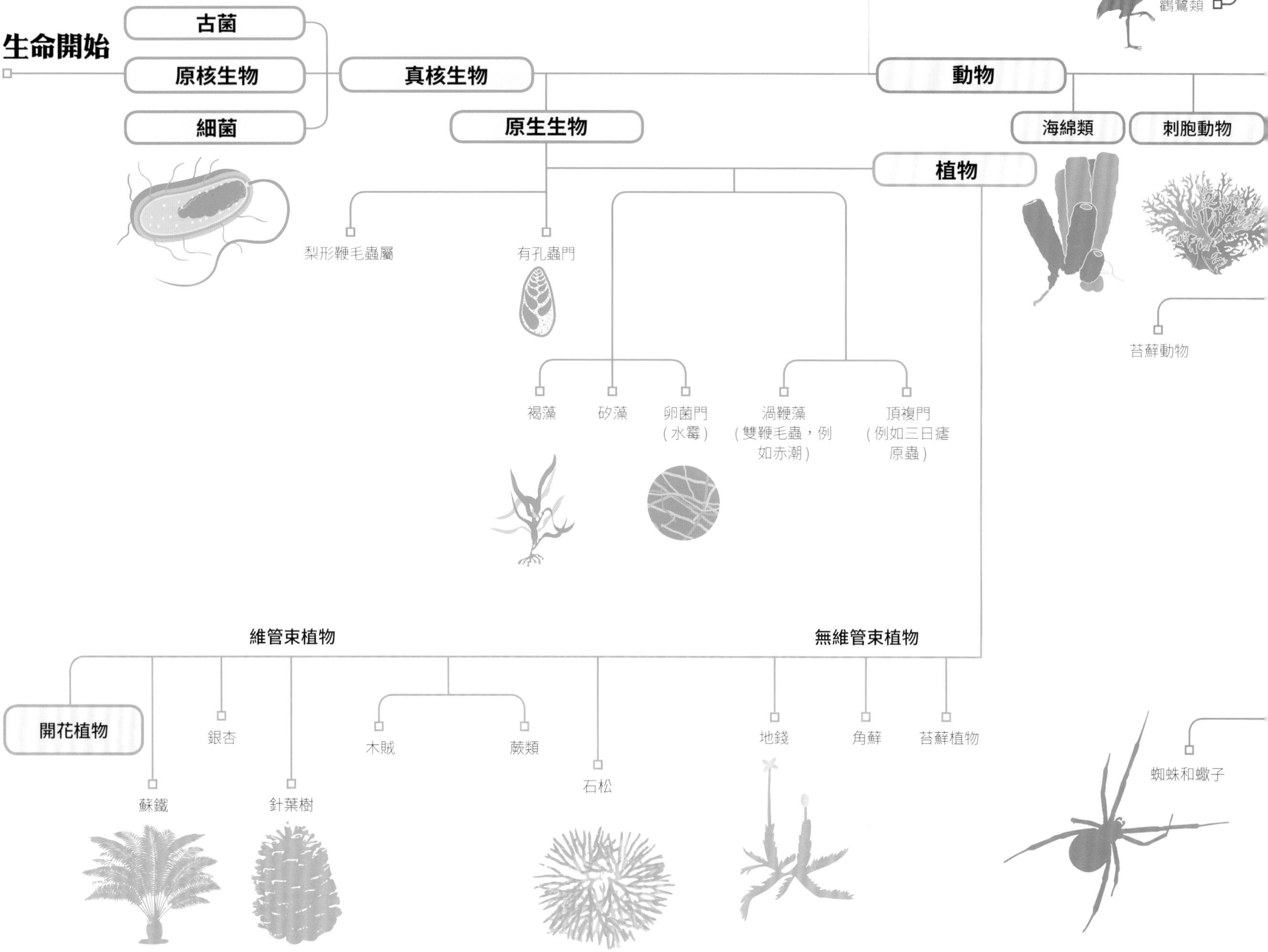

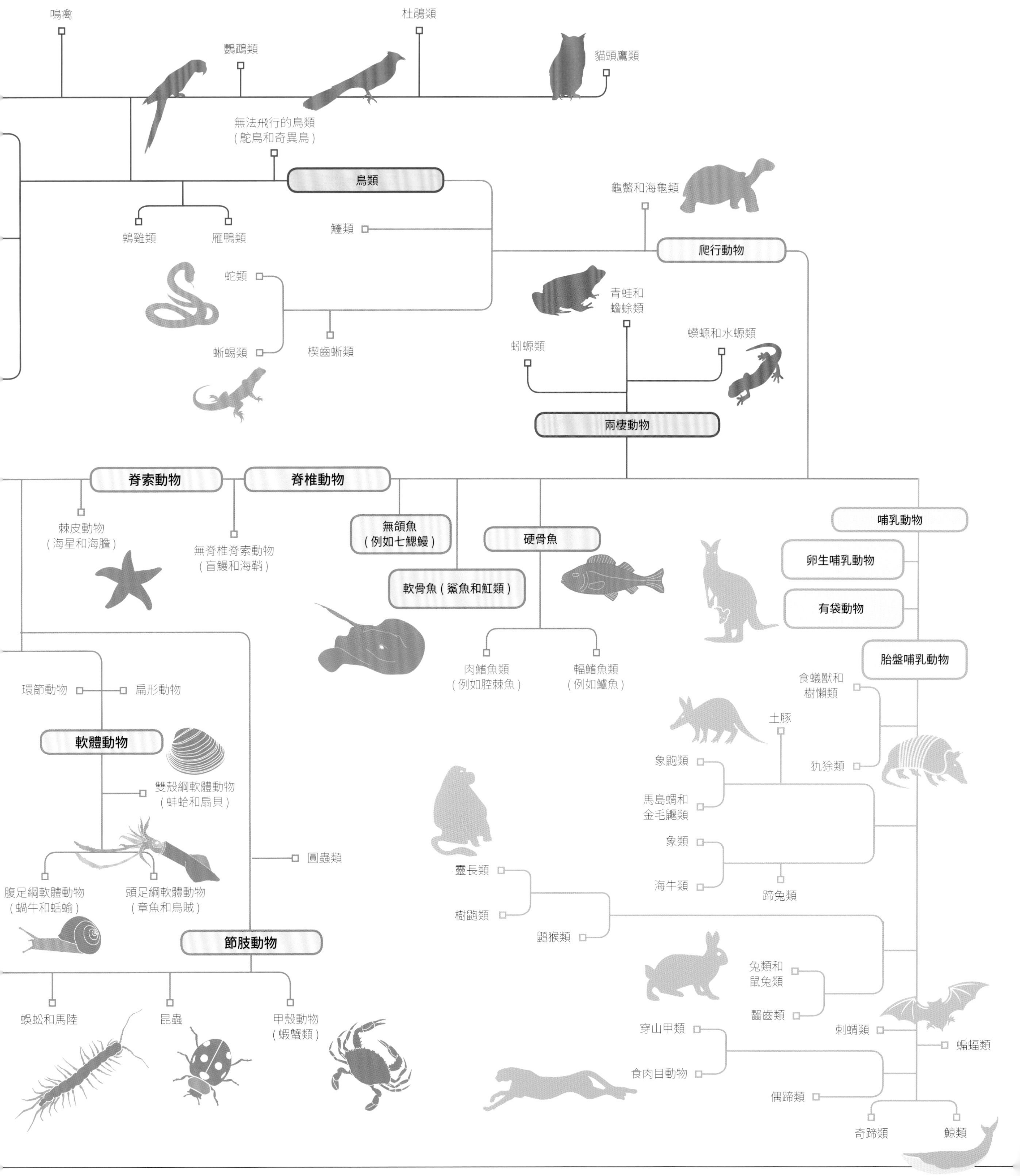
鳴禽
鸚鵡類
杜鵑類
貓頭鷹類
無法飛行的鳥類
（鴕鳥和奇異鳥）
鳥類
鶉雞類
雁鴨類
鱷類
龜鱉和海龜類
爬行動物
蛇類
蜥蜴類
楔齒蜥類
青蛙和
蟾蜍類
蚓螈類
蠑螈和水螈類
兩棲動物
脊索動物
脊椎動物
棘皮動物
（海星和海膽）
無脊椎脊索動物
（盲鰻和海鞘）
無頜魚
（例如七鰓鰻）
軟骨魚（鯊魚和魟類）
硬骨魚
肉鰭魚類
（例如腔棘魚）
輻鰭魚類
（例如鱸魚）
哺乳動物
卵生哺乳動物
有袋動物
胎盤哺乳動物
環節動物
扁形動物
軟體動物
雙殼綱軟體動物
（蚌蛤和扇貝）
圓蟲類
腹足綱軟體動物
（蝸牛和蛞蝓）
頭足綱軟體動物
（章魚和烏賊）
節肢動物
蜈蚣和馬陸
昆蟲
甲殼動物
（蝦蟹類）
食蟻獸和
樹獺類
土豚
犰狳類
象鼩類
馬島蝟和
金毛鼴類
象類
海牛類
蹄兔類
靈長類
樹鼩類
鼯猴類
兔類和
鼠兔類
齧齒類
穿山甲類
食肉目動物
刺蝟類
蝙蝠類
偶蹄類
奇蹄類
鯨類

自然界的各項紀錄保持者

許多動物擁有超群的「武藝」，牠們有的速度驚人、有的能發出大到不可思議的聲音，另有一些動物的體型非比尋常—超級巨大、或是小到讓人懷疑牠們的身體如何運作—還有一些動物的壽命很長，但也有一些動物的生命只有短短幾天！

重量級動物

體型最龐大的動物—例如鯨類或大型鯊魚—大多棲息在海洋，海水的浮力有助於牠們支撐身體。

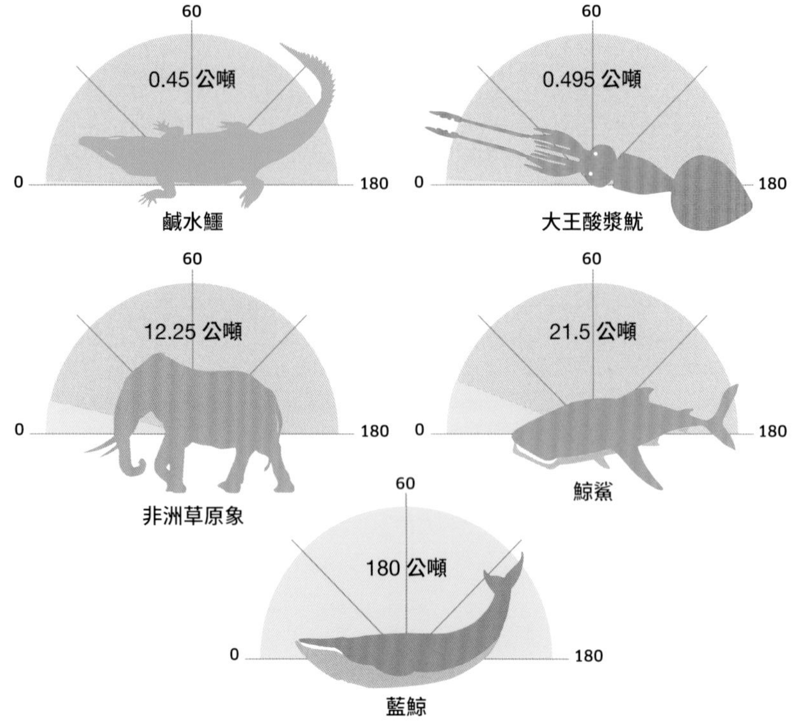

0.45 公噸
鹹水鱷
0.495 公噸
大王酸漿魷
12.25 公噸
非洲草原象
21.5 公噸
鯨鯊
180 公噸
藍鯨
0
60
180

移動速度

有些掠食動物在攻擊獵物時能夠達到驚人的速度，相反地，樹懶卻好像是以慢動作過完牠的一生。

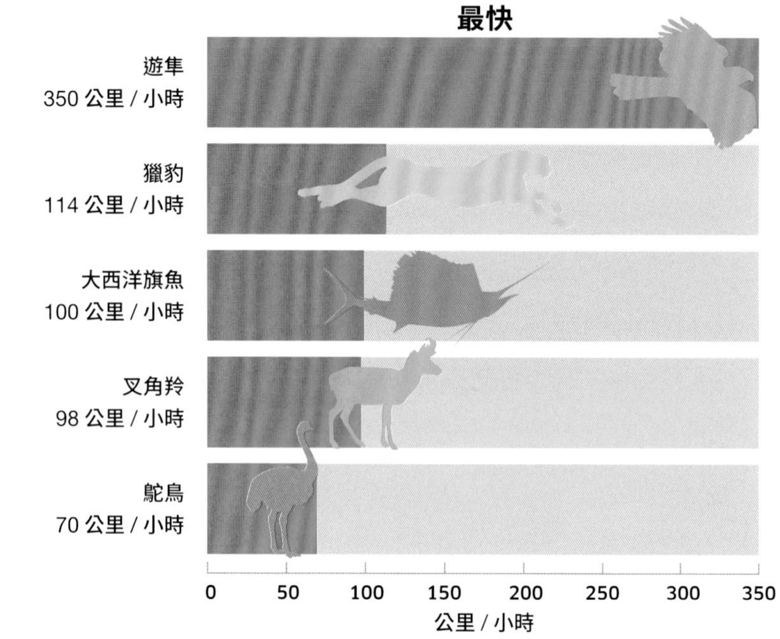

最快
遊隼
350 公里 / 小時
獵豹
114 公里 / 小時
大西洋旗魚
100 公里 / 小時
叉角羚
98 公里 / 小時
鴕鳥
70 公里 / 小時
0 50 100 150 200 250 300 350
公里 / 小時

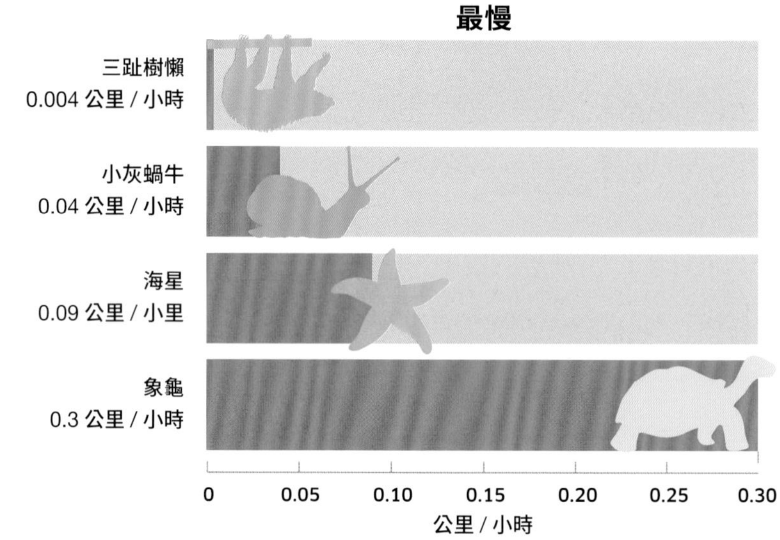

最慢
三趾樹懶
0.004 公里 / 小時
小灰蝸牛
0.04 公里 / 小時
海星
0.09 公里 / 小里
象龜
0.3 公里 / 小時
0 0.05 0.10 0.15 0.20 0.25 0.30
公里 / 小時

最吵雜的動物

槍蝦運用巨螯發出音爆來震昏獵物，這是動物界所能發出的最大聲響，但幸運的是，這種巨響只能持續不到 1 秒鐘。

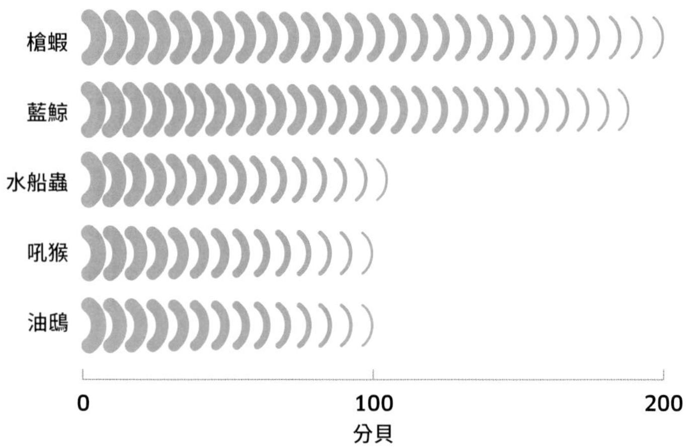

槍蝦
藍鯨
水船蟲
吼猴
油鴟
0
100
200
分貝

跳遠高手

雪豹棲息於崎嶇的山地，牠們能夠跳越很長的距離來攻擊獵物，另有一些動物則是運用跳躍來逃離危險。

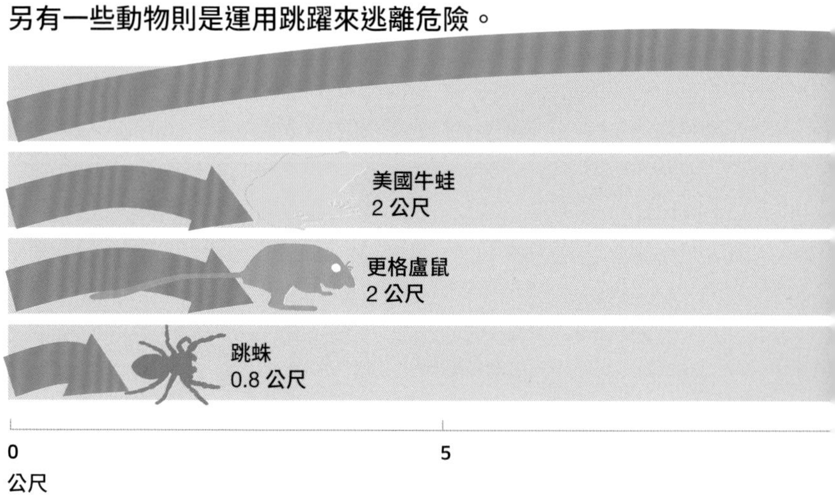

美國牛蛙
2 公尺
更格盧鼠
2 公尺
跳蛛
0.8 公尺
0
5
公尺

動物的壽命

大型動物通常活得比小型動物更久，有些昆蟲—例如蜉蝣—的成蟲，甚至只能活個幾小時。

壽命最長(年)

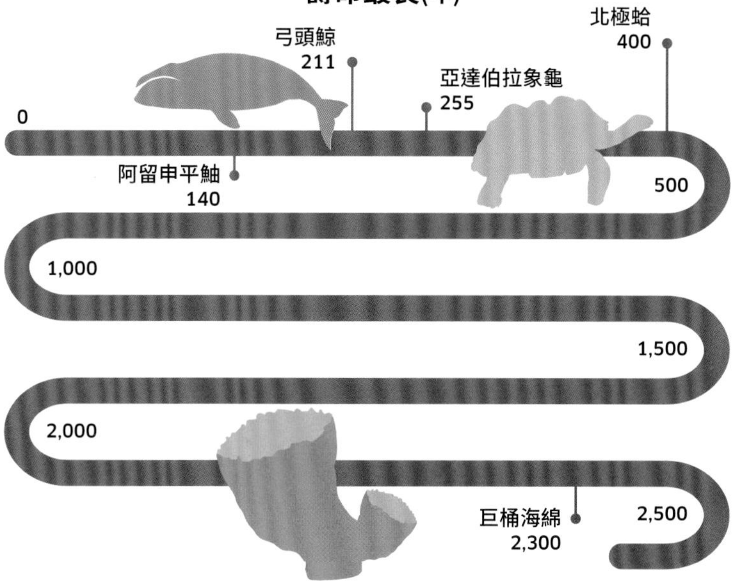
弓頭鯨
211
北極蛤
400
亞達伯拉象龜
255
0
阿留申平鮋
140
500
1,000
1,500
2,000
巨桶海綿
2,300
2,500

壽命最短(天)

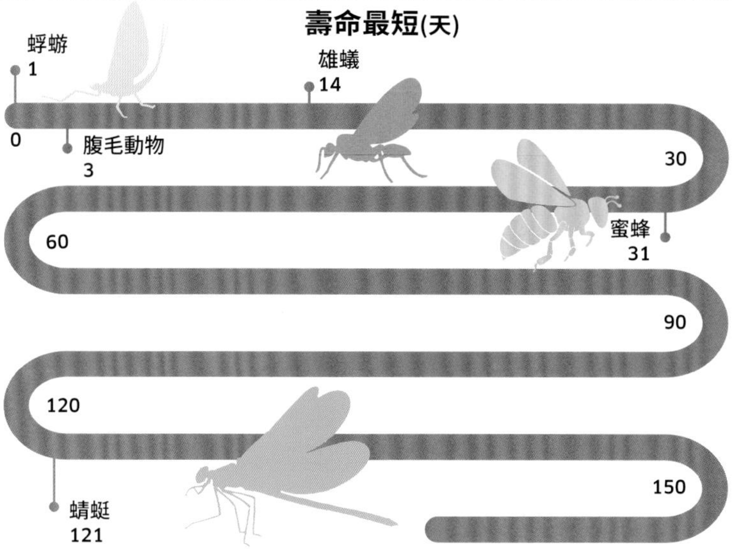
蜉蝣
1
雄蟻
14
0
腹毛動物
3
30
60
蜜蜂
31
90
120
150
蜻蜓
121

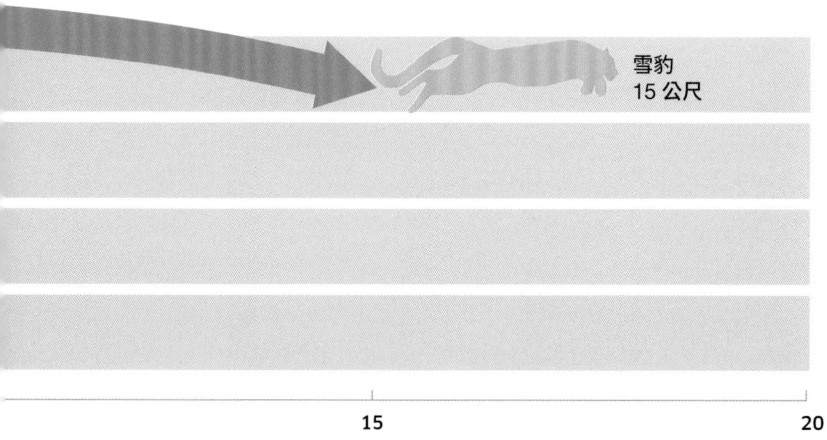
雪豹
15 公尺
15
20

最高與最小

體型最小的動物幾乎得用顯微鏡才能看得清楚，例如主要棲息於池塘與溪流的輪蟲。另有一些動物高頭大馬，體型明顯大於周遭的其他動物。

最高

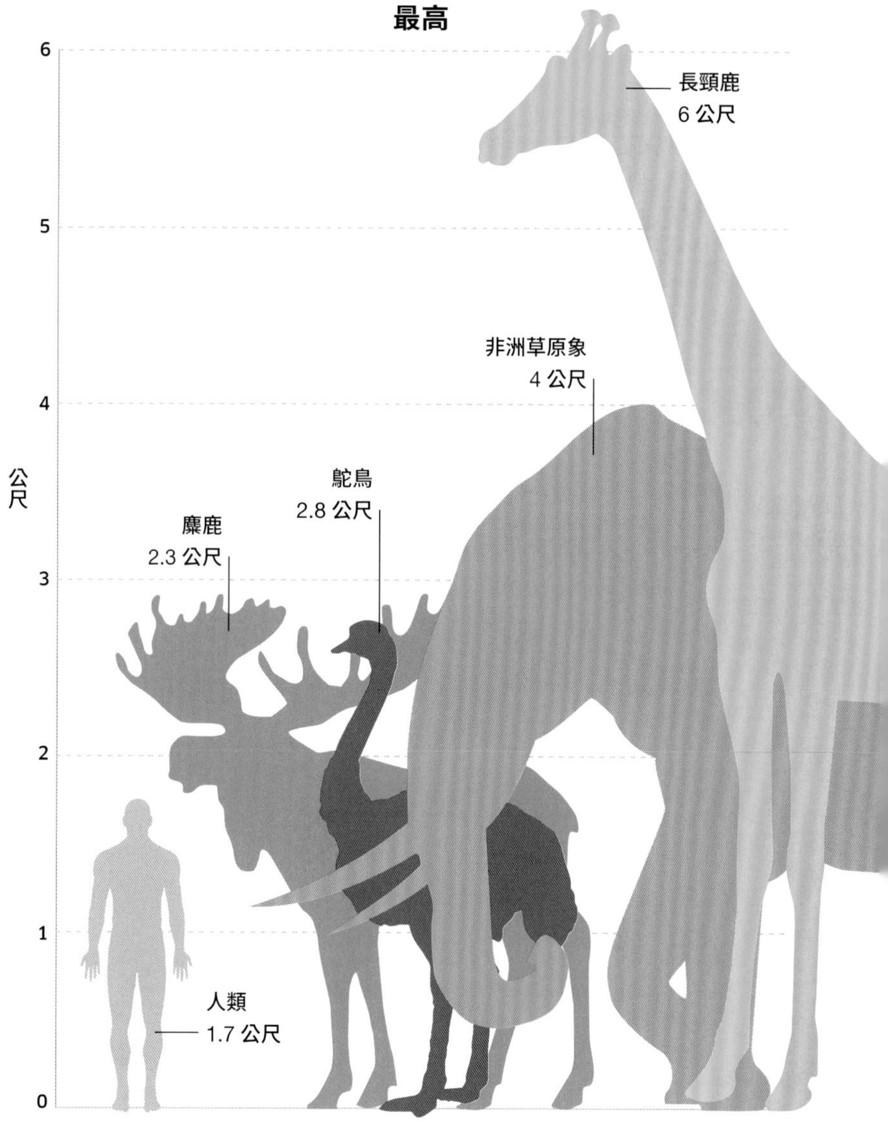
公尺
6
5
4
3
2
1
0
長頸鹿
6 公尺
非洲草原象
4 公尺
鴕鳥
2.8 公尺
麋鹿
2.3 公尺
人類
1.7 公尺

最小

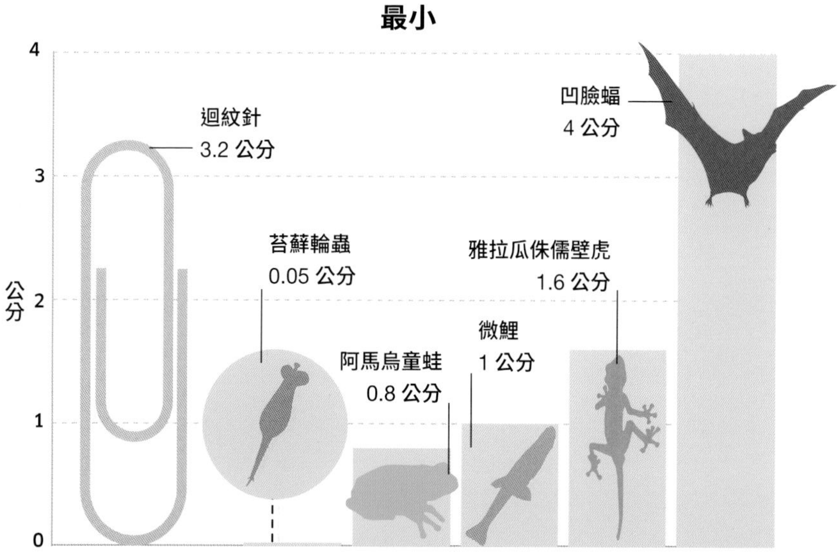
公分
4
3
2
1
0
迴紋針
3.2 公分
苔蘚輪蟲
0.05 公分
阿馬烏童蛙
0.8 公分
微鯉
1 公分
雅拉瓜侏儒壁虎
1.6 公分
凹臉蝠
4 公分

單位換算表

「測量」幫助我們對事物達成一致的標示，至關重大，若是沒有精確的測量，就不會產生各種世界紀錄、烹飪時胡搞一通，連訂製服裝再也無法合身。古代的測量單位通常以人體的某些部位作為基準，例如我們現在仍然沿用的英尺(foot，意思是腳)，然而每一個人的腳掌大小是不一樣的，因此現代人必須使用更精準的測量單位。

測量單位

測量單位一般分為兩大系統，英制系統與公制系統，英制單位至今在美國仍然普遍使用，而公制系統更適合用於科學工作，目前廣泛使用於全世界。在公制系統中，單位與單位之間的換算都是 10 的冪次。

面積

公制單位	
100 平方毫米 (mm^2)	1 平方公分 (cm^2)
10,000 平方公分 (cm^2)	1 平方公尺 (m^2)
10,000 平方公尺 (m^2)	1 公頃 (ha)
100 公頃 (ha)	1 平方公里 (km^2)
1 平方公里 (km^2)	1,000,000 平方公尺 (m^2)
英制單位	
144 平方英寸 (in^2)	1 平方英尺 (ft2)
9 平方英尺 (ft^2)	1 平方碼 (yd^2)
1,296 平方英寸 (in^2)	1 平方碼 (yd^2)
43,560 平方英尺 (ft^2)	1 英畝 (ac)
640 英畝 (ac)	1 平方英里 (mi^2)

長度

公制單位	
10 毫米 (mm)	1 公分 (cm)
100 公分 (cm)	1 公尺 (m)
1,000 毫米 (mm)	1 公尺 (m)
1,000 公尺 (m)	1 公里 (km)
英制單位	
12 英寸 (in)	1 英尺 (ft)
3 英尺 (ft)	1 碼 (yd)
1,760 碼 (yd)	1 英里 (mi)
5,280 英尺 (ft)	1 英里 (mi)
8 浪 (furlong)	1 英里 (mi)

液體容量

公制單位	
1,000 毫升 (ml)	1 公升 (l)
100 公升 (l)	1 公石 (hi)
10 公石 (hi)	1 公秉 (kl)
1,000 公升 (l)	1 公秉 (kl)
英制單位	
8 液盎司 (fl oz)	1 杯 (cup)
20 液盎司 (fl oz)	1 品脫 (pt)
4 吉爾 (gi)	1 品脫 (pt)
2 品脫 (pt)	1 夸脫 (qt)
4 夸脫 (qt)	1 加侖 (gal)
8 品脫 (pt)	1 加侖 (gal)

質量

公制單位	
1,000 毫克 (mg)	1 公克 (g)
1,000 公克 (g)	1 公斤 (kg)
1,000 公斤 (kg)	1 公噸 (t)
英制單位	
16 盎司 (oz)	1 磅 (lb)
14 磅 (lb)	1 英石 (st)
112 磅 (lb)	1 英擔 (cwt)
20 英擔 (cwt)	1 英噸 (ton)

溫度

	華氏溫度	攝氏溫度
水的沸點	212°	100°
水的凝固點(冰點)	32°	0°
絕對零度	- 459°	- 273°

時間

公制與英制單位相同	
60 秒	1 分
60 分	1 時
24 時	1 天
7 天	1 週
52 週	1 年
1 年	12 月

單位換算

藉由乘以或除以一個固定數字—換算因數—你可以將公制單位轉換為英制單位，反之亦然；唯一不能藉由這種簡單方式換算的只有溫度單位，它們的換算法式比較特殊。

溫度

從華氏溫度(°F)
換算成為攝氏溫度(°C)
C = (F - 32) x 5 + 9

從攝氏溫度(°C)
換算成為華氏溫度(°F)
F = (C x 9 - 5) + 32

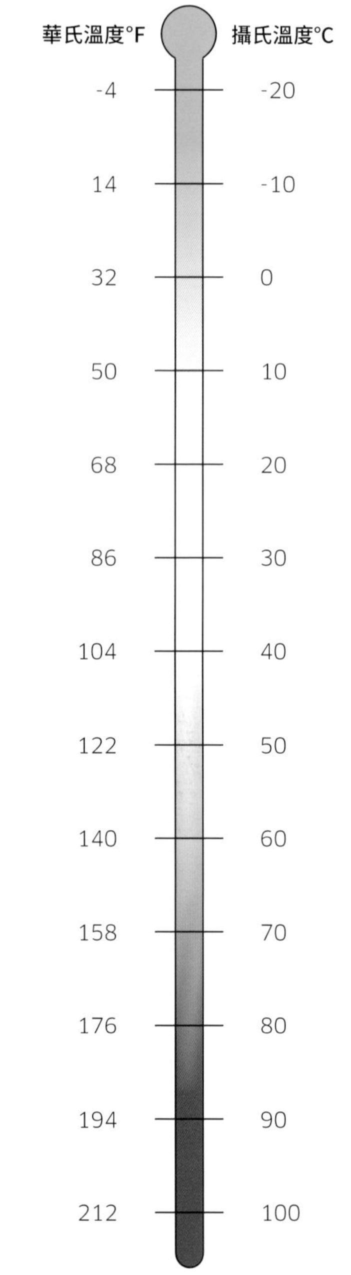

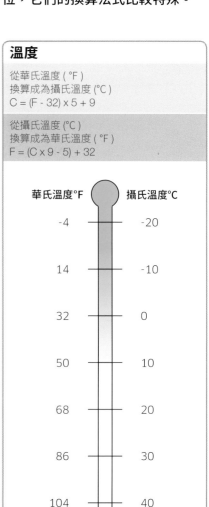

華氏溫度°F
攝氏溫度°C
-4
-20
14
-10
32
0
50
10
68
20
86
30
104
40
122
50
140
60
158
70
176
80
194
90
212
100

公制單位與英制單位互相換算

換算前單位	換算後單位	× 換算因數	換算前單位	換算後單位	÷ 換算因數
英畝	公頃	0.40	公頃	英畝	0.40
公分	英尺	0.03	英尺	公分	0.03
公分	英寸	0.39	英寸	公分	0.39
立方公分	立方英寸	0.06	立方英寸	立方公分	0.06
立方英尺	立方公尺	0.03	立方公尺	立方英尺	0.03
立方英寸	立方公分	16.39	立方公分	立方英寸	16.39
立方公尺	立方英尺	35.32	立方英尺	立方公尺	35.32
英尺	公分	30.48	公分	英尺	30.48
英尺	公尺	0.30	公尺	英尺	0.30
加侖	公升	4.55	公升	加侖	4.55
公克	盎司	0.04	盎司	公克	0.04
公頃	英畝	2.47	英畝	公頃	2.47
英寸	公分	2.54	公分	英寸	2.54
公斤	磅	2.20	磅	公斤	2.20
公里	英里	0.62	英里	公里	0.62
公里 / 小時	英里 / 小時	0.62	英里 / 小時	公里 / 小時	0.62
公升	加侖	0.22	加侖	公升	0.22
公升	品脫	1.76	品脫	公升	1.76
公尺	英尺	3.28	英尺	公尺	3.28
公尺	碼	1.09	碼	公尺	1.09
公尺 / 分鐘	公分 / 秒	1.67	公分 / 秒	公尺 / 分鐘	1.67
公尺 / 分鐘	英尺 / 秒	0.05	英尺 / 秒	公尺 / 分鐘	0.05
英里	公里	1.61	公里	英里	1.61
英里 / 小時	公里 / 小時	1.61	公里 / 小時	英里 / 小時	1.61
英里 / 小時	公尺 / 秒	0.45	公尺 / 秒	英里 / 小時	0.45
毫米	英寸	0.04	英寸	毫米	0.04
盎司	公克	28.35	公克	盎司	28.35
品脫	公升	0.57	公升	品脫	0.57
磅	公斤	0.45	公斤	磅	0.45
平方公分	平方英寸	0.16	平方英寸	平方公分	0.16
平方英寸	平方公分	6.45	平方公分	平方英寸	6.45
平方英尺	平方公尺	0.09	平方公尺	平方英尺	0.09
平方公里	平方英里	0.39	平方英里	平方公里	0.39
平方公尺	平方英尺	10.76	平方英尺	平方公尺	10.76
平方公尺	平方碼	1.20	平方碼	平方公尺	1.20
平方英里	平方公里	2.59	平方公里	平方英里	2.59
平方碼	平方公尺	0.84	平方公尺	平方碼	0.84
公噸	英噸	0.98	英噸	公噸	0.98
英噸	公噸	1.02	公噸	英噸	1.02
碼	公尺	0.91	公尺	碼	0.91

不可思議的歷史

在世界各地，滾滾歷史長河從未停歇，從瘋狂的統治者、天才兒童、龐大的帝國和劃時代的發明，歷史充斥著許多令人難以置信的人物與事件，但卻是再真實不過了！讓我們來看看這些歷史上最令人驚豔的人、事、物！

面積最大的帝國

歷史中出現許多龐大的帝國，其幅員之遼闊，通常橫跨數個大洲。帝國的所有權力集中在單一君主、或一小群人身上，他們統治廣大的領土，除了維持內部穩定，還不斷想著向外擴張、征服新的土地；以下是歷史上曾經存在的前 5 大帝國。

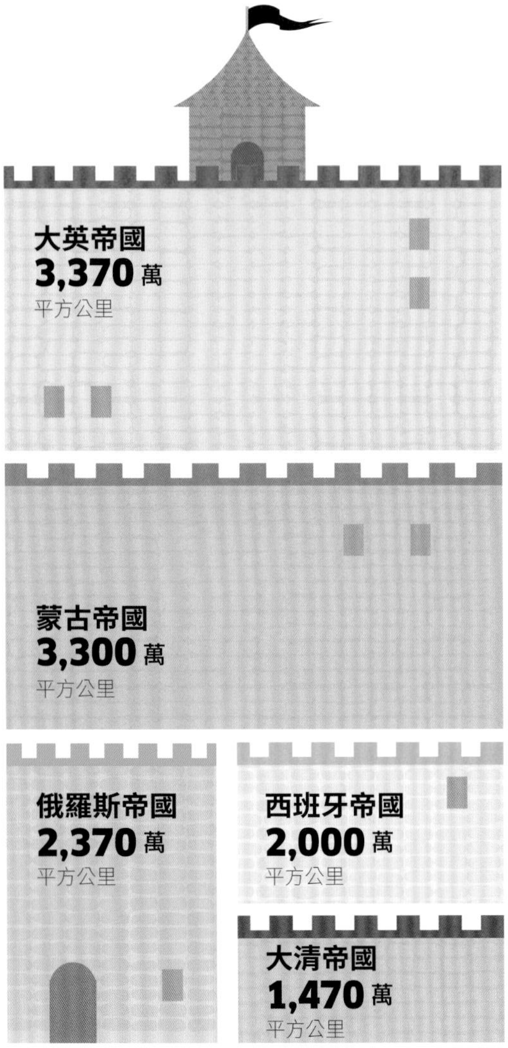
大英帝國
3,370 萬
平方公里
蒙古帝國
3,300 萬
平方公里
俄羅斯帝國
2,370 萬
平方公里
西班牙帝國
2,000 萬
平方公里
大清帝國
1,470 萬
平方公里

大英帝國
在 19 世紀顛峰時期，大英帝國的領土一度覆蓋全世界大約 1/4 的陸地，號稱「日不落帝國」。

蒙古帝國
在成吉思汗的領導下，蒙古帝國在 13、14 世紀快速崛起，領土橫跨整個亞洲——涵蓋現今的中國和俄羅斯。

俄羅斯帝國
俄羅斯帝國建立於西元 1721 年，終結於 1917 年的俄國共產主義革命。俄羅斯帝國在 19 世紀中葉達到顛峰，領土橫跨東歐、亞洲和北美洲。

西班牙帝國
在哈布斯堡王朝統治下，西班牙帝國於 16、17 世紀成為全球強權，領土涵蓋現今北美洲、南美洲、以及歐洲部分地區。

大清帝國
清朝為中國最後一個帝制王朝。大清帝國建於 17 世紀中葉，亡於 20 世紀初，國祚 267 年。

歷時最長的戰爭

綜觀全球歷史，軍事衝突可說是屢見不鮮，其中有些戰爭結束得相當迅速，另有一些戰爭則持續了數十年、甚至 1 個世紀之久，直到分出高下才停止。

116 年

百年戰爭，1337-1453
英國與法國打了一場史上最長的戰爭，雖然名為「百年」，但這場戰爭實際上歷時 116 年。

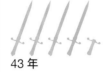

43 年

布匿戰爭，西元前 246- 前 146 年
古羅馬人 (控制義大利半島) 與迦太基 (海上強權) 展開前後 3 次的一系列戰爭，最終羅馬擊敗迦太基，並在西元前 146 年摧毀了迦太基城。

30 年

三十年戰爭，1618-1648
這場戰爭的起因眾多，但主要是天主教與基督新教之間的宗教衝突，主戰場在日耳曼地區；這場衝突始於宗教對立，後來演變為政治勢力的對抗，其結果永遠改變了歐洲歷史的走向。

30 年

玫瑰戰爭，1455-1485
為了爭奪英格蘭王位，約克家族與蘭開斯特家族展開為時 30 年的對抗，最終亨利七世領導的蘭開斯特家族擊敗由理查三世領導的約克家族，建立了都鐸王朝。

27 年

伯羅奔尼撒戰爭，西元前 431- 前 404 年
這是「雅典同盟」與「斯巴達同盟」之間的戰爭，雅典雖然在海上擁有絕對優勢，但強大的斯巴達陸軍最終仍擊潰了雅典同盟的軍隊。

23 年

拿破崙戰爭，1796-1815
拿破崙．波拿巴是一位驍勇善戰的將軍，他在 1804 年稱帝，建立法蘭西第一帝國，之後發動一系列對抗其他歐洲強權的戰爭，直到滑鐵盧之役慘敗而告終。

歷時最短的戰爭

並非所有戰爭都如此曠日費時，有一些沒幾天就打完了！耗時最短的戰爭當屬英桑戰爭，起因是尚吉巴蘇丹國的繼承者在未取得英國領事的同意下自行宣布即位——戰爭一爆發，他幾乎就馬上逃出皇宮！

38 分鐘

英桑戰爭，1896
大不列顛王國與尚吉巴蘇丹國之間的戰爭。

6 天

六日戰爭，1967
以色列與鄰近國家——埃及、約旦、敘利亞——之間的戰爭。

13 天

印巴戰爭，1971
印度與巴基斯坦之間的戰爭。

14 天

塞保戰爭，1885
塞爾維亞與保加利亞之間的戰爭。

24 天

喬治亞 - 亞美尼亞戰爭 1918
喬治亞與亞美尼亞之間的戰爭。

劃時代的發明

要是沒有這些偉大的發明，現今我們的生活將會大為不同；從簡單的家庭用品到複雜的現代科技，這些令人難以置信的發明，徹底改變了我們的生活與想法，也改變了歷史的進程。

1440：印刷機
約翰尼斯．谷騰堡發明印刷機，讓所有人更快速、更便宜地取得文本。

1776：蒸汽機
詹姆士．瓦特改良早期蒸汽機，他將冷凝器獨立出來，大幅提升了運作效率。

1876：電話
亞歷山大．葛拉漢．貝爾以發明電話而聞名於世；但另有許多人聲稱自己才是電話的發明者。

1879：電燈泡
將電燈應用於住家的確是個聰明的想法——這是由湯瑪斯．愛迪生與約瑟夫．斯萬發明的。

1886：汽車
德國工程師卡爾．賓士將三輪汽車推廣上路，其動力來自內燃機。

1928：盤尼西林
亞歷山大．弗萊明培養細菌時的意外發現，後來導致史上第一種抗生素—盤尼西林—的出現。

1941：現代電腦
康拉德．楚澤發明了史上第一台具有程式化邏輯的電腦——「Z3 電腦」。

1969：網際網路
史上第一個網路系統是由五角大廈(美國國防部)所建立的；20 年後，提姆．伯納 - 李創建了「全球資訊網」(W.W.W.)。

1977：核磁共振成像
運用高強度磁鐵和無線電波，可在短短幾秒之內建構出人體柔軟組織的影像。

瘋狂領導人

人類歷史上出現許多稀奇古怪的領導人，其中有的是控制狂、有的患有妄想症，還有一些心性極為殘暴、或是徹底陷入瘋狂；以下選出幾位史上著名的瘋狂領導人。

哈特謝普蘇特(西元前 1470 年代)
這位埃及統治者知道，她的子民並不贊同由一位女性法老王來領導，所以她戴上了假鬍子，並且自稱為「國王」、而非「王后」。

阿淑爾納西爾帕二世
(統治期間：西元前 884- 前 859 年)
這位亞述將軍喜歡大肆張揚自己輝煌的戰功——在宮殿入口的碑文上，刻寫著他如何對叛徒施以酷刑。

尼布甲尼撒二世
(統治期間：西元前 605- 前 562 年)
巴比倫國王尼布甲尼撒二世幻想自己是一頭牛，他在原野中生活了 7 年，吃草為生。

庇西特拉圖(西元前 560 年代)
這位雅典公民聲稱自己長期遭受攻擊，因此城邦允准他擁有貼身護衛。然而，他卻利用護衛隊的力量奪權，接管了城邦事務，進而成為統治者。

尼祿(西元 37-68 年)
這名羅馬皇帝不僅殺掉自己的媽媽和哥哥，據傳還將許多基督教徒抓進花園，並在晚上燒了他們來提供亮光。

卡利古拉(西元 12-41 年)
羅馬皇帝卡利古拉以殘暴和奢侈聞名於世，他公開宣稱自己是「神」，甚至將所有神祇雕像的頭部都換成自己的臉龐——不僅期待人們崇拜他，也讓所有神祇都長得像他自己。

雅典的伊琳娜(西元 752-803 年)
雅典的伊琳娜是君士坦丁六世的生母，但她命人將兒子的雙眼挖掉，並讓自己獨攬拜占庭帝國所有權力。

巴西爾二世(958-1025 年)
在 1014 年的保加利亞戰役勝利之後，拜占庭帝國皇帝巴西爾二世命令軍隊，將 1 萬 5,000 名保加利亞戰俘的雙眼刨除，僅留一人刨除單眼——他必須帶領其他戰俘回家。

帖木兒(1336-1404 年)
帖木兒是遊牧民族的軍事領袖，根據地位於今日烏茲別克境內。這名領導人殺光了所有阻礙他前進的人，其中包括一座城市中的 30,000 名居民！

弗拉德三世(1431-1476 年)
弗拉德三世被暱稱為「穿刺者」——這位外西凡尼亞的統治者率軍進入鄰近的保加利亞，在當地抓了 20,000 人，並將他們刺穿於木樁上！

法魯克一世(1920-1965 年)
這位埃及國王是個知名的小偷，喜歡偷取國賓口袋中的財物——他曾經扒走英國首相邱吉爾昂貴的懷表。

天才小神童

有些人天賦異稟，在很小的年紀就達到很高的成就；從音樂家到數學家都有，這些聰明的小神童以令人驚豔的天賦與成就，不斷寫下歷史新頁。

阿威森那(980-1037 年)
這位波斯博學家(專精於多個領域)在 10 歲就能背誦整本古蘭經，並於 18 歲取得醫生資格。

布萊茲．帕斯卡(1623-1662 年)
這名天才數學家提出幾何學的重要論文——當時他年僅 16 歲。

瑪麗亞．加埃塔納．阿涅西(1718-1799 年)
阿涅西在 13 歲就通曉 7 種以上的語言，後來成為一名數學家、語言學家暨哲學家。

阿瑪迪斯．莫札特(1756-1791 年)
莫札特 4 歲彈奏鋼琴和小提琴，5 歲就能作曲。

尚．法蘭索瓦．商博良(1790-1832 年)
這位法國語言學家在 16 歲就學會 12 種語言，成年後，他甚至破解了古埃及的象形文字。

巴勃羅．畢卡索(1881-1973 年)
在父親的訓練之下，畢卡索在很小年紀就創作出令人難以置信的畫作。

古代世界七大奇蹟

透過古希臘旅人們欽佩又驚訝的文字，我們得以窺見分布在地中海東部沿岸的古代世界七大奇蹟，但時至今日，只有吉薩三大金字塔仍然屹立。

亞歷山大燈塔
這是史上第一座燈塔，西元前 3 世紀左右建造於尼羅河畔；這座燈塔利用鏡面反射陽光。

吉薩三大金字塔
金字塔的建造是為了作為古埃及法老王的皇家陵墓；這 3 座金字塔鄰近開羅，分別是古夫金字塔、卡夫拉金字塔、孟卡拉金字塔。

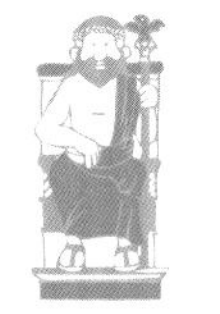

奧林匹亞宙斯神像
這座高達 12 公尺的宙斯神像座落於奧林匹亞——古希臘舉辦古代奧運的所在地。

阿耳忒彌斯神廟
這幢巨型神廟以大理石建造，擁有 127 根圓柱，裡頭供奉古希臘的狩獵及生育之神——阿耳忒彌斯。

羅德島太陽神銅像
以青銅打造，古希臘太陽神—海利歐斯—的雕像高達 33.5 公尺，但完工 60 年之後就在一次地震中傾倒。

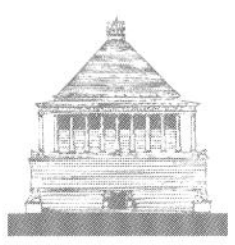

摩索拉斯王陵墓
埋葬卡尼亞國王摩索拉斯的巨型大理石陵墓，由他哀傷欲絕的妻子—阿爾特米西亞一世—所建造。

巴比倫空中花園
這些花園建於大型磚造台階之上，據說有 22 公尺高；但許多專家認為，「空中花園」可能根本就不存在。

索引

五劃

六劃

七劃

八劃

九劃

十劃

十一劃

十二劃

十三劃

十四劃

十五劃

十六劃

十七劃

十八劃

十九劃

二十劃

二十一劃

二十二劃

二十三劃

二十四劃

二十五劃

二十七劃

二十八劃